FOCLÓIR PÓCA

FOCLÓIR PÓCA

ENGLISH-IRISH/IRISH-ENGLISH DICTIONARY

G AN GÚM
Baile Átha Cliath

ISBN 1- 85791-047-8

Design & Art Facilities Teo. a chuir suas an cló.
Cumarsáid Creative a dhear an clúdach.

Criterion Press Teo. a chlóbhuail in Éirinn.

Le fáil ar an bpost uathu seo:

An Siopa Leabhar,	*nó*	An Ceathrú Póilí,
6 Sráid Fhearchair,		Cultúrlann Mac Adam–Ó Fiaich,
Baile Átha Cliath 2.		216 Bóthar na bhFál,
ansiopaleabhar@eircom.net		Béal Feirste BT12 6AH.
		leabhair@an4poili.com

Orduithe ó leabhardhíoltóirí chuig:
Áis,
31 Sráid na bhFíníní,
Baile Átha Cliath 2.
eolas@forasnagaeilge.ie

**An Gúm, 24-27 Sráid Fhreidric Thuaidh,
Baile Átha Cliath 1**

CONTENTS

ABBREVIATIONS & SIGNS

a	adjective	npl	nominative plural/noun plural
adj	adjectival	nsg	nominative singular
adv	adverb	num	numerical
art	article	p	past
aut	autonomous	part	participle
aux	auxiliary	pl	plural
comp	comparative	poss	possessive
cond	conditional	pref	prefix
conj	conjunction	prep	preposition
def	definite	pres	present
dem	demonstrative	pron	pronoun, pronominal
dep	dependent	rel	relative
ds	dative singular	R.P.	Received Pronunciation
f	feminine	s	substantive
fpl	feminine plural	sg	singular
fut	future	spl	substantive plural
gpl	genitive plural	sth	something
gs	genitive singular	subj	subjunctive
gsf	genitive singular feminine	suff	suffix
gsm	genitive singular masculine	v	verb
hab	habitual	var	variant
indecl	indeclinable	vb	verbal
int	interjection	vi	verb intransitive
interr	interrogative	vide	see
I.P.A.	International Phonetic Alphabet	vn	verbal noun
m	masculine	voc	vocative
mpl	masculine plural	vt	verb transitive
n	noun	vt & i	verb transitive and intransitive
neg	negative	1,2,3,4	1st, 2nd, 3rd, 4th declension

-	indicates repetition of headword as far as following letter
~	(1) indicates repetition of headword in its entirety
	(2) in phonetic description, indicates that different pronunciations given are interchangeable. But see†.
†	indicates a further note in the phonetic appendix *pp* 528 *ff*

PREFACE

The aim of this dictionary is to meet the ordinary needs of school-goers and of the general public. It comprises a wide and useful modern vocabulary in both Irish and English.

It was felt that mere word-lists would not achieve the dictionary's aim, given the greatly differing characters of the two languages involved, and consequently a good sprinkling of exemplary phrases occur throughout the work.

The Irish/English section has been abstracted from *Foclóir Gaeilge/Béarla* (ed. N. Ó Dónaill *et al*), and supplemented by a number of new terms which have since come into being, mainly as a result of the work of the Terminology Committee (An Coiste Téarmaíochta).

This section also carries basic grammatical data, and for the first time ever in a work of this nature, each headword is accompanied by a phonetic description. An account of the phonetic system used is to be found on pp.xi ff.

Grammatical detail is sparser in the English/Irish section, and users are referred to the Irish/English section for further elucidation.

Geographical names, languages, etc. are to be found in separate appendices.

Punctuation

Commas are used in both sections to separate words with the same or similar meaning, or where specific meanings have been flagged; a semicolon separates various shades of meaning within the same entry. It should be noted, however, that semantic ranges in the two languages do not always correspond exactly.

In sample phrases, a comma indicates interchangeability, e.g. *tá cleas, dóigh, dul, air = tá cleas air/tá dóigh air/tá dul air*, while a semicolon generally serves to separate alternative meanings of the same phrase. More rarely, a semicolon may serve to separate two different constructions one of which already contains commas.

The colon is used to cross-reference irregular Irish grammatical forms to the appropriate headwords, e.g. **mná: bean.**

Grammar and Spelling

Official standardised spelling and grammar are used for Irish forms throughout. No alternative spellings have been admitted, and alternative grammatical forms have been minimised.

For English, British standard spelling is employed. Users should check under alternative spellings where these are current, e.g. brier/briar, gipsy/gypsy.

The Noun in Irish

The abbreviations *m*1, *f*2, *m*3, *f*3, *m*4 & *f*4 indicate that a noun is declined like:

	nsg	*gs*	*npl*	*gpl*
*m*1	bád	báid	báid	bád
	bacach	bacaigh	bacaigh	bacach
	peann	pinn	pinn	peann
	beithíoch	beithígh	beithígh	beithíoch
	páipéar	páipéir	páipéir	páipéar
*f*2	beach	beiche	beacha	beach
	bos	boise	bosa	bos
	scornach	scornaí	scornacha	scornach
	eaglais	eaglaise	eaglaisí	eaglaisí
*m*3	cainteoir	cainteora	cainteoirí	cainteoirí
	gnólacht	gnólachta	gnólachtaí	gnólachtaí
	tincéir	tincéara	tincéirí	tincéirí
*f*3	admháil	admhála	admhálacha	admhálacha
	beannacht	beannachta	beannachtaí	beannachtaí
	ban-ab	ban-aba	ban-abaí	ban-abaí
*m*4	bata	bata	bataí	bataí
	féirín	féirín	féiríní	féiríní
	císte	císte	cístí	cístí
	rúnaí	rúnaí	rúnaithe	rúnaithe
	ordú	ordaithe	orduithe	orduithe
	cruinniú	cruinnithe	cruinnithe	cruinnithe
*f*4	bearna	bearna	bearnaí	bearnaí
	comhairle	comhairle	comhairlí	comhairlí

Where nouns are not declined entirely according to any of the above patterns, (e.g. nouns traditionally assigned to the 5th declension, nouns with irregular plurals etc.) the irregular forms are given.

The Adjective in Irish

The abbreviation *a*1 indicates that an adjective is declined like:

	gsm	gsf & comp	npl	gpl
1.	bán	báin	báine	bána	bán
2.	glic	glic	glice	glice	glic
3.	cleasach	cleasaigh	cleasaí	cleasacha	cleasach

The abbreviation *a*2 indicates that an adjective is declined like:

gsm	gsf & comp	npl	gpl
misniúil	misniúla	misniúla	misniúil

Adjectives designated *a*3 do not change in form. Departures from the above patterns are noted in the dictionary.

The Verb

Verbs are entered under the root, i.e. the 2nd sg imperative. For those verbs which are conjugated like *mol*, *bris*, *sábháil*, *tíolaic*, *cráigh*, *léigh*, *figh*, *beannaigh*, *cruinnigh*, no grammatical data has been given under the headword. A table of regular verbs can be found on pp. 517 ff.

In the case of syncopated verbs, conjugated like *ceangail*, *díbir*, etc., the 3rd sg pres has been given as a guide.

A table of the irregular verbs appears on pp. 523 ff.

The Verbal Noun

Regular vns, i.e. those ending in -(*e*)*adh*, (*i*)*ú*, and those like *sábháil* and *crá*, are not given as such, but may appear in separate entries as nouns.

Irregular vns are only included under the verb where they are not listed separately as nouns, or where such listing would separate them unduly from the parent verb.

Whereas some verbal nouns have two genitives according to whether the noun function or the verbal function predominates, only the nominal genitive appears here.

Participles and Verbal Adjectives

These only appear as headwords where they function as adjectives.

Foireann

Iad seo a leanas a chuir an foclóir seo in eagar sa Ghúm:

Annraoi Ó Liatháin nach maireann (Eagarthóir); Máire Nic Mhaoláin (Eagarthóir);

Eilís Ní Bhrádaigh, Máire Ní Ící agus Seán Ó Briain (Eagarthóirí Cúnta).

Eagarthóir Foghraíochta: an Dr. Dónall P. Ó Baoill (I.T.É.).

PHONETIC PREFACE
Preparation of Pronunciation Guide

Since this is the first dictionary of Irish to contain a comprehensive guide to pronunciation it is necessary to outline briefly how such a system of pronunciation was devised and developed. The Department of Education decided that for the benefit of those unfamiliar with Irish pronunciation each headword in this pocket dictionary should be accompanied by an indication as to how the word is to be pronounced. Institiúid Teangeolaíochta Éireann was asked to assist in providing this guide and an advisory committee was set up by the Institiúid to steer the work. The members of the committee were as follows:

Dr. Dónall P. Ó Baoill (I.T.É.) (Chairman); Tomás Ó Domhnalláin (Director I.T.É.); Dr. Niall Ó Dónaill (An Gúm, Dept. of Education); Pádraig Ó Maoileoin (An Gúm, Dept. of Education); Dr. Éamonn Ó hÓgáin (An Gúm, Dept. of Education); Annraoi Ó Liatháin (An Gúm, Dept. of Education); Éamonn Ó Tuathail (Gaeleagras); Prof. Tomás De Bhaldraithe (University College, Dublin); Prof. Máirtín Ó Murchú (Trinity College, Dublin); Diarmaid Ó Donnchadha (Gael-Linn); Seán Ó Dubháin (Dept. of Education); Liam Budhlaeir (R.T.É.) and Seán Ó Lúing (Translation Dept., Leinster House)

At its first meeting, the committee agreed that its main objective should be the formulation of a satisfactory system of phonetic notation, and that where possible only a single recommended pronunciation should accompany each headword.

Since there are various ways of pronouncing Irish correctly, it was necessary to agree on a 'neutral' or 'core' pronunciation which would encompass all the essential sound contrasts and stress rules of Irish. To this end a subcommittee of three was appointed to devise such a pronunciation system. The members of the subcommittee were: Dr. Dónall P. Ó Baoill (Chairman), Éamonn Ó Tuathail and Pádraig Ó Maoileoin, all native speakers of Irish. The subcommittee referred their recommendations to the advisory committee over a period, and these were approved, with minor alterations, by the advisory committee. Once the principles were agreed work commenced on fixing the pronunciation of the headwords, of which there are about 16,000 in the Irish/English section of the dictionary. A thesaurus of rules and examples was compiled covering various aspects of Irish pronunciation including the basic sounds, stress patterns, deletion and assimilation of particular sounds, and word inflection. This work was carried out by Dónall P. Ó Baoill (I.T.É.) and Seán Ó Briain (An Gúm).

The committee later decided that an essential feature of the work would be the publication of a sample tape, the examples on the tape being illustrated by three native speakers, representing the three main dialects.

Institiúid Teangeolaíochta Éireann has published *Lárchanúint don Ghaeilge* (Dónall P. Ó Baoill), which is a more detailed and technical account (with a more comprehensive tape) of the general principles, rules and recommendations on which the pronunciation given in the dictionary is based.

Outline of the Pronunciation Guide

The system of pronunciation proposed here contains all the essential contrasts found in the three main dialects. It does not correspond in every detail to any one dialect but contains a core common to them all. It is hoped that this core dialect will assist the teaching and learning of spoken Irish at a basic and intermediate level, and that the system will serve as a guide to Irish pronunciation for those involved in lecturing, broadcasting and in the media generally. For those already fluent in Irish, this core dialect is not meant to displace their existing dialect but is intended as an alternative medium for use in more formal contexts. The sound transcription used in the dictionary is explained briefly below.

THE VOWELS

It was agreed that a vowel system containing five long vowels, five corresponding short vowels and a neutral vowel would suffice to cover all the contrasts found in Irish. Long and short vowels must be distinguished because replacing one by the other can change the meaning of a word. When /:/ is placed after a vowel it denotes that the vowel is long. The eleven elements of the vowel system are listed below.

Symbol used in Dictionary	I.P.A. Symbol	Irish Examples	Nearest English Equivalent
i	i	duine, im, sin	sit
i:	i:	buí, naoi, sín	me
e	e	ceist, te	set
e:	e:	mé, tae	say
a	a	bean, mac	bat
a:	a:	ard, tá	far
o	o	obair, seo	son
o:	o:	ceol, mór	more
u	u	dubh, tiubh	book
u:	u:	siúl, tú	who
ə	ə	mála, míle	about

THE DIPHTHONGS:

In the core system of pronunciation found in this dictionary there are *four contrasting diphthongs*. They are as follows:

Symbol used in Dictionary	I.P.A. Symbol	Irish Examples	Nearest English Equivalent
ai	ai	radharc,	I
au	au	leabhar,	cow
iə	iə	bia, pian	pianist
uə	uə	fuar, suas	fluent

THE CONSONANTS:

It was agreed that a consonant system containing thirty-six consonants would suffice to cover all the contrasts found in Irish. With the exception of /h/ and /d′z′/, Irish can be regarded as having two sets of consonant sounds. One set contains seventeen *broad* consonants, the other set contains the corresponding seventeen *slender* consonants. More technically, the terms *velarised* and *palatalised* are used for *broad* and *slender* respectively. Broad and slender consonants must be distinguished because replacing one by the other can change the meaning of a word. In written Irish, broad consonants are preceded or followed by 'A', 'O' or 'U'. Slender consonants are preceded or followed by 'I' or 'E'.Thus Irish has a slender /b'/ as in *beo* 'alive' /b'o:/ and a broad /b/ as in *bó* 'cow' /bo:/ and it is the type of 'b' used that distinguishes *beo* from *bó*. The same can be said for the pair *cead* 'permission', /k'ad/, and *cad*? 'what?', /kad/, where the two words are distinguisned by the 'c' sounds used. The other fifteen pairs can be similarly distinguished.

In the notation used in this dictionary broad consonants are left unmarked and the slender consonants are marked by placing /'/ after them. The I.P.A. equivalents for all the consonants are given on the chart below for those familiar with that notation. Although English words are given as an illustration for some of the consonants appearing on the left-hand side of the chart below it should be stressed that Irish broad and slender b,c,d, etc. are pronounced differently from the neutral b,c,d, etc. of English. Readers unfamiliar with the distinction between broad and slender consonants are referred to the accompanying cassette and separate illustrative text.

Symbol used in Dictionary	I.P.A.	Irish Examples	Nearest English Equivalent
b′	bⱼ	bí, beo /b′i:/,/b′o:/	be, beauty
b	ƀ	bán, buí /ba:n/,/bi:/	—
k′	c	cé, cead /k′e:/,/k′ad/	key, came
k	k	cad /kad/	cot
d′	dⱼ	deo /d′o:/	—
d	đ	dó /do:/	—
f′	fⱼ	fíon, fiú /f′i:n/,/f′u:/	feet, few
f	f̵	faoin /fi:n/	—
g′	ɟ	gé, óige /g′e:/,/o:g′ə/	gay, egg
g	g	Gaeil, óga /ge:l′/,/o:gə/	fog
h	h	hata, thit /hatə/,/hit′/	hat
l′	lⱼ	leon, míle /l′o:n/,/m′i:l′ə/	live
l	ɫ	lón, mála /lo:n/,/ma:lə/	mill (R.P.)
m′	mⱼ	mé, mín /m′e:/,/m′i:n′/	may, me

m	ᴍ	maoin, mór /mi:n′/,/mo:r/	—
n′	nj	ainm, ní /an′əm′/,/n′i:/	canyon
n	ᴎ	anam, naoi /anəm/,/ni:/	—
p′	pj	peaca /p′akə/	piece
p	ᴘ	paca /pakə/	—
r′	rj	fuair /fuər′/	—
r	ʀ	fuar /fuər/	—
s′	ʃj	cáis /ka:s′/	she
s	ꜱ	cás /ka:s/	—
t′	tj	teacht /t′axt/	—
t	ᴛ	tacht /taxt/	—
v′	vj	bhí /v′i:/	very
v	β/w	vóta /vo:tə/	wore
w	w	wigwam /'wig,wam/	wigwam
z′	ʒj	xileafón /'z′il′ə,fo:n/	pleasure
z	ᴢ	zú /zu:/	—
ŋ′	ŋ	loingeas /loŋ′g′əs/	sing
ŋ	ŋ̟	longa /loŋə/	long
γ′	j	dhíol /γ′i:l/	yes
γ	γ	dhá /γa:/	Spanish 'Agua'
x′	ç	cheol /x′o:l/	Hugh; German 'Ich'
x	x	loch /lox/	German 'Bach'
d′z′	djʒj	jab /d′z′ab/	job

TRANSCRIPTION OF SOUNDS

The sound transcription used in the dictionary (and in the I.P.A. equivalents given in the chart above) is referred to generally by linguists as a 'broad transcription'. The use of a broad transcription means that any vowel or consonant symbol permits a range of possible pronunciations, recognising the fact that a particular word can be pronounced correctly in different ways by different people. Thus the Irish word *bád* 'boat' /ba:d/ may be pronounced [bæ:d], [ba:d] or [bɑ:d]. We have illustrated as much as possible of this type of variation on the tape to which the reader is referred for further examples.

WORD STRESS

The stress pattern to be assigned to Irish words in this dictionary is governed by the following conventions:

(a) Most words have the main or primary stress on the first syllable, all other syllables being unstressed. In such cases stress is not marked:

Examples:	*bádóir*	'boatman'	/ba:do:r'/
	capall	'horse'	/kapəl/
	aicsean	'action'	/ak's'ən/

(b) When the main or primary stress falls on a second or following syllable and all other syllables in the word are unstressed, then a /'/is placed before the syllable bearing the main stress.

| *Examples*: | amach | 'out' | /ə'max/ |
| | tobac | 'tobacco' | /tə'bak/ |

(c) Compound words and many recent loanwords from English have different degrees of stress showing various combinations of primary and secondary stress. Secondary stress is shown by placing /ˌ/ before the relevant syllable.

Examples:

(a) Words with two primary stresses

| drochobair | 'bad/evil work' | /'drox'obər'/ |
| ró-ard | 'too high/tall' | /'ro:'a:rd/ |

(b) Words with primary and secondary stress (in that order)

| bunscoil | 'primary school' | /'bunˌskol'/ |
| búmaraing | 'boomerang' | /'bu:məˌraŋ/ |

(c) Words with secondary and primary stress (in that order)

| do-dhéanta | 'impossible' | /ˌdo'ɣe:nta/ |

(See also The Phonetic System: Supplementary Notes pp 528ff.)

A

aback *adv*, *I was taken* ~ baineadh siar, stad, stangadh, asam

abandon *vt* tréig, tabhair do dhroim le

abandonment *n* tréigean

abase *vt* uirísligh

abashed *a* corrabhuaiseach, náireach

abate *vt & i* lagaigh, maolaigh, tráigh, *to* ~ *the rent* maitheamh a thabhairt sa chíos

abatement *n* laghdú, lascaine, maolú

abattoir *n* seamlas

abbess *n* ban-ab, máthairab

abbey *n* mainistir

abbot *n* ab

abbreviation *n* giorrú, nod

abdicate *vt & i* tabhair suas, éirigh as

abdomen *n* bolg

abduct *vt* fuadaigh

abduction *n* fuadach

abductor *n* fuadaitheoir

aberration *n* earráid, iomrall, saofacht, mearbhall, *mental* ~ saochan céille

abet *vt* neartaigh le

abettor *n* neartaitheoir

abeyance *n, in* ~ ar fionraí

abhor *vt* gráinigh, *to* ~ *sth* fuath a bheith agat ar rud

abide *vt & i* cónaigh; fulaing; *to* ~ *by one's promise* cloí, seasamh, le do ghealltanas; fanacht ar d'fhocal

ability *n* cumas, ábaltacht, inniúlacht

abject *a* cloíte, meata, lodartha

ablative *n & a* ochslaíoch

ablaze *adv & a*, *the house is* ~ tá an teach ar dearglasadh, faoi bharr lasrach, ina aon chaor amháin, ~ *with light* faoi shoilse

able *a* ábalta, cumasach, inniúil, infheidhme, ~ *to do sth* in ann, in acmhainn, in inmhe, rud a dhéanamh, *she is well* ~ *for her work* tá sí os cionn a buille

abnormal *a* mínormálta, sonraíoch, as an ngnáth

abnormality *n* mínormáltacht, sonraíocht, ainspiantacht

aboard *adv* ar bord

abode *n* áitreabh, áras, baile

abolish *vt*, *to* ~ *sth* rud a chur ar ceal

abolition *n* cealú, cur ar ceal

abominable *a* adhfhuafar, gráiniúil

aboriginal *a* bundúchasach

aborigine *n* bundúchasach

abortion *n* ginmhilleadh; breith anabaí; mairfeacht

abound *vi*, *to* ~ *in* bheith lán, bheith ag cur thar maoil, le

abounding *a* flúirseach, raidhsiúil

about *adv & prep*, *walking* ~ ag siúl thart, ~ *the place* timpeall na háite, *round* ~ máguaird, *round* ~ *here* thart faoi seo, ~ *one hundred* tuairim is céad, ~ *Christmas* faoi, um, Nollaig, ~ *to do sth* ar tí, ar shéala, rud a dhéanamh, *anxious* ~ *sth* imníoch faoi rud, *she was* ~ *to leave* bhí sí ar tí, ar hob, imeacht

above *adv & prep* lastuas, ~ *the door* os cionn an dorais, *the water was* ~ *their knees* bhí an t-uisce thar a nglúine orthu, *the rooms* ~ na seomraí thuas

abrasion *n* scríobadh, scráib

abrasive *a* scríobach

abreast *adv* bonn ar aon, ~ *of each other* ar comhrian le chéile

abridgement *n* coimre, giorrú

abroad *adv* ar an gcoigríoch, thar lear, *at home and* ~ i mbaile is i gcéin, *from* ~ ón iasacht, *the story got* ~ d'éirigh an scéal amach

abrogate *vt* aisghair

abrupt *a* giorraisc, grod

abscess *n* easpa

abscond *vi* éalaigh, teith

absence *n* éagmais, easpa; neamhláithreacht

absent *a* neamhláithreach, as láthair *vt*, *to* ~ *oneself* fanacht as láthair

absentee *n* neamhláithrí *a* neamhchónaitheach

absinth *n* apsaint

absolute *a* absalóideach, iomlán, dearbh-, ~ *power* lánchumhacht, *to refuse* ~ *ly* diúltú glan, ~ *ly certain* lánchinnte, lándearfa

absolution *n* aspalóid

absolve *vt* éigiontaigh, saor, *to ~ a person from an obligation* duine a scaoileadh ó dhualgas, *to ~ a person from a sin* aspalóid a thabhairt do dhuine i bpeaca

absorb *vt* súigh; tóg

absorbed *a*, *~ in sth* báite, gafa i rud

absorbent *a* súiteach, óltach

abstain *vi* staon, *to ~ from meat* tréanas a dhéanamh

abstainer *n* staonaire

abstention *n* staonadh

abstinence *n* tréanas

abstract[1] *n* achomaireacht, coimriú a teibí

abstract[2] *vt* bain as

absurd *a* áiféiseach, díchéillí, míréasúnta

absurdity *n* áiféis, míréasún

abundance *n* fairsinge, flúirse, raidhse, tréan

abundant *a* fairsing, flúirseach, líonmhar, raidhsiúil

abuse *n* drochíde, masla, *drug ~* mí-úsáid drugaí, *to give ~ to a person* duine a chur as a ainm, *verbal ~* íde béil, sciolladh teanga *vt* díbligh, idigh, maslaigh, scól

abusive *a* maslach, spídiúil

abysmal *a* duibheagánach, *~ ignorance* dearg-aineolas

abyss *n* aibhéis, duibheagán, domhain

academic *a* acadúil

academy *n* acadamh

accelerate *vt & i* luasghéaraigh, luathaigh

acceleration *n* luasghéarú, luathú

accelerator *n* luasaire

accent *n* blas, canúint, tuin; aiceann, *length ~* síneadh fada *vt* aiceannaigh

accept *vt* faomh, glac, *to ~ sth* toiliú le rud, *to ~ a person's apology* leithscéal duine a ghabháil

acceptable *a* inghlactha

access *n* cead isteach; rochtain, teacht

accessible *a* soghluaiste, inaimsithe

accessory *n* gabhálas; cúlpháirtí *pl* oiriúintí, trealamh

accidence *n* deilbhíocht

accident *n* taisme, timpiste, tionóisc

accidental *a* taismeach, timpisteach

acclaim *n* gairm, *with one ~* d'aon gháir *vt* gair

acclamation *n* gáir mholta

acclimatize *vt* clíomaigh

accommodate *vt*, *to ~ a person* cóir a chur ar dhuine; oiriúntas a dhéanamh le duine

accommodation *n* cóiríocht, iostas, lóistín

accompaniment *n* coimhdeacht, comóradh, tionlacan

accompanist *n* tionlacaí

accompany *vt* comóir, tionlaic

accomplice *n* comhchoirí

accomplish *vt* críochnaigh, déan, *to ~ sth* rud a chur i gcrích

accomplished *a* críochnaithe, déanta; rianta; ildánach, tréitheach, saoithiúil

accord[1] *n* comhréir, *of one ~* ar aon intinn, *in ~ with* ar aon aigne le, *of his own ~* dá thoil féin, uaidh féin

accord[2] *vt & i*, *to ~ with sth* bheith ag teacht le rud, *to ~ a person a welcome* fáilte a fhearadh roimh dhuine, *the privilege which was ~ ed us* an phribhléid a deonaíodh dúinn

accordance *n* comhréireacht, *in ~ with your instructions* de réir mar a d'ordaigh tú

according *adv*, *~ to the experts* dar leis na heolaithe, *~ to his means* ar feadh a acmhainne, *~ to size* de réir méide, *~ ly* dá réir sin, *he acted ~ ly* rinne sé amhlaidh

accordion *n* cairdín

accost *vt*, *to ~ a person* bleid a bhualadh ar dhuine, forrán a chur ar dhuine, caidéis a chur ar dhuine, *she ~ ed me* chaintigh sí mé

account *n* cuntas, tuairisc, tuarascáil, cur síos, *bank ~* cuntas bainc, *to take sth into ~* rud a chur san áireamh, *to turn sth to ~* rud a chur chun tairbhe, *it is of no ~* ní fiú biorán é, *working on his own ~* ag obair ar chion a láimhe féin, ar a chonlán féin, *on ~ of* de bharr, ar son, as ucht, de dhroim, toisc, *on that ~* mar gheall air sin *vi*, *to ~ for sth* cuntas a thabhairt i rud; rud a mhíniú

accountable *a* freagrach

accountancy *n* cuntasóireacht

accountant *n* cuntasóir, *turf ~* geall-ghlacadóir

accredit *vt* creidiúnaigh

accumulate *vt & i* bailigh, cruinnigh, tiomsaigh, carn

accumulative *a* tiomsaitheach, carnach

accuracy n beachtas, cruinneas, grinneas

accurate a beacht, cruinn, grinn

accursed a mallaithe, to be ~ bheith faoi chrann smola

accusation n cúiseamh, gearán, éileamh

accusative n & a áinsíoch, cuspóireach

accuse vt ciontaigh, cúisigh, gearán, iomardaigh, he was ~d of stealing cuireadh gadaíocht ina leith, you ~d me of lying chas tú bréag liom, chuir tú bréag orm

accused n, the ~ an cúisí

accuser n cúiseoir

accustomed a gnáth- , gnách, ~ to sth cleachtach, taithíoch, ar rud, to be, become, ~ to sth rud a chleachtadh, tú féin a chló le rud

ace n aon

ache n pian, tinneas vi, my head ~s tá pian i mo cheann

achieve vt, to ~ sth rud a chur i gcrích, to ~ a purpose cuspóir a shroicheadh, a bhaint amach

achievement n éacht, gníomh, gníomhaíocht; gnóthú

acid n aigéad, searbh a aigéadach, searbh

acknowledge vt admhaigh; aithin, to ~ a salute cúirtéis a fhreagairt

acknowledgement n admháil

acolyte n acalaí, cléireach

acorn n dearcán

acoustics npl fuaimíocht, fuaimeolaíocht

acquaint vt, to ~ a person with sth rud a chur in iúl do dhuine, to become ~ed with a person aithne a chur ar dhuine

acquaintance n aithne, aitheantas, eolas, ~s lucht aitheantais

acquiesce vi toiligh, aontaigh

acquire vt faigh, to ~ money airgead a chruinniú

acquisition n fáil; éadáil, prae

acquit vt saor

acre n acra

acreage n acraíocht

acrid a garg, searbhánta

acrimonious a searbh, searbhasach

acrimony n searbhas

acrobat n cleasaí, gleacaí

across adv & prep thar, trasna, ~ to England anonn go Sasana, gone ~ imithe sall

act n acht; beart, gníomh, Acts of the Apostles Gníomhartha na nAspal, ~ of contrition gníomh dóláis, ~ of parliament acht parlaiminte vt & i feidhmigh, gníomhaigh, oibrigh, to ~ justly an chóir a imirt, to ~ the part of Hamlet páirt Hamlet a dhéanamh

acting n aisteoireacht a gníomhach

action n aicsean, gníomh, beart, oibriú; caingean, in ~ ar obair, i mbun oibre

activate vt gníomhachtaigh

activator n músclóir

active a gníomhach, beo, lúfar, tapúil

activity n gníomhaíocht, obair, luadar, luail pl imeachtaí

actor n aisteoir

actress n ban-aisteoir

actual a dearbh-, fíor-, ~ sin peaca gnímh

actually adv go cinnte, déanta na fírinne

actuary n achtúire

acute a géar; géarintinneach

adamant a dobhogtha, daingean

Adam's apple n úll na brád

adapt vt athchóirigh, oiriúnaigh

adaptable a solúbtha

adaptation n oiriúnú

add vt & i suimigh, to ~ sth to sth rud a chur le rud eile

addendum n aguisín

addict n andúileach

addicted a, ~ to drink ligthe ar an ól, tugtha don ól, luiteach leis an ól

addiction n andúilíocht

addition n suimiú; agús, aguisín, in ~ to mar aon le, de bhreis ar, i dteannta

additive n breiseán

address n seoladh; agallamh, aitheasc, dileagra; teacht i láthair vt seol, to ~ the crowd labhairt leis an slua

adenoids npl adanóidí

adequate a sásúil, leor-, it is ~ for our needs tá riar ár gcáis ann

adhere vi greamaigh (de); ~ to lean de, seas le, taobhaigh le, cloígh le

adhesive n greamachán a greamaitheach

adjacent a, ~ to in aice le, cóngarach do

adjective n aidiacht

adjoin vt, his lands ~ mine tá sé ag críochantacht liom

adjoining a tadhlach, teorantach, buailte ar

adjourn vt & i, to ~ a meeting cruinniú a chur ar atráth, to ~ to a place aistriú go dtí áit

adjudge vt breithnigh

adjudicate vt & i breithnigh, to ~ in a competition moltóireacht a dhéanamh ar chomórtas

adjudicator n moltóir

adjust vt ceartaigh, coigeartaigh, feistigh, socraigh

adjustable a inathraithe, inchoigeart- aithe

adjustment n ceartú, coigeartú, socrú

adjutant n aidiúnach

administer vt riar, to ~ the sacraments to a person na sacraimintí a thabhairt do dhuine

administration n riar, riarachán, reachtas

administrative a riarthach, ~ officer oifigeach riaracháin

administrator n reachtaire ; riarthóir

admirable a fónta, inmholta

admiral n aimiréal, red ~ aimiréal dearg

admiralty n aimiréalacht

admiration n mórmheas

admire vt, to ~ a person ardmheas a bheith agat ar dhuine

admissible a inghlactha

admission n admháil; cead isteach

admit vt admhaigh, géill; lig isteach

adobe n adóib

adolescent n & a inmheach

adopt vt uchtaigh, to ~ a habit béas a tharraingt chugat féin

adopted a, ~ child uchtleanbh

adoption n uchtú

adoration n adhradh

adore vt adhair

adorn vt deasaigh, maisigh, oirnigh

adornment n maise, maisiúchán

adrenalin n aidréanailin

adrift adv ar fán, ar fuaidreamh, to go ~ imeacht san fheacht, le sruth

adroit a aclaí, deaslámhach

adult n duine fásta a fásta, of ~ age in aois duine

adulterate vt truaillmheasc

adulterous a adhaltrach

adultery n adhaltranas

advance n dul ar aghaidh, dul chun cinn; ionsaí; airleacan, réamhíocaíocht, ~ copy réamhchóip, in ~ roimh ré vt & i cuir chun cinn, réimnigh, téigh chun tosaigh, to ~ a person money airgead a thabhairt ar airleacan do dhuine, to

~upon a place ionsaí a dhéanamh ar áit, áit a ionsaí

advantage n bua, brabús, buntáiste, sochar, to get the ~ of a person an ceann is fearr a fháil ar dhuine

advantageous a buntáisteach, sochrach

Advent n Aidbhint

adventure n eachtra, fiontar

adventurer n eachtránaí; fiontraí

adventurous a eachtrúil, misniúil, tion- scantach

adverb n dobhriathar

adversary n céile comhraic, namhaid; an tÁibhirseoir

adversity n anachain, cruáil

advertise vt & i fógair

advertisement n fógra, fógraíocht

advice n comhairle, moladh

advisable a inmholta

advise vt comhairligh, mol

advocate n abhcóide vt mol; tacaigh le

aerate vt aeraigh

aerial n aeróg a aerga

aerodrome n aeradróm

aerodynamics npl aeraidinimic

aeronautics npl aerloingseoireacht

aeroplane n eitleán

aerosol n aerasól

aesthetic a aeistéitiúil

aesthetics npl aeistéitic

afar adv amuigh, i gcéin

affable a fáilí, lách, solabhartha

affair n dáil, scéal, rud pl gnóthaí, cúrsaí, foreign ~ s gnóthaí eachtracha

affect vt cuir isteach ar, goill ar, téigh i bhfeidhm ar, his health is ~ed tá an tsláinte ag imirt air

affectation n forcamás, gotha pl geáitsí

affection n ceanúlacht, cion, dáimh, gean, gnaoi

affectionate a ceanúil, bách, geanúil, grámhar, muirneach

affidavit n mionnscríbhinn

affiliate vt & i comhcheangail

affinity n dúchas; gaolmhaireacht; col

affirm vt cruthaigh, deimhnigh

affirmation n dearbhú, deimhniú

affirmative a dearfach, deimhniúil

affix vt greamaigh do, to ~ a stamp to a letter stampa a chur ar litir

afflict vt goill ar, caith ar

affliction n angar, léan, diachair, dobrón, doilíos, galar

affluence n deisiúlacht

affluent n craobh-abhainn a deisiúil, saibhir

afford vt, he can ~ to buy it is acmhainn dó, tá sé de ghustal aige, é a cheannach

afforestation n coillteoireacht

affront n easonóir, tarcaisne vt easonóraigh, tarcaisnigh

afloat adv ar snámh

afoot adv ar cois, ar bun, there is mischief ~ tá an urchóid ina suí

aforesaid a réamhráite

afraid a eaglach, faiteach, he became ~ tháinig eagla, faitíos, air, I am ~ that is eagal liom, is baolach, go, I am ~ of it tá eagla orm roimhe

afresh adv as an nua, go húrnua

after prep & a & adv, to walk ~ a person siúl i ndiaidh duine, one ~ another i ndiaidh a chéile, three days ~ that trí lá ina dhiaidh sin, ~ three tar éis a trí, ~ his death tar éis a bháis, ~ all tar éis an tsaoil, the day ~ an lá dár gcionn, the day ~ tomorrow anóirthear, amanathar, arú amárach

after-birth n slánú

after-care n iarchúram

after-effects npl deasca, fuíoll, iarsmaí, iarmhairt

aftergrass n athfhéar, clnain

afternoon n iarnóin, tráthnóna

afterthought n athsmaoineamh

afterwards adv ina dhiaidh sin, tar (a) éis sin

again adv arís, athuair, fós, as much ~ a oiread eile, all over ~ go húrnua

against prep in aghaidh, i gcoinne, in éadan, faoi

agate n agáit

age n aois, ré, twenty years of ~ fiche bliain d'aois, ~ s ago na cianta cairbreacha ó shin, the golden ~ an ré órga vt & i crion, aosaigh

aged a aosta, críonna, sean, a child ~ seven páiste i gceann a seacht mbliana d'aois

agency n gníomhaireacht; oibriú, by the ~ of a person ar idirghabháil duine

agenda n clár oibre

agent n feidhmeannach, gníomhaire, ionadaí

aggravate vt géaraigh ar; saighid faoi, don't ~ it ná cuir in olcas é

aggregate n & a comhiomlán

aggression n ionsaí; boirbe

aggressive a borb, ionsaitheach

aggressor a ionsaitheoir

agile a aclaí, lúfar, oscartha

agility n aclaíocht, lúfaireacht, lúth

agitate vt iomluaigh; suaith, gríosaigh, oibrigh

agitated a oibrithe, tógtha, suaite, the sea was ~ bhí coipeadh san fharraige; bhí an fharraige corraithe

agitation n oibriú, suaitheadh, coipeadh, corraí

agitator n gríosóir, suaiteoir

agnostic n agnóisí a agnóisíoch

ago adv, a year ~ bliain ó shin, a year ~ next Monday bliain go Luan seo chugainn, a month ~ last Monday mí is an Luan seo caite, long ~ fadó, a little while ~ ar ball beag, ó chianaibh

agonizing a coscrach, léanmhar, cráite

agony n céasadh, léan, pianpháis

agrarian a talúntais

agree vt & i aontaigh, réitigh, toiligh, the food didn't ~ with us níor fhóir an bia dúinn, to ~ on a price luach a shocrú

agreeable a deonach, toilteanach; cineálta, suairc, fáilí, pléisiúrtha

agreement n comhaontú, réiteach, socrú, to be in ~ with a person bheith ar aon intinn le duine

agricultural a talmhaíoch, ~ land talamh curaíochta, ~ college coláiste talmhaíochta, the A~ Institute an Foras Talúntais

agriculture n talmhaíocht

ahead adv, to walk ~ of a person siúl roimh dhuine, go ~ ar aghaidh leat, buail ar aghaidh, he is ~ of us tá sé chun tosaigh orainn, summer lies ~ tá an samhradh dár gcionn, romhainn

aid n cabhair, cúnamh, fortacht vt cabhraigh le, cuidigh le, fóir ar

ail vt & i, what ~ s you? cad tá ort? ~ ing ag éileamh, ag ceisneamh

ailing a breoite

ailment n casaoid, easláinte, gearán

aim n aidhm, cuspóir; aimsiú, amas, he has a good ~ tá urchar maith aige vt & i aimsigh, deasaigh, dírigh, pointeáil

aimless a fánach

air¹ n aer, putting on ~ s ag déanamh geáitsí vt aeráil

air² n íonn, aer
air-conditioned a aeroiriúnaithe
aircraft n aerárthach
air-force n aerfhórsa
air-hostess n aeróstach
air-lock n aerbhac
airman n eitleoir
airport n aerfort
air-tight a aerdhíonach
airy a aerach, spéiriúil; alluaiceach
aisle n taobhroinn; pasáiste
ajar a ar faonscailt, ar leathoscailt
alacrity n éascaíocht, líofacht
alarm n aláram, rabhadh, scaoll, ~ sig-
nal rabhchán, to raise the ~ gáir a
thógáil
alarm-clock n clog aláraim
alas int mo bhrón, faraor, monuar, mo
léan, mo dhíth
alb n ailb
albatross n albatras
albino n ailbíneach, bánaí, dall bán a
ailbíneach, bán
album n albam
alchemy n ailceimic
alcohol n alcól; deoch mheisciúil
alcoholic n & a alcólach
alcove n cailleach, almóir
alder n fearnóg
alderman n bardasach
ale n coirm, leann
alert n, on the ~ san airdeall, ar aire a
airdeallach, braiteach
alga n alga
algebra n ailgéabar
alias n ainm bréige
alibi n ailibí
alien n & a coimhthíoch, eachtrannach
alienate vt, to ~ one person from another
duine a chur in aghaidh duine eile,
teacht idir dhaoine
alight vi leísigh, tuirling
align vt ailínigh
alike a, they are ~ tá siad cosúil le chéile,
is ionann le chéile iad
alimentary a, ~ canal conair an bhia
alimony n ailiúnas
alive a beo, i do bheatha
alkaline a alcaileach
all n an uile, ~ of them iad go léir, ~ of
our people iomlán ár ndaoine, ár muin-
tir uile, that is ~ I have níl agam ach é;
sin a bhfuil agam; sin an méid atá

agam, when ~ is said and done i
ndeireadh na dála, for ~ I know ar
scáth a bhfuil a fhios agamsa, ~
dressed-up gafa gléasta, after ~ tar éis
an tsaoil a & adv, ~ day an lá ar fad,
~ over the place ar fud na háite, ~ the
time i rith an ama, from ~ directions
as gach aird, ~ right ceart go leor
allay vt maolaigh
allegation n líomhain
allege vt líomhain
allegiance n dílseacht, géillsine
allegorical a fáthchiallach
allegory n fáthscéal
allergic a ailléirgeach
allergy n ailléirge
alleviate vt éadromaigh, maolaigh
alley n caolsráid, scabhat, (ball-) ~
pinniúr
alliance n comhaontas
alligator n ailigéadar
alliteration n uaim
allocate vt, ~ (to) riar (ar), dáil (ar)
allot vt dáil ar, leag amach, what has been
~ted for us an rud atá geallta, daite,
dúinn
allotment n áirithe; dáileacht; cuibh-
reann
all-out a & adv dólámhach, to make an ~
effort do chroídhícheall a dhéanamh
allow vt ceadaigh, lamháil, leomh; ad-
mhaigh, ~ him to speak lig dó
labhairt
allowance n ciondáil, lacáiste, lamháltas,
liúntas, logha, ~ for error lamháil
earráide
alloy n cóimhiotal
all-round a ilbheartach, cuimsitheach
allude vi, to ~ to sth tagairt do rud
allure vt cealg, meall
alluring a cealgach, meallacach
allusion n tagairt
ally n comhghuaillí vt snaidhm (to le),
ceangail (to de), to ~ oneself with a
person, group dul i leith duine, grúpa
almanac n almanag
almighty a uilechumhachtach
almond n almóinn
almost adv beagnach, nach mór, I ~ fell
is beag nár thit mé, dóbair dom titim,
~ every day bunús gach aon lá, ~
finished ionann is réidh
alms n almsa, déirc

aloe n aló

aloft adv in airde, lastuas

alone a & adv, not ~ that ní hamháin sin, he lives ~ cónaíonn sé leis féin, I am ~ tá mé i m'aonar, let him ~ ná bac leis, lig dó

along prep & adv, to be ~ with a person bheith i bhfochair, i dteannta, in éineacht le, duine, ~ by the river cois abhann, ~ the road feadh an bhóthair, ~ with that ina aice sin, ina cheann sin, lena chois sin, he was walking ~ bhí sé ag siúl roimhe

alongside prep & adv cois, ~ the quay buailte suas leis an gcé

aloof a deoranta, coimhthíoch

aloud adv, say it ~ abair amach, os ard, é

alphabet n aibítir

already adv cheana (féin)

Alsatian n & a Alsáiseach

also adv fosta, freisin, leis

altar n altóir

altar-boy n cléireach

altar-bread n abhlann

alter vt & i athraigh

alteration n athrach, athrú

alternate a gach dara, gach re vt & i malartaigh, to ~ (with each other) sealaíocht, uainíocht, a dhéanamh (ar a chéile)

alternating n sealaíocht a iomlaoideach ~ heat and cold teas agus fuacht (faoi seach)

alternative n athrach, malairt, I have no ~ níl an dara rogha agam; níl aon dul as agam a, ~ road bealach eile

although conj bíodh (is) go, cé go

altitude n airde

altogether adv ar fad, go hiomlán, go léir; in éineacht

aluminium n alúmanam

always adv riamh; i gcónaí, i dtólamh, go buan, ar fad, go brách, choíche

amalgamate vt & i cónaisc, cumaisc

amateur n & a amaitéarach

amaze vt, to ~ a person alltacht, ionadh, a chur ar dhuine

amazement n alltacht, ionadh

amazing a iontach

ambassador n ambasadóir

amber n ómra a ómrach

ambiguity n athbhrí, débhríocht

ambiguous a athbhríoch, débhríoch

ambition n glóirmhian, uaillmhian, scóip

ambitious a aidhmeannach, glóirmhianach, uaillmhianach, he is ~ tá a shúil ard

ambulance n otharcharr

ambush n luíochán, oirchill vt, to ~ a person luíochán a chur ar dhuine, luí roimh dhuine

amen int áiméan

amenable a sochomhairleach, soghluaiste

amend vt ceartaigh, leasaigh

amendment n ceartú, leasú, leasúchán

amends npl, to make ~ for an injury éagóir a chúiteamh, leorghníomh a dhéanamh in éagóir

amenities npl áiseanna, saoráidí; taitneamhachtaí

amethyst n aimitis

amiable a geanúil, lách, grámhar

amicable a cairdiúil, carthanach

ammonia n amóinia

ammunition n armlón, lón cogaidh, muinisean

amnesia n aimnéise

amnesty n pardún ginearálta, ollmhaithiúnas

among prep ar fud, idir, i measc, trí

amoral a dímhorálta

amount n cuid, méid, oiread, suim, large ~ of money lear, moll, cuimse, airgid vi, it ~ ed to five pounds bhí cúig phunt ann san iomlán, it ~ s to the same thing is ionann an cás, is é an dá mhar a chéile é

ampère n aimpéar

amphibian n & a débheathach

ample a fairsing, fras

amplifier n aimplitheoir

amplify vt aimpligh; fairsingigh, méadaigh

amputate vt bain, teasc

amulet n briocht

amuse vt, to ~ a person siamsa a dhéanamh do dhuine, amusing oneself ag déanamh spraoi, ag déanamh spóirt

amusement n caitheamh aimsire, siamsa

amusing a greannmhar, spórtúil

anachronism n iomrall aimsire

anaemia n anaemacht

anaemic a anaemach

anaesthetic n & a ainéistéiseach

anagram n anagram

analogy n analach

analyse vt anailísigh; miondealaigh

analysis n anailís, anailísiú; miondealú

anarchist n ainrialaí

anarchy n ainriail, anlathas

anatomy n anatamaíocht

ancestor n sinsear

ancestral a athartha, sinsearach

anchor n ancaire

anchorage n acarsóid, ród

ancient n seanduine, duine aosta a ársa, seanda

and conj agus, is

anecdote n scéilín, staróg

aneurin n ainéirin

anew adv as an nua, as úire

angel n aingeal

angel-fish n cat mara; bráthair

angelic a ainglí

angelus n Fáilte an Aingil, ~ bell clog an aingil

anger n fearg, olc, colg vt, to ~ a person fearg a chur ar dhuine

angina n aingíne (chléibh)

angle n cúinne, cearn; uillinn

angler n duánaí

Anglican n & a Anglacánach

anglicism n béarlachas

anglicization n galldachas

angling n duántacht

angora n angóra

angry a feargach, colgach, to get ~ with a person borradh, spriúchadh, chuig duine

anguish n buairt, crá, pianpháis, léan

angular uilleach, beannach, corránach

animal n ainmhí, beithíoch, míol a ainmhíoch

animate vt beoigh

animated a anamúil, beoga

animation n beochan, beocht, spionnadh

animosity n fuath, naimhdeas, nimh

aniseed n síol ainíse

ankle n caol na coise, murnán, rúitín

annalist n annálaí

annals npl annála

annex n, (building) fortheach vt, to ~ sth to sth else rud a nascadh, a chur (mar aguisín), le rud eile, the province was ~ed to the empire gabhadh an cúige isteach san impireacht

annihilate vt díothaigh, neamhnigh

anniversary n, the ~ of his birth cothrom an lae a rugadh é

announce vt & i craol, fógair

announcement n fógra

announcer n bolscaire, fógróir

annoy vt ciap, cráigh, griog, don't ~ me about it ná bí liom mar gheall air

annoyance n ciapadh, griogadh, dóiteacht, iarghnó

annoying a ciapach, dóiteach

annual n, (plant) bliantóg, (yearbook) bliainiris a bliantúil

annuity n anáid, blianacht

annul vt neamhnigh, cealaigh

annulment n neamhniú

annunciation n, the A ~ Teachtaireacht an Aingil, A ~ Day Lá Fhéile Muire san Earrach

anoint vt olaigh, ung, he was ~ed cuireadh an ola air

anomalous a aimhrialta

anomaly n aimhrialtacht

anorak n anarac

another a & pron eile, duine eile, ~ day athlá

answer n freagra, back ~ aisfhreagra vt & i freagair, to ~ back aisfhreagra a thabhairt ar dhuine

answerable a freagrach

ant n seangán

antagonism n eascairdeas

antagonist n céile comhraic

antagonize vt, to ~ a person duine a chur sa droim ort

Antarctic n & a Antartach

ante- pref réamh-

antecedent n réamhtheachtaí a réamh-theachtach

antechamber n forseomra

antenna n aintéine, adharcán

anthem n aintiún, national ~ amhrán náisiúnta

ant-hill n nead seangán

anthology n díolaim, ~ of verse duan-aire, díolaim dána

anthracite n antraicít

anthrax n antrasc

anthropoid n & a antrapóideach

anthropology n antraipeolaíocht

anti- pref frith-

antibiotic n & a frithbheathach, antai-bheathach

anticipate *vt*, to ~ *sth* bheith ag súil, ag feitheamh, le rud, to ~ *a person* dul, teacht, roimh dhuine, to ~ *a result* toradh a dhéanamh amach roimh ré

anticipation *n* réamhghabháil, súil, feitheamh, *in* ~ *of death* in oirchill an bháis

anticlimax *n* frithbhuaic

anticlockwise *a & adv* tuathal, tuathalach

antics *npl* geáitsí

anticyclone *n* frithchioclón

antidote *n* frithnimh, nimhíoc

antiquarian *n* ársaitheoir

antique *n*, *pl* seandachtaí *a* ársa, seanda

antiquity *n* seandacht; seaniarsma; an seansaol

antiseptic *n* frithsheipteán, antaiseipteán *a* frithsheipteach, antaiseipteach

antler *n* beann

anus *n* anas, áthán, timpireacht

anvil *n* inneoin

anxiety *n* imní, sníomh, buairt

anxious *a* imníoch, cúramach, scimeach, buartha, *to be* ~ *to do sth* fonn a bheith ort rud a dhéanamh

any *a & pron & adv*, *have you* ~ *money*? an bhfuil aon airgead agat? *take* ~ *one of them* tóg ceann ar bith acu, *he is not* ~ *better today* níl sé pioc níos fearr inniu

anybody *n* aon duine, duine ar bith

anyhow *adv & conj* cibé, pé scéal é; ar dhóigh ar bith, ar chuma ar bith

anyone *n* aon duine, duine ar bith

anything *n* rud ar bith, aon rud, aon cheo, dada

anyway *adv* ar aon chaoi, ar aon nós

anywhere *adv* (in) áit ar bith, aon áit

apart *adv* ar leithligh, *they are a mile* ~ tá siad míle ó chéile, tá míle eatarthu, *a person* ~ duine ar leith, ~ *from that* lasmuigh de, diomaite de, sin, *it fell* ~ thit sé as a chéile

apartheid *n* cinedheighilt

apartment *n* árasán

apathetic *a* fuar, patuar, marbh, suanach

apathy *n* fuarchúis, patuaire, fuarthé

ape *n* ápa

aperitif *n* greadóg

aperture *n* cró, poll

apex *n* barr, buaic, rinn

aphid *n* aifid

aphoristic *a* nathach

apiary *n* beachlann

apiece *adv*, *they cost me a shilling* ~ scilling an ceann a thug mé orthu, *he gave them a shilling* ~ thug sé scilling an duine dóibh

apocalypse *n* apacailipsis

apocalyptic *a* apacailipteach

apocryphal *a* apacrafúil

apogee *n* apaigí, barrchéim

apologetic *a* leithscéalach

apologetics *npl* díonchruthú

apologize *vi*, to ~ *to a person* (do) leithscéal a ghabháil le duine

apology *n* leithscéal

apoplexy *n* apaipléis

apostate *n* séantóir

apostle *n* aspal

apostolate *n* aspalacht

apostolical *a* aspalda

apostrophe *n* uaschamóg

apothecary *n* poitigéir

appal *vt* scanraigh

appalling *a* scáfar, scanrúil

apparatus *n* fearas, gaireas, gléasra, sáslach

apparel *n* culaith, éadach, feisteas

apparent *a* dealraitheach, follasach, ~ *ly* de réir dealraimh, de réir cosúlachta; is cosúil (go)

apparition *n* taispeánadh; cruth, taibhse, taise

appeal *n* achainí; achomharc; tarraingteacht *vt* achainígh (*to* ar); achomharc, *it* ~ *ed to me* thaitin sé liom

appear *vi* taibhsigh; láithrigh, nocht, taispeáin, *it* ~ *s to me that* feictear dom go, samhlaítear dom go, *it* ~ *s that* is cosúil go, dealraíonn sé go, *the ship* ~ *ed on the horizon* nocht an long ag bun na spéire, to ~ *for a person* bheith i láthair in ionad duine, ar son duine

appearance *n* gné, cruth, cló, deilbh, cuma; arai; cosúlacht, dealramh, fíor, *facial* ~ dreach, *good* ~ slacht, *to all* ~ *s* de réir cosúlachta, *keeping up* ~ *s* ag seasamh na honóra, *to make an* ~ teacht ar an láthair

appease *vt* ceansaigh, to ~ *a child* baint faoi leanbh

appeasement *n* ceansú

appellant *n* achomharcóir

append *vt*, ~ *to* cuir le

appendage *n* géagán

appendicitis *n* aipindicíteas

appendix *n* aguisín; aipindic

appertain *vi*, to ~ to baint le, gabháil le

appetite *n* goile; dúil

appetizer *n* greadóg

appetizing *a* blasta

applaud *vt* mol os ard, *his speech was* ~*ed* tógadh gáir mholta, buaileadh bosa, nuair a labhair sé

applause *n* bualadh bos

apple *n* úll, *Adam's* ~ úll na brád, ~ *charlotte* úllóg

appliance *n* fearas, gléas

applicable *a* fóirsteanach, ~ to infheidhme maidir le; bainteach le

applicant *n* iarratasóir

application *n* iarratas; feidhmiú; dúthracht

apply *vt & i*, to ~ *a poultice to a wound* ceirín a chur le cneá, to ~ *for a job* cur isteach ar phost, *he applied himself to his work* chrom sé ar a chuid oibre, *this applies to my case* tá feidhm aige seo i mo chás-sa

appoint *vt* ceap; ainmnigh, socraigh

appointed *a* ceaptha, ~ *day* sprioclá, ceannlá

appointment *n* coinne; ceapachán

apportion *vt* cionroinn

apportionment *n* cionroinnt, dáileadh

apposite *a* ceart, cothrom; oiriúnach (*to do*)

appraisal *n* luacháil, meastóireacht

appraise *vt* luacháil, meas

appreciable *a* inmheasta, suntasach

appreciate *vt & i* meas, (*of value*) ardaigh, éirigh, *I* ~ *that*, is mór agam sin; tuigim é sin go maith, *he* ~*s music* tá ciall cheart do cheol aige

appreciation *n* léirthuiscint, tuiscint, meas; ardú (luacha)

appreciative *a* léirthuisceanach, fabhrach

apprehend *vt* meabhraigh, tabhair faoi deara, to ~ *a person* duine a ghabháil

apprehension *n* tuiscint; eagla, faitíos

apprehensive *a* eaglach, faiteach

apprentice *n* printíseach

apprenticeship *n* printíseacht

approach *n* teacht; ionsaí; bealach *vt & i* taobhaigh; tar (i leith); ionsaigh, to ~ *a person* dul chuig duine; druidim le duine, *he* ~*ed me* tháinig sé a fhad liom, *the time is* ~*ing* tá an uair buailte linn

approachable *a* sochaideartha; insroiche

approbation *n* toiliú, ceadú; dea-mheas, *on* ~ ar triail

appropriate *a* feiliúnach, iomchuí *vt* dílsigh, leithreasaigh

appropriation *n* dílsiú, leithreasú

approval *n* ceadú; dea-mheas, *I hope it will meet with your* ~ tá súil agam go mbeidh tú sásta leis, *goods on* ~ earraí ar triail

approve *vt* faomh, ceadaigh, aontaigh le; formheas, *I wouldn't* ~ *of it* ní mholfainn é; ní thabharfainn mo bheannacht dó

approvingly *adv* go sásta, go moltach

approximate *a* gar-, neas-

approximately *adv*, *a year* ~ amuigh agus istigh ar bhliain, amach is isteach le bliain, timpeall is bliain

approximation *n* garmheastachán

apricot *n* aibreog

April *n* Aibreán

apron *n* naprún, *workman's* ~ práiscín

apropos *adv*, ~ *of that* dála an scéil sin, maidir leis sin

apt *a* cóir, tráthúil; aibí, cliste, *he is* ~ *to cause a quarrel* is furasta leis achrann a thógáil

aptitude *n* éirim, *he has an* ~ *for learning* tá mianach an léinn ann, *she has a natural* ~ *for music* tá dúchas an cheoil inti

aquarium *n* uisceadán

Aquarius *n* an tUisceadóir

aqueduct *n* uiscerian

aquiline *a* iolarach

arable *a* arúil, ~ *land* ithir, míntír

arbitrary *a* aondeonach; ar togradh

arbitrate *vt & i* réitigh, to ~ eadráin a dhéanamh (*between* idir)

arbitrator *n* eadránaí, réiteoir

arbutus *n* caithne

arc *n* stua

arcade *n* stuara

arch¹ *n* áirse; stua *vt & i*, *the cat* ~*ed back* chuir an cat cruit air féin, *it* ~*es at the east end* tá stua sa cheann thoir de

arch-² *pref* ard-

archaeologist *n* seandálaí

archaic *n* ársa, seanda

archbishop n ardeaspag
arched a droimneach, dronnach, stuach
archer n boghdóir, saighdeoir
archery n boghdóireacht, saighdeoireacht
archipelago n oileánrach
architect n ailtire
architecture n ailtireacht
archives npl cartlann
archivist n cartlannaí
archway n póirse, súil (droichid)
Arctic n & a Artach
ardent a díbhirceach, teasaí, díograiseach
ardour n díbhirce, díograis
arduous a dian, ~ journey turas maslach
area n achar; limistéar, ceantar
arena n airéine; láthair na teagmhála
arguable a inargóinte, ináitithe
argue vt & i áitigh, conspóid, they were arguing back and forth bhí siad ag cur is ag cúiteamh, ag allagar
argument n aighneas, argóint, conspóid, díospóireacht
argumentative a aighneasach, conspóideach, ~ person conspóidí
aria n áiria
arid a loiscneach; tur, tirim
Aries n an Reithe
arise vi éirigh; tar, tarlaigh, a storm arose tháinig sé ina stoirm, arising from that dá bharr sin, the question arose tháinig sé i gceist
aristocracy n uasaicme; uaslathas
aristocrat n uaslathaí, uasal
aristocratic a uasaicmeach, uaslathach
arithmetic n uimhríocht, áireamh
arithmetical a uimhríochtúil
ark n áirc
arm[1] n lámh, sciathán, géag, arm, heraldic ~s armas, ~ of the sea loch, ascaill mhara, ~ in ~ uillinn ar uillinn, under his ~ faoina ascaill aige, she was carrying the child in her ~s bhí an leanbh ina baclainn aici, to carry sth over one's ~ rud a iompar ar do chuisle, ar bhacán do láimhe
arm[2] vt & i armáil, to ~ dul faoi arm
armada n armáid
armament n armáil
armchair n cathaoir uilleann
armed a armach, fully ~ faoi iomlán airm

armful n asclán, uchtóg, ~ of hay gabháil féir, ~ of turf baclainn mhóna
armour n armúr, plátáil vt plátáil
armoured a armúrtha
armourer n armadóir
armoury n armlann
armpit n ascaill
arms npl arm, feat of ~ gaisce, coat of ~ armas
army n arm; slua
aroma n dea-bholadh
aromatic a spíosrach; cumhra
around adv & prep máguaird, timpeall, fá dtaobh de, they stood ~ him sheas siad ina thimpeall, thart air, ~ Christmas faoi Nollaig, i dtrátha na Nollag
arouse vt spreag; dúisigh, múscail
arraign vt díotchúisigh
arrange vt cóirigh, eagraigh, leag amach, réitigh, socraigh
arrangement n eagar, feisteas, leagan amach, ord; oirniú, socrú; cóiriú
array n eagar, cóiriú, inneall vt gléas, ordaigh; innill
arrears n riaráiste, he is in ~ with the work tá sé chun deiridh leis an obair
arrest n gabháil; cosc, under ~ gafa vt gabh; coisc, stop
arrival n teacht
arrive vi ráinigh, tar, when I ~d home nuair a shroich mé an baile, nuair a bhain mé an baile amach
arrogance n díomas, bródúlacht, sotal, uabhar
arrogant a díomasach, uaibhreach, sotalach, bródúil
arrow n saighead
arrowroot n ararút
arsenic n arsanaic
arson n coirloscadh
art n dán, ealaín, the fine ~s na míndána
artefact n déantán
arterial a artaireach
artery n artaire
artesian a airtéiseach
artful a ealaíonta, géar, glic
arthritis n airtríteas
artichoke n bliosán
article n alt; airteagal, ~ of clothing ball éadaigh, ~ of faith bunalt creidimh
articulate a altach; glinn, sothuigthe vt alt, to ~ sth rud a chur in alt a chéile
articulated a altach, in alt a chéile

articulation n urlabhraíocht

artificial a saorga, tacair

artillery n airtilléire

artisan n ceardaí

artist n ealaíontóir

artistic a ealaíonta

artistry n ceardúlacht, ealaín

as adv & conj chomh; fearacht, mar; faoi mar, as white as snow chomh geal le sneachta, as well (as) chomh maith (le), as far as fad le, a fhad le, as long as fad (is) a, a fhad (is) a, as if he were angry faoi mar a bheadh fearg air, just as I was leaving (go) díreach agus mé ag imeacht, as it is, we must pay mar atá an scéal caithfimid íoc, as a matter of fact déanta na fírinne, as a token of peace mar chomhartha síochána, as you are right ós agat atá an ceart, as it were mar a déarfá, as usual mar is gnách, as yet go dtí seo, as for, as regards mar le, maidir le, such as mar shampla

asbestos n aispeist

ascend vt & i ardaigh, téigh suas, tóg, to ~ the throne teacht i gcoróin

ascendancy n cinseal, the A ~ an Chinsealacht

ascendant a ardaitheach, cinsealach

ascension n, A ~ Thursday Déardaoin Deascabhála

ascent n éirí; bealach suas, ~ of hill tógáil cnoic

ascertain vt fionn, cinntigh

ascetic n aiséiteach a aiséitiúil, diantréanach

asceticism n diantréanas

ascribe vt, to ~ to cur ar, cur i leith, a poem ~ d to Colm Cille dán a fhágtar ar Cholm Cille

aseptic a aiseipteach

ash[1] n, (tree) fuinseog, mountain ~ caorthann

ash[2] n, ~ es luaith(reach); gríosach, A ~ Wednesday Céadaoin an Luaithrigh

ashamed a, to be ~ náire a bheith ort, he is ~ tá ceann faoi, ceann síos, air

ash-bin n bosca luatha; bosca bruscair

ashore adv istir, to go ~ dul i dtír

ash-pit n clais luatha

ash-tray n luaithreadán

ashy a luaithriúil

aside n seachfhocal adv i leataobh, cast

~ caite i gcúil coicíse, caite i gcártaí, leave it ~ fág uait é

ask vt & i fiafraigh, iarr, ~ him cuir ceist air, to ~ a person to lunch cuireadh chun lóin a thabhairt do dhuine, they were ~ ing for you bhí siad ag cur do thuairisce, do d'fhiafraí, to ~ the way eolas an bhealaigh a chur

askance adv, he looked ~ at me d'amharc sé orm le heireaball a shúl; shaobh sé a shúile orm; d'amharc sé go hamhrasach orm

askew adv & a ar sceabha, ar fiar

asleep adv & a, he is ~ tá sé ina chodladh, my foot is ~ tá codladh grifín i mo chos

asparagus n asparagas, lus súgach

aspect n aghaidh, dreach, gné

aspen n crann creathach

aspersion n spíd, to cast ~ s on a person drochmheas a chaitheamh ar dhuine

asphalt n asfalt

asphyxia n lánmhúchadh, aisfisce

asphyxiate vt & i múch, plúch, tacht, they ~ d plúchadh iad

aspirate vt análaigh; séimhigh

aspiration n análú; dréim; séimhiú

aspire vi, to ~ to bheith ag dúil, ag dréim, le

aspirin n aspairín

ass n asal

assail vt ionsaigh

assailant n ionsaitheoir

assassinate vt feallmharaigh

assassination n feallmharú

assault n ionsaí vt ionsaigh

assemble vt & i cruinnigh, comóir, tiomsaigh, tionóil, to ~ machinery innealra a chóimeáil

assembly n aonach, comóradh, dáil, tiomsú, tionól, ~ line líne chóimeála

assent n aontú vi aontaigh

assert vt dearbhaigh, he ~ ed himself chuir sé é féin i gcion, in iúl, i gcéill, i bhfáth

assertion n dearbhú, maíomh; teanntás

assertive a teanntásach, ceannasach, treallúsach

assess vt measúnaigh

assessment n measúnacht, measúnú; cáinmheas

assessor n meastóir; measúnóir

asset n áirge, sócmhainn, *he is a great ~ to them* is mór an cúnamh dóibh é

assiduous a dúthrachtach

assign vt tabhair (do), ceap, leag amach; sann, *the place has been ~ ed to him* tá an áit luaite leis

assignation n dáileadh maoine; ainmniú; coinne

assignment n sannadh; tabhairt; tasc

assimilate vt & i comhshamhlaigh, *to ~ food* bia a shú (isteach)

assist vt & i cabhraigh, cuidigh, *to ~ a person* cuidiú le duine, *to ~ at a ceremony* bheith páirteach i gceiliúradh; bheith i láthair ag searmanas

assistance n cabhair, cuidiú, cúnamh

assistant n cúntóir, *shop ~* buachaill, cailín, siopa a, *~ master* fomháistir, *~ teacher* múinteoir cúnta

associate n comhpháirtí, *~(s)* páirtí a comh-, comhlach vt & i comhlachtaigh, *to ~ with a person* caidreamh, comhluadar, a dhéanamh le duine ; taithí le duine

association n caidreamh, páirt(íocht) comhaltas, comhlachas, cumann, *~ of ideas* comhcheangal smaointe

assonance n comhfhuaim

assorted a measctha

assortment n ilchumasc

assume vt gabh, glac, *to ~ authority* údarás a ghabháil, *let us ~ that you are right* abraimis go bhfuil an ceart agat, *don't ~ you can do as you please here* ná tuig, ná tóg, go bhfuil cead do chinn anseo agat

assumed a, *~ name* ainm bréige

assumption n deastógáil (na Maighdine Muire), *Feast of the A~* Lá Fhéile Muire san Fhómhar, *~ of authority* gabháil údaráis, *on the ~ that* ar an mbun go

assurance n cinnteacht; dearbhú, deimhin; árachas; teann(tás), *to speak with ~* labhairt go ceannsach

assure vt cinntigh, dearbhaigh, deimhnigh, *I ~ you* geallaim duit, go deimhin duit

assured a ceannsach, teann(tásach), *~ly* go dearfa, go deimhin

asterisk n réiltín

astern adv, *to go ~* dul chun deiridh; druidim siar

asteroid n & a astaróideach

asthma n múchadh, plúchadh

asthmatic a gearranálach, múchtach

astonish vt, *to ~ a person* alltacht, ionadh, a chur ar dhuine

astonishing a iontach, uafásach

astonishment n iontas; alltacht

astound vt, *to ~ a person* alltacht, uafás, a chur ar dhuine

astounding a, *it is most ~* is mór an t-uafás é

astral a réaltach

astray adv amú, ar fán, ar strae, *to go ~* dul ar seachrán, *to lead a person ~* duine a bhaint dá threoir, duine a shaobhadh, duine a chur ar a aimhleas, *to be ~* bheith ar mearbhall

astride adv ar scaradh gabhail (ar)

astringent n fuilchoscach a fuilchoscach; géar, borb

astrologer n astralaí

astrological a astralaíoch

astrology n astralaíocht

astronaut n spásaire

astronomer n réalteolaí

astronomy n réalteolaíocht

astute a géarchúiseach, praitinniúil

astuteness n géarchúis, praitinniúlacht, gliceas

asunder adv, *to tear sth ~* rud a stróiceadh ó chéile, *it fell ~* thit sé as a chéile

asylum n dídean, tearmann; *teach na ngealt*

asymmetric n neamhshiméadrach

at prep ag, ar, chun, faoi, le, um, *at work* ag obair, *at home* ag baile, sa bhaile, *at school* ar scoil, *at six o'clock* ag, ar, a sé a chlog, *at a pound a bag* ar phunt an mála, *at present* faoi láthair, *at Christmas* faoi, um, Nollaig, *laughing at us* ag gáire fúinn, *at night* san oíche, istoíche, *whistling at you* ag feadaíl linn, *looking at you* ag breathnú ort, *good at games* maith chuig cluichí, *at all* ar chor ar bith, in aon chor, *at any rate* ar aon chor

atavism n athdhúchas

atavistic a athdhúchasach

atheism n aindiachas

atheist n aindiachaí

athlete n lúithnire, lúthchleasaí

athletic n lúfar

athleticism n lúithnireacht

athletics npl lúthchleasa, cleasa lúith, lúthchleasaíocht

athwart a & adv trasna, ar fiarlaoid

Atlantic n & a Atlantach

atlas n atlas

atmosphere n aerbhrat, atmaisféar

atmospheric(al) a atmaisféarach

atmospherics npl aerthormán

atom n adamh

atomic a adamhach

atomize vt adamhaigh

atone vi, to ~ for a fault leorghníomh, cúiteamh, a dhéanamh i gcoir; íoc as coir

atonement n leorghníomh, sásamh, in ~ for our sins in íoc ár bpeacaí

atrocious a uafásach

atrocity n gníomh uafáis

attach vt greamaigh (to de), ceangail (to as), he ~ed great importance to that ba ríthábhachtach leis é sin

attached a, the condition ~ to it an coinníoll a ghabh(ann) leis, to be ~ to a person bheith ceanúil, leanúnach, ar dhuine

attachment n greamú, ceangal; forbhall, ball breise; leanúnachas

attack n amas, drochiarraidh, ruathar, fogha, ionsaí; ráig, taom vt ionsaigh, to ~ a person tabhairt faoi dhuine

attacker n ionsaitheoir

attain vt & i bain amach, sroich, to ~ perfection teacht chun foirfeachta, to ~ a certain age aois áirithe a shlánú

attainable a so-aimsithe

attainment n gnóthú, sroicheadh

attempt n iarracht, iarraidh, ionsaí, at the first ~ ar an gcéad ásc, ar an gcéad fháscadh, he made no ~ to leave níor iarr sé imeacht vt, I ~ed it d'fhéach mé leis, thug mé faoi

attend vt & i freastail, friotháil, to ~ Mass Aifreann a éisteacht, ~ing to the house i mbun an tí, I have many things to ~ to is iomaí rud ar m'aire

attendance n freastal, tinreamh; giollacht

attendant n freastalaí, friothálaí; giolla, timire, ~s lucht coimhdeachta a coimhdeach

attention n aird, suntas; aire, friotháil, to pay ~ to a person éisteacht le duine,

pay no ~ to it ná cuir aon nath ann, ná tóg ceann ar bith dó

attentive a aireach, feifeach

attenuate vt & i caolaigh

attested a dearbhaithe

attic n áiléar

attire n feisteas, cóir éadaigh, gléasadh vt deasaigh, gléas

attitude n mana, dearcadh, aigne, fighting ~ goic throda, gothaí troda

attorney n aturnae

Attorney-General n Ard-Aighne

attract vt tarraing, meall, they are ~ed to one another tá siad tógtha le chéile

attraction n imtharraingt, tarraingt

attractive a tarraingteach

attribute n airí, cáilíocht vt, to ~ sth to a person rud a chur i leith duine; rud a fhágáil, a leagan, ar dhuine

auburn a órdhonn

auction n ceant vt ceantáil

auctioneer n ceantálaí

audacious a dána, teanntásach

audacity n dánacht, teanntás, I wouldn't have the ~ (to) ní bheadh sé d'éadan orm

audible a inchloiste

audience n éisteacht; lucht éisteachta, lucht féachana

audio-visual a, ~ aids, áiseanna clos-amhairc

audit n iniúchadh vt iniúch

audition n, ~ of musician triail ar cheoltóir

auditor n iniúchóir; reachtaire

auditorium n halla éisteachta

auger n tarathar

augment vt méadaigh

August n Lúnasa

aunt n aintín

auricle n cluaisín

auspices npl, under the ~ of faoi choimirce

auspicious a fabhrach; rathúil

austere a géar, dian

austerity n géire, déine

authentic a barántúil, údarach

authenticate vt deimhnigh; fíoraigh

authenticity n údaracht

author n scríbhneoir, údar

authoritative a údarásach

authority *n* ceannas, forlámhas, cumhacht; bárántas; údarás, *he is an* ~ *on the subject* tá sé ina údar air, *I have it on good* ~ tá údar, urra, maith agam leis, *the authorities* na húdaráis

authorize *vt* údaraigh

auto- *pref* féin-, uath-

autobiography *n* dírbheathaisnéis

autocracy *n* uathlathas

autocratic *a* uathlathach

autograph *n* síniú *vt* sínigh

automatic *a* uathoibríoch, uath-fheidhmeach

automation *n* uathoibriú

automaton *n* uathoibreán

automblie *n* gluaisteán

autonomous *a* féinrialaitheach, uath-rialach, ~ *verb* briathar saor

autonomy *n* féinriail

autumn *n* fómhar

autumnal *a* fómharach

auxiliary *a* cúntach

avail *n*, *of no* ~ gan éifeacht, *to work to no* ~ saothar in aisce a dhéanamh *vt & i*, *to* ~ *oneself of sth* leas a bhaint as rud, *it* ~ *s him little* is beag an éadáil dó é.

available *a* infhaighte; ar fáil, le fáil

avalanche *n* maidhm shléibhe; maidhm shneachta

avarice *n* saint

avaricious *a* santach

avenge *vt*, *to* ~ *a crime on a person* coir a agairt ar dhuine, *to* ~ *oneself* díoltas, sásamh, a bhaint amach

avenger *n* díoltach

avenue *n* aibhinne, ascaill

average *n* meán *a* cothrom, meánach, meán-

averse *a*, *to be* ~ *to doing sth* dochma a bheith ort rud a dhéanamh, *he wouldn't be* ~ *to a little drop* ní dhiúltódh sé braon beag

aversion *n* col, dochma, drogall, *it is his pet* ~ is é púca na n-adharc aige é

avert *vt*, *to* ~ *anger* fearg a iompú, *to* ~ *danger* contúirt a choinneáil uait, a chosaint

aviary *n* éanlann

aviation *n* eitlíocht

avid *a* cíocrach, ~ *for sth* scafa chun ruda

avoid *vt* seachain, teith ó

avoidance *n* seachaint

await *vt* fan le, fair

awake *vt & i* dúisigh, múscail *a*, *to be* ~ bheith i do dhúiseacht, *he is wide* ~ tá sé ina lándúiseacht, níl néal air

awaken *vt & i* múscail, dúisigh

awakening *n* múscailt

award *n* moladh, duais *vt*, *to* ~ *a prize to a person* duais a thabhairt do dhuine

aware *a* meabhrach, braiteach, *I am* ~ *of it* is feasach dom é, *I became* ~ *of a smell* mhothaigh mé boladh, *to make a person* ~ *of sth* rud a chur ar a shúile do dhuine

awareness *n* meabhraíocht

away *adv* ar shiúl, *he went* ~ d'imigh sé (leis), *he took it* ~ thug sé leis é, *work* ~ oibrigh leat, *do it right* ~ déan láithreach é, *far* ~ i bhfad ó bhaile, ~ *from home* as baile, *he kept* ~ *from them* d'fhan sé glan orthu, *amach uathu, to do* ~ *with sth* deireadh a chur le rud, *if you get* ~ *with it* má ritheann leat

awe *n* uafás, uamhan

awful *a* uafásach, millteanach, scanrúil, *he is an* ~ *liar* is deamhanta an bréag-adóir é, *the weather was* ~ bhí léan ar an aimsir

awfully *adv* go huafásach, *I am* ~ *sorry* tá brón an domhain orm

awhile *adv* nóiméad, ar feadh nóiméid, *wait* ~ fan go fóill

awkward *a* anásta, amscaí, ciotógach, driopásach, tútach, míshásta, ~ *person* amlóir

awkwardness *n* ciotaí, tútachas

awl *n* meana

awning *n* scáthbhrat

awry *a & adv* cam; ar fiar; cearr, *it is all* ~ tá sé bunoscionn

axe *n* tua

axiom *n* aicsím, soiléirse

axis *n* ais

B

babble n cabaireacht, (of stream) crónán
vt & i, babbling ag cabaireacht; ag
crónán; ag plobaireacht, to ~ a secret
rún a scileadh, a sceitheadh
baboon n babún
baby n babaí, leanbh, leanbán, ~ seal
éan róin
babyish a bábánta, leanbaí
babysitter n feighlí páistí
bachelor n baitsiléir; buachaill
bacillus n bachaillín
back n cúl, droim, muin; cúlaí, ~ to front
taobh thiar aniar, droim ar ais adv & a
siar, ar gcúl, ar ais, ~ there thiar ansin,
~ and front thiar agus abhus, ~ door
doras cúil, ~ legs cosa deiridh vt & i
cúlaigh, baiceáil; tacaigh le, to ~ a
horse geall a chur ar chapall, to ~ up a
person seasamh le duine, to ~ down
tarraingt siar
back-band n dromán
backbiter n cúlchainteoir, creimire
backbiting n cúlchaint, athchaint, ath-
iomrá
backbone n cnámh droma, slat droma
backer n cúl taca; gealltóir
backfire vi cúltort
backgammon n táiplis mhór
background n cúlra; cúlionad, in the ~ ar
an gcúlráid
backing n tacaíocht, cúl taca; cúlú
backlash n fritonn
backlog n riaráiste
backside n tóin, tiarpa
backward a cúthail, cúlánta, cúlráideach,
iargúlta, ~ place iargúil
backwards adv ar gcúl, siar, they were
moving ~ bhí siad ag dul i ndiaidh a
gcúil, ar lorg a gcúil
backwater n marbhuisce, uisce cúil; áit
cúl le faobhar
bacon n bagún
bacteria npl baictéir
bacterial a baictéarach
bacteriology n baictéareolaíocht
bad n, to go to the ~ dul i ndonas,
imeacht chun an diabhail a dona, olc,
mí-, ain-, an-, droch-, ~ egg ubh
ghlugair, it's not ~ níl caill air
badge n suaitheantas

badger n broc
badly adv go dona, ~ off ar míchaoi
badminton n badmantan
badness n donacht, olcas
baffle vt, to ~ a person duine a mhearú, a
chur i sáinn, a case that ~ d the doctors
cás a chuaigh thar scil na ndochtúirí, it
is baffling me tá sé ag dul sa mhuileann
orm, tá sé ag déanamh mearbhaill
dom
bag n mála, bolg, ~ s under the eyes
sprochailli faoi na súile vt baig, cuir i
mála(í)
baggage n bagáiste
baggy a máilíneach
bagpipe n píb (mhála), playing the ~ s ag
píobaireacht
bail[1] n bannaí, to go ~ for a person dul i
mbannaí ar dhuine vt, to ~ a person
out dul i mbannaí ar dhuine
bail[2] vt taom, taosc
bailiff n báille, maor
bait n baoite vt baoiteáil
bake vt & i bruith, beirigh, bácáil
bakelite n bácailít
baker n báicéir
bakery n bácús, teach báicéireachta
baking n báicéireacht, bruith, ~ powder
púdar bácála
balance n cóimheá; meá, scálaí, ainsiléad;
cothrom, cothromaíocht; comhardú;
fuílleach, in the ~ idir dhá cheann na
meá vt meáigh; cothromaigh; comh-
ardaigh
balanced a cothrom
balcony n balcóin, grianán
bald a maol, lom, plaiteach, ~ head
plait, blagaid
balderdash n seafóid, raiméis
bale[1] n corna, burla vt corn, burláil
bale[2] vi, to ~ out of a plane dul i muinín
an pharaisiúit
baleful a, ~ eye, glance súil mhillteach
baler n burlaire
balk n bac, balc vt & i bac, ob, to ~ at sth
loiceadh ó, roimh, rud
ball[1] n liathróid, meall; lúbán; peil; sliot-
ar, ~ of thread ceirtlín snátha
ball[2] n damhsa
ballad n bailéad

16

ball-alley *n* pinniúr

ballast *n* ballasta

ball-bearings *npl* grán iompair

ballerina *n* rinceoir bailé

ballet *n* bailé

ballistics *npl* balaistíocht

balloon *n* balún, éadromán

ballot *n* ballóid, páipéar vótála

ball-point *a*, ~ *pen* peann gránbhiorach

balm *n* balsam, íocshláinte

balmy *a* cumhra; sámh

balsam *n* balsam; íocshláinte

baluster *n* balastar

balustrade *n* balastráid

bamboo *n* bambú

bamboozle *vt*, *to* ~ *a person* an dubh a chur ina gheal ar dhuine, ball séire a dhéanamh de dhuine

ban *n* cosc, toirmeasc *vt* coisc, toirmisc

banal *a* scanchaite, leamh

banana *n* banana

band *n* banda, crios, fleasc; banna, buíon, díorma, cipe, baicle *vi*, *to* ~ *together* cruinniú le chéile, teacht le chéile

bandage *n* bindealán, buadán, bréid, fáisceán *vt*, *to* ~ *sth* buadán, bindealán, a chur ar rud

bandit *n* tóraí, meirleach

banditry *n* meirleachas

bandy[1] *a* bórach, gabhlach

bandy[2] *vt*, *to* ~ *words* bheith ag beachtaíocht, ag stangaireacht

bane *n*, *they were the* ~ *of my life* fuair mé mo chéasadh leo

bang *n & vt & i* plab, pléasc

bangle *n* bráisléad

banish *vt* díbir, ruaig

banishment *n* díbirt, deoraíocht, ionnarbadh

banister *n* balastar, ~*s* ráillí

banjo *n* bainseo

bank[1] *n* banc; bruach, port; múr; oitir *vt & i* bancáil, *to* ~ *up a fire* tine a choigilt

bank[2] *n* banc, ~ *account* cuntas bainc *vt*, *to* ~ *money* airgead a chur sa bhanc, *to* ~ *on sth* talamh slán a dhéanamh de rud, bheith ag brath ar rud

banker *n* baincéir

banking *n* baincéireacht

bankrupt *n* clisiúnach, féimheach

bankruptcy *n* clisiúnas, féimheacht

banner *n* meirge

bannock *n* bonnóg

banns *npl* bannaí pósta

banquet *n* féasta, fleá, cóisir

banshee *n* bean sí, badhbh chaointe

bantam *n* bantam, circín

banter *n* greanntaíocht, nathaíocht *vi*, *you are only* ~*ing with me* níl sibh ach ag eagnaíocht orm

baptism *n* baiste(adh)

baptismal *a* baistí, ~ *font* umar baiste

baptize *vt* baist

bar *n* barra, maide; beár, *colour* ~ cneaschol *vt* bac, coisc, toirmisc

barb *n* friofac, frídín; goineog

barbarian *n & a* barbarach

barbaric *a* barbartha

barbarism *n* barbarachas

barbarity *n* barbarthacht, danarthacht

barbarous *a* barbartha, danartha

barbecue *n* fulacht

barbed *a* deilgneach, frídíneach; nimheanta, ~ *wire* sreang dheilgneach

barber *n* bearbóir

barbiturate *n* barbatúráit

bard *n* bard

bare *a* lom, nocht, maol; dealbh *vt* lom, nocht, *he was baring his teeth at me* bhí sé ag scamhadh na bhfiacla chugam; chuir sé scaimh, draid, air féin liom

bareback *adv*, *to ride a horse* ~ capall a mharcaíocht droimnocht

barefaced *a*, *it is a* ~ *lie* is í an bhréag is cruthanta í

barefooted *a* cosnochta

bareheaded *a* ceann-nochta

barely *adv* ar éigean, *he is* ~ *a year old* is beag má tá sé, níl ann ach go bhfuil sé, bliain d'aois, *he* ~ *managed to do it* chuaigh sé rite leis é a dhéanamh

bargain *n* conradh, margadh, sladmhargadh *vi*, ~*ing with a person* ag margáil le duine, *to* ~ *over sth* margáil a dhéanamh faoi rud

barge[1] *n* báirse, bád canála *vi*, *to* ~ *into a person* greadadh in éadan duine, *to* ~ *into a conversation* do ladar a chur i gcomhrá, do gheab a chur isteach

barge[2] *n* báirseach

baritone *n* baratón

bark¹ n glam, tafann, amhastrach, *his* ~ *is worse than his bite* is troime a bhagairt ná a bhuille *vi*, ~*ing* ag amhastrach, ag tafann

bark² n coirt, rúsc, snamh

barley n eorna

barley-sugar n eornóg

barmaid n cailín tábhairne

barmbrack n bairín breac

barn n scioból

barnacle n giúrann, ~ *goose* gé ghiúrainn, cadhan

barometer n baraiméadar

baron n barún

barony n barúntacht

barracks npl beairic

barrage n baráiste

barred a, ~ *gate* sparra

barrel n bairille

barren a aimrid, seasc; creagach, gortach

barrenness n aimride, disc, seascacht; creagacht

barricade n baracáid

barrier n bac, fál, sparra, constaic

barring prep, ~ *accidents* amach ó thimpistí

barrister n abhcóide

barrow n bara

barter n babhtáil, malairt *vt & i* babhtáil, malartaigh

basalt n basalt

base¹ n bonn, bun, trácht, foras, dúshraith; bunáit *vt* bunaigh, *it is* ~*d on fact* tá bunús fírinne leis

base² a suarach, lábúrtha, táiriúil, cloíte, díblí

baseless a, ~ *rumour* ráfla gan bhunús, ráfla gan údar

basement n íoslach

bash *vt & i* basc, rúisc, *they were* ~*ing away at each other* bhí siad ag stealladh leo ar a chéile

bashful a cúthail, cotúil, cúlánta

bashfulness n cotadh, scáth

bashing n bascadh, stealladh, smiotadh

basic a bunúsach, bunata, bun-

basilica n baisleac

basin n báisín, mias, (*river*) ~ abhantrach, (*canal*) ~ duga

basis n bonn, bunús, dúshraith

bask *vi*, ~*ing in the sun* ag grianaíocht, *to* ~ *grianadh a thabhairt duit féin

basket n bascaed, ciseán, cliabh

basketball n cispheil

basketry n caoladóireacht

basking-shark n seoltóir, liamhán gréine

bass¹ n, (*fish*) bas gheal, doingean

bass² n, (*voice*) dordghuth a dordánach

bassoon n basún

bastard n bastard, páiste gréine

baste¹ *vt, to* ~ *meat* feoil a bhealú

baste² *vt* creimneáil, *to* ~ *cloth* gúshnáithe a chur in éadach

bastion n urdhún

bat¹ n ialtóg, sciathán leathair, leadhbóg leathair

bat² n slacán, slis *vt & i* slac

batch n dol, baisc

bath n folcadán; folcadh, fothragadh *vt* folc

bathe *vt & i* folc, fothraig, ionnail, *to* ~ *a wound* cneá a ní, ~*d in sweat* báite le hallas

bathing n, *sea* ~ folcadh sáile

bathos n turnamh; leimhe

bathroom n seomra folctha

batik n baitíc

baton n bata, *conductor's* ~ baitín

batsman n slacaí

battalion n cath(lán)

batten n bráicín, haiste, sparra *vt, to* ~ *down the hatches* na haistí a theannadh, a dhaingniú, a sparradh

batter n fuidreamh *vt* batráil, tuargain

battering n greadadh, tuargaint, plancadh

battering-ram n reithe cogaidh

battery n bataire, cadhnra

battle n cath, comhrac, gleo, ~ *of words* briatharchath *vt & i* troid, *battling against the wind* ag streachailt in éadan na gaoithe

battle-axe n sáfach, tua chatha

battle-cry n rosc catha

battle-dress n cathéide

battlefield n páirc an áir, machaire an chatha

battlements n forbhallaí, táibhle

bawdy a gáirsiúil, graosta

bawl n béic *vt & i* béic, *he* ~*ed* lig sé goldar as

bawn n bábhún

bay¹ n bá, cuan, camas; cuas

bay² n, (*tree*) labhras

bay³ n glam *vi* glam, ~*ing* ag glamaíl, ag tafann

bayonet n beaignit

bazaar n basár

be vi, to ~ big bheith mór, ~ it long or short (pé) fada gearr é, ~ it good or bad bíodh sé maith nó olc, he is tired tá tuirse air, she is a nurse is banaltra í

beach n trá, stony, pebbly, ~ duirling vt, to ~ a boat rith cladaigh a thabhairt do bhád; bád a tharraingt aníos as an bhfarraige

beachcomber n tonn bháite; fear raice, tráiteoir

beacon n rabhchán

bead n coirnín, cloichín, cloch, mónóg, súilín, ~s of sweat drithlíní, drúchtíní, allais, Rosary ~s paidrín, coróin Mhuire

beagle n gadhar, pocadán

beak n gob, gulba

beaker n eascra

beam n bíoma, balc, maide, giarsa, sail, crann; léas (solais), the ~ in one's own eye an tsail i do shúil féin vt & i spalp, the sun was ~ing bhí an ghrian ag soilsiú, ag taitneamh, he was ~ing with delight bhí aoibh air

bean n pónaire

bear[1] n béar, the Great B~ an tSeisreach, an Camchéachta, an Béar Mór

bear[2] vt & i iompair, foighnigh, fulaing; seas; beir, she bore a child rugadh leanbh di, he ~s himself well is breá an t-imeacht atá faoi, an leagan atá air, to ~ the cost an costas a sheasamh, to ~ that in mind cuimhnigh air sin, to ~ out the story de dhearbhú an scéil

bearable a sofhulaingthe

beard n féasóg, meigeall, ulcha vt greannaigh, to ~ a person dúshlán duine a thabhairt

bearded a colgach; ulchach, féasógach

bearer n iompróir, seachadóir

bearing n iompar, imeacht, leagan, méin, (mechanical) imthaca, compass ~ treo-uillinn, to take ~s comharthaí, marcanna, a thógáil (ar áit), he lost his ~s chuaigh sé as a eolas

beast n beithíoch, ainmhí; péist

beat n buille, (of police, etc) on the ~ ar stádar vt & i buail, greasáil, liúr, léirigh, gleadhair, cnag, sáraigh, cáith, we were well ~en buadh glan orainn;

cniogadh muid, ~ it! buail an bóthar! gread leat!

beater n buailteoir

beatific a beannaitheach

beatify vt beannaigh

beating n bualadh, liúradh, plancadh, he got a ~ fuair sé leadradh

beatitude n beannaitheacht, the eight ~s na hocht mbeannacht

beautiful a álainn, dathúil, dóighiúil, gnaíúil, maisiúil, sciamhach, ~ woman spéirbhean

beautify vt maisigh, breáthaigh

beauty n áilleacht, breáthacht, gnaoi, maise, scéimh

beaver n béabhar

becalmed a gan chóir, ar díth chórach

because conj & adv de bhrí, mar, arae, toisc, as siocair, cionn is (go), óir, ~ of that mar gheall air sin, dá bharr sin

beck n, you are at his ~ and call níl aige ach fead a ligean, sméideadh, ort

beckon vt & i sméid, bagair

become vt & i éirigh, téigh chun, téigh i; feil, oir (do), to ~ tired éirí tuirseach, the weather is becoming settled tá an aimsir ag socrú, he became a priest rinneadh sagart de, she became a Catholic d'iompaigh sí ina Caitliceach, the blue ~s you better is fearr a oireann an gorm duit, it would ill ~ me b'olc an mhaise dom é

becoming a feiliúnach, maisiúil, he acted in a ~ manner ba mhaith an mhaise dó é

bed n leaba, nead; grinneall; ceap bláthanna, to go to ~ dul a luí vt leabaigh, to ~ down the horses easair a chur faoi na capaill, to ~ (out) plants plandaí a chur amuigh

bed-clothes n éadach leapa

bedding n cuilce, leapachas, cóir leapa; easair, sop

bedeck vt oirnigh, gléas

bedlam n ruaille buaille

bedraggled a aimlithe, sraoilleach, ~ person maidrín lathaí, sraoill

bed-ridden a cróilí

bedroom n seomra leapa, seomra codlata

bedside n colbha (leapa)

bedsore n anacair leapa

bedspread n scaraoid leapa

bedstead n stoc leapa

bedtime *n* am luí

bee *n* beach, *queen* ~ cráinbheach

beech *n* fáibhile, feá

beef *n* mairteoil, ~ *cattle* mairt

beefburger *n* martbhorgaire

beef-tea *n* súram mairteola

beehive *n* coirceog, ~ *hut* clochán (coirc-eogach)

beekeeper *n* beachaire

beer *n* beoir, leann

beestings *n* bainne buí, maothal, nús

beet *n* biatas

beetle[1] *n* builtín, tuairgnín, slis, farcha, smiste *vt* slis

beetle[2] *n* ciaróg, daol, *water* ~ doirb

beetroot *n* meacan biatais, biatas

befall *vt & i* tit amach, éirigh do, *it befell (that)* tharla (go)

befit *vt* oir (do), *as* ~ *s the occasion* mar is cuí don ócáid, *as* ~ *s a king* mar is dual do rí

before *prep* roimh; os comhair, os coinne, *the year* ~ *last* arú anuraidh *adv, never* ~ riamh roimhe *conj* sula, ~ *I bought the book* sular cheannaigh mé an leabhar

beforehand *adv* cheana, roimh ré

befriend *vt, to* ~ *a person* éirí cairdiúil le duine; duine a ghlacadh faoi do choimirce

beg *vt & i* achainigh, impigh, ~*ging ag* déircínteacht, ag bacachas, ag iarraidh do choda, *I* ~ *your pardon* gabhaim pardún agat

beget *vt & i* gin, tuismigh; tosaigh

beggar *n* bacach, fear (bean) déirce, bochtán; sirtheoir *vt* creach, *they* ~*ed him* chuir siad ar an déirc é, chuir siad an mála aniar air

beggary *n* dealús, *to be reduced to* ~ bheith, dul, ar an déirc

begging *n* impí; déircínteacht *a* geocúil, iarratach, impíoch

begin *vt & i* tosaigh, tionscain, ~ *the story* bain an ceann den scéal

beginner *n* núíosach, tionscnóir, tosaitheoir

beginning *n* tosach, tús, *in the* ~ ar dtús, ó thús, i dtosach báire

begonia *n* beagóinia

begrudge *vt* maígh, *I don't* ~ *it to you* ní mór liom duit é, *to* ~ *sth to a person* rud a mhaíomh ar dhuine

beguile *vt* meall, bréag, cealg, *she* ~ *d him* chuir sí an chluain air, *to* ~ *the time for us* le cian a thógáil dínn

beguiling *a* cealgach, mealltach, cluanach, meabhlach

behalf *n, on* ~ *of* ar son, i leith, as ucht, thar ceann

behave *vi, to* ~ *well* tú féin a iompar go maith, *she knows how to* ~ tá fios a béas aici

behaviour *n* iompar, béasa, *good* ~ múineadh, *bad* ~ drochiompar

behead *vt* dícheann

behest *n* ordú, iarratas, *at your* ~ ar ordú uaitse

behind *adv* thiar, *to fall* ~ dul chun deiridh, titim siar *prep* laistiar, ~ *my back* ar chúl mo chinn, ~ *the hill* taobh thiar den chnoc, *the people who are* ~ *him* an dream atá ar a chúl *n* tóin

behindhand *a, to be* ~ *with sth* bheith ar deireadh, chun deiridh, le rud

behold *vt* féach, dearc

beholden *a, to be* ~ *to a person* bheith faoi chomaoin ag duine, *I won't be* ~ *to you for it* ní bheidh sé le maíomh agat orm

beholder *n* féachadóir; dearcadóir

beige *n* béas

being *n* beith; neach, *earthly* ~ gin shaolta, dúil chré

belated *a* mall, deireanach

belch *n* brúcht, ~ *of smoke* calc toite *vt & i* brúcht

beleaguer *vt* imshuigh, *to* ~ *a town* léigear a dhéanamh ar bhaile

belfry *n* clogás, cloigtheach

belie *vt* sáraigh, bréagnaigh, *they* ~ *their appearance* níl siad ag teacht lena gcosúlacht

belief *n* creideamh; tuairim

believe *vt & i* creid, *I don't* ~ *in ghosts*, ní ghéillim do thaibhsí, ní thugaim isteach do thaibhsí, ~ *it or not* tuig é nó ná tuig

believer *n* creidmheach

belittle *vt* díspeag, tarcaisnigh, *to* ~ *sth a* bheag a dhéanamh de rud, caitheamh anuas ar rud

bell *n* clog, cloigín; gligín

bellicose *a* cogúil, trodach

belligerent *n & a* cogaíoch

bellow n búir, géim, glam, búireach vt & i bladhair, búir, géim

bellows npl boilg

bell-tower n clogás

belly n bolg, tarr

belly-band n tarrghad

belong vi, it ~s to me is liomsa é, he ~s to the society tá sé ina bhall den chumann

belongings npl giuirléidí, traipisí, trucailí

beloved n searc, grá geal a ionúin, muirneach, díl, grách

below adv thíos, laistíos, as stated ~ mar atá ráite thíos prep faoi, faoi bhun, taobh thíos de

belt n crios, beilt vt timpeallaigh, crioslaigh, to ~ a person greasáil a thabhairt do dhuine

bemoan vt & i éagaoin, cásaigh, he was ~ing his plight bhí sé ag déanamh trua dó féin

bemuse vt dall, caoch, to ~ a person mearbhall a chur ar dhuine, duine a chur trí chéile

bench n binse, forma

bend n lúb, fiar, filleadh, coradh, cam; camas vt & i claon, crom, fiar; fill, lúb, to ~ one's knee do ghlúin a fheacadh

beneath adv thíos, laistíos prep faoi, faoi bhun

Benedictine n & a Beinidicteach

Benediction n Beannacht (na Naomh-Shacraimint)

benefactor n pátrún, tíolacthóir

benefice n beinifís

beneficial a sochrach, tairbheach

beneficiary n tairbhí

benefit n tairbhe, buntáiste, leas, gnóthachan, sochar, brabach vt & i tairbhigh, fóin, to ~ by sth bheith buaite le rud

benevolent a dea-mhéineach

benign a caoin, lách; neamhdhíobhálach

benighted a aineolach; dorcha

bent[1] n claonadh; féith, dúchas, to have a ~ for sth lui a bheith agat le rud

bent[2] a cam, cuar, fiar, ~ (down) claon, crom, sleabhctha, to be ~ on mischief drochfhuadar a bheith fút

benzine n beinsín

bequeath vt oidhrigh (to ar), tiomnaigh, uachtaigh, to ~ sth rud a fhágáil le huacht

bequest n tiomnacht

berate vt liobair

bereavement n bás, to sympathize with a person on his ~ a thrioblóid a chásamh le duine

beret n bairéad

berry n caor, sméar

berserk a, to go ~ dul le dásacht, dul le báiní, dul as do chraiceann

berth n, ship's ~ leaba, beart (loinge) vt & i calaigh, feistigh, the ship ~ed along the quay shin an long leis an gcé

beseech vt guigh, impigh (ar), achair (ar), éigh (ar)

beset vt ionsaigh, ~ting sin leannán peaca

beside prep le hais, in aice, cois, i bhfarradh le, he was ~ himself (with anger) bhí sé ag dul as a chraiceann, níor fhan néal aige

besides adv lena chois sin, freisin prep diomaite de, seachas, le cois, fara

besiege vt imshuigh, imdhruid, to ~ a place léigear a dhéanamh ar áit

besmear vt sram, smear

besom n scuab, scuabán

besotted a, he is ~ with her tá sé splanctha ina diaidh, tá sé sa chéill is aigeantaí aici

bespatter vt draoibeáil, scaird ar

bespeak vt, to ~ sth focal a chur ar rud

best n rogha, togha, the ~ of men scoth na bhfear, it is ~ for you is é do bhuaic é, at their ~ i mbarr a maitheasa, to do one's ~ do dhícheall a dhéanamh, the ~ of my knowledge ar feadh m'eolais adv, you know ~ agatsa is fearr a fhios a, ~ man vaidhtéir, finné fir vt, to ~ a person duine a bharraíocht

bestial a brúidiúil

bestiality n béistiúlacht

bestir vt, ~ yourself corraigh thú féin, déan imní anois

bestow vt bronn, tíolaic

bestrew vt scaip, croith, ~n with breac, greagnaithe, le

bestride vt, to ~ sth dul, bheith, ar scaradh gabhail ar rud

bet n geall vt & i, to ~ geall a chur, I ~ he was there gabhaim orm go raibh sé ann

betake vt, to ~ oneself to a place áit a thabhairt ort féin

betoken vt comharthaigh, tuar

betray vt braith, feall (ar), sceith ar

betrayal n feall, meabhlú, brath, brathadóireacht

betrayer n brathadóir, feallaire

betrothal n dáil

better[1] comp a & adv, he is a ~ driver than I am is fearr de thiománaí é ná mise, to get ~ dul i bhfeabhas, feabhsú; bisiú, biseach a fháil, there is nothing ~ to be had níl níos fearr le fáil, níl a shárú le fáil, he slept ~ last night chodail sé níos fearr aréir, they don't know any ~ níl fios a mhalairte acu, you had ~ stay b'fhearr duit fanacht, ~ still agus rud is fearr arís n, you are the ~ for it is fearrde thú é, to get the ~ of a person bua a fháil ar dhuine, an ceann is fearr a fháil ar dhuine, duine a shárú, the country has changed for the ~ tháinig feabhas ar an tír

better[2] vt & i feabhsaigh, to ~ a feat gaisce a shárú, he is trying to ~ himself tá sé ag iarraidh é féin a chur chun tosaigh

betterment n feabhsú

betting n geallchur; cearrbhachas

between prep idir, ~ fields idir pháirceanna, ~ Dublin and Cork idir Baile Átha Cliath agus Corcaigh, to be betwixt and ~ bheith idir eatarthu

bevel n & vt beibheal

beverage n deoch

bevy n scata, foireann

bewail vt caígh, caoin, cásaigh

beware vt & i seachain, coimhéad, fainic, faichill, ~ of him fainic thú féin air

bewilder vt mearaigh

bewildered a mearbhlach, ar mearaí

bewilderment n meadhrán, mearbhall, trí chéile, mearaí

bewitch vt cronaigh, mothaigh, ciorraigh, to ~ a person duine a chur faoi dhraíocht

bewitched a, the place is ~ tá draíocht ar an áit

bewitching a draíochtach, meallacach

beyond adv ansiúd, thall prep thar, lastall de, taobh thall de, ~ measure thar meán, as cuimse, ~ the bridge lastall den droichead, ~ compare os cionn comórtais

bias n fiar; laofacht, ~ binding fiarchumhdach

biased a laofa, claonta, leataobhach, leatromach, ~ judgment claonbhreith

bib n bibe; bráidín

Bible n Bíobla

biblical a bíobalta

bibliography n leabhareolaíocht

bicarbonate n décharbónáit

bicentenary n comóradh dhá chéad bliain

biceps n bíceips

bicker vi, ~ ing ag cnádánacht, ag spallaíocht

bicycle n rothar

bid n tairiscint; amas, iarraidh, (cards) glao vt, to ~ farewell to a person slán a chur le duine, slán a fhágáil ag duine; ceiliúradh de dhuine, to ~ a person do sth aithint ar dhuine rud a dhéanamh

biddable a, ~ child páiste soghluaiste

bidder n tairgeoir

bide vt & i cónaigh, to ~ one's time fanacht le cóir

biennial n débhliantóg a débhliantúil

bier n árach, cróchar, eileatram

big a mór, to grow ~ger dul i méid, fás, the ~gest one an ceann is mó

bigamy n biogamacht, déchéileachas

bigot n biogóid

bigotry n biogóideacht

bigwig n boc mór, bodach mór

bike n rothar

bilateral a déshleasach, déthaobhach

bilberry n fraochán

bile n domlas

bilge n, (of ship) ruma

bilge-water n bodharuisce

bilingual a dátheangach

bilingualism n dátheangachas

bilious a domlasta

biliousness n domlastacht

bill[1] n bille

bill[2] n gob

billet n billéad

billhook n bileog, halbard

billiards npl billéardaí

billion n & a billiún

billow n brúcht farraige, tonn vi tonn, the sail was ~ing bhí an seol ag plucadh amach

billy-goat n poc(aide) gabhair, pocán (gabhair)

bin n araid, gabhdán, *litter* ~ bosca bruscair

binary a dénártha

bind vt ceangail, cuibhrigh; fáisc, naisc, snaidhm, táthaigh; fuaigh, *he is bound to come* is cinnte go dtiocfaidh sé, *I'm not bound to do that* níl ceangal orm a leithéid a dhéanamh

binder n fáisceán; ceanglóir (arbhair)

binding n banna, ceangal, cuibhreach, nascadh a ceangailteach; oibleagáideach

bindweed n ialus

binge n babhta óil, ragús óil

bingo n biongó

binoculars npl déshúiligh, gloiní

bio- pref bith-

biographer n beathaisnéisí

biography n beathaisnéis, beatha

biology n bitheolaíocht

biped n & a déchosach

birch n beith, *silver* ~ beith gheal

bird n éan, pl éanlaith, *lone* ~ leathéan

bird-cage n éanadán

biretta n bairéad

birth n breith, saolú, gin, *she gave* ~ *to a son* rugadh, saolaíodh, mac di

birth-certificate n teastas beireatais

birthday n lá breithe

birthmark n ball broinne

birthrate n ráta beireatais

birthright n ceart folaíochta, dúchas

biscuit n briosca a donnbhuí

bisect vt déroinn

bishop n easpag

bishopric n easpagóideacht; suí easpaig

bison n bíosún

bit¹ n blúire, píosa, mír, giota, greim, pioc, *the tiniest* ~ oiread na fríde, *it is broken in* ~s tá sé ina bhrus, ina smionagar, ina smidiríní adv, a ~ *soon* buille luath, *she is a* ~ *deaf* tá allaire bheag uirthi, *you are not one* ~ *better off* níl tú a dhath, pioc, níos fearr as

bit² n bealbhach; béalmhír

bitch n soith, bitseach

bite n greim, plaic, sclamh; cealg, *(fishing)* broideadh vt cailg; ith, miotaigh, *to* ~ *sth* greim a bhaint as rud, *to* ~ *a person's head off* an tsrón a bhaint de dhuine

biting a goimhiúil, faobhrach, nimh-

neach, ~ *wind* gaoth bhiorach, gaoth pholltach, *it is* ~ *ly cold* tá ribe fuar air

bitter a searbh, gangaideach; feanntach, dóite, *weeping* ~ *ly* ag gol go garg, go goirt, *to the* ~ *end* go bun an angair

bittern n bonnán (bui, léana)

bitterness n searbhas, seirfean, nimh, goirteamas, gangaid

bitumen n biotúman

bizarre a aisteach, aduain, deoranta

blab vt & i, *he* ~ *bed out the secret* sceith sé, spalp sé, an rún

blabber n béal gan scáth, sceithire

black n & a dubh

Black-and-Tan n Dúchrónach

blackberry n sméar (dubh)

blackbird n lon (dubh), *(female)* ~ céirseach

blackboard n clár dubh

blacken vt & i dubhaigh

black-faced a, ~ *sheep* caora chrosach, caora bhrocach

blackguard n bligeard, scabhaitéir

black-haired a dubh

blackhead n goirín dubh

blackleg n ceathrú dhubh, ceathrú ghorm

blackmail n & vt dúmhál

blackness n dubh, duibhe

black-out n lánmhúchadh (soilse); támhnéal

blacksmith n gabha (dubh)

blackthorn n draighean, draighneán (donn); maide draighin

bladder n éadromán, lamhnán

blade n seamaide, gas, brobh, ribe (féir); lann, faobhar; lián, *corn in the* ~ geamhar

blaeberry n fraochán

blame n milleán, locht, cion, *I got the* ~ *for it* leagadh ormsa é vt ciontaigh, cáin, lochtaigh, *who would* ~ *you for it* cé a thógfadh ort é, cé a bheadh ina dhiaidh ort, *you are to* ~ *for it* is tú is ciontaí leis, tusa faoi deara é

blameless a neamhlochtach, saor ó locht, saor ó cháineadh

blanch vt & i bánaigh, tuar, *she* ~ *ed* d'iompaigh an lí bhán uirthi

blancmange n bánghlóthach

bland a maránta; plásánta; leamh

blandishment n láinteacht, plámás

blank n spás folamh, bearna; cartús caoch a bán, folamh; caoch

blanket n blaincéad, pluid, súsa

blare n, ~ of trumpet búir, scol, trumpa, ~ of light scaladh, dallrú, solais vt & i búir; dallraigh, scal

blarney n bladar, béal bán

blaspheme vt & i maslaigh; diamhaslaigh; eascainigh

blasphemy n diamhasla, blaisféim

blast n rois, soinneán, bleaist; cuaifeach, séideán, hot ~ gal, ~ of trumpet blosc trumpa vt & i bleaisteáil, séid, ~ing with dynamite ag réabadh le dinimit, ~ed oats coirce caoch

blast-off n imeacht (de bhlosc); adhaint (inneall roicéid) vi imigh (d'urchar, ar nós roicéid)

blatant a mínáireach, lom-, dearg-, ~ injustice éagóir fhollasach

blaze[1] n bladhmann, lasair, laom; dóiteán, tine, go to ~s téigh i dtigh diabhail vi bladhm, scal, las, he ~d up spréach sé

blaze[2] n scead, ceannainne

blazer n bléasar

blazing a bladhmannach, gleadhrach, laomtha

blazon n armas vt, to ~ forth sth rud a fhógairt go hard, rud a reic go poiblí

bleach n tuarthóir; bléitse vt & i tuar, bánaigh, to ~ clothes (in sun) éadaí a chur ar tuar

bleaching-green n tuairín

bleak a dealbh, dearóil, sceirdiúil

bleary a sramach, brachaí, geamhchaoch

bleat vi, a goat ~ing gabhar ag meigeallach, a sheep ~ing caora ag méileach

bleed vt & i fuiligh, to ~ fuil a chur

blemish n ainimh, máchail, smál, breall

blend n cumasc vt & i cumaisc

blender n cumascóir

bless vt beannaigh, coisric, God ~ him bail ó Dhia air, ~ my soul! Dia le m'anam!

blessed a beannaithe, naofa

blessing n beannacht, coisreacan; suáilce

blight n smol, potato ~ dubh na bprátaí, (an) dúchan vt dubhaigh, smol; mill

blind[1] a dall, caoch, ~ drunk caoch, ar stealladh na ngrás vt & i dall, caoch, dallraigh

blind[2] n dallóg

blindfold n púicín vt, to ~ a person púicín

a chur ar dhuine

blindman's buff n dalladh púicín

blindness n daille, caoiche

blink n sméideadh, faiteadh súl; ciorrú vt & i, to ~ an eye súil a bhobáil, to ~ a person duine a chiorrú

blinkers npl púicín, léaróga

bliss n aoibhneas

blissful a aoibhinn

blister n clog, léas, balscóid, spuaic vt & i clog, bolg

blistered a clogach, spuaiceach

blizzard n síobadh sneachta

bloat vt & i at, ~ed with drink séidte ag an ól

blob n daba

block n bloc, ceap, staic, ~ of flats áraslann, ceap árasán vt coisc, stop, bac

blockade n longbhac; imshuí vt stop, bac

blockage n caochaíl; bac

blockhead n dundarlán, cloigeann maide, ceann cipín

blonde n bean fhionn, cailín fionn a folt-bhuí, fionn

blood n fuil, cró, folracht; folaíocht

bloodhound n madra fola

bloodless a neamhfholach

bloodshed n doirteadh fola

bloodshot a sreangach, ~ eye sreang-shúil

bloodthirsty a fuilteach

blood-vessel n fuileadán

bloody a fuilteach, dearg

bloom n bláth, snua, snas, in ~ faoi bhláth vi bláthaigh

blooming a bláfar, faoi bhláth, the whole ~ lot of them an t-iomlán dearg acu

blossom n bláth, plúr vi bláthaigh

blot n smál, teimheal vt smear, salaigh, (of ink) súigh, triomaigh, ~ out folaigh, díothaigh

blotch n balscóid, smál, gríos

blotting-paper n páipéar súite

blouse n blús

blow[1] n buille, béim, clabhta, cnag, flíp, leadhb

blow[2] vt & i séid, sead, ~ away síob, to ~ up a rock carraig a phléascadh, ~ out the candle múch an choinneal

blowpipe n séideadán

blowy a gaofar

blubber n blonag vi, ~ing ag pusaireacht (ghoil), ag plobaireacht

bludgeon n smachtín, cleith

blue n & a gorm, the blues gruaim, lionn dubh

bluebell n cloigín gorm pl coinnle corra

bluebottle n, (fly) cuil ghorm; (flower) gormán

bluff n cur i gcéill vt, ~ing people ag cur madraí ar fhuinneoga, ag cur dallamullóg ar dhaoine

blunder n botún, meancóg, tuaiplis vi, to ~ botún a dhéanamh

blunderbuss n mothar

blundering a breallach, tuaiplisiúil

blunt a maol; neamhbhalbh vt & i maolaigh

blur n smál, ceo vt & i smálaigh, doiléirigh

blurt vt & i, he ~ed out the secret sceith, spalp, sé amach an rún

blush n luisne, lasadh vi dearg, las, luisnigh

bluster n stolladh (gaoithe); stoirm; gaotaireacht vi, to ~ callán a thógáil

blustery a stamhlaí, callánach, séideánach

boa n bua-chrapaire, feather ~ muince chleití

boar n collach, torc

board n clár, bord, kneading ~ losaid, ~ and lodging bia agus leaba, on ~ ship ar bord loinge vt & i bordáil, to ~ in a house bheith ar lóistín i dteach

boarder n lóistéir

boarding-house n teach lóistín

boarding-school n scoil chónaithe

boast n maíomh vi maígh

boaster n bladhmaire, gaiscíoch

boastful a bladhmannach, maíteach, mórálach, mórtasach, gaiscéiúil

boat n bád, árthach vi, ~ing ag bádóireacht

boat-hook n duán báid

boatman n bádóir

boatswain n bósan

bob vt & i bobáil, sciot; damhsaigh

bobbin n eiteán

bodice n cabhail, cabhaileog

bodily a corpartha, ~ strength neart coirp adv, he was thrown in ~ caitheadh isteach é idir cheann is chosa, idir chorp chleite is sciathán

bodkin n bóidicín, meana

body n corp, cabhail, colainn; corpán; comhlacht; tathag, ~ of people dream, drong, heavenly bodies reanna neimhe

bodyguard n garda cosanta

bog n portach, móinteán, corrach, criathrach vt, to get ~ged down dul in abar

bogberry n mónóg

bog-cotton n ceannbhán, canach

bog-deal n giúis

bogey[1] n bógaí

bogey[2] n taibhse

bogged a, ~ down in abar

boggy a, ~ ground abar, seascann, bogach, móinteach, puiteach

bog-hole n poll móna, caochpholl

bog-myrtle n raideog

boil[1] n neascóid

boil[2] n, to bring sth to the ~ fiuchadh a bhaint as rud vt & i beirigh, fiuch, bruith, coip, to ~ down sth rud a laghdú, rud a choimriú

boiler n coire, gaileadán

boisterous a gleoiréiseach, spleodrach

bold a dána, dalba; teann, buannúil, coráistiúil, to make ~ with a person teanntás a dhéanamh ar dhuine

boldness n dánacht, dalbacht; coráiste, misneach

bollard n mullard

Bolshevik n & a Boilséiveach

bolster n babhstar, bolastar, adhairt vt, to ~ up dul i dtacaíocht ar

bolt n bolta, sparra, saighead, splanc, like a ~ from the blue d'urchar neimhe, mar splanc vt & i boltáil, to ~ food bia a alpadh, the horse ~ed d'imigh an capall chun scaoill, he ~ed out of the room sciurd sé amach as an seomra

bomb n buama vt & i buamáil

bombast n bladhmann, scaothaireacht

bombastic a bladhmannach, bastallach, mórfhoclach

bomber n buamadóir; eitleán buamála

bond n banna; ceangal, nasc, cuing, snaidhm; géibheann vt naisc, táthaigh

bondage n braighdeanas, daoirse

bondholder n bannóir

bone n cnámh vt díchnámhaigh

bonesetter n fear cnámh

bonfire n tine chnámh

bonham n banbh

bonnet n boinéad, caidhp

bonny a dóighiúil, dathúil

bonus n bónas

bony a cnámhach

boo n faireach vt, to ~ a person faireach a dhéanamh faoi dhuine

booby n bobarún

booby-trap n bobghaiste

book n leabhar vt, to ~ a seat suíochán a chur in áirithe, focal a chur ar shuíochán

bookcase n leabhragán

book-end n leabharthaca

booking-office n oifig ticéad

book-keeping n cuntasóireacht; leabharchoimeád

booklet n leabhrán

bookmaker n geallghlacadóir

booley n buaile

boom[1] n bumaile

boom[2] n tormán, búireach, bonnán vi, ~ ing ag búireach

boom[3] n buacacht, borradh (trádála), there is a ~ in cattle tá ráchairt mhór ar an eallach vi, trade is ~ ing tá borradh faoin trádáil

boomerang n búmaraing

boon[1] n fabhar, comaoin, buntáiste

boon[2] a, ~ companion comrádaí suáilceach

boor n búr, daoi

boorish a amhlánta, búrúil

boost vt treisigh, to ~ a person's reputation cur le clú duine

booster n breisvoltaire; treiseoir

boot[1] n bróg, (top-) ~ buatais

boot[2] n, and a pound to ~ agus punt mar bhreis

booth n both, stainnín

bootlace n (barr)iall

bootmaker n gréasaí

bootpolish n snasán, smearadh bróg

booty n creach, slad

booze n deoch mheisciúil, to be on the ~ bheith ar an ól vi, boozing ag druncaeireacht

boracic n bórásach

borax n bórás

border n ciumhais, imeall, eochair; imeallbhord; críoch, teorainn vt & i, ~ ing my land ag críochantacht liom, sa chríoch agam, ~ ing on ag bordáil ar

bore[1] n, (of gun, pipe, etc) cró vt toll, poll

bore[2] n leadránaí, liostachán vt tuirsigh, I am ~ d with the work tá mé bréan, cortha, den obair

boredom n leamhthuirse, bailitheacht

boreen n bóithrín

bore-hole n poll tóraíochta

boring a tuirsiúil, leadránach

born a, the day he was ~ an lá a rugadh, a saolaíodh, é, ~ liar bréagadóir cruthanta

borough n buirg

borrow vt & i, to ~ sth rud a fháil ar iasacht

borrower n iasachtaí

borrowing n iasacht; focal iasachta a, the ~ days laethanta na riabhaí

bosom n brollach, cliabh, ucht, ~ friend cara cléibh, cara cnis

boss[1] n bocóid, mol

boss[2] n saoiste, máistir vt, to ~ people about saoistíocht a dhéanamh ar dhaoine

bossy a tiarnúil

botanic a, ~ garden luibhghairdín, National B~ Gardens Garraí na Lus

botanist n luibheolaí

botany n luibheolaíocht

botch n praiseach vt, to ~ sth abláil, ball séire, praiseach, a dhéanamh de rud, to ~ up sth cóiriú maolscríobach a dhéanamh ar rud

both pron & conj & a, ~ of us an bheirt againn, sinn araon, on ~ sides ar an dá thaobh, ~ men and women idir fhir agus mhná

bother n crá, buairt vt & i, don't let that ~ you ná cuireadh sin mairg, aon tinneas, ort, don't ~ me ná buair, bodhraigh, mé, don't ~ ná bac, ~ you! bodhrú ort!

bottle n buidéal vt buidéalaigh, to ~ up one's anger d'fhearg a bhrú fút, a chosc

bottleneck n caolas, scrogall

bottom n bun, íochtar, grinneall, tóin, baby's ~ geadán linbh, to get to the ~ of sth fios fátha ruda a fháil, from the ~ of my heart ó mo chroí amach a íochtarach, ~ teeth draid íochtair

bottomless a, ~ pit poll duibheagáin

bough n craobh, géag

boulder n bollán, moghlaeir, carball

bounce n boc, preab vt & i bocáil, preab; scinn

bouncing n preabaireacht a léimneach, ~ baby preabaire linbh

bound[1] n abhóg, léim, spreang, at a ~ de gheit, glanoscartha ví léim

bound[2] n, out of ~s thar teorainn; toirmiscthe vt teorannaigh, ciorclaigh, timpeallaigh

bound[3] a, the ship was ~ for Ireland bhí an long ag triall ar Éirinn

boundary n críoch, fóir, teorainn

boundless a dochuimsithe, as miosúr

bountiful a fairsing, fial, flaithiúil

bounty n fairsinge, féile; fordheontas, dearlacadh, deolchaire

bouquet n pósae

bourgeois a meánaicmeach, buirgéiseach

bout n babhta, dreas; ráig, taom, poc

boutique n siopa; siopa éadaigh faiseanta

bovine a buaibheach, ~ animal beithíoch

bow[1] n bogha; cuan; cuach(óg)

bow[2] n, ~ s of boat gualainn báid, ceann báid

bow[3] n umhlú vt & i claon; sléacht, umhlaigh, to ~ the knee glúin a fheacadh

bowed a crom, ceanníseal

bowels npl inní, ionathar

bower n grianán; lúibín coille

bow-knot n cuach(óg), snaidhm lúibe

bowl[1] n babhla, cuach, ~ of lamp bolg lampa

bowl[2] n bolla, game of ~s cluiche bollaí vt & i babhláil, bolláil

bow-legged a bórach, gabhlach

bowler[1] n, (sports) babhlálaí

bowler[2] n, (hat) babhlaer

bowman n boghdóir, saighdeoir

box[1] n bosca; stalla

box[2] vt, to ~ the compass an compás a bhocsáil

box[3] n cluaisín vt & i dornáil, to ~ a person's ear cluaisín a thabhairt do dhuine

boxer n dornálaí

boxing n dornáil, dornálaíocht

box-office n oifig ticéad

boxty n bacstaí

boxwood n (crann) bosca

boy n buachaill, garsún, gasúr, ~ scout gasóg

boycott n baghcat vt baghcatáil

boyfriend n stócach, buachaill

boyhood n óige, leanbaíocht

boyo n buachaill báire, diúlach

brace n snaidhm, teanntán; ceannrópa; cuing; péire pl guailleáin, gealais vt snaidhm; neartaigh, úraigh

bracelet n bráisléad

braces npl gealais, guailleáin

bracing a folláin, neartaitheach, athbhríoch

bracken n raithneach

bracket n brac, lúibín, income ~ réim ioncaim vt, to ~ words focail a chur idir lúibíní, to ~ (people) together (daoine) a chur ar aon chéim

brackish a, ~ water uisce goirt, mearsháile, breacsháile

bradawl n bradmheana

brag n brag, maíomh ví maígh, braigeáil, to ~ about sth maíomh as rud, ~ ging ag mustar, ag déanamh mórtais

braggart n bladhmaire, buaileam sciath, he is only a ~ níl ann ach an tsiollóg

braid n dual, trilseán; bréad, órshnáithe vt trilsigh, dual

braided a trilseach

braille n braille

brain n inchinn, he has ~s tá eagna chinn aige

brain-wave n smaoineamh intleachtach

brainy a intleachtach, éirimiúil

braird n geamhar

braise vt galstobh

brake n coscán; bráca vt coisc

bramble n dris(eog), sceach

bran n bran (mór)

branch n craobh, géag, brainse, gabhal, gasra ví craobhaigh, géagaigh, (of road), to ~ off imeacht (ó); gabhlú

branching a craobhach, géagach, gabhlach

branchline n craobhlíne

brand n breo; branda, lorg, marc vt brandáil, creach

brandish vt beartaigh, bagair, croith

brand-new a úrnua, amach as an bpíosa

brandy n branda

brass n prás a, I haven't a ~ farthing níl cianóg rua agam

brassière n cíochbheart

brassy a prásach; soibealta

brat n dailtín, raispín

bravado n gaisce, laochas, *to do sth out of* ~ rud a dhéanamh as dúshlán

brave a cróga, calma, misniúil vt, *he* ~ *d the sea* thug sé dúshlán na farraige

bravery n calmacht, crógacht

bravo int mo cheol thú, Dia (go deo) leat, (mo) sheacht mh'anam thú

brawl n racán, sciúchas

brawn n arrachtas; toirceoil

brawny a féitheogach

bray n béic, búir vi, ~*ing* ag grágáil, ag búiríl

brazen a prásach; dána, *he is* ~ *is air* atá an aghaidh

brazier n prásaí; ciséan tine

breach n bearna, scoilt, ~ *of covenant* sárú cúnaint vt bearnaigh, bris

bread n arán

breadth n leithead, fairsinge, *along its* ~ ar a thrasna

break n briseadh, scoilt, maidhm, *at* ~ *of day* le hamhscarthanach, le fáinne, an lae; leis an maidneachan vt & i bris, réab, *day is* ~*ing* tá an lá ag gealadh, ag briseadh, ~ *apart* scoilt, scoith, *the meeting broke up* scoir an cruinniú, *the car broke down* chlis an carr

breakdown n cliseadh

breaker n maidhm thoinne pl bristeacha

breakfast n bricfeasta, céadphroinn

breakwater n bábhún, tonnchosc

bream n bran; deargán

breast n brollach, ucht, broinne, cíoch, *to make a clean* ~ *of sth* faoistin ghlan a dhéanamh i rud

breastplate n lúireach, scaball; uchtach

breath n anáil, dé, smid, ~ *of wind* puth ghaoithe, aer (beag) gaoithe, smeámh

breathe vt & i análaigh, tarraing anáil, *he is still breathing* tá an dé, an anáil, ann

breathing n análú

breathless a as anáil, séidte, *she arrived* ~ tháinig sí agus a hanáil i mbarr a goib aici, agus ga seá inti

breech n craos (gunna)

breeches npl briste

breed n pór, síolrach, sliocht, *animal of good* ~ ainmhí cineálta vt & i póraigh, síolraigh, *they were bred in poverty* fáisceadh, fuineadh, as an mbochtaineacht iad

breeder n síolraitheoir, tógálaí, ~ *reactor* imoibreoir pórácháin

breeding n pórú; folaíocht; oilteanas, múineadh

breeze n leoithne, feothan

breezy a feothanach; pléascánta

breviary n portús

brevity n giorra, gontacht, achomaireacht

brew n bríbhéireacht, grúdaireacht vt & i grúdaigh, *there is a storm* ~*ing* tá sé ag tolgadh stoirme

brewer n bríbhéir, grúdaire

brewery n grúdlann

briar n dris(eog)

bribe n breab vt breab, ceannaigh

bribery n breabaireacht

brick n bríce

bricklayer n bríceadóir

bridal n bainis a, ~ *party* lucht bainise, ~ *gown* culaith brídí

bride n brídeach, an cailín óg

bridegroom n grúm, an fear óg

bridesmaid n cailín coimhdeachta

bridge¹ n droichead, ~ *of nose* caol na sróine

bridge² n beiriste

bridle n srian, arai vt srian, coisc

bridle-bit n béalbhach

brief n coimre; mionteagasc, ~*s* brístíní a achomair, gairid vt coimrigh, *to* ~ *a person* duine a chur ar an eolas, (mion)treoir a thabhairt do dhuine

briefcase n mála cáipéisí

briefly adv go haicearrach, go hachomair; i mbeagán focal

brigade n briogáid

brigadier n briogáidire

brigand n tórai, róbálaí

bright a geal, fionn, glan, glé, lonrach

brighten vt & i geal, soilsigh

brightness n gile, loinnir, lonradh, soilse

brilliance n loinnir, laomthacht, niamh

brilliant a lonrach, gléigeal, laomtha

brim n béal (gloine), duilleog (hata), *full to the* ~ lán go béal, go buinne (béil) vi, ~*ming over* ag cur thar maoil

brimstone n bromastún, ruibhchloch

brindled a riabhach

brine n sáile

bring vt tabhair, beir, *to* ~ *sth about* a chur le rud, rud a údarú, *what brought about his death* an rud a thug a bhás, *to* ~ *forth* tuismigh, *where I was brought up* an áit ar tógadh mé

brink n bruach

briquette n brícín

brisk a briosc, géar, ~ *fire* greadóg thine

bristle n guaire, ribe, colg vi, he ~d tháinig colg, cochall, air; d'éirigh sé colgach

bristly a guaireach, ribeach, mosach, colgach

brittle a briosc, sceiteach, sobhriste

broach vt bróitseáil, to ~ *a subject* an ceann a bhaint de scéal; scéal a bhogadh, a tharraingt anuas (le duine)

broad a fairsing, leathan, leitheadach; clárach

broadcast n craoladh, craobhscaoileadh vt & i craobhscaoil, craol; scaip

broadcaster n craoltóir, craobhscaoilteoir

broadcasting n craolachán, scaipeadh

broaden vt & i fairsingigh, leathnaigh

broad-minded a leathanaigeanta

broadsheet n mórbhileog

brocade n broicéad

broccoli n brocailí

brochure n bróisiúr

brogue n barróg; tuin chainte

broil vt & i gríosc

broke a briste, sportha

broken a briste; bristeach

broker n bróicéir

bromide n bróimíd

bronchial a broncach, ~ *tubes* píobáin

bronchitis n broincíteas

bronze n cré-umha, umha a cré-umhaí, umhaí

brooch n bróiste, dealg

brood n ál, éillín vi, to ~ luí ar fáir; dul, bheith, 'ar gor, to ~ *over sth* gor a dhéanamh ar rud

brooding a, ~ *hen* cearc ghoir, cearc fáire

brook n sruthán

broom n scuab; giolcach shléibhe

brose n bróis

broth n anraith, brat

brothel n drúthlann

brother n deartháir; bráthair

brotherhood n bráithreachas, comhaltas

brother-in-law n deartháir céile

brotherly a bráithriúil

brow n fabhra, mala, ~ *of hill* grua cnoic

brown n & a donn vt & i donnaigh

browse vi, to ~ bheith ag iníor, to ~ *among books* bheith ag piocadh trí leabhair

brucellosis n brúsalóis

bruise n brú, ball gorm, ballbhrú vt brúigh, ballbhrúigh

brunt n, *we had to bear the* ~ *of the fight* bhí luí na troda orainn, *take the* ~ *of sth* trom ruda a iompar, a sheasamh

brush n scuab, bruis, *fox's* ~ scoth sionnaigh vt scuab, to ~ *up on sth* athstaidéar a dhéanamh ar rud, an mheirg a bhaint de rud

brushwood n crannlach, casarnach, scrobarnach

brusque a giorraisc, gairgeach

brutal a brúidiúil, he was ~ly *treated* tugadh íde ghránna dó

brutality n brúidiúlacht

brute n brúid, ainmhí

brutishness n brúidiúlacht

bubble n bolgán, boilgeog, súil vi, bubbling ag boilgearnach, ag fiuchadh, ag plobarnach

bubonic a búbónach

buccaneer n bucaineír

buck n fiaphoc, poc; boc vt & i, to ~ *a person up* uchtach a thabhairt do dhuine, ~ *up* bíodh uchtach agat, croith suas thú féin

bucket n buicéad

buckle n búcla vt & i búcláil; leacaigh, lúb

buckler n cruinnsciath

bucolic n & a búcólach

bud n bachlóg vi bachlaigh

Buddhism n Búdachas

budge vi bog, corraigh, he wouldn't ~ an inch ní ghéillfeadh sé orlach, níorbh fhéidir bogadh ná sá a bhaint as, *without budging* gan corraí

budgerigar n budragár

budget n cáinaisnéis, buiséad vt & i buiséad

buff vt & i sliob

buffalo n buabhall

buffer n maolaire, ~ *state* stát eadrána

buffet[1] n leidhce vt tuairteáil, tolg

buffet[2] n cuntar bia; proinn fhéinseirbhíse

buffoon n abhlóir, óinmhid

bug n aithid, frid; gaireas cúléisteachta

bugbear n púca na n-adharc

bugle n buabhall, stoc

bugler n buabhallaí
build n cruth, déanamh, *of the same* ~ *as* ar aon déanamh le *vt* & *i* tóg, déan, ~ *up* neartaigh; éirigh
builder n tógálaí, foirgneoir
building n áras, foirgneamh; foirgníocht
built-up a, ~ *area* limistéar faoi fhoirgnimh
bulb n bleib, (*light-*)~ bolgán, bulba
bulbous a bleibeach
bulge n boilsc; bolg, pluc *vt* & *i* boilscigh, pluc, bolg
bulging a boilsceannach, bolgach
bulk n bulc, téagar, toirt; trom, *in* ~ ar an mórchóir
bulkhead n bulcaid
bulky n toirtiúil, téagartha
bull[1] n tarbh
bull[2] n, (*papal*) ~ bulla
bulldog n tarbhghadhar, bulladóir
bulldozer n ollscartaire
bullet n píléar
bulletin n, *news* ~ ráiteas nuachta
bullfight n tarbhchomhrac
bullfinch n corcrán coille
bullion n buillean
bullock n bullán, bológ
bull's-eye n súil sprice
bully n tíoránach, bulaí, maistín *vt* ansmachtaigh
bulrush n bogshifin; coigeal na mban sí
bulwark n bábhún; claí cosanta
bum[1] n tóin, geadán
bum[2] n drabhlásaí, leoiste, geocach, *on the* ~ ar an drabhlás
bumble-bee n bumbóg
bump n tuairt; cnapán; uchtóg *vt* & *i* gread, buail, ~*ing against each other* ag tuairteáil a chéile, *to* ~ *into a person* bualadh le duine (de thaisme); bualadh faoi dhuine
bumper n tuairteoir, cosantóir, maolaire; gloine lán
bumpkin n cábóg
bumptious a stráisiúnta, postúil
bumpy a cnapánach, tuairteálach
bun n borróg, (*of hair*) cocán
bunch n scoth, dos, dornán, triopall
bundle n beart, burla, cual
bung n bundallán, piollaire, plocóid *vt, to* ~ *up a pipe* píopa a chalcadh, a stopadh
bungalow n bungaló

bungle *vt, to* ~ *sth* praiseach, ball séire, a dhéanamh de rud
bungling n fútráil, útamáil a ciotach
bunion n buinneán, pachaille
bunting n stiallbhratacha
buoy n baoi, bulla
buoyancy n buacacht, snámhacht
buoyant a buacach, snámhach
bur n cnádán, leadán
burden n ualach, eire, muirear *vt* ualaigh, *to be* ~*ed* bheith faoi ualach
burdensome a trom
burdock n leadán liosta
bureau n oifig; biúró
bureaucracy n maorlathas
bureaucratic a maorlathach
burger n borgaire
burgess n buirgéiseach
burglar n buirgléir
burglary n buirgléireacht
burgle *vt, to* ~ *a house* buirgléireacht a dhéanamh ar theach
burgundy n burgúin
burial n adhlacadh, cur
burlesque n scigaithris
burly a téagartha, tacúil
burn n dó, ball dóite *vt* & *i* dóigh, bruith, loisc
burner n dóire, dóiteoir
burning n dó, loscadh a dóiteach, loiscneach
burnish *vt* niamhghlan, slíob, líomh
burrow n uachais, poll *vt* & *i* tochail, poll
bursar n sparánaí
bursary n sparánacht
burse n bursa
burst n brúcht, rois, maidhm, ~ *of light* scal, ~ *of speed* fáscadh reatha *vt* & *i* pléasc, maidhm, bris, ~ *forth* scaird, scal, brúcht, *I* ~ *out laughing* d'imigh an gáire orm
bury *vt* adhlaic, cuir, *buried* faoi chré
bus n bus
bush n tor, tom, dos, sceach; mongach; díthreabh
bushel n buiséal
bushy a dosach, mothallach, ~ *top, tail* scothán
business n gnó, ~ *enterprise* gnóthas
businessman n fear gnó
bust n bráid; busta
bustle n fuadar, griothalán, driopás *vi* fuirsigh, fuaidrigh

busy *a* broidiúil, cruógach, fuadrach, gnóthach, cúramach *vt*, **to ~ oneself with** *sth* bheith ag gabháil do rud

busybody *n* bumbóg, socadán

but *conj & prep* ach, **~** *for that* murach sin, ach ab é sin, *who knows* **~** *that they were stolen* cá bhfios ná gur goideadh iad

butane *n* bútán

butcher *n* búistéir

butchery *n* búistéireacht

butler *n* buitléir

butt[1] *n* bun, stoc, buta

butt[2] *n* sprioc, **~** *of ridicule* ceap magaidh, dóigh mhagaidh

butt[3] *n* buta (fíona)

butt[4] *n* poc *vt & i* pocáil, *he* **~** *ed him with his head* thug sé sonc dá cheann dó, **to ~** *into the conversation* do ladar a chur sa chomhrá

butter *n* im *vt*, **to ~** *bread* im a chur ar arán, **to ~** *a person up* duine a chuimilt

buttercup *n* cam an ime

butter-fingered *a* sliopach

butterfly *n* féileacán

buttermilk *n* bláthach

butterscotch *n* imreog

buttery *n* butrach

buttocks *npl* mása, tiarpa

button *n* cnaipe

button-hole *n* lúbóg, polláire, poll cnaipe

buttress *n* taca, *flying* **~** taca crochta *vt*, **to ~** *a wall* taca a chur le balla

buxom *a*, **~** *woman* sodóg

buy *vt & i* ceannaigh

buyer *n* ceannaitheoir, ceannaí

buzz *n* dordán, seabhrán, **~** *of talk* sioscadh cainte *vi* dord

buzzard *n* clamhán

buzzer *n* adharc, dordánaí

by *prep* le, de réir, cois, láimh le, **~** *the side of the road* ar leataobh an bhóthair, **~** *morning* faoi mhaidin, *six* **~** *seven* a sé faoi a seacht, **~** *right* ó cheart, **~** *heavens* dar fia, *I know her* **~** *her walk* aithním as a siúl í *adv* thart, *the money she put* **~** an t-airgead a chuir sí i leataobh, **~** *and* **~** ar ball beag, **~** *the way* dála an scéil, *north* **~** *west* ó thuaidh lámh siar

by-election *n* fothoghchán

bygone *n*, *let* **~** *s be* **~** *s* fág na sean-chairteacha i do dhiaidh, fág marbh é mar scéal a caite, thart

by-law *n* fodhlí

bypass *n* seachród, seach-chonair *vt* seachain, timpeallaigh

by-product *n* fotháirge, seachtháirge

byre *n* bóitheach

by-road *n* fobhóthar, seachród

by-stander *n* féachadóir

by-way *n* fobhealach

byword *n* seanfhocal, nathán, *he has become a* **~** tá sé ina sceith bhéil

C

cab *n* cab

cabbage *n* cabáiste, cál

cabin *n* bothán, cábán

cabinet *n* caibinéad, **~** *minister* aire rialtais

cable *n* cábla

cablegram *n* cáblagram

cable-stitch *n* cor na péiste, casadh an tobac, lapa na circe

cache *n* taisce, gnáthóg, folachán

cackle *n* grág (circe) *vi*, *cackling* ag grágáil, ag scolgarnach

cactus *n* cachtas

caddie *n* giolla

cadet *n* dalta (airm); sóisear

cadge *vt & i*, **to ~** *money from people* airgead a dhiúgaireacht ar dhaoine, *cadging* ag súmaireacht, ag siolp-aireacht

café *n* caife

cafeteria *n* caifitéire

caffeine *n* caiféin

cage *n* éanadán, cás; cliabhán

cairn *n* carn; leacht

cajoler *n* bréagadóir, plámásaí

cake *n* cáca, císte *vt & i* calc, stolp, **~** *d with mud* faoi dhraoib

calamitous *a* tubaisteach, púrach

calamity *n* anachain, liach, matalang, tubaiste; cat mara

calcify *vt & i* cailcigh

calcium *n* cailciam

calculate vt & i comhair, ríomh; meas

calculation n comhaireamh, ríomhaireacht

calculator n áireamhán

calculus n calcalas

calendar n féilire, caileandar

calf[1] n lao, gamhain, seal ~ éan róin

calf[2] n colpa

calibre n mianach

calico n ceaileacó

call n glao(ch), gairm, scairt; scol; cuairt; call, gá vt & i glaoigh, gair, scairt, ~ after ainmnigh as, he is ~ ed John Seán atá air, she ~ ed me a fool thug sí amadán orm, to ~ on a person dul ar cuairt chuig duine; glaoch, beannú, isteach chuig duine

caller n cuairteoir

calling n ceird, gairm; scairteach

callous a cranrach, fadharcánach; fuarchroíoch

callow a glas

callus n creagán, bonnbhualadh, bonnleac

calm n calm, ciúnas a ciúin, téiglí, socair, (of weather) cneasta, soineanta, the sea is dead ~ ta an fharraige ina clár vt & i ciúnaigh, sáimhrigh, suaimhnigh, ~ down! lig fút!

calorie n calra

calumny n béadán

calve vi, the cow ~ d rug an bhó

Calvinism n Cailvíneachas

calyx n cailís

camber n dronn, dromán, cuaire

cambric n cáimric

camel n camall

camera n ceamara, in ~ i gcúirt iata

camogie n camógaíocht, ~ stick camóg

camomile n camán meall

camouflage n duaithníocht vt duaithnigh

camp n campa, longfort vi campáil

campaign n feachtas vi, to ~ dul ar feachtas; cogadh a chur (against ar)

camper n campálaí

camphor n camfar

campus n campas

can[1] n canna, ceaintín vt cannaigh, stánaigh

can[2] aux v, I ~ do it féadaim, is féidir liom, tig liom, é a dhéanamh, he ~ swim, tá snámh aige, do the best you ~ with it déan do dhícheall leis, how ~

you tell cá bhfios duit, I would do it if I could dhéanfainn é dá bhféadfainn, I couldn't do it chinn orm, chuaigh díom, é a dhéanamh; ní bhfaighinn (ó mo chroí) é a dhéanamh

canal n canáil

canary n canáraí

cancel vt cealaigh, scrios, it was ~ led cuireadh ar ceal é

cancellation n cealúchán, cealú

cancer n ailse, C~ an Portán

candid a díreach, oscailteach, neamhbhalbh

candidate n iarrthóir

candle n coinneal

candlemas n, C~ Day Lá Fhéile Muire na gCoinneal

candlestick n coinnleoir

candour n oscailteacht

candy n candaí

cane n cána, slat; giolcach vt sciúr, to ~ a person an tslat a thabhairt do dhuine

canine a, ~ tooth géarán

canister n ceanastar

canker n cancar

canned a stánaithe; ar na cannaí

cannibal n & a canablach

cannon n canóin

cannon-ball n caor ordanáis

canoe n canú, báidín, crann snámha

canon n canónach a, ~ law dlí canónta

canonical a canónta

canonization n canónú

canonize vt canónaigh

canopy n ceannbhrat, forscáth, ~ (of bed) téastar

cant n béarlagair, ~ word, ~ phrase leathfhocal, nath

cantankerous a agóideach, cancrach

canteen n bialann, ceaintín

canter n gearrshodar, bogshodar

canticle n caintic

canvas n canbhás; anairt (bheag), bréid

canvass n & vt canbhasáil

cap n bairéad, caipín vt, to ~ sth off an dlaoi mhullaigh a chur ar rud, and to ~ all mar bharr ar an scéal

capability n cumas, acmhainn

capable a ábalta, cumasach, to be ~ of sth rud a bheith ionat, bheith inniúil ar rud

capacious a luchtmhar

capacity n acmhainn, cumas, lucht, toill-eadh, *filled to* ~ lomlán, *in the* ~ *of a secretary* i bhfeidhm, i gcáil, rúnaí

cape[1] n cába

cape[2] n rinn (tíre), ceann tíre

caper n ceáfar, ealaín vt & i rad, ~ *ing about* ag ceáfráil, ag pramsáil thart

capillary n ribeadán a ribeadach

capital n rachmas, caipiteal; príomh-chathair a ceann-, príomh-, ~ *sum* bunairgead, ~ *punishment* pionós báis

capitalism n caipitleachas

capitalist n caipitlí; rachmasaí

capitation n ceannsraith

capitulate vi géill

caprice n fíbín, treall; ceáfar

capricious a galamaisíoch, meonúil, taghdach, treallach

Capricorn n an Gabhar

capsize vt & i iompaigh, tiontaigh (béal faoi)

capstan n tochard

capsule n capsúl; cochall

captain n captaen

caption n ceannteideal; foscríbhinn

captious a bastallach, beachtaíoch, breithghreamannach

captivate vt meall, *to* ~ *a person* cluain a chur ar dhuine, duine a chur faoi dhraíocht

captivating a meallacach

captive n braighdeanach, cime, géibh-eannach, geimhleach a geimhleach

captivity n braighdeanas, géibheann

capture n gabháil vt gabh

Capuchin n & a Caipisíneach

car n carr, gluaisteán

carafe n caraf

caramel n caramal

caravan n carbhán

caraway n ainís, cearbhas

carbine n cairbín

carbohydrate n carbaihiodráit

carbolic a carbólach

carbon n carbón

carboniferous a carbónmhar

carbuncle n carrmhogal; bun ribe

carburettor n carbradóir

carcass n conablach, ablach, ~ *of beef* mart

card[1] n cárta

card[2] vt & i cardáil

cardboard n cairtchlár

cardiac a cairdiach

cardigan n cairdeagan

cardinal n cairdinéal a cairdinéalta, príomh-, ~ *number* bunuimhir

card-index n treorán cártaí

care n aire, faichill, cúram; imní, buairt, *take* ~ *not to fall* fainic is ná tit vi, *to* ~ *for a person* aire a thabhairt do dhuine; cion a bheith agat ar dhuine, *I don't* ~ is cuma liom, *I don't* ~ *for it* ní maith liom é, *if you* ~ *to* má thog-raíonn tú; más maith leat, ~ *of* faoi chúram

career n cúrsa, réim; slí bheatha, ~ *guid-ance* gairmthreoir

carefree a neamhbhuartha, aerach

careful a aireach, faichilleach, cúramach, *be* ~ *not to fall* fainic is ná tit

careless a míchúramach

caress n muirniú vt muirnigh, ~ *ing* ag muirnéis

caretaker n airíoch

careworn a ciaptha, cráite

cargo n lasta, lucht, ládáil

cargo-boat n bád trachta, bád lastais

caricature n caracatúr; scigphictiúr

caries n cáiréas

carillon n clogra

carman n carraeir

Carmelite n & a Cairmilíteach

carnage n eirleach, ár

carnal a collaí

carnation n coróineach

carnival n carnabhal

carnivore n carnabhóir, feoiliteoir

carnivorous a feoiliteach

carol n carúl

carousal, carouse n carbhas, drabhlás

carp[1] n carbán

carp[2] vi, ~ *ing* ag tormas, ag cámas

car-park n carrchlós

carpenter n siúinéir, saor adhmaid

carpentry n adhmadóireacht, siúinéir-eacht

carpet n cairpéad, brat urláir

carrageen n, ~ *(moss)* carraigín

carriage n carráiste, cóiste; carraeir-eacht, iompar, imeacht

carrier n carraeir, iompróir

carrion n ablach

carrion-crow n badhbh, feannóg charr-ach

carrot n cairéad, meacan dearg
carry vt iompair, ~ one tabhair leat a haon, to ~ on working leanúint (ort) ag obair, he carries on a business tá gnó ar siúl aige, to ~ out a scheme scéim a chur i bhfeidhm, she carries herself well is breá an t-imeacht atá fúithi, to ~ sth off rud a bhreith, a chrochadh, leat; rud a éirí leat
carry-on n, his ~ a gheáitsí, such ~ a leithéid d'obair, d'ealaín
cart n cairt, trucail vt iompair, ~ it away croch, ardaigh, leat é
cartel n cairtéal
Carthusian n & a Cartúiseach
cartilage n loingeán
cartography n cartagrafaíocht
carton n cartán
cartoon n cartún
cartridge n cartús
cartwheel n roth cairte; rothalchleas
carve vt gearr; grean, snoigh
carver n scian feola; snoíodóir
carving n snoí(odóireacht)
carving-knife n scian feola
cascade n eas, scairdeán, slaod
case[1] n cás, cúis; tuiseal, in any ~ ar aon chaoi, ar scor ar bith, just in ~ ar eagla na heagla, as in my own ~ mo dhála féin, in ~ I tell a lie leisce na bréige
case[2] n cás, bosca, faighin, truaill vt cásáil
cash n airgead (tirim) vt bris
cashier n airgeadóir
cashmere n caismír
cash-register n scipéad cláraithe
casing n cásáil
cask n buta, casca, leastar
casserole n casaról
cassette n caiséad
cassock n casóg
cast n caitheamh, teilgean, urchar; fiarshúil; beart; buil. (dorú), cor, dol; múnla; foireann (dráma) vt caith, cuir, diúraic, teilg
castanet n castainéad
castle n caisleán
cast-off a athchaite, ~ suit culaith ath-láimhe
castor n othán, pepper ~ piobarán
castor-oil n ola ricne
castrate vt coill, spoch, gearr

castration n coilleadh, spochadh
casual a neamhthuairimeach; neamh-chúiseach, (of clothes) neamhfhoirm-iúil, ~ conversation comhrá fánach, ~ employment breacfhostaíocht, ~ worker oibrí ócáideach
casualty n taismeach
cat n cat
catacomb n catacóm
catalogue n catalóg vt cláraigh
catalyst n catalaíoch
catapult n crann tabhaill
cataract n eas; fionn
catarrh n réama, catarra
catastrophe n tubaiste, matalang
catch n gabháil; laiste, ~ in breath snag anála, ~ of fish dol, gabháil, éisc, there's the ~ sin é an buille, he's a good ~ is maith an dóigh mná é vt & i beir (ar), fostaigh, gabh, ceap, to ~ in sth dul i ngreim, i bhfostú, i rud, ~ me (doing such a thing) baol orm (a leithéid a dhéanamh), I caught a cold tholg, ghlac, mé slaghdán, I caught up with him tháinig mé suas leis
catching a tógálach
catchword n leathfhocal, mana
catechism n caiticeasma, an Teagasc Críostaí
category n rangú; aicme
cater vi, to ~ for a person riar ar dhuine, soláthar do dhuine, freastal ar dhuine
caterer n lónadóir
catering n lónadóireacht
caterpillar n bolb, péist chabáiste
catgut n caolán
cathedral n ardeaglais
cathode n catóid
Catholic n & a Caitliceach
Catholicism n Caitliceachas
catkin n caitín
cattle n eallach, airnéis, bólacht
caubeen n cáibín
caul n caipín sonais, scairt
cauldron n coire
cauliflower n cóilis
caulk vt & i calc
cause n ábhar, cúis, fáth, cionsiocair, údar; caingean, you are the ~ of it yourself tú féin faoi deara é, tú féin is ciontaí leis vt, to ~ trouble trioblóid a tharraingt, what ~ d the trouble an rud faoi deara an trioblóid

causeway *n* cabhsa, tóchar, ciseach

caustic *n* & *a* loiscneach

cauterize *vt* poncloisc

caution *n* faichill, fainic *vt*, *to* ~ *a person about sth* rabhadh a thabhairt do dhuine faoi rud, duine a chur ar a fhaichill ar rud

cautious *a* faichilleach, airdeallach, aireach

cavalcade *n* marcshlua

cavalry *n* eachra, marcra, marcshlua

cave *n* pluais, uaimh *vi*, *to* ~ *in* titim isteach

cavernous *a* cuasach

caviar *n* caibheár

cavity *n* bléin, coguas, cuas

cawing *n* grágail

cease *vt* & *i* scoir, stad, staon

cease-fire *n* sos lámhaigh

cedar *n* céadar

cede *vt* dílsigh, géill

ceiling *n* síleáil

celandine *n*, *lesser* ~ grán arcáin, *greater* ~ garra bhuí

celebrate *vt* & *i* ceiliúir, comóir, *to* ~ *Mass* an tAifreann a léamh, a cheiliúradh, a rá, *to* ~ *Easter* an Cháisc a dhéanamh

celebrated *a* cáiliúil

celebration *n* ceiliúradh, comóradh

celebrity *n* duine cáiliúil, duine mór le rá

celery *n* soilire

celestial *a* neamhaí

celibacy *n* aontumha

celibate *a* aontumha, gan phósadh

cell *n* cill, cillín, *honeycomb* ~ cuinneog mheala

cellar *n* siléar

cellist *n* dordveidhleadóir

cello *n* dordveidhil

cellophane *n* ceallafán

celluloid *n* cealalóid

cellulose *n* ceallalós

Celt *n* Ceilteach

Celtic *n* Ceiltis *a* Ceilteach

cement *n* stroighin, suimint *vt* stroighnigh; táthaigh

cemetery *n* reilig

censer *n* túiseán

censor *n* cinsire *vt*, *it is* ~ *ed* tá sé coiscthe ag an gcinsire; tá sé scrúdaithe ag an gcinsire

censorial *a* cinsiriúil

censorious *a* cáinteach, lochtaitheach

censorship *n* cinsireacht

censure *n* cáineadh, tromaíocht *vt* & *i* cáin

census *n* daonáireamh, móráireamh

cent *n* ceint, *he hasn't a red* ~ níl cianóg rua aige, *per* ~ faoin gcéad, sa chéad

centenary *n* (comóradh) céad bliain

centigrade *n* ceinteagrád *a* ceinteagrádach

centilitre *n* ceintilítear

centimetre *n* ceintiméadar

centipede *n* céadchosach

central *a* lárnach, *the C*~ *Bank of Ireland* Banc Ceannais na hÉireann, *the C*~ *Criminal Court* an Phríomh-Chúirt Choiriúil

centralize *vt* láraigh

centre *n* lár, croí, ceartlár; lárionad *vt* meánaigh

centre-forward *n* lárthosaí

centrifugal *a* lártheifeach

century *n* céad, *the twentieth* ~ an fichiú haois

ceramic *a* criaga

ceramics *npl* criadóireacht; earraí criaga

cereal *n* arbhar, gránach *a* gránach

cerebral *a* ceirbreach

cerebrum *n* ceirbream

ceremonial *a* deasghnách

ceremony *n* deasghnáth, searmanas

cerise *a* silíneach

certain *a* cinnte, dearfa, deimhin, *a* ~ *person* duine áirithe, *make* ~ cinntigh

certainty *n* áirithe, cinnteacht

certificate *n* teastas, teistiméireacht, *leaving* ~ ardteistiméireacht

certify *vt* deimhnigh

cess *n*, *bad* ~ *to you* marbhfháisc ort, greadadh chugat

cessation *n* staonadh, stopadh, faill, scor, ~ *(of rain)* turadh

cesspool *n* bréanlach

chafed *a* oigheartha

chaff *n* cáith, lóchán *vt*, *to* ~ *a person* séideadh faoi dhuine

chaffinch *n* rí rua

chain *n* slabhra; sraith *a* slabhrúil

chair *n* cathaoir; ollúnacht

chairman *n* cathaoirleach

chalet *n* sealla

chalice *n* cailís

chalk *n* cailc *vt* marcáil le cailc

challenge n dúshlán vt, to ~ a person dúshlán duine a thabhairt, you should ~ her on that statement ba cheart duit an chaint sin a iomardú uirthi

challenger n fear (bean) dúshláin

chamber n seomra, underground ~ uaimh, ~ of commerce cumann lucht tráchtála, ~ music ceol aireagail

chamberlain n seomradóir

chamber-pot n fualán

chameleon n caimileon

chamois-leather n seamaí

champagne n seaimpéin

champion n gaiscíoch, cíona, curadh; crann taca vt, to ~ a person ceart a sheasamh do dhuine

championship n craobh; craobhbhchluiche

chance n seans; áiméar, faill; cinniúint, fortún, by ~ de thaisme, now is your ~ anois d'am, anois an t-am agat vt & i seansáil; teagmhaigh, tarlaigh a cinniúnach; teagmhasach

chancel n córlann

chancellor n seansailéir

chandelier n crann solais, coinnleoir craobhach

change n athrach, athrú; claochlú; briseadh, sóinseáil, ~ of air malairt spéire vt & i malartaigh, athraigh, claochlaigh, bris, she ~d colour d'iompaigh a lí uirthi

changeable a athraitheach, inathraithe, claochlaitheach

changeling n fágálach, iarlais, síofra

channel n bealach, cainéal; caidhséar, silteán; coigeal, clais; cuisle uisce, North C~ Sruth na Maoile, English C~ Muir nIocht vt & i clasaigh; seol

channelled a clasach, cuisleach

chant n coigeadal, dord, plain, Gregorian, ~ cantaireacht eaglasta vt & i can

chanting n cantain, cantaireacht

chaos n anord, it is in ~ níl tús ná deireadh air; tá sé ina chíor thuathail ar fad

chaotic a anordúil, trí chéile

chap[1] n diúlach

chap[2] n gág, méirscre

chapel n séipéal, teach pobail, eaglais

chaperon n bean choimhdeachta vt, to ~ a person coimhdeacht a dhéanamh ar dhuine

chaplain n séiplíneach

chapped a gágach

chapter n caibidil

char[1] vi, to go out charring glantachán tí a dhéanamh (ar phá lae)

char[2] vt dúloisc, gualaigh

character n carachtar, meon; (in play) pearsa

characteristic n airí, tréith; sonra, saintréith a sain-, tréitheach

characterization n carachtracht, tréithriú

characterize vt tréithrigh

charcoal n fíoghual, gualach

charge n cúis, cúiseamh; íoc, táille, muirear; lán(án); séirse, ruathar, in ~ (of) i gceannas (ar), os cionn, in the ~ of faoi chúram, free of ~ saor in aisce vt cúisigh; luchtaigh; stang, lódáil, he ~d me a pound for them bhain sé punt díom orthu, to ~ at a person ruathar ionsaithe a thabhairt faoi dhuine

charger n capall cogaidh

chariot n carbad

charioteer n ara

charitable a carthanach, Críostúil; déirceach

charity n carthanacht, déirc, grá (dia) carthanas, Christian ~ Críostúlacht

charm n briocht, draíocht, ortha, geasróg; caithis, meallacacht vt & i meall, cuir faoi dhraíocht

charming a gleoite, meallacach, aoibhinn

charnel-house n ula

chart n cairt; graf

charter n cairt vt cairtfhostaigh

chary a faichilleach (of ar), drogallach (of roimh)

chase[1] n tóir, ruaig; fiach, seilg vt & i ruaig; fiach, seilg, cluich

chase[2] vt cabhair

chasm n duibheagán, aibhéis, gáibéal

chassis n fráma, creat, ~ of cart carra cairte

chaste a geanasach, geanmnaí, íon, glan

chastened a múinte, maslaithe, smachtaithe

chastise vt ceartaigh, cúr, smachtaigh, to ~ a person múineadh, smacht, a chur ar dhuine

chastisement n ceartú, múineadh, smachtú

chastity n geanas, geanmnaíocht

chasuble n casal

chat n comhrá vi, ~ *ting* ag comhrá
chattels npl airnéis
chatter n durdam, geab, spruschaint; gliogar vi, ~ *ing* ag geabaireacht, ag seinm, (*teeth*) ag cnagadh, ag greadadh
chatterbox n geabaire
chatty a cainteach
chauffeur n gíománach, tiománaí
chauvinism n seobhaineachas
cheap a saor; suarach, táir
cheapen vt & i saoirsigh, ísligh
cheapness n saoirse; suarachas
cheat n caimiléir, séitéir vt & i, to ~ a *person* calaois, caimiléireacht, a dhéanamh ar dhuine, ~ *ing* ag séitéireacht
check n srian, cosc; seiceáil; seic vt & i srian, bac, ceansaigh, coisc; seiceáil; (*chess*) sáinnigh, ~ *in* (at airport, *etc*) sínigh isteach
checked a, (of cloth) páircíneach
checkmate n marbhsháinn
checkout n, (in supermarket) ~ *counter* cuntar amach
check-up n seiceáil
cheddar n, ~ (*cheese*) céadar
cheek n leiceann, grua, (round) ~ pluc, *lower* .~ giall, *such* ~ a leithéid d'éadan, de shotal
cheeky a soibealta, sotalach, dalba, ~ *fellow* dailtín
cheep n & vi giog, míog
cheer n gáir; meanma vt & i, to ~ gáir (mholta, mhaite) a ligean, ~ *up* bíodh misneach agat, to ~ a *person up* duine a mhisniú
cheerful a croíúil, meanmnach, misniúil, suairc; suáilceach
cheerfulness n croíúlacht, aigne, somheanma, suaircess, subhachas
cheerio int beannacht leat; slán agat
cheerless a duairc, gruama
cheese n cáis
cheeseburger n cáisbhorgaire
cheetah n síota
chef n príomhchócaire
chemical n ceimiceán a ceimiceach
chemist n ceimiceoir; poitigéir
chemistry n ceimic
cheque n seic
chequered a eangach, seicear
cherish vt caomhnaigh, muirnigh

cherry n silín
cherub n ceiribín
chess n ficheall
chess-player n ficheallaí
chest n araid, cófra, ciste; cliabh(rach), ucht
chestnut n, (spanish, *sweet*,) ~ castán, (*horse*) ~ cnó capaill a donnrua, dúrua
chevron n rachtán
chew vt & i cogain, to ~ *over sth* machnamh fada, marana, a dhéanamh ar rud
chewing-gum n guma coganta
chic a faiseanta
chicanery n lúbaireacht
click n éan (circe)
chicken n sicín, circeoil; eireog
chicken-pox n deilgneach
chickweed n fliodh
chicory n siocaire
chief n flaith, taoiseach, cíoná, ceann urra a ard-, ceann-, príomh-
chiefly adv go háirithe, go mór mór, go príomha
chieftain n ceann fine
chiffon n sreabhann
chilblain n fochma, fuachtán
child n gasúr, leanbh, páiste; duine clainne, *having no* ~ *ren* gan chlann, *their* ~ *ren's* ~ *ren* slíocht a sleachta
childbirth n breith clainne, luí seoil
childhood n leanbaíocht, óige, *second* ~ an aois leanbaí
childish a leanbaí, páistiúil
childishness n leanbaíocht, páistiúlacht
childlike a leanbaí, páistiúil
chill n fuacht a fuar vt & i fuaraigh
chilly a féithuar
chime n clogra; cling vt & i cling
chimera n ciméara
chimney n simléar
chimney-sweep n glantóir simléar
chimpanzee n simpeansaí
chin n smig
china n gréithe poircealláin; poirceallán
chink n gág
chintz n sions
chin-wagging n cabaireacht
chip n scealpóg, scolb, slis, (potato) ~ s sceallóga (prátaí) vt & i smiot, scealp, snoigh
chipped a mantach, scealptha

chiropodist n coslia
chiropody n cosliacht
chirp n bíog, giog vi giog, to ~ bíog a ligean asat
chirping n bíogarnach, giolcadh
chisel n & vt & i siséal
chivalrous a ridiriúil; cúirtéiseach
chivalry n niachas, ridireacht; cúirtéis
chive n síobhas
chloride n clóiríd
chlorinate vt clóirínigh
chlorine n clóirín
chloroform n clóraform
chocolate n seacláid
choice n rogha, roghnú, toghadh; scoth, plúr, togha a scothúil, tofa
choir n córlann; claisceadal, cór
choke n tachtaire vt & i sclog, tacht, caoch, calc
choking n píopáil, tachtadh; caochadh a tachtach, múchtach
cholera n calar
cholesterol n colaistéaról
choose vt & i roghnaigh, togair, togh
chop n, (of sea) briota, cuilithín; lamb ~ gríscín uaineola vt gearr, mionghearr, smiot, to ~ down a tree crann a leagan
chopper[1] n scoiltire
chopper[2] n héileacaptar
choppy a, ~ wave briota, ~ sea clagfharraige, farraige shalach
choral a córúil, ~ singing claisceadal
chord n corda
choreography n cóiréagrafaíocht
chores npl, doing ~ ag timireacht, ag dioscaireacht
chorography n córagrafaíocht
chorus n cór; curfá, loinneog
chough n cág cosdearg
chrism n criosma
Christ n Críost
christen vt baist
christening n baisteadh; bainis bhaiste
Christian n Críostaí a Críostaí, Críostúil, ~ charity Críostúlacht
Christianity n Críostaíocht
Christmas n Nollaig, ~ Eve Oíche Nollag
chromatic a crómatach
chrome n cróm
chromium n cróimiam
chronic a ainsealach, leannánta, to become ~ dul in ainseal, daingniú

chronicle n croinic
chronicler n croiniceoir
chronological a cróineolaíoch, in ~ order de réir dátaí
chrysanthemum n órscoth
chubby a plucach
chuck vt, he was ~ed out caitheadh amach é, he ~ed it up d'éirigh sé as; chaith sé in aer é
chuckle n maolgháire vi, chuckling ag sclogadh gáire
chum n comrádaí, compánach
chunk n alpán, canta, dabhaid, smután, slaimice
church n eaglais, séipéal, teach pobail, medieval, protestant, ~ teampall, C~ of Ireland Eaglais na hÉireann vt coisric
churchman n eaglaiseach, pearsa eaglaise
churchyard n cill, reilig
churl n aitheach, bodach, búr
churlish a doicheallach, tútach, bodúil, daoithiúil
churn n cuigeann, cuinneog vt & i maistrigh; coip, ~ing about ag únfairt, to ~ butter cuigeann a dhéanamh
churn-dash n loine
churning n cuigeann, maistreadh
chute n fánán, sleamhnán
chutney n seatnaí
ciborium n cuach abhlann, cuach altóra
cicatrize vt & i cneasaigh
cider n ceirtlis
cigar n todóg
cigarette n toitín
cincture n crios, sursaing
cinder n cnámhóg ghuail
cine-camera n cinecheamara
cinema n cineama, pictiúrlann
cinnamon n cainéal
cipher n rúnscríbhinn; náid; figiúr
circle n ciorcal, fáinne vt & i ciorclaigh, circling round ag fáinneáil, ag guairdeall, timpeall
circuit n timpeall, cuairt, imchuairt; ciorcad, C~ Court Cúirt Chuarda
circuitous a timpeallach
circular a ciorclán, imlitir a ciorclach
circulate vt ciorclán, imlitir, a chur chuig daoine
circulate vt & i imigh (thart), to ~ a rumour ráfla a chur sa siúl

circulating a rothánach

circulation n cúrsaíocht; imshruthú; díol, scaipeadh, *there is counterfeit money in* ~ tá airgead bréige ag imeacht, sa timpeall

circumcise vt timpeallghearr

circumcision n imghearradh, timpeall-ghearradh

circumference n compás, timpeall, imlíne

circumscribe vt imscríobh; cuimsigh

circumspect a aireach, faichilleach

circumstance n cúinse, cúrsa, *in the* ~ s agus an scéal mar atá, *in any, under no,* ~ s ar aon chúinse, *the* ~ s *of the case* tosca, dálaí, an cháis, *they are in good* ~ s tá deis, dóigh, mhaith orthu

circumstantial a imthoisceach

circumvent vt timpeallaigh; sáraigh

circus n sorcas

cirrhosis n cioróis

Cistercian n & a Cistéirseach

cistern n sistéal

citadel n daingean

citation n toghairm, téacs, sliocht; aith-easc

cite vt luaigh

citizen n cathróir, saoránach, *the Irish* C~ *Army* an tArm Cathartha

citizenship n cathróireacht, saoránacht

citric a citreach

citrus n citreas

city n cathair

civic a cathartha, C~ *Guard* Garda Síochána

civil a cathartha; sibhialta, ~ *war* cogadh cathartha, *the* ~ *service* an státseirbhís

civilian n & a sibhialtach

civility n sibhialtacht, solabharthacht, cuntanós

civilization n sibhialtacht

civilize vt, *to* ~ *people* daoine a thabhairt chun sibhialtachta, chun míne

claim n ceart, teideal, éileamh, ceartas vt éiligh; maígh

claimant n éilitheoir

clairvoyance n fiosaíocht

clam n breallach

clamber vi dreap

clammy a sramach, greamaitheach, tais

clamour n callán, gleo vi, *to* ~ *for something* rud a éileamh go gáróideach

clamp n clampa; teanntán, (*of oar*) claba,

~ *of turf* clampa móna vt & i clampaigh

clan n clann; treibh

clandestine a folaitheach

clap n bualadh (bos), ~ *of thunder* plimp thoirní, rois toirní vt & i, ~ *ping* ag bualadh bos, *to* ~ *a person in jail* duine a chaitheamh, a ropadh isteach, i bpriosún, *to* ~ *eyes on something* súil a leagan ar rud

clapper n, ~ *of bell* teanga cloig, ~ *of mill* clabaire

clapping n, ~ *of hands* bualadh bos, ~ *of wings* bualadh, greadadh, sciathán

claret n cláiréad

clarification n léiriú, soiléiriú

clarify vt soiléirigh, (*of fat*) gléghlan

clarinet n cláirnéid

clarion n galltrumpa, ~ *call* géim galltrumpa

clarity n glaine, glinne, soiléireacht

clash n easontas, achrann, ~ *of swords* coigeadal claimhte vi, *they are* ~ ing tá siad ag teacht salach ar a chéile

clasp n claspa, nasc; greim, diurnú vt dún; fáisc, diurnaigh

class n aicme, cineál, grád; rang, *the working* ~ an lucht oibre vt rangaigh, grádaigh

classic n & a clasaiceach

classical a clasaiceach

classification n aicmiú, rangú

classify vt aicmigh, rangaigh

clatter n clagarnach, gleadhradh, ~ *of feet* gliogram, trup, cos vi, ~ ing ag clagarnach

clause n clásal; agús

claustrophobia n clástrafóibe, uamhan clóis

clavicle n dealrachán, cnámh smiolgadáin

claw n crág, crúb, crobh; ionga, leadán, ordóg (gliomaigh) vt & i glám, crágáil, crúbáil; crúcáil, *the cat would* ~ *you* chuirfeadh an cat a leadán ionat

claw-hammer n casúr cluasach, casúr ladhrach

clay n cré, créafóg, *modelling* ~ marla, *heavy* ~ moirt

clean a & vt & i glan adv, I ~ forgot it rinne mé dearmad glan de

cleaner n glantóir

cleaning n glanadh, glantóireacht

cleanliness n glanachar, glaineacht

cleanness n glaine

cleanse vt glan, nigh; úraigh

clear a glan, glé, geal, glinn, solasmhar; follas, léir, soiléir, ~ profit brabach glan, stay ~ of it fan glan air, to be ~ about sth bheith cruinn faoi, ar, rud atá & i glan; réitigh, to ~ a jump, debts, léim, fiacha, a ghlanadh, the sky is ~ing tá an spéir ag gealadh, ~ out bánaigh, díláithrigh; cart, ~ off! croch leat! glan leat! gread leat!

clearance n bánú, díláithriú; cur as seilbh; glanadh amach; réiteach, (of field) gortghlanadh; ceantáil

clear-cut a glan, soiléir; greanta

clearing n, (level space) réiteach, plásóg, (of weather) breacadh, gealadh

clearness n cruinneas, léire; gléine, glaine

clearway n glanbhealach

cleat n cléata, (of oar) claba, cluas

cleavage n deighilt, scoilt

cleave¹ vt scoilt; dealaigh

cleave² vi, to ~ cloígh le, greamaigh de

cleaver n scoiltire; ~ s garbhlus

clef n eochair

cleft n gnás, gág, scailp, siúnta a scailpeach, he is in a ~ stick tá sé i sáinn

clematis n gabhrán

clemency n trócaire, daonnacht

clement a trócaireach; séimh, soineanta

clench vt & i dún, druid; greamaigh

clenched a, ~ fist dorn druidte

clergy n cléir

clergyman n eaglaiseach, pearsa eaglaise

clerical a cléiriúil, ~ student ábhar sagairt, ~ work obair chléireachais

clerk n cléireach

clever a aibí, cliste, gasta, glic

cliché n sean-nath

clicking n, (sound) smeachaíl

client n cliant

clientele n cliantacht

cliff n aill, binn

climate n aeráid, clíoma

climatic a aeráideach, clíomach

climax n dígeann, forchéim, barrchéim, buaic

climb n dreapadh vt & i dreap, tóg, to ~ down tuirlingt, teacht anuas; géilleadh

climber n dreapadóir

climbing n dreapadóireacht

clinch vt, to ~ a bargain margadh a cheangal

cling vi, ~ to ceangail de, greamaigh de; lean de; cloígh le

clinic n clinic

clinical a cliniciúil

clink n & vt & i cling

clip¹ n fáiscín vt fáisc, ceangail le chéile

clip² vt bearr, sciot

clipper n lomthóir; ~ s deimheas

clique n aicme, baicle, drong

cloak n brat, clóca, fallaing vt, to ~ sth rud a chur faoi chlóca

cloakroom n seomra cótaí; seomra bagáiste

clock¹ n clog, one o' ~ a haon a chlog vt & i, to ~ a runner am reathaí a choinneáil, to ~ in, out am tagtha, am imeachta, a mharcáil

clock² vi, to ~ gor a dhéanamh

clock³ n daol

clocking a, ~ hen cearc ghoir, cearc ar gor

clockwise adv, to go ~ dul deiseal

clockwork n, like ~ bonn ar aon

clod n scraithín, dairt, torpa

clodhopper n cábóg

clog n bróg admhaid, paitín vt & i calc, tacht, caoch

cloister n clabhstra; mainistir, clochar

close¹ n clós

close² n críoch, deireadh, to bring sth to a ~ an clabhsúr a chur ar rud a dhúth; druidte; meirbh, ~ relationship gaol gairid, ~ to cóngarach do, deas do vt & i druid, dún, iaigh, to ~ the subject ceann a chur ar an scéal adv, to draw ~ to a person dlúthú, druidim, le duine, ~ by in aice láithreach; láimh le

closed a druidte, dúnta, iata

close-fisted a lámhiata, ceachartha

close-fitting a luiteach

closely adv, ~ related gar i ngaol, ~ woven fite go dlúth, to examine sth ~ rud a fhéachaint go grinn

closeness n deiseacht, gaire; dlús, tiús; rúnmhaireacht; meirbhe

closet n clóiséad, póirse

closure n clabhsúr, iamh, dúnadh

clot n, ~ of blood cnapán, téachtán, fola vi téacht

cloth n éadach, bréid; ceirt, men of the ~ an chléir

clothe vt éidigh, cuir éadach ar, feistigh

clothes npl éadach, feisteas; ceirteacha, balcaisí

clothes-hanger n crochadán

clothes-horse n cnagadán, cliath éadaí

clothier n éadaitheoir

clothing n éadach, éide

cloud n néal, scamall, smál, ~ of dust ceo deannaigh, ~ s of smoke bús deataigh, calcanna toite vt & i dorchaigh, diamhraigh, to ~ the issue an scéal a dhéanamh doiléir

cloudburst n maidhm bháistí

clouded a ceoch, scamallach, néalmhar

cloudy a néaltach, scamallach, ceoch; modartha

clout n balcais, ceirt, giobal; boiseog, clabhta, langaire vt clabhtáil

clove n clóbh, tacóid ghaoithe, ~ of garlic ionga gairleoige

clover n seamair

clown n áilteoir; fear grinn; cábóg

cloying a ceasúil, oiltiúil

club n lorga, smachtín; triuf; club vi, to ~ together dul i bpáirt le chéile, airgead a bhailiú i bpáirt le chéile

club-footed a crúbach

clucking n gocarsach

clue n leid

clump n tor, tom; garrán

clumsy a anásta, ciotach, ciotrúnta, tútach; míshásta; místuama

cluster n crobhaing, mogall, (of houses) gráig, cloigín vt & i cruinnigh, bailigh le chéile

clutch[1] n éillín, líne, ál

clutch[2] n greim, glám, (of engine) crág, to get sth in one's ~ es do chrúcaí a chur i rud vt & i glám, ~ (at) crúcáil (ar), to ~ sth to oneself rud a fháscadh chugat

clutter n tranglam vt truncáil

co- pref comh-

coach n cóiste; traenálaí vt traenáil

coachman n cóisteoir, giománach

coadjutor n cóidiútar

coagulate vt & i téacht

coal n gual, (live) ~ aibhleog, smeachóid

coalesce vi comhtháthaigh, táthaigh

coalfield n gualcheantar

coal-fish n glasán, crothóg dhubh

coalition n, ~ government comhrialtas

coal-mine n mianach guail

coarse a garbh, borb, barbartha, madrúil

coast n cósta

coastal a cósta

coastguard n garda cósta, vaidhtéir

coastline n líne an chósta

coat n casóg, cóta, ~ of arms armas vt cóirtigh, screamhaigh

coat-hanger n crochadán

coating n brat, scraith, scim, coirt, screamh

coax vt bréag, meall

cob n gearrchapall; gandal eala

cobalt n cóbalt

cobbler n gréasaí, caibléir; caibléireog

cobblestone n cloch dhuirlinge

cobweb n líon, téad, damháin alla

cocaine n cócaon

cock[1] n coileach; buacaire, (of gun) bainteoir; goic, maig vt, to ~ one's hat goic a chur ar do hata

cock[2] n, ~ of hay coca (féir) vt, ~ ing hay ag cocadh féir

cockade n cnota, curca

cockatoo n cocatú

cock-crow n glao coiligh, at ~ le gairm na gcoileach

cockle n ruacan

cockpit n láthair comhraic; cábán píolóta

cockroach n ciaróg dhubh

cockscomb n cíor coiligh

cocksure a stradúsach, diongbháilte

cocktail n manglam

cocky a cocach, sotalach

cocoa n cócó

coconut n cnó cócó

cocoon n cocún

cod n trosc

code n cód

codicil n codaisíl

codify vt códaigh

codling n coidlín

coerce vt comhéignigh, he was ~ d into doing it cuireadh d'iallach air é a dhéanamh

coercion n comhéigean

co-existence n comhbheith; réiteach

coffee n caife

coffer n ciste, cófra

coffin n cónra

cog n, (of wheel) fiacail

cogent a áititheach, éifeachtach

cogitate vi cogain, machnaigh, meabhraigh

cognac *n* coinneac

cognate *a* gaolmhar

cohabit *vi* caidrigh (le), cumaisc (le), *to ~ bheith,* dul, in aontios

cohabitation *n* aontios, céileachas

coherent *a* comhtháite, leanúnach, cruinn

cohesion *n* comhghreamú, comhtháthú

cohesive *a* comhghreamaitheach, comhtháite

coil *n* corna, lúb(án) *vt* corn, dual

coiled *a* lúbánach

coin *n* bonn, píosa; mona *vt, to ~ money* airgead a bhualadh; saibhreas a charnadh, *to ~ a word* focal a chumadh

coinage *n* mona

coincide *vi* comhtharlaigh

coincidence *n* comhtharlú

coition *n* comhriachtain

coke *n* cóc

colander *n* síothlán, stráinín

colcannon *n* cál ceannann

cold *n* fuacht; slaghdán *a* fuar; deoróil, *~ wind* gaoth bhioranta

cold-blooded *a* danartha, beartaithe, *to do sth ~ ly* rud a dhéanamh as fuil fhuar

cold-cream *n* fuarungadh

coldness *n* fuaire; doicheall

colic *n* coiliceam

collaborate *vi* comhoibrigh (le)

collaborator *n* comhoibrí

collapse *n* titim; cliseadh *vi* tit, *he ~ d* thit sé i mbun a chos, *the wall ~ d* thug, sceith, an balla

collapsible *a* infhillte

collar *n* bóna, coiléar; muince

collar-bone *n* cnámh smiolgadáin, dealrachán, branra brád

collate *vt* cóimheas

collateral *a* comhthaobhach

collation *n* cóimheas; colláid

colleague *n* comhghleacaí, comhalta

collect *vt & i* bailigh, cruinnigh, cnuasaigh

collection *n* bailiúchán, cnuasach, díolaim, teaglaim

collective *a* comhchoiteann, tiomsaitheach, *~ noun* cnuasainm

collector *n* bailitheoir

college *n* coláiste

collegiate *a* coláisteach

collide *vi, they ~ d* bhuail siad faoi chéile

collie *n* madra caorach, sípéir

colliery *n* mianach guail

collision *n* imbhualadh

colloquial *a* comhráiteach, *~ speech* caint na ndaoine

colloquialism *a* canúnachas; caint, abairt, neamhfhoirmiúil

collusion *n* claonpháirteachas

colon[1] *n* drólann

colon[2] *n* idirstad

colonel *n* coirnéal

colonial *a* coilíneach

colonist *n* coilíneach

colonize *vt* coilínigh

colonnade *n* colúnáid

colony *n* coilíneacht

colossal *a* ábhalmhór

colour *n* dath, lí, snua, *~ bar* cneaschol *vt & i* dathaigh

coloured *a* daite

colourful *a* dathannach, dathúil

colt *n* bromach

coltsfoot *n* sponc

column *n* colún

columnist *n* colúnaí

coma *n* cóma, támhnéal

comb *n* cíor, raca; cuircín, círín *vt & i* cíor(láil), spíon

combat *n* comhrac *vt & i* comhraic

combatant *n* comhraiceoir, trodaí

combination *n* comhcheangal, cumasc; teaglaim

combine *n, ~ (harvester)* comhbhuainteoir *vt & i* comhcheangail, cumaisc, aontaigh

combustible *a* indóite

combustion *n* dó

come *vi* tar, *she is coming* tá sí ag teacht, *here he ~ s* seo chugainn é, *~ along* téana ort, *~ in bí istigh, where do you ~ from* cad as duit, *~ what may* cibé ar bith céard a tharlós, *the total ~ s to two pounds* dhá phunt an t-iomlán, *to ~ to* teacht chugat féin, *it came about in this way* tharla sé ar an gcaoi seo, *to ~ in useful for sth* fónamh le haghaidh ruda

comedian *n* fuirseoir

comedy *n* coiméide

comely *a* córach, dathúil, gnaíúil, leacanta

comet *n* réalta (an) eireabaill, cóiméad

comfort n cluthaireacht, compord, sáile, só; sólás, fortacht vt, to ~ a person sólás a thabhairt do dhuine

comfortable a cluthar, compordach, seascair, sócúlach

comforter n sólásaí

comforting a compordach, it is very ~ is mór an sólás é

comic n fuirseoir a barrúil, greannmhar, ~ paper greannán

comical a ait, greannmhar

coming n teacht a, the ~ year an bhliain seo chugainn, an bhliain atá romhainn, the ~ generations na glúine a thiocfas inár ndiaidh

comma n camóg

command n ordú, foláireamh; ceannas, ceannasaíocht vt ordaigh, to ~ a person to do sth aithint ar dhuine rud a dhéanamh

commandant n ceannfort

commander n ceannasaí, ceannfort

commanding a ceannasach, ~ voice glór údarásach

commandment n aithne

commemorate vt, to ~ a person duine a chomóradh; duine a chuimhneamh

commemoration n cuimhneachán; searmanas cuimhneacháin

commence vt & i tosaigh

commencement n tosú, tús

commend vt mol, tiomnaigh

commendable a inmholta

commendation n moladh

commensurate a comhchuimseach (le)

comment n plé, trácht; nóta, tuairisc, I have no ~ to make on it níl rud ar bith le rá agam faoi vt & i pléigh, trácht (on ar)

commentary n gluais; tráchtaireacht

commentator n tráchtaire

commerce n tráchtáil, trádáil

commercial a trádálach, ~ firm gnólacht, cuideachta, comhlacht (gnó)

commiserate vi, she ~ d with us on his death chásaigh sí a bhás linn, rinne sí comhbhrón linn faoina bhás

commissar n coimeasár

commissariat n lónroinn

commission n coimisiún vt coimisiúnaigh, he was ~ ed tugadh coimisiún dó

commissioned a, ~ officer oifigeach coimisiúnta

commissioner n coimisinéir

commit vt, ~ (to prison) cuir (i bpríosún), ~ to memory, cuir de ghlanmheabhair, meabhraigh, to ~ a crime coir a dhéanamh

commitment n, financial ~ geall airgeadais

committee n coiste

commodity n earra, tráchtearra

commodore n comadóir

common n coimín; coiteann a coiteann, coitianta; comónta, gnáth-, ~ sense ciall, the C ~ Market an Cómhargadh

commonage n coiníneacht

commonalty n coitiantacht

commonplace a síorghnách, gnách

commonwealth n comhlathas

commotion n caismirt, clampar, ruaille buaille, hurlamaboc

communal a comhchoiteann

commune n común

communicant n comaoineoir

communicate vt & i, to ~ sth to a person rud a chur in iúl do dhuine, to ~ with a person scéala a chur chuig duine, teagmháil le duine, they ~ d by letter scríobhaidís chuig a chéile, (of sacrament), to ~ comaoineach(a) a ghlacadh

communication n cumarsáid, teagmháil

Communion n Comaoineach, the ~ of Saints Comaoin na Naomh

communiqué n scéala, ráiteas (oifigiúil)

communism n cumannachas

communist n cumannaí a cumannach

community n comhphobal, pobal, plant ~ cumann plandaí, ~ school pobalscoil

commute vt & i iomalartaigh, to ~ by car comaitéireacht a dhéanamh i gcarr; dul ag (an) obair sa charr

commuter n comaitéir

compact a conláisteach, dlúth

compactness n conláiste, dlús

companion n compánach, comrádaí

companionable a comhluadrach, soranna

companionship n cumann, cuibhreann, cuideachta

company n buíon, foireann, (of army) complacht; comhlacht, cuallacht, cumann; comhluadar, cuideachta, cuibhreann, to be in a person's ~ bheith i dteannta, i bhfochair, duine

comparable *a*, to be ~ to bheith inchomórtais, inchurtha, le

comparative *a* comparáideach, ~ *degree* breischéim

compare *n*, *it is beyond* ~ níl a sháru ann *vt* & *i* cóimheas, *he can't* ~ *with you* níl aon bhreith aige ort, níl sé inchurtha leat, *to* ~ *things* rudaí a chur i gcomórtas, i gcomparáid, le chéile; rudaí a shamhlú le chéile, ~ *d with* le hais, le taobh, seachas, ~ *d to formerly* i bhfarradh (is) mar a bhí

comparison *n* cóimheas, comórtas, comparáid; samhail

compartment *n* urrann

compass *n*, ~, *pair of* ~ *es* compás

compassion *n* taise, trua, trócaire, bá

compassionate *a* tais, trócaireach

compatibility *n* comhoiriúnacht

compatible *a* comhoiriúnach (*with* do)

compatriot *n* comhthíreach

compel *vt*, *to* ~ *a person to do sth* iallach a chur ar dhuine rud a dhéanamh, *I was* ~ *led to go* cuireadh d'fhiacha orm dul, b'éigean dom dul, *you are not* ~ *led to do it* níl caitheamh ar bith ort é a dhéanamh, ní gá duit é a dhéanamh

compensate *vt* cúitigh, cíosaigh

compensating *a* cúiteach

compensation *n* cúiteamh, éiric; cothromú, comhardú

compensator *n* cúititheoir

compère *n* aíochtóir, fear (an) tí

compete *vi*, *to* ~ *with a person* dul in iomaíocht le duine

competence *n* éifeacht, inniúlacht

competent *a* fearastúil, ábalta, cumasach, éifeachtach

competition *n* coimhlint, iomaíocht; comórtas

competitive *a* iomaíoch, ~ *examination* scrúdú comórtais

competitor *n* iomaitheoir

compilation *n* díolaim, tiomsú

compile *vt* teaglamaigh, tiomsaigh, cuir le chéile

complacent *a* bogásach; sámh

complain *vt* & *i* casaoid, éagaoin, éiligh, gearán

complainant *n* éilitheoir

complaining *n* casaoid, ceasacht, cnáimhseáil *a* casaoideach, gearánach

complaint *n* casaoid, clamhsán, éileamh,

gearán, *I have no cause for* ~ níl gearánta dom

complement *n* comhlánú, líon *vt* comhlánaigh

complementary *a* comhlántach

complete *a* críochnaithe, déanta, foirfe, iomlán, slán, ~ *fool* amadán cruthanta *vt* críochnaigh, cuir i gcrích, slánaigh

completely *adv* go hiomlán, amach is amach, scun scan

completion *n* comhlíonadh, críoch

complex *n* coimpléasc *a* coimpléasach, casta

complexion *n* gné, snua, lí, cneas

complexity *n* castacht

compliance *n* géilleadh

compliant *a* géilliúil, umhal

complicate *vt*, *to* ~ *matters* cúrsaí a chur trí chéile, a chur in achrann

complicated *a* casta, cas

complication *n* fadhb, deacracht; seachghalar

complicity *n* comhpháirteachas

compliment *n* comaoin, *with* ~ *s* le deamhéin *vt*, *to* ~ *a person* duine a mholadh

complimentary *a* moltach, ~ *copy* cóip dhea-mhéine

compline *n* coimpléid

comply *vi*, *to* ~ *with* déanamh de réir, géilleadh do

component *a*, ~ *part* ball, comhpháirt

compose *vt* comhshuigh; cum, ceap, déan

composed *a* suaimhneach, socair, ~ *of* déanta, comhdhéanta, as

composer *n* ceapadóir, cumadóir

composite *a* ilchodach

composition *n* aiste; cumadóireacht, ceapadóireacht, cumadh; comhdhéanamh; dréacht, saothar

compositor *n* cló-eagraí

compost *n* múirín

composure *n* neamhchúis

compound *n* comhdhúil; cumasc *a* ilchodach, ~ *fracture* briseadh créachtach, ~ *word* comhfhocal, ~ *interest* ús iolraithe *vt* & *i* cumaisc

comprehend *vt* cuimsigh; tuig

comprehensible *a* sothuigthe

comprehension *n* tuiscint

comprehensive *a* cuimsitheach, uileghabhálach

compress n adhartán, comhbhrúiteán vt comhbhrúigh, dlúthaigh

compressed a dlúite

compressor n comhbhrúiteoir

comprise vt cuimsigh

compromise n comhghéilleadh, comhréiteach vt & i comhréitigh, he ~ d himself tharraing sé amhras air féin

comptometer n áirmhéadar

compulsion n éigean, foréigean, iallach, caitheamh

compulsory a éigeantach

compunction n scrupall

computation n ríomhaireacht

compute vt ríomh

computer n ríomhaire

computerization n ríomhairiúchán

comrade n comrádaí

comradeship n comrádaíocht

conacre n conacra, talamh reachtais

concave a cuasach

conceal vt ceil, folaigh

concealment n ceilt, folach

concede vt géill, lig le

conceit n leithead, postúlacht, stráice

conceited a leitheadach, postúil, stróúil, suimiúil

conceivable a, every ~ thing gach rud dá bhféadfá cuimhneamh air

conceive vt & i gin; coincheap, ceap, cuimhnigh, samhlaigh, she ~ d ghabh sí

concentrate vt & i comhchruinnigh; tiubhaigh, to ~ on a subject d'intinn a dhíriú ar ábhar

concentration n comhchruinniú; dianmhachnamh; tiúchan, ~ camp sluachampa géibhinn

concentric a comhlárnach

concept n coincheap, smaoineamh

conception n cuimhneamh; coimpeart, giniúint, gabháil (gine), the Immaculate C ~ Giniúint Mhuire gan Smál

concern n cásmhaireacht, imní, business ~ gnóthas, they are no ~ of mine ní cás liom, orm, iad, vt, it doesn't ~ you ní bhaineann sé duit; ní de do chúram é, the people ~ ed na daoine atá i gceist, as far as I am ~ ed i dtaca liomsa de

concerned a cásmhar, imníoch, to be ~ about sth bheith i gcás faoi rud, you needn't be ~ about it ná bíodh ceist

ort faoi, as far as that is ~ sa dóigh sin de, i dtaca le sin de

concerning prep fá dtaobh de, faoi, mar gheall ar

concert n ceolchoirm, coirm cheoil

concerted a, by ~ effort d'aon lámh

concertina n consairtín

concerto n coinséartó

concession n lamháltas, logha

conciliation n eadráin, ~ board bord réitigh

conciliator n réiteoir

conciliatory a síochánta

concise a achomair, comair

conclude vt & i críochnaigh, concluding that ag déanamh go, he ~ d that I was right rinne sé amach go raibh an ceart agam

conclusion n críoch, deireadh, do not jump to ~ s ná déan deimhin de do bharúil

conclusive a críochnaitheach; cinntitheach

concoct vt, to ~ a story scéal a chumadh

concoction n comhbhruith; cumadóireacht

concomitance n coimhdeacht

concord n comhaontas, teacht le chéile

concordat n concordáid

concourse n comhthionól, slua

concrete n coincréit a coincréiteach, nithiúil

concupiscence n miangas

concur vi aontaigh (le), bheith ar aon intinn (le duine)

concurrently adv i gcomhthráth

concussion n comhshuaitheadh

condemn vt cáin, damnaigh; daor, teilg

condemnation n cáineadh, damnú; daoradh

condemned a cáinte; daortha, ~ person daor

condensation n comhdhlúthú

condense vt & i comhdhlúthaigh

condescend vi deonaigh, crom

condescending a deonach

condiment n anlann, tarsann

condition n caoi, cruth, dóigh, staid; coinníoll, acht, cuntar

conditional n & a coinníollach

condolence n cásamh, comhbhrón

condominium n comhthiarnas; áraslann

condone vt maith; leomh, lig le

conducive a fabhrach (chun), *it is ~ to good health* cuidíonn sé le sláinte an duine

conduct n béasa, iompar; stiúradh *vt* riar, rith, stiúir; seol; cómóir, *to ~ oneself properly* tú féin a iompar mar is ceart

conductor n stiúrthóir; seoltóir

conduit n seoladán

cone n buaircín; coirceog, cón

confection n sócamas; ullmhóid; (foirgneamh, etc) straibhéiseach

confectioner n sólaisteoir

confectionery n milseogra, sócamais

confederation n cónaidhm

confer *vt & i* tabhair, (*of degree*) bronn, *to ~ with a person* dul i gcomhairle le duine

conference n comhdháil

confess *vt & i* admhaigh, *to ~ one's sins* faoistin a dhéanamh, do pheacaí a admháil, *to ~ a person* duine a éisteacht, faoistin a thabhairt do dhuine

confession n faoistin, *~ box* bosca an éistigh

confessor n athair faoistine, anamchara

confidant(e) n rúnchara

confide *vt & i, to ~ in a person* do rún a ligean, a thaobhú, le duine, *he ~ d to me (that)* dúirt sé i gcogar liom (go)

confidence n dánacht, urrús; muinín, iontaoibh, *in ~* faoi rún

confident a dána, teann, urrúsach, dóchasach; muiníneach

confidential a rúnda

configuration n cumraíocht, imchruth

confine *vt, to be ~ d to bed* bheith ag coinneáil na leapa, *~ d space* áit chúng, cúngach, *~ d competition* comórtas teoranta

confinement n braighdeanas, géibheann; luí seoil

confines *npl, within the ~ of the place* faoi iamh na háite

confirm *vt* cinntigh, deimhnigh; cuir faoi lámh easpaig, cóineartaigh

confirmation n cinntiú, dearbhú, deimhniú; dul faoi lámh easpaig, cóineartú

confiscate *vt* coigistigh

confiscation n coigistíocht

confiteor n, *the C~* an Fhaoistin Choiteann

conflagration n dóiteán, tine

conflict n caismirt, cath, deabhaidh, *in ~*

i dtreis *vi, their interests ~* tá siad ag teacht salach ar a chéile

confluence n, *the ~ of two streams* bun, comhrac, cumar, dhá uisce

conform *vi, ~ to, with, sth* freagair do rud, déan de réir ruda

confound *vt, to ~ a person* duine a mhearadh; duine a chur trí chéile, *~ him!* droch-chríoch air!

confraternity n comhbhráithreachas

confront *vt, to ~ a person* aghaidh a thabhairt ar dhuine, *to be ~ ed by dangers* guaiseacha a bheith romhat, i do bhealach

confrontation n comhfhorrántas; (daoine) aghaidh a thabhairt ar a chéile

confuse *vt* mearaigh, suaith, cuir trí chéile, *he got ~ d* tháinig mearbhall air, *to ~ sth with sth else* rud a mheascadh le rud eile

confused a mearbhlach, scaipeach; bun-oscionn, trí chéile

confusing a suaiteach, mearbhlach

confusion n mearbhall, mearú, suaitheadh; cíor thuathail, tranglam; (cur) trí chéile, dallamullóg

congeal *vt & i* téacht; oighrigh, reoigh, sioc

congenial a cóimheasach

congenital a comhbheirthe, ó bhroinn

conger n, *~ (eel)* concar

congested a plúchta, *~ area* ceantar cúng

congestion n cúngach, *traffic ~* brú, plódú, trácha

conglomeration n cumasc, meascán; comhchruitleán

congratulate *vt, to ~ a person on sth* rud a mhaireachtáil, a threaslú, do dhuine; comhghairdeas a dhéanamh le duine faoi rud

congratulation n comhghairdeas, tréaslú, *~ s!* go maire tú i bhfad, molaim thú

congregate *vt & i* comhchruinnigh, bailigh

congregation n pobal, tréad; tionól

congress n comhdháil

conic a cónach

conical a coirceogach

conifer n cónaiféar, buaircíneach

coniferous a buaircíneach

conjecture n meath-thuairim vt & i tuairimigh, *conjecturing* ag tuairimíocht

conjugal a, ~ *rights* cearta pósta

conjugate vt réimnigh

conjugation n réimniú

conjunction n cónasc, in ~ *with* in éineacht le

conjunctivitis n toinníteas

conjure vt & i, to ~ asarlaíocht a dhéanamh, to ~ *up memories* seanchuimhní a mhúscailt

conjurer n asarlaí, doilbheoir

conjuring n, ~ (*tricks*) cleasa asarlaíochta

Connacht n Connachta, Cúige Chonnacht a Connachtach

connect vt cónaisc, ceangail, *all* ~ *ed with you* gach a mbaineann leat, *the two words are* ~ *ed* tá gaol idir an dá fhocal

connecting a ceangailteach, cónasach

connection n baint; cónasc, in ~ *with* mar gheall ar, maidir le

connivance n cúlchead

connive vi, *he* ~ *d at the injustice* dhún sé a shúile ar an éagóir

connoisseur n eolaí

connotation n cuimsiú; fochiall, seachchiall

conquer vt & i buaigh (ar), cloígh

conqueror n cloíteoir, gabhálaí, *William the C* ~ Liam Concaire

conquest n concas, gabháltas

conscience n coinsias

conscientious a coinsiasach

conscious a comhfhiosach, meabhrach, *to be* ~ *of sth* mothú a bheith agat ar rud, rud a bhrath

consciousness n meabhraíocht, mothú, *she regained* ~ tháinig an mheabhair ar ais chuici

conscript n & a coinscríofach vt coinscríobh

conscription n coinscríobh

consecrate vt coisric

consecration n coisreacan, sácráil

consecutive a leantach, *three* ~ *days* trí lá as a chéile

consensus n comhaontú (barúla, tola)

consent n deoin, aontú, toil, toiliú vi deonaigh, toiligh

consequence n iarmhairt, iarsma, in ~ *of* de dheasca, *of no* ~ gan tábhacht, gan aird

consequential a iarmhartach

consequently adv & conj dá bharr sin

conservation n caomhnú

conservationist n caomhnóir

conservatism n coimeádachas

conservative n & a coimeádach

conservator n coimeádaí

conservatory n teach gloine

conserve vt caomhnaigh, to ~ *one's strength* do neart a choigilt

consider vt cuimhnigh, síl, smaoinigh; dearc; meas, *all things* ~ *ed* i dtaca le holc

considerable a suimiúil, ~ *amount* suim mhaith, *I had* ~ *difficulty with it* bhí a lán dá dhua agam; ní gan dua a rinne mé é

considerate a dearcach, tuisceanach

consideration n dearcadh, tuiscint; comaoin, *to take sth into* ~ rud a chur san áireamh

considering prep & conj, ~ *that* nuair a, ráite (go), ~ *how dear they were* agus a dhaoine a bhí siad

consign vt coinsínigh, to ~ *sth to a person's care* rud a fhágáil i gcúram duine

consignment n coinsíneacht; lastas

consist vi, *it* ~ *s of* is éard atá ann

consistency n comhsheasmhacht; dlús, raimhre

consistent a comhsheasmhach; de réir a chéile, ~ *with* i gcomhréir le; ag teacht le

consolation n sólás, ~ *prize* duais aitheantais

console vt, to ~ *a person* sólás a thabhairt do dhuine

consolidate vt & i daingnigh

consoling a sólásach

consonance n comhfhuaim

consonant n consan

consort n comrádaí; céile vi, to ~ *with a person* taithí le duine

conspicuous a feiceálach

conspiracy n comhcheilg, plota

conspirator n comhchealgaire

conspire vi, to ~ *against a person* comhcheilg a bheartú in aghaidh duine, plota a dhéanamh ar dhuine

constable n constábla

constabulary n constáblacht

constancy n diongbháil, dílse, seasmhacht, síoraíocht

constant a bith-, gnáth-, cónaitheach, buan, síoraí; diongbháilte, seasmhach

constantly adv go buan, de shíor

constellation n réaltbhuíon

consternation n anbhá, corrabhuais

constipated a iata, crua sa chorp

constipation n iatacht, ceangailteacht (coirp)

constituency n dáilcheantar, toghlach

constituent n comhábhar; toghthóir a, ~ college comhcholáiste

constitute vt comhdhéan; ceap, bunaigh, reachtaigh

constitution n bunreacht; comhdhéanamh, physical ~ coimpléasc

constitutional a bunreachtúil

constraint n iallach

constrict vt cúngaigh; crap, craplaigh

constriction n cúngú; snaidhm

construct vt déan, tóg

construction n déanamh, tógáil; leagan, dul; construáil, léamh

constructive a éifeachtach, tairbheach, cuidiúil, cúntach

construe vt construáil

consul n consal

consult vt & i, to ~ with a person dul i gcomhairle le duine, he ~ ed me about it cheadaigh sé liom é

consultant n comhairleoir; lia comhairleach

consultation n comhairle, in ~ i ndáil chomhairle

consultative a comhairleach

consume vt caith, ith, tomhail, díscigh, ídigh

consumer n caiteoir, tomhaltóir

consummate a, a ~ artist ealaíontóir cruthanta vt, to ~ a marriage pósadh a chríochnú, a chur i gcrích

consumption n caitheamh, tomhailt; eitinn, créachta

contact n tadhall, teagmháil vt teagmhaigh (le)

contagious a, ~ disease galar tadhaill

contain vt, it ~ s a gallon coinníonn, tógann, sé galún; tá galún ann, to ~ a flood tuile a chosc, a smachtú, he couldn't ~ himself for rage bhí sé ag

dul as a chrann cumhachta, ag dul as a chraiceann le fearg

container n árthach, soitheach, gabhdán; coimeádán

contaminate vt truailligh, éillligh

contamination n truailliú

contemplate vt & i machnaigh, meabhraigh

contemplation n machnamh, marana; rinnfheitheamh

contemplative a machnamhach, smaointeach, ~ order ord rinnfheithimh

contemporary n, our contemporaries lucht ár gcomhaimsire, lucht ár linne a comhaimseartha, ~ with in aon aimsir, i gcomhaimsir, le

contempt n dímheas, drochmheas, tarcaisne

contemptuous a drochmheasúil, tarcaisneach, díomasach

contend vt & i spairn (le); maígh, éiligh, to ~ with a person for an honour bheith ag dréim le duine faoi onóir

content¹ n lucht, ~ s lán, table of ~ s clár (ábhair), lead ~ cion luaidhe

content² a sásta vt sásaigh

contention n caismirt, cointinn, iomarbhá; maíomh, bone of ~ cnámh spairne

contentious a cointinneach, imreasach

contentment n sástacht, soilíos

contest n báire, coimhlint; comhlann, gleic; comórtas vt conspóid, troid

contestant n coimhlinteoir, (of will, etc) conspóidí

context n comhthéacs

contiguous a teorantach

continent n ilchríoch, mór-roinn

continental a ilchríochach, mór-roinneach

contingency n teagmhas

contingent¹ n, (army) meitheal

contingent² a teagmhasach

continual a cónaitheach, buan, síoraí

continually adv de shíor

continuation n leanúint

continue vt & i lean, mair, ~ (talking) lean ort (ag caint), to be ~ d ar leanúint

continuity n leanúnachas

continuous a leanúnach

contorted a freangach, casta

contortion *n* freanga, riastradh, ~ *of face* strainc, cár

contour *n* comhrian *a* comhrianach *vt* comhrianaigh

contraband *n* contrabhanna *a* contrabhannach

contraception *n* frithghiniúint

contraceptive *n & a* frithghiniúnach

contract *n* conradh *vt & i* conraigh; crap; tóg, tolg

contraction *n* crapadh, giorrú; nod; tolgadh

contractor *n* conraitheoir

contradict *vt* bréagnaigh, cros, trasnaigh, ~*ing one another* ag sárú a chéile

contradiction *n* bréagnú, frisnéis, trasnáil

contradictory *a* bréagnaitheach, frisnéiseach

contralto *n* contralt

contraption *n* acra, gléas

contrariness *n* contrái(teacht); ciotrúntacht

contrary *n* contráil, *quite the* ~ a mhalairt ar fad, a mhilleadh sin *a* contráilte, contrártha; crosta, ciotrúnta

contrast *n* codarsnacht, contrárthacht *vt* frithshuigh

contrasting *a* codarsnach

contravene *vt* bris, sáraigh

contravention *n* sárú

contribute *vt & i*, (*money, etc*) tabhair, íoc, *to* ~ *to the din* cur leis an ngleo, méadú ar an ngleo

contribution *n* síntiús; ranníocaíocht; cion

contributor *n* ranníocóir; síntiúsóir; scríbhneoir, colúnaí (nuachtáin)

contributory *a* ranníocach

contrite *a* croíbhrúite, doiliosach, aithríoch

contrition *n* croíbhrú, doilíos, *act of* ~ gníomh dóláis

contrivance *n* beartú, cumadh; gaireas, inneall

contrive *vt* beartaigh, seiftigh, (*of story, etc*) fígh, cum, ceap

contrived *a* tacair

control *n* smacht, urlámhas; stiúir, stiúradh; srian, (*device*) rialaitheoir, *to lose* ~ *of oneself* dul as do chrann cumhachta, guaim ort féin a chailleadh *vt & i* ceansaigh, smachtaigh; rialaigh, stiúir

controlled *a* srianta; rialaithe

controller *n* ceannasaí, stiúrthóir

controversial *a* conspóideach

controversialist *n* conspóidí

controversy *n* conspóid, iomarbhá

contuse *vt* brúigh

conundrum *n* cruacheist, dubhfhocal

convalesce *vi* téarnaigh, *convalescing* ar fainnéirí

convalescence *n* fainnéirí, téarnamh

convalescent *n & a* téarnamhach, ~ *home* teach téarnaimh

convector *n*, ~ *heater* téitheoir comhiompair

convene *vt & i* comóir, tionóil, cruinnigh

convenience *n* áisiúlacht; áis, gar, *at your* ~ ar do chaoithiúlacht, *public* ~ leithreas poiblí

convenient *a* áisiúil, caoithiúil, ~ *to* cóngarach do

convent *n* clochar, coinbhint

convention *n* coinbhinsiún; gnás; comhdháil, dáil, *National* ~ Ard-Fheis, (*social*) ~*s* comhghnás

conventional *a* coinbhinsiúnach, comhghnásach

converge *vi* cruinnigh

conversant *a* taithíoch (*with* ar)

conversation *n* comhrá

conversational *a* comhráiteach

converse[1] *vi, to* ~ *with a person* comhrá a dhéanamh le duine

converse[2] *n* contrárthacht, glanmhalairt *a* contrártha

conversion *n* malartú; iompú, tiontú

convert *n* iompaitheach *vt* iompaigh, tiontaigh, athraigh, *to* ~ *a try* úd a shlánú

convertible *a* inathraithe, inmhalartaithe

convex *a* dronnach

convey *vt* iompair, tabhair, beir; tiolaic

conveyance *n* iompar; cóir thaistil

conveyor-belt *n* crios iompair

convict *n* daoránach *vt* ciontaigh, daor, teilg

conviction *n* ciontú, daoradh, daorbhreith; creideamh

convince *vt, to* ~ *a person of sth* rud a áitiú ar dhuine, *he is firmly* ~ *of it* tá sé suite, dearfa, de

convivial *a*, ~ *company* cuideachta mheidhreach, shuairc

conviviality *n* fleáchas, meidhir

convocation n comhghairm, gairm scoile

convolvulus n ialus

convoy n conbhua, tionlacan vt tionlaic, comóir

convulse vt, ~ d with laughter sna trithí gáire

convulsion n tritheamh

coo vi durdáil

cook n cócaire vt & i cócaráil, (by boiling) beirigh, bruith, ~ ing ag cócaireacht

cooker n bruthaire, cócaireán

cooking n cócaireacht

cool a fionnuar; fuaraigeanta; fuarchúiseach, ~ place fuarthan vt & i fuaraigh, téigh i bhfuaire

cool-headed a fuaraigeanta

coolness n fionnuaire; fuarthan; fuarchúis

coop n cúb, bothán, púirín vt & i cúb

cooper n cúipéir

co-operate vi comhoibrigh

co-operation n comhar, comhoibriú, cur le chéile

co-operative a comhoibríoch, ~ society comharchumann

co-opt vt comhthogh

co-ordinate vt comhordaigh

co-ordination n comheagar, comhordú

cope[1] n, (vestment) cóip

cope[2] vi déileáil, to ~ with sth ceart a bhaint de rud, to ~ with life an saol a bharraíocht

copier n gléas cóipeála

coping n cóipeáil; vuinsciú

copious a faíoch, weeping ~ ly ag caí go fras

copper n copar, umha; pingin (rua) a crónbhuí, ar dhath an chopair

copula n copail

copulate vi cúpláil

copulation n comhriachtain, cúpláil

copy n cóip, macasamhail vt athscríobh, cóipeáil

copy-book n cóipleabhar

copyist n cóipeálaí, scríobhaí

copyright n cóipcheart

coquetry n cluanaireacht

coracle n curach, naomhóg

coral n coiréal a coiréalach

corbel n & vt coirbéal

cord n corda, sreangán, suaithe, the spinal ~ snáithe an droma

cordial a coirdial a croíúil

cordiality n croíúlacht

cordon n tródam

corduroy n corda an rí

core n croí, corplár

cork n corc vt corcáil

corkscrew n corcscriú

cormorant n broigheall, cailleach dhubh

corn[1] n arbhar

corn[2] n, (on foot) fadharcán

corncrake n traonach, gearr goirt

cornea n coirne

corned a saillte

corner a coirnéal, clúid, cúil, cúinne, binn; cearn, ~ (-kick) cúinneach, in a tight ~ i gcúngach vt sáinnigh, teanntaigh

cornet n coirnéad, (ice-cream) ~ coirnín (uachtair reoite)

cornflakes npl calóga arbhair

cornflour n gránphlúr

cornflower n gormán

cornucopia n corn na bhfuíoll

corona n coróin

coronary a corónach

coronation n corónú

coroner n cróinéir

coronet n coróinéad

corporal[1] n ceannaire

corporal[2] a corpartha

corporate a corparáideach, ~ body corparáid

corporation n bardas; cuallacht

corporeal a corpartha

corps n cór

corpse n corp(án), marbhán

corpulent a corpanta, beathaithe, ramhar

corpuscle n coirpín

correct a ceart, fíor vt ceartaigh, beachtaigh

correction n ceartú(chán)

corrective a ceartaitheach

corrector n ceartaitheoir

correspond vi comhfhreagair, to ~ to sth freagairt do rud

correspondence n comhfhreagras; comhfhreagracht

correspondent n comhfhreagraí, tuairisceoir

corresponding a comhfhreagrach, at the ~ time cothrom na haimsire sin

corridor n dorchla, pasáiste

corroborate vt comhthacaigh (le)

corroboration n comhthacaíocht

corrode vt & i cnaígh, creim, ith

corrosion n cnaí, creimeadh

corrosive a creimneach

corrugated a rocach, iomaireach

corrupt a lofa, truaillí; fiar vt & i morg, truailligh, lobh; breab, saobh

corruption n morgadh, lobhadh, truailliú; breabaireacht

corset n cóirséad

cortège n sochraid

cortisone n cortasón

corvette n coirbhéad

cosiness n seascaireacht, teolaíocht

cosmetic n cosmaid a cosmaideach

cosmic a cosmach

cosmopolitan n & a iltíreach

cosmos n cosmas

cosset vt, to ~ a person peataireacht a dhéanamh ar dhuine

cost n costas, at all ~ s ar ais nó ar éigean vt & i cosain; costáil, how much did it ~ cá mhéad a bhí air

costly a costasach, daor; luachmhar

costume n culaith, feisteas

cosy n, (tea) ~ púic (tae) a seascair, teolaí

cot n cliabhán

cottage n iostán, teachín

cotton n cadás

cotton-grass n ceannbhán (móna)

cotton-wool n flocas cadáis, olann chadáis

couch n tolg

couch-grass n broimfhéar

cough n casacht vi, to ~ casacht a dhéanamh, ~ing ag casacht, ag casachtach

could: can[2]

coulter n coltar

council n bord, comhairle

councillor n comhairleoir

counsel n abhcóide; comhairle vt comhairligh

counsellor n comhairleoir, cunsailéir

count[1] n cunta

count[2] n comhaireamh, cuntas vt & i áirigh, comhair, cuntais, ríomh

countenance n cuntanós, gnúis vt, to ~ sth cúinse a thabhairt do rud

counter[1] n clár, cuntar; ríomhaire

counter[2] pref frith-, ath-

counteract vt frithbheartaigh

counteraction n frithghníomh

counterbalance n cóimheáchan vt cothromaigh

counterfeit a, ~ money airgead bréige, airgead falsa vt góchum

counterfoil n comhdhuille

countermand vt, to ~ an order freasordú a thabhairt

counterpart n leathbhreac, leithéid, macasamhail

counterpoint n cuntraphointe

countess n cuntaois

countless a do-áirithe, dí-áirithe, ~ hundreds na céadta dubha

country n tír, dúiche; tuath

countryman n fear tíre, fear tuaithe; tuathánach

countryside n taobh tíre, tuath, tír

county n contae

coup n éacht, gaisce

couple n cúpla, dís; cuingir; lánúin vt & i cuingrigh, cúpláil

couplet n leathrann

coupling n cúpláil; cúplán

coupon n cúpón

courage n misneach, sprid, uchtach, sracadh

courageous a misniúil, spridiúil, uchtúil

courier n teachtaire

course n imeacht, seoladh, cúrsa; cur, ciseal, sraith; cuairt; cúrsáil; lorg, rian, in the ~ of i gcaitheamh, i rith, in due ~ i gceann na haimsire, in am agus i dtráth, of ~ ar ndóigh vt & i cúrsáil

coursing a cúrsach, snítheach n cúrsáil (giorria, etc)

court n cúirt; (in street names) clós vt & i, ~ing ag cúirtéireacht, ag suirí (le)

courteous a cúirtéiseach, síodúil, sibhialta

courtesy n cúirtéis

courtier n cúirteoir

courting n cúirtéireacht, suirí

court-martial n armchúirt vt, to ~ a person armchúirt a chur ar dhuine

courtship n suirí

courtyard n cúirt

cousin n, first ~ col ceathrair, col ceathar, second ~ col seisir

cove n camas, cuas, cuainín

covenant n coinníoll, cúnant

covenanter n cúnantóir

cover n clúdach, cumhdach; dídean; scáth vt clúdaigh, cumhdaigh, folaigh, to ~ the expenses na costais a ghlanadh, ~ d with brata, foirgthe, breac, le

coverage n tuairisciú

covering n brat; súsa; díon; clúdach, clúid, folach; truaill

coverlet n súisín

covert n cluthair, scairt a ceilteach; folaitheach

covet vt santaigh

covetous a santach, antlásach

covetousness n saint, antlás

cow[1] n bó

cow[2] vt smachtaigh, cloígh

coward n cladhaire, meatachán

cowardice n claidhreacht, meatacht

cowardly a cladhartha, meata

cowboy n buachaill bó

cow-dung n bualtrach

cower vi cúb

cowherd n buachaill bó

cowhouse n bóitheach

cowl n cochall

cowlick n deisealán, líog

cowslip n bainne bó bleachtáin

coxwain n liagóir

coy a leamhnáireach

crab n portán

crab-apple n fia-úll

crack n bloscadh, cnag, craic; gág, méirscre, scoilt vt & i scoilt; blosc, to ~ a nut cnó a chnagadh

cracked a gágach, scoilte; craiceáilte

cracker n pléascóg

cracking n cnagadh, ~ sound cnag, cnagarnach, blosc

crackle n brioscarnach, cnagarnach vi, crackling ag brioscarnach, ag cnagarnach

cradle n cliabhán

craft n ceardaíocht, ceird, ealaín, sailing ~ árthach seoil

craftiness n gliceas, lúbaireacht

craftsman n ceardaí, ealaíontóir, saor

craftsmanship n ceardaíocht, saoirseacht

craftwork n ceardaíocht

crafty a cleasach, glic, ~ person cleasaí, draíodóir, lúbaire

crag n creig

craggy a creagach

cram vt & i ding, sac, pulc, plódaigh

cramp n crampa, (in wrist) tálach vt crap, cúngaigh (ar)

cramped a craptha; cúng

cranberry n mónóg

crane[1] n corr

crane[2] n craein, crann tógála, (fire) ~ croch vt, to ~ one's neck dúid a chur ort féin

crane-fly n galán, snáthadán (cogaidh)

cranium n cráiniam, blaosc an chinn

crank n cromán; cancrán

crank-shaft n cromfhearsaid

cranky a cantalach, cancrach

crannog n crannóg

crape n sípris

crash n plimp, tuairt, imbhualadh, brúscán; (financial) tobthitim vt & i pléasc, tuairteáil, he ~ed into me bhuail sé fúm

crate n cis, cliathbhosca

crater n cráitéar

cravat n carbhat

crave vt tothlaigh

craving n andúil, miangas, mearadh, ~ for tobacco gabhair thobac, dúil sa tobac

craw n spochán, prócar

crawfish n piardóg

crawl n crágshnámh vi snámh, to ~ on one's hands and knees dul ar do cheithre boinn, do cheithre croibh; dul ag lámhacán, the place is ~ing with them tá an áit beo, foirgthe, leo

crawling n lámhacán; snámhaíocht a snámhach; míolach

crayon n crián

craze n gabhair, mearadh

crazed a ar mearaí, néaltraithe

craziness n gealltachas, mearaí

crazy a craiceáilte, ~ about her splanctha ina diaidh, ~ for sth ar gabhair, scafa, chun ruda

creak vi díosc

creaking n díoscán

creaky a díoscánach

cream a uachtar (bainne), (face) ~ ungadh (éadain), ~ of tartar gealltartar a bánbhuí vt coip

cream-coloured a bánbhuí, buibhán

creamery n uachtarlann

creamy a uachtarúil; cúránach

crease n filltín, roc vt & i roc

creased a rocach

create vt cruthaigh, to ~ discord easaontas a tharraingt, iaróg a thógáil

creation n cruthú; na dúile

creative a cruthaitheach

creator n cruthaitheoir, the C~ an Dúileamh

creature n créatúr, dúil

crèche n naíolann

credence n creidiúint, to give ~ to sth géilleadh do rud

credentials npl dintiúir; teastais

credibility n inchreidteacht

credible a creidte, inchreidte

credit n creidiúint; cairde, creidmheas, the ~ side taobh an tsochair vt creid

creditable a creidiúnach; sochreidte

creditor n creidiúnaí

credulous a saonta, géilliúil

creed n cré; creideamh

creek n casla, crompán, góilín, cuaisín; sruthán

creel n cliabh, cléibhín

creep vi snámh, téaltaigh, it made my flesh ~ chuir sé fionnachrith orm, chuir sé cáithníní ag rith ar mo chraiceann, (of child, etc) ~ing ag lámhacán

creeper n, (plant) athair, (child, etc) lámhacánaí

creeping n, (as of child) lámhacán; snámhaíocht a snámhach, ~ plant athair

creepy a, ~ feeling driuch fionnaidh, ~ place áit uaigneach, áit aerachtúil, áit iarmhaireach

cremate vt créam

cremation n créamadh

crematorium n créamatóiriam

crepe n sípris; créip, ~ - de - chine síprisín

crescent n corrán a, ~ moon gealach dheirceach

cress n biolar, Indian ~ gleorán

cresset n cam, slige

crest n círín, cnota, cuircín, buaic; suaitheantas, ~ of wave droim toinne

crested a círíneach, cuircíneach, curcach, starraiceach

crestfallen a maolchluasach

cretonne n creiteon

crevice n gág, méirscre, dreapa

crew n criú, foireann

crib n beithilín, mainséar

crick n, ~ in the neck claon adhairte

cricket[1] n criogar (iarta), urchuil

cricket[2] n cruicéad

crier n callaire, reacaire; caointeoir, caointeachán

crime n coir

criminal n coirpeach a coiriúil

crimson n corcairdhearg a craorag, corcairdhearg

cringe vi cúb, lútáil

crinkle n roicín, filtín vt, to ~ paper páipéar a chrapadh, a rocadh

crinkled a rocach

cripple n cláiríneach, mairtíneach vt craplaigh, martraigh

crippling a crapallach

crisis n drochuair; géarchéim, (in sickness) aothú

crisp n, (potato) ~ s brioscáin (phrátaí) a briosc

crispness n brisce

criss-cross a cliathach

criterion n critéar, slat tomhais

critic n criticeoir, léirmheastóir

critical a beachtaíoch, breithiúnach, criticiúil; géibheannach

criticism n beachtaíocht, criticeas, léirmheas(tóireacht)

criticize vt lochtaigh, beachtaigh (ar)

critique n critic, léirmheas

croak n grág

croaking n grágaíl

crochet n cróise vt & i cróiseáil

crock[1] n próca

crock[2] n, (of car, etc) seanghliogar, seanchreatlach

crockery n gréithe

crocodile n crogall, ~ tears deora bréagacha, gol na súl tirim

crocus n cróch

cromlech n cromleac

crook n bacán, crúca; bachall, camóg, (person) caimiléir, cneámhaire

crooked a cam, lúbach; bachallach, he is ~ by nature tá an fiar, an claon, ann

crookedness n caime; caimiléireacht, camastaíl, lúbaireacht

croon n crónán, drantán

crooner n crónánaí, duanaire, drantánaí

crop n barr; eagán, (of whip) cos vt bearr, sciot

crop-eared a maolchluasach

croquet n cróice

croquette *n* cróicéad, millín

cross[1] *n* cros, croch *a* crosta, cantalach, drochmhúinte, mallaithe, oilbhéasach *vt & i* cros, crosáil, trasnaigh, *it ~ed my mind* rith sé liom

cross[2] *pref* cros-, tras-, trasna

cross-bar *n* trasnán, barra trasna

crossbill *n* camghob

crossed *a* crosach

cross-examine *vt, to ~ a person* ceastóireacht a chur ar dhuine, duine a chroscheistiú

crossing *n* crosaire; trasnáil; pasáiste

cross-piece *n* cros, trasnán

crossroad (s) *n* crosaire, crosbhóthar

crossways, crosswise *adv & a* crosach, trasnánach; fiarthrasna

crossword *n*, *~ (puzzle)* crosfhocal

crotch *n* gabhal

crotchet *n* croisín

crotchety *a* coilgneach, teidheach

crouch *n* gúnga *vi, they ~ed behind the rock* chrom siad i gcúl na carraige

crouched *a* gúngach; ar do chromada, *she was ~ over the fire* bhí cruit uirthi, bhí sí crom, os cionn na tine

croup *n* tochtán

crow *n* préachán, caróg *vi* glaoigh, scairt

crow-bar *n* gró, ringear

crowd *n* slua *vt & i* plódaigh

crowfoot *n* crobh préacháin

crown *n* coróin; mol, *(of head)* baithis, mullach *vt* corónaigh

crow's-foot *n* fáirbre (faoi shúil)

crow's-nest *n* crannóg

crozier *n* bachall

crubeen *n* crúibín (muice)

crucial *a* géibheannach

crucible *n* breogán

crucifix *n* cros chéasta, croch chéasta

crucifixion *n* céasadh, *the C~* íobairt na Croiche

crucify *vt* céas

crude *a* tútach, garbh, *~ oil* amhola

cruel *a* cruálach, géar, danartha, ainíochtach

cruelty *n* cruálacht

cruet *n* cruibhéad

cruise *n & vi* cúrsáil

cruiser *n* cúrsóir

crumb *n* sprúille, *~s* bruar, bruscar, grabhróga (aráin)

crumble *vt & i* mionaigh, sceith

crumpet *n* crompóg

crumple *vt & i, ~ up* leacaigh, crap *vt & i* cros, crosáil, trasnaigh, *it ~ed*

crunch *n* brioscarnach, cnag(arnach) *vt & i* cnag

crupper *n* tiarach

crusade *n* crosáid

crush *n* brú, pulcadh *vt* basc, brúigh, meil, *to ~ sth to bits* bruar, smionagar, a dhéanamh de rud

crushed *a* brúite, meilte

crusher *n* meilteoir

crust *n* crústa; carr, screamh(óg) *vi* scarbháil

crustacean *n & a* crústach

crusty *a*, *(of person)* meirgeach, *(of bread, etc)* faoi chrústa

crutch *n* croisín, maide croise

crux *n* fadhb, *the ~ of the question* croí na ceiste

cry *n* glao, gáir, éamh; geoin, uaill *vt & i* caoin, goil; gáir, *~ out* éigh, glaoigh, *~ off* éirigh as

cry-baby *n* caointeachán (linbh)

crying *n* caoineadh, gol

crypt *n* lusca

cryptic *a* diamhair, rúnda

crystal *n* criostal *a* gloiní

crystal-clear *a* gléghlan, gléigeal

crystallize *vt & i* criostalaigh

cub *n* coileán

cube *n* ciúb, dísle *vt* ciúbaigh

cubic *a* ciúbach

cubicle *n* cubhachail

cubism *n* ciúbachas

cubit *n* banlámh

cuckold *n* cocól

cuckoo *n* cuach

cuckoo-pint *n* cluas chaoin

cucumber *n* cúcamar

cud *n* cíor

cuddle *n* croidín, gráin *vt & i* muirnigh, *cuddling* ag gráinteacht

cudgel *n* lorga, cleith, smachtín, smíste

cue[1] *n* leid

cue[2] *n* cleathóg (billéardaí)

cuff *n* cufa

cuff-link *n* lúibín cufa

cul-de-sac *n* caochshráid

culinary *a* cisteanach, *~ herb* luibh chócaireachta

cull *vt* pioc, togh; bain

culmination *n* rinn, buaic

culpable *a* ciontach, lochtach, incháinte

culprit *n* ciontach

cult *n* cultas

cultivate *vt* saothraigh

cultivated *a*, ~ *speech* caint oilte, caint chultúrtha, ~ *land* talamh briste, curaíocht

cultivation *n* míntíreachas, saothrú

cultural *a* cultúrtha

culture *n* cultúr, béascna

cultured *a* cultúrtha

culvert *n* líntéar, tóchar

cumbersome *a* anásta, liopasta, míshásta

cumulative *a* carnach

cumulus *n* cumalas, néal carnach

cunning *n* gliceas, meang *a* glic, sionnachúil, lúbach

cup *n* cupán; corn

cupboard *n* cupard, prios

cur *n* maistín

curate *n* séiplíneach, sagart óg, cóidiútar

curative *a* íceach, *it has* ~ *powers* tá leigheas ann

curator *n* coimeádaí (iarsmalainne)

curb *n & vt* srian

curdle *vi*, *the milk* ~ *d* bhris an bainne

curds *npl* gruth

cure *n* íoc, leigheas; leasú *vt & i* íoc, leigheas; leasaigh, saill, buígh

curfew *n* cuirfiú

curio *n* deismireán

curiosity *n* fiosracht; ábhar iontais; rud annamh, rud neamhghnách

curious *a* fiosrach, fiafraitheach, caidéiseach; aisteach, greannmhar, ait

curl *n* coirnín, cuach *vt*, *to* ~ *hair* coirníní a chur i ngruaig, *he* ~ *ed* (*himself*) *up* chuach sé é féin; chuir sé a cheann ina lúb, ina chamas

curled *a* camarsach, dualach, cuachach

curler *n* catóir

curlew *n* crotach, cuirliún

curly *a* cas, catach, camarsach

curly-haired *a* catach

currach *n* curach, naomhóg

currant *n* cuirín

currency *n* airgeadra; cúrsaíocht

current *n* feacht, sruth *a* i gcúrsaíocht, sa rith; láithreach, ~ *account* cuntas reatha, *to be* ~ rith, bheith ag imeacht, bheith san imeacht

curriculum *n* curaclam

curry¹ *n* curaí

curry² *vt*, *to* ~ *a horse* capall a chíoradh, *to* ~ *favour* fabhar a lorg, bheith ag tláithínteacht

curse *n* eascaine, mallacht, mionn mór, crístín *vt & i* eascainigh, mallaigh

cursive *a* reathach

cursory *a* srac-

curt *a* gearr, giorraisc

curtail *vt* ciorraigh

curtain *n* cuirtín, brat

curtsy *n* umhlú *vi* umhlaigh

curvature *n* cuaire

curve *n* cuar, cuan *vt & i* cuar

curved *a* corr(-), cuar

cushion *n* cúisín, adhartán

custard *n* custard

custodian *n* coimeádaí

custody *n* coimeád, coinneáil, *in* ~ faoi choinneáil

custom *n* gnás, nós; custaiméireacht, ~ *s and excise* custam agus mál

customary *a* gnách, gnáth-, iondúil, *it was* ~ *with them* bhí sé de nós acu

customer *n* custaiméir, *he's a tricky* ~ tá an ealaín ann, is iomaí lúb ann

cut *n* slinse; gearradh *vt & i* scor; bearr; gearr, ciorraigh; snoigh, *to* ~ *turf* móin a bhaint, ~ *off from* scartha, scoite, amach ó, ~ *the cards* bris na cártaí, *it* ~ *him to the quick* ghoin sé an beo ann

cute *a* glic, cleasach

cuticle *n* cúitineach

cutlery *n* cuitléireacht, sceanra

cutlet *n* gearrthóg

cutter *n* bainteoir; gearrthóir; snoídóir

cutting *n* gearradh; caidhsear; gearrthóg; snoí(odóireacht), ~ *s* sceanairt, scotháin *a* faobhrach, ~ *remark* focal géar, goineog

cuttlefish *n* cudal (sceitheach)

cyanide *n* ciainíd

cycle *n* timthriall; rothar, *life* ~ saolré *vi* rothaigh

cycling *n* rothaíocht

cyclist *n* rothaí

cyclone *n* cioclón

cygnet *n* éan eala

cylinder *n* sorcóir

cymbal *n* ciombal
cynic *n* cinicí
cynical *a* ciniciúil
cynicism *n* ciniceas
cynosure *n* craobh aonaigh, *she is the ~*

of every eye tá sí ina scáthán súl, tá sí ina lán súl ag gach aon
cypress *n* cufróg
cyst *n* cist, úithín
czar *n* sár

D

dab[1] *n* daba, smearadh *vt*, *to ~ sth* boiseog bheag a thabhairt do rud, *to ~ sth on sth* smearadh beag de rud a chur ar rud

dab[2] *n & a*, *he is a ~* (*hand*) *at farming* scoth feirmeora is ea é

dabble *vt & i*, *to ~ sth* uisce a chroitheadh ar rud; *to ~* a thumadh in uisce, *dabbling in water* ag slaparnach, *dabbling in* (*some pursuit*) ag gliocsáil, ag spallaíocht, ag suirí, le (rud)

dabchick *n* lapairín

dad(dy) *n* daid, daidí

daddy-longlegs *n* galán, snáthadán, Pilib an gheataire

daffodil *n* lus an chromchinn

daft *a* néaltraithe, ar mearaí, *a ~ scheme* plean buile

dagger *n* miodóg

dahlia *n* dáilia

daily *a* laethúil

dainty *a* cúirialta; beadaí

dairy *n* déirí

dairying *n* déiríocht

dais *n* dás

daisy *n* nóinín

dally *vi*, *~ing* ag moilleadóireacht; ag spallaíocht, ag suirí

dam *n* damba *vt* dambáil, iaigh

damage *n* damáiste, díobháil, dochar, lot *pl* damáistí *vt* mill, loit, *to ~ sth* dochar, díobháil, a dhéanamh do rud

damaging *a* damáisteach, loiteach

damask *n* síoda damascach a damascach

damn *n*, *I don't care a ~* is cuma liom sa tubaiste, sa riach, sa donas, *it isn't worth a ~* ní fiú bíorán é *vt* damnaigh, *~ it!* damnú air! mallacht Dé air!

damnable *a* damanta, mallaithe

damnation *n* damnú

damned *a* damanta

damp *n* taisleach *a* tais, sramach *vt* taisrigh, *to ~ down* maolú

damper *n* maolaire, clabhar, sathaoide

dampness *n* taise, fliche

damson *n* daimsín

dance *n* damhsa, rince; céilí *vt & i* damhsaigh, rinc

dancer *n* rinceoir, damhsóir

dandelion *n* caisearbhán

dander *n*, *he got his ~ up* d'éirigh coilichín, cochall, air

dandle *vt*, *to ~ a child in one's arms* sac salainn a dhéanamh le leanbh, páiste a luascadh (ar do ghlúin)

dandruff *n* sail chnis

dandy *n* gaige *a* gleoite, breá

Dane *n* Danmhargach, (*historical*), *the Danes* na Danair, na Lochlannaigh

danger *n* baol, contúirt, dainséar, gábh, guais

dangerous *a* baolach, contúirteach, gáifeach, dainséarach

dangle *vt & i* luasc, *to ~ sth* rud a choinneáil, a chur, ar bogarnach

dank *a* múscánta, múisciúil

dapper *a* pioctha, sciobalta, bagánta

dapple *vt & i* breac

dappled *a* breac, sliogánach

dare *vt & i* leomh, *he ~d me to do it* thug sé mo dhúshlán é a dhéanamh, *how ~ you* nach dána an mhaise duit é, *I didn't ~ do it* ní bhfuair mé ó mo mhisneach é a dhéanamh

daring *n* dánacht, dásacht *a* dána, dásachtach

dark *n* dorchadas, diamhair, dubh *a* dorcha, dubh, doilbh, *~ blue* dúghorm

darken *vt & i* dorchaigh, dubhaigh, gruamaigh

darkness *n* dorchacht, dorchadas; dubh, duifean

darling *n* ansacht, searc, leannán, muirnín, *my ~* a stór, a rún, a ghrá mo chroí *a* muirneach

darn *n* dearnáil, cliath *vt*, *to ~ a stocking* cliath a chur ar stoca, stoca a dhearnáil

dart n dairt, ga, sá, síota; geábh, sciuird *vt & i* teilg, rop; scinn, sciurd

dartboard n dairtchlár

dash n fogha, sciuird, seáp; taoscán, scaird, steall; dais *vt & i* buail; scinn, sciurd, *he was ~ed to the ground* treascraíodh go talamh é, *I'd ~ out his brains* steallfainn an inchinn as, *to ~ off* lascadh leat

dashboard n painéal ionstraimí

dashing a scóipiúil, rábach, *~ fellow* rábaire

data npl dálaí, *~ processing* próiseáil sonraí

date¹ n dáta, *to have a ~ with a person* coinne a bheith agat le duine, *to be up to ~ with one's work* bheith bord ar bhord le do chuid oibre *vt* dátaigh

date² n dáta

dative n & a tabharthach

daub n dóib, daba, smearadh *vt & i* dóibeáil, smear

daughter n iníon

daughter-in-law n banchliamhain, bean mhic

dawdle *vi* snámh, *to ~* bheith ag moilleadóireacht, ag righneáil

dawdler n moilleadóir, righneálaí, snámhaí

dawn n breacadh an lae, camhaoir, maidneachan *vi* bánaigh, láigh, *the day is ~ing* tá sé ag maidneachan, tá ball bán ar an lá, tá an lá ag gealadh, *it ~ed on me that* rith sé chugam go

day n lá, *New Year's D~* Lá Caille, *St Patrick's D~* Lá Fhéile Pádraig

daybreak n camhaoir, breacadh an lae, fáinne an lae

daydream n taibhreamh (na súl oscailte)

daylight n solas an lae

daze n dallachar; néal, speabhraídí *vt* caoch, dall, *to be ~d* bheith ar mearbhall

dazzle *vt* caoch, dall, dallraigh

dazzling a dallraitheach

deacon n deagánach

dead n, *the ~* slua na marbh *a* marbh, neamhbheo, *~ end* ceann caoch, *to be in ~ earnest* bheith lom dáiríre, *the sea is ~ calm* tá an fharraige ina báinté, ina clár, ina léinseach

deaden *vt* bodhraigh, múch, maolaigh

deadlock n sáinn

deadly a marfach

dead-nettle n caochneantóg

deaf a bodhar, *~ person* bodhrán

deafen *vt* bodhraigh

deafening a bodhraitheach

deafness n bodhaire, allaire

deal¹ n, *a great ~* an-chuid, an dúrud, lear mór *adv*, *he is a great ~ wiser than you* tá i bhfad níos mó céille aige ná mar atá agatsa, is críonna go mór fada é ná thusa

deal² n margadh; beart (gnó) *vt & i* dáil, roinn; déileáil, pléigh le, *to ~ in a shop* custaiméireacht a dhéanamh i siopa, *hard (easy) to ~ with* do-ranna (soranna), *let me ~ with it* fág fúmsa é

deal³ n déil, giúis

dealer n mangaire, déileálaí, ceannaí; fear ranna, *cattle ~* grásaeir

dean n déan

dear a ionúin, dil, caomh, dílis; daor, costasach, *my ~ man* a dhuine chóir, *he ran for ~ life* rith sé lena anam, i dtánaiste a anama *n*, *my ~* a chuid, a ghrá, a thaisce

dearness n ionúine, ansacht; daoire

death n bás, éag, *to put a person to ~* duine a bhású

death-rate n mortlaíocht, ráta báis, básmhaireacht

death-trap n sáinn bháis

debar *vt* coisc, toirmisc

debase *vt* truailligh, ísligh

debate n díospóireacht *vt* pléigh, *let us ~ it* cuirimis faoi chaibidil é

debauchery n drabhlás

debenture n bintiúr

debilitate *vt* díbligh, lagaigh

debilitated a díblí, éalangach

debility n díblíocht, éineart

debit n dochar *vt* féichiúnaigh, *to ~ an account with a sum of money* suim (airgid) a chur do dhochar cuntais

debris n bruscar, smionagar

debt n fiach

debtor n féichiúnaí, fiachóir

decade n deich mbliana; deichniúr

decadent a meata

decamp *vi*, *he ~ed* thug sé do na boinn é

decanter n teisteán

decapitate *vt* dícheann

decay n dreo, feo, lofacht, meath, éagruth vi lobh, meath, dreoigh, feoigh, téigh i léig

decayed a lofa, dreoite, críon, éagruthach

decease n éag, bás

deceased n marbh a, the ~ man an fear nach maireann, an marbhán

deceit n bréagadóireacht, calaois, cealg, feall, lúbaireacht

deceitful a calaoiseach, cluanach, fealltach, claon, she is ~ at heart tá lúb ina croí

deceive vt meall, cealg, to ~ a person cluain a chur ar dhuine, unless I'm ~d mura bhfuil dul amú, breall, orm

deceiver n cluanaire, feallaire, mealltóir

December n mí na Nollag

decency n cuibheas, fiúntas, náire

decent a cneasta, cóir, cuibhiúil, fiúntach, dóighiúil, gnaiúil

decentralize vt díláraigh

deception n cluain, mealladh; dallamullóg

deceptive a mealltach, meabhlach

decibel n deicibeil

decide vt & i beartaigh, socraigh, cinn, to ~ to do sth cinneadh ar rud a dhéanamh, we failed to ~ the issue chuaigh an chúis ó réiteach orainn

decided a daingean, diongbháilte; cinnte

deciduous a duillsilteach

decigram n deiceagram

decimal n deachúil a deachúlach

decimalize vt deachúlaigh

decimeter n deiciméadar

decipher vt imscaoil

decision n cinneadh, breith, comhairle

decisive a diongbháilte, cinntitheach

deck[1] n deic, bord, top ~ of bus uachtar bus

deck[2] vt gléas, cóirigh

deck-chair n cathaoir dheice

declaim vt & i, he is ~ing tá sé ag cur de, ag fógairt, ag reacaireacht, ~ing a poem ag gabháil dáin, ag reic dáin

declaration n dearbhú, fógairt

declare vt & i fógair, dearbhaigh, I solemnly ~ (that) fágaim le huacht (go), fágaim le Dia (go)

declension n díochlaonadh

decline n meath, titim, turnamh, dul i léig, ísliú vt & i tit, tráig, claon,

meathlaigh, téigh ar gcúl, cnaigh, speal; ob, diúltaigh; díochlaon

declivity n fána; isléan

decode vt díchódaigh

decompose vt & i morg, lobh; dianscaoil

decorate vt maisigh, gréasaigh, ornáidigh

decoration n maisiúchán; suaitheantas

decorative a maisiúil, ornáideach, ~ work, pattern gréas

decorator n maisitheoir

decorous a cuibhiúil

decrease n laghdú, maolú vt & i laghdaigh, maolaigh

decree n acht, forógra vt achtaigh, reachtaigh, unless God has ~d otherwise mura bhfuil ag Dia

decrepit a díblí, cranda

dedicate vt tiomnaigh, tíolaic, toirbhir; coisric

dedication n tiomnú, toirbhirt; coisreacan

deduce vt asbheir, tuig as, to ~ sth from sth tátal a bhaint as rud

deduct vt bain de, bain as

deduction n tátal; laghdú, asbhaint

deed n gníomh, beart; cairt, gníomhas

deep n doimhneacht, duibheagán, domhain a domhain, duibheagánach; toll, trom, an inch ~ orlach ar doimhneacht, ~ sleep toirchim suain

deepen vt & i doimhnigh; tromaigh

deep-freeze n domhainreo vt íosreoigh

deer n fia

deface vt mill

defalcation n cúbláil

defamatory a aithiseach, clúmhillteach

defame vt aithisigh, to ~ a person droch-chlú, míchlú, a chur ar dhuine; clú duine a mhilleadh, a bhaint de

default n loiceadh, failli vi, to ~ on payment loiceadh ar íocaíocht

defaulter n faillitheoir, loiceach

defeat n díomua, briseadh, treascairt, coscairt vt bris ar, buaigh ar, buail, cloigh

defeatism n díomuachas

defect n máchail, éalang, éasc, locht vi iompaigh (le dream, etc, eile)

defection n tréigean; iompú

defective a éalangach, lochtach, uireasach, easpach

defence n cosaint, seasamh

defend *vt* cosain, ~ *yourself* cuir ar do shon féin, *to* ~ *one's rights* do cheart a sheasamh

defendant *n* cosantóir

defender *n* cosantóir

defensive *n*, *to stand on the* ~ dul faoi do sciath a cosantach

defer[1] *vt & i* cuir siar, iarchuir, *deferred payment* íaríocaíocht

defer[2] *vi*, *to* ~ *to a person* géilleadh do dhuine

deference *n* urraim

deferential *a* urramach

defiance *n* easumhlaíocht, greannú, *in* ~ *of me* de m'ainneoin, thar mo chrosadh

defiant *a* dúshlánach

deficiency *n* easnamh, uireasa, easpa, *mental* ~ éalang mheabhrach

deficient *a* easnamhach, uireasach, easpach, díothach

deficit *n* easnamh

defile[1] *n* scabhat

defile[2] *vt* salaigh, truailligh, éilligh

define *vt* sainigh, sainmhínigh, sonraigh

definite *a* cinnte, dearfa

definition *n* sainmhíniú, sainiú

definitive *a* cinnteach, deifnideach

deflate *vi & i* díbholg, traoith, ísligh, *to* ~ *sth* an ghaoth, an t-aer, a ligean as rud

deflation *n* díbholgadh, ísliú; díbhoilsciú

deflect *vt* sraon, claon

deform *vt* díchum

deformed *a* míchumtha, éagruthach; easpach

deformity *n* míchuma, éagruth; cithréim

defraud *vt*, *to* ~ *a person* calaois a dhéanamh ar dhuine

defray *vt*, *to* ~ *the cost of sth* costas ruda a íoc

defrost *vt* díshioc

deft *a* deaslámhach, aclaí

defunct *a* marbh, caillte, as feidhm

defy *vt* greannaigh, *to* ~ *a person* dúshlán duine a thabhairt, éirí chuig duine

degenerate[1] *n* meatachán *a* meata, trochailte

degenerate[2] *vi* meathlaigh

degradation *n* táireadh, easonórú

degrade *vt* táir, íslígh, *to* ~ *an official* oifigeach a bhriseadh, a ísliú i gcéim

degrading *a* tarcaisneach, táireach, maslach

degree *n* céim, grád, *by* ~*s* de réir a chéile, diaidh ar ndiaidh, i leaba a chéile

dehydrate *vt* díhiodráitigh

de-ice *vt* dí-oighrigh

deign *vi*, *to* ~ *to do sth* deonú rud a dhéanamh, *he did not* ~ *to give me an answer* níorbh fhiú leis mé a fhreagairt

deity *n* dia

dejected *a* atuirseach, duaiseach, gruama, meirtneach

dejection *n* gruaim, atuirse, domheanma, lagmhisneach

delay *n* moill, fuireach, failli *vt & i* moilligh, righnigh, *to* ~ *a person* moill, stró, a chur ar dhuine

delegate[1] *n* toscaire

delegate[2] *vt*, *to* ~ *responsibility, authority, to a person* cúram, údarás, a thiomnú do dhuine

delegation *n* tiomnú; toscaireacht; dealagáideacht

delete *vt* scrios, bain amach

delf *n* gréithe; delph

deliberate *a* d'aon turas; fadbheartach, righin *vi*, *to* ~ *over, on, a question* machnamh, do mharana, a dhéanamh ar rud

deliberately *adv* d'aon ghnó, d'aon turas

deliberation *n* machnamh, *the* ~*s of an assembly* díospóireachtaí comhdhála

delicacy *n* fíneáltacht, míne; leiceacht *pl* sócamais, sólaistí, ollmhaitheasaí

delicate *a* fíneálta, caoin, mín; leice; cáiréiseach, íogair, ~ *person* leidhce, breoiteachán, padhsán

delicious *a* caithiseach, so-bhlasta, sóúil

delight *n* aoibhneas, taitneamh, áineas, gliondar, lúcháir *vt & i*, *to* ~ *in sth* aoibhneas a bhaint as rud, *he was* ~*ed to do it* bhí áthas air é a dhéanamh, *it* ~*s the eye* chuirfeadh sé maise ar do shúile

delightful *a* aoibhinn, gleoite, caithiseach, álainn

delinquency *n* ciontacht, ciontóireacht

delinquent *n* ciontóir

delirious *a* rámhailleach

delirium *n* speabhraídí, rámhaille

deliver *vt* fuascail, saor, sábháil, tarrtháil; seachaid; saolaigh, *to ~ a speech* óráid a thabhairt

deliverance *n* fuascailt, saoradh, tarrtháil, teasargan

delivery *n* tabhairt, toirbhirt; seachadadh; saolú, breith

delta *n* deilt

delude *vt* meall, *to ~ a person* púicín, dallamullóg, a chur ar dhuine

deluge *n* díle, tulca *vt* báigh

delusion *n* siabhrán, seachrán, ciméara

demand *n* éileamh, iarraidh, *~ for sth* ráchairt, glaoch, tarraingt, imeacht, ceannach, ar rud, *the ~ s of the case* riachtanais an cháis *vt* iarr, éiligh

demarcation *n* críochadóireacht, críochú

demean *vt* suaraigh, táir, *to ~ oneself* a bheag a dhéanamh díot féin, tú féin a ísliú

demented *a* néaltraithe

demesne *n* diméin

demobilization *n* díshlógadh

democracy *n* daonlathas

democrat *n* daonlathaí

democratic *a* daonlathach

demolish *vt* leag, treascair, díláithrigh

demolition *n* leagan, treascairt

demon *n* deamhan

demonstrate *vt & i* taispeáin, léirigh; léirsigh

demonstration *n* taispeáint, tabhairt amach; léirsiú

demonstrative *a* taispeántach

demonstrator *n* léiritheoir; léirsitheoir

demoralize *vt* domheanmnaigh

demur *n, to make no ~* gan cur i gcoinne rud ar bith *vi* easaontaigh

demure *a* bláfar , náireach, modhúil

den *n* gnáthóg, pluais, prochóg, brocais, scailp

denial *n* diúltú, éaradh; bréagnú, séanadh

denigrate *vt, to ~ a person* smál a chur ar chlú duine, clú duine a mhilleadh

denim *n* deinim

denomination *n* ainmniú; sainchreideamh

denominational *a* sainchreidmheach

denote *vt* comharthaigh

denounce *vt* cáin

dense *a* dlúth, tiubh, trom; dúr, *~ mass* bró, calc

density *n* dlús, tiús; dúire

dent *n* brú, ding *vt* ding, leacaigh, *to ~ sth* log a chur i rud

dental *a* déadach

dentist *n* fiaclóir

dentistry *n* fiaclóireacht

denture *n* déadchíor

denude *vt* nocht, lom, lomair

denunciation *n* cáineadh, díbliú

deny *vt* séan; diúltaigh, éar, éimigh, *to ~ a person his right* a cheart a cheilt ar dhuine

deodorant *n & a* díbholaíoch

depart *vi* imigh, téigh, éalaigh

department *n* roinn, *~ store* siopa ilranna

departmental *a* rannach

departure *n* imeacht, dul

depend *vi, ~ on* seas ar, taobhaigh le, *her life ~ s on it* tá a beo i ngeall air, *~ ing on charity* ag brath ar an déirc, i muinín na déirce, taobh le déirc

dependable *a* fónta, muiníneach, tairiseach

dependant *n* cleithiúnaí *pl* cosmhuintir

dependence *n* tuilleamaí, spleáchas, cleithiúnas; brath, muinín

dependency *n* spleáchríoch

dependent *a* cleithiúnach, spleách, *~ on a person* i dtuilleamaí duine; taobh le, i gcleith le, duine

depict *vt* léirigh, *to ~ sth* íomhá a dhéanamh de rud; cuntas, cur síos, a thabhairt ar rud

deplete *vt* ídigh, laghdaigh, folmhaigh

deplorable *a* cásmhar, truamhéalach, ainnis

deplore *vt* cásaigh, éagaoin, *we ~ the deed* is saoth linn an gníomh

deploy *vt & i* imscar, scaip, leathnaigh amach

depopulate *vt* dídhaoinigh, bánaigh

deport *vt, to ~ a person* duine a dhíbhirt thar tír amach

deportment *n* iompar

depose *vt* athrígh; bris, cuir as oifig

deposit *n* taisce; éarlais; sil-leagan, deascán; screamh *vt* taisc, cuir síos, leag anuas, sil-leag

depositor *n* taisceoir

depot *n* príomháras; stór, *goods ~* íosta earraí

deprave *vt* truailligh, saobh, táir

depravity *n* truaillíocht; saofacht, duáilceas

deprecate *vt*, to ~ *sth* cur in aghaidh ruda, rud a cháineadh

depreciate *vt & i*, *the car* ~ *d* thit luach an chairr, to ~ *sth* luach ruda a ísliú

depreciation *n* titim luacha, dímheas

depress *vt* íslígh, maolaígh, to ~ *a person* domheanma a chur ar dhuine

depressed *a* lionndubhach, domheanmnach, to be ~ néal a bheith anuas ort

depression *n* ísliú; ísleán; lagbhrú; dóchma, néal, lionn dubh, domheanma

deprivation *n* angar; díth, díothacht

deprive *vt*, to ~ *a person of sth* rud a bhaint de dhuine, a choinneáil ó dhuine

depth *n* doimhneacht, grinneall; grúnta, ~ *s of the sea* duibheagán, domhain, na farraige, ~ *of winter* dúluachair, dúlaíocht, an gheimhridh, *out of his* ~ *in the water* thar a bhaint, thar a fhoras, san uisce

deputation *n* toscaireacht

deputize *vi*, to ~ *for a person* gníomhú thar ceann duine

deputy *n* toscaire, ionadaí, fear ionaid, *Dáil* ~ teachta Dála a leas-

derail *vt*, *the train was* ~ *ed* cuireadh an traein de na ráillí

deranged *a* seachránach, siabhránach, néaltraithe

derangement *n* saobhadh céille, seachrán, mearú, siabhrán

derelict *a* tréigthe, maol

deride *vt*, to ~ *a person* fonóid a dhéanamh faoi dhuine

derision *n* fachnaoid, fonóid, magadh, scige

derisive *a* fonóideach, magúil, scigiúil

derivation *n* díorthú, fréamhú, bunús

derivative *n* díorthach, fréamhaí *a* díorthach

derive *vt & i* díorthaigh, to ~ *pleasure*, *information*, *from sth* taitneamh, eolas, a bhaint as rud, *that word is* ~ *d from Latin* ón Laidin a tháinig an focal sin

dermatitis *n* deirmitíteas

derogatory *a* díobhálach, dímheasúil

descend *vt & i* tuirling, téigh síos, tar anuas; tit, *to be* ~ *ed from* síolrú ó

descendant *n*, *one of his* ~ *s* duine dá shliocht *pl* sliocht, clann

descent *n* tuirlingt, turnamh, ísliú; folaíocht, ginealach

describe *vt* inis, to ~ *sth* cur síos ar rud, tuarascáil a thabhairt ar rud

description *n* cur síos, cuntas, tuarascáil; comharthaí sóirt

descriptive *a* tuairisciúil

desecrate *vt*, to ~ *a church* eaglais a thruailliú

desert[1] *n* tuilleanas, *he got his* ~ *s* fuair sé a raibh tuillte aige, an rud ab airí air

desert[2] *n* gaineamhlach, fásach

desert[3] *vt* tréig, fág

deserted *a* tréigthe; bán(aithe), ~ *place* fásach

deserter *n* tréigtheoir

desertion *n* tréigean

deserve *vt* tuill, tabhaigh, *you richly* ~ *it* is maith a shaothraigh tú é; is maith an díol, an airí, an oidhe, ort é

deserving *a* tuillteanach, *to be* ~ *of pity* bheith i do dhíol trua

design *n* scéim, rún; dearadh, patrún, gréas *vt* ceap, cum, dear

designate *vt* ainmnigh

designedly *adv* d'aon turas, d'aon ghnó

designer *n* dearthóir

designing *a* aidhmeannach, beartach, ealaíonta

desirable *a* inmhianaithe, meallacach

desire *n* mian, dúil, fonn, toil *vt* mianaigh, santaigh, to ~ *sth* bheith ag tnúth le rud, dúil a chur i rud

desirous *a* fonnmhar, dúilmhear, miangasach

desist *vi* scoir, staon, lig de, to ~ *from work* ligean as obair

desk *n* deasc

desolate *a* fiánta, dearóil

despair *n* éadóchas *vi*, to ~ dul, titim, in éadóchas, to ~ *of sth* deireadh dúile a bhaint de rud

desperate *a* dochrach, éadóchasach, doleigheasta; ainscianta, millteach

desperation *n* éadóchas, *it drove him to* ~ chuir sé i mbarr a chéille é

despicable *a* suarach, táir

despise *vt* díspeag, to ~ *a person* drochmheas a bheith agat ar dhuine

despite *n & prep* d'ainneoin, in ainneoin, *in your* ~ ar neamhchead duit

despoil *vt* creach, lomair

despondent *a* dubhach, lagmhisniúil

despot *n* aintiarna

despotism *n* forlámhas, tíorántacht

dessert *n* milseog

destination *n* ceann cúrsa, ceann scríbe, ceann sprice

destine *vt* ceap, cinn, *I was ~d to be unlucky* tá de chrann orm bheith mí-ámharach, *he was ~d never to see her again* ní raibh sé i ndán dó í a fheiceáil go brách arís

destiny *n* cinniúint, oidhe

destitute *a* díothach, dealbh, *to be ~* bheith ar an anás

destitution *n* dealús

destroy *vt* mill, scrios

destroyer *n* díothóir, loitiméir, (*ship*) scriostóir

destruction *n* milleanas, (*léir*)scrios, díothú, argain, eirleach

destructive *a* millteach, scriosach

desultory *a* treallach, taghdach

detach *vt* scoir, scaoil, dícheangail

detachment *n* scaradh, dealú; díorma

detail *n* sonra; ponc, mionphointe *vt*, *to ~ sth* mionchuntas a thabhairt ar rud, *to ~ a person for duty* duine a cheapadh, a shonrú, le haghaidh dualgais

detain *vt* coinnigh, coimeád, *I won't ~ you* ní chuirfidh mé moill ort

detect *vt* fionn, faigh amach; tabhair faoi deara, braith

detection *n* bleachtaireacht, lorgaireacht

detective *n* bleachtaire, lorgaire, *~ story* scéal bleachtaireachta

détente *n* éideannas

detention *n* coimeád, coinneáil

deter *vt*, *nothing would ~ him* ní choiscfeadh an saol é

detergent *n* glantach, glantóir *a* glantach

deteriorate *vt & i* meath, meathlaigh, claochlaigh

deterioration *n* meathlú, claochlú, trochlú

determinant *n* cinntitheach

determination *n* diongbháilteacht, daingne; cinneadh

determine *vt & i* beartaigh, cinn, socraigh

determined *a* daingean, storrúil, *he is ~ to do it* tá sé tiomanta é a dhéanamh, tá sé leagtha ar é a dhéanamh

deterrent *n* cosc; iombhagairt

detest *vt* gráinigh, fuathaigh, *I ~ it* is fuath liom é, tá an dearg-ghráin agam air

detestable *a* fuafar, gráiniúil

detonate *vt & i* maidhm

detonator *n* maidhmitheoir

detour *n* timpeall, cor bealaigh

detract *vi*, *to ~ from a person's credit, reputation* baint ó chreidiúint, ó chlú, duine

detraction *n* spíd

detriment *n* aimhleas, dochar

detrimental *n* aimhleasach, díobhálach

deuce[1] *n* dó, (*tennis*) dias

deuce[2] *n* diach, *go to the ~* téigh sa diabhal, *~ take it* don riach é

devaluation *n* díluacháil

devalue *vt* díluacháil

devastation *n* slad, léirscrios

develop *vt & i* forbair, saothraigh; caithrigh; réal, *trouble ~d* d'éirigh achrann

development *n* fás, forbairt, forás, saothrú

deviate *vi*, *to ~ from sth* claonadh, dialladh, ó rud

deviation *n* claonadh, diall

device *n* gaireas, áis, inleog, inneall, sás; seift

devil *n* diabhal; an tÁibhirseoir, an tAinspiorad, *~ a bit!* dheamhan a dhath! (*ná*) don diabhal é!

devilish *a* diabhalta, diabhlaí

devilment *n* diabhlaíocht, drochobair, millteanas

devious *a* cas, timpeallach, lúbach

devise *vt* ceap, cum, seiftigh

devoid *a*, *~ of sth* in éagmais, ar easpa, ruda, *~ of sense* easpach i gcéill

devolution *n* déabhlóid, tiomnú (oibre, cumhachta)

devolve *vt & i*, *to ~ duties* cúraimí a leagan ar dhaoine, *the legacy ~d on him* is air a thit an oidhreacht

devote *vt* toirbhir do, tabhair do, *to ~ oneself to sth* do dhúthracht a chaitheamh le rud

devoted *a* díograiseach, dúthrachtach, *~ to learning* tugtha don léann, *she is ~ to him* tá sí doirte dó, tá a hanam istigh ann

devotion n cráifeacht, deabhóid; dúthracht

devour vt slog, alp

devout a cráifeach, deabhóideach, caoin-dúthrachtach, urnaitheach

dew n drúcht

dewdrop n drúcht, drúchtín

dewlap n sprochaille

dexterity n deaslámhaí, clisteacht

dexterous a deaslámhach, deisealach, cliste, oirbheartach

diabetes n diaibéiteas

diabetic n & a diaibéiteach

diabolic a diabhlaí

diadem n mionn

diagnose vt fáthmheas

diagnosis n fáthmheas, diagnóis

diagonal n trasnán a fiar, trasnánach, ~ly fiarthrasna, ar fiarlaoid

diagram n léaráid

dial n diail, (of clock) aghaidh, éadan vt & i diailigh

dialect n canúint

dialogue n agallamh beirte

diameter n lárline, trastomhas

diamond n diamant, (of cards) muileata

diaphanous a trédhearcach, sreabhnach

diaphragm n scairt

diarrhoea n buinneach, scuaid

diary n dialann, cín lae

dibble n stibhín

dice npl, to play ~ dislí a imirt, to cast ~ for sth rud a chur ar dhíslí

dickens n, let them go to the ~ bíodh an donas, an diabhal, acu

dictaphone n deachtafón

dictate vt & i deachtaigh

dictation n deachtú

dictator n deachtóir

dictatorial a údarásach

diction n urlabhra

dictionary n foclóir

didactic a teagascach

die[1] n disle, to cast dice for sth rud a chur ar dhísli, the ~ is cast, tá na díslí caite, tá an crann curtha

die[2] vi básaigh, éag, he ~d young cailleadh go hóg é, to ~ out dul i léig, díobhadh, to ~ bás a fháil, dying to do sth ar bís chun rud a dhéanamh, (of sounds, etc.) maolú, dul i léig, the wind ~d down shíothlaigh an ghaoth, chuaigh an ghaoth in éag

die-hard n duine dígeanta a dígeanta

diesel n díosal

diet n aiste bia, milk ~ réim bhainne

dietician n bia-eolaí

differ n difear, difríocht vi difrigh, they ~ greatly is mór eatarthu, they ~ about it tá easaontas eatarthu ina thaobh

difference n difear, difríocht, éagsúlacht

different a éagsúil, difriúil, it is ~ with you, in your case ní hamhlaidh duitse é, a ~ story altogether scéal eile ar fad

differential n & a difreálach

differentiate vt & i, to ~ between things rudaí a idirdhealú, aithint idir rudaí, dealú idir rudaí

difficult a deacair, crua, duaisiúil, doiligh, ~ situation, cúngach

difficulty n deacracht, dua, duainéis, fadhb, cúngach, I got into difficulties rug céim orm; chuaigh mé in abar

diffident a cúthail, náireach, seachantach, I was ~ about speaking to him ba leasc liom labhairt leis

diffuse a spréite; lag, (of style) fadálach vt & i réscaip, spréigh, leath

dig n tochaltán, a ~ in the ribs sonc sna heasnacha, to have a ~ at a person sáiteán, goineog, a thabhairt do dhuine vt & i tochail, rómhair, bain, they dug themselves in thalmhaigh siad, to ~ one's heels in do chosa a chur i dtaca

digest[1] n achoimre

digest[2] vt dileáigh

digestion n dileá; goile

digestive a dileách

digger n tochaltóir, bainteoir

digit n figiúr; méar

digital a, ~ computer ríomhaire luibhneach

dignified a díniteach, maorga, mómhar

dignify vt uaisligh

dignity n dínit, gradam, stát, maorgacht, mómhaireacht

digress vi, to ~ from sth dul ar seachmall, i leataobh, ó rud; scéal eile a tharraingt ort

digression n iomlaoid chomhrá, scéal thairis

digs n lóistín

dike n díog; claí

dilapidated *a* ainriochtach, díblí, trochailte

dilation *n* leathadh

dilatory *a* fadálach, leadránach, leisciúil

dilemma *n, in a* ~ idir dhá thine Bhealtaine, in adharc gabhair

diligent *a* dícheallach, dúthrachtach, dlúsúil

dilute *vt* caolaigh, tanaigh, lagaigh *a* caol

dim *a* doiléir, ~ *light* lagsholas, geamhsholas *vt & i* maolaigh, lagaigh, *to* ~ *a light* solas a ísliú, *her sight is* ~*ming* tá an radharc ag leathadh uirthi

dimension *n* toise, buntomhas, tracht

diminish *vt & i* laghdaigh, maolaigh ar, bain ó

diminution *n* laghdú, ísliú, dispeagadh

diminutive *n* dispeagadh *a* mion, bídeach

dimmer *n* maolaitheoir

dimple *n* tobairín, loigín

din *n* fothram, callán, trup, gleo *vt, he was* ~*ning the story into my ears* bhí mo chluasa bodhraithe aige leis an scéal

dine *vi, to* ~ dinnéar a ithe; béile a chaitheamh

dinge *n* ding, claig *vt* leacaigh

dinghy *n* dionga

dingy *a* modartha, salach, suarach

dining-room *n* proinnseomra, seomra bia

dinner *n* dinnéar

dinosaur *n* dineasár

dint *n* ding, gleann, *by* ~ *of hard work* le teann, le tréan, le neart, oibre *vt* ding

diocese *n* deoise, fairche

dioxide *n* dé-ocsaid

dip *n* tumadh, snámh; fána, claonadh; dip *vt & i* tum, ísligh, *the road* ~ *s there* tá fána sa bhóthar ansin

diphtheria *n* diftéire

diphthong *n* défhoghar

diploma *n* dioplóma, teastas

diplomacy *n* taidhleoireacht

diplomat *n* taidhleoir

dipsomania *n* díopsamáine

dire *a* tubaisteach, uafásach, *to be in* ~ *straits* bheith i ndoghrainn, sa chúngach, san fhaopach

direct *a* díreach *vt* seol, treoraigh, stiúir, dírigh

direction *n* treoir; seoladh; treo, aird, bealach, *under a person's* ~ faoi stiúir duine, *to ask for* ~ *s to a place* eolas

áite a chur, *to give* ~ *s* eolas an bhealaigh a dhéanamh (do dhuine)

directive *n* treoir *a* treorach

directly *adv* lom díreach, ar an bpointe boise

director *n* stiúrthóir

directory *n* eolaire, eolaí

dirge *n* tuireamh, marbhna

dirt *n* salachar

dirty *a* salach, cáidheach, broghach, ~ *place* brocais *vt & i* salaigh

disability *n* díomua, míchumas; ainimh, cithréim

disable *vt* martraigh, ciorraigh

disabled *a* cróilí, míchumasach, ~ *person* duine míchumasaithe

disadvantage *n* míbhuntáiste, *to take a person at a* ~ éalang, éasc, an lom, a fháil ar dhuine

disagree *vi, to* ~ *with a person* easaontú le duine, gan bheith ag réiteach le duine, *the climate* ~ *d with him* ghoill an aeráid air, chuaigh an aeráid go dona dó

disagreeable *a* míthaitneamhach, gránna; cnádánach

disagreement *n* easaontas, achrann

disappear *vi, to* ~ dul as amharc, dul ar ceal

disappearance *n* dul ar ceal, dul as

disappoint *vt* meall, *to be* ~ *ed* díomá a bheith ort, *to* ~ *a person* díomá a chur ar dhuine, mealladh a bhaint as duine

disappointment *n* díomá, mealladh

disapproval *n* dímheas, míthaitneamh

disapprove *vt & i, to* ~ *of sth* drochbharúil a bheith agat de rud; cur in aghaidh ruda, *to* ~ *a bill* diúltú do bhille

disarm *vt* dí-armáil

disarmament *n* dí-armáil

disarrange *vt* míchóirigh, *to* ~ *things* rudaí a chur as eagar, a chur trí chéile, a chur in aimhréidh

disarray *n* mí-eagar, mí-ordú, scaipeadh

disaster *n* tubaiste, matalang

disastrous *a* tubaisteach

disbelief *n* díchreideamh

disc *n* ceirnín; teasc, diosca

discarded *a* caite i gcártaí, caite i dtraipisí

discern *vt* aithin, *to* ~ *sth clearly* rud a thabhairt i ngrinneas

discerning *a* tuisceanach, géarchúiseach, grinn

discernment *n* géarchúis, grinneas, léargas

discharge *n* folmhú, scaoileadh; urscaoileadh; sceith, sileadh, ~ *of duty* comhall, comhlíonadh, dualgais *vt & i* díluchtaigh, folmhaigh; scaoil; sceith; urscaoil

disciple *n* deisceabal

disciplinarian *n* smachtaí

discipline *n* riailbhéas, smacht, disciplín *vt* smachtaigh

disclose *vt* nocht, foilsigh, taispeáin

disclosure *n* foilsiú, nochtadh

discoloration *n* mílí, tréigean datha, ruaimneacht

discolour *vt & i* ruaimnigh

discomfort *n* míchompord, anacair, anó, deacracht, dócúl

disconcert *vt, to ~ a person* duine a bhaint, a chur, dá threoir; cur as do dhuine, stangadh a bhaint as duine

disconnect *vt* scoir, scaoil; díchónaisc

disconnected *a* scoite; scaipeach

disconsolate *a* dólásach, dobrónach

discontent *n* míshásamh, duainéis

discontinue *vt & i* scoir, stop, éirigh as

discord *n* easaontas, imreas

discount *n* lascaine, lacáiste, lamháil *vt* lascainigh, *to ~ sth* neamhshuim a dhéanamh de rud

discourage *vt, to ~ a person* drochmhisneach a chur ar dhuine, *to ~ a plan* cur in aghaidh scéime

discouragement *n* drochmhisneach

discourse *n* caint, agallamh, trácht

discourteous *a* míchúirtéiseach, mímhúinte

discover *vt* fionn, faigh amach

discoverer *n* fionnachtaí, aimsitheoir

discovery *n* fionnachtain

discredit *n* míchreidiúint, drochtheist *vt, to ~ a person* drochtheist a chur ar dhuine

discreditable *a* náireach, míchlúiteach

discreet *a* discréideach, fothainiúil, rúnmhar

discrepancy *n* neamhréiteach

discretion *n* discréid, fothain, *I leave it to your (own)* ~ fágaim fút féin, faoi do chomhairle féin, é

discriminate *vt & i, to ~ between things*

aithint idir rudaí; idirdhealú a dhéanamh idir rudaí, *to ~ in favour of a person* fabhar a dhéanamh do dhuine, *to ~ against a person* leatrom a dhéanamh ar dhuine

discriminating *a* géarchúiseach, grinn; leatromach

discrimination *n* idirdhealú; leithcheal; géarchúis, breithiúnas

discuss *vt* pléigh, trácht, *to ~ a matter* scéal a chur trí chéile, a shuaitheadh, a chaibidil

discussion *n* díospóireacht, iomrá, cur trí chéile, plé, cíoradh

disdain *n* drochmheas, scorn *vt, to ~ sth* seanbhlas a bheith agat ar rud, tormas a fháil ar rud

disdainful *a* dímheasúil, díomasach

disease *n* galar, aicíd

diseased *a* aicídeach, galrach

disembark *vt & i, to ~* dul i dtír, *to ~ passengers* paisinéirí a chur i dtír

disengage *vt & i* scaoil, *to ~ sth* rud a bhaint as fostú

disentangle *vt* réitigh, scaoil, *to ~ sth* rud a bhaint as fostú

disfavour *n* mífhabhar

disfigure *vt* máchailigh

disfigurement *n* ainimh, éagruth, máchail, míghnaoi

disgrace *n* náire, smál, aithis *vt* náirigh, *you ~d me* thug sibh mo náire

disgraceful *a* náireach

disgruntled *a* míshásta

disguise *n* bréagríocht *vt* ceil

disgust *n* déistin, samhnas, masmas, seanbhlas *vt, the place ~ed me* chuir an áit gráin, casadh aigne, múisc, orm

disgusting *a* déistineach, samhnasach

dish *n* mias, *to wash the ~ es* na soithí a ní *vt, to ~ (up) meat* feoil a riar

dish-cloth *n* éadach soithí

dishearten *vt, to ~ a person* beaguchtach, drochmhisneach, a chur ar dhuine; a chroí a bhaint de dhuine

dishevelled *a* aimhréidh, stoithneach, ~ *hair* glib, larcán, mothall

dishonest *a* éigneasta, mí-ionraic, mímhacánta, cam

dishonesty *n* caimiléireacht, mi-ionracas, camastaíl

dishonour *n* easonóir *vt* easonóraigh, maslaigh; sáraigh, *to* ~ *a cheque* seic a obadh

dishonourable *a* easonórach, náireach, suarach

dishwasher *n* miasniteoir

disillusion *n* oscailt súl, ciall cheannaithe *vt, to* ~ *a person* a shúile a dhéanamh do dhuine, an dalladh púicín a bhaint de dhuine

disinfect *vt* dighalraigh, dífhabhtaigh

disinfectant *n* díghalrán, dífhabhtán

disinherit *vt, to* ~ *a person* duine a chur as oidhreacht

disintegrate *vt & i* coscair, mionaigh, discaoil, sceith

disintegration *n* coscairt, mionú, díscaoileadh

disinterested *a* neamh-fhéinchúiseach

disjointed *a* curtha as alt; scaipthe

dislike *n* col, míthaitneamh, míghnaoi *vt, he* ~ *s you* ní thaitníonn tú leis, ní maith leis thú

dislocate *vt, to* ~ *sth* rud a chur as áit, as alt, as ionad

dislodge *vt* asáitigh, scaoil; ruaig

disloyal *a* mídhílis, mídhlisteanach

dismal *a* dubh, dubhach, duairc, gruama

dismantle *vt* bain anuas, díchóimeáil

dismay *n* anbhá, uafás

dismiss *vt* scoir, dífhostaigh, *to* ~ *a person* duine a bhriseadh (as a phost); (bata is) bóthar a thabhairt do dhuine, *to* ~ *sth from one's thoughts* rud a chaitheamh as do cheann

dismissal *n* briseadh, scor

dismount *vi, to* ~ *from a horse* tuirlingt, turnamh, de chapall

disobedience *n* easumhlaíocht, aimhriar

disobedient *a* easumhal, easurramach

disobey *vt, to* ~ *a person* bheith easumhal do dhuine, míréir duine a dhéanamh

disobliging *a* drocháiseach, beagmhaitheasach, neamaitheach

disorder *n* tranglam; mí-ordú, mí-eagar; ainriail, *in* ~ bunoscionn

disorderly *a* mí-ordúil, mírialta, clamprach

disorganize *vt* cuir trí chéile, cuir as eagar

disown *vt* séan

disparage *vt* tarcaisnigh, rith síos, spídigh

disparagement *n* spídiúchán, cámas

disparity *n* difríocht

dispassionate *a* fuaraigeanta

dispatch *n* seoladh, cur amach; dithneas, *official* ~ *es* tuairiscí oifigiúla *vt* seol, cuir chun siúil

dispel *vt* scaip, scaoil, díchuir

dispensary *n* ioclann

dispensation *n* dispeansáid, diosmaid

dispense *vt* dáil, riar, *to* ~ *a prescription* oideas (dochtúra) a ullmhú, *to* ~ *a person from sth* duine a shaoradh ó rud, *to* ~ *with sth* déanamh in éagmais ruda, teacht gan rud

dispenser *n* roinnteoir, *detergent* ~ rannóir glantaigh

dispersal *n* scaipeadh, bánú

disperse *vt & i* scaip, scaoil, díchuir; spréigh

dispirited *a* marbhintinneach, domheanmnach, meirtneach

displace *vt* díláithrigh, bris, *to* ~ *a person* son áit, post, duine a ghlacadh

displaced *a,* ~ *person* díláithreach

display *n* taispeántas, tabhairt amach; seó, mustar, suaitheantas *vt* taispeáin

displease *vt, to* ~ *a person* diomú, míshásamh, a chur ar dhuine

displeasure *n* diomú, míshásamh

disposable *a* indiúscartha

disposal *n* cur de láimh, diúscairt, (*of troops, etc*) srathnú

dispose *vt* srathnaigh, *to* ~ *of a matter* gnó a shocrú, a chur i gcrích, a chur de láimh, *to be favourably* ~ *d towards a person* beith fabhrach, báúil, le duine

disposition *n* aigne, intinn, méin, meon, cáilíocht, *evil* ~ droch-chroí

dispossess *vt* díshealbhaigh, *to* ~ *a person* duine a chur as a sheilbh

disproportionate *a* díréireach, éaguimseach

disprove *vt* bréagnaigh

dispute *n* conspóid, díospóireacht; caingean *vt & i* pléadáil, pléigh, *to* ~ *with a person about sth* argóint a dhéanamh le duine faoi rud

disqualify *vt* dícháiligh

disquiet *n* callóid, míshuaimhneas *vt* buair

disregard *n* neamhshuim; seanbhlas *vt, to* ~ *sth* neamhshuim, neamhiontas, a dhéanamh de rud

disrepair n, in ~ ó threoir, ar mhíghléas
disreputable a míchlúiteach
disrepute n míchlú, droch-cháil
disrespect n easurraim, dímheas
disrespectful a easurramach, dímheasúil
disrupt vt bris, réab, to ~ a meeting cur isteach ar chruinniú, cíor thuathail a dhéanamh de chruinniú, cruinniú a chur trí chéile
dissatisfaction n míshásamh, díomú
dissatisfied a míshásta, díomúch
dissect vt diosc; mionscrúdaigh
dissection n dioscadh
dissembler n slusaí
disseminate vt craobhscaoil, scaip, síolaigh
dissemination n craobhscaoileadh, scaipeadh
dissension n easaontas; sioma
dissent n easaontas vi easaontaigh
dissenter n easaontóir
dissertation n tráchtas
dissimulation n cluain, slíomadóireacht
dissipate vt & i scaip, leáigh
dissipated a drabhlásach
dissipation n scaipeadh; drabhlás, ragairne
dissociate vt, ta ~ oneself from a question tú féin a dhealú, a scaradh, ó cheist
dissolute a ainrianta, réiciúil, scaoilteach
dissolution n leá, scaoileadh; lánscor (parlaiminte)
dissolve vt & i leáigh, tuaslaig; scaoil, díscaoil; lánscoir
dissuade vt, to ~ a person from doing sth áitiú ar dhuine gan rud a dhéanamh
distance n achar, fad, in the ~ i gcéin, i bhfad uait
distant a cianda; coimhthíoch, eascairdiúil, ~ relationship, kinship gaol i bhfad amach, fréamh ghaoil, ~ thunder toirneach bhodhar, it is a mile ~ from here tá sé míle slí as seo
distaste n déistin, drochbhlas, to take a ~ to sth col a ghlacadh le rud
distasteful a déistineach
distemper n leamhaol; conslaod
distend vt & i teann, sín, borr, bolg
distil vt & i driog
distiller n stiléir, driogaire
distillery n drioglann

distinct a leithleach, éagsúil; soiléir, glinn, two ~ cases dhá chás ar leith
distinction n idirdhealú; gradam, céimíocht, oirirceas
distinctive a sainiúil, suntasach, suaithinseach
distinguish vt & i idirdhealaigh, sonraigh, to ~ one thing from another rud a aithint thar rud eile, aithint idir rudaí
distinguished a céimiúil, oirirc, dearscnaitheach
distort vt cam, fiar, díchum, to ~ the truth an fhírinne a chur as a riocht
distortion n díchumadh, fiaradh, saobhadh
distract vt mearaigh, to ~ a person's attention from sth aire, intinn, duine a bhaint de rud
distracted a seachránach, ar mearaí, néaltraithe
distraction n caitheamh aimsire; saobhnós, seachrán
distress n angar, gátar, crá, broid, duais, trioblóid, cruachás vt cráigh, it ~ed me ghoill sé orm
distressing a anróiteach, coscrach, diachrach, doiligh, duaisiúil
distribute vt dáil, riar, roinn
distribution n dáileadh, riar, roinnt
distributive a roinnteach
district n ceantar, dúiche, líomatáiste, limistéar a ceantrach
distrust n drochamhras, drochiontaoibh, mímhuinín vt, to ~ a person drochamhras a bheith agat ar dhuine
distrustful a amhrasach, drochiontaobhach
disturb vt cuir isteach ar, corraigh, suaith
disturbance n suaitheadh, anbhuain, cur isteach; callán, iaróg
disuse n, to fall into ~ dul as feidhm, dul ar ceal
ditch n clais, díog, sconsa; claí
dither n, to be in a ~ bheith i gcás idir dhá chomhairle vi, to ~ bheith ann as
ditto n an (rud) céanna
ditty n lúibín, rabhcán
divan n dibheán
dive n onfais, tumadh vi tum
diver n onfaiseoir, tumadóir
diverge vi scar; eisréimnigh; difrigh
diverse a éagsúil, ilghnéitheach, il-

diversion n malairt bealaigh, atreorú (tráchta); siamsa, spórt

diversity n iliocht, ilghnéitheacht

divert vt claon, cor ~ *traffic* an trácht a chur ar mhalairt slí, *to* ~ *a person's attention* aigne duine a bhaint, a tharraingt, de rud, *to* ~ *the listeners* siamsa a dhéanamh don lucht éisteachta

divide vt & i roinn, deighil, dealaigh, scar, scoilt; dáil

dividend n díbhinn

divider n roinnteoir

divination n fáistine ·

divine n diagaire; eaglaiseach a diaga; sárálainn

diviner n, *water* ~ aimsitheoir uisce, collóir

divinity n dia; diagacht

divisible a inroinnte

division n roinnt, dáileadh; deighilt, dealú; easaontas; rannán

divisive a deighilteach

divorce n colscaradh; idirscaradh

divot n scraithín

divulge vt sceith, foilsigh

dizziness n meadhrán, mearbhall, míobhán

dizzy a mearbhlach, meadhránach, *I'm getting* ~ tá mo cheann ag éadromú

do vt & i déan, *to* ~ *a problem* fadhb a réiteach, a fhuascailt, *to have done with* bheith réidh le, *it won't* ~ ní dhéanfaidh sé cúis, an gnó, *how do you* ~ conas taoi, cén chaoi a bhfuil tú, cad é mar atá tú, *to* ~ *away with it* deireadh a chur leis, é a chealú; é a mharú, *to* ~ *up sth* rud a dheisiú, a athchóiriú, *to* ~ *without sth* teacht gan rud, déanamh d'uireasa ruda, *doing shopping* ag siopadóireacht *aux v, does he come* an dtagann sé, *did you break it* ar bhris tú é

docile a macánta, ceansa, sochomhairleach

dock[1] n copóg

dock[2] n duga vi, *the boat* ~ *ed* tháinig an bád chun duga, chun cé

dock[3] n, *(of court)* gabhann (cúirte)

dock[4] vt sciot

docker n dugaire

docket n duillín

dockyard n longlann

doctor n dochtúir

doctorate n dochtúireacht

doctrine n teagasc, foirceadal

document n cáipéis, doiciméad

documentary n clár faisnéise a cáipéiseach, doiciméadach

dodge n ealaín, cleas, cor vt & i seachain, *to* ~ *a person* cor a thabhairt do dhuine, *dodging about* ag coraíocht

dodger n cleasaí, lúbaire

doe n eilit

dog n madra, gadhar vt, *he is* ~ *ged by ill-luck* tá an mí-ádh ag siúl leis

dog-eared a catach

dog-fish n fíogach

dogged a righin, seasmhach, buan

dogma n dogma

dogmatic a dogmach; ceartaiseach

dogrose n feirdhris, conrós

dole n deol vt, *to* ~ *out sth* rud a roinnt (go gortach)

doleful a acaointeach, duairc, gruama

doll n bábóg, áilleagán vt, *to* ~ *oneself up* tú féin a ghléasadh go péacach

dollar n dollar

dolour n dólás

dolphin n deilf

domain n fearann(as), tiarnas; réimse

domestic a, ~ *animals* ainmhithe clóis, ~ *life* saol an teaghlaigh, ~ *economy* tíos, eacnamaíocht bhaile, ~ *trade* tráchtáil intíre

domesticate vt ceansaigh, clóigh

domicile n áitreabh; sainchónaí

dominance n cinseal, treise

dominant a ceannasach

dominate vt & i, *to* ~ *(over) a person* smacht a choinneáil ar dhuine, an lámh in uachtar a fháil ar dhuine

domination n forlámhas, ceannas, tiarnas

domineering a máistriúil, mursanta, tiarnúil

Dominican n & a Doiminiceach

dominion n tiarnas pl críocha (stáit)

donate vt bronn

donation n síntiús, tabhartas, deonachán

done a déanta, críochnaithe, réidh; caite, spíonta

donkey n asal

donor n deontóir, bronntóir, tabharthóir

doodling n breacaireacht

doom n daorbhreith; oidhe, treascairt vt daor, *attempt which is ~ ed to failure* iarracht nach bhfuil aon fhorás, rath, i ndán di

doomsday n Lá an Bhrátha, Lá an Luain, *till ~* go brách na breithe

door n doras, *at death's ~* i mbéal(a) báis, in ursain an bháis

door-keeper n doirseoir

door-knob n murlán

door-man n doirseoir

door-post n ursain

door-step n leac an dorais

dope n druga, deoch shuain vt, *to ~ a person* druga a thabhairt do dhuine

dormant a codlatach, suanach

dormitory n suanlios, dórtúr

dormouse n dallóg fhéir, luch chodlamáin

dose n deoch leighis; dáileog vt, *to ~ an animal* deoch leighis, druga, a thabhairt d'ainmhí

dot n ponc, pointe vt poncaigh, breac

dotage n leanbaíocht, an aois leanbaí

dote n peata, muirnín vi, *they ~ on him* tá siad leáite anuas air

double n dúbailt; cosúlacht a dúbailte, *~ chin* sprochaille, preiceall, athsmig vt & i dúbail

double-cross n feall vt feall (ar)

double-dealing n lúbaireacht

doubt n amhras, dabht vt & i bheith in amhras, amhras a bheith ort (faoi rud)

doubtful a amhrasach

doubtless adv gan amhras, go cinnte

dough n taos

doughnut n taoschnó

dour a dúr, dochma, duasmánta

dove n colm, colúr, fearán

dovetail a, *~ joint* déadalt vt & i, *the two schemes ~* luíonn an dá scéim le chéile, *to ~ two schemes* dhá scéim a fhí ina chéile, a chur in alt a chéile

dowdy a seanfhaiseanta, modartha, leamh

dowel n stang, dual vt stang

down[1] n clúmh

down[2] adv síos, thíos, anuas, *to go ~* dul síos, *to fall ~ a cliff* titim le haill, *put it ~* fág síos é, *~ below* thíos, *to come ~* teacht anuas, *my father is ~ on me* tá m'athair anuas orm, sa bhuaic orm

vt, *to ~ a person* duine a leagan; an ceann is fearr a fháil ar dhuine, *to ~ tools* dul ar stailc; scor den obair

downcast a dubhach, gruama, *he is ~* tá ceann faoi air

downfall n duartan, díle bháistí; titim, treascairt, turnamh

downhearted a dochma, gruama, domheanmnach, tromchroíoch

downpour n duartan, bailc, rilleadh, stealladh

downright a críochnaithe, cruthanta; díreach; scun scan, neamhbhalbh, *~ lie* dubhéitheach, deargbhréag, *~ fool* amadán amach is amach

downstairs adv thíos (an) staighre, *to go ~* dul síos (an) staighre

downstream adv le sruth

down-trodden a brúite faoi chois, in íochtar

downward a, *to go the ~ path* imeacht le fána adv, *~ s* síos; (rith, titim) le fána

downy a clúmhach

dowry n spré, crodh

doze n sámhán, támh (chodlata) vi, *I ~ d off* thit néal orm, *dozing* ag míogarnach chodlata, ag néalfartach

dozen n dosaen

drab a gan dath, leamh; lachna, riabhach

draft n dréacht vt dréachtaigh

drag n sracadh, tarraingt vt tarraing, srac, streachail, slaod

dragon n dragan

dragoon n dragún

drain n draein, léata, sconsa, lintéar vt & i taosc, díscigh, draenáil, sil, síothlaigh; diúg, diurnaigh, siolp

drainage n draenáil, taoscadh

drain-pipe n gáitéar

drake n bardal

dram n dram

drama n dráma; drámaíocht

dramatic a drámata

dramatist n drámadóir

dramatize vt drámaigh

drape n cuirtín vt fallaingigh

draper n éadaitheoir

drapery n éadaitheoireacht; éadaí; cuirtíní

drastic a géar, antoisceach, *~ measures* dianbhearta

draught n tarraingt; cor éisc, dol éisc; deoch, slogóg; (*of ship*) snámh; (*of wind*) siorradh, séideadh, *drink it at one* ~ ól dá dhroim é

draughts npl táiplis (bheag)

draughtsman n línitheoir

draw vt & i tarraing; meall; bain; línigh, dear, *they are* ~ *ing away from us* tá siad ag druidim, ag breith, uainn, *to* ~ *near to* druidim le, tarraingt ar, teannadh le, *to* ~ *up a document* meamram a dhréachtú n, (*sport*) cluiche cothrom

drawback n cur siar, díomua, míbhuntáiste

drawbridge n droichead tógála

drawer m tarraingeoir; línitheoir; tarraiceán; *pl* drár

drawing n líníocht, tarraingeoireacht; tarraingt

drawing-pin n tacóid ordóige

drawl n caint neamhaí vt, *to* ~ *out a word* tarraingt, fad, a bhaint as focal

dread n imeagla, uamhan vt, *to* ~ *sth* uamhan, eagla do chroí, a bheith ort roimh rud

dreadful a uafar, uamhnach, millteanach, tubaisteach

dream n taibhreamh, brionglóid, bruadar, aisling vt & i taibhrigh, *I wouldn't* ~ *of such a thing* ní chuimhneoinn ar a leithéid

dreamer n aislingeach

dreary a duairc, dearóil, leamh

dredge n dreidire vt & i dreideáil

dredger n dreidire

dregs npl deasca, moirt, gríodán, dríodar, *to drink sth to the* ~ rud a dhiúgadh, a dhiurnú

drench n droinse, purgóid vt báigh, folc, *I was* ~ *ed* bhí mé i mo líbín báite, *to* ~ *an animal* droinse a thabhairt d'ainmhí

drenching n fliuchadh, folcadh, fothragadh, *she got a* ~ fliuchadh go craiceann í

dress n éadach, éide, feisteas; gúna, culaith vt & i éidigh, gléas, cóirigh, feistigh; leasaigh, *get* ~ *ed* cuir umat

dresser n drisiúr

dressing n cóiriú, deasú, *salad* ~ anlann sailéid

dressing-down n scalladh teanga, léiriú

dressing-gown n falaing sheomra

dressmaker n gúnadóir, maintín

dressmaking n gúnadóireacht, maintíneacht

dribble n priosla, prislín, ronna

drift n siobadh; muc shneachta, ráth; éirim, treo vi siob, *to let things* ~ do mhaidí a ligean le sruth, *to* ~ dul le sruth; imeacht gan treoir, *the boat is* ~ *ing on shore* tá an bád ag titim ar an gcladach, ~ *ing north* ag caitheamh ó thuaidh

drifting n, ~ *of snow* carnadh, síobadh, sneachta

drill n druil, druilire vt & i druileáil

drink n deoch, ól, ólachán, *strong* ~ biotáille, deoch bhorb vt & i ól, *they were* ~ *ing in his words* bhí siad ag slogadh isteach a chuid cainte

drinker n óltóir; pótaire

drinking n ólachán

drip n sileadh, braon vi sil

drip-dry a siltriomaíoch vi siltriomaigh

dripping n geir (rósta), ionmhar a silteach, braonach, *to be* ~ *wet*, bheith i do líbín báite

drisheen n drisín

drive n marcaíocht (i gcarr); tiomáint; ruaigeadh; treallús céide, (*cards*) imchluiche vt & i dreasaigh, tiomáin, seol, bagair, *to* ~ *a person out, away* duine a ruaigeadh, a dhíbirt, *it is driving snow* tá sé ag síobadh sneachta

drivel n raiméis, seafóid, amaidí chainte

driver n tiománaí

drive-in a (banc, etc) carrsheirbhíse

drizzle n brádán, ceobhrán vi, *drizzling* ag brádán, ag ceobhrán

droll a barrúil, aisteach, greannmhar

dromedary n dromadaire

drone n, (*bee*) ladrann; dordán, crónán, geoin vi, *droning* ag dordán, ag geonaíl

droop n sleabhac, fána vi sil, tit, sleabhac

drop n braon, deoir, greagán; titim vt & i sil, tit, isligh, lig síos, *I dropped it* thit sé uaim, *to* ~ *a stitch* lúb a ligean ar lár, *to* ~ *in* bualadh isteach, beannú isteach, *to* ~ *off to sleep* titim i do chodladh

dropsy n iorpais

dross n cacamas, sail

drought n triomach; spalladh

drover n seoltóir

drown *vt & i* báigh
drowning *n* bá
drowsiness *n* codlatacht, miogarnach, múisiam, suanmhaireacht
drowsy *a* codlatach, néalmhar, suanmhar
drubbing *n* clárú, drubáil, greadadh
drudge *n* sclábhaí *vi, to* ~ sclábhaíocht a dhéanamh
drudgery *n* tiaráil, callóid, sclábhaíocht
drug *n* druga *vt* drugáil
drug-addict *n* andúileach drugaí
druggist *n* drugadóir
druid *n* draoi
drum *n* druma
drummer *n* drumadóir
drunk *a* ólta(ch), ar meisce, *blind* ~ caoch, ar na stártha
drunkard *n* meisceoir, pótaire, druncaeir
drunkenness *n* meisce, póit
dry *a* tirim, tur; seasc, *to run, go*, ~ dul i ndísc *vt & i* triomaigh, *the well dried up* thráigh an tobar
dryer *n* triomadóir
dryness *n* triomacht, tuire; dísc, seascacht
dual *a* déach, dúbailte, ~ *number*, uimhir dhéidhe, ~ *carriageway* débhealach
dubious *a* amhrasach; éidearfa
duchess *n* bandiúc
duchy *n* diúcacht
duck *n* lacha *vt & i* tum; seachain, *to* ~ *one's head* do cheann a chromadh go tobann
duckling *n* lachín, éan lachan
duct *n* ducht, feadán
dud *n* (rud, etc) gan mhaith *a* dona, gan mhaith
dudeen *n* dúidín
duds *npl* ceirteacha, balcaisí
due *n* ceart, cóir; dleacht, *to give him his* ~ lena cheart (féin) a thabhairt dó *pl* dleachtanna, táillí *a* iníoctha, cóir, ~ *east* soir díreach, *what is* ~ *to her* an rud atá dlite di, an rud is dual di
duel *n* comhrac aonair
duet *n* díséad
duffel *n* dufal
duke *n* diúc
dull *a* dúr, marbhánta, dobhránta, spadánta, tur, leamh; balbh, bodhar;

gruama, smúitiúil, scamallach *vt & i* maolaigh, múch
dullness *n* daille, dúire, mallachar; bodhaire; bómántacht
dulse *n* duileasc
duly *adv* go cuí, mar ba chóir, in am trátha, go poncúil
dumb *a* balbh, ~ *person* balbhán
dumbfounded *a, I was* ~ baineadh an anáil díom; rinneadh stangaire, staic, díom
dumbness *n* bailbhe
dummy *n* balbhán; gobán; riochtán
dump *n* carn fuíligh; taisce lón cogaidh *vt* dumpáil
dumpling *n* domplagán; úllagán
dumps *npl, it would put you in the* ~ chuirfeadh sé lionn dubh ort
dun *n* odhar, riabhach, lachna
dunce *n* dallarán, daoi, dunsa
dune *n* dumhach, méile
dung *n* aoileach, bualtrach, cac
dungaree *n* dungairí
dung-beetle *n* priompallán
dungeon *n* doinsiún
dunghill *n* carn aoiligh, otrach
dunlin *n* breacóg, circín trá
dunnock *n* donnóg
duplicate *n* macasamhail, dúblach *a* dúblach *vt* dúbail, *to* ~ *a document* macasamhail, cóip, a dhéanamh de cháipéis
duplication *n* dúbailt
duplicator *n* gléas cóipeála
duplicity *n* caimiléireacht, camastail, lúbaireacht, cealg
durability *n* buanfas, caitheamh, teilgean, teacht aniar
durable *a* buanfasach, láidir, dochaite, *it is really* ~ tá seasamh maith ann
duration *n* feadh, fad, achar, *for the* ~ *of the war* i gcaitheamh, i rith, an chogaidh; fad a mhair, a mhairfidh, an cogadh
during *prep*, ~ *the day* ar feadh, i rith, i gcaitheamh, an lae, ~ *that time* lena linn sin, ~ *the war* in aimsir an chogaidh
dusk *n* crónachan, cróntráth, clapsholas
dust *n* deannach, luaithreach, smúit; cré *vt, to* ~ *furniture* an deannach a ghlanadh de throscán
dustbin *n* bosca bruscair

duster n ceirt chuimilte, ceirt deannaigh
dusty a deannachúil, smúrach
dutiable a indleachta
dutiful a umhal
duty n dualgas, ceart; cúram, (tax) dleacht, on ~ ar diúité, ar dualgas
dwarf n abhac a cranda, abhcach vt crandaigh
dwell vi cónaigh, he let his thoughts ~ on it luigh a aigne air
dwelling n cónaí, teach, áitreabh

dwindle vi mionaigh, leáigh, tanaigh, their numbers ~d laghdaigh ar a líon
dye n dath vt dathaigh
dyer n dathadóir
dynamic a dinimiciúil; fuinniúil npl dinimic
dynamite n dinimít
dynamo n dineamó
dynasty n rishliocht, ríora
dysentery n dinnireacht
dyspepsia n mídhíleá, dispeipse

E

each a gach pron, they got a shilling ~ fuair siad scilling an duine, at a pound ~ ar phunt an ceann, you are like ~ other tá sibh cosúil le chéile, praising ~ other ag moladh a chéile
eager a díocasach, cíocrach, faobhrach, fonnmhar, ~ for work rite, scafa, chun oibre
eagerness n cíocras, fonn, díograis, flosc, scóip
eagle n iolar
ear n cluas; dias, craobh
ear-drum n tiompán
earl n iarla
earldom n iarlacht
early a moch, luath, ~ riser mochóirí, my earliest recollection an chuimhne is faide siar i mo cheann
ear-mark n comhartha cluaise; clib chluaise vt, to ~ funds (for sth) suim airgid a chur i leataobh, in áirithe, (do rud)
earn vt tuill, saothraigh, cosain, gnóthaigh, tabhaigh
earner n saothraí
earnest[1] n éarlais
earnest[2] a dícheallach, dáiríre, dúthrachtach, to be in ~ about sth bheith dáiríre faoi rud, to set about sth in ~ luí isteach ar rud
earnestness n dúthracht, dáiríre(acht)
earnings npl saothrú, tuilleamh; pá, tuarastal
ear-ring n fáinne cluaise
earshot n raon cluas, within ~ of me i, ar, m'éisteacht, out of ~ as éisteacht

earth n talamh, cré, úir, ithir, créafóg, the E~ an Domhan vt, (potatoes) sluaistrigh, lánaigh, fódaigh, (electricity) talmhaigh
earthen a, ~ pot pota cré
earthenware n cré-earraí a gréithreach
earthly a saolta, domhanda, talmhaí
earth-nut n cúlarán
earthquake n crith talún
earthworm n péist talún, cuiteog, agaill
earwig n gailseach, ceilpeadóir
ease n suaimhneas, faoiseamh; sáile, só, sáimhríocht; saoráid; (of movement) éascaíocht, to be at one's ~ bheith ar do shuaimhneas, ar do shocracht, ar do chompord, (military) at ~ ar áis vt & i maolaigh, bog, to ~ off ligean as, the rain ~d off tháinig uaineadh, sámhnas, beag
easel n tacas
easily adv go furasta, go héasca, go saoráideach
easiness n fusacht, éascaíocht; saoráidí
east n oirthear, from the ~, anoir, to the ~, soir adv & a, the ~ wind, an ghaoth anoir, the ~ coast an cósta thoir, to go ~ dul soir, ~ of taobh thoir de; soir ó, lastoir de
Easter n Cáisc
easterly a & adv, ~ wind gaoth anoir, in an ~ direction soir, the ~ part an taobh thoir
eastern a oirthearach, ~ part oirthear
eastwards adv soir
easy a éasca, furasta, socair, réidh, take it ~ tóg (go) bog é, fóill ort

easy-chair *n* cathaoir bhog, cathaoir shócúil

easy-going *a* réchúiseach, sámh, sochma, sómasach

eat *vt & i* ith, caith

eatable *a* inite

eatables *npl* tomhaltas

eaves *npl* bundlaoi, sceimheal, cleitín, urla tí

eavesdrop *vi, to* ~ bheith ag cúléisteacht, ag dúdaireacht, ag cluasaíocht

ebb *n* aife, trá *vi* tráigh

ebb-tide *n* aife, taoide thrá

ebony *n* éabann

eccentric *n* duine corr, duine ait, éan corr *a* corr, earráideach

eccentricity *n* corrmhéin, earráid, iompar ait

ecclesiastic *n* eaglaiseach

ecclesiastical *a* eaglasta

echo *n* macalla, allabhair *vt & i* aithris, *to* ~ *through the glen* macalla a bhaint as an ngleann, *to* ~ *the colour of the carpet* freagairt do dhath an bhrait urláir

eclipse *n* urú *vt* uraigh

ecology *n* éiceolaíocht

economic *a* eacnamaíoch, geilleagrach

economical *a* tíosach, barainneach

economics *npl* eacnamaíocht

economist *n* eacnamaí

economize *vi, to* ~ *on sth* tíos a dhéanamh ar rud; rud a choigilt, a spáráil, *to* ~ bheith spárálach, tíosach

economy *n* eacnamaíocht, geilleagar; barainneacht, *domestic* ~ eacnamaíocht bhaile, teaghlachas, tíos

ecstasy *n* eacstais, néal áthais, sceitimíní

ecstatic *a* eacstaiseach, *I was* ~ *over it* chuir sé eiteoga ar mo chroí, tháinig sciatháin orm leis

ecumenism *n* éacúiméineachas

eczema *n* eachma

eddy *n* guairneán, cuilithe

Eden *n, the Garden of* ~, Gairdín Pharthais

edge *n* faobhar, béal; ciumhais, bruach, imeall, fóir, *to keep a person on* ~ duine a choinneáil ar binb, ar tinneall *vt & i, to* ~ *sth* faobhar a chur ar rud, *to* ~ *one's way in* caolú isteach

edging *n* ciumhais

edible *a* inchaite, inite

edict *n* forógra

edifice *n* foirgneamh

edify *vt, to* ~ *a person* dea-shampla a thabhairt do dhuine; duine a mhisniú, a spreagadh

edit *vt, to* ~ *a book* leabhar a chur in eagar

edition *n* eagrán, uimhir

editor *n* eagarthóir, fear eagair

editorial *n* eagarfhocal, príomhalt

educate *vt* oil, *to be* ~ *d* oideachas a bheith agat, ort

education *n* oideachas, scolaíocht, léann

educationalist *n* oideachasóir

educator *n* oideoir

eel *n* eascann

eerie *a* diamhair, uaigneach, aerachtúil, ~ *feeling* diamhair, uaigneas, ~ *place* áit aduain

efface *vt* cuimil de, glan de; scrios amach, *he* ~ *d himself* rinne sé a bheag de féin; sheachnaíodh sé aghaidh an phobail

effect *n* éifeacht, toradh, *to take* ~ dul i gcion, oibriú, *to use sth to good* ~ éifeacht a bhaint as rud, *since the order came into* ~ ó tháinig an t-ordú i bhfeidhm *npl* trealamh, airnéis, éifeachtaí, *sound* ~ *s*, seachghlórtha, *stage* ~ *s* imeartas stáitse *vt* feidhmigh, *to* ~ *sth* rud a chur i gcrích

effective *a* éifeachtach, cumasach

effectual *a* éifeachtúil

effeminate *a* baineanda, baineann; piteogach

effervescent *a* broidearnúil, coipeach, súilíneach

efficacious *a* éifeachtach, bríomhar

efficacy *n* suáilce, éifeacht

efficiency *n* éifeachtacht, feidhmiúlacht

efficient *a* éifeachtach, feidhmiúil, cumasach

effigy *n* samhail

effluent *n* eisiltreach

effort *n* iarracht, saothar, feidhm, *it cost me an all-out* ~ chuir sé chun mo dhíchill mé

effortless *a* gan stró, gan saothar

effortlessly *adv* gan stró, go héasca

effrontery *n* dánacht, éadan

effusion *n* doirteadh

effusive *a* doirteach, pléascánta, ~ *thanks* tulcaí buíochais, ~*ly thankful* buíoch beannachtach

egg[1] *n* ubh

egg[2] *vt, to* ~ *a person on* (*to do sth*) duine a ghríosú, a spreagadh (le rud a dhéanamh)

eggbeater *n* buailteoir uibhe

egg-cup *n* ubhchupán

eggshell *n* blaosc uibhe

egoism *n* féinspéiseachas, leithleachas

egoist *n* féinspéisí

egotism *n* féinspéis, leithleachas

eider-down *n* fannchlúmh

eight *n & a* ocht, ~ *persons* ochtar

eighteen *n & a* ocht déag, ~ *towns* ocht mbaile dhéag

eighteenth *n & a, the* ~ *day* an t-ochtú lá déag, *one eighteenth* an t-ochtú cuid déag

eighth *n & a* ochtú

eightieth *n & a* ochtódú

eighty *n & a* ochtó

either *a, on* ~ *side* ar gach aon taobh, ar an dá thaobh *pron* ceachtar, ~ *of the two* ceachtar den bheirt, *I don't believe* ~ *of you* ní chreidim ceachtar agaibh *adv, it is not here* ~ níl sé anseo ach oiread, ach chomh beag

eject *vt* díchuir, cuir amach, caith amach

eke *vt, to* ~ *out* teacht i gcabhair ar; fadú le, cur le, *to* ~ *out an existence* an snáithe a choinneáil faoin bhfiacail, greim do bhéil a bhaint amach

elaborate *a* casta, (*of work*) greanta, ~ *pattern* gréas tsaraithe *vt & i* mionsaothraigh, maisigh, *to* ~ *on sth* rud a fhairsingiú, a mhíniú; cur le rud

elaboration *n* mionsaothrú; fairsingiú

elapse *vi,* (*of time*) imigh

elastic *n* leaistic *a* leaisteach, athscinmeach; sobhogtha, scaoilte

elasticity *n* leaisteachas, athscinmeacht; tabhairt

elated *a* scleondrach, stróúil, *she was* ~ *at the news* tháinig sciathán uirthi leis an scéala; bhí néal áthais uirthi nuair a chuala sí an scéala

elation *n* scóip, scleondar, éirí croí, bród, stró

elbow *n* uillinn *vt & i* soncáil, guailleáil, *to* ~ *a person* an uillinn a thabhairt do dhuine

elder[1] *n* trom

elder[2] *n* seanóir, sinsear *a, the* ~ *son* an mac is sine

elderly *a* scothaosta, cnagaosta, bunaosta

eldest *a, his* ~ *son* an mac is sine aige

elect *n, the* ~ na fíréin *a* tofa *vt & i* togh; togair, roghnaigh, cinn

election *n* toghadh; toghchán

electioneering *n* toghchánaíocht

electorate *n* toghthóireacht; toghthóirí

electric(al) *a* leictreach

electrician *n* leictreoir

electricity *n* leictreachas, aibhléis

electrification *n* leictriú

electrocute *vt* maraigh le leictreachas

electron *n* leictreon

electronic *a* leictreonach

electronics *npl* leictreonaic

elegance *n* galántacht, greantacht

elegant *a* greanta, galánta, ealaíonta, maisiúil, cuanna

elegy *n* caoineadh, marbhna, tuireamh

element *n* gné; dúil, eilimint, *the* ~ *s* an dúlra; an tsíon, ~*s of learning* uraiceacht an léinn

elemental *a* dúileach, ceathartha, eiliminteach

elementary *a* bunúsach, bun-

elephant *n* eilifint

elevate *vt* ardaigh, tóg, uaisligh

elevation *n* ardú, ~ *above sea-level* airde os cionn na farraige

elevator *n* ardaitheoir

eleven *n & a* aon déag, ~ *persons* aon duine dhéag

eleventh *n & a, the* ~ *man* an t-aonú fear déag, *one* ~ an t-aonú cuid déag

elf *n* síogaí, síofra, lucharachán

elicit vt, to ~ information from a person eolas a bhaint, a phiocadh, as duine

eligible a, ~ for sth i dteideal ruda, inroghnaithe, incheaptha; inphósta, ~ bachelor dóigh mhaith mná

eliminate vt díbir, díothaigh, díobh

elimination n díothú

elision n, ~ of vowel bá guta

elixir n éilicsir

Elizabethan n & a Eilíseach

elk n fia mór, eilc

elm n leamhán

elocution n deaslabhra

elongate vt & i fadaigh, sín

elope vi éalaigh

elopement n éalú, imeacht

eloquence n solabharthacht

eloquent a deaslabhartha, solabhartha, soilbhir

else a & adv eile, anything ~ aon rud eile, who ~ cé eile, or ~ he fell sin nó thit sé

elsewhere adv i mball eile, in áit eile

elucidate vt léirigh, réitigh, minigh, soiléirigh

elucidation n léiriú, soiléiriú

elude vt seachain, éalaigh ó, I ~ d him neatly thug mé an cor gearr dó

elusive a éalaitheach, do-aimsithe, seachantach

emaciated a creatach, sclotrach, snoite, trua, ~ person séacla

emaciation n snoiteacht

emanate vi, to ~ from teacht ó, eisileadh ó

emancipate vt fuascail, saor

emancipation n fuascailt, saoirse

embalm vt balsamaigh, cumhraigh

embankment n ráth, port, móta, claí

embargo n longbhac; lánchosc

embark vt & i cuir ar bord, téigh ar bord, to ~ on a scheme tabhair faoi, tosú ar, scéim

embarkation n dul ar bord, ~ of passengers tógáil paisinéirí ar bord

embarrass vt, to ~ a person cotadh, aiféaltas, náire, a chur ar dhuine

embarrassment n aiféaltas, leisce, scáth, náire

embassy n ambasáid

embed vt leabaigh, the nail is ~ ded in it tá an tairne istigh go domhain ann

embellish vt maisigh, breáthaigh, ornáidigh

embellishment n dathú, maise, maisiúchán

ember n sméaróid, smeachóid, smól, gríosach

ember-days npl cátaoir

embezzle vt & i cúigleáil

embezzlement n cúigleáil

embitter vt searbhaigh

embittered a searbh

emblem n comhartha, suaitheantas

embodiment n ionchollú; pearsantú, the ~ of a gentleman corp an duine uasail

embody vt inchollaigh, cuir isteach, to ~ an idea foirm a thabhairt do smaoineamh

emboss vt cabhair

embossed a cabhraíoch, bocóideach

embrace n barróg vt diurnaigh, cuach, to ~ a person barróg a bhreith ar dhuine, cion croí a dhéanamh le duine, to ~ a way of life, a religion dul le gairm bheatha, le creideamh

embroider vt & i bróidnigh, gréasaigh, to ~ a story scéal a dhathú

embroidered a gréasta

embroidery n bróidnéireacht, gréas

embryo n suth, gin

embryonic a suthach

emend vt coigeartaigh, leasaigh

emerald n smaragaid

emerge vi nocht, tar amach, ~ from éirigh as, ó

emergency n éigeandáil, géarchéim, práinn

emery n éimear

emetic n purgóid aisig, aiseag

emigrant n imirceach, eisimirceach

emigrate vi, to ~ dul thar lear, dul ar imirce

emigration n imirce, eisimirce

eminence n mullach, ard; ardchéimíocht, oirirceas, his E~ a Shoilse, a Oirirceas

eminent a dearscnaitheach, oirirc, oirní, ~ person saoi

emit vt lig, séid, to ~ fumes múch a dhéanamh, to ~ a shout scairt a chur, a ligean, asat

emotion n mothúchán, tocht

emotional a maoithneach; luchtmhar; rachtúil, tochtmhar

emotive a corraitheach, íogair

emperor n impire

emphasis n béim, teann, treise

emphasize vt aibhsigh, to ~ a word meáchan, béim, a chur ar fhocal

emphatic a teann, diongbháilte

empire n impireacht

empirical a turgnamhach, eimpíreach

employ vt fostaigh, to ~ technical terms úsáid a bhaint as téarmaí teicniúla

employee n fostaí

employer n fostóir

employment n fostaíocht, obair; úsáid

empower vt cumasaigh, cumhachtaigh

empress n banimpire

emptiness n foilmhe, folús, folúntas

empty a folamh; dealbh, ~ statement focal gan cur leis vt & i folmhaigh, bánaigh; doirt, the hall emptied bánaíodh an halla

emulate vt, to try to ~ a person dul ag dréim le duine, dul in iomaíocht le duine

emulation n iomaíocht, formad, éad

emulsion n eibleacht

enable vt cumasaigh, to ~ a person to do sth rud a chur ar chumas duine

enact vt achtaigh, reachtaigh, rith

enactment n acht, rith (bille)

enamel n & vt cruan

enamoured a, ~ of sth tógtha le rud, geallmhar ar rud

encamp vt & i campáil, to ~ dul i gcampa, longfort a dhéanamh

encampment n foslongfort, campa

encase vt cumhdaigh, clúdaigh, cásáil

enchant vt, to ~ a person draíocht a chur ar dhuine, duine a chur faoi gheasa

enchanter n draíodóir

enchanting a aoibhinn, draíochtach, mealltach

encircle vt ciorclaigh, timpeallaigh, fáinnigh, to ~ them teacht mórthimpeall orthu

enclave n iamhchríoch

enclose vt iaigh, fálaigh, loc, crioslaigh, ~d herewith istigh leis seo, faoi iamh

enclosure n iamh; garraí, gabhann, cró,

buaile, fail, clós; (document, etc) iatán

encompass vt iaigh, imdhruid, crioslaigh, timpeallaigh

encore n athghairm, ~! arís!

encounter n teagmháil; comhrac vt teagmhaigh (le), buail le

encourage vt misnigh, spreag, to ~ a person uchtach a thabhairt do dhuine

encouragement n misniú, spreagadh, ugach

encroach vi, to ~ on a person cúngú ar dhuine, teacht thar teorainn ar dhuine

encroachment n cúngú

encrust vt coirtigh, screamhaigh; cumhdaigh, ~ed with jewels greagnaithe le seoda

encumber vt ualaigh, to be ~ed with sth muirín ruda a bheith ort

encumbrance n ualach, muirín, muirear, trillín

encyclical n imlitir

encyclopaedia n ciclipéid

end n deireadh, críoch, bun, earr, foirceann, in the ~ faoi dheireadh, faoi dheoidh, from one ~ of the country to the other ó cheann ceann na tíre, journey's ~ ceann cúrsa, ~ to ~ as a chéile vt & i críochnaigh

endanger vt, to ~ a person duine a chur i mbaol, i gcontúirt, i nguais

endear vt, he ~ed himself to me thuill sé mo ghean; d'éirigh mé ceanúil air

endearment n muirnéis; focal ceana

endeavour n dícheall, iarracht vi, to ~ to do sth iarracht a thabhairt ar rud a dhéanamh, bheith ag dréim le rud a dhéanamh

endemic a eindéimeach

ending n deireadh, críoch

endless a éigríochta, síoraí

endorse vt droimscríobh, formhuinigh

endow vt cumhdaigh, maoinigh, dearlaic, he was ~ed with great talents bhronn Dia buanna móra air, bhí sé tréitheach thar na bearta

endowment n maoineas; dearlaic, pribhléid

endurable a sofhulaingthe

endurance n fulaingt, buaine, seasamh, acmhainn

endure vt & i fulaing, foighnigh, iompair; seas, mair, lean

enduring a buan, marthanach; fadfhulangach

enemy n namhaid, eascara

energetic a bríomhar, fuinniúil

energy n fuinneamh, brí, spreacadh, cumhacht, sú

enervate a lagbhríoch, marbhánta, meata vt lagaigh, meirbhligh, cloígh

enervation n lagbhrí, éineart; meirbhliú

enfold vt infhill, gabh

enforce vt feidhmigh, to ~ the law an dlí a chur i bhfeidhm

enforcement n feidhmiú, cur i bhfeidhm

enfranchise vt, to ~ a person guthaíocht, an vóta, a thabhairt do dhuine

engage vt & i geall; fostaigh; greamaigh, to ~ dul i ngreim, to ~ to do sth dul i mbannaí ar rud a dhéanamh, to ~ a room seomra a chur in áirithe, she is ~d to him tá sí geallta dó, luaite leis, to be ~d in sth bheith i mbun ruda, bheith ag plé le rud, rud a bheith idir lámha agat, to ~ in politics dul le polaitíocht, to ~ combat cath a thabhairt

engagement n gealltanas pósta; fostú; (of battle) bualadh, cath, coimheascar

engender vt tuismigh, gin

engine n inneall

engineer n innealtóir vt beartaigh, to ~ a scheme scéim a chur ar bun, a inleadh

engineering n innealtóireacht

English n, (language) Béarla; the ~ na Sasanaigh a Sasanach; gallda

engrave vt grean, rionn, grábháil

engraver n greanadóir

engraving n greanadh; greanadóireacht

engross vt, he is ~ed in the book tá sé sáite, go domhain, sa leabhar, ~ed in work gafa in obair

engulf vt slog, báigh, ~ed in flames ar bharr lasrach

enhance vt, to ~ the appearance of sth gnaoi, barr maise, a chur ar rud

enigma n dubhfhocal, dúthomhas; diamhair

enigmatic(al) a dothuigthe

enjoy vt, to ~ sth pléisiúr, taitneamh, aoibhneas, a bhaint as rud

enjoyable a pléisiúrtha, suáilceach, sultmhar, taitneamhach

enjoyment n taitneamh, pléisiúr, sult, aoibhneas

enlarge vt méadaigh, fairsingigh, aibhsigh

enlargement n méadú; pictiúr (etc) méadaithe

enlighten vt soilsigh, sorchaigh, to ~ a person on sth léargas a thabhairt do dhuine ar rud, duine a chur ar an eolas faoi rud

enlightenment n soilsiú, léargas, tuiscint

enlist vt & i liostáil

enliven vt beoigh, gríosaigh

enmity n naimhdeas, eascairdeas, faltanas, mioscais

enormous a ábhalmhór, millteanach

enough n & a & adv dóthain, sáith, go leor, I have had ~ of it tá mé sách, dóthanach, de, that is ~ is leor sin; ní beag sin, ~ for a week díol, riar, seachtaine, ~ money (for my needs) mo sháith airgid, his suit is good ~ tá a sháith de chulaith air, strong ~ sách láidir, láidir go leor

enrage vt, to ~ a person fearg a chur ar dhuine ; duine a chur ar buile, le cuthach

enrich vt saibhrigh, to ~ the soil leas a dhéanamh don talamh

enrol vt & i cláraigh, rollaigh

enrolment n clárú

enshrine vt cumhdaigh

ensign n meirge; meirgire

enslave vt daor, to ~ a person duine a chur, a choinneáil, i ndaoirse

enslavement n daoradh; daoirse, braighdeanas

ensue vi lean

ensure vt áirithigh, cinntigh

entail vt, it ~s trouble tá trioblóid leis; tá trioblóid ag gabháil, ag roinnt, leis, what would it ~ cad a bheadh i gceist leis

entangle vt cuir in aimhréidh, to get ~d dul in aimhréidh, i bhfostú, in achrann; dul ceangailte, gafa, (i rud)

entanglement *n* achrann, aimhréidh, fostú

enter *vt & i* tar isteach, téigh isteach, iontráil, *to ~ for an examination* dul isteach ar scrúdú, *to ~ a name on a list* ainm a chur ar liosta

enteritis *n* eintríteas

enterprise *n* fiontar; treallús; gustal

enterprising *a* fiontrach, tionscantach, treallúsach, borrúil, gustalach

entertain *vt, to ~ a person* sult, spórt, siamsa, a dhéanamh do dhuine, *you ~ed me well* chaith sibh go maith liom

entertainer *n* oirfideach; óstach

entertaining *a* oirfideach; saoithiúil

entertainment *n* oirfide, siamsa, aeraíocht; óstaíocht

enthral *vt, to ~ a person* duine a chur faoi dhraíocht; duine a chur faoi dhaoirse

enthusiasm *n* díograis, díocas

enthusiast *n* díograiseoir

enthusiastic *a* díograiseach, díocasach, fonnmhar

entice *vt* bréag, meall

enticement *n* mealladh

entire *a* iomlán, gan roinnt, *his ~ family* a theaghlach go huile, go léir

entirely *adv* go léir, go huile (agus go hiomlán)

entirety *n* iomláine, *in its ~* ina iomlán

entitle *vt, that ~d him to it* thug sin ceart dó air, *to be ~d to do sth* é a bheith de cheart agat rud a dhéanamh, *I am ~d to it* tá mé ina theideal, dlitear dom é

entity *n, political ~* slánaonad polaitiúil

entomology *n* feithideolaíocht

entrails *npl* ionathar, inní

entrance[1] *n* doras, bealach isteach, béal, *~ fee* táille iontrála

entrance[2] *vt, to be ~d with sth* draíocht a bheith ort le rud, bheith faoi dhraíocht ag rud

entrant *n* iarrthóir; iontrálaí

entreat *vt* impigh, achainigh, agair

entreaty *n* impí, guí, achainí

entrée *n* idirchúrsa; cead isteach

entrench *vt, to ~ oneself* talmhú, áit bonn a ghabháil; daingniú

entrepreneur *n* gnó-eagraí

entrust *vt* tiomnaigh, *to ~ a person with sth* cúram ruda a chur ar dhuine; rud a thaobhú le duine

entry *n* dul isteach, iontráil, cead isteach

entwine *vt & i* infhill, snaidhm, figh

enumerate *vt* ríomh, áirigh, liostaigh

enumeration *n* áireamh, ríomh, cuntas

enunciate *vt* fógair; fuaimnigh

enunciation *n* fuaimniú

envelop *vt* imchlúdaigh, fill

envelope *n* clúdach (litreach)

enviable *a* inmhaíte

envious *a* éadmhar, tnúthach, *to be ~ of one another* bheith ag tnúth, ag éad, le chéile

environment *n* timpeallacht; imshaol

environs *npl* purláin, ceantar máguaird

envoy *n* toscaire, teachta; ceangal

envy *n* éad, formad, tnúth *vt* maígh, tnúth, *I don't ~ him the life he leads* ní mhaím a shaol air, níl mé ag tnúth a dhóighe dó

epaulette *n* guailleog

ephemeral *a* gearrshaolach

epic *n* eipic *a* eipiciúil

epicentre *n* airmheán

epicure *n* beadaí

epidemic *n* eipidéim *a* epidéimeach

epigram *n* burdún, nath

epilepsy *n* titeamas, an tinneas beannaithe

epilogue *n* iarfhocal

Epiphany *n* Lá Nollag Beag

episcopal *a* easpagóideach

episode *n* eipeasóid; eachtra

epistle *n* eipistil, litir

epitaph *n* feartlaoi

epithet *n* buafhocal

epitome *n* gearrinsint, achoimre

equable *a* cothrom, (*of temperament*) réchúiseach

equal *n* diongbháil; macasamhail, leithéid, cómhaith *a* comhionann, ionann, cothrom *vt, to ~ sth* bheith cothrom, comhionann, le rud

equality *n* ionannas

equalization *n* ionannú, cothromú, comhardú

equalize *vt & i* cothromaigh, ionannaigh

equanimity *n* sáimhe, soineantacht

equate *vt* comhardaigh, ionannaigh

equation 79 Eucharist

equation *n* cothromóid

equator *n* meánchiorcal, crios na cruinne

equatorial *a* meánchriosach, meán-chiorclach

equestrian *n* marcach *a* eachrach

equilibrium *n* cothromaíocht, cóimheá

equinox *n* cónocht

equip *vt* feistigh, trealmhaigh, gléas, innill, *he is* ~ *ped to work* tá gléas oibre air

equipment *n* trealamh, acmhainn, culaith, airnéis, gléasra, fearas

equitable *a* cóir, féaráilte, cothrom

equitation *n* eachaíocht

equity *n* cóir, cothroime, cothrom

equivalent *n* coibhéis, comhard; leithéid *a* coibhéiseach, ~ *to* ar comhbhrí le, cothrom le

equivocal *a* déchiallach

era *n* ré; réimeas

eradicate *vt* díothaigh, *to* ~ *sth* rud a bhaint ó fhréamh

erase *vt* scrios, glan amach

eraser *n* scriosán

erect *a* díreach, colgdhíreach *vt* cuir suas, ardaigh, tóg, fadaigh

erection *n* cur suas, ardú, crochadh, tógáil

ermine *n* eirmín

erode *vt* creim, caith

erosion *n* creimeadh

erotic *a* anghrách

err *vi*, *to* ~ earráid a dhéanamh, dul amú

errand *n* teachtaireacht; toisc

errand-boy *n* teachtaire, timire; péitse

erratic *a* earráideach, mearbhlach; spadhrúil, guagach

erroneous *a* earráideach, lochtach, mícheart

error *n* earráid, dearmad, iomrall, mearbhall, seachrán

erudite *a* léannta

erupt *vi* brúcht, maidhm

eruption *n* maidhm, brúcht(adh), sceith, bruth

erysipelas *n* ruachtach

escalator *n* staighre beo

escapade *n* ráig, eachtra

escape *n* éalú, téarnamh, teitheadh, *he made his* ~ rug sé na cosa, na sála, leis *vt & i* éalaigh, imigh, *to* ~ *pursuit* éalú

ón tóir, *the word* ~ *d my lips* scinn an focal uaim, *he* ~ *d with his life* thug sé a bheo leis, *to* ~ *from danger* teacht as contúirt

escapism *n* éalúchas

eschew *vt* seachain

escort *n* coimhdire *vt* comóir, tionlaic

esker *n* eiscir

especially *adv* go speisialta, go háirithe, go mór mór

espionage *n* spiaireacht

esplanade *n* asplanád

espousal *n* pósadh; cleamhnas

espouse *vt* pós, *to* ~ *a cause* taobhú le cúis

essay *n* iarracht; aiste *vt & i* tairg, triail, féach

essence *n* eisint, bunbhrí, bunús; úscra

essential *n* riachtanas, buntréith *a* riachtanach, *the* ~ *truth* an fhírinne bhunaidh

establish *vt* bunaigh, tionscain, cuir ar bun, *to* ~ *sth* rud a chur ar suíochán

establishment *n* bunú, fothú, suíomh; tionscnamh, bunaíocht; foras

estate *n* eastát; dúiche; maoin, seilbh; dínit, céim

esteem *n* meas, cion, urraim, gradam *vt to* ~ *a person* meas a bheith agat ar dhuine, *held in* ~ faoi ghradam, faoi mheas

estimate *n* meastachán *vt* meas, meáigh, tomhais

estimation *n* breith, meas, *in her own* ~ dar léi féin

estrangement *n* eascairdeas, titim amach

estuary *n* inbhear, gaoth

etch *vt* eitseáil

etching *n* eitseáil

eternal *a* síoraí, suthain, síor-

eternity *n* síoraíocht

ether *n* éitear

ethereal *a* aerga; neamhshaolta; tanaí, éadrom

ethical *a* eiticiúil

ethics *npl* eitic

ethnic(al) *a* eitneach, ciníoch

etiquette *n* dea-bhéas, béasaíocht

etymology *n* sanasaíocht

eucalyptus *n* eoclaip

Eucharist *n* Eocairist, Corp Chríost

eulogize vt adhmhol

eulogy n adhmholadh, moladh, dréacht molta

eunuch n coilfteán

euphemism n sofhriotal

euphoria n meidhréis, éirí croí

euthanasia n eotanáis

evacuate vt aslonnaigh; folmhaigh

evacuation n aslonnú; folmhú; fearadh

evade vt seachain, to ~ the pursuit éalú, imeacht, ón tóir, I ~ d him thug mé cor na crothóige, an cor gearr, dó

evaluate vt luacháil, meas

evangelic(al) a soiscéalach

evangelist n soiscéalaí

evaporate vt & i galaigh

evaporation n galú

evasion n éalú, seachaint, teitheadh; cur ó dhoras

evasive a seachantach

eve n bigil, Christmas E~ Oíche Nollag

even a cothrom, réidh, to get ~ with a person sásamh a bhaint as duine, an comhar a dhíol le duine adv (fiú) amháin, ~ though he understands me i ndiaidh, tar éis, bíodh, go dtuigeann sé mé, ~ at that time an uair sin féin, ~ so mar sin féin, dá mba ea féin vt cothromaigh

evening n tráthnóna

evensong n easparta

event n eachtra, ócáid, ~ s of the day imeachtaí an lae, after the ~ i ndiaidh an ama, at all ~ s ar aon slí, ar chaoi ar bith, in the ~ of i gcás go

eventful a eachtrúil

eventually adv faoi dheireadh, i bhfad na haimsire, ar deireadh

ever adv riamh, for ~ choíche, go deo, go brách; de shíor; abú; bith-, sior-, ~ so much better go mór fada níos fearr

evergreen n crann síorghlas a síorghlas

everlasting a síoraí, suthain, marthanach

evermore adv feasta, go brách

every a gach, gach uile, ~ other, every second, gach re lá

everybody pron gach (aon) duine, gach uile dhuine, cách, an saol mór

everyday a gnách, coitianta

everyone pron gach (aon) duine, gach uile dhuine, cách

everything pron gach (aon) rud, gach uile shórt

everywhere adv gach (uile) áit, i ngach treo, i ngach treo baill; ar fud an bhaill

evict vt díshealbhaigh

eviction n díshealbhú

evidence n fianaise, cruthúnas

evident a follasach, soiléir

evil n olc, urchóid, an drochrud a olc, mí-, ~ deed drochbheart, ~ spirit ainsprid

evince vt taispeáin, léirigh; cruthaigh

evocative a dúisitheach, allabhrach

evoke vt dúisigh, spreag

evolution n éabhlóid

evolve vt & i, (of scheme, etc) ceap, beartaigh; tarlaigh, fabhraigh

ewe n caora, fóisc

ex- pref ath-, iar-

exacerbate vt géaraigh

exact a beacht, cruinn, pointeáilte vt toibhigh

exacting a dian, trom, crua

exactitude n beachtaíocht, cruinneas

exactly adv go baileach, go beacht, go díreach, cothrom, glan

exactness n beachtas, cruinneas, pointeáilteacht

exaggerate vt & i, to ~ sth áibhéil a dhéanamh (ar rud); dathadóireacht a dhéanamh (ar scéal, etc)

exaggerated a áibhéalta, áiféiseach, gáifeach

exaggeration n áibhéil, áiféis, scaileathan, dathadóireacht

exalt vt ardaigh, mór, uaisligh

examination n scrúdú, cíoradh, breathnú

examine vt breathnaigh, ceistigh, iniúch, scrúdaigh, cíor

examinee n iarrthóir

examiner n iniúchóir, scrúdaitheoir

example n sampla, solaoid, eiseamláir, to take ~ by a person patrún a thógáil le duine, take this for ~ a leithéid seo

exasperate vt mearaigh, spadhar, he became ~ d tháinig cuthach air

exasperation n mearú

excavate vt tochail

excavation *n* tochailt, tochaltán; mianadóireacht

excavator *n* tochaltóir

exceed *vt* gabh thar, téigh thar, *to ~ authority* údarás a shárú

exceedingly *adv* go feillbhinn, as cuimse, *~ cold* an-fhuar go deo, *~ good* thar barr, thar a bheith maith, rímhaith, sármhaith

excel *vt* sáraigh, *she ~led them* rug sí barr orthu, bhuail sí amach iad

excellence *n* breáthacht, feabhas

excellency *n*, *his E ~* a Shoilse

excellent *a* sármhaith, dearscnaitheach, breá, thar cionn, ar fheabhas, thar barr, *~ly* go feillbhinn, go seoigh

except *vt* fág amach *prep* ach amháin, cé is moite (de), diomaite de

exception *n* eisceacht

exceptional *a* eisceachtúil; iomadúil, *~ly cold* as cuimse fuar

excerpt *n* sliocht

excess *n* iomarca, barraíocht, farasbarr; ceas; ainmheasarthacht

excessive *a* iomarcach, iomadúil, neamh-mheasartha, an-, ró-

exchange *n* malartú, iomlaoid, babhtáil, *stock ~* stocmhalartán *vt* malartaigh, babhtáil

exchangeable *a* malartach, inmhalartaithe

exchequer *n* státchiste

excise[1] *n* mál

excise[2] *vt* teasc

excitable *a* sochorraithe, sceidealach, drithleach

excitation *n* griogadh, spreagadh; gríosú

excite *vt* spreag; oibrigh, tóg, mearaigh, *to be ~d (over sth)* sceitimíní, sciatháin, a bheith ort (le rud)

excitement *n* sceitimíní, líonrith, corraí, scleondar, ardú, éirí croí

exciting *a* corraitheach

exclaim *vi* scread, gáir

exclamation *n* agall, *~ mark* comhartha uaillbhreasa

exclude *vt* eisiaigh, fág as, *to ~ a person from sharing in sth* leithcheal a dhéanamh ar dhuine faoi rud

exclusion *n* eisiamh, leithcheal, *~ order* ordú eisiata

exclusive *a* eisiach, tofa

excommunication *n* coinnealbhá

excrement *n* cac

excrescence *n* sprochaille, fáisín

excrete *vt* eisfhear; cac

excruciating *a* cráite, céasta

excursion *n* saorthuras

excusable *a* inleithscéil

excuse *n* leithscéal *vt*, *~ me* gabh mo leithscéal, *to ~ a person* leithscéal duine a ghabháil; dul ar leithscéal duine, *I'll ~ you that remark* ligfidh mé leat an focal sin

execute *vt* feidhmigh, comhlíon, oibrigh; básaigh, *to ~ a piece of music* píosa ceoil a sheinm

execution *n* feidhmiú; bású, cur chun báis

executioner *n* básadóir

executive *n* feidhmeannach; coiste gnó *a* feidhmitheach, *~ officer* oifigeach feidhmiúcháin

executor *n* seiceadóir

exemplar *n* eiseamláir

exemplary *a* dea-shamplach, eiseamláireach, deismir

exemplify *vt* eiseamláirigh, *to ~ sth* rud a léiriú le samplaí, sampla de rud a thabhairt

exempt *vt* saor, *he was ~ed from the obligation* saoradh ar an dualgas é, *~ them from responsibility* lig as freagracht iad *a* saor (ó, ar), díolúin, slán

exemption *n* saoirse, díolúine

exercise *n* oibriú, feidhmiú; imirt, úsáid; cleachtadh; aclaíocht, iomlua, lúthaíocht; ceacht; cóipleabhar, leabhar cleachta *vt* & *i* oibrigh, feidhmigh, imir; aclaigh, suaith, *to ~ a power* cumhacht a fheidhmiú

exert *vt*, *to ~ oneself at sth* saothar, stró, dua, a chur ort féin le rud, *to ~ influence on a person* anáil a chur faoi dhuine

exertion *n* saothar, stró, fáscadh, luain

ex-guard *n* iargharda

exhale *vt* & *i* easanálaigh

exhaust *n*, *(apparatus)* súiteoir; sceithphíopa *vt* folmhaigh, spíon, tnáith, sáraigh, traoch; ídigh

exhausted *a* cloíte, marbh, sáraithe, traochta; idithe, rite, sportha

exhaustion *n* traochadh, cloíteacht, suaiteacht

exhaustive *a* uileghabhálach, iomlán, cuimsitheach

exhibit *vt* taispeáin, léirigh

exhibition *n* taispeántas

exhilarate *vt* meidhrigh

exhilaration *n* meadhrán, éirí croí

exhort *vt* aitheasc, spreag, gríosaigh

exhume *vt* dí-adhlaic

exigency *n* géarghá, céim, cruóg, práinn

exile *n* deoraí; deoraíocht, ionnarbadh *vt* díbir

exist *vi*, to ~ bheith ann

existence *n* beith, marthain

existentialism *n* eiseachas

exit *n* dul amach; doras amach, bealach amach

exodus *n* imeacht, imirce

exonerate *vt* saor

exoneration *n* saoradh, ~ *from blame* saoradh ó mhilleán

exorbitant *a* iomarcach, as compás, as cuimse

exorcize *vt*, to ~ *a demon* deamhan a dhíbirt

exotic *a* andúchasach, coimhthíoch

expand *vt & i* craobhaigh, leath, forbair, fás

expanse *n* fairsinge, réileán, leathan, leithead

expansion *n* borradh, fairsingiú, leathadh

expansive *a* forleitheadach, fairsing, leathan, *(of person)* pléascánta

expatriate *n* díbeartach, imirceach *vt* díbir

expect *vt* braith, fair, to ~ *that* coinne, súil, a bheith agat (go), to ~ *help* bheith ag dréim le cabhair, *I'd never ~ it of him* ní shamhlóinn leis é, ~*ing a baby* ag súil le duine clainne

expectancy *n* tnúthán, *life* ~ ionchas saoil

expectant *a* tnúthánach; feifeach, ~*mother* bean a bheadh le haghaidh clainne

expectation *n* tnúth, dóchas, dóigh, dréim, dúil, súil, brath

expectorate *vi* seiligh, *expectorating* ag sprochailleacht, ag cáithil

expedient *n* seift, oirbheart *a* caoithiúil, oiriúnach

expedition *n* eachtra; sluaíocht; turas; éascaíocht, dlús

expel *vt* díbir, cuir amach, díchuir

expend *vt* caith, ídigh

expenditure *n* caiteachas

expense *n* costas, dola

expensive *a* costasach, daor

experience *n* taithí, cleachtadh; eachtra; ciall cheannaithe *vt* foghlaim, taithigh, téigh trí

experienced *a* cleachta, seanchríonna, *he is* ~ *in the business* tá seantaithí aige ar an ngnó

experiment *n* turgnamh, tástáil *vt & i* triail, tástáil

experimental *a* trialach, turgnamhach

expert *n* eolaí, saineolaí, saoi, údar *a* saineolach, oilte

expiate *vt*, to ~ *sth* leorghníomh, cúiteamh, a dhéanamh i rud; sásamh a thabhairt i rud

expiation *n* peannaid, sásamh, leorghníomh

expire *vi* easanálaigh; síothlaigh, éag, stiúg

explain *vt* mínigh, léirigh, ciallaigh

explanation *n* míniú(chán), *to give an* ~ *for sth* fáth a chur le rud; leithscéal a thabhairt faoi rud

explanatory *a* mínitheach

expletive *n* eascaine; focal le cois

explode *vt & i* pléasc, blosc

exploit *n* éacht, oirbheart *vt*, to ~ *a person* teacht i dtír ar dhuine

exploration *n* taiscéalaíocht

explore *vt & i* taiscéal

explorer *n* taiscéalaí

explosion *n* pléasc, maidhm, bloscadh

explosive *n & a* pléascach

export *n* onnmhaire, easportáil *vt* easportáil, onnmhairigh

exporter *n* easportálaí, onnmhaireoir

expose *vt* foilsigh, nocht, *the rocks are* ~*d* tá na carraigeacha leis, ag freagairt

expostulate *vi*, to ~ *with a person about sth* rud a agairt, a iomardú, ar dhuine

exposure *n* nochtadh; aimliú, fuacht

expound *vt* ceartaigh, léirmhínigh

express n traein luais a suite, cinnte, sainráite vt sloinn, to ~ sth in speech rud a chur i gcaint, friotal a chur ar rud, he ~ed his gratitude to us chuir sé a bhuíochas in iúl dúinn

expression n friotal, teilgean cainte, leagan cainte, rá; dreach, pleasant ~ aoibh

expressive a lán de bhrí, tromchiallach

expressly adv go cinnte, to state ~ sainiú

expulsion n díbirt, ruaigeadh, ionnarbadh

expurgate vt coill, scag, spoch

exquisite a fíormhaith, fíorálainn

extant a ar marthain, ar fáil, amuigh

extempore adv gan ullmhú, de mhaoil do mhainge

extend vt & i sín, searr, fadaigh, fairsingigh, leathnaigh

extension n fadú, síneadh, méadú; folíne

extensive a fairsing, leathan

extent n fairsinge, fad, méid, achar, liomatáiste, ~ of vision feadh do radhairc

extenuate vt, to ~ an offence maolú ar choir

extenuating a maolaitheach

extenuation n maolú

exterior n an taobh amuigh a seachtrach

exterminate vt díothaigh, díscigh

extern n eachtrach

external a seachtrach, eachtrach, for-

extinct a díobhai, rite, to become ~ dul in éag, díobhadh

extinction n díobhadh, dul ar ceal

extinguish vt múch, cuir as, díobh

extinguisher n, fire ~ múchtóir dóiteáin

extol vt adhmhol, mór

extort vt srac, to ~ money from a person airgead a bhaint de dhuine

extortion n sracadh, cíos dubh

extra n breis, tuilleadh a, ~ person duine sa bhreis, ~ cost costas breise, costas le cois, to add sth ~ to sth farasbarr a chur ar rud adv thar an gcoitiantacht

extract n súram, úscra; (passage)

sliocht vt bain as, tarraing as, to ~ a tooth fiacail a bhaint amach, a stoitheadh

extraction n úscadh; stoitheadh, tarraingt

extractor n, dust ~ súire deannaigh

extradite vt eiseachaid

extradition n eiseachadadh

extramural a seachtrach

extraneous a coimhthíoch, cuideáin

extraordinary a neamhghnách, éachtach, suaithní, ~ meeting cruinniú urghnách

extravagance n anchaitheamh, rabairne, díomailt; stró, taibhseacht; áibhéil

extravagant a caifeach, díomailteach, rabairneach; taibhseach; áibhéalach ~ talk áibhéil, scaothaireacht

extreme n foirceann, dígeann a antoisceach, millteach, for-, ~ unction an ola dhéanach

extremely adv as cuimse, iontach, diabhalta, an-, fíor

extremist n antoisceach

extremity n foirceann, bun, deireadh, ceann, earr

extricate vt fuascail, tarraing as

extrovert n & a eisdíritheach

exuberant a pléascánta, spleodrach, teaspúil

exude vt & i úsc, cuir (amach)

exult vi, to ~ lúcháir, gairdeas, a dhéanamh

exultation n lúcháir, mórtas

eye n súil, ~ of needle cró snáthaide vt féach ar, iniúch, dearc ar

eyeball n mogall súile

eyebrow n mala, braoi

eyelash n fabhra

eyelet n súilín

eyelid n caipín na súile

eyesight n radharc na súl

eyesore n rud gránna

eyetooth n géarán

eyewash n, that's all ~ níl ansin ach seafóid

eyewitness n finné súl

F

fable n fabhalscéal, finscéal

fabric n fabraic, uige, éadach

fabricate vt cum

fabrication n cumadóireacht, *it is only a* ~ níl ann ach scéal a cumadh

fabulous a fabhlach; dochreidte, iontach

facade n aghaidh

face n aghaidh, éadan, gnúis, *to pull a wry* ~ gnúis a chur ort féin, *on the* ~ *of the earth* ar dhromchla, ar dhreach, an domhain, ~ *to* ~ aghaidh ar aghaidh vt & i tabhair aghaidh ar, *they* ~ *east* tá a n-aghaidh soir

facet n grua; taobh, gné

facetious a magúil, greannmhar

facial a, ~ *nerve* néaróg éadain, ~ *neuralgia* daitheacha cinn

facile a réidh, saoráideach, bog

facilitate vt, *to* ~ *a person* áis a thabhairt do dhuine, an bealach a réiteach do dhuine

facility n áis, deis, saoráid; gléas

facing n fásáil, (*of turf clamp*) fóir prep ar aghaidh, ~ *the wall* aghaidh le balla, ~ *the sun* ar dheis, ar dheisiúr, na gréine

fact n fíric, fíoras, *the* ~ *is (that)* is é an chaoi a bhfuil sé (go), is é an cás (go), is é fírinne an scéil (go), is amhlaidh atá sé (go), *as a matter of* ~ déanta na fírinne

faction n faicsean, drong, campa

factor n toisc; fachtóir

factory n monarcha

factual a fíor, fírinneach, fíorasach

faculty n acmhainn, cumas, bua, (*academic*) ~, dámh, *he is in possession of all his faculties* tá a chiall is a chéadfaí aige

fad n toighis, teidhe

fade vt & i sleabhac, (*of colour, material*) tréig, teilg, ceiliúir, *he is fading away* tá sé ag dul as, ag leá den saol, (*cinema*) *to* ~ *one scene into another* dhá radharc a mheascadh ina chéile

fag n tuirse; toitín vi, *to be* ~ *ged* bheith traochta, tnáite, cloíte

fail vt & i teip, loic; meathlaigh, *don't* ~ *me* ná clis, ná feall, orm, *I* ~ *ed to do it*

chinn orm é a dhéanamh, *her courage* ~ *ed* her thug an misneach uirthi

failing n laige, locht, fágáil prep, ~ *sth* in éagmais ruda

failure n cliseadh, meath, teip; fealladh, loiceadh

faint n fanntais, laige a fann, lag, *I haven't the* ~ *est idea* dheamhan a fhios agam, níl tuairim faoin spéir agam, ~ *smile* leamhgháire vi, *to* ~ titim i laige, titim i bhfanntais

faintness n lagar, meirfean, éadroime

fair[1] n aonach

fair[2] a breá, caomh; bán, fionn; cothrom, féaráilte; measartha, cuibheasach, réasúnta; soineanta, ~ *play* cothrom (na Féinne), ~ *maid* bruinneall, ainnir, ~ *weather* soineann

fair-green n faiche aonaigh

fair-ground n páirc aonaigh

fair-haired a fionn, bán

fairly adv bun-, cuibheasach, measartha, *to act* ~ *towards a person* cothrom na Féinne, an chóir, a dhéanamh le duine

fairness n finne; gile; ceart, cóir, cothroime

fairway n mínleach

fairy n síóg, ~ *mound* sí, ~ *fort* lios

fairy-tale n siscéal

faith n creideamh; muinín

faithful a dílis, dlisteanach, leanúnach npl, *the* ~ na fíréin

faithless a mídhílis, fealltach

fake n rud bréige vt falsaigh

falcon n fabhcún, seabhac

fall n titim, tuisle, isliú, leagan; fána, ~ *of rain* duartan báistí vi tit, íslígh, *they fell out with each other* bhris siad amach le chéile, d'éirigh eatarthu, *she fell sick* buaileadh breoite í, *to* ~ *foul of a person* teacht salach ar dhuine

fallacy n fallás

fallible a inearráide

fall-out n astitim; radachur

fallow n branar a, ~ *ground* talamh bán; talamh dearg

false a bréagach, falsa; mídhílis; saorga, tacair, ~ *name* ainm bréige

falsehood n bréag, éitheach, gó

84

falseness *n* bréige, falsacht; mídhílse

falsetto *n* cuachaí; cuach *a* cuachach

falsify *vt* falsaigh

faiter *vi* tuisligh, *his voice* ~*ed* tháinig snag ina ghlór

fame *n* clú, cáil, teist, *their* ~ *spread* chuaigh a ngáir i bhfad

familiar *a* teanntásach; taithíoch, eolach, (ar *with*); aithnidiúil, *to be* ~ *with a subject* eolas maith a bheith agat ar ábhar

familiarity *n* eolas, teanntás, taithíocht

familiarize *vt, to* ~ *a person with sth* cleachtadh, taithí, a thabhairt do dhuine ar rud

family *n* clann, muintir, fine, teaghlach; cúram, muirear; líon tí, ~ *name* sloinne, ~ *rosary* paidrín páirteach

famine *n* gorta, *the Great F*~ an Droch-Shaol

famished *a, to be* ~ bheith leata, stiúgtha, leis an ocras

famous *a* cáiliúil, iomráiteach, clúiteach

fan[1] *n* fean, gaothrán *vt & i* gaothraigh, *to* ~ *a quarrel* séideadh faoi aighneas, *to* ~ *out* spré amach

fan[2] *n* móidín *pl* lucht leanúna

fanatic *n* fanaiceach

fanatical *a* fanaiceach

fanciful *a* meonúil, samhalta; rámhailleach

fancy *n* samhlú, nóisean *vt & i* ceap, samhlaigh, *to* ~ *sth* taitneamh a thabhairt do rud, *he fancies himself* tá sé ag éirí aniar as féin

fang *n* starrfhiacail, (*of serpent*) goineog

fanlight *n* feanléas

fantastic *a* fantaiseach; iontach, thar cionn

fantasy *n* samhlaíocht; fantaisíocht

far *adv* i bhfad, ~ *off* i gcéin, *to go too* ~ *with sth* dul rófhada, dul thar fóir, le rud, *as* ~ *as* fad le, a fhad le, go dtí, *as* ~ *as the eye could, can, see* feadh do radhairc, *as* ~ *as I know* go bhfios dom, ~ *to the east* amach thoir, ~ *out to sea* go hard i bhfarraige, *it is* ~ *better than* tá sé i bhfad níos fearr ná, ~ *back*, ~ *behind* i bhfad ar gcúl *a, on the* ~ *side* thall, *from the* ~ *side* anall, *to the* ~ *side* anonn, ~ *country* tír i gcéin

farce *n* fronsa

fare *n* táille; cóir (bia) *vi* taistil, triall

farewell *n* slán, beannacht, *to bid* ~ *to a person* slán a chur le duine, slán a fhágáil ag duine; ceiliúradh de dhuine

far-fetched *a* áiféiseach, áibhéalach, dochreidte

farm *n* feirm, fearann *vt, to* ~ *land* talamh a shaothrú, *to* ~ *sth out* rud a léasú

farmer *n* feirmeoir, talmhaí

farming *n* feirmeoireacht

farmyard *n* clós feirme; otrann, ~ *manure* aoileach

far-reaching *a* forleathan, scóipiúil, cuimsitheach

farrier *n* crúdóir

far-seeing *a* dearcach, fadbhreathnaitheach, fadcheannach

fart *n* broim, tuthóg *vi* broim

farther *adv* níos faide, níos sia *a, the* ~ *end of the room* an taobh thall den seomra

fascinate *vt, to* ~ *a person* duine a mhealladh, a chur faoi dhraíocht

fascination *n* mealladh, draíocht

fascism *n* faisisteachas

fascist *n* faisistí *a* faisisteach

fashion *n* déanamh, dóigh, modh; faisean *vt* deilbhigh, múnlaigh, ceap

fashionable *a* faiseanta

fast[1] *n* céalacan, troscadh, carghas *vi* troisc, staon ó

fast[2] *a* docht, doscaoilte; tapa, gasta, sciobtha, *to be* ~ *asleep* bheith i do chnap codlata, i do thoirchim suain

fasten *vt & i* ceangail, greamaigh, feistigh, naisc, dún

fastener *n* dúntóir, fáiscín

fastening *n* dúnadh, daingniú

fastidious *a* éisealach, meonúil, cáiréiseach, beadaí; nósúil

fasting *n* troscadh *a* troscach, ar céalacan, i do throscadh

fat *n* blonag, geir, olar, saill, méathras; méith *a* ramhar, méith, olartha, beathaithe, feolmhar, *getting* ~ ag ramhrú, ag titim chun feola

fatal *a* cinniúnach, marfach

fatalism *n* cinniúnachas

fatality *n* timpiste mharfach, bás, tubaiste

fate n cinniúint, dán, fortún vt, what is ~d for one an rud atá daite, i ndán, geallta, duit, he is ~d to misfortune is dual dó an mí-ádh

fateful a cinniúnach

father n athair

father-in-law n athair céile

fatherland n athartha, tír dhúchais

fatherly a aithriúil

fathom n feá vt, to ~ a mystery dul amach ar rún

fatigue n tuirse, scíth vt tuirsigh, traoch, cloígh

fatness n raimhre, méithe

fatten vt & i ramhraigh

fattening a beathaitheach, potatoes are ~ tá ramhrú sna prátaí

fatty a geireach, sailleach, úscach

fatuous a baothánta, amadánta

fault n locht, cion; éasc, cáim, fabht, it is his own ~ is é a chionta féin é; air féin an locht vt lochtaigh

faultless a gan locht, gan cháim

faulty a fabhtach, lochtach

favour n fabhar, lé; gar, soilíos, comaoin, áis, to be in ~ of sth bheith i leith, ar son, ruda vt fabhraigh do, to ~ a certain opinion taobhú le tuairim áirithe, she didn't ~ me with an answer níor dheonaigh sí mé a fhreagairt

favourable a fabhrach, cóiriúil, ~ wind cóir (ghaoithe)

favourite n peata, leanbh geal; buachaill bán, cailín bán; leannán a, my ~ author an t-údar is fearr liom

favouritism n fabhar, fabhraíocht

fawn¹ n oisín, lao eilite

fawn² vi, ~ing on a person ag lútáil ar dhuine, ag lí duine

fawning n lútéis, lústar a lútéiseach

fear n eagla, faitíos, scáth, no ~! ní baol! for ~ that ar eagla go, for ~ of angering him leisce fearg a chur air vt & i, to ~ sth eagla, faitíos, a bheith ort roimh rud, I ~ (that) is eagal liom (go)

fearful a scanrúil, uafar; eaglach, faiteach

fearless a neamheaglach

feasibility n féidearthacht

feasible a indéanta, féidearthа

feast n féasta, fleá; saoire, féile vt & i, to ~ fleá, féasta, a chaitheamh, to ~ a person fleá a thabhairt do dhuine, to ~

one's eyes on sth lán na súl a bhaint as rud

feat n éacht, gaisce, gníomh, cleas

feather n cleite, eite pl cluimhreach, clúmh, birds of a ~ bráithre aon cheirde vt & i cleitigh; slis, (of hens) ~ing (out) ag cur na cluimhrí, ag dul sa chleiteach

feathery a clúmhach

feature n éagasc, tréith; gné; (newspaper article) sainalt, (film) príomhscannán pl, (of face) ceannaithe vt sonraigh, léirigh, to ~ a piece of news tosaíocht a thabhairt do phíosa nuachta

February n Feabhra

federal a cónascach, feidearálach, ~ state stát cónaidhme

federation n cónaidhm, cónascadh

fee n táille

feeble a fann, tréith, lag, éidreorach

feed n cothú, beathú, sáith vt & i ith; beathaigh, biathaigh, cothaigh, they ~ on fish, maireann siad ar iasc, to be fed up with sth bheith bréan, bailithe, dubh dóite, de rud

feedback n aischothú, (information) aiseolas

feel n mothú vt & i mothaigh, airigh, braith, to ~ a pulse cuisle a fhéachaint, if you ~ like doing it má tá fonn ort é a dhéanamh, I ~ for him tá trua agam dó, tuigim dó, I ~ certain that is dearbh liom go

feeler n adharcán

feeling n mothú(chán), brath, meabhair; arann, I have no ~ in my leg tá mo chos bodhar a goilliúnach, mothálach

feign vt, he ~ed tiredness lig sé tuirse air féin

feint n amas bréige vi, to ~ amas bréige a thabhairt

feline a catúil, féilíneach

fell vt treascair, leag, to ~ a tree béim a bhaint as crann, crann a leagan

fellow n páirtí, comhghleacaí; mac, diúlach; ánra, ~ of university comhalta d'ollscoil

fellowship n páirtíocht, muintearas; cuallacht, cumann; comhaltacht; ánracht

felon n feileon

felony n feileonacht

felt n feilt

female *n* baineannach, bean *a* baineann, ban-

feminine *a* banda, banúil; baininscneach

feminist *n* feiminí

fence *n* pionsa; claí, fál, sconsa *vt & i* fálaigh, to ~ with a person pionsóireacht a dhéanamh le duine

fencing *n* pionsóireacht; claíochán; claitheoireacht

fend *vt & i*, to ~ off a blow buille a chosc, tú féin a chosaint ar bhuille, to ~ for oneself déanamh as duit féin, bheith ar do chonlán féin

fender *n* fiondar

Fenian *n* Fínín *a*, ~ lore fiannaíocht

Fenianism *n* Fíníneachas

ferment *n* gabháil, coipeadh *vt & i* coip, oibrigh

fermentation *n* coipeadh, brachadh, oibriú

fern *n* raithneach

ferocious *a* fíochmhar

ferocity *n* fíochmhaire, dásacht

ferret *n* fíréad *vt & i* fiach le fíréad, to ~ out sth bheith ag póirseáil go bhfaighfeá rud

ferrule *n* bianna

ferry *n* caladh, faradh; bád farantóireachta, peireadh *vt & i*, to ~ across the river dul trasna na habhann (i mbád farantóireachta), to ~ the car across the river an carr a chur thar an abhainn

ferryman *n* farantóir

fertile *a* torthúil, méiniúil, méith, síolmhar

fertility *n* torthúlacht, méithe

fertilize *vt* leasaigh; toirchigh

fertilizer *n* leasachán, aoileach

fervent *a* díograiseach, dúthrachtach, it is my ~ wish (that) is é mo ghuí (go)

fervour *n* díograis, dúthracht, faghairt

fester *vi*, to ~ ábhrú, lobhadh; ábhar, angadh, braon, a dhéanamh; olc a bhailiú

festival *n* féile, saoire, feis, music ~ fleá cheoil

festive *a* féiltiúil; scléipeach

festivity *n* fleáchas, siamsa, scléip

festoon *n* triopall *vt*, to ~ a room seomra a mhaisiú (le triopaill)

fetch *vt*, to go to ~ sth dul faoi choinne ruda, to ~ the priest dul faoi dhéin an tsagairt

fetid *a* bréan

fetish *n* feitis

fetlock *n* rúitín

fetter *n* laincis, cuibhreach, geimheal, crapall, urchall *vt* cuibhrigh

fettle *n* staid, to be in fine ~ bheith go buacach

feud *n* fíoch, faltanas

feudal *a* feodach

feudalism *n* feodachas

fever *n* fiabhras

feverish *a* fiabhrasach, teasaí

few *a & n* beag, tearc, in a ~ words i mbeagán focal, a ~ persons cúpla duine, ~ came is beag a tháinig, there are ~ nicer places is beag áit is deise, during the past ~ years le blianta beaga anuas, getting ~er every day ag dul i laghad in aghaidh an lae, he has ~er debts is lú na fiacha atá air

fewness *n* laghad, teirce

fiasco *n* praiseach

fib *n* sceireog, caimseog

Fianna *npl* Fiann

fibre *n* snáithín, it is in the very ~ of his being tá sé fite fuaite ann, tá sé de dhlúth is d'inneach ann

fibrous *a* snáithíneach, sreangánach

fickle *a* guagach, luaineach, ~ mind intinn luath

fiction *n* ficsean, cumadóireacht, finscéalaíocht

fictitious *a* finscéalach, cumtha

fiddle *n* fidil *vi*, to ~ seinm ar an bhfidil, fiddling with sth ag méaraíocht ar, le, rud

fiddler *n* fidléir

fidelity *n* dílse, fíre

fidget *n*, (of person) fústaire, to have the ~s tinneas na circe a bheith ort *vi*, to ~ fútráil; bheith corrthónach, giongach

fidgety *a* giongach, corrthónach

field *n* páirc, gort, cuibhreann, garraí, the ~ of battle machaire an chatha, ~ of vision réim, réimse, radhairc *vt*, to ~ a ball liathróid a cheapadh

fieldfare *n* sacán

fieldwork *n* obair allamuigh

fiend *n* deamhan

fiendish *a* deamhanta, diabhlaí

fierce *a* fíochmhar, fiata, borb, fraochta

fiery *a* lasánta, faghartha, teasaí, ~ *horse* capall bruite

fife *n* fíf

fifteen *n* & *a* cúig déag, ~ *persons* cúig dhuine dhéag

fifteenth *n* & *a*, *the* ~ *day* an cúigiú lá déag, *one* ~ an cúigiú cuid déag

fifth *n* & *a* cúigiú

fiftieth *n* & *a* caogadú

fifty *n* & *a* caoga

fig *n* fíge

fight *n* troid, gleo, bruíon, bualadh, comhrac *vt* & *i* troid, comhraic, bruíon

fighter *n* trodaí

fighting *n* troid, bruíon *a* trodach

fig-tree *n* crann fígí

figurative *a* fáthchiallach, fáthach

figure *n* cruth, fíor, deilbh; figiúr, uimhir, *he is a fine* ~ *of a man* is breá an phearsa fir é *vt* & *i* fíoraigh; uimhrigh, *his name* ~ *s on the list* luaitear a ainm ar an liosta, *to* ~ *out the expenses* an costas a áireamh, a dhéanamh amach

filament *n* snáithín, ribe, filiméad

filch *vt* goid

file[1] *n* comhad, trodán *vt* comhdaigh

file[2] *n* líomhán, raspa *vt* líomh

file[3] *n* scuaidrín, sraoillín, *single* ~ treas singil *vi*, *to* ~ *off* imeacht duine i ndiaidh duine

filial *a* macúil

filigree *n* fíolagrán, órghréas

fill *n* sáith, dóthain; lán *vt* & *i* líon, luchtaigh

filler *n* líontóir

fillet *n* filléad, fleasc *vt* filléadaigh, díchnámhaigh

filling *n* líonadh, luchtú; táthán, lánán

filling-station *n* stáisiún peitril

film *n* sceo, scamall, brat, coirt; pictiúr, scannán *vt* scannánaigh

filmstrip *n* stiallscannán

filter *n* scagaire, síothlán *vt* & *i* scag, síothlaigh, snigh

filth *n* bréantas, salachar, fochall; gáirsiúlacht

filthy *a* brochach, cáidheach, bréan; graosta, ~ *place* bréanlach, ~ *talk* gáirsiúlacht chainte

fin *n* eite, colg, eithre

final *n*, (*sport*) cluiche ceannais, craobhchluiche *a* críochnaitheach,

déanach, deireanach, *the* ~ *blow* an buille scoir, ~ *ly* i ndeireadh na dála, i ndeireadh báire, sa deireadh thiar

finance *n* airgeadas *vt* maoinigh

financial *a* airgeadúil, ~ *year* bliain airgeadais

financier *n* airgeadaí

finch *n* glasán

find *n* fionnachtain, éadáil, fríth *vt* faigh, aimsigh, fionn, *it can't be found* níl fáil air, *to* ~ *out about sth* eolas a fháil i dtaobh ruda, *to* ~ *a person out* dul amach ar dhuine, breith amuigh ar dhuine

finding *n* fáil; fríth, *the* ~ *s of a committee* cinneadh coiste

fine[1] *n* fíneáil, cáin *vt* fíneáil, cáin, *I was* ~ *d ten pounds* gearradh deich bpunt orm

fine[2] *a* mín, caol, fíneálta; breá, uasal

fineness *n* fíneáltacht, míne; breáthacht

finery *n* galántas, breá breá, éadaí breátha

finger *n* méar *vt* méaraigh

fingering *n* méaraíocht, méiríneacht

finger-print *n* méarlorg

finicky *a* beadaí, cáiréiseach

finish *n* críoch, deireadh; slacht, snas *vt* & *i* críochnaigh, *to* ~ *sth* deireadh a chur le rud, *to have* ~ *ed with.the work* bheith réidh leis an obair

finished *a* déanta, réidh, críochnaithe; slachtmhar, snasta

finite *a* teoranta, foirceanta

fiord *n* fiord

fir *n* giúis

fire *n* tine, dóiteán; daighear, lasair; faghairt, spréach, teasaíocht; lámhach, *to go on* ~ dul trí thine *vt* & *i* loisc, caith, scaoil, *to* ~ *sth* tine a thabhairt do rud, a chur le rud; (*pottery*) bácáil

fire-alarm *n* aláram dóiteáin

fire-arm *n* arm tine

fireball *n* caor thine

firebrand *n* aithinne, breo

fire-brigade *n* briogáid dóiteán

fire-fighting *n* múchadh dóiteán

fire-fly *n* lampróg

fire-guard *n* sciath thine

fire-lighter *n* adhantaí

fire-place *n* teallach, tinteán

fire-proof *a* dódhíonach

fire-wood *n* connadh, brosna

firework *n* tine ealaíne
firm[1] *n* comhlacht, gnólacht
firm[2] *a* daingean, seasmhach, teann *vt & i* cruaigh, daingnigh, teann
firmness *n* daingne, diongbháilteacht, seasmhacht
first *a* céad, aonú, *the ~ man, woman* an chéad fhear, bhean, *the ~ people* na chéad daoine, *~ aid* garchabhair, *~ cousin* col ceathrair, *James the ~* Séamas a hAon *adv*, *~, at ~* i dtosach, ar dtús; a chéaduair, *the person who spoke ~* an té is túisce a labhair *n* an chéad duine, rud, etc, *from ~ to last* ó thús deireadh
first-rate *a* thar barr, ar fheabhas, den chéad scoth
firth *n* inbhear, caolsáile
fiscal *a* fioscach
fish *n* iasc, breac *vt & i* iasc, *~ing* ag iascaireacht, ag iascach
fisherman *n* iascaire
fishery *n* iascaireacht, iascach; inbhear éisc
fish-finger *n* méaróg éisc
fish-hook *n* duán
fishing *n* iascaireacht, iascach
fishing-ground *n* bráite, meá
fishing-line *n* dorú, ruaim
fishing-rod *n* slat iascaigh
fishmonger *n* ceannaí éisc
fishy *a* iascúil; amhrasach, *~ story* scéal gan dath
fission *n* scoilteadh
fissure *n* scoilt, gág, méirscre, scailp
fist *n* dorn, dóid, *to make a good ~ of sth* lámh mhaith a dhéanamh ar rud
fisticuffs *npl*, *to engage in ~ with a person* dul ar na doirne, sna lámha, le duine
fit[1] *n* racht, ragús, taom, tallann, tritheamh, néal, spadhar
fit[2] *n* tomhas, feiliúint
fit[3] *a* feiliúnach, fóirsteanach, oiriúnach, cuí; infheidhme; ábalta; fiteáilte, *~ for* inniúil ar, chun, do, *they are ~ to kill each other* tá siad i riocht a chéile a mharú *vt & i* oir, oiriúnaigh, feil; toill; feistigh, *~ out* trealmhaigh, gléas, *to ~ in with sth* teacht le, réiteach le, freagairt do, rud
fitful *a* taomach, tallannach, guagach, míshuaimhneach, *~ sleep* codladh corrach

fitness *n* feiliúnacht, oiriúnacht, cuibheas; infheidhmeacht, *physical ~* corpacmhainn
fitter *n* feisteoir
fittings *npl* feistiú, feisteas, cóiríocht, fearas, *~ of clothes* cumadh éadaigh *a* cuí, oiriúnach, feiliúnach, fóirsteanach, diongbháilte
five *n & a* cúig, *~ persons* cúigear, *~ of trumps* cioná, na (cúig) méara
fix *n* sáinn, ponc, teannta, cruachás, *in a ~* san fhaopach *vt & i* cinn, daingnigh, socraigh, greamaigh; deisigh, *to ~ sth up* rud a réiteach; dóigh a chur ar rud
fixation *n* grinniú, buanú; fosú
fixative *n* buanaitheoir
fixedly *adv* go daingean, go seasta
fixity *n*, *~ of tenure* buanseilbh
fixture *n* fearas do-aistrithe; (*sport*) coinne
fizz *n* sioscadh; seaimpéin *vi* siosc
fizzle *n* sioscadh, coipeadh *vi* spréach, siosc, *to ~ out* dul ar neamhní, imeacht mar ghal soip, síothlú
flabbergast *vt*, *he was ~ed* fágadh ina stangaire é, baineadh stangadh as
flabby *a* feolmhar, liobarnach, séidte, lodartha, *~ person* plobaire
flag[1] *n*, (*plant*) feileastram
flag[2] *n* bratach, meirge
flag[3] *n* leac *vt*, *to ~ a path etc* leaca a chur síos ar chosán etc
flag[4] *vi* sleabhac, lagaigh, *his interest ~ged* mhaolaigh ar a spéis
flagon *n* flagún
flagrant *a* scannalach, mínáireach
flail *n* súiste *vt & i* súisteáil
flair *n* bua, tallann
flake *n*, (*of snow*) lubhóg, calóg; screamhóg; cáithnín *vi* scealp, scil
flaky *a* calógach, lubhógach; sceitheach; craiceáilte
flamboyant *a* gáifeach, taibhseach
flame *n* bladhm, daighear, lasair, *in ~s* trí thine, ar aon bharr lasrach
flaming *a* bladhmach, lasánta
flamingo *n* lasairéan
flange *n* feire, sceimheal, buinne
flank *n* cliathán, taobh, eite, maothán *vt*, *to ~ sth* rud a chur taobh le rud eile; bheith taobh le rud; cliathán ruda a chosaint
flannel *n* báinín, flainín

flap *n* liopa, plapa; slapar *vt & i*, to ~
wings sciatháin a ghreadadh, a bhual-
adh, *the sail was* ~ *ing* bhí an seol ag
brataíl

flare *n* bladhm, ~ *of skirt* spré sciorta *vi*
las; spréigh, *to* ~ *up at a person*
splancadh, spriúchadh, ar dhuine

flash *n* laom, lasán, scal, ~ *of lightning*
splanc (thintrí), saighneán *vt & i* scal,
splanc, *his eyes* ~*ed anger* tháinig bior
ar a shúile

flash-back *n* iardhearcadh

flash-lamp *n* laomlampa

flash-point *n* bladhmphointe

flashy *a* spiagaí, gáifeach, taibhseach

flask *n* flaigín, fleasc

flat[1] *n* árasán

flat[2] *a* réileán *a* cothrom, clárach; leamh;
rodta, ~ *refusal* lomdhiúltú, droim-
dhiúltú

flat-fish *n* leadhbóg, leathóg

flat-footed *a* spágach

flatness *n* cothroime; leimhe, liostacht

flatten *vt & i* leacaigh, leath, cláraigh;
maolaigh, treascair, *to* ~ *a person*
smíste a dhéanamh de dhuine, duine a
shíneadh

flatter *vt & i* bladair, *to* ~ *a person* plám-
ás, béal bán, a dhéanamh le duine

flatterer *n* cluanaire, lústaire, plámásaí,
slíomadóir

flattery *n* bladar, plámás, milseacht, béal
bán, cluanaireacht, tláithínteacht

flatulence *n* gaoth, gaofaireacht

flaunt *vt & i*, *to* ~ brataíl, bheith ar fo-
luain, *to* ~ *one's wealth* gaisce a
dhéanamh as do chuid saibhris, *to* ~
opinions tuairimí a fhógairt os ard

flautist *n* fliúiteadóir

flavour *n* blas *vt* blaistigh, leasaigh, spíos-
raigh

flavouring *n* leasú, blastán, spíosra

flaw *n* éalang, éasc, fabht, locht, lúb ar lár

flawless *a* gan éalang, gan cháim

flax *n* líon

flaxen *a*, *(of hair)* buíbhán

flax-seed *n* ros, roisne

flay *vt* feann, scean, sclamh

flea *n* dreancaid

flea-bite *n* greim dreancaide; faic na fríde

fleck *n* dúradán *vt* breac

fledged *a*, *fully* ~, *(of bird)* faoi lán

cluimhrí, *he is a fully* ~ *doctor* tá sé ina
dhochtúir déanta

fledgling *n* gearrcach, scallamán

flee *vt & i* teith, *they fled the country*
theith siad as an tír

fleece *n* lomra *vt* lomair, *to* ~ *a person*
feannadh a thabhairt do dhuine, duine
a chreachadh

fleecy *a* ollach, lomrach, clúmhach

fleet[1] *n* cabhlach, flít, loingeas

fleet[2] *a* luath, mear, gasta, sciobtha

fleeting *a* neamhbhuan, duthain, ~ *visit*
cuairt reatha, sciuird

flesh *n* feoil; colainn

fleshy *a* feolmhar; brúidiúlach

flex[1] *n* fleisc

flex[2] *vt* aclaigh

flexible *a* aclaí, solúbtha

flick *n & vt* smeach

flicker *n* preabadh, eitilt, faiteadh *vi* eitil,
geit, léim, preab

flight *n* eitilt; teitheadh, ~ *of stairs* dul,
rith, staighre, *to put the enemy to* ~ an
ruaig, maidhm chatha, a chur ar an
namhaid

flighty *a* aerach, giodamach, geiteach,
scinnideach

flimsy *a* scagach, éadrom, tanaí; neamh-
fhuaimintiúil, ~ *excuse* leithscéal
agus a thóin leis, agus a leathbhéal faoi

flinch *vi* loic, clis; creathnaigh

fling *n* caitheamh, teilgean, *to have one's*
~ *ceol* a bhaint as an saol, do chos a
chroitheadh *vt & i* rad, caith, teilg

flint *n* breochloch

flip *n* flíp, smeach *vt & i* smeach

flippant *a* éadrom, deiliúsach, soibealta

flipper *n* lapa

flirt *n* cliúsaí *vi*, ~ *ing* ag súgradh, ag
spallaíocht, ag radaireacht

flit *vi* éalaigh, aistrigh, eitil anseo is
ansiúd

float *n* snámhán, bulla, baoi, éadromán;
slaod; *(vehicle)* flóta *vt & i* snámh, *to* ~
a ship long a chur ar snámh, ~*ing
around* ag foluain thart

flock[1] *n* flocas

flock[2] *n* tréad, sealbhán, *(birds)* ealta;
scata, scuaine *vi* tiomsaigh, *to* ~
together bailiú, cruinniú, le chéile

floe *n* oighearshlaod, grúm

flog *vt* lasc, sciúrsáil, léas

flood n tuile, díle, rabharta, ~ s of tears
frasa deor vt & i tuil, líon, báigh

flood-light n tuilsolas vt tuilsoilsigh

floor n urlár vt, to ~ a house urlár a chur
síos i dteach, to ~ a person duine a
shíneadh, a leagan ar lár; duine a chur
ina thost

flop n plab, pleist; clisceadh, teip adv, to
fall ~ titim de phlab, de phleist, it
went ~ theip air vi, he ~ ped into the
water chuaigh sé de phleist san uisce, it
~ ed theip air, ~ ing about ag lapadán

flora n flóra

floral a bláthach

florid a lasánta; ornáideach

florist n bláthadóir

floss n flas

flotilla n mionchabhlach

flotsam n snámhraic

flounce¹ n fhúinse, triopall

flounce² vi pramsáil

flounder¹ n leadhbóg, leith

flounder² vi iomlaisc, ~ ing ag onfais

flour n plúr

flourish n ornáidíocht, (of speech, letter-
ing) ciúta, geáitse, gotha vi, to ~ fás go
maith; bheith faoi réim, faoi bhláth;
teacht i dtreis

flourishing a rafar, faoi mhaise

floury a, (of potatoes, etc) plúrach, gáir-
iteach

flout vt, to ~ authority bheith beag
beann ar údarás

flow n sní, rith, feacht, sruth, sreabh vi
snigh, rith, sruthaigh, tál, (hair, etc)
slaod

flower n bláth, pósae, plúr, scoth vi bláth-
aigh

flower-bed n ceapach bláthanna

flowery a bláthach; ornáideach

flowing a sníteach, sruthach; scuabach,
éasca, líofa, silteach, craobhach,
géagach

flu n fliú

fluctuation n iomlaoid, luaineacht

flue n múchán, púir

fluency n éascaíocht, líofacht

fluent a líofa, éasca, solabhartha, she
speaks ~ German tá an Ghearmáinis
ar a toil aici

fluff n bruth, clúmhach

fluffy a clúmhach

fluid n sreabhán, lionn a silteach, sreabh-
ach; líofa, éasca, faíoch

fluke¹ n amhantar, taisme, seans

fluke² n leith

fluke(worm) n cruimh phucháin

fluorescent a fluaraiseach

fluoridation n fluairídiú

fluoride n fluairíd

flurry n cuaifeach, cleitearnach; flústar,
driopás vt buair, suaith, mearaigh

flush n sruthlú; luisne, deargadh vt & i
sruthlaigh; las, dearg, ruaimnigh

flushed a lasánta, círíneach, luisniúil

fluster n imní, driopás vt & i mearaigh,
suaith, she got ~ed tháinig corra-
bhuais uirthi

flute n fliúit, feadóg mhór

flute-player n fliúiteadóir

flutter n eitilt; flústar, foilsceadh vi eitil,
gaothraigh, ~ ing around ag cleitear-
nach thart

flux n flosc

fly n cuil(eog), the ~ in the ointment an
breac sa bhainne vt & i eitil, to ~ the
Atlantic an tAtlantach a thrasnú ar an
aer, ~ ing about ag foluain thart, to ~
from danger teitheadh ó chontúirt, to
~ into a rage spriúchadh, dul le báiní

fly-blown a finiúch

flyer n eitleoir

flying n eitilt; eitleoireacht a eitleach,
foluaineach, ~ visit sciuird, geábh

fly-leaf n fordhuilleog

flyover n uasbhealach

fly-weight n cuilmheáchan

foal n searrach

foam n cúr, uanán, coipeadh, sobal vi
coip, he was ~ ing at the mouth bhí cúr
lena bhéal

fob vt, to ~ sth off on a person rud a
bhualadh, a chur, ar dhuine

focal a fócasach; cuimsitheach

focus n fócas, to bring sth into ~ rud a
thabhairt i ngrinneas, chun cruinnis vt
& i fócasaigh, dírigh, cruinnigh (ar)

fodder n fodar, farae

foe n namhaid

foetus n gin, suth, féatas

fog n ceo

foggy a ceomhar, ciachmhar

foible n laige, éasc

foil¹ n scragall

foil² n pionsa maol

foil³ *vt, to* ~ *an attempt* iarracht a chur ar neamhní, a bhacadh, a thoirmeasc

foist *vt, to* ~ *sth on a person* rud a chur, a bhualadh, ar dhuine

fold¹ *n* loca, cró, banrach

fold² *n* filleadh, pléata *vt & i* fill, dúbail, lúb

folder *n* fillteán

folding *a* fillteach, infhillte

foliage *n* duilliúr

folio *n* fóilió, débhileog; uimhir

folk *n* muintir, aos, ~ *music* ceol tíre

folklore *n* béaloideas

folk-school *n* daonscoil

follicle *n* folacail

follow *vt & i* lean, *it* ~ *s from that (that)* fágann sin (go), *to* ~ *a trade* dul le ceird

follower *n* leantóir, leanúnaí, dílseánach *pl* lucht leanúna, cosa; clann

following *n* leanúint; lucht leanúna *a, on the* ~ *day* lá arna mhárach, an lá dár gcionn, an lá ina dhiaidh sin, *the* ~ *matters* na nithe seo a leanas

folly *n* amaidí, baois, dith céille, michiall

foment *vt, to* ~ *strife* bruíon a chothú

Fomorian *n* Fomhórach

fond *a* muirneach; geallmhar, ceanúil (ar), *he is* ~ *of money* tá dúil san airgead aige

fondle *vt* muirnigh, cuimil, *to* ~ *a child* peataireacht, bánaí, a dhéanamh le leanbh

fondness *n* caithis, dúil, gean

font *n* umar; foinse

food *n* bia, beatha, lón

fool *n* amadán, pleidhce, breall, (*woman*) óinseach, *to make a* ~ *of a person* baileabhair a dhéanamh de dhuine, *vt & i to* ~ *a person* duine a mhealladh, a chur amú, ~ *ing around* ag pleidhchíocht, ag amaidí, *I was only* ~ *ing* ní raibh mé ach ag magadh

foolery *n* amadántacht, pleidhchíocht

foolhardy *a* baothdhána, meargánta

foolish *a* amaideach, baothánta, dí-chéillí, ~ *woman* amaid, óinseach, ~ *person* amlóir, amadán, ~ *talk* gliogar, brilléis, amaidí chainte

foolishness *n* amadántacht, leibídeacht

foolproof *a*, (*of device*) doloicthe

foolscap *n* leathphráitinn

foot *n* cos, troigh; cos-slua, *at the* ~ *of a*

hill cois cnoic, ag bun cnoic *vt & i, to* ~ *the bill* an t-éileamh a íoc, *to* ~ *turf* móin a ghróigeadh, a chnuchairt

football *n* peil

footballer *n* peileadóir

footbridge *n* ciseach, droichead coisithe

foothills *npl* bunchnoic

foothold *n* greim coise, teannta, bonn

footing *n* bonn, foras; (*of turf*) cnuchairt, gróigeadh, *on equal* ~ ar aon bhonn

footlight *n* bruachsholas

footman *n* bonnaire

footnote *n* fonóta

footpath *n* cosán

footprint *n* lorg, rian (coise)

foot-soldier *n* troitheach *pl* cos

footstep *n* coiscéim

footwear *n* coisbheart

fop *n* gaige

foppish *a* gaigiúil

for *prep* ar, do, chun, i gcomhair, faoi choinne, le haghaidh, *to substitute one thing* ~ *another* rud a chur in ionad ruda, *wait* ~ *a week* fan go ceann seachtaine, *it is heavy* ~ *her* tá sé trom aici, ~ *one hundred pounds* ar chéad punt, *good* ~ *evil* maith thar ceann an oilc, *thank you* ~ *your kindness* go raibh maith agat as ucht do chineáltais, ~ *example* mar shampla, ~ *your own sake* mar mhaithe leat féin, ~ *or against him* ina leith nó ina éadan *conj* mar, óir

forage *n* foráiste *vi* siortaigh, ransaigh, *to* ~ *for food* bia a sheilg, dul ar thóir bia

forbear *vt & i* srian, staon ó

forbearance *n* fadfhulaingt, foighne

forbid *vt* cros (ar), toirmisc, *God* ~! nár lige Dia! *I am forbidden to do it* tá sé coiscthe, crosta, orm

forbidding *a*, ~ *aspect* dreach diúltach, cuma dhúr

force *n* fórsa, neart, foréigean; brí, éifeacht, fuinneamh, *the* (*defence*) ~ *s* na fórsaí (cosanta) *vt* fórsáil, éignigh, *to* ~ *a person to do sth* iallach a chur ar dhuine rud a dhéanamh, tabhairt ar dhuine rud a dhéanamh

forceful *a* fórsúil, feidhmiúil, bríomhar, éifeachtach, gonta, teann

forceps *n* teanchair

forcible *a* fórsúil, foréigneach, láidir, ~ *seizure* forghabháil

ford n áth vt, to ~ a river abhainn a thrasnú ar áth, an t-áth a ghabháil

fore n tosach a tosaigh, réamh-

forearm n rí, cuisle, bacán láimhe

forebode vt tuar

foreboding a drochthuar, mana, I had a ~ of it bhí sé á thuar, á thaibhsiú, dom

forecast n réamhaisnéis vt tuar, to ~ sth fáistine a dhéanamh faoi rud

forecourt n urlios

forefinger n corrmhéar

forefront n, in the ~ ar thús cadhnaíochta

foregoing a réamhráite, the ~ stanza an rann sin romhainn

foreground n tulra

forehead n clár éadain, éadan

foreign a coimhthíoch, allúrach, gallda, eachtrannach, ~ country, tír iasachta

foreigner n coimhthíoch, eachtrannach, allúrach, gall

foreland n rinn, ceann tíre

foreleg n cos tosaigh

forelock n glib, urla

foreman n maor, saoiste, fear ceannais

foremost a, in the ~ rank sa rang is airde, sa chéad áit, head ~ i ndiaidh, ar lorg, do chinn adv, first and ~ i dtosach báire, ar an gcéad dul síos

forenoon n, in the ~ roimh nóin

forensic a, ~ medicine dlí-eolaíocht mhíochaine

forerunner n réamhtheachtaire

forsee vt tuar, to ~ difficulties coinne a bheith agat le deacrachtaí, teacht roimh dheacrachtaí

foreshadow vt tuar

foreshore n cladach, urthrá

foreskin n forchraiceann

foresight n fadbhreathnaitheacht, dearcadh, fadcheann

forest n foraois, coill

forestall vt, to ~ a person tosach a bhaint de dhuine, dul roimh dhuine

forester n foraoiseoir

forestry n foraoiseacht

foretaste n réamhbhlas

foretell vt & i réamhaithris, tuar, tairngir, it has been foretold, ta sé sa tairngreacht

forever adv choíche, i gcónaí, go brách, go deo

forewarn vt, to ~ a person foláireamh,

rabhadh, forógra, a thabhairt do dhuine

foreword n brollach

forfeit n éiric, fíneáil, pionós vt, to ~ a right ceart a chailleadh, a ligean ar ceal

forge[1] n ceárta vt & i gaibhnigh; falsaigh, forging metal ag gaibhneacht, to ~ money airgead a bhrionnú

forge[2] vt, to ~ ahead treabhadh leat, réabadh chun cinn

forger n falsaitheoir

forgery n brionnú; scríbhinn (etc.) fhalsa

forget vt & i dearmad, to ~ sth rud a ligean i ndearmad, dearmad a dhéanamh de rud, I forgot! mo dhearmad!

forgetful a dearmadach; faillitheach

forgetfulness n dearmad, díchuimhne, neamh-mheabhair

forgivable a inmhaite

forgive vt maith, logh, to ~ a person sth rud a mhaitheamh do dhuine, maithiúnas a thabhairt do dhuine i rud

forgiveness n maithiúnas

fork n forc, gabhlóg, píce; gabhal, ladhar vt & i forcáil, píceáil

forked a gabhlach, gabhlánach, ladhrach

forlorn a dearóil, ainnis, tréigthe

form n cuma, fíor, cruth, cumraíocht, ríocht, cló; gné; leaba dhearg; (document) foirm, (bench) forma, ~ of speech modh cainte vt & i cruthaigh, cruinnigh, déan, deilbhigh, múnlaigh, cum

formal a foirmiúil, nósmhar; ardnósach

formality n foirmiúlacht, nósmhaireacht; deasghnáth

format n formáid, cruth

formation n déanmhas, múnlú, cumadh; eagar, fíor, granite ~ foirmiú eibhir

formative a foirmitheach

former a, ~ times an seansaol, I prefer the ~ method is fearr liom an chéad mhodh

formerly adv roimhe seo, lá den saol, tráth

formidable a scanrúil, treallúsach, diongbháilte

formless a éagrutach

formula n foirmle

formulate vt, to ~ sth rud a chur i bhfocail, a fhoirmiú

forsake vt tréig, fág

fort *n* dún, daingean; ráth, caiseal, cathair, *fairy* ~ lios

forth *adv, he stretched ~ his hand* shin sé amach a lámh, *from then ~* ó shin i leith, *from this time ~* as seo amach, *waving back and ~* ag croitheadh anonn is anall, *and so ~* agus mar sin de, agus dá réir sin

forthcoming *a, help is ~* tá cabhair chugainn

forthright *a* neamhbhalbh, díreach

fortieth *n & a* daicheadú

fortification *n* daingniú *npl* daingean, dúnfort, oibreacha cosanta

fortify *vt* daingnigh, neartaigh, treisigh

fortitude *n* buanseasmhacht, misneach, neart

fortnight *n* coicís

fortnightly *n* coicíseán *a* coicísiúil

fortress *n* daingean, dún

fortuitous *a* teagmhasach

fortunate *a* ádhúil, ámharach, rathúil, sona

fortunately *adv* go tráthúil, ar an dea-uair, ar ámharaí an tsaoil

fortune *n* cinniúint, fortún, seans, *good ~* ádh, sonas; *(money)* saibhreas; spré, *to tell a person his ~* fios a dhéanamh do dhuine; a fhortún a insint, a léamh, do dhuine

fortune-teller *n* bean feasa, bean chrosach

forty *n & a* daichead, ceathracha

forum *n* fóram

forward *n* tosaí *a* chun tosaigh, *(of movement etc)* chun cinn, ar aghaidh; *(of person)* dána, dalba, teanntásach, urrúsach *adv* ar aghaidh, *from this day ~* ón lá seo amach, *to go ~* dul chun tosaigh *vt, to ~ a policy* beartas a chur chun cinn, *to ~ sth to a person* rud a sheoladh chuig duine

forwardness *n* dánacht, dalbacht, teanntás, treallús

fossil *n* iontaise *a* iontaiseach

fossilize *vt & i* iontaisigh

foster *vt* altramaigh, oil, *to ~ friendship* muintearas a chothú

fosterage *n* altram, daltachas

foster-child *n* dalta

foster-father *n* athair altrama; oide

foster-mother *n* máthair altrama; buime

foul *n, (sport)* calaois *a* bréan, gráiniúil, salach, *~ weather* doineann, *~ play* imirt cháidheach; *coir vt* salaigh; tacht

found *vt* bunaigh

foundation *n* bunú, fothú, fódú, *(of building)* bonn, dúshraith, *(institution)* foras, fondúireacht

foundation-stone *n* bunchloch

founder[1] *n* bunaitheoir, fondúir

founder[2] *vt & i* trochlaigh, teip; tit, *the ship ~ed* chuaigh an long faoi loch, go tóin poill

foundling *n* leanbh tréigthe

foundry *n* teilgcheárta

fountain *n* fuarán, foinse; scairdeán uisce

fountain-pen *n* peann tobair

four *n* ceathair *a, ~ persons* ceathrar, *~ pounds* ceithre phunt

fourteen *n* ceathair déag *a, ~ towns* ceithre bhaile dhéag

fourteenth *n & a, the ~ day* an ceathrú lá déag, *one ~* an ceathrú cuid déag

fourth *n & a* ceathrú

fowl *n* éan; éanlaith, *domestic ~* éanlaith chlóis

fowler *n* foghlaeir

fox *n* sionnach, madra rua

foxglove *n* lus mór, méaracán dearg

foxy *a* glic, slim, sionnachúil, *(of hair)* rua

foyer *n* forhalla

fracas *n* racán, ropadh, sciúchas

fraction *n* codán

fractious *a* crosta, cantalach

fracture *n* briseadh (cnáimhe); scoilt *vt & i* bris, scoilt

fragile *a* sobhriste, leochaileach, lag

fragment *n* blogh, blúire, ruainne, mír *pl* bruscán, smionagar, bruar, grabhar *vt & i* roinn, deighil, scoilt, bris

fragmentation *n* ilroinnt; mionú

fragrance *n* cumhracht

fragrant *a* cumhra

frail *a* leochaileach, lag

frailty *n* laige

frame *n* deilbh; cabhail, creatlach, *(of structure)* cás, cliabh, cliathach, creat, crann, *winding ~* glinne, *picture ~* fráma pictiúir *vt* frámaigh, deilbhigh, beartaigh, ceap, *to ~ one's thoughts* do smaointe a chur in eagar, *to ~ a person* beartú go gciontófaí duine go héagórach

framework *n* creat, creatlach, fráma; cnámha (scéil); córas

franchise *n* ceart vótála

Franciscan *n* & *a* Proinsiasach

frank[1] *a* oscailteach, macánta, díreach

frank[2] *vt* fráinceáil

frantic *a* ar buile, ar mire, fraochta

fraternal *a* bráithriúil

fraternity *n* bráithreachas

fraternize *vi*, to ~ with a person cairdeasaíocht a dhéanamh le duine

fratricide *n* fionail; fionaíolach

fraud *n* calaois, camastáil

fraudulent *a* calaoiseach, cam

fraught *a*, ~ with luchtaithe le, lán le, *it was* ~ *with danger* bhí baol ag roinnt leis

fray[1] *n* achrann, imreas, treas

fray[2] *vt* & *i* sceamh, sceith

freak *n* spreang, nóisean, spadhar, tallann; anchúinse

freakish *a* taghdach, corr; anchumtha

freckle *n* bricín (gréine) *pl* breicneach

freckled *a* breicneach, bricíneach

free *a* saor; scaoilte, ar ligean, (*style, etc*) éasca, réidh; deonach; flaithiúil, ~ *ticket* ticéad in aisce, *he is* ~ *to go* tá sé a cheann leis, tá cead a chos aige *vt* saor, scaoil, réitigh

freedom *n* saoirse; saoráid

freehold *n* saorsheilbh

freelance *n*, ~ *journalist* iriseoir neamhspleách

freemason *n* máisiún

freeway *n* saorbhealach

freeze *vt* & *i* reoigh, sioc, oighrigh, cuisnigh, téacht, *it is freezing* tá sé ag cur seaca, ag sioc

freezer *n* reoiteoir

freight *n* lasta, lucht *vt* lastáil, luchtaigh

frenzied *a* fiánta, néaltraithe, ar buile

frenzy *n* buile, mire, straidhn, báiní

frequency *n* minicíocht

frequent *a* iomadúil, minic *vt* gnáthaigh, taithigh, cleacht, lonnaigh

frequently *adv* go minic

fresco *n* freascó

fresh *a* úr, friseáilte, nua; cumhra; naíonda, ~ *water* fionnuisce

freshen *vt* & *i* úraigh; cumhraigh; breoigh, géaraigh

freshness *n* úire; cumhracht; fionnuaire

fret *n* crá, ciapadh *vt* & *i* creim, cnaigh;

cráigh, ciap, buair, *don't* ~ ná bíodh imní ort

fretful *a* aingí, cráite, cantalach, imníoch

fretwork *n* crinnghréas

friar *n* bráthair

fricassée *n* pothrais

friction *n* cuimilt; imreas, easaontas

Friday *n* Aoine, *he will come on* ~ tiocfaidh sé Dé hAoine

friend *n* cara

friendliness *n* cairdiúlacht, carthanacht, muintearas

friendly *a* cairdiúil, muinteartha, lách

friendship *n* cairdeas, muintearas

frieze *n* bréid; fríos

frigate *n* frigéad

fright *n* scanradh, scaoll, eagla, geit, scéin

frighten *vt* scanraigh

frightful *a* scanrúil, scáfar, uafásach, creathnach

frigid *a* fuar, reomhar, (*of person*) fuaránta, fuarchúiseach

frill *n* rufa *npl* froigisí *vt*, to ~ *sth* rufaí a chur ar rud

fringe *n* glib; frainse, scothóga, ciumhais, ~ *of city* bruach cathrach

frisk *vt* & *i* meidhrigh; cuardaigh, siortaigh, ~ing ag damhsa, ag rinceáil

frisky *a* meidhreach, ceáfrach, macnasach, rancásach

fritter[1] *n* friochtóg

fritter[2] *vt* meil, smiot, caith

frivolous *a* éadrom, aerach; éaganta

frizz *n* caisne *vt* & *i* caisnigh

frock *n* gúna

frog *n* frog, loscann

frogman *n* frogaire

frog-spawn *n* sceith fhroig, glóthach fhroig

frolic *n* súgradh, macnas *vi* pramsáil, rad, ~ing ag macnas, ag princeam, ag pocléimneach

frolicsome *a* aerach, meidhreach, macnasach, rancásach

from *prep* ó, as, de

front *n* aghaidh, éadan, brollach, tosach, *in* ~ *of sth* ar aghaidh, os comhair, ar cheann, ruda; roimh rud, *a* ~ *wheel* roth tosaigh *vt* & *i*, to ~ *upon sth* aghaidh a thabhairt ar rud, to ~ *a building* aghaidh, éadan, a chur ar fhoirgneamh, to ~ *a programme* clár a chur i láthair

frontage *n* éadanas, colbha (bóthair); éadan (foirgnimh)

frontal *a*, ~ *bone* cnámh (an) éadain, ~ *attack* ionsaí i leith an tosaigh

frontier *n* teorainn, imeallchríoch

frontispiece *n* tulmhaisiú

frost *n* sioc(án), reo, cuisne, *black* ~ sioc dubh

frostbite *n* dó seaca

frosty *a* reoch, reoiteach, cuisneach, siocúil

froth *n* cúr, uanán, coipeadh, sobal

frown *n* grainc, gruig, púic, místá *vi*, *to* ~ grainc, púic, gnúis, a chur ort féin, he ~*ed at me* bhí muc ar gach mala aige chugam

frozen *a* reoite

frugal *a* coigilteach, spárálach, tíosach; lom, gann

frugality *n* cruinneas, spárálacht, tíosaíocht

fruit *n* toradh, *the forbidden* ~ úll na haithne *vi* torthaigh

fruiterer *n* torthóir

fruitful *a* toirthúil, suthach

fruition *n*, *the scheme is coming to* ~ tá an scéim ag teacht i gcrích

fruitless *a* éadairbheach, neamaitheach, ~ *efforts* saothar in aisce

frustrate *vt* sáraigh, bac

frustration *n* treascairt trasna, sárú

fry[1] *n* gilidín, stuifin

fry[2] *n* friochadh *vt* & *i* frioch

frying-pan *n* friochtán

fuchsia *n* deora Dé, fiúise

fuddle *vt* & *i*, *he is* ~*d with drink* tá mearbhall dí air, *it* ~*d my brain* chuir sé meascán mearaí orm

fuel *n* connadh, breosla *vt* breoslaigh

fugitive *n* teifeach, éalaitheach *a* éalaitheach; díomuan, duthain

fulcrum *n* buthal

fulfil *vt* comhlíon, comhaill; fíoraigh, cuir i gcrích, *to* ~ *a promise* cuir le gealltanas

fulfilment *n* comhall, comhlíonadh; fíorú, cur i gcrích

full *n* líon, líonadh *a* lán, iomlán; sách *vt*, *to* ~ *cloth* éadach a ramhrú

full-back *n* lánchúlaí

full-blown *a* spréite; déanta, críochnaithe

full-bred *a* folúil

full-dress *a*, ~ *rehearsal* réamhléiriú lánfheistithe

fuller *n* úcaire, toicneálaí

full-forward *n* lántosaí

full-length *a* lánfhada

fullness *n* iomláine, dlús, flúirse, ~ *of time* ionú

full-time *a* lánaimseartha

fully-fledged *a* déanta, críochnaithe

fulsome *a* úisiúil, samhnasach, déistineach

fumble *vi*, *to* ~ *with sth* bheith ag útamáil, ag giotáil, le rud, *what are you fumbling at* cad é an driopás atá ort

fumbler *n* útamálaí

fume *n*, *pl* múch *vi*, *fuming with anger* ar gail, ag coipeadh, le fearg

fun *n* greann, sult, aiteas, spraoi; cuideachta

function *n* feidhm, feidhmeannas, (*social occasion*) tabhairt amach, ceiliúradh *vi* feidhmigh, oibrigh

functional *a* feidhmiúil

functionary *n* feidhmeannach

fund *n* ciste

fundament *n* bundún

fundamental *a* bunúsach, fuaimintiúil

funeral *n* sochraid, tórramh

fungicide *n* fungaicíd

fungus *n* fungas

funicular *a* cáblach

funk *n* critheagla, faitíos; meatachán *vt* & *i* loic

funnel *n* fóiséad, tonnadóir

funny *a* greannmhar, barrúil, ait, ~ *story* scéal grinn

fur *n* fionnadh, clúmh; cóta fionnaidh; coirt, screamh *vt* & *i* screamhaigh, *the boiler* ~ *red* tháinig coirt ar an gcoire

furbish *vt* sciomair, sciúr, líomh, *to* ~ (*up*) *sth* snas a chur ar rud

furious *a* fraochta, fíochmhar, ainscianta, *to be* ~ bheith ar buile, le báiní

furl *vt* fill, corn

furlong *n* staid

furnace *n* foirnéis, sorn; bruithneach

furnish *vt* soláthair, cuir ar fáil, gléas, trealmhaigh

furnishings *npl* feisteas, troscán

furniture *n* troscán, trioc, *article of* ~ ball troscáin

furrier *n* fionnadóir**

furrow n clais, eitre, iomaire vt treabh, eitrigh, riastráil

furry a clúmhach, fionnaitheach

further adv a thuilleadh, níos mó, *don't let the case go any ~* ná lig an cás níos sia, *he ~ states that* deir sé fós go a, *~ enquiry* tuilleadh fiosrúcháin, *one or two ~ points* pointe nó dhó eile vt cuir chun cinn, oibrigh ar mhaithe le

furthermore adv fós, rud eile de

furtive a fáilí, *~ deed* gníomh folaigh, *to go ~ly* téaltú leat

furtiveness n gliúcaíocht, ganfhiosaíocht

fury n dásacht, fíoch, fraoch, fearg, cuthach, binb, straidhn

furze n aiteann

fuse n fiús; aidhnín vt & i comhleáigh,

comhtháthaigh, cumaisc, *the light has ~d* tá cliste ar an bhfiús

fuselage n cabhail

fusion n comhleá, comhtháthú, cumasc

fuss n fústar, fuirseadh, griothalán, *to make a ~ of a person* adhnua a dhéanamh de dhuine vi fuirsigh, fuaidrigh

fussy a fuadrach, fústrach; imníoch; cáiréiseach, beadaí

futile a éadairbheach, fánach, gan éifeacht, in aisce

futility n éadairbhe

future n todhchaí, (grammar) fáistineach, *in ~* as seo amach, feasta, *in the ~* ar ball, amach anseo a, *at some ~ date* lá is faide anonn

fuzz n clúmhach

fuzzy a clúmhach; doiléir

G

gab n geab, cabaireacht

gabardine n gabairdín

gabble n glagaireacht vt & i, *gabbling* ag cabaireacht, ag glagaireacht, *he ~d off the poem* dúirt sé an dán de rúid

gable n binn, pinniúr

gad vi, *~ding about* ag imeacht le haer an tsaoil, ag scódaíocht, *the cows are ~ding* tá fíbín ar na ba, tá na ba ag aoibheall

gadfly n creabhar

gadget n giuirléid, gaireas

Gaelic n Gaeilge a Gaelach

Gaelicize vt Gaelaigh

gaff n ga, geaf, camóg, cleith vt gathaigh, geafáil

gag n gobán, (joke) ciúta vt & i, *to ~ a person* glas béil a chur ar dhuine

gaiety n meidhir, scléip, aeracht

gaily adv go haerach, go péacach

gain vi brabach, éadáil, tairbhe, sochar vt & i gnóthaigh, buaigh, beir, *to ~ by sth* bheith beirthe, buaiteach, le rud, *you have little to ~ by it* is beag an gnóthachan, an éadáil, duit é, *to ~ weight* cuir i dtroime

gainful a éadálach, tairbheach, sochrach

gainsay vt bréagnaigh, sáraigh, *he can't*

be gainsaid níl dul thar a fhocal, ina choinne

gait n siúl, coisíocht, imeacht

gaiter n loirgneán

gala n mórthaispeántas, *~ day* lá croídhílis

galaxy n réaltra; Bealach na Bó Finne

gale[1] n gála, anfa, stoirm

gale[2] n, (rent) gála, *~ day* ceannlá an chíosa

gall n domlas

gallant n gaige; cliúsaí, banaí a curata; galánta

gallantry n curataacht, crógacht; galántacht

gall-bladder n máilín domlais

galleon n gaileon

gallery n áiléar, gailearaí, lochta, *art ~* dánlann

galley n rámhlong, long fhada; cistin ar bord loinge; gaille

gallivant vi, *~ing* ag pléireacht, ag ceáfráil

gallon n galún

gallop n, *at a ~* ar cosa in airde vi, *he ~ed away* d'imigh sé leis ar cosa in airde

gallowglass n gallóglach

gallows n croch
galoshes npl galóisí
galvanize vt galbhánaigh, sincigh
gamble n cluiche gill vt & i, to ~ sth rud a chur i ngeall, gambling ag cearrbhachas, ag imirt; ag dul sa seans (le rud)
gambler n gealltóir; cearrbhach
gambolling n aoibheall, princeam
game[1] n cluiche, báire; ealaín; géim, seilg a géimiúil
game[2] a, (of leg) gambach
gamekeeper n maor seilge
gamester n cearrbhach
gaming n cearrbhachas; cluichíocht
gammon n gambún
gamut n scála, réimse
gander n gandal
gang n buíon, baicle; drong; complacht
ganger n saoiste
gangrene n morgadh
gangrenous a morgthach
gangster n amhas, áibhirseoir, bithiúnach
gangway n clord; pasáiste
gannet n gainéad
gansey n geansaí
gaol n príosún
gaoler n séiléir
gap n bearna, mant; séanas, (mountain pass) bearnas, mám, scabhat
gape vi leath, to ~ at a person stánadh (go béaloscailte) ar dhuine
garage n garáiste
garbage n truflais, miodamas, cosamar
garble vt, you ~ d the story chuir tú leathbhreall ar an scéal
garden n gairdín, garraí
gardener n garraíodóir
gardening n garraíodóireacht
gargantuan a ábhalmhór
gargle n craosfholcadh vt & i craosfholc
gargoyle n geargáil
garish a gairéadach, scéiniúil, gáifeach
garland n bláthfhleasc
garlic n gairleog
garment n ball éadaigh
garnish n maisiúchán vt maisigh
garret n gairéad
garrison n garastún, barda vt, to ~ a town garastún a chur i mbaile
garrulous a cabach, cainteach, geabanta
garter n gairtéar

gas n gás, bottled ~ gás buidéalaithe vt gásaigh
gash n créacht, vt créachtaigh; clasaigh
gasket n gaiscéad
gasometer n gásaiméadar
gasp n cnead, díogarnach, smeach, at one's last ~ ar an dé deiridh, i ndeireadh na feide, i ndeireadh na péice vi sclog, to ~ cnead a ligean
gastric a gastrach, ~ fever fiabhras goile
gastritis n gaistríteas
gate n geata
gate-crasher n stocaire
gather n cruinniú, clupaid vt & i bailigh, cruinnigh, cnuasaigh, pioc, bain, soláthair, to ~ in the harvest an fómhar a tharlú
gathered a cruinn, (of cloth) clupaideach
gathering n bailiúchán; tionól, cruinniú; cnuasach, baint; díolaim, (of wound) boirbéail, tolgadh
gaudy a gairéadach, scéiniúil, taibhseach, spiagaí
gauge n tomhas; leithead, (instrument) tomhsaire, méadar vt tomhais; rianaigh
gaunt a lom, tarraingthe, creatach
gauntlet n iarndóid; lámhainn fhada, to throw down the ~ dúshlán a chur (faoi dhuine)
gauze n uige
gawky a amscaí, dúdach, gúngach
gay a aerach, aigeanta, meidhreach, suairc, barrúil, to lead the ~ life imeacht le haer an tsaoil
gaze n dearcadh, féachaint vi, to ~ at stánadh ar
gazelle n gasail
gazeteer n clár áiteanna
gear n culaith, trealamh, fearas, gléasra; giar
gel vi glóthaigh, téacht
gelatine n geilitin
geld vt coill, to ~ a calf gamhain a ghearradh
gelding n gearrán
gelignite n geilignít
gem n seoid, cloch luachmhar
Gemini npl an Cúpla
gender n inscne; cineál
gene n géin
genealogist n sloinnteoir
genealogy n ginealach, ginealas

general n, (person) ginearál a coiteann, ginearálta, forleathan, gnáth, in ~ i gcoitinne, ~ election olltoghchán

generality n coitinne, coitiantacht, ginearáltacht

generalization n ginearálú

generalize vt & i, to ~ from sth teoiric ghinearálta a bhaint as rud, its use has been ~d tá sé in úsáid go forleitheadach anois

generate vt gin

generation n giniúint; glúin, ginealach, líne

generator n gineadóir

generic a aicmeach, cincálach, géineasach

generosity n féile, flaithiúlacht, toirbheartas, fairsinge, fiúntas, mórchroí

generous a fial, flaithiúil, fiúntach, dóighiúil, dúthrachtach

Genesis n Geiniseas

genetic a géiniteach

genetics n géineolaíocht

genial a caoin, séimh; suáilceach, lách

genitals npl baill ghiniúna

genitive n & a ginideach

genius n ginias; bua, ardéirim, (person) saoi; duine sáréirimiúil

genocide n díothú cine

genteel a galánta, caoinbhéasach

gentile n & a gintlí

gentility n galántacht, uaisleacht; míne; dea-bhéasa

gentle a caoin, caomh, ceansa, mánla, mín, séimh, ~ slope fána réidh

gentleman n duine uasal

gentleness n caoine, caoimhe, ceansacht, mánlacht, modhúlacht, tlás

gentry n, the ~ na huaisle, na maithe móra

genuflect vi sléacht, umhlaigh

genuflection n umhlú, feacadh glúine, sléachtadh

genuine a dílis, dleathach, fíréanach, fíor-

genus n géineas, cineál, aicme

geographical a geografach

geography n tíreolaíocht, geografaíocht

geology n geolaíocht

geometric a céimseatúil, geoiméadrach

geometry n céimseata

Georgian a Seoirseach

geranium n geiréiniam

germ n frídín, ginidín, bitheog

germinate vt & i gin, péac

gestation n iompar (clainne)

gesticulate vi gotháil, gesticulating ag déanamh geáitsí, ag comharthaíocht

gesture n geáitse, gotha

get vt & i faigh, bain amach, to ~ tired, hot éirí tuirseach, te, ~ting cool ag dul i bhfuaire, I got thirsty bhuail tart mé, it can't be got níl fáil air, níl sé ar fáil, to ~ about dul ó áit go háit, to ~ across a river abhainn a thrasnú; abhainn a chur díot, to ~ sth measured rud a fháil tomhaiste, rud a chur á thomhas, to ~ away imeacht, éalú, don't let him ~ away with it ná lig leis é, to ~ back dul ar gcúl; filleadh, to ~ down tuirlingt, getting on for three o'clock ag tarraingt ar a trí a chlog, getting on well ag tarraingt go maith (le chéile), to ~ on dul in airde ar; dul chun cinn, to ~ over a sickness tinneas a chur díot, to ~ up éirí, to ~ the better of a person duine a shárú, a bharraíocht, to ~ out of control imeacht ó smacht

geyser n géasar

ghastly a urghránna, uafásach, scanrúil

ghetto n geiteo

ghost n taibhse, scáil, sprid

ghostly a taibhsiúil

giant n fathach, arracht a mór-, ábhalmhór

gibberish n brilléis, gliogaireacht, gibiris

gibe n focal fonóide, goineog vt & i, to ~ (at) a person fonóid, magadh, a dhéanamh faoi dhuine

giblets npl gipis

giddiness n éadroime, meadhrán, mearbhall; éagantacht, giodam

giddy a meadhránach, mearbhlach; gogaideach, éaganta, éadrom, aertha, alluaiceach

gift n bronntanas, tabhartas, féirín; tíolacadh, bua, tallann

gifted a tréitheach, éirimiúil

gigantic a ábhalmhór

giggle n scige, sciotaíl vi, to ~ sciotaíl, scigireacht, a dhéanamh

gild vt óraigh

gill[1] n geolbhach; sprochaille

gill[2] n ceathrú pionta

gillie n giolla

gilt n órú a órnite

gilt-edged *a* órchiumhsach, ~ *securities* sárurrúis·

gimlet *n* gimléad, ~ *eyes* súile bioracha

gin[1] *n* gaiste; unlas

gin[2] *n* biotáille Ghinéive

ginger *n* sinséar

gingerly *adv* go cáiréiseach

giraffe *n* sioráf

gird *vt* timpeallaigh, fáisc (umat, ort)

girder *n* cearchaill, giarsa

girdle *n* crios, sursaing *vt* crioslaigh

girl *n* cailín, girseach, gearrchaile

girth *n* giorta, tarrghad; coimpléasc; leithead

gist *n* éirim, brí

give *vt* & *i* tabhair; toirbhir, *to* ~ *a whistle, a shout* fead, gáir, a ligean, *to* ~ *a person away* sceitheadh ar dhuine, *to* ~ *in to* géilleadh do, *to* ~ *up* éirí as, géilleadh, ~ *over that bad habit* tréig an drochnós sin, ~*n to* ligthe ar, tugtha do, *to* ~ *out* tabhairt amach; dáil, roinn

giver *n* tabharthóir, bronntóir

gizzard *n* eagaois

glacial *a* oighreach

glacier *n* oighearshruth

glad *a* áthasach, lúcháireach, gliondrach, subhach, *you'll be* ~ *of it yet* tiocfaidh an lá ort a mbeidh tú buíoch de Dhia as, *I'm* ~ *it is done* is maith liom, tá áthas orm, go bhfuil sé déanta

gladden *vt*, *to* ~ *a person's heart* áthas, ríméad, a chur ar dhuine; croí duine a ghealadh

gladiator *n* gliaire

gladiolus *n* glaidiólas

gladly *adv* go fonnmhar, le fonn

gladness *n* áthas, gliondar, gile, lúcháir, subhachas

glamorous *a* luisiúil, mealltach, péacach

glance *n* sracfhéachaint, buille súl, spléachadh, silleadh, *at a* ~ *le* aon amharc na súl *vi* scinn; sill, *to* ~ *at sth* sracfhéachaint a thabhairt ar rud, súil a chaitheamh ar rud

gland *n* faireog

glare *n* spalpadh (gréine), dallrú; scéin *vi*, *to* ~ *at a person* súil fhiata, súil nimhneach, a thabhairt ar dhuine

glaring *a*, (*of light, colour*) dallraitheach; scéiniúil, spiagaí, (*of fact, etc*) sofheicthe

glass *n* gloine *pl*, (*spectacles*) spéaclaí, gloiní *a*, ~ *case* cás gloine

glassy *a* gloiní

glaze *n* gléas *vt* & *i* gloinigh, glónraigh

glazier *n* gloineadóir

gleam *n* léas, drithle, gealán, scáil

glean *vt* & *i* conlaigh, diasraigh, deasc

gleaning *n* conlán, díolaim, tacar *pl* diasra, deascán, cnuasach, piocarsach

glee *n* gliondar, meidhir

glen *n* gleann

glib *a* geabanta, líofa

glide *n* sleamhnú, foluain *vi* snámh, snigh, scinn, sleamhnaigh

glider *n* faoileoir

glimmer *n* díogarnach (sholais), breacsholas, léas *vi* drithligh

glimpse *n* spléachadh

glint *n* drithle, faghairt *vi* glinnigh, drithligh

glistening *n* glioscarnach

glittering *n* glioscarnach *a* drithleach

gloaming *n* cróntráth, clapsholas

gloat *vi*, *to* ~ *over a person* an bhinnbharraíocht a bheith agat ar dhuine

global *a* domhanda

globe *n* cruinneog, meall, (*of lamp*) gloine

globular *a* comhchruinn, cruinneogach

globule *n* cruinnín, súilín

gloom *n* dochma, duairceas, dubhachas, gruaim, smúit

gloomy *a* duairc, doilbhir, gruama, dubhach, néalmhar

glorify *vt* glóirigh, mór

glorious *a* glórmhar, ~ *weather* aoibh-neas, aimsir ghléigeal

glory *n* glóir *vi*, *to* ~ *in sth* ollás a dhéanamh as rud, le rud

gloss[1] *n* gléas, snas *vt* snasaigh, *to* ~ *over sth* (an) plána mín a chur ar rud

gloss[2] *n* gluais, sanas

glossary *n* gluais, sanasán

glossy *a* snasta, gléasta

glottis *n* glotas

glove *n* lámhainn, miotóg

glow *n* deirge, luisne, breo, gríos *vi* breoigh, luisnigh

glower *vi*, *to* ~ *at a person* droch-fhéachaint, súil fhiata, a thabhairt ar dhuine

glowing *a* dearg, luisniúil, caordhearg, breoch, gríosach

glow-worm n lampróg
glucose n glúcós
glue n gliú, glae vt gliúáil, his eyes were ~ d to it bhí a shúile greamaithe ann
glum a gruama, duairc, dodach, púicíúil
glut n brúcht, anlucht vt anluchtaigh, to ~ oneself with food brúcht a ithe, ceas a chur ort féin ag ithe
glutton n craosaire, suthaire
gluttonous a craosach
gnarled a cnapánach, dualach, fadharcánach
gnashing n díoscán (fiacla)
gnat n corrmhíol
gnaw vt & i cnaígh, creim
go n imeacht, dul; gó; gus, anam, to have a ~ at sth tabhairt faoi rud, triail a bhaint as rud, iarraidh a thabhairt ar rud vi téigh, imigh, gabh, gluais, ~ ing on ar siúl, to ~ about sth cur chuig rud, it is ~ ing to snow tá sneachta air, the young ones ~ ing nowadays an t-aos óg atá suas anois
goad n brod, spor vt broid, prioc, ~ ing one another ag sporadh ar a chéile
go-ahead a fiontrach, treallúsach
goal n sprioc, cuspóir, marc; (sport) cúl, báire
goalkeeper n cúl báire
goat n gabhar
goatee n meigeall
gobble[1] vt & i alp, slog, plac, gobbling ag slaimiceáil
gobble[2] vi, (of turkey, etc) gogail
go-between n teagmhálaí, idirghabhálaí
goblet n cuach
goblin n gruagach, bocánach
God n Dia
godchild n leanbh baistí, cara Críost
goddess n bandia
godfather n athair baistí, cara Críost
godless a aindiaga
godliness n diagantacht, cráifeacht
godly a diaga; diaganta, cráifeach
godmother n máthair bhaistí, cara Críost
godsend n éadáil, tíolacadh, cabhair ó Dhia
godspeed n, I wish you ~ go soirbhí Dia duit
goggle vi, (of eyes) bolg, leath, he ~ d with amazement sheas an dá shúil ina cheann
goggle-eyed a bolgshúileach

goggles npl gloiní cosanta
going n dul, imeacht, to get ~ properly breith ar do ghreamanna
goitre n ainglis
gold n ór
goldcrest n ciorbhuí, dreoilín ceannbhuí
golden a órga, buí
goldfinch n lasair choille
goldsmith n órcheardaí, gabha óir
golf n galf
golf-course n machaire gailf, galfchúrsa
golfer n galfaire
gombeenism n gaimbíneachas
gone adv ar shiúl, imithe
gong n gang
good n maith, maitheas, leas, tairbhe npl earraí, maoin, airnéis, for the ~ of ar mhaithe le a maith, fónta, tairbheach, dea-, G~ Friday Aoine an Chéasta
good-bye n & int slán, beannacht (leat, agat), to bid ~ to a person slán a chur le duine; slán a fhágáil ag duine; ceiliúradh de dhuine
good-for-nothing n spreasán (de dhuine) a spreasánta, beagmhaitheasach
good-looking a dathúil, dóighiúil
good-morning n & int mora duit (ar maidin); Dia duit
good-natured n nádúrtha, lách, oineachúil
goodness n maith, maitheas int a thiarcais! for ~ sake! i gcuntas Dé!
good-night n & int oíche mhaith; slán codlata
goodwill n dea-mhéin, dea-thoil, dúthracht; cáilmheas
goose n gé
gooseberry n spíonán
goose-flesh n cáithníní, driuch, fionnachrith
goose-grass n garbhlus
gore[1] n folracht, cró, fuil
gore[2] vt adharcáil, poll
gorge n craosán, scornach, ailt, to make a person's ~ rise cradhscal, masmas, a chur ar dhuine vt & i pulc, to ~ oneself craos a dhéanamh, forlíonadh a dhéanamh ort féin
gorgeous a taibhseach, suaithinseach, álainn
gorilla n goraille
gorse n aiteann
gory a crólinnteach, fuilteach

gosling n góislín, éan gé

gospel n soiscéal

gossamer n téada an phúca, bréidíní a tanaí, éadrom, sreabhach

gossip n, (person) cara Críost; cardálaí, cúlchainteoir; (talk) béadán, cadráil, luaidreán, míghreann, cúlchaint vi, to ~ about a person bheith ag cúlchaint ar dhuine

gossipy a cluinteach

Gothic a Gotach

gourmet n eolaí bia agus dí, beadaí

gout n gúta

govern vt rialaigh, stiúir, smachtaigh

government n rialtas; rialú

governor n gobharnóir

gown n gúna, fallaing

grab n sciob, glám vt & i cúbláil, sciob, glám, to ~ at sth áladh a thabhairt ar rud, glám a thabhairt faoi rud, to ~ at a chance do dheis a thapú

grabber n cúblálaí, grabálaí

grace n grásta; spéiriúlacht, in the state of ~ ar staid na ngrást, ~ before meals altú roimh bhia, days of ~ laethanta breise, a year's ~ spás, cairde, bliana vt maisigh, breáthaigh

graceful a mómhar; ealaíonta, seolta, spéiriúil

gracious a grástúil, mánla

gradation n réimniú, grádú

grade n grád, céim, rang; grádán vt rangaigh, céimnigh, réimnigh, grádaigh

gradient n grádán

gradual a céimseach, ~ ly de réir a chéile, diaidh ar ndiaidh

graduate n céimí vt & i grádaigh, céimnigh, to ~ (from university) céim a bhaint amach

graduation n, (of student) baint amach céime; bronnadh céime; céimniú

graft[1] n beangán, nódú vt nódaigh

graft[2] n cúbláil, breabaireacht

grain n gráinne; arbhar, grán; snáithe, against the ~ in aghaidh dula, in aghaidh stoith vt gráinnigh

graip n graeipe

gram n gram

grammar n gramadach; graiméar

grammatical a gramadúil

gramophone n gramafón

granary n gráinseach

grand a mór; breá; galánta, ardnósach

grandad n daideo

grandchildren npl clann clainne

grand-daughter n gariníon

grandeur n maorgacht, uaisleacht

grandfather n seanathair, athair mór, athair críonna

grandma n mamó, móraí

grandmother n seanmháthair, máthair mhór, máthair chríonna

grandson n garmhac

grandstand n (an) seastán mór

granite n eibhear

granny n mamó, móraí

grant n deonú, bronnadh, lamháil, tíolacadh; deontas vt deonaigh, tabhair, lamháil, bronn, to take sth for ~ed talamh slán, dóigh, a dhéanamh de rud, ~ed you saw her bíodh is go bhfaca tú í

granulate vt & i gránaigh

granulated a gráinneach

grape n fíonchaor, caor fíniúna

grapefruit n seadóg

graph n & vt & i graf

grapnel n graiféad

grapple vt & i, ~ with láimhsigh, greamaigh, to ~ with sth dul i ngleic, ag coraíocht, le rud

grasp n greim, glac; tuiscint vt & i forghabh, glac, greamaigh, to ~ an opportunity do dheis a thapú

grasping a greamaitheach; docht (faoi airgead), santach

grass n féar

grasshopper n dreoilín teaspaigh

grasslands npl féarthailte

grassy a féarmhar

grate[1] n gráta

grate[2] vt & i grátáil; adhain, scríob; díosc

grateful a buíoch

grater n scríobán, cheese ~ grátálaí cáise

gratification n sásamh

gratify vt sásaigh

grating[1] n grátáil, gríl

grating[2] n díoscán a díoscánach

gratis a & adv in aisce, saor

gratitude n buíochas

gratuitous a saor, in aisce, ~ insult masla gan tuilleamh

gratuity n deolchaire, síneadh láimhe; luach dráir

grave[1] n uaigh, feart, leacht, in the ~ san úir, ag tabhairt an fhéir, faoin bhfód

grave² *a* tromchúiseach, tromaí

gravel *n* gairbhéal, grean

graven *a* greanta

gravestone *n* leac uaighe

graveyard *n* reilig

gravitate *vi* imtharraing (ar *towards*, timpeall *around*), *to* ~ *towards a person* druidim i dtreo duine

gravitation *n* domhantarraingt, imtharraingt; tarraingt

gravity *n* tromchúis; imtharraingt, domhantarraingt, *centre of* ~ meáchanlár

gravy *n* súlach

graze¹ *vt & i, to put cattle out to* ~ beithígh a chur ar féarach, *grazing the fields* ag ithe na bpáirceanna

graze² *vt & i* scríob, gránaigh

grazier *n* grásaeir

grazing *n* innilt, inior; féarach

grease *n* smearadh, gréisc, bealadh, olar *vt* smear, bealaigh, gréisc

grease-paint *n* gréisclí

greaseproof *a* gréiscdhíonach

greasy *a* gréisceach, bealaithe, olartha

great *a* mór, ábhalmhór, éifeachtach, mór-, oll-, *a* ~ *game* an-chluiche

great-aunt *n* seanaintín

greatcoat *n* cóta mór

great-grandfather *n* sin-seanathair, garathair

grebe *n* foitheach, *little* ~ laipirín

greed *n* saint, cíocras, ampla, airc

greedy *a* santach, cíocrach, amplach, ~ *eater* alpaire, craosaire

green¹ *n* báinseach, plásóg, faiche, réileán

green² *n & a* glas, uaine; núíosach

greengage *n* glaspluma

greengrocer *n*, ~ *'s shop* siopa glasraí

greenhorn *n* núíosach

greenhouse *n* teach gloine

greet *vt* beannaigh (do)

greeting *n* beannú, beannacht, ceiliúr

gregarious *a* tréadúil, caidreamhach

Gregorian *a* Greagórach, ~ *chant* cantaireacht eaglasta

grenade *n* gránáid

grenadier *n* gránádóir

grey *n* glas, liath *a* glas, liath, brocach

greyhound *n* cú

grid *n* greille, eangach

griddle *n* grideall

grief *n* brón, dobrón, léan, méala, danaid

grievance *n* ábhar gearáin, casaoid

grieve *vt & i* buair, goill (ar), cráigh, *don't* ~ *over that* ná cuireadh sin buairt, mairg, ort; ná bíodh rud ort faoi

grievous *a* danaideach, léanmhar; trom

grill *n* greille; gril; grioscadh, griscín *vt & i* grioll, griosc

grille *n* grátáil, greille

grillroom *n* grioslann

grilse *n* griolsa, maighreán

grim *a* dúr, dúranta, duaiseach

grimace *n* grainc, gramhas, strabhas, scaimh *vi, to* ~ cár, draid, gramhas, strainc, a chur ort féin

grime *n* smúr, smúit

grimy *a* brocach, smúrach, crosach

grin *n* straois, gramhas, draidgháire, drannadh *vi* drann, *to* ~ cár, straois, a chur ort féin; draidgháire a dhéanamh

grind *n* tiaráil, fuirseadh *vt & i* líomh; meil, cogain, *to* ~ *one's teeth* díoscán a bhaint as do chuid fiacla

grinder *n* meilteoir

grindstone *n* cloch fhaobhair, cloch líofa, *he has his nose to the* ~ tá sé faoi dhaoirse na gcorr

grip *n* greim; doirnín, *in the* ~ *of a cold* gafa ag slaghdán, *to come to* ~*s with a person* dul i ngleic le duine, breith isteach ar dhuine *vt & i* greamaigh, fostaigh

gripes *npl* coiliceam, treighid *vt & i, to gripe a person* coiliceam, treighid, a chur ar dhuine, *to gripe* (at *sth*) bheith ag síorchasaoid, ag canrán, (faoi rud)

gripping *a* greamaitheach

grisly *a* arrachtach, anchúinseach, scanrúil

grist *n* bleathach, *bringing* ~ *to one's own mill,* ag cur abhrais ar do choigeal féin, ag tochras ar do cheirtlín féin

gristle *n* loingeán

grit *n* grean, smúdar; gus, sracadh

grizzled *a* bricliath

groan *n* cnead, ochlán, osna *vi* éagnaigh, cnead

grocer *n* grósaeir

grocery *n* grósaeireacht

grog *n* grag

groggy *a* barrthuisleach, *I felt* ~ bhí na cosa ag tabhairt fúm, bhí na hioscaidí ag lúbadh fúm

groin *n* bléin

groom *n* eachaire, grúmaeir; grúm, an fear óg

grooming *n* piocthacht; grúmaeireacht

groomsman *n* finné fir, vaidhtéir

groove *n* clais, eang, eitre, feire *vt* clasaigh, eitrigh

grope *vt & i, groping* ag smúrthacht, ag útamáil, ag méaraíocht, ag dornásc, *groping one's way along* ag brath (na slí) romhat

gross *n* grósa *a* otair; garbh, brúidiúlach, ~ *profit* ollbhrabús, ~ *ignorance* dubh-ainbhios, ~ *national product* olltáirgeacht náisiúnta

grotesque *n* arracht, torathar *a* anchúinseach, ainspianta, ~ *appearance* cuma shonraíoch

grotto *n* uaimh

ground[1] *n* talamh, lár; foras, *to stand one's* ~ an fód a sheasamh, *there are* ~*s for supposing that* tá bunús leis an tuairim go *vt & i* fódaigh, suigh, *to be well*~*ed in a subject* buneolas maith ar ábhar a bheith agat

ground[2] *a* greanta; líofa, ~ *rice* rís mheilte

groundsel *n* grúnlas

group *n* gasra, dream, drong, grúpa *vt & i* grúpáil, rangaigh, cruinnigh

grouse[1] *n* cearc fhraoigh

grouse[2] *n* cnáimhseáil, canrán *vi* gearán, *to* ~ cnáimhseáil a dhéanamh

grove *n* garrán, doire

grovel *vi* lútáil

grow *vt & i* fás, méadaigh, borr, *to* ~ *big* éirí mór, *when she grew up* nuair a tháinig ann di, nuair a tháinig sí i méadaíocht, *to* ~ *worse, strong* dul i ndonas, i neart

growl *n* dorr, grúscán, drantán *vi* drantaigh

grown-up *n* duine fásta *a* críonna, fásta

growth *n* fás, forás, forbairt, borradh, méadú

grub *n* cruimh

grub-axe *n* grafán

grubby *a* smeartha, brocach

grudge *n* fala, faltanas, olc *vt, to* ~ *a person sth* rud a mhaíomh ar dhuine, rud a thnúth do dhuine

grudgingly *adv* go doicheallach

gruel *n* praiseach, brachán lom

gruff *a* gairgeach, giorraisc, dorrga, grusach

grumble *n* clamhsán, cnáimhseáil, ceasacht, casaoid *vi* ceasnaigh, gearán, *to* ~ casaoid, clamhsán, canrán, a dhéanamh

grumbler *n* cnáimhseálaí, clamhsánaí

grumpy *a* cantalach

grunt *n* gnúsacht, griotháil *vi* griotháil, ~ *ing* ag gnúsachtach

guarantee *n* barántas, urra, ráthaíocht, slánaíocht *vt* ráthaigh, *I'll* ~ *you he was there* gabhaim orm go raibh sé ann

guarantor *n* urra

guard *n* garda, cosaint, faire, *to put a person on his* ~ (*against sth*) duine a chur ar a fhaichill (ar rud), *to take a person off* ~ duine a fháil ar faill *vt & i* gardáil, coimhéad, cosain, *to* ~ *self against sth* tú féin a sheachaint, a fhaichill, ar rud

guarded *a* faichilleach, cúramach, ~ *answer* freagra seachantach

guardian *n* caomhnóir, coimirceoir

guerilla *n* treallchogaí, guairille *a* guairilleach, ~ *warfare* treallchogaíocht

guess *n* tomhas, *random* ~ builb faoi thuairim, *have a* ~ caith do chrann tomhais *vt & i* tomhais, tuairimigh

guess-work *n* tuairimíocht

guest *n* aoi, *to be someone's invited* ~ bheith ar cuireadh ag duine

guest-house *n* teach aíochta, aíochtlann

guffaw *n* scolghaire, scairt gháire *vi, to* ~ scolfairt a dhéanamh, scairt gháire a ligean asat

guidance *n* treoir, stiúradh, giollacht

guide *n* treoraí, ceannaire; treoir; eolaí, *girl* ~ banóglach *vt* treoraigh, dírigh, giollaigh, stiúir

guild *n* cuallacht, gild

guile *n* cealg, meang, lúbaireacht, calaois

guileless *a* soineanta; ionraic, macánta

guillemot *n* foracha

guillotine *n* gilitín

guilt *n* ciontacht

guilty *a* ciontach, coireach

guinea *n* gine

guinea-hen *n* cearc ghuine

guinea-pig *n* muc ghuine

guise *n* riocht, gné

guitar *n* giotár

gulf n murascaill

gull n faoileán, black-backed ~ droimneach, black-headed ~ sléibhín vt, to ~ a person bob a bhualadh ar dhuine

gullet n craos, píobán réidh; slogaide

gullible a boigéiseach, saonta, mothaolach

gully n feadán, clais; líntéar

gulp n slog(óg) vt & i slog, he ~ed tháinig tocht air

gum[1] n drandal, carball

gum[2] guma; sram (i súil) vt & i greamaigh, sram, ramhraigh

gumboil n liag dhrandail

gumption n ciall, meabhraíocht; spriolladh, gus

gun n gunna

gun-fire n lámhach, scaoileadh gunnaí

gunner n gunnadóir

gunwale n gunail, béalbhach, slat bhéil, slat bhoird

gurgle n glothar, glugar vi, gurgling ag plobarnach

gush n caise, scaird, steall, sconna vi scaird, scinn, séid

gushing a, (of water) caiseach, scaird-

each, (of person) scailéathanach, maoithneach

gusset n asclán, eang, guiséad

gust n séideán, síob, siota, great ~s of wind réablacha gaoithe

gusto n, to do sth with ~ rud a dhéanamh le fonn, le flosc

gut n inne, putóg, stéig vt, to ~ sth an t-ionathar a bhaint as rud

gutta-percha n guma peirce

gutter n gáitéar, clais, líntéar

guttersnipe n maidrín lathaí

guttural a scornúil

guy[1] n fear bréige, (of person) ceann, diúlach vt, to ~ a person fonóid, magadh, a dhéanamh faoi dhuine

guy[2] n cuibhreach vt cuibhrigh

guzzle vt & i plac, alp, slog, guzzling ag suthaireacht

gymnasium n giomnáisiam

gymnast n gleacaí

gymnastics n gleacaíocht

gynaecologist n lia ban

gypsum n gipseam

gypsy n giofóg

gyrate vi cas, rothlaigh

H

haberdashery n mionéadach, mionearraí

habit n béas, cleachtadh, gnás, nós; aibíd

habitable a ináitrithe

habitat n gnáthóg

habitation n teach, áitreabh, áras

habitual a gnách, rialta, past ~ tense aimsir ghnáthchaite

.habitue n gnáthóir, taithitheoir

hack[1] n, (of person) úspaire, tiarálaí

hack[2] vt & i ciorraigh, leadair, ~ing ag spreotáil

hackle n, his ~s are up tá cochall, ribe, círín troda, air

hackneyed a seanchaite

hacksaw n sábh miotail

haddock n cadóg

haemophilia n haemaifilia

haemorrhage n rith fola

haemorrhoids npl fíocas

haft n cos, feirc, urla

hag n cailleach

haggard[1] n iothlainn

haggard[2] a snoite, tarraingthe

haggle vi, haggling over the price of sth ag margáil, ag ocastóireacht, ag stangaireacht, faoi phraghas ruda

hagiography n naomhsheanchas

hail[1] n cloch shneachta vi, it's ~ing tá sé ag cur cloch sneachta

hail[2] n, the Hail Mary an tÁivé Máiria vt glaoigh ar, scairt le

hailstone n cloch shneachta

hair n clúmh, fionnadh; folt, gruaig, (single) ~ ribe

hairdresser n gruagaire

hairdressing n bearbóireacht, gruagaireacht

hairy a clúmhach, fionnaitheach, gruagach, ribeach

hake n colmóir

halberd n halbard

hale *a* breabhsánta, seamhrach, bagánta, folláin

half *n & a* leath, ~ *day* leathlá, *an hour and a* ~ uair go leith

half-back *n* leathchúlaí

half-forward *n* leath-thosaí

half-one *n*, (*of spirits*) leathcheann

half-wit *n* leathdhuine, leathcheann

halibut *n* haileabó

hall *n* halla

hallmark *n* sainmharc

hallowed *a* beannaithe, naofa

Halloween *n* Oíche Shamhna

hallucination *n* mearú súl, speabhraíd

halo *n* lios, fáinne, luan, *there is a ~ round the moon* tá garraí, bogha, ar an ngealach

halt *n & vt & i* stad, stop *a* bacach

halter *n* adhastar, ceanrach

halve *vt, to ~ sth* dhá leath a dhéanamh de rud; rud a bhriseadh, a roinnt, ina dhá leath

halyard *n* háilléar

ham *n* liamhás; más

hamburger *n* martbhorgaire

hamlet *n* gráig

hammer *n* casúr, ord, ceapord *vt & i* tuargain, buail, gread

hammock *n* ámóg, leaba luascáin

hamper[1] *n* cis, amparán

hamper[2] *vt* bac

hamstring *vt* speir

hand *n* lámh, crobh, glac, *clapping* ~ *s* ag bualadh bos *vt* seachaid, toirbhir, *to ~ sth to a person* rud a shíneadh chuig duine, rud a thabhairt do dhuine

hand-bag *n* mála láimhe

handball *n* liathróid láimhe

handbook *n* lámhleabhar

hand-clasp *n* greim láimhe

handcuffs *npl* dornaisc, glais lámh

handful *n* bos(lach), dornán, glac, mám, crág, slám

handicap *n* cis *vt* cis, cuir cis ar

handicapped *a*, ~ *child* páiste éislinneach

handicraft *n* lámhcheird

handkerchief *n* ciarsúr; naipcín póca

handle *n* cluas, cos, lámh, doirnín, sáfach, hanla *vt* ionramháil, láimhseáil, láimhsigh, ainligh

handler *n* lámhadóir

handling *n* ionramháil; glacaireacht, láimhdeachas

handsome *a* dóighiúil, dathúil, breá, feiceálach, ~ *woman* stuaire (mná)

handwoven *a* lámhfhite

handwriting *n* scríbhneoireacht, *I recognised her* ~ d'aithin mé a lámh

handy *a* acrach, áiseach, áisiúil, sásta, deaslámhach

hang *n*, *to get the* ~ *of sth* teacht isteach ar rud *vt & i* croch, ~ *ing on the wall* ar crochadh ar an mballa, *he hung his head* chrom sé a cheann, *her hair* ~ *ing down her back* a cuid gruaige siar síos léi, ag sileadh lena droim, ~ *ing around* ag fáinneáil timpeall

hangar *n* haingear

hanger *n* crochadán, croch

hanger-on *n* baoiteálaí, stocaire, *pl* cosmhuintir

hangman *n* crochadóir

hangover *n* póit

hank *n* iorna, giomhán, rothán

hankering *n*, *a ~ after sth* caitheamh i ndiaidh ruda, dúil i rud

haphazard *a* fánach

happen *vi* tarlaigh, teagmhaigh, *what* ~ *ed* cad a thit amach, *what* ~ *ed to him* cad a bhain dó, cad a d'éirigh dó, cad a d'imigh air, *If I* ~ *to be there again* má chastar ann arís mé

happiness *n* séan, sonas, suáilceas

happy *a* séanmhar, sona, sonasach, meidhreach

harass *vt* ciap, cráigh

harassment *n* ciapadh, cluicheadh, crá

harbinger *n* réamhtheachtaire

harbour *n* calafort, caladh, cuan, port *vt* caomhnaigh, *to ~ revenge* díoltas a chothú

hard *a* crua, dian, docht, dúr; deacair, doilígh; cadránta, ~ *cash* airgead tirim

harden *vt & i* cruaigh, cranraigh, scarbháil, stalc, stolp, *to ~ one's heart* do chroí a chúngú, a dhúnadh

hardly *adv* ar éigean, *he is* ~ *likely to do it* is beag an baol air é a dhéanamh, *I ~ believe it* is olc a chreidim é

hardness *n* cruas, déine; doichte

hardship *n* anró, cruatan, deacair, dochma

hardware *n* crua-earraí, iarnra

hard-wearing *a* dochaite, *that cloth is* ~ tá caitheamh maith san éadach sin

hard-working a dicheallach, saothrach

hardy a crua, cróga, miotalach; cuisneach

hare n giorria, míol buí

hare-lip n bearna mhil, gnás, séanas

hark vi, to ~ back to sth teacht ar ais ar rud

harlot n meirdreach, striapach

harm n damáiste, díobháil, urchóid, dochar, olc, aimhleas, it is no ~ to say ní miste a rá (go) vt máchailigh, to ~ sth díobháil, dochar, a dhéanamh do rud

harmful a díobhálach, dochrach, aimhleasach, olc, urchóideach

harmless a neamhurchóideach

harmonic a armónach

harmonious a oirfideach, siansach; sítheach

harmonium n armóin

harmonize vt & i armónaigh, to ~ with sth teacht, cur, réiteach, le rud

harmony n armóin, comhcheol; teacht le chéile, comhréiteach

harness n táclaí, úim vt gléas, úim

harp n cláirseach, cruit vi seinn ar chláirseach, to ~ on sth seamsán a dhéanamh ar rud

harpist n cláirseoir, cruitire

harpoon n muirgha, harpún

harrier n gadhar fiaigh

harrow n bráca, cliath fhuirste vt & i fuirsigh

harrowing a coscrach, léanmhar

harsh a gairgeach, garbh, garg; trom, ~ weather garbhshíon

harvest n fómhar, to do the ~ work an fómhar a dhéanamh vt & i bain, sábháil

hash n, to make a ~ of sth praiseach a dhéanamh de rud

hashish n haisis

hasp n haspa, lúbán

haste n deabhadh, deifir, dithneas, driopás

hasten vt & i brostaigh, deifrigh, luathaigh

hasty a araiciseach, grodfhoclach, luath-intinneach, teasaí, tobann, ~ deed gníomh grod

hat n hata

hatch¹ n haiste

hatch² vt & i gor, to ~ eggs gor a dhéanamh ar uibheacha, ~ing a plot ag cothú ceilge, ~ing from an egg ag teacht as ubh

hatchery n gorlann

hatchet n tua, let us bury the ~ caithimis an chloch as ár muinchille

hate n fuath, gráin vt fuathaigh, gráinigh, tabhair fuath do

hateful a fuafar, gráiniúil

hatred n fuath, gráin, mioscais

haughty a uaibhreach, móiréiseach, toirtéiseach, teidealach

haul n tarraingt, ~ of fish cor éisc vt tarlaigh, tarraing, to ~ in a sail seol a lomadh

haulage n iompar, carraeireacht, tarlú

haunch n ceathrú, gorún, leis

haunt n gnás, gnáthóg vt gnáthaigh, lonnaigh, taithigh

haunted a, ~ house teach siúil

have vt, I ~ it tá sé agam, to ~ a meal béile a chaitheamh, tráth bia a dhéanamh, I don't ~ to work níl orm obair a dhéanamh, he had to go b'éigean dó imeacht aux vb, you ~ arrived tháinig tú, tá tú tagtha, she had gone by the time I arrived bhí sí imithe faoi ar tháinig mise

haversack n mála lóin

havoc n ár, millteanas, eirleach, sléacht, he will wreak ~ déanfaidh sé gríosach

haw n sceachóir

hawk n seabhac

hawker n mangaire

hawthorn n sceach (gheal)

hay n féar (tirim), ~ fever slaghdán teaspaigh

hazard n baol, contúirt, guais

hazardous a baolach, contúirteach, guaiseach

haze n ceo, ceobhrán, heat ~ ceo bruithne, ró samh

hazel n coll

hazelnut n cnó coill, cnó gaelach

hazy a smúranta; doiléir, ~ recollection meathchuimhne, mearchuimhne

he pron sé, seisean; é, eisean, ~ came tháinig sé, ~ was beaten buaileadh é, ~ is a doctor is dochtúir é, ~ who knows an té a bhfuil a fhios aige

head n ceann, cloigeann; uachtarán, ~ of cabbage tor cabáiste, ~ of hair cúl (gruaige), folt (gruaige), at the ~ of the men ar cheann na bhfear a, ~ office príomhoifig vt, to ~ off a cow bó a cheapadh, to ~ the list bheith ar bharr an liosta, ~ing for the fair ag tarraingt ar an aonach, to ~ for a place déanamh, díriú, ar áit

headache n tinneas cinn
head-gear n ceannbheart
heading n ceannteideal
headland n ceann tíre, rinn; cinnfhearann
headlight n ceannsolas
headline n ceannlíne
headlong adv ceann ar aghaidh, he fell ~ thit sé i ndiaidh a chinn
headmaster n ardmháistir
headmistress n ardmháistreás
headquarters npl ceannáras, ceanncheathrú
headscarf, head-square n binneog, caifirín
headstone n cloch chinn, liag
headstrong a ceanndána, ardintinneach, dalba
heal vt & i cneasaigh, íoc, leigheas, slánaigh
health n sláinte, folláine
healthy a folláin, sláintiúil, slán
heap n carn, cnap, cual, cnocán, moll, ~ s of money na múrtha airgid vt carn, cnap
hear vt & i cluin, clois, airigh, mothaigh, to ~ confession faoistin a éisteacht, a thabhairt
hearer n éisteoir
hearing n éisteacht, cloisteáil, cluinstin, clos
hearsay n clostrácht, scéal scéil
hearse n cóiste na marbh, eileatram
heart n croí; hart, take ~ glac misneach, off by ~ de ghlanmheabhair
heart-broken a croíbhriste
heartburn n daigh chroí
hearten vt misnigh, to ~ a person a chroí a thabhairt do dhuine
hearth n teallach, tinteán
heartrending a coscrach
heart-scald n crá croí, greadadh croí
hearty a croíúil; seamhrach, bagánta, breabhsánta, ~ welcome fíorchaoin fáilte

heat n teas; bruithean, brothall, beirfean, teocht; éastras, dáir, láth, adhall vt & i téigh, breoigh, gor
heated a téite, ~ arguments argóintí teasaí
heater n téitheoir
heath n fraoch; móin, móinteach
heathen n págánach a páganta
heather n fraoch
heating n téamh, central ~ téamh lárnach
heat-wave n tonn teasa, tonn teaspaigh
heave n tarraingt, urróg vt & i caith, tarraing, teilg; at, bolg, to ~ a sigh osna a ligean
heaven n neamh, na flaithis
heavenly a neamhaí; aoibhinn, ~ body rinn neimhe
heavy a trom, ~ work obair mhaslach, ~ with sleep marbh le codladh
heavyweight n trom-mheáchan
heckle vt & i trasnaigh
hectare n heictéar
hectogram n heicteagram
hectometre n heictiméadar
hedge n fál vt & i, to ~ in a piece of ground cuibhreann talaimh a fhálú, to ~ about sth dul ar chúl scéithe le rud
hedgehog n gráinneog
hedge-school n scoil ghairid, scoil scairte
hedge-sparrow n donnóg
hedonism n héadónachas
heed n aird, aire vt, don't ~ him ná tabhair aird air, ná héist leis
heedless a neamhairdiúil, neamh-aireach
heel n sáil
hefty a scafánta, urrúnta
he-goat n pocán
heifer n bearach, seafaid, bodóg
height n airde; ard, at the ~ of his career i mbarr a réime
heighten vt ardaigh, to ~ colour dath a aibhsiú
heinous a gráiniúil, uafásach
heir n comharba, oidhre
heirloom n séad fine
helicopter n héileacaptar
hell n ifreann, to ~ with them bíodh an diabhal acu
hellish a ifreanda
helm n halmadóir, to be at the ~ bheith ar an stiúir
helmet n cafarr, clogad, ceannbheart

helmsman n fear stiúrach

help n cabhair, cuidiú, cúnamh, fóirithint vt cabhraigh le, cuidigh le, fóir ar, *I can't ~ it* níl neart agam air, *God ~ us* go bhfóire Dia orainn, chí Dia sinn

helper n cuiditheoir, cúntóir

helpful a cabhrach, cuidiúil, cúntach

helpless a dímríoch, éidreorach, *~ little creature* créatúr beag fágtha

hem n fáithim vt, *to ~ cloth* fáithim a chur le héadach, *to ~ a person in* duine a theanntú, a sháinniú

hemisphere n leathchruinne, leathshféar

hemline n fáithimlíne

hemp n cnáib

hen n cearc

hence adv as seo, *a year ~* bliain ó inniu

henceforth adv as seo amach, feasta

hen-harrier n cromán na gcearc

heptagon n heipteagán

her poss a, *~ head* a ceann, *~ father* a hathair, *~ hair* a cuid gruaige, *~ town* an baile seo aicise pron í, ise, *with ~* léi, *without ~* gan í, *against ~* ina coinne, *the likes of ~* a leithéid(í) *praising ~* á moladh

herald n aralt, bolscaire

heraldry n araltas

herb n luibh, lus

herbaceous a luibheach, lusach

herbage n luibhre, lusra

herbalist n luibheolaí

herbivorous a luibhiteach

herd n sealbhán, tréad; cuingir; slua, *common ~* daoscarshlua vt aoirigh, *~ing cows* ag buachailleacht bó

herdsman n aoire, tréadaí

here adv anseo; abhus, *from ~ to Derry* ó, as, seo go Doire, *~ he comes* seo chugainn é

hereditary a dúchasach, oidhreachtúil, *~ right* dúchas, *~ land* dúiche; tír dhúchais

heredity n dúchas, oidhreacht

heresy n eiriceacht

heretic n eiriceach

heretical a eiriciúil

heritage n oidhreacht; dúchas

hermetic a heirméiteach

hermit n díthreabhach, aonarán

hermitage n díseart, díthreabh

hernia n maidhm sheicne

hero n curadh, gaiscíoch, laoch

heroic a curata, cróga, gaisciúil, laochta

heroin n hearóin

heroine n banlaoch

heroism n crógacht, curatacht, gaisciúlacht, laochas

heron n corr éisc

herpes n deir

herring n scadán

hers pron, *it is ~* is léi é, *that one is ~* sin é a ceannsa; is léise an ceann sin, *a friend of ~* cara léi, di, dá cuid, *that son of ~* an mac sin aici

herself pron ise; sí, í, féin; bean an tí, *feeding ~*, á cothú féin

hesitant a éideimhin, stadach

hesitate vi moilligh, *to ~* bheith idir dhá chomhairle, bheith i ngalar na gcás

heterogeneous a ilchineálach, ilghnéitheach

hew vt gearr, snoigh, teasc

hewer n tuadóir

hexagon n heicseagán

hibernate vi geimhrigh

hibernation n geimhriú

hiccup n fail, snag

hickory n hicearaí

hidden a folaitheach, faoi cheilt, i bhfolach

hide[1] n craiceann, seithe; leathar

hide[2] vt & i ceil, folaigh, cuir i bhfolach, téigh i bhfolach

hide-and-seek n folach bíog, folach cruach

hide-bound a cúng

hideous a fuafar, urghránna, míofar

hierarchy n cliarlathas

high a ard, *a foot ~* troigh ar airde, *~ speed* mórlua, *~ pressure* ardbhrú, *~ colour* dath aibhseach, *~ tide* lán mara, barr taoide, *in ~ spirits* lán d'anam, *it is ~ time for me to go* is mithid dom imeacht, *he has a ~ opinion of himself* tá sé mór as féin

highland n ardchríoch, *H~s of Scotland* Garbhchríocha na hAlban

highlight n cuid suntais vt, *to ~ sth* suntas a tharraingt ar rud

highness n, *his H~* a Mhórgacht

high-pitched a callánach, géar, *~ note* scol

high-spirited a aigeanta, anamúil, meanmnach, spridiúil

highway *n* mórbhealach, bóthar mór, ~ *robbery* éirí slí
highwayman *n* ropaire (bóthair)
hijack *vt* fuadaigh
hijacker *n* fuadaitheoir
hiking *n* fánaíocht, siúl de chois
hilarious *a* scléipeach, gleoiréiseach
hilarity *n* scléip, meidhir
hill *n* cnoc, tulach
hillclimbing *n* cnocadóireacht
hillock *n* cnocán, tulán, mullán, ard, maoileann
hilly *a* cnocánach
hilt *n* dornchla, feirc
him *pron* é, eisean, *with* ~ leis, *without* ~ gan é, *against* ~ ina choinne, *the likes of* ~ a leithéid(í), *beating* ~ á bhualadh
himself *pron* eisean; sé, é, féin; fear an tí, *feeding* ~ á chothú féin
hind[1] *a*, ~ *legs* cosa deiridh
hind[2] *n* eilit
hinder *vt* bac, toirmisc, coisc, *to* ~ *a person from doing sth* rud a bhacadh ar dhuine
hindquarters *npl* tiarach, tóin
hindrance *n* bac, cosc, éaradh, moill
hindsight *n* iarghaois
hinge *n* inse, lúdrach, tuisle *vi*, *to* ~ *on sth* bheith ag brath ar rud éigin
hinny *n* ráineach
hint *n* leid, nod, leathfhocal, *the slightest* ~ gaoth an fhocail *vi*, *to* ~ *to a person that* leid a thabhairt do dhuine go
hinterland *n* cúlchríoch
hip[1] *n* cromán, corróg
hip[2] *n* mogóir
hippodrome *n* hipeadróm
hippopotamus *n* dobhareach
hire *n* pá, tuarastal; fostú *vt* fostaigh, *to* ~ *out sth* rud a ligean ar cíos, ~ *d (for a season)* in aimsir, ar aimsir
hire-purchase *n* fruilcheannach
his *poss a*, ~ *head* a cheann, ~ *father* a athair, ~ *town* an baile seo aigesean, ~ *hair* a chuid gruaige *pron*, *it is* ~ is leis é, *that one is* ~ sin é a cheannsan; is leis-sean an ceann sin, *a friend of* ~ cara leis, dó, dá chuid, *that son of* ~ an mac sin aige
hiss *n* siosarnach *vi*, ~ *ing* ag siosarnach, ag feadaíl
historian *n* staraí

historical *a* stairiúil
history *n* stair, oireas
histrionic *a* stáitsiúil; drámata; gáifeach
hit *n* aimsiú, buille *vt* aimsigh, buail, smiot, *to* ~ *it off with a person* teacht le duine, réiteach le duine, *to* ~ *on sth* teacht ar rud; rud a aimsiú
hitch *n* tarraingt, brú tobann; cor; bac, *without a* ~ gan tuisle *vt*, *to* ~ *up sth* tarraingt bheag aníos a thabhairt do rud, *to* ~ *sth on to sth* rud a cheangal de rud (le lúb, le crúca); rud a nascadh ar rud
hitch-hiker *n* síobaire
hitch-hiking *n* síobaireacht
hither *adv* anall, i leith
hitherto *adv* go dtí seo, go nuige seo
hive *n* coirceog
hives *npl* aodh thochais
hoard *n* ceallamán, taisce *vt* taisc
hoarding *n* clár fógrai(ochta)
hoar-frost *n* cuisne, glasreo, sioc liath, sioc bán
hoarse *a* ciachánach, piachánach, slóchtach, píobtha
hoarseness *n* ciach, piachán, slócht
hoax *n* bob, mealladh, cleas
hob *n* bac, iarta
hobble *n* glaicín, laincis *vt & i*, *to* ~ *a horse* glaicín, laincis, a chur ar chapall, *hobbling along* ag bacadradh
hobby-horse *n* capall maide
hobgoblin *n* púca, bocánach
hockey *n* haca
hod *n* adac
hoe *n* grafán *vt*, *to* ~ *a garden* gairdín a ghrafadh
hogget *n* uascán
hogshead *n* oigiséad
hoist *vt* ardaigh, *to* ~ *a sail* seol a chrochadh
hold[1] *n* greim *vt & i* coiméad, coinnigh, *to* ~ *fast to sth* greamú de rud, *if the weather* ~ *s up* má sheasann an aimsir, *to* ~ *a meeting* cruinniú a thionól
hold[2] *n* bolg, broinn (loinge)
hold-all *n* glac a bhfaighir
holder *n* sealbhóir
holding *n* gabháltas *a*, ~ *company* cuideachta shealbhaíochta
hole *n & vt & i* poll
holiday *n* lá saoire, *to go on* ~ *s* dul ar (laethanta) saoire

holiness n naofacht

hollow n cabha, log, cuas, wooded ~ fothair, ailt a cuasach, toll, cuachach, ~ land logán, he beat me ~ bhuail sé caoch mé

holly n cuileann

holocaust n uileloscadh

holster n curra

holy a beannaithe, naofa, ~ water uisce coisreacain, H~ Week an tSeachtain Mhór

homage n ómós, urraim

home n baile, to go ~ dul abhaile, at ~ sa bhaile

homeland n tír dhúchais

homeless a, ~ person díthreabhach

homely a tiriúil

home-made a, ~ bread arán baile

homesick a cumhach

homespun n báinín, bréidin, éadach baile, (grey) ~ ceanneasna, undyed ~ glas caorach a de dhéantús baile; simplí, lom

homestead n áitreabh

homewards adv abhaile

homework n obair thinteáin; obair bhaile

homicide n dúnbhású, dúnmharú; dúnbhásaí

homily n aitheasc, seanmóir

homogeneous a aonchineálach

homosexual n & a homaighnéasach

honest a cóir, ionraic, macánta, cneasta

honesty n ionracas, macántacht, cneastacht

honey n mil

honeycomb n cíor mheala vt criathraigh, ~ed with sth foirgthe le rud

honeymoon n mí na meala

honeysuckle n féithleann, táthfhéithleann

honorary a onórach, ~ secretary rúnaí oinigh

honour n clú, oineach, onóir; ómós, urraim; creidiúint vt oirmhinnigh, onóraigh

honourable a ionraic, onórach, uasal

hood n cochall, húda

hoodwink vt, to ~ a person dallamullóg, púicín, a chur ar dhuine

hoof n crúb

hook n cromóg, crúca, croch, fishing ~ duán, reaping ~ corrán, ~ and eye lúb is corrán vt crúcáil

hooked a corránach, cromógach, crúcach

hooker n húicéir

hooligan n amhas

hoop n cuar; buinne, fonsa; lúbán, roithleán, rollóir

hoot n scréach, ~ of horn séideadh adhairce, to ~ a person faireach a dhéanamh faoi dhuine

hooter n bonnán

hop[1] n leannlus

hop[2] n abhóg, preab, truslóg, ~ of ball léim liathróide vt & i léim, preab

hope n dóchas, dúil, súil, dóigh vi, to ~ for sth bheith ag súil, ag dúil, le rud

hopeful a dóchasach, misniúil

hopeless a éadóchasach, to give it up as ~ deireadh dúile a bhaint de

horizon n bun na spéire, íor na spéire, imeall na spéire, léasline

horizontal a cothrománach

hormone n hormón

horn n adharc, beann; buabhall, corn vt adharcáil

hornpipe n cornphíopa

horny a cranrach, adharcach, rosach

horoscope n tuismeá

horrible a fuafar, uafásach, urghránna, millteanach

horrid a gránna, fuafar

horrify vt, to ~ a person déistin, uafás, a chur ar dhuine

horror n gráin, uafás

horse n capall, each, beithíoch, gearrán, ~ and foot cos agus each

horseback n, on ~ ar dhroim capaill

horse-chestnut n cnó capaill

horsefly n creabhar

horse-mackerel n bolmán, gabhar

horseman n marcach pl marcra, marcshlua, eachra

horse-power n each-chumhacht

horse-shoe n crú capaill

horticulture n gairneoireacht

hose n osáin, stocaí; píobán

hosiery n góiséireacht, osánacht

hospitable a fial, flaithiúil, tíosach

hospital n ospidéal, otharlann

hospitality n aíocht, féile, oineach

host[1] n slua, sochaí

host[2] n óstach, tíosach

host[3] n abhlann

hostage n brá, giall

hostel n brú, iostas

hostess n banóstach

hostile a eascairdiúil, naimhdeach

hostility n eascairdeas, naimhdeas

hosting n slógadh, teaglaim slua

hot a te, bruithneach, ~ *weather* aimsir bhrothallach, ~ *temper* teasaíocht

hotchpotch n manglam, prácás

hotel n óstlann

hotelier n óstlannaí

hotfoot adv, *to go off* ~ imeacht bog te

hot-headed a teasaí

hough n speir, seir vt speir

hound n cú vt, *to* ~ *a person* bheith sa droimruaig ar dhuine; coinneáil i ndiaidh duine

hour n uair, *this* ~ *of the day* an tráth seo den lá, *at the* ~ *of seven* ar a seacht a chlog

house n teach, áras, *to set up* ~ dul i dtíos

household n líon tí, muintir an tí, teaghlach

householder n fear (an) tí, sealbhóir tí, tíosach

housekeeper n bean tí, tíosach

housekeeping n teaghlachas, tíos

housewife n bean tí, ~ *thread* gúshnáithe

housing n tithíocht

hovel n bráca, cró, prochóg

hover vi ainligh, ~*ing* ag foluain, ag guairdeall

hovercraft n árthach foluaineach

how adv cén chaoi, cad é mar, conas, ~ *much money have you* cén méid airgid atá agat, ~ *many* cá mhéad, ~ *long* cá fhad, ~ *sharply she spoke* a ghéire a labhair sí, ~ *tall she is*! chomh hard léi!

however adv áfach, ámh, arae, má tá, ~ *high the mountain* dá airde an sliabh, is cuma cé chomh hard leis an sliabh

howl n glam, uaill, uallfairt vi glam, ~*ing* ag uallfartach

howsoever adv cibé ar domhan é

hub n mol, imleacán

hubbub n rírá

huckster n mangaire, ocastóir

huddle n gróigeadh, ~ *of houses* moll tithe vt & i gróig, ~*d in the chimney-corner* cuachta sa chlúid

hue n imir, scáil

huff n spuaic, stuaic vt & i, *to* ~ dul chun staince, *to* ~ *a man* (*in draughts*) fear a fhuadach

huffy a stainceach, stuacach

hug n barróg, cuach vt, *to* ~ *a person* barróg a bhreith ar dhuine

huge a ollmhór, ~ *person, thing* fámaire, piarda

Huguenot n & a Úgónach

hulk n creatlach, conablach

hull n cabhail, colainn (loinge); mogall, crotal vt & i scillig

hum n crónán, dordán, monabhar, geoin, sian vt & i dord, ~*ming to himself* ag crónán dó féin, ~*ming an air* ag drantán ceoil

human a daonna, duineata, ~ *being* daonnaí, duine, ~ *race* an cine daonna, síol Éabha

humane a Críostúil, daonnachtúil, daonna

humanism n daonnachas

humanist n daonnachtaí

humanity n daonnacht, duiniúlacht; nádúr daonna; an cine daonna, *the humanities* an sruithléann

humble a uiriseal, umhal, íochtarach, suarach vt ísligh, uirísligh, umhlaigh

humbug n cur i gcéill vt, *to* ~ *a person* dallach dubh a chur ar dhuine

humdrum a liosta, síorghnách

humid a tais

humidity n taise

humiliate vt náirigh, uirísligh, méalaigh

humiliation n céim síos, uirísliú, méalú

humility n uirísle, umhlaíocht

hummock n tortóg, tulán

humorous a greannmhar, saoithiúil, ~ *story* scéal grinn

humour n lionn; greann, *he is in a good* ~ tá aoibh mhaith, giúmar maith, air, *out of* ~ as giúmar, *they are in* ~ *for talking* tá fonn cainte orthu vt, *to* ~ *a person* duine a ionramháil, a ghiúmaráil

hump n cruit, dronn

humpbacked a cruiteach

humus n húmas

hunch n cruit, dronn, dioc, gúnga, *to have a* ~ *that* tuaileas a bheith agat go vt, *to* ~ *one's shoulders* na guaillí a chruinniú; dronn a chur ort féin

hunchback n cruiteachán

hunched *a* dronnach, gúngach; cuachta, sleabhchta, *she was ~ over the fire* bhí dronn uirthi os cionn na tine

hundred *n & a* céad

hundreth *n & a* céadú

hundredweight *n* céad (meáchain)

hunger *n* ocras, gorta

hungry *n* ocrach, amplach, gortach, *~ person* amplóir, *I am ~* tá ocras orm

hunk *n* canta, dabhaid, stiall, slaimice

hunkers *npl, on one's ~* ar do chorraghiob, ar do ghogaide, ar do ghlúine beaga

hunt *n* fiach, seilg, tóir *vt & i* fiach, seilg

lunter *n* fiagaí, sealgaire

hurdle *n* cliath

hurdle-race *n* cliathrás

hurl *vt & i* rad, teilg; iomáin

hurler *n* iománaí

hurley *n* camán; iománaíocht

hurling *n* iomáin, iománaíocht, *~ ball* sliotar

hurrah *int* hura

hurricane *n* hairicín

hurried *a* deifreach, dithneasach, fuadrach

hurry *n* broid, deabhadh, deifir, driopás, práinn *vt & i* déan deifir, brostaigh, deifrigh, *~ off home* fáisc ort abhaile

hurt *n* díobháil, dochar, gortú, lot *vt* gortaigh, loit, *the blow ~ him* ghoill an buille air

hurtful *a* díobhálach, dochrach, iarógach, nimhneach, *~ remark* focal goilliúnach, focal urchóideach

husband *n* fear (céile)

husbandry *n* fearas, *animal ~* riar stoic

hush *n* ciúnas, tost

husk *n* crotal, faighneog, mogall *vt & i* scilig, scil

huskiness *n* ciachán, piachán, slócht

husky *a* ciachánach, piachánach, slóchtach

hussy *n* scubaid, toice

hustle *n* brú, driopás, fuadar *vt & i* deifrigh, *to ~ a person* duine a bhrú, a thuairteáil

hut *n* bothán, púirín, bráca

hyacinth *n* bú, *wild ~s* coinnle corra

hybrid *n* hibrid *a* hibrideach, crossíolrach

hydrant *n* béal tuile, hiodrant

hydraulic *a* hiodrálach

hydraulics *npl* hiodrálaic

hydro-electric *a* hidrileictreach

hydrogen *n* hidrigin

hyena *n* hiéana

hygiene *n* sláinteachas

hygienic *a* sláinteach

hymn *n* iomann

hyphen *n* fleiscín

hypnosis *n* hiopnóis

hypnotist *n* hiopnóisí

hypnotize *vt* hiopnóisigh

hypocrisy *n* béalchrábhadh, fimíneacht

hypocrite *n* fimíneach

hypocritical *a* fimíneach, fuarchráifeach

hypodermic *a* hipideirmeach

hypothesis *n* hipitéis

hypothetical *a* hipitéiseach

hysteria *n* histéire

hysterical *a* histéireach, taomach

I

I *pron* mé, mise, *vide inflected vb forms*

ice *n* oighear, (*sheet of*) *~* leac oighir *vt & i* oighrigh

iceberg *n* cnoc oighir

icebreaker *n* bristeoir oighir

ice-cream *n* reoiteog; uachtar reoite

icicle *n* bior seaca, coinlín reo, reodóg

icing *n* reoán

iconoclasm *n* íolbhriseadh

icy *a* oighreata

idea *n* barúil, smaoineamh; idé, *it is a good ~* is maith an cuimhneamh é, *I have no ~* níl tuairim agam

ideal *n* barrshamhail, idéal *a* idéalach

idealism *n* idéalachas

idealist *n* idéalaí

identical *a* comhionann, ionann, *they are ~* is mar a chéile iad

identification *n* aitheantas

identify vt sainaithin; ionannaigh (le), he *identified himself with the party* thug sé le fios go raibh dlúthbhaint aige leis an bpáirtí

identity n aithne, ionannas, céannacht

ideology n idé-eolaíocht

idiocy n amaideacht

idiom n cor cainte, teilgean cainte, titim cainte

idiosyncrasy n leithleachas; aisteachas

idiot n amaid, amadán

idle a díomhaoin, falsa, ~ *talk* baothchaint vi, *idling* ag falsacht, ag stangaireacht, *to* ~ díomhaointeas a dhéanamh, *(of engine)* réchasadh

idleness n díomhaointeas, neamh-aistear

idler n leiciméir, leisceoir, riste

idol n dia bréige, íol

idolatry n íoladhradh

if conj dá, má, ~ *not* mura, murach, ~ *I hadn't fallen* dá mbeinn gan titim

igloo n ioglú

igneous a adhantach, ~ *rock* bruthcharraig

ignite vt & i adhain

ignition n adhaint

ignoble a anuasal, táir

ignominious a aithiseach, náireach

ignominy n aithis, náire

ignoramus n ainbhiosán

ignorance n ainbhios, aineolas

ignorant a ainbhiosach, aineolach; mimhúinte, garbh, ~ *person* ainbhiosán, daoi, *to be* ~ *of sth* bheith dall ar rud

ignore vt, *to* ~ *sth* rud a scaoileadh thart, neamhiontas a dhéanamh de rud, ~ *him* ná tóg ceann ar bith dó

ill n díobháil, dochar, olc a breoite, dona, tinn, ain-, ~ *luck* drochrath, mí-ádh, ~ *humour* mícheádfa, ~ *repute* míchlú

ill-disposed a drochaigeanta, *to be* ~ *towards a person* droch-chroí a bheith agat do dhuine

ill-effect n iarsma, deasca

illegal a aindleathach, midhleathach, neamhdhlíthiúil

illegible a doléite

illegitimate a midhlisteanach, ~ *child* leanbh tabhartha, páiste gréine

ill-fated a mi-ámharach, cinniúnach

ill-gotten a bradach, ~ *gains* drochéadáil

ill-health n easláinte, breoiteacht

illicit a aindleathach

illiteracy n neamhlitearthacht

illiterate a neamhliteartha

ill-mannered a drochbhéasach, drochmhúinte, ~ *fellow* gíománach

ill-natured a droch-chroíoch

illness n breoiteacht, tinneas, galar

illogical a míloighciúil

ill-tempered a droch-araíonach, taghdach

ill-treat vt iospair, *to* ~ *a person* miúsáid, drochíde, íospairt, a thabhairt do dhuine

illuminate vt soilsigh, dealraigh; maisigh

illumination n soilsiú; maisiú

ill-usage n drochbhail, drochíde, íospairt, oidhe

illusion n seachmall, dul amú, ~s speabhraídí

illusionist n doilfeoir

illusory a meabhlach

illustrate vt léirigh, taispeáin; maisigh

illustration n eiseamláir, léiriú; léaráid, pictiúr; tarraingeoireacht

illustrious a oirirc, dearscnaitheach

ill-will n drochaigne, droch-chroí, olc

image n dealbh, íomhá, samhail, fíor, he *is the very* ~ *of his father* níl aon oidhre ar a athair ach é, is é a athair ina chruth daonna é, shilfeá gur anuas dá athair a gearradh é

imagery n íomháineachas, samhlaoidí

imaginary a samhailteach, taibhriúil

imagination n samhlaíocht

imaginative a samhlaíoch; fileata

imagine vt & i samhlaigh, he ~s *things* bíonn rudaí á dtaibhreamh dó

imbecile n amadán, amaid, leathdhuine a amaideach, éigiallta

imitate vt, *to* ~ *a person* aithris a dhéanamh ar dhuine

imitation n aithris, ~ *marble* marmar tacair

imitative a aithriseach

immaculate a gan smál, gan teimheal

immaterial a neamhábhartha, gan substaint, *it's* ~ *to me* is cuma liom faoi

immature a anabaí, neamhaibí, glas

immaturity n anabaíocht, neamhinmhe

immeasurable a domheasta, dothomhaiste, as cuimse, as miosúr

immediate a láithreach

immediately *adv* caol díreach, láithreach bonn, ar an toirt

immemorial *a, from time* ~ riamh anall

immense *a* aibhseach, ollmhór, ábhal

immerse *vt* báigh, tum, *to be* ~*d in one's work* bheith sáite i do chuid oibre

immersion *n* bá, folcadh, fothragadh, ~ *heater* téitheoir tumtha

immigrant *n & a* inimirceach

immigration *n* inimirce

imminent *a, war was* ~ bhí cogadh ag bagairt; bhí baol cogaidh ann

immobile *a* doghluaiste; gan chorraí

immoderate *a* ainmheasartha, míchuibheasach

immodest *a* mígheanasach, truaillí, mínáireach

immodesty *n* mígheanas, díth náire

immoral *a* mímhorálta, droch-

immorality *n* mímhoráltacht

immortal *a* neamhbhásmhar, do-mharaithe, bithbheo

immortality *n* do-mharaitheacht, neamhbhásmhaireacht

immovable *a* do-ghluaiste, do-bhogtha, dochorraithe

immune *a* imdhíonach, ~ *from saor ó

immunity *n* díolúine, saoirse; imdhíonacht

immunization *n* imdhíonadh

immunize *vt* imdhíon

immutable *a* do-athraithe

imp *n* crosdiabhal

impact *n* turraing; imbhualadh; éifeacht, tionchar

impair *vt* loit, máchailigh, lagaigh

impalpable *a* domhothaithe, do-bhraite

impart *vt, to* ~ *information to* eolas a thabhairt do

impartial *a* neamhchlaon, cothrom

impartiality *n* neamhchlaontacht, cothroime

impassable *a* doshiúlta, dothrasnaithe

impassive *a* neamh-mhothaitheach, ~ *countenance* gnúis shocair

impatience *n* mífhoighne, beophianadh; bruith laidhre

impatient *a* mífhoighneach, ar bís

impeccable *a* gan locht, gan smál, gan cháim

impecunious *a* dealbh

impede *vt* bac, coisc, toirmisc

impediment *n* bacainn, constaic, ~ *to*

marriage col (pósta), ~ *of speech* stad (i gcaint)

impel *vt* tiomáin, gríosaigh, spreag

impending *a*, ~ *war* an cogadh a bhí, atá, ag bagairt

impenetrable *a* dophollta, daingean

impenitent *n & a* neamhaithríoch

imperative *a* práinneach; ordaitheach

imperceptible *a* do-bhraite, formhothaithe

imperfect *a* neamhfhoirfe, ~ *tense* aimsir ghnáthchaite

imperfection *n* neamhfhoirfeacht; locht, máchail

imperial *a* impiriúil

imperialism *n* impiriúlachas

imperialist *n* impiriúlaí

imperious *a* anúdarásach, máistriúil, tiarnúil

impermanent *a* neamhbhuan, duthain

impermeable *a* díonach; neamhscagach

impersonal *a* neamhphearsanta

impersonate *vt* pearsanaigh

impersonation *n* pearsanú

impertinence *n* deiliús, soibealtacht

impertinent *a* deiliúsach, tagrach, ~ *talk* gearrchaint

impervious *a* neamh-thréscaoilteach, *person* ~ *to reason* duine nach n-éistfeadh le réasún

impetuous *a* tobann, spadhrúil, ~ *rush* séirse

impetus *n* fuinneamh, fórsa

impinge *vi, to* ~ *on sth* teagmháil le rud, *to* ~ *on one's mind* dul i bhfeidhm ar d'intinn, *to* ~ *on a person* dul thar teorainn ar dhuine, cúngú ar dhuine

impish *a* rógánta

implacable *a* doshásta

implement *n* acra, gléas, uirlis, giuirléid *vt, to* ~ *sth* rud a chur i gcrích, i bhfeidhm

implicate *vt, to* ~ *a person in a crime* ainm duine a lua le coir, *without implicating anyone* gan aon duine a tharraingt isteach ann, *to be* ~*d in sth* bheith, dul, ceangailte i rud

implicit *a* intuigthe, ~ *faith* creideamh iomlán, diongbháilte

implied *a* intuigthe

implore *vt* achainigh, impigh, guigh

imply *vt* ciallaigh, *to* ~ *sth* rud a thabhairt le tuiscint

import n allmhaire, iompórtáil; brí, ciall vt allmhairigh, iompórtáil; ciallaigh

importance n tábhacht, tromchúis, mór-luachacht

important a tábhachtach, tromchúis-each, mórluachach

importer n allmhaireoir, iompórtálaí

importunate a éilitheach, achainíoch, iarratach, sirtheach

importune vt & i sir, *importuning* ag déircínteacht, ag achainí

impose vt & i, *to ~ a tax on sth* cáin a chur, a leagan, ar rud, *to ~ a penalty on a person* pionós a ghearradh ar dhuine, *she ~d her will on them* chuir sí a toil i bhfeidhm orthu, *he is impos-ing on you* ag dul, ag gabháil, ort atá sé

imposing a maorga

impossible a dodhéanta

impotence n éagumas

impotent a éagumasach

impoverish vt bochtaigh, lomair

impracticable a dodhéanta, neamh-phraiticiúil

imprecation n eascaine, mallacht

impregnable a do-ghafa

impregnate vt toirchigh; líon, cumaisc le, ~ *ed with* lán de, ar maos le

impress vt, *to ~ a seal on sth* séala a bhrú ar rud, *to ~ sth on a person* rud a chur ina luí, i gcion, ar dhuine, *to ~ a per-son* dul i bhfeidhm ar dhuine

impression n cló, múnla; lorg, rian, imprisean, *I get the ~ from him (that)* braithim air (go)

impressionable a sochomhairleach

impressionism n impriseanachas

impressive a taibhseach, suntasach

imprest n óinchiste

imprint n cló, lorg

imprison vt, *to ~ a person* duine a chur i bpríosún

imprisonment n príosúnú; príosúnacht, *a year's ~* príosún bliana

improbable a andóch, neamhchosúil, neamhdhóchúil, *what would be most ~ of all* an rud ab éadóiche ar fad, *I think it ~* ní dóigh liom é

improper a míchuí

impropriety n éaguibheas, míbhéasaíocht

improve vt & i bisigh, feabhsaigh, leas-aigh

improvement n biseach, feabhas

improvident a éigríonna, míbharainn-each, doscaí

improvise vt & i seiftigh

imprudence n éigríonnacht, místuaim

imprudent a éigríonna, místuama

impudence n aisfhreagra; sotal, deiliús

impudent a deiliúsach, sotalach, ~ *fellow* dailtín

impulse n ríog, abhóg, gluaiseacht, spreang, taghd, tallann

impulsive a luathintinneach, ríogach, tobann, taghdach, tallannach

impure a mígheanmnaí; neamhghlan, salach

impurity n mígheanmnaíocht; salachar

impute vt, *to ~ sth to a person* rud a leagan ar dhuine, rud a chur i leith duine

in prep i, sa, sna, ~ *Cork* i gCorcaigh, ~ *heaven* ar neamh, *in honour (of)* in onóir, *in the kitchen* sa chistin, ~ *the spring* san earrach, ~ *flower* faoi bhláth, *in the guards* sna gardaí, *in Irish* i nGaeilge, as Gaeilge

inability n míchumas, neamhacmhainn

inaccessible a do-aimsithe, aistreánach, ionadach

inaccuracy n míchruinneas, neamh-bheaichte

inaccurate a míchruinn, neamhbheacht

inactive a neamhghníomhach, meath-bheo, míthapa, támhach

inactivity n neamhghníomhaíocht, támh

inadequate a uireasach

inadmissible a neamhcheadaithe

inadvertent a neamh-aireach

inane a leamh, éaganta, folamh

inanimate a neamhbheo

inappropriate a mí-oiriúnach, neamh-fhóirsteanach, míchuí

inarticulate a dothuigthe, balbh

inasmuch conj, ~ *as* sa mhéid go

inattentive a neamhairdiúil, neamh-aireach

inaudible a dochloiste

inaugurate vt oirnigh, *to ~ a person as king* rí a ghairm de dhuine; duine a oirniú ina rí

inauguration n oirniú

inborn a inbheirthe, dúchasach

inbreeding n insíolrú, ionphórú

in-calf a ionlao

incantation n ortha, briocht

incapable *a* éagumasach, míchumasach, neamhábalta

incapacitate *vt, to* ~ *a person* a chumas a bhaint de dhuine, duine a chur ó chumas

incarnation *n* ionchollú

incautious *a* neamhairdeallach, neamhfhaichilleach

incendiary *a* loiscneach

incense ¹ *n* túis *vt* túisigh

incense ² *vt* gríosaigh, *to* ~ *a person* olc, fearg, a chur ar dhuine

incentive *n* spreagadh, dreasacht

incessant *a* buan, síoraí, ~ *ly* gan staonadh

incest *n* ciorrú coil

incestuous *a* colach

inch *n* orlach

incident *n* eachtra, teagmhas

incidental *a* teagmhasach, ~ *expenses* fochostais

incinerate *vt* dóigh, loisc

incinerator *n* loisceoir

incision *n* gearradh

incisive *a* géar, gonta, *an* ~ *man* fear a bhfuil gearradh ann

incisor *n* clárfhiacail

incite *vt* dreasaigh, spreag, gríosaigh, saighid; fadaigh (faoi dhuine), séid (faoi dhuine)

incitement *n* gríosú, dreasú, saighdeadh, tathant, ~ *to anger* cothú feirge

incivility *n* daoithiúlacht, drochmhúineadh, neamhshibhialtacht

inclement *a* anróiteach, doineanta; garg

inclination *n* toil, claon(adh), éirim, leagan, ~ *to laugh* fonn gáire

incline *n* claon, fána, mala *vt & i* claon, luigh, diall, *to* ~ *one's head* goic, maig, a chur ort féin; do cheann a chlaonadh

inclined *a* claon, ~ *to obesity* claonta chun raimhre

include *vt* áirigh, cuimsigh, cuir san áireamh, folaigh, *it* ~ *s the rent* tá an cíos istigh leis

inclusive *a* cuimsitheach

incoherence *n* scaipeacht

incoherent *a* scaipeach, ~ *speech* caint scaipthe

income *n* fáltas, ioncam, teacht isteach

incoming *a*, ~ *letters* litreacha isteach

incomparable *a*, *he is* ~ níl duine ar bith inchomórtais, inchurtha, leis

incompatible *a* neamhfhreagrach (do)

incompetent *a* neamhinniúil, neamhéifeachtach

incomplete *a* bearnach, easnamhach, neamhiomlán

incomprehensible *a* dothuigthe

inconceivable *a* doshamhlaithe, dosmaoinimh

inconclusive *a* éiginntitheach

incongruous *a* mífhreagrach, neamhréireach

inconsiderate *a* antuisceanach

inconsistent *a* neamhfhreagrach, neamhréireach

inconspicuous *a* neamhfheiceálach, neamhshuntasach

inconstant *a* luaineach, neamhsheasmhach, midhílis

incontrovertible *a* dobhréagnaithe, doshéanta

inconvenience *n* ciotaí, míchóngar *vt, to* ~ *a person* cur as do dhuine, cur isteach ar dhuine, ciotaí a dhéanamh do dhuine

inconvenient *a* aistreánach, ciotach, miáisiúil

incorporate *vt & i* corpraigh, ionchorpraigh, *to* ~ *sth in sth* rud a chur isteach i rud eile

incorrect *a* mícheart, earráideach

incorrigible *a* domhúinte, doleasaithe

incorruptible *a* dothruaillithe; dobhreabtha, ionraic

increase *n* ardú, breis, méadú, ~ *in a family* bíseach ar theaghlach *vt & i* ardaigh, fás, méadaigh, *to* ~ *speed* géarú ar luas

incredible *a* dochreidte

incredulous *a* díchreidmheach

increment *n* ardú, breis

incriminate *vt* ionchoirigh, ciontaigh

incubate *vt* gor

incubator *n* goradán

incumbent *a, it is* ~ *on me* dlitear díom é

incur *vt, to* ~ *expense over sth* costas a dhéanamh le rud, *to* ~ *a fine* dul faoi fhíneáil, *to* ~ *shame* náire a fháil

incurable *a* doleigheasta, ó leigheas

incursion *n* ionradh

indebted *a, to be* ~ *to a person* éileamh a bheith ag duine ort, bheith faoi chomaoin ag duine

indecent *a* mígheanasach, ~ *assault* drochiarraidh

indecision *n* éiginnteacht

indecisive *a* éiginntitheach

indeed *adv* go dearfa, leoga, go deimhin, ~! ambaiste

indefatigable *a* dochloite, dothuirsithe

indefensible *a* dochosanta

indefinite *a* éiginnte, neamhchinnte

indelible *a* doscriosta

indelicate *a* míbhéasach, mínáireach, garbh

indemnify *vt* cúitigh, slánaigh

indemnity *n* comha, cúiteamh, slánaíocht

indent *vt* eangaigh

independence *n* neamhspleáchas, saoirse

independent *a* neamhspleách, saor; ar an neamhacra, ar an neamhthuilleamaí

indescribable *a* do-inste, *it was* ~ níl léamh ná scríobh air

indestructible *a* doscriosta

index *n* clár, treoir, innéacs, séan, ~ *finger* corrmhéar *vt & i* innéacsaigh, cláraigh

indicate *vt* léirigh, taispeáin, *he* ~d (*that*) thug sé le fios (go)

indication *n* comhartha, leid

indicative *n & a* táscach

indicator *n* táscaire, treoir, ~ *of barometer* snáthaid baraiméadair

indict *vt* díotáil

indictment *n* díotáil

indifference *n* fuarchúis, neamhshuim

indifferent *a* neamhshuimiúil, fuar, neamhspéisiúil, patuar, *to be* ~ *to sth* bheith ar nós cuma liom faoi rud; bheith réidh, neamhshuimiúil, i rud

indigenous *a* dúchasach

indigestible *a* dodhíleáite, ceasúil

indigestion *n* mídhíleá, tinneas bhéal an ghoile

indignant *a* feargach, uaibhreach

indignation *n* fearg, seirfean, uabhar

indignity *n* easonóir, masla

indirect *a* indíreach, neamhdhíreach, timpeallach

indiscreet *a* béalscaoilte, mídhiscréideach, ~ *person* béal gan chaomhnú, béal gan scáth

indiscretion *n* earráid; mídhiscréid, sceithireacht

indiscriminate *a* gan idirdhealú; as éadan

indiscriminately *adv* as éadan

indispensable *a* éigeantach, riachtanach, *it is* ~ níl teacht gan é, dá uireasa

indisposed *a* meath-thinn, *to be* ~ *to doing sth* dochma a bheith ort rud a dhéanamh

indisputable *a* dobhréagnaithe, doshéanta

indistinct *a* doiléir, míshoiléir

indistinguishable *a* do-aitheanta, *they are* ~ *from one another* ní féidir aithint eatarthu, ní féidir iad a aithint ó chéile

individual *n* duine aonair, neach *a* leithleach, ~ *skills* scileanna aonair

indivisible *a* dodhealaithe, doroinnte

indoctrination *n* síolteagasc

indolent *a* falsa, leisciúil

indomitable *a* dochloite

indoor *a*, ~ *work* obair istigh

indoors *adv* istigh, laistigh, taobh istigh

induce *vt & i* meall, tarraing; spreag; ionduchtaigh, *he* ~d *me to do it* chuir sé ina luí orm, bhain sé orm, é a dhéanamh

inducement *n* mealladh, tarraingt; spreagadh

induction *n* insealbhú; ionduchtú

indulge *vt & i* sásaigh, *to* ~ *in a practice* bheith tugtha do chleachtadh, *to* ~ *in drink* luí isteach ar an ól, dul le hól

indulgence *n* boige, boigéis; logha

indulgent *a* bog, boigéiseach

industrial *a* tionsclaíoch

industrialist *n* tionsclaí

industrialize *vt* tionsclaigh

industrious *a* dícheallach, dlúsúil, treallúsach, tionsclach, ~ *person* soláthraí maith

industry *n* tionscal; dícheall

inebriated *a* ar meisce

inedible *a* dochaite, do-ite

ineffective *a* neamhéifeachtach, neamhbhríoch

inefficiency *n* neamhinniúlacht, míéifeacht

inefficient *a* neamhinniúil, mí-éifeachtach

inept *a* maolchúiseach

inequality *n* éagothroime, míchothrom, neamhionannas, leatrom

inequitable *a* éagothrom

inequity *n* éagóir, éagothroime

inert *a* marbhánta, spadánta, támhach, ~ *gas* gás támh

inertia *n* marbhántacht, spadántacht, táimhe

inevitable *a* dosheachanta

inexact *a* míchruinn, neamhbheacht

inexcusable *a* doleithscéil

inexhaustible *a* do-ídithe, dochaite; dochloíte

inexpensive *a* neamhchostasach, saor

inexperience *n* aincleachtadh, aineolas, easpa taithí, núíosacht

inexperienced *a* glas, éigríonna, aineolach, neamhchleachtach

inexplicable *a* domhínithe

inextricable *a* dofhuascailte, doréitithe, casta

infallible *a* do-earráide

infamous *a* míchlúiteach

infancy *n* naíonacht

infant *n* babaí, bunóc, naíonán

infanticide *n* naímharú

infantry *n* cos-slua

infatuation *n* mearghrá, saobhnós

infect *vt* galraigh

infection *n* galrú, ionShabhtú

infectious *a* tógálach, ionShabhtaíoch

infer *vt*, *to* ~ *sth from sth* rud a thuiscint as rud eile, tátal a bhaint as rud, *to* ~ *(that)* cur i gcéill (go)

inference *n* tátal

inferior *n* íochtarán, mionduine, fodhuine *a* íochtarach; lagmheasartha, íos-, ~ *stuff* dramhaíl

inferiority *n* íochtaránacht, ísleacht

infernal *a* ifreanda

infertile *a* neamhthorthúil, aimrid, seasc

infested *a*, ~ *with* foirgthe le

infidel *n* aincreidmheach

infidelity *n* ainchreideamh; mídhílseacht

infiltrate *vt* & *i* insíothlaigh; sil, sleamhnaigh, téaltaigh, (isteach i)

infiltration *n* insíothlú, téaltú

infinite *a* éigríochta, infinídeach, gan foirceann

infinitive *n* & *a* infinídeach

infinity *n* dochuimseacht, éigríoch, infinídeacht

infirm *a* cróilí, easlán, breoite

infirmary *n* otharlann

infirmity *n* cróilí, easláinte

inflame *vt* & *i* adhain, griosaigh, las, séid

inflammable *a* inlasta, so-adhainte

inflammation *n* dó, gor, lasadh, gríosú, ~ *of wound* athlasadh, séideadh, cneá

inflate *vt* séid, teann, líon le haer, *to* ~ *currency* airgeadra a bhoilsciú

inflation *n* séideadh, teannadh; boilsciú

inflect *vt* infhill

inflexible *a* dolúbtha, docht

inflexion *n* athchasadh, infhilleadh

inflict *vt*, *to* ~ *death on a person* an bás a imirt ar dhuine, *to* ~ *a penalty on a person* pionós a ghearradh, a chur, ar dhuine

influence *n* anáil, fabhar, comhairle, tionchar, cumhacht, *evil* ~ *s* na greamanna dubha *vt*, *to* ~ *a person* d'anáil a chur faoi dhuine, dul i gcion ar dhuine

influential *a* ceannasach, tábhachtach, éifeachtach

influenza *n* fliú

influx *n* sní isteach, ~ *of people into a place* tarraingt daoine ar áit, plódú isteach in áit

inform *vt* & *i*, *to* ~ *on a person* scéala a dhéanamh ar dhuine, duine a bhrath, insint ar dhuine, sceitheadh ar dhuine, *to* ~ *a person of sth* rud a insint, a chur in iúl, do dhuine

informal *a* neamhfhoirmiúil

informant *n* faisnéiseoir

information *n* eolas, faisnéis

informative *a* faisnéiseach

informer *n* brathadóir, spiaire

infrastructure *n* bonneagar

infringe *vt* bris, sáraigh

infringement *n* briseadh, sárú

infuriate *vt* cuir le buile, mearaigh, *to become* ~ *d* spréachadh

ingenious *a* glic, intleachtach

ingenuity *n* beartaíocht, gliceas, stuaim

ingratiating *a* plásánta, slítheánta, tláithíneach

ingratitude *n* míbhuíochas

ingredient *n* comhábhar, táthchuid

ingrown *a* ionfhásta, i bhfeoil

inhabit *vt* áitrigh, cónaigh i

inhabitant *n* áitreabhach, áitritheoir

inhale *vt* & *i* ionanálaigh

inherent *a* dúchasach, nádúrtha

inherit *vt*, *to* ~ *sth* rud a fháil le hoidhreacht, rud a bheith agat ó dhúchas, teacht in oidhreacht ruda

inheritance *n* oidhreacht

inhibit *vt*, *to* ~ *a person from doing sth* rud a chrosadh ar dhuine, duine a chosc ar rud a dhéanamh inhibition n cosc, urchoilleadh

inhospitable a doicheallach

inhuman a mídhaonna

inhumanity n mídhaonnacht, danarthacht

iniquity n míghníomh, urchóid

initial n iniseal, túslitir a tionscantach, the ~ work an obair thosaigh

initiate n rúnpháirtí a rúnpháirteach vt tionscain, cuir tús le

initiation n tionscnamh

initiative n tosú, tionscnamh, to do sth on one's own ~ rud a dhéanamh ar do chonlán féin, as do stuaim féin

inject vt insteall, cuir isteach (i)

injection n instealladh

injunction n ordú, urghaire

injure vt gortaigh, loit, to ~ a person dochar, díobháil, a dhéanamh do dhuine

injurious a díobhálach, dochrach

injury n díobháil, damáiste, dochar, gortú, lot; éagóir

injustice n éagóir

ink n dúch

inkling n leid, gaoth an fhocail

ink-well n dúchán

inlaid a iontlaise

inland a intíre

inlet n gaoth, góilín, inbhear; iontlaise; ionraon

inmate n áitritheoir, cónaitheoir

inn n (teach) ósta

innards npl inní

innate a dúchasach, inbheirthe, ~ character nádúr, dúchas

inner a inmheánach, the ~ room an seomra istigh

innings npl deis istigh, dreas istigh

innkeeper n ósttóir

innocence n neamhchiontacht; soineantacht

innocent n, the Holy I~s an Naomh-Mhacra a neamhchiontach, naíonda, soineanta

innocuous a neamhdhochrach, neamhdhíobhálach

innovation n nuacht, nuáil

innovator n nuálaí

innuendo n leath-thagairt, leathfhocal

innumerable a dí-áirithe, gan chuntas

inoculate vt galraigh, ionaclaigh

inoculation n galrú, ionaclú

inoffensive a macánta, neamhurchóideach

inoperative a neamhoibríoch

inopportune a míthráthúil, ~ moment antráth

inordinate a ainmheasartha, iomarcach, as cuimse

input n ionchur

inquest n ionchoisne, coroner's ~ coiste cróinéara

inquire vt & i fiafraigh, fiosraigh, to ~ for a person tuairisc, cuntas, duine a chur; duine a chásamh

inquiry n ceist, fiafraí, fiosrúchán

inquisition n cúistiúnacht, ionchoisne, fiosrúchán

inquisitive a fiosrach, caidéiseach, srónach

inquisitor n cúistiúnaí

inroad n ionruathar; cúngú, creimeadh

insane a, to be ~ bheith as do mheabhair, mearadh a bheith ort

insanitary a mífholláin, míshláintiúil

insanity n gealtacht, mearadh

insatiable a doriartha, doshásta, craosach

inscribe vt inscríobh, to ~ sth on stone rud a ghreanadh i gcloch

inscription n inscríbhinn, scríbhinn

insect n feithid, míol

insecticide n feithidicíd

insecure a éadaingean, neamhdhiongbháilte; i gcontúirt

insecurity n éadaingne; guais

inseminate vt inseamhnaigh

insemination n inseamhnú

insensitive a dúr; neamh-mhothálach, gan mhothú

inseparable a doscaoilte, do-scartha

insert vt ionsáigh, to ~ a notice fógra a chur isteach

insertion n cur isteach, ionsá

inside n, the ~ of sth an taobh istigh de rud a istigh, laistigh

insidious a cleasach, slim, cealgach

insight n léargas, léiriúchán

insignia npl suaitheantais

insignificant a neamhbhríoch, neamhthábhachtach, suarach, gan aird

insincere a éigneasta, ~ praise moladh bréige, bealadh taobh amuigh de ghob

insinuate vt, to ~ sth rud a thabhairt le tuiscint, a chur i dtuiscint, a chur i gcéill, to ~ oneself into office sleamhnú isteach i bpost, post a fháil le lúbaireacht

insinuation n leathfhocal, leid

insipid a leamh, gan bhlas, gan dath

insist vi, to ~ on a point seasamh ar phointe, he ~ed that it was so dhearbhaigh sé gurbh amhlaidh a bhí

insistence n seasamh, ~ on one's rights ceartaiseacht

insistent a seasmhach, teann, ceartaiseach

insole n bonn istigh

insolence n mínós, sotal

insolent a mínósach, sotalach, prapanta

insoluble a doréitithe; dothuaslagtha

insolvent a dócmhainneach, neamhacmhainneach

insomnia n neamhchodladh

inspect vt iniúch, scrúdaigh

inspection n cigireacht, iniúchadh, scrúdú

inspector n cigire

inspiration n inspioráid

inspire vt spreag, dúisigh, múscail

instability n guagacht, míshocracht

install vt insealbhaigh; cuir isteach, to ~ oneself in a place cur fút in áit

installation n insealbhú; cur isteach, feistiú, ~s feistiúchán, fearais

instalment n glasíoc, to pay sth in ~s rud a íoc ina ghálaí

instance n, in the first ~ sa chéad chás, ar an gcéad ásc, ar an gcéad dul síos, for ~ cuir(eam) i gcás, mar shampla

instant n meandar, nóiméad a láithreach, ~ tea tae ar an toirt

instantly adv láithreach bonn, ar an toirt, ar iompú boise

instead adv, ~ of in áit, in ionad, i leaba

instep n bráid (coise), droim (coise), trácht

instigate vt spreag, brostaigh, gríosaigh

instigation n brostú, gríosú, spreagadh, at the ~ of a person ar sheoladh duine

instil vt insil, to ~ love in their hearts grá a chur isteach ina gcroí, to ~ an idea into a person smaoineamh a chur ina luí ar dhuine

instinct n dúchas, instinn

instinctive a dúchasach, instinneach

institute n foras, institiúid vt bunaigh, tionscain

institution n foras; tionscnamh

instruct vt múin, teagasc, foghlaim, deachtaigh

instruction n múineadh, teagasc, foghlaim

instructive a oiliúnach

instructor n teagascóir

instrument n gléas, ionstraim, uirlis vt ionstraimigh

instrumental a ionstraimeach, ~ music ceol uirlise

instrumentalist n ionstraimí

insubordinate a easumhal, neamhghéilliúil

insubordination a easumhlaíocht, neamhghéilleadh

insufferable a dofhulaingthe; peannaideach

insufficient a easnamhach, neamhleor

insular a oileánach; cúng

insularity n oileánachas

insulate vt insligh, teasdíon

insulation n insliú, teasdíonadh

insulator n inslitheoir

insulin n inslin

insult n achasán, masla, tarcaisne vt maslaigh, tarcaisnigh

insulting a maslach, tarcaisneach

insuperable a dosháraithe, dochloíte

insurance n árachas

insure vt árachaigh, cuir árachas ar

insurgent n & a ceannairceach

insurmountable a dosháraithe

insurrection n ceannairc, éirí amach

intact a iomlán, slán

intangible a do-bhraite, doláimhsithe

integrate vt comhtháthaigh, iomlánaigh, aontaigh

integration n comhtháthú, iomlánú

integrity n ionracas, macántacht; iomláine

intellect n intleacht, meabhair, éirim (aigne)

intellectual a intleachtach

intelligence n eagna (chinn), éirim (aigne), intleacht, meabhair chinn, ~ officer oifigeach faisnéise

intelligent a éirimiúil, intleachtach, meabhrach

intemperate *a* ainmheasartha; meisciúil

intend *vt, I ~ to do sth* tá mé ag brath (ar) rud a dhéanamh; tá sé ar aigne, ar intinn, agam rud a dhéanamh, *if you ~ to go away* má tá fút imeacht, más leat imeacht

intense *a* dian, díochra, tréan, géar, ain-, fíor-, *~ hatred* dearg-ghráin, *~ sorrow* dobrón, *working ~ ly* ag obair ar dalladh

intensify *vt & i* géaraigh, neartaigh

intensity *n* déine, neart, tréine

intensive *a* tréan, *~ care* dianchúram

intent *n* intinn, rún *a, ~ on sth* leagtha amach ar rud, *~ on the book* sáite, go domhain, sa leabhar

intention *n* aigne, intinn, rún

intentional *a* intinneach, toiliúil

intentionally *adv* d'aon ghnó, d'aon turas

intercede *vi, to ~ for a person* idirghuí a dhéanamh ar son duine

intercept *vt, to ~ a person* teacht roimh dhuine, *to ~ a letter* litir a stopadh

intercession *n* idirghuí

interchange *n* cómhalartú *vt* cómhalartaigh

intercourse *n* caidreamh, teagmháil, *sexual ~* comhriachtain

interdenominational *a* idirchreidmheach

interdict *n* urghaire

interest¹ *n* spéis, suim, *it is in your ~* is é do leas é, *to have a person's ~s at heart* bheith ar mhaithe le duine *vt, it doesn't ~ him* níl spéis, suim, aige ann; ní chuireann sé aon spéis ann

interest² *n* ús

interesting *a* inspéise, spéisiúil, suimiúil

interfere *vi, to ~ with a person* baint le duine, cur isteach ar dhuine, *to ~ in a conversation* do ladar, do gheab, a chur isteach (i gcomhrá)

interference *n* cur isteach; trasnaíocht

interim *n, in the ~* idir an dá linn *a* eatramhach

interior *n* an taobh istigh *a* inmheánach; intíre

interjection *n* intriacht

interlaced *a* dualach

interloper *n* socadán

interlude *n* eadarlúid; idircheol

intermediary *n* idirghabhálaí *a* idirghabhálach

intermediate *a* idirmheánach, meánach, *~ certificate* meánteistiméireacht

interminable *a* gan deireadh, síoraí

intermission *n* idirlinn

intermittent *a* eatramhach, treallach

intermittently *adv* gach re seal

intern *vt* imtheorannaigh

internal *a* inmheánach; intíre

international *a* idirnáisiúnta

internee *n* imtheorannaí

internment *n* imtheorannú

interpret *vt* ciallaigh, minigh, léigh ar

interpretation *n* ciall, miniú, léamh

interpreter *n* teangaire, fear teanga, teanga labhartha

interprovincial *a* idirchúigeach

interrogate *vt* ceistigh

interrogation *n* ceastóireacht, ceistiú

interrogative *n & a* ceisteach

interrupt *vt* trasnaigh, *to ~ a person* cur, briseadh, isteach ar dhuine; teacht roimh dhuine

interruption *n* cur isteach, trasnáil

intersect *vt & i* trasnaigh

intersection *n* trasnú; crosbhealach

intertwine *vt & i* dual, figh, *~d* snaidhmthe ina chéile

interval *n* eatramh, idirlinn, aga, sos, spás

intervene *vi, to ~* eadráin, idirghabháil, a dhéanamh; do ladar, focal, a chur isteach

intervention *n* eadráin, idirghabháil, teasargan

interview *n* agallamh *vt, to ~ a person* agallamh a chur ar dhuine

intestate *a* díthiomnach

intestine *n* putóg, stéig, *small ~* caolán, stéig bheag, *~s* inní, ionathar, drólanna

intimacy *n* caidreamh, taithíocht

intimate¹ *a* taithíoch, *to be ~ with a person* bheith mór le duine, *~ friends* dlúthchairde

intimate² *vt, to ~ sth to a person* rud a chur in iúl do dhuine

intimidate *vt* imeaglaigh, scanraigh, bagair ar

into *prep* i, isteach i, *to divide sth ~ parts* rud a roinnt ina dhodanna

intolerable *a* dofhulaingthe

intolerance *n* éadulaingt

intolerant *a* éadulangach, droch-araíonach

intoxicated *a* ar meisce, ólta

intoxicating *a* meisciúil

intoxication *n* meisce

intractable *a* diúnasach, doriartha

intransitive *a* neamh-aistreach

intrepid *a* neamheaglach, gan scáth gan eagla

intricate *a* achrannach, aimhréidh, casta

intrigue *n* plota, cealg, uisce faoi thalamh *vt & i*, *to* ~ *against a person* bheith i gcealg duine, *it* ~*d me* mhúscail sé spéis ionam

intriguer *n* scéiméir

introduce *vt*, *to* ~ *people to each other* daoine a chur in aithne dá chéile, *to* ~ *a subject* scéal a tharraingt anuas, *to* ~ *a custom* gnás a thionscnamh, nós a thabhairt isteach

introduction *n* cur in aithne; tabhairt isteach, tionscnamh; réamhrá

introit *n* iontróid

introspection *n* inbhreathnú

introspective *a* inbhreathnaitheach

introvert *n* indíritheoir

intrude *vi*, *to* ~ *on a person* brú ar dhuine, cur isteach ar dhuine

intuition *n* iomas

intuitive *a* iomasach

inundate *vt* báigh

invade *vt*, *to* ~ *a country* ionradh a dhéanamh ar thír

invader *n* gabhálaí, ionróir

invalid[1] *n* easlán, breoiteachán, othar *a* easlán

invalid[2] *a* neamhbhailí

invalidate *vt* neamhbhailigh, *to* ~ *sth* rud a chur ó bhailíocht

invaluable *a* fíorluachmhar, *it is* ~ níl ceannach air

invariable *a* do-athraithe

invasion *n* gabháltas, ionradh, imruathar

invective *n* sciolladóireacht, spídiúchán

invent *vt* ceap, cum, fionn

invention *n* aireagán, cumadh, fionnachtain; cumadóireacht

inventor *n* ceapadóir, cumadóir

inventory *n* fardal, liosta

inverse *n* inbhéarta *a* inbhéartach

invest *vt* infheistigh, suncáil; cóirigh; insealbhaigh

investigate *vt* scrúdaigh, taighd, fiosraigh

investigation *n* scrúdú, taighde, fiosrú

investment *n* infheistíocht; insealbhú

inveterate *a* seanbhunaithe, daingean

invidious *a* leatromach, cointinneach; éadmhar; fuafar; díobhálach, ~ *task* cúram gan bhuíochas

invigorate *vt* beoigh, láidrigh

invincible *a* dochloíte

invisible *a* dofheicthe

invitation *n* cuireadh

invite *vt*, *to* ~ *a person* cuireadh a thabhairt do dhuine, cuireadh a chur ar dhuine

invoice *n* sonrasc

invoke *vt* guigh, gair, glaoigh ar, toghair, dúisigh

involuntary *a* ainneonach, éadoilteanach

involve *vt*, *to be* ~*d in sth* baint a bheith agat le rud, *it* ~*s expense* tá costas ag baint, ag roinnt, ag gabháil, leis

involved *a* aimhréidh, casta

invulnerable *a* doghonta

iodine *n* iaidín

iota *n* dada, pioc

irascible *a* colgach, lasánta

irate *a* confach, feargach

iridescent *a* ildathach, néamhanda

iris *n* feileastram, ireas; imreasc (na súile)

Irish *n* Gaeilge *a* Éireannach, Gaelach

irksome *a* liosta, tuirsiúil, leadránach

iron *n* iarann *a* iarnaí, iarn- *vt* iarnáil, smúdáil, preasáil, *to* ~ *cloth* an t-iarann a chur ar éadach

ironic(al) *a* íorónta

ironing *n* iarnáil, smúdáil

ironmonger *n* iarnmhangaire, iarnóir

irony *n* íoróin

irradiation *n* ionradaíocht

irrational *a* aingiallta, éigiallta, neamh-réasúnach

irreconcilable *a* doréitithe, do-aontaithe

irrefutable *a* dobhréagnaithe, dochloíte, dosháraithe

irregular *a* mírialta, neamhrialta; fánach

irrelevant *a* neamhábhartha, nach mbaineann le hábhar

irreparable *a* doleasaithe

irresistible *a* dochloíte

irrespective *adv*, ~ *of* gan baint le, gan bacadh le

irresponsible *a* neamhfhreagrach, meargánta

irreverence *n* easurraim

irreverent *a* easurramach, mí-ómósach
irrigate *vt* uiscigh
irrigation *n* uisciú
irritable *a* colgach, meirgeach, gairgeach, lasánta
irritate *vt* griog, greannaigh, *to ~ a person* fearg, colg, a chur ar dhuine
irritation *n* fearg; greadfach; griog
Islam *n* Ioslamachas
island *n* oileán, inis, *traffic ~* port (coisithe)
islander *n* oileánach
isolate *vt* aonraigh, leithlisigh
isolated *a* aonarach, iargúlta, ionadach, scoite amach, *in an ~ place* ar an iargúil
isolation *n* aonrú, iargúltacht, *~ hospital* ospidéal leithlise
isosceles *a* comhchosach
issue *n* iarmhairt, iarmhar, sliocht; eagrán, eisiúint, ceist, *without ~* díobhaí, *~ of blood* sileadh fola, *at ~* i dtreis, i gceist *vt & i* cuir amach, eisigh, tabhair amach
isthmus *n* caol talún, cuing, muineál tíre

it *pron* sé, sí; seisean, sise; é, í; eisean, ise, *~ happened* tharla sé, *~ was discussed* pléadh é, *is ~ an animal* an ainmhí é, *~ is the best cow* is í an bhó is fearr í, *with ~* leis, léi, *without ~* gan é, í, *against ~(m)* ina choinne, (*f*) ina coinne, *the likes of ~* a leithéid(í)
italics *npl* cló iodálach
itch *n* tochas, *to be ~ing to do sth* bheith ar gor, ar bís, le rud a dhéanamh
itchy *a* tochasach
item *n* mír, pointe, ponc, *~ of clothing* ball éadaigh
itinerant *n* fear (bean) siúil, siúlóir, *the ~s* an lucht siúil
itinerary *n* cúrsa taistil
its *poss a,* *~(m) head* a cheann, *~(f) head* a ceann, *~(m) tail* a eireaball, *~(f) tail* a heireaball
itself *pron* eisean, ise; (sé,é) féin, (sí, í) féin, *feeding ~* á chothú, á cothú féin, *that ~* an méid sin féin; fiú an méid sin
ivory *n* eabhar *a* eabhartha
ivy *n* eidhneán

J

jab *n* péac, sonc *vt & i,* *~ it with the knife* tabhair péac den scian dó, *to ~ at a person* péac a thabhairt faoi dhuine
jabber *vi,* *~ing away in English* ag stealladh, ag spalpadh, Béarla
jack¹ *n* crann ardaithe, seac *vt,* *to ~ up a car* carr a chrochadh le seac
jack² *n* giolla, *~ of-all-trades* gobán, ilcheardaí, *the ~ of spades* an cuireata spéireata
jackal *n* seacál
jackass *n* stail asail
jackdaw *n* cág
jacket *n* casóg, seaicéad
jack-stone *n* méaróg
Jacobite *n & a* Seacaibíteach
jaded *a* tnáite
jag *n* starrán; eang; installadh; prioc
jagged *a* mantach, spiacánach, fiaclach
jaguar *n* iaguar
jam¹ *n* brú, *traffic ~* plódú tráchta, *to be in a ~* bheith i sáinn *vt & i* brúigh, sac,

pulc, plódaigh, greamaigh, *to ~ a radio station* stáisiún craolacháin a thachtadh
jam² *n* subh
jamb *n* giall, ursain
janitor *n* doirseoir
January *n* Eanáir
jar¹ *n* crúsca, próca, searróg *vi, to ~* cliotar, díoscán, a dhéanamh; adhaint (*on, ar*)
jar² *n* suaitheadh, croitheadh
jargon *n* béarlagair
jarvey *n* tiománaí
jasmine *n* seasmain
jaundice *n* na buíocháin, an galar buí
jaunt *n* turas
jaunting-car *n* carr cliathánach
jaunty *a* giodamach, aerach
javelin *n* bonsach, sleá, ga
jaw *n* giall
jay *n* scréachóg (choille)
jay-walker *n* coisí fiarlaoideach

jazz n snagcheol

jealous a éadmhar, *to be ~ of a person* bheith ag éad, in éad, le duine

jealousy n éad, formad

jeans npl briste géine

jeep n jíp

jeer n fonóid, magadh, beithé vt & i, *to ~ (at) a person* fonóid a dhéanamh faoi dhuine

jeering n scigmhagadh, fochaid a fonóideach, magúil

jelly n glóthach

jelly-fish n smugairle róin

jeopardize vt, *to ~ sth* rud a chur i nguais, i mbaol

jeopardy n guais, priacal

jerk n sracadh, urróg vt srac

jerkin n ionar, seircín

jerky a preabach, snagach

jersey n geansaí

jest n ábhacht, greann, *in ~* d'aon turas, vi, *to ~* magadh a dhéanamh

jester n abhlóir, óinmhid

Jesuit n & a Íosánach

Jesus n Íosa

jet[1] n scaird, scairdeán, steall, *~ plane* scairdeitleán

jet[2] n gaing a ciardhubh

jetsam n muirchur

jettison vt, *to ~ a cargo* lasta a chur i bhfarraige

jetty n caladh cuain, lamairne

Jew n Giúdach, *~'s harp* trumpa

jewel n seoid, geam

jeweller n seodóir

jewelry n seodra; seodóireacht

Jewish a Giúdach

jib[1] n seol cinn, jib

jib[2] vi loic, ob, *the horse ~ bed* chuir an capall stailc suas

jibe n sáiteán, goineog

jiffy n leathnóiméad, meandar

jig n port

jigsaw n, *~ puzzle* míreanna mearaí

jingle n gliogar

jinks npl, *high ~* pléaráca, rancás

job n jab, obair, post

jobber n giurnálaí, grásaeir, jabaire

jockey n eachaí, marcach, jacaí

jocose a meidhreach, magúil

jog n croitheadh, sonc; bogshodar vt & i,

to ~ bogshodar a dhéanamh, to ~ the memory an chuimhne a spreagadh

join vt & i ceangail, nasc, snaidhm, *to ~ things together* rudaí a cheangal le chéile, *to ~ the army* dul san arm, *to ~ in the game* páirt a ghlacadh sa chluiche

joiner n siúinéir

joint[1] n alt, siúnta, uaim, *out of ~* as alt, *~ of meat* spóla feola vt alt, siúntaigh

joint[2] a comhpháirteach, comh-

jointly adv i bpáirtíocht

joist n giarsa

joke n magadh, *practical ~* cleas, bob, *this work is no ~* ní haon dóithín an obair seo vi, *to ~ about a person* magadh a dhéanamh faoi dhuine, *I was only joking* ní raibh mé ach ag magadh; ar son grinn, d'aon ghnó, a bhí mé

joker n áilteoir, cleasaí, *(cards)* fear na gcrúb

jolly a gáiriteach, suairc, suáilceach

jolt n croitheadh, turraing vt & i croith, tolg

jostle vt & i guailleáil, *to ~ a person* an ghualainn a thabhairt do dhuine

jot[1] n dada, pioc

jot[2] vt, *to ~ sth down* rud a bhreacadh síos

journal n iris, nuachtán, dialann

journalese n nuachtánachas

journalism n iriseoireacht, nuachtóireacht

journalist n iriseoir, nuachtóir

journey n aistear, triall, turas vi triall, siúil

jovial a soilbhir, suairc

jowl n geolbhach; preiceall, sprochaille

joy n áthas, gairdeas, lúcháir, gliondar, subhachas

joyful a áthasach, gairdeach, lúcháireach, aiteasach, suáilceach

jubilant a lúcháireach, ollghairdeach, *to be ~ about sth* ríméad a bheith ort faoi rud

jubilation n ollghairdeas, ollás

jubilee n iubhaile; gairdeas

Judaism n Giúdachas

judge n breitheamh, moltóir vt meas, *to ~ a case* breith a thabhairt ar chás, *to ~ a competition* moltóireacht a dhéanamh ar chomórtas

judgment n breith, breithiúnas; meas, moltóireacht, *the Day of J~* Lá an Bhrátha, Lá an Luain

judicial a breithiúnach, dlíthiúil

judiciary n giúistisí

judicious a breithiúnach, tuisceanach

judo n júdó

jug n crúsca

juggernaut n arracht

juggle vt & i, *to ~ (things)* cleasaíocht, cleas na n-úll, a dhéanamh (le rudaí)

juggler n lámhchleasaí

juice n sú, súlach

juicy a súmhar

July n Iúil

jumble n manglam, meascán vt measc, cuir trí chéile

jumble-sale n ceantáil mhanglaim

jump n léim, preab, abhóg vt & i léim, preab, clis, bíog

jumper n léimneoir; geansaí

jumping n léimneach, preabarnach a léimneach, preabach

jumpy a cliseach, bíogúil, geiteach, preabach

junction n acomhal, gabhal, pointe teagmhála

June n Meitheamh

jungle n dufair, mothar

junior n sóisear a sóisearach, beag, *John O'Brien ~* Séan Óg Ó Briain, *~ class* bunrang

juniper n aiteal

junk n mangarae

Jupiter n Iúpatar

juridical a dlíthiúil

jurisdiction n dlínse, urlámhas

jurisprudence n dlí-eolaíocht

juror n coisteoir, giúróir

jury n coiste cúirte, giúiré

just a ceart, cóir, fíréanta; dleathach n, *the ~* na fíréin adv, *~ now* anois beag, *~ then* díreach ansin, *you had only ~ left* ní baileach a bhí tu imithe

justice n ceart, cóir; giúistis, *district ~*, breitheamh dúiche

justifiable a inleithscéil

justification n fírinniú; réasún, cosaint

justify vt fírinnigh, *to ~ an action* cúis a thabhairt le gníomh, gníomh a chosaint

jut n gob, rinn vi gob amach

jute n siúit

juvenile n aosánach a óg, *~ delinquent* ógchiontóir

juxtaposition n, *in ~* le hais a chéile

K

kale n cál; praiseach

kaleidoscope n cailéideascóp

kangaroo n cangarú

keel n cíle

keeler n cíléar, peic

keen¹ n caoineadh vt & i caoin

keen² a géar; díocasach, *~ edge* faobhar, *~ wind* gaoth ghéar, *~ eye* súil aibí, súil ghrinn, *to be ~ on sth* bheith líofa, geallmhar, ar rud

keenness n faobhar, géire; díocas, flosc; géarchúis

keen-witted a géarchúiseach

keep¹ n daingean

keep² n coinneáil, cothú vt & i coimeád, coinnigh; cumhdaigh; seas, *to ~ rules* rialacha a chomhlíonadh, *to ~ one's word* cur le d'fhocal, *~ still* fan socair,

God ~ him slán beo leis, *~ going!* lean ort! *I kept on working* d'oibrigh mé liom

keeper n coimeádaí; maor

keeping n, *to be in ~ with* bheith ag cur, ag teacht, le, *to be in safe ~* bheith ar lámh shábhála

keepsake n cuimhneachán, féirín

keg n ceaig

kelp n ceilp

kennel n conchró

kerb n colbha

kerchief n ciarsúr

kern n ceithearnach

kernel n eithne, *the ~ of the matter* croí an scéil

kerosene n ceirisín

kettle *n* citeal, túlán
kettledrum *n* tiompán
key *n* eochair; gléas *a*, ~ *position* eochairionad *vt*, *to be* ~ *ed up* díbhirce a bheith ort
keyboard *n* méarchlár
keynote *n* gléasnóta; bunsmaoincamh
kick *n* cic, radadh, speach *vt & i* ciceáil, rad, sprúch, lasc
kid *n* meannán; meannleathar
kidnap *vt* fuadaigh
kidnapper *n* fuadaitheoir
kidney *n* ára, duán
kill *vt* maraigh, *to* ~ *time* an aimsir a mheilt, *I'll* ~ *you!* beidh d'anam agam!
killer *n* marfóir
kiln *n* áith, tornóg
kilogramme *n* cileagram
kilolitre *n* cililítear
kilometre *n* ciliméadar
kilowatt *n* cileavata
kilt *n* filleadh beag, féileadh beag
kin *n* cine, muintir, gaolta; gaol, coibhneas
kind *n* gné, cine, cineál, saghas, sórt, *pay him back in* ~ tabhair comaoin a láimhe féin dó, *to revert to* ~ filleadh ar do dhúchas *a* carthanach, cineálta, *by* ~ *permission* le caoinchead
kindergarten *n* ciondargairdín, naíscoil
kind-hearted *a* dea-chroíoch
kindle *vt & i* adhain, fadaigh, las, spreag
kindling *n* brosna
kindly *a* cineálta, daonna, muinteartha, nádúrtha
kindness *n* cineáltas, nádúr
kindred *n* gaolta, *my* ~ mo bhunadh (féin), mo mhuintir (féin) *a, to have a* ~ *feeling for a person* do ghaol, do dháimh, a bheith le duine
king *n* rí
kingdom *n* ríocht, flaitheas
kingfisher *n* cruidín
kingly *a* ríúil, ríoga, rí-
kink *n* caisirnín, castainn
kinsfolk *n* gaolta, muintir, bráithre
kinship *n* gaol, cóngas, *close* ~ gaol na gcnámh
kiosk *n* both
kipper *n* scadán leasaithe

kiss *n & vt* póg, ~ *of life* análú tarrthála
kit *n* trealamh
kit-bag *n* trucaid
kitchen *n* cistin; anlann
kite *n* eitleog; préachán na gcearc
kitten *n* piscín, puisín
kittiwake *n* saidhbhéar
kitty *n* carnán, leac, *the* ~ *is exhausted* tá an leac buailte
kleptomania *n* cleipteamáine
knack *n* ciúta, *there is a* ~ *in it* tá cleas, dóigh, dul, air, *to have the* ~ *of doing sth* bheith deas ar rud a dhéanamh
knapsack *n* cnapsac
knave *n* cladhaire, rógaire, (*cards*) cuireata
knead *vt* fuin, suaith
kneading-trough *n* losaid
knee *n* glúin, *up to the* ~ *s in water*, go glúine, go hioscaidí, san uisce
knee-cap *n* capán glúine, pláitín glúine *vt*, *to* ~ *a person* duine a lámhach sa ghlúin
knee-deep *a*, ~ *in water* go hioscaidí, go glúine, san uisce
kneel *vi, to* ~ sléachtadh, do ghlúine a fheacadh, dul ar do ghlúine
knell *n* creill
knickers *npl* brístín
knick-knacks *npl* giuirléidí, gréibhlí
knife *n* scian *vt* scean, sáigh
knight *n* ridire
knit *vt & i* cniotáil, *to* ~ *things together* rudaí a fhuineadh le chéile, *to* ~ *one's brows* na malaí a chruinniú, *the bone is* ~ *ting* tá an chnámh ag táthú, ag teacht ina chéile, ag snaidmeadh
knitting *n* cniotáil
knitting-needle *n* biorán cniotála, dealgán
knob *n* cnapóg, cnoba; murlán
knobby *a* cnapach
knock *n* cnag *vt & i* buail, cnag, *to* ~ *a person down* duine a leagan, a threascairt, *to* ~ *off work* scor den obair
knock-down *a, to get sth at a* ~ *price* rud a fháil ar leath-threascairt
knocker *n*, (*door* ~) boschrann; cnagaire
knot[1] *n* snaidhm, cnota, (*in timber*) alt, cranra, dual, fadhb, ~ *of people* dol daoine *vt* snaidhm

knotty *a* snaidhmeach; cranrach, fadhbach, altach, ~ *question* ceist chasta

know *vt & i* aithin, I ~ *him* tá aithne agam air, I ~ *the place* is eol dom an áit; tá eolas agam ar an áit, I ~ *he's there* tá a fhios agam go bhfuil sé ann, I ~ *nothing about the subject* níl aon chur amach agam air; ní fheadar faic faoi, *as far as* I ~ ar feadh m'eolais, go

bhfios dom, *to let her* ~ *sth* rud a chur in iúl di

knowing *a* feasach, eolach

knowledge *n* eolas, fios

knowledgeable *a* eolach, feasach

knuckle *n* alt *vi, to* ~ *under to a person* géilleadh do dhuine, *to* ~ *down to sth* luí isteach ar rud

L

label *n* lipéad

laboratory *n* saotharlann

laborious *a* sclábhúil, trom, saothrach; duaisiúil

labour *n* obair, saothar; dua, duainéis; tinneas clainne, luí seoil; L~ *Court* Cúirt Oibreachais *vt & i* oibrigh, saothraigh, *to* ~ *under a delusion* rud a bheith á shamhlú duit

labourer *n* saothraí; sclábhaí

labour-saving *a* duasheachanta

laburnum *n* beallaí francach

labyrinth *n* cathair ghríobháin

lace *n* (barr)iall; lása *vt, he* ~ *d (up) his shoes* cheangail sé a bhróga

lacerate *vt* stiall, stoll, leadair, sclár

laceration *n* stialladh, stolladh, leadradh, scláradh

lack *n* ceal, díth, uireasa, easpa *vt, he* ~ *s (for) money* tá easpa airgid air

lackadaisical *a* ar nós cuma liom, réagánta

lackey *n* gíománach

lacquer *n* laicear

laconic *a* grusach, beagfhoclach

lacrosse *n* crosógaíocht

lactation *n* lachtadh, tál

lad *n* garsún, buachaill, leaid

ladder *n* dréimire

lade *vt* ládáil

laden *a, ~ with fish* faoi ualach éisc

ladle *n* ladar, liach

lady *n* bean uasal; bantiarna

ladybird *n* bóín Dé

lady-killer *n* banaí

ladylike *a* banúil

lag¹ *n* moill, aga moille *vi* moilligh, stang

lag² *vt* fálaigh, cumhdaigh

lager *n* lágar

lagoon *n* murlach

laicize *vt* tuathaigh

lair *n* gnáthóg, leaba dhearg, brocais, uachais, fáir

laity *n* tuath, pobal

lake *n* loch, linn

lama *n* láma

lamb *n* uan; uaineoil

lame *a* bacach, ~ *person* bacach

lameness *n* bacaí, céim bhacaí

lament *n* éagaoineadh; caoineadh, marbhna *vt & i* éagaoin, caígh, cásaigh, ~*ing* ag mairgneach, *to* ~ *(for) someone* duine a chaoineadh

lamentable *a* cásmhar, diachrach, tubaisteach

laminated *a* bileogach; lannach

lamp *n* lampa; lóchrann; solas

lampoon *n* aoir *vt* aor

lampshade *n* scáthlán lampa

lance *n* lansa, sleá *vt* lansaigh

lancet *n* lansa

land *n* tír; talamh; fearann *vt & i, to* ~ teacht, dul, i dtír, *to* ~ *sth* rud a chur i dtír, *the aeroplane* ~*ed* thuirling an t-eitleán

landing¹ *n* tuirlingt

landing² *n* léibheann cheann staighre

landlady *n* bantábhairneoir; bean lóistín

landlocked *a* talamhiata, ~ *harbour* glaschuan

landlord *n* óstóir, tábhairneoir; tiarna talún

landmark *n* sprioc, sainchomhartha tíre

landmine *n* mianach talún

landscape *n* radharc tíre, tírdhreach; tírphictiúr

landslide n maidhm thalún, sciorradh talún

lane n bóithrín; lána, *ocean* ~ bealach loingseoireachta

language n teanga; urlabhra, *bad* ~ gáirsiúlacht chainte

languid a fann, faon, meirbh, marbhánta, mairbhiteach

languish vi sleabhac, cnaígh, *to* ~ *after a person* bheith ag caitheamh i ndiaidh duine, *he is* ~*ing* tá sé imithe i léig, ag imeacht den saol

languor n leisce, mairbhití, táimhe

lanolin n lanailin

lantern n laindéar, lóchrann, ~ *jaw* giall corránach

lanyard n láinnéar

lap[1] n binn (éadaigh); ucht; filleadh; timpeall, cuairt, *he is in the* ~ *of luxury* tá saol na bhfuíoll aige vt, *to* ~ *sth around sth* rud a fhilleadh, a chasadh, thart ar rud

lap[2] vt & i, *to* ~ (*up*) *milk* bainne a ól suas, a leadhbadh siar, *waves* ~*ping* tonnta ag lapadaíl, ag slaparnach

lapel n lipéad, bóna

lapse n earráid; dearmad, faillí, ~ *of time* imeacht aimsire vi sleamhnaigh, tit, *to* ~ *into apostasy* an creideamh a thréigean, *the policy* ~*d* chuaigh, ligeadh, an polasaí as feidhm

lapsed a siar; imithe i léig, tite; ó fheidhm, as dáta

lapwing n pilibín míog

larceny n gadaíocht, goid

larch n learóg

lard n blonag

larder n lardrús

large a fairsing, mór, toirtiúil, fia-, ~ *crowd* slua líonmhar, ~ *amount* moll, lear, *as* ~ *as life* ina steillebheatha n, *to set a prisoner at* ~, príosúnach a scaoileadh saor

lark n fuiseog

larva n larbha

laryngitis n laraingíteas

larynx n laraing

lascivious a drúisiúil

lash n lasc; leadhb, stiall vt & i stiall, gread, ~*ing rain* ag greadadh báistí, ~ *out* spréach, spriúch, rad

lashings npl, ~ *of food* greadadh bia, dalladh bia

lassitude n leisce, marbhántacht, lagbhrí

lasso n téad ruthaig

last[1] n ceap gréasaí

last[2] n deireadh, *at* ~ faoi dheireadh a déanach, deireanach, ~ *Tuesday* Dé Máirt seo caite, Dé Máirt seo a chuaigh thart, ~ *night* aréir, ~ *year* anuraidh vt & i lean, mair, seas adv ar deireadh, ~*ly* ar deireadh (thiar); mar fhocal scoir

lasting a buan, marthanach

latch n laiste vt, *to* ~ *the door* laiste a chur ar an doras

late a & adv déanach, deireanach, mall, antráthach, *of* ~ le déanaí, le gairid, ~ *in the day* anonn sa lá, *the* ~*st one* an ceann is deireanaí, ~*r on* amach anseo, ar ball, tráth is faide anonn; ina dhiaidh seo, ina dhiaidh sin, *my* ~ *husband* m'fhear céile tráth, nach maireann

lately adv ar na mallaibh, le deireanas, le déanaí

latent a folaithe, i bhfolach, ~ *heat* teas folaigh

lateral a cliathánach, sleasach, taobhach

lath n lata, slis

lathe n deil

lather n coipeadh, sobal, ~ *of sweat* brat allais

Latin n, (*language*) Laidin a Laidineach, ~ *America* Meiriceá Laidineach

latitude n domhanleithead, leithead, *to allow him* ~ cead a chinn a thabhairt dó

latter a déanach, deireanach

lattice n laitís; fuinneog laitíse

lattice-work n crannaíl, laitís

laud vt mol

laudable a inmholta

laudanum n ládanam

laudatory a moltach

lauds npl moltaí

laugh n gáire vi gáir, déan gáire, ~*ing at me* ag gáire fúm

laughable a áiféiseach, amaideach

laughing n gáire a gáireach, gáiriteach, *it is no* ~ *matter* ní cúrsa magaidh é, ní ábhar gáire ar bith é

laughing-stock n ceap magaidh, ealaí mhagaidh, staicín áiféise, paor

laughter n gáire

launch¹ *n* lainse
launch² *vt & i* caith, scaoil, teilg; lainseáil, seol, sáigh amach, cuir chun farraige, *to ~ out on an enterprise* aghaidh a thabhairt ar ghnó, dul i mbun gnó, *to ~ into an invective* cromadh, tosú, ar an sciolladóireacht
launder *vt* nigh, glan
launderette *n* neachtlainnín
laundry *n* neachtlann; níochán
laurel *n* labhras; daifne, *~ s* an chraobh
lava *n* laibhe
lavatory *n* leithreas
lavender *n* labhandar
lavish *a* fial, flaithiúil, raidhsiúil, doscaí *vt*, *to ~ money* airgead a chaitheamh go flúirseach, *to ~ praise on a person* duine a mholadh go spéir
law *n* dlí, reacht
lawful *a* dleathach, dlíthiúil, dlisteanach, dilis, *~ right* dleacht, dlíteanas
lawless *a* aindlíthiúil, fiáin
lawlessness *n* aindlí
lawn *n* léana, faiche, plásóg
lawn-mower *n* lomaire faiche
lawsuit *n* cúis dlí, caingean
lawyer *n* dlíodóir
lax *a* bog, faillitheach, scaoilte
laxative *n* purgóid *a* scaoilteach
lay¹ *n* laoi
lay² *a* tuata, saolta
lay³ *vt & i* leag, cláraigh, *~ low* cnag, treascair, cloígh, *to ~ eyes on sth* do shúil a lui ar rud, *to ~ into the food* luí isteach ar an mbia, *to ~ a bet* geall a chur, *to ~ the table* an bord a leagan, *the hens are ~ing* tá na cearca ag breith, *to ~ a ghost* taibhse a dhíbirt, *~ aside* cuir i leataobh, cuir i dtaisce, *to ~ off workers* oibrithe a leagan as obair, a scaoileadh chun bóthair, (*of corpse*) *laid out* os cionn cláir, *laid up with flu* i do luí le fliú
lay-by *n* leataobh
layer *n* brat, scraith; ciseal, sraith; béaróg
layman *n* tuata
layout *n* leagan amach
laze *vi*, *to ~ about* bheith ag leisceoireacht, ag imeacht díomhaoin
laziness *n* falsacht, leisce, leisciúlacht, drogall
lazy *a* leisciúil, falsa, leasc; támáilte;

diomhaoin, *~ person* falsóir, leisceoir
lea *n* bán, talamh bán
lead¹ *n* luaidhe
lead² *n* ceannas; treoir; (*for dog*) iall, *to take the ~* dul i gceannas; dul chun tosaigh *vt & i* treoraigh, giollaigh, *it will ~ to contention* tiocfaidh an chointinn as, de, *that road ~ s to Cork* téann an bóthar sin go Corcaigh, tabharfaidh an bóthar sin go Corcaigh thú
leaden *a* luaidhiúil; trom, spadánta
leader *n* ceannaire, ceannfort; treoraí, ceannródaí; príomhalt
leadership *n* ceannasaíocht; ceannródaíocht
leading *a*, *a ~ man* fear mór le rá, *~ article* príomhalt
leaf *n* duille(og), bileog, *leaves* duilliúr
leaflet *n* duilleachán; bileog eolais
leafy *a* duilleach, bileogach; craobhach
league *n* conradh, léig; sraithchomórtas
leak *n* braon anuas, braon isteach; poll *vt & i*, *the tank is ~ing* tá an t-umar ag ligean tríd, uaidh, *the news was ~ed* sceitheadh an scéal
lean¹ *a* caol, lom, tanaí, seang, *~ meat* feoil thrua, *the ~ years* na blianta ocracha
lean² *vt & i* claon, *~ out* luigh amach, *to ~ on sth for support* taca a bhaint as rud, *he was ~ing against a wall* bhí a thaca, a dhroim, le balla aige
leaning *n* claonadh, luí, lé, leagan *a* claonta
leap *n & vt & i* léim
leap-frog *n* caitheamh cliobóg
leaping *n & a* léimneach
leap-year *n* bliain bhisigh
learn *vt & i* foghlaim, *I have ~ed it* tá sé ar eolas agam
learned *a* foghlamtha, léannta, *~ person* saoi, éigeas, scoláire
learner *n* foghlaimeoir
learning *n* foghlaim, léann, éigse, saoithiúlacht, scoláireacht
lease *n* léas *vt* léasaigh, *to ~ something* rud a thógáil, a ligean, ar léas
leasehold *n* léas-seilbh, léasacht *a* léasach
leash *n* iall

least n & a, the ~ an ceann is lú, the ~ doubt amhras dá laghad, at ~ ar a laghad, it is the ~ you might do is é is lú is gann duit é; is beag an dualgas ort é, the ~ little bit oiread na fríde, she wasn't in the ~ afraid ní raibh eagla ná eagla uirthi

leather n leathar a, ~ bag mála leathair

leathery a leathrach; rosach, righin

leave n cead, saoire, to take one's ~ of a person slán a fhágáil ag duine, ceiliúradh de dhuine, by your ~ i gcead duit vt & i fág, imigh, ~ off! stad! éirigh as! ~ out fág amuigh, fág ar lár, I was left out rinneadh leithcheal orm; fágadh as an áireamh mé, ~ me alone lig dom, éirigh díom, ~ it to me fág fúmsa é, fág ar mo láimhse é

leaven n laibhín, deasca, gabháil

lecherous a drúisiúil

lectern n léachtán

lecture n léacht; seanmóir vt & i, lecturing on history ag léachtóireacht, ag tabhairt léachtaí, ar an stair, to ~ a person spraic a chur ar dhuine, liodán a léamh do dhuine

lecturer n léachtóir

lectureship n léachtóireacht

ledge n fargán, laftán, dreapa, frapa, window ~ leac fuinneoige

ledger n mórleabhar (cuntas)

lee n, in the ~ of the island faoi fhothain an oileáin

leech n súmaire; diúgaire

leek n cainneann

leer n claonfhéachaint; féachaint dhrúisiúil vi, to ~ at a person súil mhacnasach a thabhairt ar dhuine

lees npl deascadh, dríodar, moirt

leeward n & a & adv taobh na fothana

leeway n ródadh; slí

left n & a & adv clé, ~ hand lámh chlé, ciotóg, on the ~ ar clé, to turn ~ casadh faoi chlé

left-handed a ciotach, ciotógach

left-hander n ciotóg; buille ciotóige

leg n cos; osán (bríste)

legacy n leagáid; oidhreacht

legal a dlíthiúil

legalize vt, to ~ sth dlí a dhéanamh de rud, rud a fhágáil dleathach

legate n leagáid

legation n leagáideacht; toscaireacht

legend n finscéal, Ossianic ~ scéal fiannaíochta

legendary a finscéalach

legible a inléite, soléite

legion n léigiún

legionary n & a léigiúnach

legislate vi reachtaigh

legislation n reachtaíocht

legislative a oireachtais, tionól reachtais a achtúil, reachtach

legislator n reachtóir

legislature n, the L~ an tOireachtas

legitimate a dlisteanach

legitimize vt dlisteanaigh

Leinster n Laighin, Cúige Laighean a Laighneach

leisure n fóillíocht, at one's ~ ar do bhogstróc

leisurely a réagánta, sámh, at a ~ pace ar do bhogstróc

lemon n liomóid

lemonade n liomanáid

lend vt & i, to ~ sth rud a thabhairt ar iasacht, to ~ a hand lámh chúnta a thabhairt

lender n iasachtóir

length n fad, faide, at ~ he gave his consent faoi dheireadh thoiligh sé

lengthen vt & i fadaigh, to ~ sth fad a chur le rud

lengthwise adv ar a fhad

lengthy a fada; leadránach

leniency n boige, trócaire

lenient a bog, trócaireach

lenite vt séimhigh

lenition n séimhiú

lens n lionsa

Lent n Carghas

lentil n lintile, ~s piseánach

Leo n an Leon

leopard n liopard

leper n lobhar

leprechaun n leipreachán, lucharachán

leprosy n lobhra

lesbian n & a leispiach

lesion n lot

less n & a & adv, there is ~ to do here tá níos lú le déanamh anseo, in ~ than an hour faoi bhun uair an chloig, he does ~ work is lú an obair a dhéanann sé, I love him none the ~ for that ní lúide sin mo chion air, I couldn't care ~ is róchuma liom prep, ~ 10% lúide 10%

-less a neamh-, mí-, a(i)n-

lessen vt & i laghdaigh, maolaigh

lesser a beag, mion, fo-

lesson n ceacht

lest conj ar eagla (go), ar fhaitíos (go); sula, sa dóigh is nach

let vt ceadaigh, lig, scaoil, to ~ a house teach a chur, a shuí, ar cíos, to ~ a person know about sth rud a chur in iúl do dhuine, ~ her go free lig a ceann léi, to ~ go of sth rud a scaoileadh uait, do ghreim a scaoileadh de rud (as virtual aux), ~ us go imímis, ~ no-one speak ná labhraíodh aon duine

lethal a marfach

lethargic a marbhánta, spadánta, támhach, suanach

letter n litir

lettering n litreoireacht

lettuce n leitís

leukaemia n leoicéime

level n cothrom, léas, leibhéal; airde a cothrom, bord ar bhord (le), leibhéalta, réidh; ar comhscór, ~ crossing crosaire comhréidh, one's ~ best do chroídhícheall, ~ place lantán, mínleog, léibheann, plás vt cothromaigh, leag, minigh, réitigh

level-headed a staidéarach, stuama, he is ~ tá cloigeann cothrom air

lever n luamhán

leveret n patachán (giorria)

levity n éadroime, éaganacht, aeracht

levy n cáin; tobhach vt toibhigh, gearr, ~ war cogadh a fhearadh

lewd a gáirsiúil, graosta

lewdness n gáirsiúlacht, graostacht

lexicographer n foclóirí

lexicography n foclóireacht

lexicon n foclóir; stór focal, réimse focal

liability n dliteanas; fiachas; freagracht

liable a, he is ~ for what he said tá sé freagrach as an rud a dúirt sé, it is ~ to explode tá baol ann go bpléascfaidh sé, it is ~ to tax dlítear cáin air

liaison n ceangal; caidreamh

liar n bréagadóir, éitheoir, you're a ~ thug tú d'éitheach

libel n leabhal vt leabhlaigh

libellous a leabhlach

liberal n liobrálaí a liobrálach; fairsing, ~ arts saorealaíona

liberalism n liobrálachas

liberality n féile, fairsinge

liberate vt saor, fuascail

liberation n fuascailt, saoradh

liberator n fuascailteoir

liberty n saoirse

Libra n an Mhéa

librarian n leabharlannaí

library n leabharlann

libretto n leabhró

libretto n leabhbróg

lice npl míolta

licence n cead, ceadúnas; díolúine

license vt ceadúnaigh

licensee n ceadúnaí

licentious a ainrianta, drúisiúil, drabhlásach

lichen n léicean, crotal

lick n lí vt & i ligh, leadhb; buail, léas, to ~ sth into shape cuma agus cruth a chur ar rud

lid n claibín, clár, clúdach

lie¹ n bréag, éitheach, white ~ caimseog, sceireog vi, to ~ bréag a insint, éitheach a thabhairt

lie² n luí, suíomh vi luigh, sín, it lies to the west of us tá sé siar uainn

lieu n, in ~ of in áit, in ionad

lieutenant n leifteanant

life n beatha; anam, beo; saol; beocht; beathaisnéis

lifeboat n bád tarrthála

lifeguard n garda coirp; maor snámha

lifeless a díbheo, marbhánta, gan anam, leamh

lifelike a cruthanta, a ~ portrait portráid dhealraitheach

lifetime n saol, in his ~ lena linn, lena ré, lena lá, lena sholas

lift n ardú, tógáil; ardaitheoir; marcaíocht, síob vt & i ardaigh, tóg, the fog ~ed scaip an ceo, chroch an ceo

ligament n ballnasc, lúitheach

light¹ n solas, léas, loinnir, the Northern Lights na Saighneáin a, ~ blue bánghorm, gorm éadrom vt & i las, adhain, fadaigh, to ~ a pipe píopa a dheargadh

light² a éadrom, to make ~ of sth a bheag, spior spear, neamhshuim, a dhéanamh de rud, he is ~ on his foot tá sé éasca ar a chos

light³ vi, ~ on tuirling, tar anuas (ar), to ~ on sth tarlú ar rud, teacht ar rud gan choinne

lighten vt & i éadromaigh, laghdaigh, my heart ~ed d'éirigh mo chroí, the rain ~ed mhaolaigh an bháisteach

lighter n lastóir; lictéar

light-headed a aertha, éaganta

light-hearted a aerach, aigeanta, suairc, éadromchróioch

lighthouse n teach solais

lighting n soilsiú, lasadh

lightning n tintreach, flash of ~ splanc, saighneán, gealán

like¹ n leithéid, macasamhail a cosúil, in ~ manner mar an gcéanna, ar an gcuma chéanna adv, as ~ as not chomh dócha lena athrach prep amhail, mar, ~ other people fearacht, ar nós, cosúil le, daoine eile, ~ myself mo dhála féin, it was ~ a feast to them ba gheall le féasta acu é conj (= as), the snow is falling ~ in January tá sé ag cur sneachta faoi mar a bheadh mí Eanáir ann, it is ~ summer tá sé ina shamhradh

like² vt, I ~ her is maith liom í, taitníonn sí liom, I don't ~ it is beag orm é, to ~ a person cion, gnaoi, a bheith agat ar dhuine, anything you ~ do rogha rud

likeable a geanúil; taitneamhach

likelihood n dóchúlacht, there is little ~ of her coming ní dhócha go dtiocfaidh sí, is beag an seans go dtiocfaidh sí

likely a dealraitheach, dóchúil, it is ~ to happen is dócha go dtarlóidh sé, not ~! beag an baol! adv de réir dealraimh, as ~ as not chomh dócha lena athrach

liken vt, to ~ sth to sth else rud a chur i gcomórtas, a shamhlú, le rud eile

likeness n dealramh, cosúlacht, samhail, íomhá

likewise adv freisin; mar an gcéanna

liking n gnaoi; dúil, taitneamh, I have a ~ for him tá cion agam air, tá gean agam dó

lilac n siringe, liológ a liathchorcra

lilt n port béil, portaireacht vi, ~ing ag portaireacht

lily n lile

limb n géag, brainse

limber a aclaí vt & i aclaigh

limbo n liombó

lime¹ n & vt aol

lime² n lioma, ~ tree crann líomaí

lime³ n, ~ tree (tilia) crann teile

limekiln n tiníl, áith aoil, tornóg

limelight n, he likes the ~ is maith leis an solas a bheith air, a bheith os comhair an phobail

limestone n aolchloch

limit n críoch, fóir, foirceann, liomatáiste, he's the ~ níl aon teorainn leis vt, to ~ sth rud a theorannú, a shrianadh, a chumadh, he didn't ~ himself to that níor fhan sé air sin, taobh leis sin

limitation n teorannú, cinnteacht

limited a teoranta

limp¹ n céim bhacaí vi, to ~ céim bhacaí a bheith ionat, ~ing ag bacadaíl

limp² a faon, sleabhctha, ~ thing leidhce, liobar, pleist

limpet n bairneach

limpid a glé(igeal), gléineach

linchpin n pionna rotha

linden n teile

line n líne; sreang; ríora, ríshliocht; ruaim, dorú vt línigh; líneáil

lineage n líne, ginealach; folaíocht

linear a líneach

linen n líon; líneadach

liner n línéar

linesman n fear líne; taobhmhaor

ling¹ n langa

ling² n fraoch (mór)

linger vi moilligh, seadaigh

lingering n máinneáil, moilleadóireacht, leadrán, righneáil a fadálach, leadránach, righin, ~ eye mallrosc

linguistics npl teangeolaíocht

lining n líneáil

link n lúb, drol; cónasc, nasc vt & i cónaisc, cúpláil; ceangail

links n muirbheach, dumhcha; galfchúrsa

linnet n gleoiseach

linoleum n líonóil

linseed n ros (lín), ~ oil ola rois

lint n líon; líonolann

lintel n fardoras˜

lion n leon

lip n liopa, cab, bruas, béal pl beola

lip-service n béalchrábhadh, béalghrá

lipstick n béaldath

liquefy vt & i leachtaigh

liqueur n líceur

liquid n leacht a leachtach, it became ~ d'imigh, d'athraigh, sé ina leacht

liquidate *vt* leachtaigh, scaoil; díothaigh

liquidation *n* leachtú, scaoileadh; díothú

liquidator *n* leachtaitheoir

liquidize *vt & i* leachtaigh

liquidizer *n* leachtaitheoir

liquor *n* liocáir; deoch (mheisciúil); biotáille

liquorice *n* liocras

lisp *n* snas *vi*, to ~ labhairt go briotach, ~ing ag briotaireacht

list[1] *n* liosta, clár *vt* cláraigh, liostaigh

list[2] *n* liosta *vi*, the boat ~ed thóg an bád liosta

listen *vi* éist

listener *n* éisteoir

listless *a* díbheo, dímríoch, marbhánta, fuaránta

litany *n* liodán

literacy *n* litearthacht

literal *a* litriúil, liteartha

literary *a* liteartha

literate *a* liteartha, a ~ man fear a bhfuil foghlaim air

literature *n* litríocht

lithe *a* ligthe, scolbánta, leabhair

lithograph *n & vt* liteagraf

lithography *n* liteagrafaíocht

litigant *n* dlíthí

litmus *n* litmeas

litre *n* lítear

litter *n* árach, eileatram; easair, cosair; bruscar; ál, cuain *vt & i* easraigh, to ~ a floor with rushes easair úrluachra a chur ar urlár, to ~ a room seomra a chur trí chéile, (of animals), to ~ ál, cuain, a bhreith

little *n* beag, beagán, a ~ older beagán níos sine, ábhairín níos sine, to make ~ of sth neamhní, a bheag, a dhéanamh de rud, ~ by ~ diaidh ar ndiaidh a beag, mion-, ~ finger, ~ toe, lúidín adv, a ~ too soon pas beag róluath, I ~ thought that is beag a shíl mé go

liturgical *a* liotúirgeach

liturgy *n* liotúirge

live[1] *a* beo

live[2] *vi* mair, cónaigh, if I ~ más beo dom, as long as I ~ le mo bheo, le mo ré, le mo sholas, where do you ~ cá gcónaíonn tú, cá bhfuil tú i do chónaí

livelihood *n* slí bheatha, beo, maireachtáil

lively *a* anamúil, beo, beoga, bíogúil, preabúil, aerach, ~ voice glór briosc

liven *vt*, to ~ sth up spionnadh, anam, spleodar, a chur i rud

liver *n* ae, crua-ae

livery *n* libhré, éide

livestock *n* beostoc, eallach

livid *a* glasghnéitheach, he became ~ dhubhaigh agus ghormaigh air

living *n* beatha, maireachtáil, to earn one's ~ do chuid a shaothrú, do bheatha a thabhairt i dtír a beo, ~ room seomra teaghlaigh, in ~ memory le cuimhne na ndaoine

lizard *n* earc, laghairt

llama *n* láma

load *n* lód, ualach; lasta, lucht, ~s of money an dúrud, na múrtha, airgid *vt & i* lódáil, ualaigh, (of ship) luchtaigh, lastáil, to ~ a gun gunna a stangadh

loaf[1] *n* bollóg, builín, bairín

loaf[2] *vi*, ~ing about ag fálróid thart, ag crochadóireacht (thart)

loafer *n* liúdramán, scraiste, ríste, crochadóir

loan *n* iasacht

loath *a*, I am ~ to go there is leasc liom, tá drogall orm, dul ann

loathe *vt*, I ~ it is fuath, gráin, liom é

loathing *n* déistin, gráin, fuath

loathsome *a* déistineach, gráiniúil, fuafar

lobe *n* maothán, bog na cluaise; cluaisín

lobby *n* forsheomra, pasáiste, póirse; brúghrúpa, division ~ pasáiste vótála *vt*, to ~ a person tacaíocht duine a lorg

lobster *n* gliomach

lobsterhole *n* ábhach gliomach, aice gliomach

local *a* áitiúil, logánta, ~ people muintir na háite

locality *n* ceantar, dúiche

locate *vt* aimsigh, suigh

location *n* láthair, loc, suíomh; aimsiú

locative *a*, ~ case tuiseal áitreabhach

lock[1] *n* loca, slám, ~ of hair dlaoi ghruaige, dual gruaige

lock[2] *n* glas, canal ~ loc canála *vt & i*, to ~ sth rud a ghlasáil, a chur faoi ghlas, to become ~ed dul i ngreim, greamú, dul i bhfostú

locker *n* taisceadán

locket *n* loicéad

lockjaw *n* glas fiacla, teiteanas

lock-out n frithdhúnadh
locksmith n glasadóir
locomotive n inneall gluaiste, gluaisteoir
locust n lócaiste
lode n lód; síog
lodestone n adhmaint
lodge n lóiste, gate ~ teach geata vt & i lóisteáil, stop, the corn ~ d shleabhac an t-arbhar, to ~ in a place bheith ar lóistín in áit, the water ~ d there lonnaigh an t-uisce ann, to ~ a complaint against a person gearán a chur isteach ar dhuine
lodgement n lóisteáil, taisceadh
lodger n aoi, lóistéir
lodging n iostas, ~s lóistín, aíocht, óstaíocht, ~ house teach iostais
loft n lochta; áiléar
loftiness n airde, buacacht; uaisle, mórgacht; ardnósacht
lofty a ard, buacach; ardnósach, ceannasach; mórga, uasal
log n ceap, cearchaill, sail, lomán, maide; luasmheá
loganberry n lóganchaor
logarithm n logartam
log-book n turasleabhar, leabhar loinge
loggerheads npl, at ~ in adharca a chéile
logic n loighic
logical a loighciúil
logistics npl loighistic; lóistíocht
loin n luan, ~s leasrach, na háranna
loiter vi, ~ing about ag máinneáil thart
loll vi, ~ing about ag sínteoireacht, ag rísíocht
lollipop n líreacán
lone a aonarach, a ~ person duine aonair; cadhan aonair, caonaí
loneliness n cumha, uaigneas
lonely a uaigneach, aonaránach
loner n éan cuideáin, cadhan aonair, aonarán
lonesome a cumhach, éagmaiseach, uaigneach
long a fada, cian, six feet ~ sé troithe ar fad, a ~ time ago fadó, i bhfad ó shin, this ~ time le cian d'aimsir, le fada anuas, at ~ last faoi dheireadh thiar adv, it won't be ~ (until) is gearr (go), have you been here ~ an bhfuil tú i bhfad anseo, how ~ cá fhad, as ~ as, a fhad is, as ~ as I live le mo lá vi, ~ing for sth ag tnúth le rud

long-eared a cluasach, ~ owl ceann cait
longevity n buaine, fadsaolaí, fad saoil
long-haired a fadfholtach, ciabhach, mongach
longing n tnúth, dúil a tnúthánach; dúilmhear (i for)
longitude n domhanfhad
long-lived a saolach, fadsaolach, cian-aosta
longnecked a muineálach, dúdach, scrog-allach
long-suffering a fadfhulangach, foighneach
longwinded a fadchainteach, leadránach
look n amharc, féachaint; cló, dealramh, good ~ s dathúlacht vi amharc, breathnaigh, dearc, féach, you are ~ing well tá tú ag breathnú go maith, he ~ s young tá cuma na hóige air, to ~ after sth féachaint i ndiaidh ruda, chuig rud, ~ out! aire duit! fainic! seachain! coimhéad! to ~ for work obair a lorg, to ~ forward to sth bheith ag súil, ag tnúth, le rud
looking-glass n scáthán
look-out n crannóg; fear faire
loom[1] n seol
loom[2] vi taibhsigh, to ~ large bheith mórthaibhseach, danger is ~ing tá contúirt ag bagairt, ar do thí
loon n lóma
loop n lúb, dol, drol vt & i lúb
loop-hole n, to find a ~ poll éalaithe, éasc, a aimsiú
loose a bog, ar bogadh, scaoilte, liobarnach vt bog, scaoil
loosen vt & i bog, scaoil
loosestrife n, purple ~ créachtlach
loot n & vt creach, slad
lop vt gearr, scoith, teasc, sciot
lope n truslóg vi, to ~ along imeacht de thruslóga
loppings npl craobhach, barraíl, scotháin
lopsided a leataobhach, it is ~ tá leatrom air, tá sé ar sceabha
loquacious a geabach, béalach, cainteach
lord n tiarna, ~ mayor ardmhéara
lordly a tiarnúil, uasal, maorga
lore n seanchas, Ossianic, Fenian, ~ Fiannaíocht
lorry n leoraí

lose vt & i caill, *I lost patience* bhris an an bhfoighne agam, *to ~ one's way* dul amú, dul ar strae

loser n cailliúnaí, fear caillte na himeartha

loss n bris; díobháil, easpa, caill(iúint), creach, *to go to ~* dul amú, dul ar díth, dul ó rath

lost a caillte

lot n lota, *a ~ of people* a lán daoine, mórchuid daoine, *the ~* an t-iomlán, *~s of money* an t-uafás, an dúrud, airgid, *to cast ~s for sth* crainn a chaitheamh ar rud, rud a chur ar chrainn, *he's a bad ~* is olc an t-earra é

lotion n lóis, ionlach

lottery n crannchur

loud a ard, glórach; gáifeach

loud-speaker n callaire

lough n loch

lounge n tolglann; seomra suí, seomra caidrimh

louse n míol cnis

lousy a míolach; suarach

lout n bastún, bodach, gamal, búr

lovable a geanúil, grámhar

love n grá, searc; cion, gean, *my ~*! a ghrá! a ansacht! *in ~ with a person* i ngrá le duine vt & i gráigh, *I ~ apples* is breá liom úlla

loveliness n áilleacht, scéimh, gleoiteacht

lovely a álainn, sciamhach, gnaíúil, gleoite, caomh; aoibhinn

lover n leannán

loving a geanúil, grámhar, carthanach, *in ~ memory of* i ndílchuimhne ar

low[1] a íseal, comónta, lábánta, *~ tide* lag trá, *~ pressure* lagbhrú, *~ spirits* lagmhisneach, domheanma, *in a ~ voice* os íseal, de ghuth íseal, *to be laid ~* bheith ar lár

low[2] n & vi géim, búir

lower[1] a íochtarach, *the ~ classes* an chosmhuintir, *~ part* íochtar vt leag, íslígh, laghdaigh, maolaigh, lig anuas, strioc

lower[2] vi, *~ing sky* spéir iata, *to ~ at a person* gruaim a chur i do mhala le duine

lowliness n uirísleacht, íochtaránacht, bochtaineacht

lowly a uiríseal, íochtarach

lowlying a logánach, íochtarach, íseal, *~ place* isléan, logán

loy n láí

loyal a dílis, tairiseach

loyalist n dílseoir

loyalty n dílse, tairise

lozenge n losainn; muileata

lubricant n bealadh

lubricate vt bealaigh

lubrication n bealú

lucid a glé, gléineach; meabhrach, *she is perfectly ~* tá a ciall is a céadfaí aici

luck n ádh, seans, séan, *as ~ would have it* ar ámharaí an tsaoil, ar an dea-uair

lucky a ádhúil, ámharach, séanmhar, *he was ~* bhí an t-ádh leis, air

lucrative a brabúsach, éadálach, gnóth-achúil

ludicrous a áiféiseach, cluichiúil

lug n cluas

luggage n bagáiste

lugger n liúir

lug-worm n lugach

lukewarm a bog, bogthe, alabhog; patuar; fuarchráifeach

lull n eatramh, uaineadh, sámhnas; tost vt & i ciúnaigh, *to ~ a child to sleep* leanbh a chealgadh (a chodladh), *the wind has ~ed* tá staonadh ar an ngaoth

lullaby n suantraí, seoithín seothó

lumbago n lumbágó

lumber n trangláil; crainn leagtha, lomáin

luminous a lonrach, solasmhar

lump n ailp, canta; fadhb, cnap(án); meascán, meall, *~ sum* cnapshuim vt, *to ~ things together* rudaí a chaitheamh ar mhuin mhairc a chéile; rudaí a lua (etc) le chéile amhail is dá mb'ionann iad

lumpy a cnap(án)ach, fadharcánach

lunacy n gealtachas

lunar a, *~ month* mí ghealaí

lunatic n gealt a, *~ behaviour* gealtachas, iompar gan chiall, *~ asylum* teach na ngealt, gealtlann

lunch n lón vi, *to ~* lón a chaitheamh

lung n scamhóg

lunge n áladh, fogha, sá vt & i sáigh, *he ~ed at me* thug sé áladh orm

lupin n lúipín

lurch n turraing, *in the* ~ san abar, san fhaopach *vi* guailleáil, ~*ing* ag long-adán

lure n mealladh, tarraingt, cluain *vt*, *to* ~ *a person* duine a bhréagadh, a mheall-adh, a tharraingt

lurid a míligheach, glasghnéitheach; fua-far, scéiniúil, gáifeach; crónbhuí

lurk *vi*, ~ *ing in the corner* i bhfolach sa chúinne, ~*ing in the woods* ag déanamh oirchille, luíocháin, sna coillte

luscious a súmhar; sáil, ~ *grass* féar borb, féar uaibhreach

lush a méith, súúil, borb, uaibhreach

lust n ainmhian, drúis *vi*, *to* ~ *after a woman* bean a shantú

lustful a ainmhianach, drúisiúil

lustre n loinnir, lí, niamh, snas

lustrous a lonrach, niamhrach

lusty a bríomhar, fuinniúil, láidir

lute n liúit

Lutheran n & a Liútarach

luxuriant a uaibhreach; bláfar, buacach, ~ *growth* sáile, fás borb, fásach

luxurious a sóch, sóúil, sáil, macnasach

luxury n ollmhaitheas, só, sáile

lying a bréagach

lymph n limfe

lynx n lincse

lyre n lir

lyric n liric

lyrical a fileata, liriceach

M

macadam n macadam

macaroni n macarón

mace[1] n más

mace[2] n, (*spice*) maicis

machine n inneall, meaisín *vt*, *to* ~ *cloth* éadach a fhuáil le hinneall fuála

machine-gun n meaisínghunna

machinery n innealra, sáslach

machinist n meaisíneoir

mackerel n maicréal, ronnach, murlas

mackintosh n cóta báistí

mad a dásachtach, ~ *dog* madra dúchais, madra oilc, *he is* ~ tá sé ar buile, as a mheabhair, ar mire, *to go* ~ imeacht le craobhacha, le báiní

madam n, (*voc*) a bhean uasal

madman n fear buile, gealt

madness n buile, mire; dásacht, neamh-mheabhair

magazine n armlann; piléarlann; iris, irisleabhar

maggot n cruimh

maggoty a cruimheach, finiúch

magic n draíocht, *black* ~ an ealaín dhubh

magician n draíodóir, draoi

magistrate n giúistís

magnanimity n móraigeantacht

magnanimous a móraigeanta

magnate n gróintín, toicí

magnesia n maignéis

magnesium n maignéisiam

magnet n adhmaint, maighnéad

magnetic a maighnéadach, adhmaint-each

magnetism n maighnéadas, adhmainteas

magnetize *vt* maighnéadaigh

magnification n formhéadú, móradh

magnificence n ollás

magnificent a ollásach, taibhseach

magnify *vt* formhéadaigh; mór

magnifying glass n gloine formhéad-úcháin

magnitude n méid, ollmhéid, fairsinge

magpie n meaig, snag breac

mahogany n mahagaine

maid n cailín; cailín aimsire

maiden n iníon, maighdean; ainnir, bruinneall, bé, cúileann

maidenhair n dúchosach

mail[1] n máille

mail[2] n post, litreacha *vt* postáil

maim *vt* martraigh, ciorraigh, *he is* ~*ed* tá cithréim air, tá sé ina chláiríneach

main n príomhphíopa (uisce, séarachais), *the* ~*s* príomhlíonra, *in the* ~ den chuid is mó, tríd is tríd a mór, príomh-, ceann-

mainland n míntír, mórthír, tír mór

mainly *adv* go háirithe, go mór mór, den chuid is mó (de)

maintain *vt* coimeád, cothaigh, coinnigh, *I ~ (that)* seasaim air (go)

maintenance *n* coimeád, cothú, cothabháil

maize *n* grán buí, arbhar indiach

majestic *a* mórga, státúil

majesty *n* mórgacht, dínit, ríogacht, *His M ~* a Mhórgacht

major *n* maor (airm) *a* mór-, príomh-, *~ road* príomhbhóthar

majority *n* móramh, tromlach, bunáite, formhór, mórchuid

make *n* déanamh, déantús *vt & i* déan, *~ certain* cinntigh, *to ~ a bed* leaba a chóiriú, *to ~ the tea* an tae a fhliuchadh, *to ~ trouble* callóid a chothú, *to ~ two hundred pounds a week* dhá chéad punt sa tseachtain a shaothrú, *he won't ~ it* ní éireoidh leis, *to ~ harbour* cuan a bhualadh, a ghabháil, *to ~ a person happy* áthas a chur ar dhuine, *to ~ sth known* rud a chur in iúl, *to ~ a person do sth* tabhairt ar dhuine rud a dhéanamh, *two and two ~ four* a dó agus a dó sin a ceathair, *to ~ for Derry* aghaidh a thabhairt ar Dhoire, déanamh ar Dhoire, *to ~ away with sth* rud a ghoid, *to ~ off* breith as, cur sna cosa, *to ~ sth out* meabhair a bhaint as rud, *to ~ up one's losses* do bhris a thabhairt isteach, *to ~ up to a person for sth* cúiteamh a dhéanamh le duine i rud, *making up to a person* ag fosaíocht, ag tláithínteacht, le duine, *he made a rush at me* thug sé rúid orm

make-believe *n* cur i gcéill

maker *n* déantóir, cumadóir, *our M ~* an Cruthaitheoir

makeshift *a*, *a ~ pen* leithscéal pinn, ainm pinn

make-up *n* smideadh

making *n* déanamh, *the ~s of a leader* ábhar ceannaire

maladministration *n* míriar

malady *n* galar, aicíd

malaria *n* maláire

male *n* fireannach *a* fearga, fireann, *~ child* páiste fir

malediction *n* drochghuí, mallacht

malefactor *n* coirpeach, meirleach

malevolence *n* drochaigne, naimhdeas, olc

malevolent *a* drochaigeanta, naimhdeach

malformation *n* anchuma

malice *n* mailís, mioscais, mírún, drochintinn

malicious *a* mailíseach, mioscaiseach

malign *a* dochrach, olc *vt*, *to ~ a person* béadán a dhéanamh ar dhuine, drochchlú a chur ar dhuine

malignant *a* aincíseach, mailíseach, urchóideach, *~ tumour* cnoc ailse

malinger *vi*, *to ~* tinneas (bréige) a ligean ort féin

mallard *n* mallard

mallet *n* máilléad

malnutrition *n* míchothú

malodorous *a* bréan, tufar

malpractice *n* míchleachtas

malt *n & vt & i* braich

maltreatment *n* ainíde, drochíde, spliontaíocht

mammal *n* mamach, sineach

mammary *a* mamach

mammy *n* mamaí, mam

man *n* fear, duine, *every ~* cách, *the ~ in the moon* Dónall na gealaí *vt*, *to ~ a boat* foireann a chur ar bhád

manage *vt & i* ionramháil, láimhseáil, riar, stiúir, rith, *she ~ d to do it* d'éirigh léi, chuaigh aici, ráinigh léi, é a dhéanamh

manageable *a* soláimhsithe, sásta

management *n* bainistíocht, riar, ionramháil, láimhseáil

manager *n* bainisteoir

manageress *n* bainistreás

mandarin *n* mandairín

mandate *n* sainordú

mandatory *a* sainordaitheach

mandolin *n* maindilín

mane *n* moing

mange *n* clamh, gearb

mangel *n* meaingeal

manger *n* mainséar

mangle[1] *vt* coscair, leadair, loit

mangle[2] *n* fáisceadán *vt* fáisc

mangy *a* clamhach, carrach

manhandle *vt*, *to ~ a person* duine a láimhsiú, a chrágáil

man-hole *n* dúnpholl

manhood n feargacht, oirbheart, inmhe, to grow to ~ teacht i méadaíocht, since he reached ~ ó tháinig ann dó

mania n máine

maniac n & a máineach

manicure n lámh-mhaisiú

manifest n lastliosta a follasach, sofheicthe vt foilsigh, soiléirigh, réal, nocht

manifesto n forógra

manifold n, to type a report in ~ ilchóipeanna de thuarascáil a dhéanamh a iomadúil, il-

manipulate vt láimhsigh, ionramháil

manipulation n láimhsiú, ionramháil, cúbláil

mankind n an duine, an cine daonna

manliness n fearúlacht; sponc, miotal

manly a fearúil, mascalach; misniúil, sponcúil

manmade a saorga, de dhéantús duine

mannequin n mainicín

manner n modh, dóigh, nós, slí pl béasa, it is not ~ s ní den eolas, den mhúineadh, é

mannerism n gothaíocht, faisean, dóigh, nósúlacht

mannerly a béasach, múinte, modhúil, mómhar

manoeuvre n inlíocht; beart, ionramháil vt & i innill; beartaigh, ionramháil, ainligh

manor n mainéar

manpower n daonchumhacht; líon fear

mansion n teach mór, caisleán, halla, cúirt, mainteach, the M~ House Teach an Ard-Mhéara

manslaughter n dúnorgain

mantelpiece n matal, clabhar, clár tine

mantle n brat, fallaing, cochall

manual n lámhleabhar a, ~ labour obair láimhe

manufacture n déantús, déanamh vt monaraigh, déan, táirg

manufacturer n déantóir, arms ~ armadóir

manufacturing n déantúsaíocht a, ~ industry tionscal déantúsaíochta

manure n aoileach, leasú

manuscript n lámhscríbhinn

many n mórán, go leor, a lán, il-, there aren't so ~ of them níl a oiread sin acu ann a, I was there ~ times is iomaí uair, is minic, a bhí mé ann, ~ people a

lán daoine, how ~ times cé mhéad uair, too ~ barraíocht, (an) iomarca

map n léarscáil, mapa vt mapáil, léarscáiligh, to ~ out a route bealach a leagan amach

maple n mailp

mar vt mill, loit, máchailigh

marathon n maratón

marauder n foghlaí, creachadóir

marble n marmar, (toy) mirlín

march¹ n & vi máirseáil

March² n Márta

mare n láir, capall

mare's-tail n, (plant) colgrach, ~s, (clouds) cluimhreach ghabhair

margarine n margairín

margin n ciumhais, imeall; imeallbhord; lamháil

marginal a imeallach

marigold n ór Muire

marijuana n marachuan

marine a muirí

mariner n mairnéalach, maraí

marionette n máireoigín

marital a, ~ guidance treoir phósta

maritime a muirí

mark¹ n marc, sprioc; comhartha; ionad, lorg, rian, high-water ~ barr láin (mhara) vt marcáil, comharthaigh, ~ out rianaigh, sprioc

mark² n marg

marker n marcálaí; leabhar scóir; rianaire, marcóir; (tag) fígín

market n margadh vt margaigh, to ~ sth rud a chur ar an margadh

marketing n margú; margaíocht

marksman n aimsitheoir

marl n marla

marmalade n marmaláid

maroon¹ n & a marún

maroon² vt n, to ~ a person duine a chur ar oileán uaigneach, they were ~ ed by the floods sháinnigh na tuilte iad

marquee n ollphuball

marquis n marcas

marriage n pósadh; lánúnas

marriageable a inphósta

married a pósta

marrow n smior, smúsach; vegetable ~ mearóg

marry vt & i pós

Mars n Mars

marsh n riasc, seascann, eanach

marshal[1] n marascal

marshal[2] vt, to ~ facts, soldiers fíricí, saighdiúirí, a chur in eagar

marshmallow n, (plant) leamhach, (sweet) leamhachán

marshy a riascach, mongach

marsupial n & a marsúipiach

mart n marglann

marten n, pine ~ cat crainn

martial a míleata

martin n gabhlán

martyr n mairtíreach vt martraigh

martyrdom n mairtíreacht

marvel n iontas vi, to ~ at sth iontas a dhéanamh de rud

marvellous a iontach, éachtach

Marxism n Marxachas

Marxist n & a Marxach

marzipan n prásóg

mascara n mascára

mascot n sonóg

masculine a fireann, (grammar) firinscneach

mash n maistreán; brúitín vt brúigh

mask n masc, aghaidh fidil, púic vt masc, folaigh

mason n saor; máisiún

masonry n saoirseacht chloiche; máisiúnachas

masquerade n damhsa masc; cur i gcéill vi, to ~ as someone else dul i riocht duine eile

Mass[1] n Aifreann

mass[2] n toirt, meall, dlúimh, mothar, ~ of people slua daoine, the ~es an pobal, an choitiantacht a oll- vt & i dlúthaigh, cruinnigh, le chéile

massacre n sléacht, ár vt, to ~ people ár a dhéanamh ar dhaoine

massage n suathaireacht, lámhchuimilt, masáiste vt suaith, cuimil

massive a tromábhal, oll-

mass-produce vt olltáirg

mast n crann, seolchrann; cuaille

master n máistir, ~ of ceremonies reachtaire; fear an tí vt smachtaigh, máistrigh, to ~ a language máistreacht a fháil ar theanga

masterful a máistriúil, ceannasach, tiarnúil

masterly a máistriúil

masterpiece n sárshaothar

mastery n máistreacht, tiarnas, ceannsmacht

masticate vt cogain

mastiff n maistín

mastitis n maistíteas

mastoid n & a mastóideach

mat[1] n mata

mat[2] a neamhlonrach

mat[3] vt & i, to ~, become ~ted éirí stothach

match[1] n lasán, cipín solais

match[2] n macasamhail, leathbhreac, comrádaí; cluiche; céile (imeartha, comhraic); cleamhnas, he met his ~ casadh fear a dhiongbhála air vt & i meaitseáil, they don't ~ níl siad ag freagairt dá chéile, ní théann siad le chéile, they are well ~ed tá siad inchurtha le chéile, in ann ag a chéile

matchmaker n basadóir

mate n comrádaí; céile; leathbhádóir, máta, (of bird) leathéan vt & i pós; céiligh; cúpláil

material[1] n ábhar, damhna; mianach; adhmad; éadach, stuif, building ~ ábhar tógála

material[2] n ábhartha; saolta; tábhachtach, riachtanach

materialism n ábharachas

materialize vt & i cruthaigh, taibhsigh, the scheme ~d tháinig bun ar an scéim, a ship ~d out of the fog nocht an long tríd an gceo

maternal a máthartha, on the ~ side ó thaobh na máthar

maternity n máithreachas

mathematician n matamaiticeoir

mathematics n matamaitic

matinée n nóinléiriú

mating n cúpláil; céiliú; lánúnas

matins npl iarmhéirí

matriarch n matrarc

matriarchal a matrarcach

matriculation n & a máithreánach

matrimony n pósadh, lánúnas

matron n mátrún; bean phósta

matted a clibíneach, stothach, ~ hair, wool céas

matter n ábhar, damhna; gnó, cúrsa, rud, cúis; angadh, anagal, *what is the* ~ céard tá cearr, *for that* ~ i dtaca leis sin de, ach oiread leis sin, *no* ~ is cuma, *what* ~ *but* cén bhrí ach *let the* ~ *rest* fág marbh é mar scéal, *a* ~ *for wonder* cuid iontais, *laughing* ~ cúis gháire *vi, it* ~ *s (to)* is miste (do), *it doesn't* ~ *where he got it* is cuma cá bhfuair sé é, *it* ~ *s little* is beag an ní é, *the thing that* ~ *s most* an rud is tábhachtaí

matter-of-fact a dáiríre; neafaiseach, *a* ~ *description* cuntas lom

mattress n tocht, cuilce

mature a aibí, oirbheartach, sean, in inmhe *vt & i* aibigh, aosaigh

maturity n aibíocht, inmhe, críonnacht, foirfeacht, oirbheart, méadaíocht

maudlin a bogúrach

maul *vt* crágáil, basc

Maundy n, ~ *Thursday* Déardaoin Mandála

mausoleum n másailéam

maw n craos

maxim n oideam, riail, mana, nath

maximum n uasmhéid a uas-, uasta

May¹ n Bealtaine, (*bush*) sceach gheal

may² *aux v, it* ~ *be true* b'fhéidir gur fíor é, d'fhéadfadh sé a bheith fíor, ~ *God help them* go bhfóire Dia orthu, ~ *we never see him again* nár fheicimid arís é, *that might be* b'fhéidir é; thiocfadh dó; go bhféadfadh!

maybe *adv* b'fhéidir, ~ *it is so* b'fhéidir é

mayonnaise n maonáis

mayor n méara, *lord* ~ ardmhéara

maze n lúbra, cathair ghríobháin

me *pron* mé, mise, *with* ~ liom, *without* ~ gan mé, *against* ~ i mo choinne, *the likes of* ~ mo leithéid(í), *beating* ~ do mo bhualadh

meadow n móinéar, cluain, léana, inse

meagre a gann, caol, seang, singil

meal¹ n béile, tráth bia, proinn, séire

meal² n min

mean¹ n meán *pl* acmhainn, caoi, dóigh, slí, ~ *s test* maointástáil, *by all* ~ *s!* cinnte! *by* ~ *s of sth* trí bhíthin ruda, ~ *s of transport* cóir iompair, ~ *s of livelihood* slí bheatha, gléas beo a meánach, meán-

mean² a ainnis; íseal, suarach; sprion-laithe, cúng, ceachartha, gortach, ~ *person* cníopaire

mean³ *vt* ciallaigh, *I* ~ *to do it* tá fúm é a dhéanamh, tá rún agam é a dhéanamh, *I don't* ~ *you* ní chugatsa atá mé, ní tú atá mé a rá, *it is not what I* ~ ní hé atá i gceist agam, *I* ~ *t it* dáiríre a bhí mé, *what does that word* ~ cad is brí don fhocal sin

meander n lúb, casadh *vi, to* ~ cais-mirneach a dhéanamh, *he was* ~ *ing along* bhí sé ag fánaíocht leis, *the lec-turer* ~ *ed on* lean an léachtóir ar aghaidh agus ar aghaidh

meaning n ciall, brí, meabhair

meaningful a, ~ *speech* caint a bhfuil éifeacht, fuaimint, léi

meanness n ainnise, táire, suarachas; cloíteacht, cneámhaireacht; sprion-laitheacht, ceacharthacht, cníopair-eacht

meantime *adv* idir an dá linn, san idirlinn

measles n bruitíneach, *German* ~ bruitíneach dhearg

measure n tomhas, meá, miosúr, líon *vt* tomhais, meáigh

measurement n miosúr, toise; caighdeán

meat n feoil

mechanic n meicneoir

mechanical a meicniúil

mechanics n meicnic

mechanism n meicníocht; sáslach

mechanize *vt* meicnigh

medal n bonn

medallion n meadáille, mórbhonn

meddle *vi, to* ~ *with sth* drannadh le rud, baint le rud, do ladar a chur isteach i rud

media *npl, communications* ~ meáin chumarsáide

mediate *vi, to* ~ eadráin a dhéanamh

mediation n eadráin, idirghabháil

mediator n eadránaí, idirghabhálaí

medical a, ~ *school, course* scoil, cúrsa, leighis

medicinal a leigheasach

medicine n leigheas, míochaine, cógas

medieval a meánaoiseach, *the* ~ *period* an Mheánaois

mediocre a lagmheasartha

meditate *vt & i* machnaigh, meabhraigh

meditation *n* machnamh, meabhrú, rinnfheitheamh

Mediterranean *n* Meánmhuiri, *the* ~ *Sea* an Mheánmhuir

medium *n* meán, *the media* na meáin (chumarsáide), *happy* ~ cothrom cirt *a* meánach, measartha, meán-

medley *n* meascra; prácás

meek *a* ceansa

meet *vt & i, to* ~ *a person* bualadh le duine, casadh ar dhuine, *to go to* ~ *a person* dul in airicis duine, *it will* ~ *the case* déanfaidh sé cúis, *to* ~ *expenses* an costas a sheasamh, *he met with' an accident* bhain, tharla, taisme dó

meeting *n* teagmháil; cruinniú, comhdháil

megaphone *n* stoc fógartha

melancholy *n* lionn dubh, cian, doilios *a* dubhach, cianach, doilbh, duairc, maoithneach

melée *n* coimheascar

mellow *a* méith, (*of taste, sound*) séimh, bog, (*of person*) suairc *vt & i* séimhigh, aosaigh, bog

melodeon *n* bosca ceoíl, mileoidean

melodious *a* ceolmhar, binn, siansach

melodrama *n* méaldráma

melodramatic *a* méaldrámata

melody *n* fonn, séis, siansa

melon *n* mealbhacán

melt *vt & i* leáigh

member *n* ball, comhalta, ~ *of parliament* feisiré, teachta

membership *n* ballraíocht, comhaltas; baill, comhaltaí

membrane *n* scannán, sreabhann, seicin

memento *n* cuimhneachán, seoid chuimhne

memoirs *npl* cuimhní cinn

memo(randum) *n* meabhrán, meamram

memorial *n* leacht (cuimhneacháin); meabhrachán; dileagra *a* cuimhnitheach

memorize *vt* meabhraigh, cuir de ghlanmheabhair

memory *n* cuimhne, meabhair

menace *n* bagairt, *that boy's a* ~ is mór an crá croí é an gasúr sin

mend *n, on the* ~ ag bisiú *vt & i* deisigh, cóirigh

mendicant *n & a* déirceach

menial *n* giolla, maidrín lathaí *a* uiriseal, táir

meningitis *n* meiningiteas

menstruate *vi* míostraigh

menstruation *n* fuil mhiosta, míostrú

mental *a,* ~ *strain* tuirse intinne, ~ *illness* meabhairghalar

mentality *n* aigne, dearcadh

mention *n* trácht (ar), iomlua, tagairt (do) *vt* luaigh, trácht ar, tagair do, *don't* ~ *it* ná lig thar do bhéal é; ní faic é ! níl a bhuíochas ort

menu *n* biachlár

mercenary *n* amhas *a* santach

merchandise *n* earra(í)

merchant *n* ceannaí

merciful *a* trócaireach, grástúil

merciless *a* éadruach, éadrócaireach, ~ *blow* buille gan ghrásta

mercury *n* mearcair; Mearcair

mercy *n* trócaire, *O God of* ~ a Dhia na nGrást

mere *a* lom, glan, *by* ~ *chance* le barr áidh

merely *adv,* ~ *by thinking about it* gan ach smaoineamh air, *he* ~ *smiled* ní dhearna sé ach meangadh gáire a chur air féin

merge *vt & i* báigh, cumaisc

merger *n* cumasc

meridian *n* fadline; buaic

meringue *n* meireang

merit *n* luaíocht, tuillteanas; fiúntas, bua, gnóthachan *vt* tuill, gnóthaigh

merlin *n* meirliún

mermaid *n* murúch, maighdean mhara

merriment *n* meidhir, soilbhreas, scléip

merry *a* meidhreach, greadhnach, intinneach, soilbhir; súgach

merry-go-round *n* áilleagán intreach

mesh *n* mogall, lúb *vt & i* mogallaigh, *to* ~ dul in eang a chéile, dul i ngreim

mesmerize *vt, to* ~ *a person* alltacht a chur ar dhuine, draíocht a imirt ar dhuine

mess *n* praiseach, prácás; cuibhreann, *to make a* ~ *of sth* ciseach a dhéanamh de rud, *the place is in a* ~ tá an áit ina cosair easair, tá an áit trína chéile *vt & i* smeadráil, ~ *ing about with things* ag slaimiceáil, ag únfairt, le rudaí, *to* ~ *up sth* ciseach, praiseach, a dhéanamh de rud, (*of army, etc*) *to* ~ ithe i gcuibhreann

message *n* teachtaireacht, scéala
messenger *n* teachtaire, timire
messer *n* méiséalái, útamálai
Messiah *n* Meisias
metabolism *n* meitibileacht
metal *n* miotal
metallic *a* miotalach
metalwork *n* miotalóireacht, gaibhneacht
metamorphosis *n* claochlú, meiteamorfóis
metaphor *n* meafar
metaphorical *a* meafarach
metaphysics *npl* meitifisic
meteor *n* dreige, meitéar
meteorite *n* dreigit, réalta reatha
meteorology *n* meitéareolaíocht
meter *n* méadar
methane *n* meatán
method *n* modh, slí, dóigh, *there is a ~ in it* tá dul, cleas, air
methodical *a* críochnúil, slachtmhar, rianúil
Methodist *n & a* Modhach, Meitidisteach
methylated *a* meitileach
meticulous *a* mion(chúiseach), léirsteanach
metre *n* meadaracht; méadar
metric *a* méadrach, *~ ton* tona
metropolis *n* ardchathair, ceannchathair
metropolitan *a* ceannchathartha, *~ gallery* dánlann na cathrach
mettle *n* faghairt, mianach, miotal, *man of ~* fear a bhfuil fuil ann, *to put a person on his ~* duine a chur chun a dhichill
mettlesome *a* faghartha, miotalach
mewing *n* meamhlach
mews *n* stáblai
Michaelmas *n* Lá Fhéile Míchíl, *~ daisy* nóinín Mhichíl
microbe *n* bitheog, miocrób
micro-chip *n* micreachaisne
microphone *n* micreafón
microscope *n* micreascóp
mid- *pref* idir-, meán-,
midday *n* meán lae
middle *n* lár, meán, inne *a* meánach, lárnach, meán-, *the M~ Ages* an Mheánaois, *the ~ class* an mheánaicme
middle-aged *a* meánaosta
middle-class *a* meánaicmeach

middling *a & adv* cuibheasach, measartha, réasúnta, *~ weather* aimsir bhreac
midge *n* míoltóg
midget *n* draoidín
midlands *npl* lár na tíre
midnight *n* meán oíche
midst *prep, in the ~ of* i measc, i lár
midsummer *a, ~ Day* Féile Eoin, *~ Eve* Oíche Sin Seáin
midwife *n* cnáimhseach, bean chabhrach, bean ghlúine
midwifery *n* cnáimhseachas
midwinter *n* dúluachair na bliana, dúlaíocht an gheimhridh
might[1] *n* cumhacht, neart, fórsa
might[2] : may
mighty *a* neartmhar, láidir, tréan, mórchumhachtach
migraine *n* mígréin
migrant *n & a* imirceach
migrate *vi, to ~* imirce a dhéanamh
migration *n* imirce
migratory *a* imirceach, *~ bird* éan imirce, *~ labourer* spailpín (fánach)
milch *a, ~ cow* loilíoch, bó bhainne
mild *a* séimh, bog, moiglí, cineálta, cneasta, míonla
mildew *n* coincleach, caonach liath, clúmh liath, snas liath
mildness *n* séimhe, míne, boige, cneastacht
mile *n* míle
mileage *n* míleáiste
milestone *n* cloch mhíle
militant *a* míleatach
military *n, the ~* na saighdiúirí, an t-arm *a* míleata
militate *vi, to ~ against sth* dul, oibriú, i gcoinne ruda
militia *n* míliste
milk *n* bainne, bleacht, leamhnacht *vt* crúigh, bligh
milking *n* crú, bleán
milk-tooth *n* diúlfhiacail
milky *a* bainniúil, lachtach, *the M~ Way* Bealach na Bó Finne
mill *n* muileann *vt & i* meil, *a crowd was ~ing around* bhí slua ag ruatharach thart, bhí brú bocht ann
millenium *n* an míle bliain; ceann míle bliain
miller *n* muilleoir

millet *n* muiléad
milligram *n* milleagram
millimetre *n* milliméadar
million *n* milliún
millionaire *n* milliúnaí
mill-race *n* sruth muilinn, tarae
millstone *n* bró (mhuilinn)
milometer *n* mílemhéadar
milt *n* lábán
mime *n & vt & i* mím
mimic *n* aithriseoir *vt* aithris, ~ *a king a person's speech* ag athléamh ar dhuine
mimicry *n* aithris, aithriseoireacht, athmhagadh
minaret *n* miontúr
mince *n* feoil mhionaithe *vt* mionaigh, *he didn't* ~ *his words* níor chuir sé fiacail ann
mincemeat *n* míonra; feoil mhionaithe
mincer *n* miontóir
mind *n* cuimhne, aigne, intinn, meon, meabhair, *to change one's* ~ teacht ar athchomhairle, ar athsmaoineamh *vt & i, to* ~ *your business* aire a thabhairt do do ghnóthaí, do ghnó a choimhéad, *don't* ~ *them* ná bac iad, *do you* ~ an miste leat, *I don't* ~ is cuma liom, ~ *your head* fainic, seachain, do cheann, ~ *ing the house* i bhfeighil an tí
mine[1] *n* mianach *vt & i, to* ~ *coal* gual a bhaint, *to* ~ *under the earth* tochailt faoi thalamh
mine[2] *pron, it is* ~ *is liomsa é, that one is* ~ sin é mo cheannsa; is liomsa an ceann sin, *a friend of* ~ cara liom, *dom, de mo chuid, that son of* ~ an mac sin agam
miner *n* mianadóir
mineral *n* mianra, ~ *waters* uiscí mianraí *a* mianrach
mingle *vt & i* measc, cumaisc, *to* ~ *with the people* dul i measc na ndaoine
mini- *pref* mion-
miniature *n* mionphictiúr, mionsamhail, miondealbh *a* mion-
minimal *a* íosta, íos-
minimize *vt* íoslaghdaigh, *to* ~ *sth* a bheag a dhéanamh de rud
minimum *a* íosta, íos-
mining *n* mianadóireacht
minister *n* aire; ministir *vi* friotháil, freastail (*to ar*)
ministerial *a*, ~ *order* ordú rialtais

ministry *n* aireacht; ministreacht; friotháil, freastal
mink *n* minc
minnow *n* pincín
minor *n* mionúr *a* fo-, mion-; óg
minority *n* mionlach; mionaois
minstrel *n* oirfideach
mint[1] *n* miontas, mismín
mint[2] *n* mionta *vt* múnlaigh, *to* ~ *money* airgead a bhualadh
minus *prep* lúide *n*, (*sign*) míneas
minute[1] *n* nóiméad, ~ *s of meeting* miontuairiscí cruinnithe
minute[2] *a* mion, mionchruinn
miracle *n* míorúilt, feart
miraculous *a* míorúilteach
mirage *n* ciméara, mearú súl
mire *n* láib, puiteach, greallach
mirror *n* scáthán *vt, the trees were* ~ *ed in the water* bhí scáil na gcrann san uisce
mirth *n* greann, meidhir, scléip
mis- *pref* mí-, an-, ain-, droch-
misanthropy *n* míchairdreamhacht
misapprehension *n* míthuiscint
misappropriate *vt* mídhílsigh
misbehave *vi, to* ~ bheith dána, dalba, iomlatach
miscalculation *n* mí-áireamh
miscall *vt, to* ~ *a person* duine a ghlaoch, a chur, as a ainm
miscarriage *n* mairfeacht, breith anabaí, *to have a* ~ scaradh le duine clainne, ~ *of justice* iomrall ceartais
miscellaneous *a* ilchineálach, éagsúil
miscellany *n* meascra, bolg soláthair
mischance *n* anachain, mísheans, míthapa
mischief *n* drochobair, urchóid, mísc; diabhlaíocht, ábhaill, millteanas, *creating* ~ ag cothú ceilge, ag imreas
mischievous *a* ábhailleach, diabhalta, iomlatach; mísciúil
misconception *n* míthuairim, barúil iomrallach
misconduct *n* mí-iompar
misconstrue *vt, to* ~ *sth* míchiall, ciall chontráilte, a bhaint as rud
misdemeanour *n* míghníomh, míbheart
miser *n* sprionlóir, cníopaire
miserable *a* ainnis, anóiteach, ceachartha, suarach, ~ *person* ainniseoir, cráiteachán; sprionlóir, ~ *life* saol céasta

miserly a sprionlaithe, cúng, ceachartha, ~ *person* sprionlóir, cníopaire

misery n aimléis, ainnise, anró

misfire vi, (*of gun, engine*) loic, *the plan* ~ *d* chuaigh an plean amú

misfit n, (*of person*) éan corr, *the shoes were a* ~ bhí na bróga mí-oiriúnach

misfortune n tubaiste, mí-ádh, drochrath, míhortún, donas, smál

misgiving n drochamhras

misguided a aimhleasach, ar míthreoir, míchomhairleach

mishap n míthapa, timpiste, taisme, óspairt

misinterpret vt, *it was* ~*ed* baineadh míchiall, an chiall chontráilte, as

misjudge vt, *to* ~ *a person* bheith san éagóir ar dhuine, *to* ~ *a distance* achar a mheas mícheart

mislaid a ar bóiléagar, imithe amú

mislay vt, *to* ~ *sth* rud a ligean amú, rud a ligean ar bóiléagar

mislead vt, *to* ~ *a person* duine a chur amú, ar strae; míchomhairle a chur ar dhuine

misleading a míthreorach, mearbhlach

mismanagement n míriar

misprint n dearmad cló

miss¹ n, M ~ O'Brien Iníon Uí Bhriain

miss² vt caill, *he* ~*ed the boat* d'imigh an bád air, *don't* ~ *your chance* ná failligh do dheis, *I* ~ *them* cronaím iad, airím uaim iad, *they won't be* ~*ed* is cuma ann nó as iad, *his shot* ~*ed* d'fheall an t-urchar air

missal n leabhar Aifrinn

missile n diúracán; dairt

missing a ar iarraidh, ar lár

mission n misean; gnó, cúram, cuspóir, tasc

missionary n misinéir

missioner n misinéir

mist n ceo

mistake n dearmad, botún, meancóg, míthuiscint vt & i, *unless I am* ~*n* mura bhfuil dul amú, breall, orm, *to be* ~*n about sth* míthuiscint, dearmad, a bheith ort faoi rud, *he mistook its meaning* bhain sé an chiall chontráilte as, *I would* ~ *him for yourself* thógfainn i d'amhlachas féin é

mistaken a earráideach, mearbhlach, ~ *identity* iomrall aithne

mister : Mr

mistletoe n drualas

mistress n máistreás; leannán (luí)

mistrust n drochiontaoibh vt, *to* ~ *a person* drochiontaoibh a bheith agat as duine, drochamhras a bheith agat ar dhuine

misty a ceobhránach, braonach, smúitiúil

misunderstand vt, *to* ~*sth* míthuiscint, barúil chontráilte, a bhaint as rud

misunderstanding n míthuiscint

mitch vi, ~ *ing from school* ag múitseáil ón scoil

mite n cianóg; fríd, fíneog

mitigate vt maolaigh

mitre n bairrín, mítéar

mitten n dornóg, miotóg, mitín

mix n cumasc; suaitheadh vt & i measc, suaith, ~ *together* cumaisc, ~ *it with oil* cuir ola tríd, *to* ~ *with people* dul i lúb chuideachta, comhluadar a dhéanamh le daoine, *to be* ~*ed up* bheith trí chéile, *he was* ~*ed up in it* bhí lámh aige ann ar dhóigh éigin

mixed a measctha, suaite; ilchineálach

mixer n meascthóir, suaiteoir, *he is a good* ~ caidreamhach maith é

mixture n cumasc, meascán

moan n éagaoin, cnead vi éagaoin, *to* ~ cnead a ligean asat

moat n móta

mob n cóip na sráide, gráscar, gramaisc

mobile a soghluaiste

mobility n soghluaisteacht, luaineacht

mobilization n slógadh

mobilize vt & i slóg

mock a bréag-, bréige vt & i, ~ *ing* ag athmhagadh, *to* ~ *sth* magadh, fonóid, a dhéanamh faoi rud

mockery n magadh, scige, *to make a* ~ *of sth* eala mhagaidh, ceap magaidh, a dhéanamh de rud

mocking n magadh a magúil, aithriseach, scigiúil

mode n modh

model n samhail; eiseamláir; mainicín, cuspa vt & i múnlaigh, ~ *ing* (*clothes*) ag mainicíneacht

moderate a measartha, cuibheasach, réasúnta, gearr-, meánach

moderation n measarthacht, meánaíocht

modern *a* nua-aimseartha, nua-aoiseach, ~ *Irish* Nua-Ghaeilge

modernization *n* nuachóiriú

modernize *vt* nuachóirigh

modest *a* banúil, modhúil; cúthail, náireach; geanasach; measartha

modesty *n* banúlacht, modhúlacht; geanas; náire; measarthacht

modification *n* mionathrú, modhnú

modify *vt* maolaigh, modhnaigh

modulate *vt & i* modhnaigh

module *n* modúl

mohair *n* móihéar

Mohammedan *n & a* Mahamadach

Mohammedanism *n* Mahamadachas, Ioslamachas

moist *a* maoth, tais

moisten *vt & i* maothaigh, taisrigh

moisture *n* fliuchán, taisleach

molasses *n* molás

mole[1] *n* caochán

mole[2] *n*, (*on skin*) ball dobhráin

molecule *n* móilín

molest *vt*, to ~ *a person* díobháil a dhéanamh do dhuine; cur isteach ar dhuine

mollify *vt* suaimhnigh, maolaigh, ceansaigh

mollusc *n* moileasc

molten *a*, (*of metal, lava*) leáite

moment *n* móimint, nóiméad; tábhacht

momentary *a* móimintiúil, gearrshaolach, ~ *pause* moill soicind

momentous *a* tábhachtach

momentum *n* móiminteam

monarch *n* monarc

monarchy *n* monarcacht

monastery *n* mainistir

monastic *a* manachúil

Monday *n* Luan, he will come on ~ tiocfaidh sé Dé Luain

monetary *a* airgeadúil, *European M* ~ *System* Córas Airgeadaíochta Eorpach

money *n* airgead; mona

money-lender *n* fear gaimbín

monger *n* mangaire

mongrel *n* bastard madra, bodmhadra

monitor *n* monatóir *vt*, ~ *ing sth* ag déanamh monatóireachta ar rud, ag faireachán ruda

monk *n* manach

monkey *n* moncaí

monkey-puzzle *n* arócar

monkfish *n* bráthair

mono- *pref* aon-, mona(i)-

monogamy *n* aonchéileachas, monagamas

monolith *n* monailit

monologue *n* monalóg

monopolize *vt* monaplaigh, *he* ~ *d the conversation* ghlac sé an comhrá chuige féin

monopoly *n* monaplacht

monosyllable *n* aonsiolla

monotonous *a*, (*of speech*) neamhaí, (*of style*) liosta, (*of view*) leamh

monotony *n* liostacht, ró-ionannas

monsignor *n* moinsíneoir

monsoon *n* monsún

monster *n* arracht, torathar; ollphéist *a* ollmhór

monstrance *n* oisteansóir

monstrous *a* anchúinseach, arrachtach, uafásach

month *n* mí

monthly *a* míosúil, ~ *magazine* míosachán

monument *n* leacht (cuimhneacháin), *national* ~ séadchomhartha náisiúnta

mood *n* giúmar, tiúin, (*grammar*) modh, *if you are in a* ~ *for walking* má tá fonn siúil ort

moody *a* taomach, spadhrúil

moon *n* gealach, ré, *the man in the* ~ Dónall na gealaí *vi*, ~ *ing about* ag starógacht

moonless *a*, ~ *night* oíche ré dorcha, oíche dhuibhré

moonlight *n* solas na gealaí *a*, ~ *night* oíche ré gealaí, oíche ghealaí

moor[1] *n* móinteán, riasc, sliabh, caorán, fraoch

moor[2] *vt* feistigh, múráil

Moor[3] *n* Múrach

mooring *n* múráil, ~(*s*) feistiú

moorland *n* móinteach, talamh sléibhe

mop *n* mapa, ~ (*of hair*) stoth, mothall (gruaige) *vt* mapáil, ~ *ping up* ag glanadh suas, *he* ~ *ped his brow* chuimil sé an t-allas dá éadan

mope *vi*, to ~ *bheith i ndroim dubhach*; bheith faoi chumha, faoi bhuairt

moped *n* móipéid

moral *n*, ~ *s* móráltacht, *the* ~ *of a story* múineadh scéil *a* morálta

morale n meanma, sprid, misneach

morality n moráltacht

morbid a easlán, galrach; duairc, duaiseach

more a & n & adv breis, níos mó, tuilleadh, one ~ ceann amháin eile, as many ~ a oiread eile, ~ than a year corradh agus bliain, ~ than a hundred os cionn céad, ~ than anything else thar rud ar bith eile, what is ~ rud eile de, it is getting ~ and ~ difficult tá sé ag dul i ndeacracht in aghaidh an lae, I respect him all the ~ for it is móide mo mheas air, ~ or less a bheag nó a mhór, once ~ uair amháin eile, you will not see them any ~ ní fheicfidh tú feasta iad, don't do that any ~ ná déan sin níos mó, any ~ than you ach oiread leat féin, ~ often níos minice

moreover adv thairis sin, and ~ agus fós, agus rud eile de

morgue n marbhlann

moribund a díbheo, ag dul in éag

Mormon n & a Mormannach

morning n maidin

morose a duairc, gruama, dochma, duasmánta, modartha

morphia n moirfín

morphine n moirfín

morphology n moirfeolaíocht

Morse a, the M ~ code an aibítir Mhorsach

morsel n giob, goblach, mír, ~ of food greim bia

mortal a básmhar; marfach, ~ sin peaca marfach a daonnaí

mortality n básmhaireacht, mortlaíocht

mortar¹ n moirtéal

mortar² n moirtéar, ~ and pestle moirtéar agus tuairgnín

mortgage n morgáiste vt morgáistigh

mortification n claonmharú; náire croí

mortify vt & i claonmharaigh; morg, I was mortified bhí náire croí, spalladh náire, orm

mortise n moirtís

mortuary n marbhlann

mosaic n mósáic

Moslem n & a Moslamach

mosque n mosc

mosquito n muiscít

moss n caonach, dyer's ~ duileascar (cloch)

moss-stitch n piocadh na circe, double ~ lúb na cruithneachta

most a & n & adv, ~ people formhór na ndaoine, ~ of the time bunús an ama, to make the ~ of sth a mhór, an chuid is fearr, a dhéanamh de rud, at (the) ~ ar a mhéad, ar an taobh amuigh de, the ~ spacious room an seomra is mó spás, it is ~ likely that is é is dóichí (de) go, M ~ Reverend Sár-Oirmhinneach

mostly adv go hiondúil; den chuid is mó de

mote n dúramán, cáithnín

motel n carróstlann

moth n féileacán oíche, (clothes-) ~ leamhan

mothballs npl millíní leamhan

mother n máthair, ~ tongue teanga dhúchais, ~ of pearl néamhann

motherhood n máithreachas

mother-in-law n máthair chéile

motherly a máithriúil

motif n móitíf

motion n gluaiseacht, luail, to set sth in ~ siúl a chur faoi rud, rud a chur sa siúl, to propose a ~ rún a mholadh vt & i, to ~ (to) a person to do sth comhartha a thabhairt do dhuine rud a dhéanamh, sméideadh ar dhuine rud a dhéanamh

motionless a gan chorraí, i do mharbhstad

motivate vt spreag

motivation n spreagadh

motive n réasún

motor n mótar; inneall vi, ~ing ag gluaisteánaíocht; ag imeacht faoi luas

motor-bike n gluaisrothar

motor-boat n mótarbhád

motor-car n gluaisteán, mótar, carr

motor-cycle n gluaisrothar

motoring n gluaisteánaíocht

motorist n gluaisteánaí

motorize vt mótaraigh

motorway n mótarbhealach

mottled a sliogánach

motto n mana

mould¹ n cló, múnla vt fuin, múnlaigh, that environment ~ed his character as an saol sin a fáisceadh é

mould² n múirín, cré, turf ~ smúdar, spruadar, móna vt, (of potatoes) clasaigh, lánaigh

mould³ n, (blue) ~ coincleach, caonach liath

moulder vi, to ~ smúdar a dhéanamh, ~ ing in the grave ag dreo san uaigh

moulding n múnla, múnlú; múnláil

mouldy a, ~ smell boladh dreoite, it went ~ tháinig coincleach air

moult n cleiteach vi, to ~ an chluimhreach a chur, bheith sa chleiteach

mound n dumha, leacht, feart; meall, carnán, tulach; dromainn, múr

mount¹ n sliabh, cnoc, ard

mount² n taca, seastán; capall vt & i, to ~ a horse dul sa diallait, the costs ~ed mhéadaigh na costais

mountain n sliabh

mountaineer n sléibhteoir

mountaineering n sléibhteoireacht

mountainous a sléibhtiúil, ~ wave cnoc farraige

mourn vt & i caoin

mourner n caointeoir; sochraideach

mournful a caointeach, léanmhar

mourning n brón, dobrón; éide bróin

mouse n luch(óg)

moustache n croiméal

mouth n béal, cab; pus, cár, draid, clab, ~ of river béal, bun, abhann; inbhear, (opening) súil

mouthful n bolgam, plaic, goblach

mouthpiece n béalóg; teanga labhartha

movable a aistritheach, inaistrithe

move n, (in game) beart; on the ~ sa siúl vt & i gluais, téigh; bog, corraigh, ~ back cúlaigh, ~ close to druid le; ~ (house) aistrigh

movement n gluaiseacht, siúl; luadar, luain, oibriú, corraíl; cúis

moving a faoi shiúl, siúlach; corraitheach

mow vt bain, (of lawn) lom, ~ down slaod, treascair

mower n buainteoir, inneall bainte; lomaire (faiche); spealadóir

Mr n, Mr O'Mahony an tUasal Ó Mathúna, Mac Uí Mhathúna

Mrs n, Mrs O'Neill Bean Uí Néill

much a & adv & pron mór, mórán, a lán, how ~ cá mhéad, cé mhéad, ~ better i bhfad níos fearr, thanks ever so ~ go raibh míle maith agat, so ~ water an méid sin uisce, that ~ is done tá an méid sin déanta, they made ~ of me

rinne siad cúram, a mhór, díom, it is not up to ~ is furasta (é) a mholadh, too ~ (an) iomarca, barraíocht, it was too ~ for him chinn sé air, so ~ an oiread seo, twice as ~ a dhá oiread, as ~ again a oiread eile, as ~ as you wish an méid is mian leat, as ~ as to say (that) ionann is a rá (go), ~ as they may agree dá mhéad a aontaíonn siad, he hasn't ~ sense níl puinn céille aige

muck n aoileach; salachar vt & i, to ~ up a job praiseach a dhéanamh d'obair, to ~ about praiseach ag méiseáil thart

mucky a salach, glárach

mucous a múcasach, smugach

mucus n múcas, smuga, ronna

mud n clábar, draoib, lathach, puiteach

muddle n meascán, trí chéile, prácás vt & i, to ~ a person meascán mearaí, mearbhall, a chur ar dhuine, to ~ along bheith ag streachailt leat

muddy a clábarach, draoibeach, lábach, modartha

mudguard n pludgharda

muff n mufa

muffin n bocaire, muifín

muffle vt, (of sound) múch, báigh, maolaigh, to ~ oneself up in heavy clothing tú féin a mhúchadh le héadach trom

muffler n muifléad

mug n muga

mulberry n maoildearg

mule n miúil

mullet n lannach, milléad

multi- pref il-

multicoloured a dathannach, ildathach

multidenominational a ilchreidmheach

multiple n iolraí a il-, iolrach

multiplication n iolrú, méadú

multiplicity n iolracht; iliomad

multiply vt & i iolraigh, méadaigh

multi-storeyed a ilstórach

multitude n drong, slua; iliomad

mumble n mugailt vt & i mungail, ~ ing the words ag ithe na bhfocal

mummer n cleamaire, geocach

mummy¹ n, (body) mumaí, seargán

mumps n leicneach, plucamas

munch vt mungail, ith, cogain

munching n mungailt

mundane a domhanda, saolta; leamh

municipal a cathrach, bardasach, ~ authority bardas

munitions *npl* lón cogaidh
Munster *n* Mumhain, Cúige Mumhan *a* Muimhneach
murder *n* dúnmharú, murdar *vt* dúnmharaigh
murderer *n* dúnmharfóir, murdaróir
murderous *a* marfach; scriosach; uafásach, ~ *attempt* iarraidh mharfa
murky *a* modartha, smúitiúil, salach
murmur *n* crónán, durdam, monabhar; ceasacht *vt & i*, ~*ing* ag monabhar; ag ceasacht
murmuring *n* monabhar; canrán *a* crónánach, dordánach
muscle *n* féith(eog), matán
muscular *a* féitheogach, matánach, lúithneach; láidir
muse[1] *n*, *the nine* ~*s* na naoi mbéithe
muse[2] *vi*, *to* ~ *on*, *about*, *sth* machnamh ar rud
museum *n* iarsmalann, músaem
mush *n* liothrach, práib
mushroom *n* beacán, muisiriún, ~ *growth* fás aon oíche
mushy *a* práibeach; maoithneach, bogúrach
music *n* ceol, oirfide
musical *a* ceolmhar, oirfideach, binn
musician *n* ceoltóir, oirfideach
musket *n* muscaed
musketeer *n* muscaedóir
muslin *n* muislín
mussel *n* diúilicín, iascán
must[1] *n* coincleach, caonach; dreo
must[2] *n* úrfhíon
must[3] *aux v*, *I* ~ *go* caithfidh mé imeacht, *do it if you* ~ déan é más éigean duit, *you* ~ *be tired* tá ceart agat a bheith tuirseach, ní foláir nó tá tuirse ort, *one* ~ *have sense* ní mór do dhuine ciall a bheith aige ní riachtanas
mustard *n* mustard
muster *n* mustar, tóstal; éirí slua *vt & i* tionóil

musty *a*, ~ *smell* seanbholadh, boladh dreoite
mute *n* balbhán *a* balbh
muted *a* maolaithe, bogtha
mutilate *vt* ciorraigh, martraigh, loit
mutilation *n* ciorrú, milleadh
mutineer *n* ceannairceach
mutinous *a* ceannairceach
mutiny *n* ceannairc
mutter *n* canrán; mungailt *vt & i*, *to* ~ *caint a chogaint*; rud a rá faoi d'fhiacla, faoi d'anáil, ~*ing* ag cnáfairt; ag clamhsán
muttering *n* mungailt; canrán, clamhsán
mutton *n* caoireoil
mutual *a* comh-, cómhalartach, ~ *assistance* comhar
muzzle *n*, (*of animal*) pus, soc, (*for animal*) féasrach, puslach; béal (gunna) *vt*, *to* ~ *a person* gobán a chur i mbéal duine
my *poss a*, ~ *mouth* mo bhéal, ~ *father* m'athair, ~ *hair* mo chuid gruaige, ~ *town* an baile seo agamsa, ~ *dear sir* a dhuine chóir
myriad *a* do-áirithe
myrrh *n* miorr
myself *pron* mise; (mé) féin, *feeding* ~ do mo chothú féin
mysterious *a* mistéireach, rúnda, (rún)diamhair
mystery *n* mistéir, (rún)diamhair, rún, *it's a complete* ~ *to me* ní thuigim ó thalamh an domhain é
mystic *n* misteach *a* misteach, fáth-
mystical *a* rúndiamhair
mystify *vt* mearaigh
myth *n* miotas
mythical *a* miotasach
mythology *n* déscéalaíocht, miotaseolaíocht
myxomatosis *n* miocsómatóis

N

nab *vt* gabh, *to* ~ *a person* breith ar dhuine, na greamanna a chur ar dhuine
nacre *n* néamhann
nag[1] *n* gearrán, clibistín
nag[2] *vt & i*, *don't* ~ *at me like that* ná bí ag

caitheamh, ag sá, chugam mar sin, *she is always nagging* bíonn sí i gcónaí ag ithe agus ag gearradh
nagging *a* cráiteach, sáiteach, ~ *person* báirseoir

nail n ionga; tairne vt & i tairneáil
naive a soineanta, saonta
naked a nocht, lom, the ~ truth lom na fírinne
nakedness n loime, lomnochtacht
name n ainm, christian ~ ainm baiste, good ~ clú vt ainmnigh, baist
namely adv is é sin, mar atá, eadhon
namesake n comhainmneach, your ~ fear (bean) d'ainm
nap¹ n néal, sámhán, támh vi, to ~ dreas codlata a dhéanamh, néal a ligean as do cheann, to catch a person ~ping teacht gan fhios ar dhuine, breith san fhaill ar dhuine
nap² n, (of cloth) bruth, caitín
nape n baic an mhuiníl, cuing an mhuiníl
napkin n naipcín
narcissus n nairciseas
narcotic n & a támhshuanach
narrate vt & i aithris, inis, eachtraigh
narration n aithris, cuntas, insint, ríomh
narrative n scéal, insint a, ~ style stíl scéalaíochta
narrator n scéalaí, aithriseoir
narrow n cúng; caolas, caoluisce a caol, cúng vt & i caolaigh, cúngaigh
narrow-minded a caolaigeanta, cúngaigeanta
narrowness n caoile, cúinge
nasal a srónach
nasalization n srónail
nasturtium n gleorán
nation n náisiún, cine
national a náisiúnach, náisiúnta
nationalism n náisiúnachas
nationality n náisiúntacht
nationalize vt náisiúnaigh
native n dúchasach a dúchasach, ~ land tír dhúchais, ~ place fód dúchais
nativity n saolú, the Nativity breith Chríost
natural a nádúrtha, it is ~ for her is é is dú, dual, di
naturalist n nádúraí
naturalize vt eadóirsigh
naturally adv ~! gan amhras!
naturalness n nádúrthacht
nature n nádúr, dúchas; dúlra, it is in her ~ to be kind is dual di a bheith cineálta, it is against ~ tá sé in aghaidh dula
naughty a dalba, ábhailleach, iomlatach

nausea n masmas, samhnas, déistin, múisc
nauseate vt & i, it would ~ you chuirfeadh sé samhnas, casadh aigne, ort; thiontódh sé do ghoile, she ~d at it tháinig samhnas, masmas, múisc, uirthi leis
nauseating a déistineach, masmasach, samhnasach, múisciúil
nautical a, ~ term focal farraige, ~ mile muirmhíle
naval a, ~ forces (an) slua muirí, fórsaí farraige, ~ engineer innealtóir loingis
nave¹ n corp eaglaise, meánlann
nave² n mol, ceap
navel n imleacán
navigable a inseolta
navigation n loingseoireacht
navigator n loingseoir
navvy n náibhí
navy n cabhlach
navy-blue a dúghorm
Nazi n Naitsí a Naitsíoch
Nazism n Naitseachas
neap-tide n mallmhuir
near a & adv & prep cóngarach (do); gar, gairid, i ngar (do), i ngiorracht (do), in aice (le), far and ~ i gcéin is i gcóngar vt tarraing ar, druid le, téigh i ngar do
nearby adv in aice láimhe, in aice láithreach
nearly adv beagnach, nach mór, nach beag, ~ done (de) chóir a bheith, i ndáil le bheith, déanta, I ~ fell is beag nár thit mé, dóbair dom titim, she is not ~ as tall as you níl sí baol ar chomh hard leatsa
nearness n cóngar, aice, foisceacht; sprionlaitheacht, ceacharthacht
neat a néata, comair, deismir, innealta, slachtmhar, críochnúil, gasta, to drink whiskey ~ fuisce a ól craorag, ar a aghaidh
nebulous a néalmhar, ceoch, mishoiléir
necessary a riachtanach, it is not ~ níl gá, feidhm, leis npl riachtanais
necessitate vt éiligh, it ~s careful consideration caithfear, ní mór, smaoineamh go maith air
necessity n riachtanas, gá, éigean
neck n muineál, píobán, scrogall, bráid, (of land) cuing
necklace n muince (bráid)
neckline n muineál

necktie n carbhat

nectar n neachtar

nectarine n neachtairín

need n riachtanas, díth, gá; cruóg, gátar vt & i, to ~ sth bheith i ngá ruda, I ~ it tá sé de dhíth, de dhíobháil, orm; teastaíonn sé uaim, I ~ hardly say that ní gá dom, níl feidhm dom, a rá go

needle n snáthaid, knitting ~ biorán, dealgán (cniotála) vt, to ~ a person séideadh faoi dhuine, bheith ag sá chuig duine

needless a neamhriachtanach, gan ghá, ~ to say that ní gá a rá go

needlework n obair shnáthaide, fuáil

needy a easpach, gátarach, dearóil, in ~ circumstances ar an gcaolchuid

negation n séanadh, diúltú

negative n & a diúltach

neglect n neamhchúram, neamhspéis; faillí, neamart, siléig vt & i faillighá, to ~ sth faillí, neamart, a dhéanamh i rud; rud a ligean i léig, ar ceal

negligence n faillí, dearmad, neamart, siléig, sleamhchúis

negligent a neamhchúramach, faillitheach, neamartach

negligible a suarach, fánach, a ~ amount méid nach fiú trácht air, nach fiú a chur i suim, nach fiú a bheith leis

negotiable a intráchta, inaistrithe, inphléite; sothriallta, insiúil, inseolta

negotiate vt & i pléigh, socraigh, (of bill) aistrigh, to ~ a difficulty constaic a shárú, to ~ for peace síocháin a phlé

negro n gormach, fear gorm

neigh n seitreach vi, to ~ seitreach a ligean, a dhéanamh

neighbour n comharsa

neighbourhood n comharsanacht

neighbourly a comharsanúil, to act in a ~ fashion (towards) comharsanacht mhaith a dhéanamh (le)

neither pron, ~ of us spoke níor labhair ceachtar againn conj, ~ you nor I know níl a fhios agatsa ná agamsa, if you don't go ~ will I mura rachaidh tusa ní rachaidh mise ach oiread, ach chomh beag

Neolithic a Neoiliteach

neon n neon

nephew n nia, mac dearthár, mac deirféar

Neptune n Neiptiún

nerve n néaróg; misneach, dánacht vt, to ~ oneself to do it do mhisneach a chruinniú chun a dhéanta

nervous a scinnideach, geiteach; neirbhíseach, ~ system néarchóras, ~ breakdown cliseadh

nervousness n neirbhís, cearthaí; scinnide

nest n nead, bees' ~ cuasnóg, mare's ~ nead codlamáin airde vi neadaigh

nest-egg n ubh fáire; cillín, taisce

nestle vi neadaigh, to ~ down tú féin a shoipriú, to ~ up to a person deasú isteach le duine

nestling n scalltán, scallamán, gearrcach

net[1] n líon, eangach; éadach mogallach vt ceap, dol, lúb, to ~ a ball an liathróid a chur sa líontán

net[2] a, (of weight, price) glan vt, to ~ one hundred pounds (on transaction), brabach céad punt a dhéanamh

netting n fíodóireacht; líontán, mogalra

nettle n neantóg vt clip, to ~ a person duine a chorraí (chun feirge)

network n gréasán, líonra, mogalra, eangach

neuralgia n néarailge

neuritis n néiríteas

neurology n néareolaíocht

neurosis n néaróis

neurotic n & a néaróiseach

neuter n neodar; seascachán a neodrach; seasc vt neodraigh, coill

neutral a neodrach

neutrality n neodracht

neutralize vt maraigh, cealaigh, neodraigh

neutron n neodrón

never adv, he ~ spoke of it níor labhair sé riamh air, he will ~ come ní thiocfaidh sé choíche, ~ again go deo arís, go brách arís

nevermore adv feasta, go brách, go deo deo

nevertheless adv ina dhiaidh sin (is uile), ar a shon sin, fós, san am céanna

new a nua, úr

newly-wed n nuaphósta

newness n úire, núiosacht, nua

news n nuacht, scéala

newsagency n nuachtghníomhaireacht; siopa nuachtán

newsagent n nuachtánaí

newsmonger n reacaire, burdúnaí

newspaper n nuachtán, páipéar nuachta

newt n earc luachra

next a, the ~ thing an chéad rud eile, the ~ day an lá ina dhiaidh sin, an lá dár gcionn, lá arna mhárach, ~ year an bhliain seo chugainn, (s)an athbhliain adv, when I ~ saw him nuair a chonaic mé arís é, when ~ he comes an dara huair a thiocfaidh sé prep in aice, le taobh, ~ to the skin le cneas, ~ to me in age i dtánaiste dom in aois

next-door a, ~ neighbours comharsana béal dorais

nib n gob (pinn)

nibble n greim, miota vt & i creim, miotaigh, pioc, nibbling at it ag blaistínteacht air

nice a deas, lách, breá; cáiréiseach, beacht

nicety n cáiréis, deismíneacht; beaichte; mionphointe

niche n almóir; nideog

nick n eang, scolb, in the ~ of time díreach in am vt gearr; gabh; goid, to ~ a stick eang a chur i maide

nickel n nicil

nickname n leasainm vt, to ~ a person leasainm a thabhairt ar dhuine

nicotine n nicitín

niece n neacht, iníon dearthár, iníon deirféar

niggardly a gortach, ceachartha, sprionlaithe, cúng

niggle vi creim, niggling ag mínineacht, ag beachtaíocht

niggling a creimneach; mion, fánach; beachtaíoch, mionchúiseach

night n oíche, last ~ aréir, at ~ istoíche

night-dress n léine oíche

nightfall n crónachan, titim na hoíche, by ~ roimh oíche

nightingale n filiméala

nightmare n tromluí a uafásach

night-watchman n fairtheoir oíche

nihilism n nihileachas

nil n neamhní, náid

nimble a éasca, lúfar, luaineach

nincompoop n gamal, amadán

nine n & a naoi, ~ persons naonúr

ninepins npl pionnaí, cibleacháin

nineteen n & a naoi déag, ~ persons naoi nduine dhéag

nineteenth n & a, the ~ day an naoú lá déag, one ~ an naoú cuid déag

ninetieth n & a nóchadú

ninety n & a nócha

ninth n & a naoú

nip[1] n liomóg, scealpóg, sclamh; goimh vt & i, to ~ a person miotóg a bhaint as duine, to ~ off sth rud a theascadh, a scoitheadh, to ~ round to the shop sciurdadh anonn chun an tsiopa

nip[2] n, (of spirits) smeachán, deoir

nipple n sine

nippy a éasca, gasta; goimhiúil, bioranta

nit n sníodh, treaghdán

nitrate n níotráit

nitrogen n nítrigin

no a, he has ~ sense níl ciall ar bith aige, ~ matter is cuma, I had ~ money ní raibh aon airgead agam adv, whether you want it or ~ bíodh sé uait nó ná bíodh, say ~ more ná habair a thuilleadh n, say yes or ~ abair sea nó ní hea, don't take ~ for an answer from him ná glac diúltú, eiteach, uaidh

nobility n uaisleacht, the ~ na huaisle

noble n & a uasal

nobody pron, ~ spoke níor labhair aon duine, duine ar bith n neamhdhuine

nocturnal a oíchí, ~ bird éan oíche

nocturne n, (music) nochtraí

nod n sméideadh vt & i, to ~ one's head at a person do cheann a sméideadh ar dhuine, he was ~ding asleep bhí néal ag titim air

node n nód

nodule n nóidín

noggin n naigín, gogán

noise n fothram, callán, torann, tormán, trup vt, to ~ sth abroad scéal a reic

noiseless a ciúin, balbh, éaglórach

noisy a glórach, callánach, torannach, greadhnach

nomad n fánaí

nomenclature n ainmníocht

nominal a ainmniúil

nominally adv in ainm a bheith; go hainmniúil

nominate vt ainmnigh

nomination n ainmniúchán

nominative n & a ainmneach

nominator n moltóir

nominee n ainmnitheach

non- pref neamh-, mí-, an-, ain-

nonchalance n neamhchúis
nonconformist n & a neamhaontach
noncommissioned a neamhchoimisiúnta
noncommittal a neamhcheangailteach
non-denominational a neamh-shain-chreidmheach
nondescript a neamhshuntasach
none pron aon duine; aon rud, aon cheann adv, he is ~ the better for his wealth níl sé a dhath, pioc, níos fearr de bharr a chuid saibhris
nonentity n neamhdhuine
non-intoxicating a neamh-mheisciúil
nonplus vt, to ~ a person staic a dhéanamh de dhuine; stad, stangadh, a bhaint as duine
nonsense n raiméis, seafóid, amaidí, áiféis, fastaím
nonsensical a seafóideach, raiméiseach, amaideach
nook n clúid, cúil, cúinne, lúb
noon n nóin; eadra
noose n sealán, lúb, dol, gaiste
nor conj ná
normal a normálta, nádúrtha
Norman n & a Normannach
north n tuaisceart, in the ~ of Ireland in íochtar Éireann, from the ~ aduaidh, to the ~ ó thuaidh adv & a, the ~ wind an ghaoth aduaidh, the ~ coast an cósta tuaidh, to go ~ dul ó thuaidh, ~ of taobh tuaidh de; ó thuaidh ó, lastuaidh de
northeast n oirthuaisceart adv soir ó thuaidh a thoir thuaidh, the ~ wind an ghaoth anoir aduaidh
northerly a & adv, ~ wind gaoth aduaidh, in a ~ direction (san aird) ó thuaidh, the ~ part an taobh ó thuaidh
northern a tuaisceartach, the ~ towns na bailte thuaidh
northwards adv ó thuaidh
northwest n iarthuaisceart adv siar ó thuaidh a thiar thuaidh, the ~ wind an ghaoth aniar aduaidh
nose n srón, gaosán, soc vt & i, to ~ (out) sth boladh ruda a chur, nosing around ag bolaíocht, ag smúrthacht, thart
nosebag n mála cinn
nosedive n socthumadh; tobthitim; titim ar do phus
nostalgia n cumha

nostalgic a cumhach, ~ visit cuairt an lao ar an athbhuaile
nostril n polláire, poll sróine
nosy a caidéiseach, fiosrach, srónach
not adv ní, cha, did you ~ buy it nár cheannaigh tú é, do ~ stir ná corraigh, are you ill? ~ at all an bhfuil tú tinn? níl ar chor ar bith, why ~ cad chuige nach (ndéanfá etc), you had better ~ wait b'fhearr duit gan fanacht
notable a suntasach; iomráiteach, nótáilte, ~ person duine fiú le rá, mór le rá
notably adv go sonrach
notary n nótaire
notation n nodaireacht
notch n eang, fáirbre, scór, béim vt bearnaigh, eangaigh, to ~ a tally eang a chur i mbata scóir
note n nóta; guth, faí, man of ~ fear iomráiteach, pound ~ páipéar puint, nóta puint, it is worthy of ~ is cuid suntais é, to make a ~ of sth rud a bhreacadh síos vt tabhair faoi deara, nótáil
noted a aitheanta, ainmniúil, nótáilte
notepaper n páipéar litreacha
noteworthy a fiú le rá, suntasach
nothing n & adv neamhní, faic, dada, rud ar bith, aon cheo; náid, ~ happened níor tharla aon ní, he is ~ the worse for it níl sé thíos leis dada, for ~ in aisce
nothingness n neamhní
notice n fógraíomh, fógra; aird, aire, suntas, take no ~ of her ná tóg ceann, comhartha, ar bith de vt tabhair faoi deara, sonraigh
noticeable a suntasach, feiceálach
notification n fógra
notify vt fógair, cuir in iúl
notion n smaoineamh, tuairim, teidhe, nóisean, high ~s tógaíocht, I haven't a ~ ní fheadar ó thalamh an domhain, níl a fhios agam faoin spéir
notoriety n gáir, droch-chlú
notorious a michliúteach, he became ~ chuaigh a gháir i bhfad
notwithstanding prep, ~ that ina dhiaidh sin is uile, ina ainneoin sin, ar a shon sin (is uile) adv ina dhiaidh sin, mar sin féin
nought n náid, neamhní, nialas, to bring sth to ~ rud a chur ar neamhní, ar ceal

noun *n* ainm, ainmfhocal, *collective ~* cnuasainm
nourish *vt* beathaigh, cothaigh
nourishing *a* beathaitheach, cothaitheach, scamhardach
nourishment *n* beathú, cothú, scamhard
novel *n* úrscéal *a* úr, nua
novelist *n* úrscéalaí
novelty *n* nuacht, úire, úrnuacht
November *n* Samhain
novena *n* nóibhéine
novice *n* nóibhíseach, núíosach
now *adv* anois, *between ~ and Christmas* idir seo agus Nollaig
nowadays *adv* ar na saolta seo
nowhere *adv* áit ar bith, in aon áit, *they are ~ to be seen* níl siad le feiceáil thíos ná thuas, *you are ~ near it* níl tú in aon ghiorracht dó
noxious *a* dochrach, díobhálach
nozzle *n* soc
nuance *n* miondifríocht, caolchúis, imir
nuclear *a* núicléach, eithneach
nucleus *n* eithne, núicléas
nude *n* nocht *a* lomnocht
nudge *n* broideadh, sonc *vt* broid, *to ~ a person* broideadh, sonc, sá, a thabhairt do dhuine
nudism *n* nochtachas
nudity *n* nochtacht
nugget *n* cnap (óir)
nuisance *n* núis, *they are a terrible ~* is mór an crá (croí) iad
null *a* nialasach, neamhbhríoch, folamh, *~ and void* gan éifeacht, ar neamhní
nullify *vt* neamhnigh, *to ~ sth* rud a chur ar neamhní
numb *a* mairbhiteach, mairbhleach, gan mhothú, bodhar

number *n* uimhir, figiúr; suim, líon, oiread; eagrán, *one of their ~* duine díobh, *a ~ of them* roinnt acu, *great ~* iomad, lear mór *vt* cuntais, áirigh; uimhrigh
numbness *n* eanglach, fuarnimh, mairbhití
numeracy *n* uimhearthacht
numeral *n* uimhir, figiúr
numeration *n* uimhriú
numerical *a* uimhriúil
numerous *a* líonmhar, iomadúil
numismatics *npl* moneolaíocht
nun *n* bean rialta
nuncio *n* nuinteas
nurse *n* banaltra; buime *vt* oil, *to ~ a child* an chíoch a thabhairt do leanbh, *to ~ a sick person* banaltracht, freastal, a dhéanamh ar dhuine tinn, *he is nursing a grudge against us* tá an t-olc istigh aige dúinn
nursery *n* naíolann
nursing *n* altranas; banaltracht
nurture *n* oiliúint, beathú, cothú *vt* cothaigh, beathaigh, oil
nut *n* cnó
nut-cracker *n* cnóire
nutmeg *n* noitmig
nutrient *n & a* cothaitheach
nutrition *n* cothú
nutritious *a* scamhardach, cothaitheach
nutshell *n* blaosc cnó, crotal cnó, *in a ~* i mbeagán focal
nuzzle *vt & i, to ~ against* bheith ag srónaíl, ag smúrthacht, ar
nylon *n* níolón
nymph *n* nimfeach

O

oak *n* dair
oar *n* rámh, maide rámha
oarsman *n* rámhaí, iomróir
oasis *n* ósais
oath *n* mionn, eascaine
oatmeal *n* min choirce
oats *n* coirce
obdurate *a* dúr, dígeanta

obedience *n* umhlaíocht
obedient *a* umhal, géilliúil, *to be ~ to a person* bheith faoi réir duine
obeisance *n* umhlú
obelisk *n* oibilisc
obese *a* otair
obesity *n* otracht

obey *vt* géill do, umhlaigh do, *to ~ a person's wishes* rud a dhéanamh ar dhuine, bheith umhal do dhuine, réir duine a dhéanamh

obituary *n* liosta na marbh; moladh mairbh *a*, *~ column* colún na marbh

object[1] *n* rud, ábhar, cuspóir; cuspa, *~ of pity* díol trua, *money no ~* ná bac an t-airgead

object[2] *vi*, *to ~ to sth* cur i gcoinne ruda, *to ~ to doing sth* diúltú rud a dhéanamh

objection *n* agó, agóid, *he made no ~ to it* níor chuir sé ina choinne

objective *n* cuspóir, cuspa, sprioc *a* oibiachtúil, réadach; cuspóireach

objectivity *n* oibiachtúlacht

Oblate *n* Oblátach

obligation *n* oibleagáid, ceangal, cuing, dualgas, *under an ~ to a person* faoi chomaoin ag duine

obligatory *a* éigeantach, oibleagáideach

oblige *vt*, *I am ~d to speak to him* tá iallach orm, tá sé d'fhiacha orm, labhairt leis, *to ~ a person* oibleagáid, gar, a dhéanamh do dhuine, *I am ~d to you* tá mé faoi chomaoin agat

obliging *a* garúil, oibleagáideach, comaoineach, soiliosach

oblique *a* fiar, sceabhach, claon-

obliterate *vt* díobh, díothaigh, múch, cealaigh

oblivion *n* éaguimhne, díchuimhne, dearmad

oblivious *a* díchuimhneach, *~ to sth* dall ar rud, gan beann ar rud

oblong *a* leathfhada

obnoxious *a* gráiniúil, déistineach, fuafar

oboe *n* óbó

obscene *a* gáirsiúil, graosta, salach; scannalach, déistineach

obscenity *n* gáirsiúlacht, graostacht, salachar; focal (*etc*) gáirsiúil

obscure *a* doiléir, dorcha, diamhair, dothuigthe, *~ person* duine gan iomrá, *~ village* baile i bhfad siar, baile cúlráideach *vt* dorchaigh, doiléirigh, dall, folaigh

obscurity *n* dorcha, doiléire, diamhracht; cúlráid

obsequies *npl* tórramh, sochraid

obsequious *a* lúitéiseach, lústrach, spleách, *~ person* lútálaí

observance *n* coimeád; coinneáil, comhlíonadh, *religious ~s* deasghnátha creidimh

observant *a* comhlíontach; grinn, géarshúileach, braiteach

observation *n* coimhéad, breathnú; focal tagartha, tuairim; nóta, sonrú, *to make an ~ about a person* caidéis a fháil ar dhuine, *under ~* faoi scrúdú

observatory *n* réadlann

observe *vt & i* coinnigh, comhlíon, comhaill; breathnaigh, coimhéad, sonraigh; braith

observer *n* breathnóir, féachadóir, coimhéadaí

obsess *vt*, *to be ~ed by sth* gnáthsheilbh a bheith ag rud ort, bheith i ngreim ag rud

obsolescence *n* dul as feidhm

obsolete *a* as feidhm, seanchaite, *to become ~* titim i léig, dul as úsáid

obstacle *n* constaic, bac

obstetrician *n* cnáimhseoir

obstetrics *npl* cnáimhseachas

obstinacy *n* ceanndánacht, stuacacht, diúnas

obstinate *a* ceanntréan, dúr, stuacach, ládasach

obstreperous *a* callóideach, círéibeach, mallaithe

obstruct *vt* coisc, toirmisc, bac

obstruction *n* bacainn, stopainn, dris chosáin

obtain *vt & i* faigh, gnóthaigh, bain amach, *practice that ~s among the rich* nós a chleachtann lucht an tsaibhris, *the rules which ~ here* na rialacha atá i bhfeidhm ansco

obtainable *a* infhaighte, le fáil

obtrude *vt*, *to ~ oneself* tú féin a bhrú chun tosaigh

obtrusive *a* buannúil, treallúsach

obtuse *a* maolintinneach, dobhránta, *~ angle* maoluillinn

obvious *a* follasach, soiléir, sofheicthe

occasion *n* ócáid, faill; trúig, siocair, *on the first ~* an chéad uair, *on this ~* an babhta, iarraidh, turas, seo; den dul seo *vt*, *to ~ sth* bheith i do chionsiocair le rud

occasional *a* corr-, fo-, breac-, fánach, ócáideach

occasionally *adv* corruair, ar uairibh, anois is arís

occident *n* an t-iarthar, an Domhan Thiar

occult *a* diamhair

occupancy *n* gabháltas, seilbh

occupant *n* sealbhóir, áititheoir

occupation *n* áitiú, lonnú, gabháil; slí bheatha, gairm (bheatha), ceird, *to be in ~ of a house* bheith i do chónaí i dteach, bheith i seilbh tí

occupier *n* áititheoir

occupy *vt* áitigh, gabh, *to ~ a house* dul i seilbh tí, *to ~ a person's place* suí in áit duine, *to keep a person occupied* duine a choinneáil gnóthach

occur *vi* tarlaigh, tit amach, *it ~red to me that* rith sé liom (go)

occurrence *n* tarlú, teagmhas

ocean *n* aigéan, bóchna, farraige mhór

oceanic *n* aigéanach

oceanography *n* muireolaíocht

ochre *n* ócar

octagon *n* ochtagán

octave *n* ochtach

October *n* Deireadh Fómhair

octopus *n* ochtapas

oculist *n* lia súl, súil-lia

odd *a* corr, fo-; greannmhar, ait, aisteach, *~ man out* éan corr, stocaire

oddity *n* aiteacht; duine corr; rud aisteach

oddments *npl* earraí fuíll

oddness *n* aiteacht, greannmhaireacht, coirre

odds *npl* difríocht; buntáiste, corrlach, *against the ~* in aghaidh an tsrutha, *~ and ends* giuirléidí, *what ~!* nach cuma!

ode *n* óid

odious *a* fuafar, gráiniúil

odorous *a* boltanach

odour *n* boladh

oestrus *n* éastras

of *prep* de, as, *it was good ~ you* ba mhaith uait é, *one ~ us* duine againn, *fond ~* ceanúil ar

off *adv, he went ~* d'imigh sé leis, *be ~* cuir díot, gread leat, *~ they went* siúd chun siúil iad, *to be well, badly, ~* bheith go maith, go holc, as *a, the ~ side* an taobh deas, an taobh amuigh,

the match is ~ tá an cluiche curtha ar ceal *prep* de

offal *n* miodamas, cosamar; scairteach

offence *n* oilbhéim, masla; cion, coir, *he took ~ at what I said* chuir mo chuid cainte olc air

offend *vt & i* ciontaigh, peacaigh, *she was ~ed* tháinig uabhar, olc, uirthi

offender *n* ciontóir, coireach

offensive *n*, *to take the ~* dul ar an ionsaí *a* ionsaitheach; maslach, tarcaisneach, gránna

offer *n* tairiscint *vt & i* tairg; ofráil

offering *n* ofráil, toirbhirt, síntiús, *Mass ~* comaoin Aifrinn

offertory *n* ofráil

offhand *a* gan ullmhú, neamhchúiseach

office *n* feidhm, cúram, oifig, *to put a person out of ~* duine a chur as feidhmeannas

officer *n* oifigeach, feidhmeannach

official *n* feidhmeannach *a* oifigiúil

officiate *vi* feidhmigh

officious *a* déanfasach, postúil, gnóthach

off-licence *n* eischeadúnas

offset *vt* cúitigh

offshoot *n* géag, taobh-bhuinneán

offshore *a*, *~ fishing* fadiascaireacht, *~ wind* gaoth ón talamh

offspring *n* clann, sliocht, gin, pór

often *adv* go minic

ogham *n* ogham, *~ stone* cloch oghaim

ogle *n* catsúil *vt, to ~ a person* catsúil a chaitheamh le duine

ogre *n* gruagach, torathar

oil *n* ola, íle *vt* olaigh, ilig, bealaigh

oil-cloth *n* ola-éadach

oilfield *n* olacheantar

oiliness *n* olaíocht, ungthacht

oilskins *npl* aidhleanna

oily *a* olach, olúil, úscach; *(of person)* sleamhain, tláithíneach

ointment *n* ungadh

old *a* aosta, sean, críonna, seanaimseartha, *~ age* críonnacht, seanaois, *~ woman* cailleach, seanbhean, *~ person* seanóir, seanduine

old-fashioned *a* seanfhaiseanta, seanaimseartha

old-timer *n* seanfhondúir

olfactory *a* boltanach

oligarchy *n* olagarcacht

olive *n* ológ *a*, *~ green* glas ológe

Olympic *a* Oilimpeach, ~ *games* cluichí Oilimpeacha

omelette *n* uibheagán

omen *n* comhartha, tuar, séan, mana

ominous *a* tuarúil; bagrach, uafásach

omission *n* easnamh, lúb ar lár, faillí, dearmad

omit *vt* fág amach, fág ar lár, dearmad

omnipotent *a* uilechumhachtach

omnipresent *a* uileláithreach

omniscient *a* uilefheasach

omnivore *n* uiliteoir

omnivorous *a* uiliteach

on *prep* ar *adv*, is there anything ~ an bhfuil aon cheo ar siúl, *to put* ~ *one's clothes* do chuid éadaigh a chur ort, *go* ~ lean leat, *and so* ~ agus mar sin de, ~ *and off* anois agus arís, ann as

once *adv* uair amháin, tráth, *at* ~ láithreach, ar an toirt; in éineacht

one *a* aon, ~ *person*, ~ *thing* duine, rud, amháin *pron* duine, ceann, ~ *of them*, duine acu, ceann acu, ~ *of the girls* bean de na cailíní, *she is* ~ *of the most beautiful women in Ireland* tá sí ar mhná áille na hÉireann, *to do* ~*'s share of the work* do scair den obair a dhéanamh, ~ *by* ~ ina gceann is ina gceann

one-armed *a* leathlámhach, ar leathláimh

onerous *a* trom, tromaí, dochraideach

oneself *pron* an duine féin, tú (thú) féin, *feeding* ~, do do chothú féin

one-sided *a* leataobhach, leatromach

onion *n* oinniún

onlooker *n* féachadóir *pl* lucht féachana

only *a* amháin, aon *adv* féin, amháin, *you are* ~ *fooling* níl tú ach ag amaidí *conj* ach, murach, ~ *for you* ach ab é tusa

onomatopoeia *n* onamataipé

onrush *n* ruathar, sitheadh

onset *n* ruathar, ionsaí, *at the (first)* ~ i dtús báire

onslaught *n* imruathar, turraing

onus *n* dualgas, freagracht, trom, ualach

onwards *adv* chun cinn, ar aghaidh, *from this date* ~ i ndiaidh an dáta seo, ón dáta seo amach, *from the tenth century* ~ ón deichiú céad i leith, anall

ooze *n* púscán, múscán, slaba *vi* úsc, sil

opal *n* ópal

opaque *a* teimhneach

open *n*, *in the* ~ amuigh faoin spéir; os ard *a* oscailte, ar oscailt, follas; macánta, *the* ~ *sea* an fharraige mhór *vt & i* oscail

opening *n* oscailt, leathadh; doras, béal; tionscnamh, tús

opener *n* osclóir

openly *adv* os ard, go follasach, go poiblí

openness *n* oscailteacht; lom; macántacht

opera *n* ceoldráma

operate *vt & i* oibrigh, *to* ~ *on a person* duine a chur faoi scian, obráid a dhéanamh ar dhuine; dul i gcion ar dhuinc

operation *n* feidhmiú, oibriú; obráid, sceanairt, *in* ~ i bhfeidhm, *to undergo an* ~ dul faoi scian (dochtúra)

operational *a* oibríoch

operative *n* oibrí *a* feidhmiúil, oibríoch

operator *n* oibreoir

opiate *n & a* codlaidíneach

opinion *n* tuairim, barúil, *in his own* ~ dar leis féin

opinionated *a* teanntásach, barúlach

opium *n* codlaidín

opponent *n* céile comhraic, céile imeartha, teagmhálaí

opportune *a* caoithiúil, tráthúil, ócáideach, ionúch

opportunist *n* brabúsaí

opportunity *n* deis, caoi, faill, seans, áiméar, ionú

oppose *vt*, *to* ~ *a person* cur i gcoinne, in éadan, in aghaidh, duine

opposed *a*, ~ *to* in éadan, i gcoinne, in aghaidh, ~ *to reason* bunoscionn le réasún

opposite *n* contrárthacht, malairt, *the* ~ *of that* a ghlanmhalairt sin, a chontráil sin, a mhilleadh sin *a* codarsnach, contrártha; urchomhaireach *prep* os comhair, os coinne

opposition *n* codarsnacht; freasúra; cur in aghaidh (ruda)

oppress *vt* dubhaigh, *to* ~ *a person* duine a chur i ndaoirse; cos ar bolg, leatrom, a imirt ar dhuine, *the heat* ~*ed me* luigh an teas orm

oppression *n* ansmacht, daoirse, dochraide, leatrom, cos ar bolg

oppressive *a* leatromach, tíoránta, marbhánta, trom, múisciúil

oppressor *n* tíoránach

opt *vi*, *to* ~ *for sth* rud a thoghadh, taobhú, le rud, *to* ~ *out of sth* tarraingt siar as rud

optic *a* optach

optician *n* radharceolaí

optics *npl* optaic

optimism *n* soirbhíochas

optimist *n* soirbhíoch

optimistic *a* dóchasach

option *n* rogha

optional *a* roghnach

opulent *a* saibhir, taibhseach, ollásach

opus *n* saothar

or *conj* nó, *(with neg)* ná, *without food* ~ *drink* gan bhia gan deoch, ~ *else stay at home* nó neachtar acu fan sa bhaile

oracle *n* oracal, aitheascal

oral *a*, ~ *account* béalaithris, ~ *examination* scrúdú béil, scrúdú cainte

orange *n* oráiste *a* flannbhuí

Orangeman *n* Oráisteach, Fear Buí

orang-utan *n* órang-útan

oration *n* óráid

orator *n* óráidí

oratorio *n* oratóir

oratory *n* aireagal; óráidíocht

orb *n* cruinne(og)

orbit *n* fithis, diathair *vt & i* fithisigh

orchard *n* úllord

orchestra *n* ceolfhoireann

orchestrate *vt* ionstraimigh; eagraigh

orchid *n* magairlín

ordain *vt* oirnigh; ceap, *what God* ~ *ed for us* an rud a gheall, a d'ordaigh, Dia dúinn

ordeal *n* oirdéal, féachaint; spliontaíocht, *they went through a terrible* ~ fuair siad sceimhle

order *n* ord, eagar, rang; ordú, *holy* ~ *s* ord beannaithe, *religious* ~ ord crábhaidh, ord rialta, *out of* ~ as cor, as compás, ar mhíghléas; as ordú, as bealach, *in working* ~ ar deil, i dtreoir oibre, *in* ~ *to do sth* chun, d'fhonn, le, rud a dhéanamh *vt* ordaigh

orderly *a* slachtmhar, ordúil, rianúil; dea-iomprach

ordinal *n* orduimhir

ordinary *a* coitianta, comónta, gnách, gnáth-, *out of the* ~ as an gcoitiantacht, as an ngnáth, neamhghnách, éagoitianta

ordination *n* oirniú; cur in ord

ordnance *n* ordanás, léarscáilíocht

ordure *n* cac, salachar

ore *n* mianach, *iron* ~ amhiarann

organ *n* orgán; ball

organic *a* orgánach

organism *n* orgánach

organist *n* orgánaí

organization *n* eagraíocht, eagras; eagrú

organize *vt* eagraigh

organizer *n* eagraí

orgy *n* scléip

orient *n* an t-oirthear, an Domhan Thoir

oriental *n & a* oirthearach

orientation *n* treoshuíomh

orienteering *n* treodóireacht

orifice *n* béal, poll

origin *n* bunús, fréamh, foinse, údar, tús

original *n*, *(of book, etc)* bunchóip *a* bunúsach, bunaidh, nua, bun-, ~ *sin* peaca an tsinsir, ~ *ly* ar dtús, ó thús; ó cheart, ó bhunús

originality *n* bunúsacht, éagoitinne, úrnuacht

originate *vt & i* údaraigh, gin, tionscain, tuismigh, tosaigh, *to* ~ *from* teacht as, ó

originator *n* údar, tionscnóir

Orion *n* Oiríon, ~ '*s Belt* Slat an Rí

ornament *n* ornáid, gréas; maisiú *pl* gréithe *vt* ornáidigh, gréasaigh, maisigh

ornamental *a* ornáideach, maisiúil, ~ *work* gréas

ornate *a* ornáideach, gréasta

ornithology *n* éaneolaíocht

orphan *n* dílleachta

orphanage *n* dílleachtlann

orthodox *a* ceartchreidmheach

orthodoxy *n* ceartchreideamh

orthography *n* litriú

orthopaedic *a* ortaipéideach

oscillate *vi* luasc

osier *n* saileach; slat sailí

osprey *n* coirneach

Ossianic *a*, ~ *lay* laoi Fiannaíochta

ossify *vt & i* cnámhaigh; cruaigh, stolp

ostensible *a*, ~ *business* gnó súl

ostentation *n* gairéad, stró, maingléis, scléip

ostentatious *a* gáifeach, taibhseach, mustrach, stróúil

osteopath *n* oistéapat

ostracize *vt* eascoiteannaigh; seachain

ostrich n ostrais

other a eile, the ~ day arú inné; an lá cheana, an lá faoi dheireadh, a book ~ than this one leabhar seachas an ceann seo pron, one after the ~ duine i ndiaidh duine, one way or the ~ mar seo nó mar siúd pl daoine eile, above all ~s thar chách

otherwise adv ar chuma eile, it is little good ~ is beag an mhaith thairis sin é, work, ~ you will fail oibrigh nó teipfidh ort

otter n dobharchú, madra uisce

ought aux v, what ~ to be done an rud is cóir, ceart, a dhéanamh, you ~ to read that book ba cheart duit an leabhar sin a léamh, you ~ to have taken my advice d'fhéad tú, ba é do cheart, mo chomhairle a ghlacadh

ounce n unsa, uinge, he hasn't an ~ of sense níl splanc (chéille) aige

our poss a, ~ car ár ngluaisteán, ~ father ár n-athair, ~ clothes ár gcuid éadaigh, ~ town an baile seo againne, for, from, ~ people dár muintir

ours pron, it is ~ is linn é, that one is ~ sin é ár gceann-na; linne an ceann sin, a friend of ~ cara linn, dúinn, dár gcuid, that son of ~ an mac sin againn

ourselves pron muidne, sinne, (muid, sinn) féin, feeding ~ dár gcothú féin

oust vt cuir amach, díchuir, to ~ a person dul taobh istigh de dhuine

out adv & prep amach, amuigh, ~ of as, way ~ slí amach, the tide is ~ tá sé ina thrá

out-and-out a & adv corpanta, críochnaithe; amach is amach

outbid vt, ~ding each other ag ceantáil ar a chéile

outbreak n briseadh amach, ráig, plá; éirí amach

outburst n briseadh amach, brúchtadh, pléascadh, racht

outcast n díbeartach

outcome n toradh, iarmhairt, éifeacht

outcry n gáir, gleo; agóid

outdo vt sáraigh, buaigh ar

outdoor a lasmuigh adv, ~s lasmuigh, amuigh faoin aer

outer a lasmuigh, amuigh, seachtrach

outfit n trealamh, fearas, feisteas

outfitter n feisteoir

outgoing n dul amach, fágáil pl caiteachas, eisíocaíochtaí a, (of person) oscailte, ~ mail na litreacha amach, ~ chairman cathaoirleach atá ag dul as oifig

outing n éirí amach

outlandish a coimhthíoch; aisteach, (of place) iargúlta, aistreánach

outlaw n eisreachtaí; meirleach, ceithearnach coille vt eisreachtaigh

outlay n caiteachas

outlet n béal, poll éalaithe, ~ pipe píobán amach, sales ~ cóir dhíolacháin

outline n imlíne, imchruth, fíor; creatlach; cnámha (scéil) vt fíoraigh, imlínigh

outlook n dearcadh, mana

outlying a forimeallach, iargúlta, aistreánach

outnumber vt, to ~ another group bheith níos líonmhaire ná dream eile

out-patient n othar seachtrach

outpost n urphost; teorainn, imeall

outpouring n stealladh, spalpadh, doirteadh

output n táirgeacht, aschur

outrage n éigean, feillbheart, masla, scannal

outrageous a éigneach; scéineach, ainspianta; tréasúil, náireach, maslach, scannalach

outright adv thar barr amach, d'aon iarraidh, scun scan a, ~ lie bréag chruthanta

outset n tús, tosach, at the ~ i dtosach báire

outshine vt, to ~ a person an chraobh, an barr, a bhaint de dhuine

outside n an taobh amuigh, from ~ ón iasacht a amuigh, seachtrach adv amuigh, lasmuigh prep taobh amuigh de, lasmuigh de

outsider n coimhthíoch, éan corr

outsize a fia-, oll-, ábhal-

outskirts n, on the ~ of the city ar imeall, ar bhord, na cathrach

outspoken a neamhbhalbh, díreach, macánta

outstanding a suntasach, tofa, thar cionn, ar fheabhas, sár-, (of debt) le híoc

outstretched a sínte

outstrip vt scoith, sáraigh

outward a amach adv, ~ s amach

outwit vt, to ~ a person an ceann is fearr a fháil ar dhuine, bob a bhualadh ar dhuine

outworn a seanchaite

oval a ubhchruthach, ubhach

ovary n síollann, ubhagán

ovation n gártha molta

oven n oigheann

over prep thar, os cionn adv thall; thart, ~ to America sall, anonn, go Meiriceá, ~ from England anall as Sasana, to fight ~ sth troid faoi rud, do it all ~ again déan as úire é

over- a ain-, for-, os-, ró-,

overall n rabhlaer; forbhríste a iomlán; ginearálta adv ar an iomlán

overawe vt, to ~ a person uamhan a chur ar dhuine

overbalance vt & i, to ~ do chothrom a chailleadh, to ~ sth rud a chur ó chothrom, leataobh a chur ar rud

overbearing a tiarnúil, stróinéiseach

overboard adv thar bord

overcast a gruama, smúitiúil, dúnta, iata, the sky is ~ tá duifean ar an spéir

overcharge n praghas ró-ard, costas breise vt, to ~ a person an iomarca a bhaint de dhuine, barraíocht a ghearradh ar dhuine, duine a shailleadh

overcoat n cóta mór

overcome vt buaigh ar, sáraigh, traoch, cloígh a cloíte, traochta, ~ by the heat marbh ag an teas, lag ón teas

overdo vt, to ~ sth dul thar fóir le rud

overdose n ródháileog

overdraft n rótharraingt

overdraw vt, to ~ a bank account ró-tharraingt a dhéanamh ar chuntas bainc, to ~ (a description, etc) craiceann rómhaith a chur ar scéal

overdue a, (of account) thar téarma; mall

overestimate vt, to ~ meastachán iomarcach a dhéanamh, to ~ a person rómheas a bheith agat ar dhuine, to ~ a danger áibhéil a dhéanamh faoi chontúirt

overflow n tuile, sceitheadh; píobán sceite; farasbarr vt & i sceith, tuil, cuir thar maoil, báigh

overflowing a taoscach, tuilteach; lán go bruach, lán go béal, ag cur thar maoil

overgrown a fásta, mothrach, ~ swamp

moing, ~ stream cuisleán, ~ spider damhán alla a chuaigh in ainmhéid

overhang n scéimh vt & i, the cliff is ~ ing tá an aill ag caitheamh amach, tá scéimh amach ar an aill, ~ ing the sea crochta os cionn na farraige

overhaul n mionscrudú, deisiú vt deisigh, cóirigh

overhead a & adv lastuas, thuas, lasnairde, ~ projector osteilgeoir npl costais riartha

overhear vt, to ~ sth rud a chloisteáil ag dul tharat

overheat vt & i, to ~ téamh an iomarca

overjoyed a, to be ~ lúcháir an tsaoil, riméad, cluaisíní croí, a bheith ort

overland a & adv thar tír, de thalamh

overlap n forluí, rádal vt & i forluigh, fill thar a chéile, the tiles ~ tá scair ag na leacain a chéile

overlay n forleagan vt forleag

overleaf adv lastall, thall

overload vt anluchtaigh, forualaigh, to ~ a boat bád a chur thar a bhreith

overlook vt féach síos ar; logh, maith; dearmad; ciorraigh, ~ ing the lake os cionn an locha

overmuch n breis, farasbarr a & adv breise, an iomarca, thar fóir

overnight adv thar oíche

overpopulation n ródhaonra

overpower vt cloígh, treascair

overpowering a treascrach, cloíteach

overrate vt, to ~ sth luach rómhór a chur ar rud, tábhacht rómhór a thabhairt do rud

overreach vt sáraigh, scoith, he ~ ed himself chuir sé é féin ar a chorr, thar a acmhainn

overrule vt, to ~ a person rialú in aghaidh duine, to ~ an order ordú a chur ar neamhní

overrun vt treascair, to ~ a country tír a ghabháil ó cheann ceann, a chreachadh, the place was ~ by rats bhí plá fhrancach san áit, ~ by weeds faoi fhiaile, to ~ the time dul thar am

overseas a & adv thar lear, thar sáile, thar toinn

oversee vt, to ~ men, work fir, obair, a fheighil; maoirseacht a dhéanamh ar fhir, ar obair

overseer n maor, saoiste, feitheoir, feighlí

overshadow vt dubhaigh, scáthaigh, to ~ sth scáil a chaitheamh ar rud, to ~ a person an solas, barr, a bhaint de dhuine, ~ed faoi scáth

overshoot vt, to ~ the mark dul thar cailc, thar sprioc, thar fóir; dul rófhada

oversight n dearmad, neamart, faillí

oversleep vi, he overslept chodail sé amach é

overspill n sceitheadh

overspread vt sceith thar, leath thar

overstatement n áibhéil

overstep vt, to ~ the mark dul thar cailc, dul thar fóir

overt a oscailte, follas, os ard

overtake vt tar suas le, beir ar; téigh thar, scoith, darkness overtook them rug an oíche orthu

overtax vt maslaigh, to ~ oneself with sth dul thar do dhícheall, thar d'acmhainn, le rud

overthrow n treascairt, turnamh vt treas-cair, coscair, cloígh, leag

overtime n ragobair

overtone n forthon; seachbhrí, leid

overture n oscailt, tús (margaíochta); réamhcheol

overturn vt & i iompaigh

overweight a, to become ~ titim chun meáchain

overwhelm vt traoch, cloígh, treascair, báigh, slog

overwhelming a coscrach, millteanach, ~ wave tonn bháite

overwork n iomarca oibre, strus vt & i tiomáin, maslaigh, to ~ a phrase abairt a úsáid rómhinic

ovulation n ubhsceitheadh

ovum n ubhán

owe vt, to ~ money to a person airgead a bheith ag duine ort, I ~ it dlitear díom é

owing a, ~ to de bharr, mar gheall ar

owl n ulchabhán, ceann cait, barn ~ scréachóg reilige

own a féin, dílis, to be on one's ~ bheith ar d'ábhar féin, ar do chonlán féin, to hold one's ~ against others ceart a bhaint de dhaoine eile vt & i, I ~ it is liom é, to ~ to a mistake earráid a admháil

owner n úinéir, the ~ of the dog an té ar leis an madra

ownership n úinéireacht, dílseacht

ox n damh

oxide n ocsaíd

oxidize vt ocsaídigh

oxygen n ocsaigin

oyster n oisre

oyster-bed n beirtreach

oyster-catcher n roilleach

ozone n ózón

P

pace n coiscéim, coisíocht, luas vt & i siúil (de choiscéim thomhaiste)

pace-maker n, (sport) séadaire

pacific a síochánta, P~ Ocean an tAigéan Ciúin

pacifist n síochánaí

pacify vt ceansaigh, ciúnaigh, síothaigh, suaimhnigh, bain faoi

pack n paca, burla, (of hounds) conairt, (of persons) scata vt & i pacáil, sac, ding, stuáil, líon, plódaigh, ~ in éirigh as, stop, clis

package n pacáiste

packer n pacálaí

packet n paicéad

packing n pacáil, stuáil

pact n socrú, comhaontú

pad¹ n pardóg, pillín vt stuáil, to ~ out a report, etc tuairisc etc a chur i bhfad-scéal

pad² vi, to ~ about bheith ag siúl thart go coséadrom

padding n stuáil, líonadh

paddle¹ n céasla vt & i céaslaigh

paddle² vi, paddling ag lapadáil (in uisce)

paddling n céaslóireacht; lapadáil, ~ pool linn lapadaíola

paddock n banrach

padlock n glas fraincín vt, to ~ sth glas fraincín a chur ar rud

paediatrics *npl* péidiatraic
pagan *n* páganach *a* págánta
page[1] *n* péitse, giolla
page[2] *n* leathanach
pageant *n* glóir-réim, tóstal
pail *n* feadhnach, gogán, pigín, buicéad
pain *n* pian, diachair, dócúl, greim, daigh, *to take* ~*s with sth* saothar, dua, *a chaitheamh le rud* *vt* pian, goill ar
painful *a* pianmhar, nimhneach, daigh-eartha, tinn, goilliúnach
pain-killer *n* pianmhúchán
painstaking *a* saothrach, dícheallach, *to be* ~ *with sth* dua a fháil ó rud
paint *n* péint, dath *vt* & *i* péinteáil, dathaigh
painter *n* péintéir, dathadóir
pair *n* cúpla, péire; beirt, dís; lánúin *vt* & *i* péireáil, *they* ~*ed off* chuaigh siad ina mbeirteanna
pal *n* comrádaí, compánach
palace *n* pálás
palatable *a* dea-bhlasta, *(of doctrine, etc)* taitneamhach, so-ghlactha
palate *n* carball, coguas
pale[1] *n* cuaille, stacán, *the P*~ an Pháil
pale[2] *a* mílítheach, meata, bán; báiteach, éadrom *vi* bánaigh, *she* ~*d* d'iom-paigh an lí bhán uirthi
palette *n* pailéad
paling *n* páil, sonnach
palisade *n* pailis, sonnach
pall *n* brat, ~ *of smoke* dlúimh dheataigh
palliative *n* & *a* maolaitheach
pallid *a* glas, bánlíoch, báiteach
palm[1] *n*, *(tree)* pailm, *P~ Sunday* Domh-nach na Pailme, Domhnach na hIm-rime, *he was awarded the* ~ tugadh an chraobh dó; rug sé an mhír leis
palm[2] *n* bos, dearna *vt, to* ~ *a card* cárta a fholú i do lámh, *to* ~ *off (sth on a person)* rud a bhualadh, a chur, ar dhuine
palmist *n* bean chrosach, dearnadóir
palmistry *n* dearnadóireacht
palpable *a* inbhraite
palpitate *vi, my heart was palpitating* bhí mo chroí ag preabadh, bhí fuadach ar mo chroí
palsy *n* pairilis; creathach
paltry *a* suarach, beag, dearóil

pamper *vt, to* ~ *a person* peataireacht a dhéanamh ar dhuine
pamphlet *n* paimfléad
pampootie *n* pampúta
pan *n* panna
panacea *n* uile-íoc
pancake *n* pancóg
pancreas *n* briseán, paincréas
panda *n* panda
pandemonium *n* racán, rírá, scaoll
pander *vi, to* ~ gníomhú ar son lucht drúise, *to* ~ *to vice* na droch-chlaonta a shásamh
pane *n* pána, gloine fuinneoige
panegyric *n* adhmholadh; duan molta *a* adhmholtach
panel *n* painéal; liosta *vt* painéal
pang *n* daigh, deann, arraing *pl* iona
panic *n* scaoll, líonrith, anbhá, gealt-achas *a*, ~ *buying* scaollcheannach *vi*, *they* ~*ked* chuaigh siad i scaoll
pannier *n* pardóg, cliabh, feadhnach, painnéar
panorama *n* lánléargas
pansy *n* goirmín; piteog
pant *n* cnead, séideán *vi* cnead, séid, *he was* ~*ing* bhí saothar air, bhí ga seá ann
pantaloon *n* pantalún
panther *n* pantar
panties *n* brístín
pantomime *n* geamaireacht; pantaimím
pantry *n* pantrach, landair
pants *n* bríste
papacy *n* pápacht
papal *a* pápach
paper *n* páipéar; nuachtán *pl* cáipéisí *vt*, *to* ~ *a room* páipéar a chur ar bhallaí seomra
paperback *n* bogchlúdach; leabhar faoi chlúdach bog
paper-hanger *n* páipéaróir
paper-weight *n* tromán páipéir
papist *n* pápaire
par *n, on a* ~ *with* i gcothrom le, ar aon chéim le, *at* ~ ar cothrom
parable *n* fáthscéal, parabal
parachute *n* paraisiút
parade *n* taispeántas, mustar; paráid; máirseáil, mórshiúl *vt* & *i* cuir ar tais-peáint; cuir ar paráid; máirseáil
paradise *n* parthas
paradox *n* frithchosúlacht, paradacsa

paraffin *n* pairifín, ola mhór, gás

paragon *n* eiseamláir, patrún

paragraph *n* alt, paragraf

parallel *n* parailéal, líne chomhthreomhar; líne dhomhanleithid, (*of comparison*) comórtas *a* comhthreomhar, parailéalach *vt*, to ~ *two things* dhá rud a chur i bparailéal le chéile; dhá rud a chur i gcomórtas le chéile

parallelogram *n* comhthreomharán

paralyse *vt* éagumasaigh, to ~ pairilis a chur ar, ~*d with cold* stromptha le fuacht

paralysis *n* pairilis; leitís mharfach

parameter *n* paraiméadar

paramount *a*, *of* ~ *importance* líorthábhachtach

paranoia *n* paranóia

parapet *n* uchtbhalla, forbhalla, slatbhalla

paraphernalia *npl* giuirléidí, trealamh, ciútraimintí

paraphrase *n* athinsint, athleagan

parasite *n* seadán, paraisit; (*of person*) súmaire

parasol *n* parasól

paratrooper *n* paratrúipéir

parboil *vt* cnagbheirigh; faoisc

parcel *n* giota; beart; ~ *of land* dáileacht (talún) *vt*, to ~ *out sth* rud a roinnt ina chodanna

parch *vt & i* tíor, spall, triomaigh, ~*ed with thirst*, calctha, spalptha, leis an tart

parchment *n* pár, meamram; cairt

pardon *n* pardún, maithiúnas, *I beg your* ~ gabhaim pardún agat *vt* maith, ~ *me* gabh mo leithscéal

pardonable *a* inleithscéil, inmhaite, solathach

pare *vt* bearr, smiot, scamh, páráil, to ~ *a pencil* peann luaidhe a bhiorú

parent *n* tuismitheoir

parenthesis *n* idiraisnéis

parer *n*, *pencil* ~ bieróir

parish *n* paróiste; pobal

parishioner *n* paróiseach

parity *n* cothroime

park *n* páirc; loca *vt& i* páirceáil, loc

parking *n* páirceáil, locadh, ~ *meter* méadar páirceála

parliament *n* parlaimint, dáil

parlour *n* parlús, *milking* ~ bleánlann

parochial *a* paróisteach; cúng

parody *n* scigaithris *vt*, to ~ *sth* scigaithris a dhéanamh ar rud

parole *n* parúl, *prisoner on* ~ príosúnach ar a onóir

paroxysm *n* taom, racht, néal

parquet *n*, ~ *floor* urlár iontlaise

parricide *n* fionail; fionaíolach

parrot *n* pearóid

parse *vt* miondealaigh, parsáil

parsimonious *a* ceachartha, sprionlaithe; barainneach

parsley *n* peirsil

parsnip *n* meacan bán

parson *n* ministir

part *n* cuid, páirt, píosa, roinn, *to play a man's* ~ cion fir a dhéanamh; páirt fir a dhéanamh, *for my* ~ ó mo thaobhsa de, *in these* ~*s* sna bólaí, sna himeachtaí, seo, *southern* ~ deisceart *vt & i* scar, scoilt, deighil, dealaigh

partake *vi*, to ~ *of sth* bheith rannpháirteach i rud, to ~ *of a meal* béile a chaitheamh, a dhéanamh

partial *a* neamhiomlán, páirteach, leath-; ceanúil; fabhrach, claonta, taobhach, ~ *board* páirtchothú

partiality *n* claon, lé; claontacht

participate *vi*, to ~ *in sth* bheith páirteach i rud, páirt a ghlacadh i rud

participation *n* páirteachas, rannpháirt

participle *n* rangabháil

particle *n* cáithnín, gráinnín, crithir; mir, páirteagal

particular *n*, ~ *s* sonraí, *in* ~ ar leithligh; go mór mór; go sonrach *a* áirithe, ar leith, sonrach; mionchúiseach, cáiréiseach, nósúil

parting *n* scoilt; scaradh

partisan *n* páirtíneach, páirtiseán *a* claonpháirteach, leataobhach

partition *n* deighilt, críochdheighilt; (*wall*) landair *vt* deighil, idir-roinn

partly *adv* breac-, páirt-, leath-,

partner *n* páirtí *vt*, to ~ *a person* bheith i bpáirt, i gcomhar, le duine; bheith mar pháirtí ag duine

partnership *n* páirtíocht; comhar, páirt

partridge *n* patraisc

part-time *a* páirtaimseartha

party *n* páirtí, buíon, meitheal, muintir; cóisir

paschal *a* cáscúil, ~ *fire* tine chásca

pass[1] *n* bearnas, bealach, mám

pass[2] *n* pas, cead, *it came to* ~ tháinig sé i gcrích; fíoraíodh é *vt & i* téigh thar, gabh thar, scoith, (*of time*) imigh, *the years are* ~*ing* tá na blianta á gcaitheamh, *if they* ~ *the examination* má éiríonn leo sa scrúdú, *he has* ~*ed forty* tá an daichead glanta, sáraithe, aige, ~ *me the sugar* sín, cuir, chugam an siúcra, *to* ~ *an act* acht a rith, *he* ~*ed away* shíothlaigh sé, ~*ing by* ag dul thar bráid, *I was* ~*ed over* rinneadh leithcheal orm; rinneadh neamhshuim díom, *to* ~ *out* titim i laige, i meirfean, *to let sth* ~ rud a scaoileadh tharat, *to* ~ *the ball* an liathróid a sheachadadh

passable *a* measartha, cuibheasach

passage *n* pasáiste; paisinéireacht; bealach, (*extract*) sliocht, ceacht, *with the* ~ *of time* le himeacht aimsire

passenger *n* paisinéir

passion *n* paisean, ainmhian, racht, teasaíocht, *the P* ~ *of Christ* Páis Chríost

passionate *a* paiseanta, ainmhianach, rachtúil, teasaí

Passionist *n* Páiseadóir

passive *a* fulangach; támh, ~ *voice* faí chéasta

passivity *n* fulangacht

Passover *n* Cáisc (na nGiúdach)

passport *n* pas

past *n, in the* ~ san am atá caite *a* caite, thart, ~ *pupil* iarscoláire, *the* ~ *week* an tseachtain seo a ghabh tharainn *prep & adv* thar, thart, lastall de, *half* ~ *one* leath i ndiaidh a haon

paste *n* leafaos, taos; smeadar *vt* taosaigh; spréigh, smear, *to* ~ *up a notice* fógra a chur suas, a ghreamú in airde

pasteboard *n* clár taois

pastel *n* pastal *a* báiteach

pasteurize *vt* paistéar

pastille *n* paistil

pastime *n* caitheamh aimsire, fastaím

pastor *n* aoire, tréadaí

pastoral *n* tréadlitir *a* tréadach

pastry *n* taosrán; pastae; borróg

pasture *n* féarach *vt & i, to* ~ *cattle* beithigh a chur ar féarach, *the cattle are pasturing* tá na beithigh ag innilt, ag inior

pasty *n* pastae *a* taosach, práibeach, ~ *face* aghaidh thuartha

pat *n* boiseog, paiteog, ~ *of butter* cnapán, millín, ime *adv* go paiteanta, *she gave it out* ~ tháinig sé go pras léi *vt, to* ~ *sth* boiseog a thabhairt do rud, rud a shlíocadh

patch *n* paiste, preabán; geadán, treall; ceapóg; giota, *level, green* ~ lántán, mínleog, plásóg *vt* paisteáil, píosáil

patchwork *n* obair phaistí, obair phíosála, (*of fields, etc*) breacachan, ~ *quilt* cuilt bhreac

patchy *a* sceadach, plaiteach, treallach

paten *n* paiteana

patent *n* paitinn *a* paiteanta, ~ *leather* snasleathar *vt* paitinnigh

paternal *a* athartha, aithriúil

paternity *n* atharthacht

paternoster *n* paidir; an Phaidir, Ár nAthair

path *n* cosán, raon, conair, cabhsa

pathetic *a* truamhéalach

pathology *n* paiteolaíocht

patience *n* foighne, *to have* ~ *with a person* foighneamh, foighne a dhéanamh, le duine

patient *n* othar *a* foighneach, fulangach, fadaraíonach

patriarch *n* patrarc, uasalathair

patriarchal *a* patrarcach, uasalathartha

patriot *n* tírghráthóir

patriotic *a* tírghrách

patriotism *n* tírghrá

patrol *n* patról *vt, to* ~ *an area* patról a dhéanamh ar líomatáiste

patron *n* pátrún, éarlamh; caomhnóir, ~ *s of the theatre* gnáthóirí drámaí

patronage *n* pátrúnacht; coimirce

patronize *vt, to* ~ *a person* duine a ghlacadh faoi do choimirce, pátrúnacht a dhéanamh ar dhuine; uasal le híseal a dhéanamh ar dhuine, *to* ~ *a shop* siopa a thaithiú, a ghnáthú

patronizing *a* coimirceach; smuilceach, tiarnúil

patter[1] *n* titim coiscéimeanna, ~ *of rain* clagarnach, rince, báistí

patter[2] *n* clabaireacht, gliogaireacht, deilín *vi, to* ~ bheith ag clabaireacht

pattern *n* patrún, eiseamláir, (*of design*) gréas; pátrún

paucity *n* gainne, teirce, laghad

paunch n méadail, máróg
paunchy a méadlach, marógach
pauper n bochtán
pause n stad, sos, moill, idirlinn vi stad, moilligh
pave vt pábháil, greagnaigh, ~ d floor urlár leac
pavement n pábháil; cosán sráide
pavilion n pailliún
paw n lapa, crág, crobh vt & i crúbáil, crágáil, ~ing glacaireacht
pawn n ceithearnach, fichillín vt pánáil, geallearb, to ~ sth rud a chur i ngeall
pawnbroker n geallbhróicéir
pawnshop n teach gill, pán
pay n pá vt & i íoc, díol, to ~ a visit cuairt a thabhairt, ~ him back in kind tabhair tomhas a láimhe féin dó
payable a iníoctha
payee n íocaí
payer n íocóir
payment n íocaíocht, íoc, díolaíocht
pay-related a páchoibhneasta
pay-sheet n pádhuille
pea(s) n pis, piseánach
peace n síocháin, suaimhneas
peaceful a síochánta, sítheach, suaimhneach, sámh
peach n péitseog
peacock n péacóg
peak n, (of cap) píce, speic, feirc, (of mountain, etc) binn, stuaic, at the ~ of his career in ard a réime
peal n cling, clogarnach, ~ of thunder blosc toirní, ~ of laughter racht gáire vt & i buail, cling
peanut n pis talún
pear n piorra
pearl n péarla
pearly a néamhanda, péarlach
peasant n tuathánach, fear (bean) tíre
peat n móin
peat-moss n fionnmhóin, súsán, caonach móna
pebble n púróg, póirín, méaróg
pebbly a cloichíneach, púrógach, ~ beach duirling
peck¹ n piocadh, priocadh vt & i pioc, prioc, giob
peck² n, (measure) peic
peckish a, to feel ~ ré-ocras a bheith ort
pectin n peictin

peculiar a leithleach, sonraíoch; aisteach, saoithiúil, ait
peculiarity n aiste, aiteacht; saintréith; sonraíocht, leithleachas
pedagogy n oideolaíocht
pedal n troitheán
pedant n saoithín
peddle vt & i reic, peddling ag mangaireacht, ag peidléireacht
pedestal n cos, bonn, to put a person on a ~ dia beag a dhéanamh de dhuine
pedestrian n coisí, troitheach, ~ crossing trasrian coisithe a liosta, leamh, coitianta
pedigree n ginealach, craobh ghinealaigh, (certificate) pórtheastas a, ~ herd tréad ginealaigh
pedlar n mangaire, peidléir
peek vi píceáil, ~ing ag gliúcaíocht
peel n craiceann (úill, práta, etc) vt & i scamh, sceith
peep n gíog; gliúc, ~ of day, fáinne an lae vi, to ~ at sth spléachadh a thabhairt ar rud, the sun was ~ing up bhí an ghrian ag gobadh aníos
peer¹ n comhghleacaí; tiarna, piara
peer² vi, ~ing at sth ag glinniúint, ag amharcáil, ag gliúcaíocht, ar rud
peevish a cantalach, míchéadfach, ceasnúil, cianach
peg n bacán, stang, pionna, cnoga, to take a person down a ~ an giodam a bhaint as duine vt & i stang, to ~ sth rud a cheangal le pionnaí, to ~ away at sth greadadh leat, oibriú leat, ar rud
pelican n peileacán
pellet n grán, millín
pelmet n téastar (fuinneoige)
pelt¹ n craiceann, leadhb, seithe
pelt² vt & i gleadhair, rad, rúisc, crústaigh, ~ing rain clagarnach bháistí; ag gleadhradh báistí
pelvis n peilbheas
pen¹ n peann vt scríobh, breac
pen² n cró, gabhann, loca vt loc
penal a peannaideach, pianúil, the P ~ Laws na Péindlithe, ~ servitude pianseirbhís
penalize vt pionósaigh, to ~ a person pionós a chur ar dhuine
penalty n pionós, cáin; cic éirice
penance n aithrí, breithiúnas aithrí, peannaid

pencil *n* peann luaidhe, pionsail, ~ *of light* spíce solais, ~ *sharpener* bioróir

pendant *n* siogairlín

pendent *a* crochta, siogairlíneach, ~ *object* siogairlín, silín

pending *a* ar feitheamh *prep*, ~ *his return* go dtí go bhfillfidh, go bhfillfeadh, sé

pendulum *n* luascadán

penetrate *vt* & *i* gabh trí, poll, treáigh, *it* ~ *d to the bone* chuaigh sé isteach go cnámh

penetration *n* polladh, treá; géire (intinne)

penguin *n* piongain

penholder *n* peannghlac

penicillin *n* peinicillin

peninsula *n* leithinis

penis *n* bod, slat, péineas

penitent *n* & *a* aithríoch

penknife *n* scian phóca

penmanship *n* peannaireacht, scríbhneoireacht

pen-name *n* ainm cleite

penniless *a* gan phingin, dealúsach

penny *n* pingin

pension *n* pinsean, *old age* ~ seanphinsean *vt, to* ~ *a person off* duine a chur amach ar pinsean

pensioner *n* pinsinéir

pensive *a* smaointeach

pent *a* druidte, loctha, *pent-up emotion* racht, tocht, nach ligfí amach

pentagon *n* peinteagán

Pentecost *n* Cincís

Pentecostal *a* Cinciseach

penthouse *n* díonteach; cleiteán

penury *n* gannchuid, gannchúis, dealús, lom-angar

people *n* pobal, muintir, bunadh; daoine, *the* ~ *who make poteen* lucht déanta poitín *vt* áitrigh

pepper *n* piobar

peppermint *n* lus an phiobair; milseán miontais

perambulator *n* naíchóiste, pram

perceive *vt* airigh, braith, mothaigh, sonraigh

percentage *n* céatadán

perceptible *a* inbhraite

perception *n* aireachtáil, mothú, ciall, brath; céadfa

perceptive *a* braiteach; grinn, léirsteanach

perch[1] *n,* (*fish*) péirse

perch[2] *n* stáitse, fara, suíochán, (*measure*) péirse *vt* & *i*, ~ *on* tuirling ar, suigh ar, ~ *ed precariously* ar forbhás, ~ *ed on the cliff edge* suite ar bhruach na haille

percolate *vt* & *i* snigh, síothlaigh, scag, úsc

percussion *n* forbhualadh, greadadh, ~ *instrument* cnaguirlis

peremptory *a* dofhreagartha; absalóideach; diongbháilte, tiarnúil, údarásach

perennial *n* ilbhliantóg, trébhliantóg *a* sioraí, buan, síor-; ilbhliantúil, trébhliantúil

perfect *a* foirfe, slán, ar fheabhas, gan cháim, ~ *stranger* dústrainséir, ~ *fool* amadán cruthanta *vt* cuir i gcrích, foirfigh, tabhair chun foirfeachta

perfection *n* foirfeacht

perfectly *adv* go foirfe, gan cháim, go feillbhinn, go paiteanta

perforate *vt* poll, toll

perforation *n* bréifin; polladh

perform *vt* & *i* déan; gníomhaigh; comhaill, comhlíon, to ~ *in a play* páirt a thógáil, a dhéanamh, i ndráma

performance *n* comhall, comhlíonadh; feidhmiú, gníomhaíocht, (*of play*) léiriú

performer *n* gníomhaí; aisteoir, seinnteoir, oirfideach

perfume *n* cumhracht; cumhrán, mos *vt* cumhraigh

perhaps *adv* b'fhéidir

perigee *n* peirigí

peril *n* gábh, priacal, guais

perilous *a* priaclach, baolach, guaiseach, ~ *seas* na tonnta báite

perimeter *n* imlíne

period *n* achar, aga, seal, tráth; tréimhse; lánstad, (*menses*) cúrsaí, daonnacht

periodical *n* tréimhseachán *a* tréimhsiúil, féiltiúil

peripheral *a* forimeallach

periscope *n* peireascóp

perish *vt* & *i* éag; feoigh, searg; stiúg, *we were* ~ *ed with cold* bhíomar préachta, leata, caillte, leis an bhfuacht

perishable *a* meatach, díomuan

peritonitis *n* peireatoiníteas

periwig *n* peiriúic

periwinkle *n* faocha, miongán
perjure *vt*, to ~ *oneself* mionn, leabhar, éithigh a thabhairt
perjury *n* mionnú éithigh
perk *vi*, to ~ *up* bíogadh, misneach a ghlacadh
perkiness *n* giodal
perky *a* goiciúil, prapanta, bíogúil
permanence *n* buaine, síoraíocht
permanent *a* buan, seasta
permeable *a* tréscaoilteach
permeate *vt & i*, to ~ *sth* dul faoi rud, leathadh ar fud ruda, sileadh trí, sú trí
permissible *a* ceadaithe, ceadmhach
permission *n* cead, ceadú
permissive *a* ceadaitheach
permit *n* ceadúnas, cead *vt* ceadaigh, lamháil, lig
permutation *n* iomalartú
pernicious *a* díobhálach, dochrach, millteach, ~ *anaemia* anaemacht mharfach
pernickety *a* éisealach, léirsteanach, mionchúiseach, cáiréiseach, íogair
peroxide *n* sárocsaid
perpendicular *n* ingear *a* ingearach, díreach
perpetrate *vt*, to ~ *a blunder* botún a dhéanamh, to ~ *an injustice on a person* éagóir a imirt, a dhéanamh, ar dhuine
perpetual *a* síoraí, suthain, buan-, síor-
perpetuate *vt* buanaigh
perplex *vt* mearaigh, to ~ *a person* duine a chur i bponc
persecute *vt* cloígh le, lean de; cráigh, céas, to ~ *people* géarleanúint a chur, a dhéanamh, ar dhaoine
perseverance *n* buanseasmhacht, síoraíocht
persevere *vi* righnigh, coinnigh ort, to ~ *with one's work* bheith buanseasmhach i gceann do chuid oibre
persist *vi* lean ar, mair
persistence *n* buanseasmhacht, marthanacht; stalcacht, ceanndánacht
persistent *a* seasmhach, tuineanta, buan, síoraí
person *n* duine, pearsa, neach, *the ~ who said it* an té a dúirt é
personable *a* pearsanta, gnaíúil, dóighiúil
personal *a* pearsanta, *to take sth as ~* rud a thógáil chugat féin

personality *n* pearsantacht
personate *vt* pearsanaigh
personification *n* pearsantú
personify *vt* pearsanaigh
personnel *n* foireann, pearsanra *a*, ~ *section* rannóg phearsanra
perspective *n* peirspictíocht, *to see a matter in its true ~* rud a fheiceáil ina cheart, léargas ceart a fháil ar rud
perspex *n* peirspéas
perspicacious *a* grinn, géarchúiseach
perspiration *n* allas
perspire *vi*, to ~ allas a chur
persuade *vt*, to ~ *a person of sth* rud a áitiú, a chur ina luí, ar dhuine
persuasion *n* áitiú
persuasive *a* áititheach, mealltach
pert *a* clóchasach, ladúsach, prapanta
pertain *vi*, *and all that* ~*s to it* agus a leanann é, agus a mbaineann leis, *it* ~*s to the ceremony* is den searmanas é
pertinacious *a* dígeanta
pertinent *a* ag baint le hábhar, oiriúnach, cuí
perturb *vt* buair, suaith
perusal *n* léamh, grinniú, scrúdú
pervasive *a* forleathan
perverse *a* fiar, saobh, claon; doranna, *he was always ~* bhí an earráid, an fiar, riamh ann
perversion *n* claon(adh), saobhadh
perversity *n* saofacht; contráilteacht, stuacacht, codarsnacht
pervert *n* séantóir (creidimh), saofóir *vt* claon, saobh, fiar
pessimism *n* duairceas, éadóchas
pest *n* plá, claimhe, crá; lotnaid
pester *vt* ciap, pláigh
pesticide *n* lotnaidicíd
pestilence *n* aicíd, plá, galar
pestle *n* tuairgnín, smiste
pet *n* peata; maicín *vt*, to ~ *a child* peataireacht, bánaí, a dhéanamh le leanbh; peataireacht a dhéanamh ar leanbh
petal *n* peiteal
peter *vi*, to ~ *out* teacht chun deiridh, dul i ndísc, dul in éag, síothlú
petition *n* achainí, iarratas, impí *vt* achainigh (ar), guigh
petitioner *n* achainíoch, impíoch, iarrthóir

petrel *n* guairdeall, *storm*~ peadairín na stoirme

petrify *vt* & *i* clochraigh, *I was petrified* rinneadh staic díom

petrol *n* peitreal, artola

petroleum *n* peitriliam

petticoat *n* cóitín, cóta beag; fo-ghúna

pettiness *n* suarachas

pettish *a* leanbaí, maicíneach, míchéadfach

petty *a* mion; suarach, ~ *cash* mionairgead, ~ *session* cúirt ghairid

petulant *a* stainceach, míchéadfach, cantalach

pew *n* suíochán, binse teampaill

pewter *n* péatar

phantom *n* samhail, scáil, fuath

Pharisee *n* Fairisíneach

pharmacist *n* cógaiseoir, poitigéir

pharmacology *n* cógaseolaíocht

pharmacy *n* cógaisíocht, (*shop*) cógaslann

pharynx *n* faraing

phase *n* céim *vt*, *to* ~ *out sth* rud a chur ar ceal, a dhíothú, de réir a chéile

pheasant *n* piasún

phenomenon *n* feiniméan

philanderer *n* cliúsaí

philanthropist *n* daonchara

philanthropy *n* daonchairdeas, daonnachtúlacht

philatelist *n* bailitheoir stampaí

philately *n* bailiú stampaí

Philistine *n* & *a* Filistíneach

philology *n* focleolaíocht

philosopher *n* fealsamh

philosophical *a* fealsúnach

philosophy *n* fealsúnacht

philtre *n* upa

phlegm *n* réama, crochaille; fuarchúis

phlegmatic *a* réamach; fuarchúiseach

phobia *n* fóibe

phone *n* fón, guthán *vt* & *i*, *to* ~ *a person* glaoch ar dhuine (ar an bhfón), glao gutháin a chur ar dhuine

phonetics *n* foghraíocht

phoney *a* bréagach

phosphate *n* fosfáit

phosphorescence *n* méarnáil

phosphorus *n* fosfar

photocopy *n* fótachóip

photogenic *a* fótaigineach

photograph *n* grianghraf, fótagraf

photographer *n* grianghrafadóir

photography *n* grianghrafadóireacht, fótagraíocht

photostat *n* fótastat, fótachóip

phrase *n* frása, abairt, focal, leagan cainte; *mír vt*, *that's how he* ~*d it* sin mar a chuir sé (i gcaint) é

physical *a* colanda, fisiceach, ~ *education* corpoideachas

physician *n* lia, dochtúir

physicist *n* fisiceoir

physics *npl* fisic

physiognomy *n* gné-eolaíocht

physiology *n* corpeolaíocht, fiseolaíocht

physiotherapist *n* fisiteiripeach

physiotherapy *n* fisiteiripe

physique *n* déanamh (coirp), cruthaíocht

pianist *n* pianódóir

piano *n* pianó

pick[1] *n* piocóid

pick[2] *n* ruainne, giob; togha, rogha, scoth, sméar mhullaigh *vt* pioc, giob, bain, cnuasaigh; roghnaigh, *to* ~ *a bone* cnámh a chreimeadh, *you would* ~ *him out in a crowd* shonrófá í gcruinniú é

pick-axe *n* piocóid

picket *n* picéad *vt* picéadaigh

picking *n* piocadh *pl* piocarsaigh; fuílleach; solamar, éadáil

pickle *n* & *vt* picil

pickpocket *n* piocaire póca, peasghadaí

pick-up *n* glacaire

picnic *n* picnic

pictorial *a* pictiúrtha

picture *n* pictiúr, *he is the* ~ *of health* tá dreach, bláth, na sláinte air *vt* samhlaigh

picturesque *a* pictiúrtha

pie *n* píóg, pastae

piebald *a* alabhreac, ballach

piece *n* píosa, mír, giota; dréacht, *ten-penny* ~ píosa deich bpingine *vt* píosáil, paisteáil; cuir le chéile

piecework *n* tasc (obair), tascóireacht

pied *a* breac, alabhreac

pier *n* cé, piara

pierce *vt* poll, toll, treáigh

piercing *a* polltach, tolltach, treáiteach, ~ *cry* uaill choscrach

piety *n* cráifeacht, naofacht

pig *n* muc

pigeon *n* colúr

piggery n muclach, cró muice
pigheaded a ceanndána, stuacach
piglet n arcán, banbh
pigment n lí
pigmentation n lí
pigmy n lucharachán, pigmí
pig-nut n cúlarán
pig-sty n fail muice, cró muice, mucais
pike¹ n píce, (fish) liús, gailliasc vt píceáil
pike² n paidhc
pilchard n seirdín
pile¹ n carn, cruach, cual, moll vt & i cruach, carn; plódaigh (isteach)
pile² n, (stake) píle
pile³ n clúmh, (of cloth) caitín, bruth
piles npl daorghalar, fíocas
pilfer vt & i bradaigh, ~ing ag mionghadaíocht
pilferer n bradaí
pilgrim n oilithreach
pilgrimage n oilithreacht, turas
pill n piollaire
pillage n slad, creach vt & i slad, creach
pillar n colún, piléar, polla
pillar-stone n gallán, stollaire, coirthe
pillion n cúlóg, pillín, riding ~ ar cúlóg, ar cúla
pillion-rider n cúlóg
pillory n piolóid
pillow n adhairt, piliúr
pillow-case n clúdach piliúir
pilot n píolóta a píolótach vt píolótaigh, to ~ a person to a place duine a stiúradh chun áite
pimple n goirín
pin n biorán, pionna, dealg, ~s and needles codladh grifín, eanglach, it will put me to the ~ of my collar rachaidh sé géar orm, rachaidh sé go beilt an chlaimh orm vt pionnáil, he was ~ned down under a tree bhí sé i ngreim, i bhfostú, faoi chrann, to ~ down a person duine a theanntú
pinafore n pilirín
pincers npl pionsúr, greamaire, teanchair; ordóga (portáin)
pinch n liomóg, scealpóg; gráinnín, pinse, deannóg vt, to ~ a person liomóg, miotóg, a bhaint as duine, to ~ sth rud a bhradú, a ghoid
pincushion n pioncás
pine¹ n péine; giúis; giúsach

pine² vi, pining away ag meath, ag cnaí, she was pining for the child bhí sí ag caitheamh in i ndiaidh an linbh
pineapple n anann
pine-needles npl spíonlach giúise
ping-pong n leadóg bhoird
pinion n eite, pinniún vt, they ~ed his arms to his sides cheangail siad a lámha dá thaobhanna
pink n, (flower) caoróg léana; pinc, in the ~ of health chomh folláin le breac, i mbláth na sláinte a pinc, bándearg
pinnacle n buaic, spuaic, starraic, stolla
pin-point vt, to ~ sth rud a thaispeáint go cruinn, do mhéar a leagan ar rud
pint n pionta
pioneer n ceannródaí, téisclimí, (abstainer) staonaire
pious a cráifeach, diaganta, beannaithe
pip¹ n, (in fowl) cíb, dioc, píoblach, they would give you the ~ chuirfidís déistin, samhnas, breoiteacht, ort
pip² n, (of fruit) síol
pip³ n, (of radio) gíog, buille
pip⁴ n, (on cards, etc) spota
pip⁵ vt, to ~ a person duine a shárú, an bhearna a bhaint de dhuine
pipe n píopa, píobán, uillean ~s píb uilleann
pipeline n píblíne
piper n píobaire
piping n píobaireacht, séideadh píob, (dressmaking) cuisliú
pipit n riabhóg
piquant a goinbhlasta; inspéise
pique n múisiam, stainc vt, to ~ a person múisiam, stainc, a chur ar dhuine; spéis a mhúscailt i nduine
pirate n foghlaí mara, píoráid
pirouette n fiodrince vi, to ~ fiodrince a dhéanamh
Pisces npl na hÉisc
piss n & vi mún
pistil n pistil
pistol n piostal
piston n loine
pit n clais, log, sloc, poll, ~ of stomach log an ghoile vt & i, to ~ potatoes prátaí a chur i bpoll, to ~ oneself against a person dul i gcoimhlint le duine
pitch¹ n pic

pitch² n teilgean, caitheamh, crochadh, (of sound) airde, (playing-field) páirc imeartha vt & i pitseáil, caith, teilg, to ~ camp campa a shuí

pitch-and-toss n caitheamh pinginí

pitch-dark a, ~ night oíche dhuibhré

pitcher¹ n pitséar

pitcher² n teilgeoir

pitchfork n píce vt píceáil

piteous a truamhéalach, truacánta

pith n laíon, smúsach, smior; brí, tathag

pithy a, (of speech) aicearrach, gonta; éifeachtach

pitiful a trua, cásmhar, truacánta; suarach, náireach

pitiless a mithrócaireach, gan trua

pittance n, a mere ~ cuid an bheagáin

pitted a logánach, slocach, criathrach; brocach, crosach

pity n trua, truamhéala, what a ~ nach mór an trua, an peaca, é; chí Dia sin; is é an mhairg, an scrupall, é vt, to ~ a person trua a bheith agat, a dhéanamh, a ghlacadh, do dhuine

pivot n lúdrach, maighdeog, mol vt & i, to ~ casadh ar maighdeog

placard n fógra

placate vt sásaigh, suaimhnigh, bain faoi

place n áit, ball, ionad, láthair vt leag, cuir, suigh

place-name n logainm

placenta n placaint, slánú

placid a séimh, mín, sámh, moiglí, sochma, ciúin

plague n plá, grathain vt ciap, pláigh, plaguing me with questions do mo chéasadh le ceisteanna

plaice n leathóg bhallach, plás

plaid n breacán

plain n má, machaire, clár a soiléir, follasach; pléineáilte, the ~ truth clár, glan, na fírinne

plaintiff n éilitheoir, gearánaí

plaintive a caointeach, cásmhar, truacánta, faíoch

plait n dual, trilseán; fí vt trilsigh, figh

plan n plean, beart, scéim vt & i beartaigh, pleanáil

plane n clár, plána, locar vt plánáil, locair to ~ down a board clár a scamhadh

planet n pláinéad

plank n planc vt, to ~ sth down rud a phlancadh síos

plankton n planctón

planner n pleanálaí

planning n pleanáil

plant n planda, luibh, lus, (machinery, etc) gléasra, fearas vt plandaigh, plandáil, cuir, (of colony) plandáil, to ~ a stake in the ground cuaille a shá sa talamh

plantain n, (ribwort) slánlus, (round-leaved) cuach Phádraig

plantation n plandáil, (grove) fáschoill, garrán

planter n plandóir

planxty n plancstaí

plaque n plaic

plasma n plasma

plaster n plástar, adhesive ~ greimlín vt & i plastráil; dóibeáil

plasterer n pláistéir

plastic n plaisteach a plaisteach; somhúnlaithe

plasticine n marla, plastaicín

plate n lann, pláta, silver ~ soithí airgid vt plátáil

plateau n ardchlár

plate-glass n plátghloine

platform n ardán, léibheann, stáitse, ~ of bus tairseach bus

platinum n platanam

platitude n léireasc

platonic a platónach

platter n mias

plausible a dealraitheach, (of person) plásánta, slíoctha, a ~ story scéal a bhfuil dath, dealramh na fírinne, air; scéal craicneach

play n imirt, spraoi, imeartas; ligean; dráma, ~ centre ionad súgartha vt & i imir, (music) seinn, cas, (of light) cigil, imir, ~ing ag súgradh, ag spraoi

play-acting n geáitsíocht, aisteoireacht

playboy n buachaill báire

player n imreoir; seinnteoir

playful a súgrach, spraíúil, cleasach, ábhailleach

playground n faiche imeartha; clós scoile

playroom n seomra súgartha

plaything n bréagán, áilleagán

playwright n drámadóir

plea n caingean, pléadáil; achainí, on the ~ of ar leithscéal go

plead vt & i pléadáil, pléigh, agair, to ~ guilty pléadáil ciontach

pleasant a taitneamhach, pléisiúrtha, sámh, fáilí, suairc, suáilceach, lách, ~ *appearance* aoibh, cuntanós, ~ *laugh* gealgháire

pleasantry n greannmhaireacht; focal grinn

please vt & i sásaigh, taitin le, *to be graciously* ~*ed to do sth* deonú rud a dhéanamh, *I'd be* ~*d to do it* dhéanfainn é agus fáilte, *have what you* ~ bíodh do phléisiúr, do rogha, agat, ~ *God* le cúnamh Dé, *(if you)* ~ le do thoil, más é do thoil é, *to do as one* ~*s* do chomhairle féin a dhéanamh

pleasure n pléisiúr, sásamh, sult, taitneamh, aoibhneas

pleat n pléata *vt* pléatáil

pleated a pléatach

plebiscite n pobalbhreith

pledge n geall, éarlais; coinníoll, focal, gealltanas *vt* dílsigh, geall, *to* ~ *sth* rud a chur i ngeall

Pleiades npl an Tréidín

plenary a iomlán

plenipotentiary n lánchumhachtóir a lánchumhachtach

plentiful a fairsing, flúirseach, líonmhar

plenty n cuimse, flúirse, fairsinge, ~ *of milk* neart bainne, ~ *of people* go leor daoine, ~ *of time* fuilleach ama, ~ *of money* greadadh airgid, tréan airgid

pleurisy n pliúraisí

pliable a solúbtha, lúbach, umhal

pliers npl teanchair, greamaire

plight n cor, eagar, riocht, ide, *in a sorry* ~ in anchaoi, in ainriocht

plod *vi* fuirsigh, *I keep plodding along* bím ag treabhadh, ag sracadh, ag sraonadh, liom

plop n plab, glug *vi* plab

plot n ceapach, garraí; plota, scéim, rún ceilge *vt & i* innill; rianaigh, marcáil, *to* ~ *against a person* bheith i gcealg, ag cealg, duine

plough n céachta, seisreach, *the P*~ an Camchéachta, an tSeisreach *vt & i* treabh

ploughland n seisreach

ploughman n treabhdóir

ploughshare n soc

plover n feadóg, pilibín

pluck n tarraingt, sracadh, misneach, gus *vt* pioc, tarraing, stoith, cluimhrigh,

to ~ *up one's courage* do mhisneach a ghlacadh

plucky a misniúil, gusmhar, *a* ~ *lad* gasúr a bhfuil sracadh ann

plug n stopallán, dallán; plocóid, pluga *vt & i, to* ~ *a hole* stopallán a chur i bpoll, poll a chalcadh, ~ *in* ionsuigh, *to* ~ *a person* píléar a chur i nduine, *to* ~ *a policy* polasaí a bholscaireacht, *to* ~ *away* leanúint ort, coinneáil ort

plum n pluma

plumage n cluimhreach

plumb¹ n pluma, *to put sth out of* ~ rud a chur as a dhíreach a ingearach, díreach, ~ *crazy* glan as do mheabhair

plumb² vt & i, *to* ~ *the sea* doimhneacht na farraige a thomhas, *to* ~ *the depths of sth* dul go grinneall le rud, dul go bun an scéil le rud, *to* ~ *a wall* riail ingir a chur ar bhalla; balla a fhágáil ingearach, *to* ~ pluiméireacht a dhéanamh

plumber n pluiméir

plumbing n feadóireacht; pluiméireacht; píopaí, piopra

plumb-line n líne ingir

plume n cleite

plummet n luaidhe (feadóireachta), pluma *vi, to* ~ titim go tobann, go tapa

plump¹ a páinteach, beathaithe, ~ *creature* pánaí, paiteog

plump² n plimp *vt & i, to* ~ *down* ligean anuas de phlimp, titim de phlimp, *to* ~ *for a candidate* gan vótáil ach d'aon iarrthóir amháin; taobhú le hiarrthóir, cur ar son iarrthóra

plunder n creach, foghail, argain, slad *vt & i* creach, slad

plunderer n creachadóir, foghlaí

plunge n dúléim, tumadh *vt & i* tum, fothraig, *to* ~ *(into water, into difficulty)* dúléim a thabhairt

plunger n loine; tumaire

plural n & a iolra

pluralism n iolrachas; ilfheidhmeannas

plus n plus *prep* móide, agus

plush n pluis a sóúil, taibhseach

Pluto n Plútón

plutocracy n maoinlathas, plútacratachas

plutonium n plútóiniam

ply¹ n dual

ply² vt & i oibrigh, imir, to ~ one's trade do cheird a chleachtadh, he was ~ing them with drink bhí sé ag teannadh dí leo, ~ing across the sea ag iomlachtadh thar an bhfarraige

plywood n sraithadhmad

pneumatic a aeroibrithe; aer(a)(i)-

pneumonia n niúmóine

poach¹ vt scall

poach² vt & i póitseáil, to ~ a river póitseáil a dhéanamh ar abhainn

poacher n póitseálaí

pocket n póca vt, to ~ sth rud a chur i do phóca, rud a bhradú leat

pod n faighneog, mogall, cochall

poem n dán, duan, laoi

poet n file, éigeas

poetic a fileata

poetry n filíocht, éigse

poignant a géar, tréan, cráite

point n pointe, ponc; rinn, gob, bior; brí, ciall; mír, (in games) cúilín, pointe, (of compass) aird, on the ~ of going ar tí imeacht vt & i bioraigh; comharthaigh, dírigh ar, (of building) pointeáil, ~ out taispeáin, to ~ out sth to a person rud a chur ar a shúile do dhuine

point-blank a, a shot at ~ range urchar as béal gunna, to refuse ~ diúltú glan

pointed a biorach, gobach, stuacach, rinneach, géar; follas, soiléir, díreach

pointer n snáthaid, maide; leid; madra dúiseachta

pointless a gan bhrí; éadairbheach, it is ~ níl bun ná barr air; níl maith a bheith leis

poise n cothromaíocht; neamhchorrabhuais, dínit, féinmhuinín, iompar (cinn, coirp) vt & i beartaigh, ~d above us ar foluain, crochta, os ár gcionn, ~d to fight ar tinneall chun troda

poison n nimh vt nimhigh

poisoning n, food ~ nimhiú bia

poisonous a nimhiúil

poke¹ n poit, sonc vt poit, soncáil, prioc, to ~ embers griosach a rúscadh, to ~ fun at a person greann a dhéanamh de dhuine

poke² n tomhaisín

poker¹ n priocaire

poker² n pócar

poky a, ~ place póicéad

polar a molach, polach, ~ bear béar bán

polarize vt & i polaraigh

polaroid n & a polaróideach

pole¹ n cuaille, cleith, crann, liúr

pole² n mol, pol, the North ~ an Mol Thuaidh

polemics npl conspóideacht; argóintí

police npl péas, póilíní vt póilínigh

policeman n garda, póilín, péas, pílear

policewoman n bangharda, banphóilín

policy n polasaí, beartas; dúnghaois

poliomyelitis n polaimiailíteas

polish n snas, gléas; snasán, smearadh; líofacht; craiceann, slacht vt & i snasaigh, líomh, locair, slíom

polished a snasta, greanta, líofa, ealaíonta

polite a béasach, múinte, nósmhar, sibhialta

politeness n dea-bhéas, múineadh, nósmhaireacht

political a polaitiúil

politician n polaiteoir

politics npl polaitíocht

polka n polca

poll n cloigeann; vótáil vt & i vótáil

pollard n bran beag

pollen n pailin

pollinate vt pailnigh

pollock n mangach, pollóg

pollute vt truailligh, éilligh

pollution n truailliú, éilliú

polo n póló

poly- pref il-

polyanthus n ilbhláthach

polygamy n polagamas, ilphósadh

polyglot n & a ilteangach

polygon n polagán

polytechnic n coláiste polaiteicnice; polaiteicnic

polythene n polaitéin

pomegranate n gránúll, pomagránait

pomp n poimp, ollás

pompon n bobailín, mabóg

pompous a mustrach, mórchúiseach, poimpéiseach

pond n linn, lochán

ponder vt & i smaoinigh, meabhraigh, meáigh

pontiff n pontaif

pontoon n pontún

pony n capaillín, pónaí

poodle n púdal

pooh-pooh vt, to ~ sth spior spear a dhéanamh de rud

pooka n púca

pool¹ n linn, lochán, poll

pool² n comhchiste, money in the ~ airgead ar clár vt, to ~ money airgead a chur i gcomhchiste

poor a bocht, daibhir; droch-, deoráil, dona npl, the ~ na boicht, na bocht-áin, an chosmhuintir, ~ thing! an créatúr! ~ fellow an duine gránna

pop vt & i pléasc, cnag, preab, ~ it into your mouth rop isteach i do bhéal é, to ~ in bualadh isteach, to ~ up out of the water preabadh aníos as an uisce

pope n pápa

poplar n poibleog

poplin n poiplín

pop-music n popcheol

poppy n poipín

popular a coitianta, he is very ~ tá an-ghnaoi ag na daoine air

population n daonra, líon daoine, pobal

populous a daoineach

porcelain n poirceallán

porch n póirse

porcupine n torcán craobhach

pore¹ n piochán, póir

pore² vi, to ~ over a book bheith sáite i leabhar, to ~ over a subject dian-mhachnamh a dhéanamh ar ábhar

pork n muiceoil

pornography n pornagrafaíocht

porous a póiriúil, scagach

porpoise n muc mhara, toirpín

porridge n leite, brachán

porringer n porainséar

port¹ n caladh, calafort, cuan, port

port² n clébhord

port³ n pórt(fhíon)

port⁴ vt, to ~ arms airm a thaispeáint

portable a iniompartha, so-iompair

portentous a tuariúil

porter¹ n doirseoir

porter² n póirtéir, (beer) pórtar, leann dubh

portfolio n mála cáipéisí, minister's ~ cúram aire

porthole n sliospholl

portion n cuid, píosa, páirt, roinn, cuibhreann, giota, mír vt roinn, dáil

portly a stáidiúil, toirtiúil

portrait n portráid

portray vt dreach, léirigh

pose n staidiúir; geáitse vt & i deasaigh, to ~ bheith ag ligean geáitsí ort féin, to ~ a question ceist a chur, he ~d as a Frenchman lig sé air féin gur Francach a bhí ann, chuaigh sé i riocht Fran-caigh

posh a galánta, nósmhar

position n áit, ionad, suíomh vt suigh

positive a dearbhchló a dearfach, deimh-neach

possess vt sealbhaigh, to ~ sth rud a bheith agat, i do sheilbh, she is ~ed by the devil tá an diabhal inti

possession n sealbhaíocht, seilbh; (pl) sealúchas, maoin, airnéis

possessive n & a sealbhach

possibility n féidearthacht, they had no ~ of returning ní raibh fáil ar chasadh acu

possible a féideartha, it is ~ (that) is féidir (go), that is ~ thiocfadh dó, if ~ más féidir

possibly adv seans, b'fhéidir, I couldn't ~ (do it) ní bhfaighinn ó mo chroí é a dhéanamh

post¹ n cuaille, bacán, stáca vt, to ~ a notice fógra a chur suas

post² n post, jab, ionad, the last ~ an ghairm dheiridh vt postaigh, to ~ a sentry fairtheoir a chur ar post

post³ n post, to open one's ~ do chuid litreacha a oscailt vt postáil, to ~ a letter litir a chur sa phost

post-⁴ pref iar-

postage n postas

postcard n cárta poist

poster n póstaer

posterior n tóin, tiarpa

posterity n sliocht; na glúine atá le teacht

post-graduate n iarchéimí a iarchéime

posthumous a iarbháis

postman n fear poist

postmark n postmharc

post-mortem n scrúdú iarbháis

post-office n oifig an phoist

postpone vt, to ~ sth rud a chur ar gcúl, siar, ar athlá, ar atráth

postscript n aguisín, iarscríbhinn

postulant n nuasachán

posture n stiúir, staidiúir; dearcadh, aigne

posy n pósae
pot n pota, corcán
potash n potais
potassium n potaisiam
potato n práta
pot-belly n urbholg, maróg
poteen n poitín
potent a bríomhar, láidir, cumhachtach
potential n cumas a, ~ danger contúirt fholaigh, ~ resources acmhainní inoibrithe
pot-hole n coirín, linntreog; poll slogaide, uaimh
pot-holing n uaimheadóireacht
pot-hook n lúb pota
potion n deoch, díneach, upa
potter[1] n potaire, criadóir
potter[2] vi, ~ing about ag útamáil, ag giotáil, thart
pottery n potaireacht
pouch n púitse, mealbhóg, spaga
pouf n saoisteog
poultice n ceirín
poultry n éanlaith chlóis
pounce n léim, áladh vi léim, to ~ on sth áladh a thabhairt ar rud
pound[1] n punt, ~ note nóta puint
pound[2] n gabhann, póna
pound[3] vt & i brúigh, tuairteáil, tuargain, smíst, they were ~ing along bhí siad ag satailt rompu
pour vt & i doirt, steall, scaird, ~ out cuir amach, líon amach, dáil, ~ing rain ag doirteadh, ag stealladh, fearthainne, ~ing ag plódú, ag líonadh, isteach
pout n pus vi, to ~ pus a chur ort féin, gob a chur ort féin
poverty n bochtaineacht, anás, daibhreas, deilbhíocht, loime
poverty-stricken a dealbh, ocrach
powder n púdar vt púdráil; mionaigh
powdered a púdrach
power n cumhacht, cumas, brí, neart, to be in ~ bheith i réim, returned to ~ istigh arís, more ~ to you! nár lagaí Dia thú! treise leat!
powerful a cumhachtach, éachtach, láidir, tréan, cumasach, neartmhar
powerless a éagumasach, neamhchumhachtach, gan bhrí
practicable a indéanta, inoibrithe, praiticiúil

practical a praiticiúil, fóinteach, ~ joking áilteoireacht, bobaireacht, cleasaíocht
practically adv, it is ~ finished tá sé ionann is (a bheith) críochnaithe, tá sé geall le bheith déanta
practice n cleachtadh, taithí; cleachtas, nós
practise vt & i cleacht, déan, gnáthaigh, taithigh, ~d rogue rógaire áitithe
practitioner n cleachtóir, general ~ gnáthdhochtúir
pragmatic(al) a pragmatach
prairies npl féarthailte
praise n moladh vt mol
praiseworthy a inmholta
pram n pram, naíchóiste
prance n pramsa vi pramsáil
prank n bob, cleas, tréith
prate vt & i scil, prating ag clabaireacht, ag salmaireacht
prattle n gliogarnach, scilligeadh vi scillig, prattling ag clabaireacht, ag gliogarnach
prawn n cloicheán
pray vt & i guigh, impigh, ~ing ag guíodóireacht, ag paidreoireacht, ag urnaí
prayer n paidir, urnaí, guí
preach vt & i craobhscaoil, teagasc, ~ing ag seanmóireacht
preacher n seanmóirí, soiscéalaí
preamble n réamhrá
precarious a neamhbhuan, guagach, seansúil
precaution n réamhchúram, réamh-aire, he takes no ~ s níl faichill ar bith ann
precede vt tar roimh, téigh roimh
precedence n tosaíocht, tús; oireachas
precedent n réamhshampla, fasach
preceding a, the ~ day an lá roimhe sin
precept n aithne, teagasc
precincts npl purláin, líomatáiste
precious a luachmhar; maoineach, ~ object seoid
precipice n aill, binn
precipitate[1] n dríopásach, mear, tobann vt teilg, rad; brostaigh, to ~ matters dlús a chur le rudaí
precipitate[2] vi comhdhlúthaigh, frasaigh
precipitous a géarchrochta, rite; tobann, mear, grod
précis n achoimre

precise *a* beacht, cruinn
precision *n* beachtas, cruinneas
preclude *vt* coinnigh amach, coisc
precocious *a* seanchríonna, ~ *child* síofra
preconceive *vt* réamhcheap, ~*d idea* réamhthuairim
precursor *n* réamhtheachtaí
predatory *a* creachach
predecessor *n* réamhtheachtaí
predestination *n* réamhchinneadh, réamhordú
predestine *vt* réamhchinn, réamhordaigh
predicament *n* cruachás, *to be in a* ~ bheith san fhaopach, i dteannta, i sáinn, i bponc
predicate *n* faisnéis
predict *vt* tairngir, tuar, réamhaithris
prediction *n* tairngreacht, tuar, réamhaithris
predilection *n* claonadh (chun), luí (le)
predominate *vi*, *to* ~ *over* smacht, ceannas, a bheith agat ar, *women* ~ *in the association* is iad na mná is iomadúla sa chumann, mná is mó atá sa chumann
pre-eminent *a* gradamach, suntasach, dearscnaitheach
preen *vt* cluimhrigh, prioc, pointeáil, *to* ~ *oneself on sth* bheith mórtasach as rud
prefabricated *a* réamhdhéanta
preface *vt*, *n* réamhrá, brollach; preafáid *vt*, *to* ~ *sth* réamhrá a chur le rud
prefect *n* maor
prefer *vt*, *I* ~ *it that way* is fearr liom mar sin é, *whom do you* ~ cé is measa leat, cé acu is fearr leat, *to* ~ *a charge against a person* cúiseamh a dhéanamh ar dhuine
preference *n* tosaíocht, roghnachas, *in* ~ *to* de rogha ar, *to give sth* ~ tosach, tús áite, a thabhairt do rud
preferential *a* fabhrach
prefix *n*, *(of title)* réamhtheideal, *(grammar)* réimír
pregnancy *n* iompar clainne, toircheas
pregnant *a* torrach, toircheasach, *to be* ~ bheith ag iompar clainne
prehistoric *a* réamhstairiúil
prejudice *n* claontacht, réamhchlaonadh *vt*, *to* ~ *one's case* dochar a dhéanamh do do chás

prejudiced *a* claonta
prelate *n* prealáid
preliminary *a* tosaigh, ~ *work* réamhobair, ~ *examination* réamhscrúdú *npl* réamhimeachtaí
prelude *n* réamhdhréacht
premarital *a* réamhphósta
premature *a* anabaí, roimh am, *he died* ~*ly* cailleadh roimh a aois é
premeditate *vt* réamhbheartaigh, réamhcheap
premeditation *n* réamhbheartú, réamhcheapadh
premier *n* príomh-aire, taoiseach *a* príomha
premise *n*, ~ *s* áitreabh; réamhleagan; réamhráiteas
premium *n* préimh, ~ *bonds* bannaí bisigh, *to sell sth at a* ~ rud a dhíol ar biseach
premonition *n* fíor, mana, meanma
preoccupied *a* gafa, go domhain (sa mhachnamh), sáite (sa ghnó)
preparation *n* réiteach, ullmhúchán, oirchill, gléasadh; ullmhóid *pl* stócáil, téisclim
preparatory *a*, ~ *college* coláiste ullmhúcháin
prepare *vt* & *i* ullmhaigh, gléas, cóirigh, déan réidh
prepay *vt* réamhíoc
preposition *n* réamhfhocal
preposterous *a* míréasúnta, áiféiseach
prerogative *n* pribhléid; sainchumas
Presbyterian *n* & *a* Preispitéireach
presbytery *n* cléirtheach
prescribe *vt* mol, ordaigh, leag amach
prescription *n* oideas
presence *n* láithreacht, *in the* ~ *of a person* i láthair, i bhfianaise, os comhair, duine
present[1] *n*, *the* ~ an t-am i láthair, *at* ~ faoi láthair *a* i láthair, láithreach, *the* ~ *day* an lá atá inniu ann
present[2] *n* bronntanas, féirín *vt* tabhair, tairg, toirbhir, *to* ~ *a play* dráma a léiriú, *to* ~ *oneself* láithriú, nochtadh
presentable *a*, *(of person)* insúil, pearsanta, *(of clothes)* inchaite, fiúntach
presentation *n* toirbhirt; toirbheartas
presentiment *n* mana, meanma, *I have a* ~ *(that)* taibhsítear dom (go)
presently *adv* ar ball (beag)

preservation *n* coimeád, caomhnú; leasú, úrchaomhnú

preservative *n* leasaitheach, ábhar leasaithe *a* caomhnaitheach, leasaitheach

preserve *n* subh; talamh cosanta; tearmann; líomatáiste *vt* coimeád, caomhnaigh, cumhdaigh; sábháil, leasaigh, *God ~ you* go mbuanaí Dia thú

preside *vi*, *to ~ (at meeting)* dul sa chathaoir (ag cruinniú), bheith i gceannas (cruinnithe)

president *n* uachtarán

press *n* brú, fáscadh; fáisceán; preas; cófra, caibhéad, prios, *~ conference* preasagallamh *vt* & *i* brúigh, tathantaigh, fáisc, teann; preasáil, iarnáil, *to ~ for sth* rud a éileamh (go láidir)

pressed *a* brúite, fáiscthe, *hard ~* i dteannta, i sáinn, *~ for time* cruógach, práinneach

press-gang *n* buíon phreasála

pressing *a* géibheannach, práinneach, cruógach; tuineanta

press-stud *n* smeachtstoda

pressure *n* brú; broid, fáscadh, teannadh, *~ cooker* bruthaire brú

pressurize *vt*, *to ~ a person* brú, crua, a chur ar dhuine

prestige *n* gradam

presume *vt* & *i* leomh, toimhdigh, *I ~ that* tá mé ag déanamh go, *to ~ on a person* buannaíocht, dánacht, a dhéanamh ar dhuine

presumption *n* andóchas; dánacht, buannaíocht; neamh-mheontaíocht; toimhde

presumptuous *a* andóchasach, buannúil, dána, neamh-mheontach

pretence *n* cur i gcéill

pretend *vt* & *i*, *to ~ that* ligean ort go, cur in iúl go, *~ing to glory* ag tnúth le glóir

pretension *n* móiréis

pretentious *a* móiréiseach, taibhseach

pretext *n* leithscéal, *on ~ of speaking to me* ar scáth labhairt liom

pretty *a* gleoite, deas, deismir *adv* cuibheasach, réasúnta, measartha, *~ rough* garbh go maith

prevail *vi*, *to ~ over a person* an ceann is fearr a fháil ar dhuine, buachan ar dhuine, *to ~ on a person to do sth*

tabhairt, baint, ar dhuine rud a dhéanamh, *a custom that ~ s* nós atá faoi réim, a mhaireann go fóill, atá fós ag imeacht

prevailing *a*, *~ wind* gnáthghaoth

prevalent *a* ceannasach, leitheadach, faoi réim, gnáth-

prevaricate *vi*, *to ~* an fhírinne a fhiaradh, an fhírinne a sheachaint

prevent *vt* bac, coisc, toirmisc, stop

prevention *n* cosc, toirmeasc

preview *n* réamhthaispeántas

previous *a* roimh ré

previously *adv* roimhe sin

prey *n* creach, seilg *vi*, *to ~ upon sth* rud a sheilg, *sth is ~ing on his mind* tá rud éigin ar a intinn, tá rud éigin imithe faoin intinn aige

price *n* praghas, luach, fiacha *vt*, *to ~ sth* luach, praghas, a chur ar rud; rud a chostáil

prick *n* priocadh, goineog *vt* & *i* prioc, clip, goin, *to ~ up one's ears* cluas a chur ort féin, do chluasa a bhiorú

prickle *n* colgán, dealg *vt* & *i* prioc

prickly *a* coilgneach, deilgneach, driseogach

pride *n* uabhar, díomas, leithead; mórtas, bród, ríméad, *~ of place* tús áite *vt*, *to ~ oneself on sth* bheith móralach as rud

priest *n* sagart

priesthood *n* sagartacht

prig *n* saoithín

priggish *a* saoithíneach, ceartaiseach

prim *a* deismíneach, cúiseach

primary *a* príomha, bunata, príomhúil, bun-

primate *n* príomháidh, *(zoological)* príomhach

prime[1] *n*, *in the ~ of his life* i mbláth a shaoil, i mbarr a mhaitheasa, ina neart *a* príomha; den chéad scoth, *~ minister* taoiseach, príomh-aire, *~ rogue* rógaire críochnaithe

prime[2] *vt* príméail

primer *n* bunleabhar, priméar

primeval *a* cianaosta

primitive *a* bunaíoch; céadrata; seanársa

primrose *n* sabhaircín

prince *n* prionsa, flaith

princess *n* banphrionsa

principal n ceannasaí, uachtarán; príomhoide, (*finance*) bun, bunairgead *a* príomh-
principality n prionsacht
principle n prionsabal, foras
print n lorg, rian; cló, prionta *vt* priontáil, clóbhuail, clóigh
printer n clódóir, printéir
printing n clódóireacht, printéireacht; clóbhualadh
prior[1] n prióir
prior[2] *a* roimh ré *adv*, ~ *to my going* roimh imeacht dom, sular imigh mé
priority n tosaíocht, tús
priory n prióireacht
prism n priosma
prison n príosún
prisoner n príosúnach, cime, braighdeanach
privacy n dóchúlacht
private n gnáthshaighdiúir, saighdiúir singil *a* príobháideach
privation n ganntanas, dochma, angar
privet n pribhéad
privilege n pribhléid
privileged *a* pribhléideach
privy n leithreas *a*, *to be* ~ *to sth* rún ruda a bheith agat
prize[1] n duais; geall *vt*, *to* ~ *sth* rud a bheith luachmhar agat, *she* ~*s that book* is mór aici an leabhar sin
prize[2] *vt*, *to* ~ *a lid open* clár a thógáil le luamhán
prize-bond n duaisbhanna
prizewinner n duaiseoir
probability n dóchúlacht
probable *a* dóchúil, dealraitheach, *it is* ~ *that* is dócha go, *probably not* ní móide é; ní móide go
probate n probháid
probation n promhadh, tástáil
probe n bior, tóireadóir *vt & i* tóraigh, taighd
problem n fadhb, ceist
problematical *a* fadhbach
pro-cathedral n leas-ardeaglais
procedure n modh, gnáthamh, nós imeachta
proceed *vi* téigh, imigh, gabh, gluais; lean leat, ~*ing towards* ag tarraingt ar, ag déanamh ar, *to* ~ *against a person* dlí

a chur ar dhuine
proceeding n imeacht, dul; beart, obair *pl* imeachtaí
proceeds *npl* fáltais
process n oibriú, próiseas, (*of law*) próis *vt* próiseáil
procession n mórshiúl
processor n próiseálaí
proclaim *vt* craol, fógair, reic, *he was* ~*ed the O'Neill* gaireadh Ó Néill de
proclamation n forógra, fógairt
procrastination n siléig, moilleadóireacht
procreate *vt* gin, tuismigh
procreation n giniúint
procure *vt* soláthair, *to* ~ *sth for a person* rud a chur ar fáil do dhuine
prod n broideadh, sonc, péac *vt* prioc, broid, péac
prodigal n caifeachán, *a* caifeach, doscaí, rabairneach, *the* ~ *son* an mac drabhlásach, an mac díobhlásach
prodigy n mana; feart, iontas
produce *vt* sochar, toradh *vt* taispeáin, cuir ar fáil; tuismigh, gin, tarraing; táirg, déan, (*of play*) léirigh, (*drawing*) *to* ~ *a line* líne a leanúint
producer n táirgeoir, (*of play, film*) léiritheoir
product n toradh, táirge
production n cur amach, táirgeadh
productive *a* torthúil, táirgiúil; bisiúil
productivity n táirgiúlacht
profane *a* naomhaithiseach; saolta *vt* sáraigh, truailligh
profanity n naomhaithis; mionn, eascaine
profess *vt* maígh, éiligh, *to* ~ *our faith* ár gcreideamh a admháil, *to* ~ *oneself interested in Irish* a thabhairt le fios, a chur in iúl, go bhfuil spéis sa Ghaeilge agat, *to* ~ *a postulant* duine a ghlacadh isteach in ord, *to* ~ *vows* na móideanna a ghlacadh
profession n dearbhú, admháil; cur in iúl, cur i gcéill; gairm, slí bheatha, proifisiún; móidghealladh
professional *a* gairmiúil, proifisiúnta
professor n ollamh
proffer *vt* sin, tairg
proficient *a*, *to be* ~ *in sth* bheith oilte ar rud
profile n pictiúr imlíne; cló leicinn, leathaghaidh, próifíl

profit n brabach, sochar, gnóthachan, éadáil vt & i, it ~ed me nothing níor ghnóthaigh mé dada air; níor thairbhigh mé pioc de, to ~ by sth tairbhe a bhaint as rud; bheith buaiteach le rud

profitable a tairbheach, brabúsach, sochrach, éadálach

profligate n caifeachán, drabhlásaí a drabhlásach, caifeach, doscaí

profound a domhain, duibheagánach

profuse a faíoch, raidhsiúil, fluirseach

progeny n sliocht, iarmhar, maicne, síolrach

programme n clár, computer ~ tasc-chlár ríomhaire vt réamheagraigh

programmer n, computer ~ cláraitheoir ríomhaireachta

progress n dul ar aghaidh, dul chun cinn, forás, in ~ ar siúl, ar bun, to make ~ treoir, talamh, a dhéanamh vi téigh ar aghaidh

progression n dul chun cinn, forchéimniú

progressive a forásach, forchéimnitheach

prohibit vt cros, coisc, toirmisc, it is strictly ~ed ta dianchosc air

prohibition n cosc, cros, toirmeasc; col, geis

project[1] n tionscadal, scéim

project[2] vt & i leag amach, beartaigh; caith, diúraic, teilg; gob amach, to ~ a picture on the screen pictiúr a chaitheamh ar scáileán

projectile n diúracán

projecting a starrach

projection n teilgean, caitheamh; beartú; starr, starragán

projector n teilgeoir

proletarian n & a prólatáireach

proletariat n prólatáireacht, na híochtaráin, an chosmhuintir

proliferate vi iomadaigh

prolific a breisiúil, sliochtmhar; rafar

prologue n brollach

prolong vt fadaigh, to ~ sth fad a bhaint as rud, fadú le rud

promenade n promanád, áit spaisteoireachta

prominent a starrach, corránach; suntasach, feiceálach, oirirc, mór le rá, ~ tooth starrfhiacail

promiscuous a measctha; ilchaidreamhach

promise n gealltanas, geall vt & i geall

promising a dóchúil, tréitheach, ~ appearance cruthaíocht, gealladh

promontory n ros, rinn, ceann tíre, ~ fort dún

promote vt cothaigh, cuir ar aghaidh, cuir chun cinn, to ~ a person ardú céime a thabhairt do dhuine

promoter n tionscnóir

promotion n ardú céime; cothú, cur chun cinn

prompt[1] n leid vt spreag, gríosaigh, to ~ a person leid a thabhairt do dhuine

prompt[2] a ullamh, grod, sciobtha, pras, féichiúnta

prompter n leideoir; spreagthóir

prone a béal faoi, droim in airde, ~ to tugtha do, claonta chun

prong n beangán, beann, ladhar

pronoun n forainm

pronounce vt & i fógair, dearbhaigh; fuaimnigh, to ~ on a subject do thuairim a thabhairt ar ábhar

pronunciation n fuaimniú, foghraíocht

proof[1] n cruthú, cruthúnas, dearbhú, promhadh; profa vt cion

proof[2] a, ~ against weather, water díonach ar aimsir, ar uisce

prop n taca, frapa vt teanntaigh, frapáil, tacaigh le

propaganda n bolscaireacht, síolchur

propagandist n bolscaire

propagate vt & i póraigh, síolraigh; craobhscaoil, scaip

propane n própán

propel vt tiomáin, cuir, séid; spreag

propeller n lián

propensity n, to have a ~ for sth claon, luí, lé, a bheith agat le rud

proper a dílis; dlisteanach, ceart, cóir, cuí, cuibhiúil, at the ~ time in am trátha, ~ fool amadán críochnaithe, what is ~ for a person an rud is dual do dhuine

property n maoin, sealúchas, substaint; airí, tréith

prophecy n tairngreacht, fáistine, fáidheadóireacht

prophesy vt & i tairngir, tuar, to ~ tairngreacht, fáistine, a dhéanamh, prophesying ag fáidheadóireacht

prophet n fáidh, tairngire, fáistineach

prophetic a fáidhiúil, fáistineach, tairngeartach

proportion *n* páirt, cionmhaireacht; coibhneas, comhréir

proportional *a*, ~ *representation* ionadaíocht chionmhar

proposal *n* moladh, ~ *of marriage* ceiliúr pósta

propose *vt* mol; beartaigh, to ~ *a toast* sláinte a fhógairt, to ~ *to a girl* ceiliúr pósta a chur ar chailín

proposer *n* moltóir

proprietor *n* úinéir, dílseánach

propriety *n* oiriúnacht, cuibheas; modhúlacht, béascna, *to observe the proprieties* na gnásanna a leanúint

propulsion *n* tiomáint; spreagadh

prosaic *a* prósach; leamh

proscribe *vt* eisreachtaigh

prose *n* prós

prosecute *vt* cúisigh, to ~ *a claim* éileamh a chur a agaidh

prosecution *n* ionchúiseamh

prosecutor *n* cúisitheoir

proselyte *n* iompaitheach

prosody *n* prosóid

prospect[1] *n* radharc; ionchas, *to ruin a person's* ~*s* duine a chur ó chríoch

prospect[2] *vi*, to ~ taiscéaladh, sirtheoireacht, a dhéanamh

prospective *a* atá le teacht

prospector *n* sirtheoir, taiscéalaí

prospectus *n* réamheolaire

prosper *vt & i* rathaigh; bisigh, *God ~ you* rath Dé ort, go soirbhí Dia duit

prosperity *n* rath, séan

prosperous *a* rathúil, rafar, séanmhar, éirítheach, toiciúil

prostate *a* próstatach

prostitute *n* striapach, meirdreach *vt* meirdrigh

prostitution *n* striapachas, meirdreachas

prostrate *a* faonlag, cloíte *vt* treascair, léirigh, to ~ *oneself* umhlú, sléachtadh

prostration *n* umhlú, sléachtadh; léiriú

protect *vt* cosain, cumhdaigh, díon

protection *n* cosaint, coimirce, dídean, scáth, cumhdach

protective *a* cosantach, coimirceach, díonmhar, dídeanach

protector *n* cosantóir, coimirceoir, caomhnóir

protectorate *n* coimirceas

protein *n* próitéin

protest *n* agóid *vt & i* dearbhaigh, to ~ *against sth* agóid, gearán, a dhéanamh in aghaidh ruda

Protestant *n & a* Protastúnach

protester *n*, ~*s* lucht agóide

protocol *n* comhghnás

prototype *n* fréamhshamhail

protract *vt* fadaigh, to ~ *sth* moill a bhaint as rud

protracted *a* fada, sínte, leanúnach; de réir scála

protractor *n*, (*instrument*) uillinntomhas

protrude *vt & i* sáigh amach, gob amach

proud *a* uaibhreach, díomasach, bródúil, mórálach ~ *flesh* ainfheoil

prove *vt & i* promh, tástáil, cruthaigh, dearbhaigh, *the story ~d false* fuarthas amach nach raibh aon fhírinne sa scéal

proverb *n* seanfhocal

provide *vt & i* soláthair, cuir ar fáil, seiftigh, to ~ *for a family* riar ar mhuirín, *she ~s well for them* tá sí ina ceann maith dóibh, to ~ *against sth* ullmhú ar cheann, in aghaidh, ruda

provided *conj*, ~ *that* ar choinníoll go, ar chuntar go; má, dá, ~ *that fellow doesn't come* ach gan an diúlach sin a theacht

providence *n* bairinn, tíos, *by the ~ of God* trí oirchill Dé

providential *a* ádhúil, ~ *ly* trí dheonú Dé

provider *n* soláthraí, seifteoir, *he is a good ~ for us* tá sé ina cheann maith dúinn

province *n* cúige; próibhinse

provincial *n* cúigeach, (*of religious*) próibhinseal *a* cúigeach

provision *n* soláthar, stór, riar, lón; cuntar, foráil

provisional *n & a* sealadach

proviso *n* cuntar

provocation *n* saighdeadh, gríosú, spreagadh

provocative *a* gríosaitheach; coinníneach

provoke *vt* spreag, saighid, tarraing, adhain, to ~ *a person to anger* séideadh faoi dhuine, duine a chur le cuthach

provost *n* propast

prow *n* gob, srón (báid)

prowess *n* gaisce, oirbheart, tréitheachas

prowl n, to be on the ~ for sth bheith sa tseilg ar rud vi, to ~ about bheith ag sirtheoireacht, ag smúrthacht, thart

proximity n foisceacht, gaire, cóngar, aice

proxy n ionadaí; seachvótálaí; cumhacht ionadaíochta, to vote by ~ seachvótáil a dhéanamh

prude n duine róchúisiúil, duine ceartaiseach

prudence n stuaim, críonnacht

prudent a stuama, discréideach, críonna

prune¹ n prúna

prune² vt bearr, sciot, scoith

pry vi, ~ing ag srónaíl, ag físeoireacht

psalm n salm

psalter n saltair

pseudonym n ainm cleite

psychedelic a sícideileach; dallraitheach

psychiatrist n síciatraí

psychiatry n síciatracht

psychic(al) a síceach

psychoanalysis n síocanailís

psychologist n síceolaí

psychology n síceolaíocht, aigneolaíocht

psychopath n síceapatach

psychopathic a síceapatach

psychosomatic a síceasómatach

pub n teach tábhairne, teach (an) óil

puberty n oirbheart, caithreachas, to reach ~ caithriú

pubic a púbasach

public n, the ~ an pobal a poiblí, in ~ os ard, go poiblí, os comhair an tsaoil, ~ house teach tábhairne, teach (an) óil

publican n tábhairneoir, óstóir

publication n poibliú, foilsiú; foilsitheoireacht; foilseachán

publicist n poiblitheoir, bolscaire

publicity n poiblíocht, bolscaireacht

publish vt & i poibligh, foilsigh, cuir amach

publisher n foilsitheoir

puck n poc vt & i pocáil

pucker n clupaid, roc, filltín vt & i, to ~sth roic a chur i rud, to ~ up rocadh, roic a dhéanamh, he ~ed his brows chruinnigh sé na malaí, chuir sé roic ina mhalaí, chrap sé na malaí

pudding n maróg; putóg

puddle n lochán uisce

puerile a leanbaí

puff n gal, puth, dé, séideog vt & i séid,

pluc, (of pipe) smailc, ~ed up with importance i mborr le mórtas

puff-ball n bolgán béice

puffin n puifín

puffy a mórtasach; borrúil, ata; séideogach; saothrach

pugnacious a trodach, bruíonach, buailteach

pull n tarraingt, sracadh vt & i tarraing, srac, sraon, stoith, to ~ oneself together misneach a ghlacadh, to ~ a face straois, gnúis, a chur ort féin, to ~ down a house teach a leagan

pullet n eireog

pulley n ulóg, roithleán, puilín

pullover n geansaí

pulp n laíon; brúitín, prabhait vt, to ~ sth laíon, smúsach, a dhéanamh de rud

pulpit n crannóg, puilpid

pulsate vi frithbhuail, fuadaigh

pulse n cuisle; bíog, bualadh, rithim vi frithbhuail, preab, léim, bíog

pulverize vt & i mionaigh, púdraigh

puma n púma

pumice-stone n slíogart

pump¹ n caidéal, pumpa, (of tyres) teannaire vt caidéalaigh, taosc, pumpáil

pump² n buimpéis

pumpkin n puimcín

pun n imeartas focal

punch¹ n puins vt puinseáil

punch² n dorn vt, to ~ a person dorn a thabhairt do dhuine

punch³ n puins; scailtín

punctilious a pointeáilte, prionsabálta

punctual a pointeáilte, poncúil, féiltiúil, tráthrialta

punctuality n pointeáilteacht, poncúlacht, spriocúlacht

punctuate vt poncaigh

punctuation n poncaíocht

puncture n & vt & i poll

pundit n scolardach

pungent a géar, gonta; borb

punish vt pian, to ~ a person pionós a chur ar dhuine

punishment n pionós; pianadh, peannaid

punitive a pianiúil, pionósach

punt n punta

puny a beag, suarach, dearóil, ~ person marla, suarachán

pup n coileán

pupa n pupa

pupil n dalta; mac imrisc
puppet n puipéad
purblind a caoch, geamhchaoch
purchase n ceannach; greim vt ceannaigh
pure a glan, geal, íon, geanmnaí, cumhra
purgative n purgóid a purgóideach
purgatory n purgadóir; purgadóireacht
purge vt purgaigh, folmhaigh
purification n íonú, feast of the P~ Lá Fhéile Muire na gCoinneal
purifier n íontóir
purify vt glan, íonaigh; cumhraigh
puritan n & a piúratánach
purity n glaine, íonacht, geanmnaíocht, cumhracht
purl n lúb ar tuathal vt & i, to ~ lúb ar tuathal a dhéanamh
purple a corcra
purpose n aidhm, cuspóir, rún, on ~ d'aon turas, d'aon ghnó, d'aon toisc vt, to ~ to do sth beartú ar rud a dhéanamh
purposeful a fuarintinneach, díongbháilte, daingean
purr n crónán, cnúdán vi, to ~ crónán a dhéanamh
purse n sparán, spaga vt, to ~ one's lips do liopaí a chrapadh
pursue vt lean, tóraigh, to ~ sth dul sa tóir ar rud; coinneáil le rud, leanúint ar rud
pursuit n tóir, leanúint, in ~ of sth ar lorg ruda, ag tóraíocht ruda, i ndiaidh ruda

purulent a angaíoch
pus n ábhar, angadh, braon, brach, sileadh
push n brú, sá, sonc; treallús vt brúigh, sáigh
pushing a stróinéiseach, treallúsach
pussy n puisín
pussy-willow n sailchearnach
pustule n goirín, puchóid
put vt & i cuir, leag, to ~ off sth rud a chur ar cairde, siar, ar athlá, to ~ to sea dul, cur, chun farraige, to ~ up with sth foighneamh le rud, to ~ u person up for the night lóistín na hoíche a thabhairt do dhuine, to ~ down one's foot do chos a chur i dtaca
putrefy vt & i morg, bréan, lobh
putrid a bréan
putt n amas vi, to ~ amas a dhéanamh
putty n puití
puzzle n dúcheist, fadhb, to be in a ~ bheith i gcruachás, i dteannta vt & i mearaigh, it ~d me chuaigh sé sa mhuileann orm, to ~ over sth rud a chur trí chéile i d'intinn
pyjamas npl pitseámaí
pylon n pilón
pyramid n pirimid
pyrex n piréis
python n píotón
pyx n pioscas

Q

quack[1] n vác vi, ~ing ag vácarnach
quack[2] n potrálaí
quadrangle n ceathairuilleog; cearnóg (na) scoile
quadrant n ceathramhán
quadratic a cearnach
quadrilateral a ceathairshleasach
quadruped n & a ceathairchosach
quadruple n ceathrairín a ceathairchodach vt & i méadaigh faoi cheathair
quadruplet n ceathrairín
quagmire n scraith ghlugair, criathar
quail n gearg
quaint a aisteach, barrúil

quake n crith vt creathnaigh, I was quaking with fear bhí critheagla orm
Quaker n Caecar, ball de Chumann na gCarad
qualification n agús, maolú; cáilíocht
qualify vt & i cáiligh; maolaigh, he has qualified as a doctor tá sé amuigh ina dhochtúir
quality n mianach; cáilíocht, cáil, tréith
qualm n scrupall
quandary n, in a ~ i dteannta, i ngalar na gcás
quantify vt cainníochtaigh
quantity n méid, cainníocht, large ~ mórán, lear mór, lab, small ~ beagán

quarantine n coraintín
quarrel n troid, bruíon vi, quarrelling ag achrann, ag bruíon, to ~ with sth easaontú le rud
quarrelsome a trodach, achrannach, clamprach
quarry[1] n seilg, creach
quarry[2] n cairéal vt cairéalaigh
quart n cárt
quarter n ceathrú; ceathrú anama, anacal; ceantar, (of year) ráithe, from all ~s as gach aird, as gach cearn, at close ~s bonn le bonn vt, to ~ sth rud a roinnt ina cheathrúna, to ~ soldiers saighdiúirí a chur ar ceathrúin
quarterly n ráitheachán a ceathrúnach, ráithiúil
quartermaster n ceathrúnach
quarter-sessions n seisiún ceathrúnach
quartet n ceathairéad
quartz n grianchloch
quash vt neamhnigh, cealaigh, cuir faoi chois
quasi- pref gar-
quaternary a ceathartha
quatrain n rann
quaver n creathán, (music) camán vi crith
quay n cé
queasy a míshocair; ceasúil, samhnasach, to feel ~ masmas a bheith ort, ~ feeling casadh aigne
queen n banríon, ~ bee cráinbheach
queer n piteog a ait, aisteach, corr, barrúil, greannmhar
queerness n aiteas
quell vt ciúnaigh, maolaigh, múch, cuir faoi chois
quench vt múch, báigh
quern n bró
querulous a cantalach, clamhsánach, ceasnúil
query n ceist; amhras vt ceistigh
quest n tóraíocht, cuardach, in ~ of sth ar lorg ruda
question n ceist, fiafraí vt ceistigh
questionable a amhrasach
question-mark n comhartha ceiste; amhras
questionnaire n ceistiúchán; foirm cheistiúcháin
queue n suaine, líne, ciú vi ciúáil
quibble n imeartas focal; mionchúis vi, quibbling ag cnádánacht, ag argóint
quick[1] n beo

quick[2] a tapa, mear, gasta, sciobtha; abartha, aibí; beo
quicken vt & i luathaigh, tapaigh, grod, to ~ one's pace géarú ar do choiscéim
quicklime n aol beo
quickness n tapúlacht, gastacht; aibéil, aibíocht
quicksand n gaineamh beo, gaineamh súraic
quicksilver n airgead beo
quick-tempered a tobann, taghdach
quid[1] n punt
quid[2] n, ~ of tobacco ionga tobac
quiet n suaimheas, ciúnas, on the ~ faoi choim, os íseal a suaimhneach, ciúin, mín vt & i suaimhnigh, ciúnaigh, síothlaigh
quietness n suaimhneas, ciúnas, míne
quill n cleite; dealg
quilt n cuilt, cuilce vt & i cuilteáil
quince n cainche
quinine n quinín
quintessence n eithne, croí, smior; buaic, barr, eiseamláir
quintet n cúigréad
quintuplet n cúigrín
quip n ciúta, goineog vi, ~ping ag eagnaíocht
quirk n imeartas focal; fiar, cor, casadh; aiste, aiteacht, leithleachas
quit vt & i éirigh as, fág, tréig, notice to ~ fógra imeachta
quite adv ar fad, i gceart, amach is amach, ~ interesting spéisiúil go maith
quits a cothrom (le chéile); cúiteach (le chéile)
quiver[1] n creathán vi crith, creathnaigh
quiver[2] n bolg saighead
quivering a creathach, creathánach, crithir; luaineach
quiz n ceistiúchán vt diancheistigh
quoit n caidhte
quorum n córam
quota n cuóta
quotation n athfhriotal; praghas luaite, luachan
quotation-marks npl comharthaí athfhriotail
quote n sliocht, ionad, athfhriotal vt luaigh, aithris
quotient n, intelligence ~ sainuimhir intleachta

R

rabbi *n* raibí

rabbit *n* coinín

rabble *n* gramaisc, daoscarshlua, grathain, scroblach

Rabelaisian *a* Raibiléiseach

rabid *a* fíochmhar, confach

rabies *n* confadh

race[1] *n* sruth; tarae; rás, rith, cúrsa *vt* & *i* rith; rásáil

race[2] *n* cine; clann, stoc

racecourse *n* ráschúrsa

racehorse *n* capall rása

racial *a* ciníoch

racialism *n* ciníochas

racing *n* rásaíocht

rack[1] *n* raca, croch

rack[2] *n*, to go to ~ and ruin imeacht chun raice

racket[1] *n*, (*sport*) raicéad

racket[2] *n* racán, (*illegal scheme*) camastáil

racketeer *n* cneámhaire

raconteur *n* eachtraí

racoon *n* racún

racy *a* anamúil; tíriúil, graosta

radar *n* radar

raddle *n* breasal

radial *a* gathach, radúil

radiance *n* loinnir, dealramh, soilse

radiant *a* lonrach, dealraitheach, ~ *smile* gealgháire

radiate *vt* & *i* gathaigh, radaigh, scaip, leath

radiation *n* radaíocht, gathú

radiator *n* radaitheoir

radical *n* & *a* radacach

radically *adv* ó bhonn (aníos)

radio *n* raidió *vt* & *i* craol

radioactivity *n* rádaighníomhaíocht

radiogram *n* radagram

radiography *n* radagrafaíocht

radiology *n* raideolaíocht

radish *n* raidis

radium *n* raidiam

radius *n* cnámh radúil, (*of circle*) ga

raffle *n* raifil *vt* raifleáil

raft *n* rafta, cliath (iompair)

rafter *n* rachta *pl* fraitheacha, creataí

rag *n* ceirt, giobal, bratóg

rage *n* cuthach, fraoch *vi*, to ~ bheith ar deargbhuile, bheith le ceangal

ragged *a* gioblach, bratógach, sraoilleach; bearnach, spiacánach

raging *a* feargach, fraochta, to be ~ bheith le buile, ar mire, ~ *drunk* ar steallaí meisce

ragweed *n* buachalán (buí)

raid *n* creach, ruathar *vt* & *i* creach, slad, to ~ *a place* ruathar a dhéanamh ar áit, we were ~*ed* rinneadh slad orainn

raider *n* creachadóir

rail *n* ráille, slat; bóthar iarainn *vt*, to ~ *sth off* ráille a chur thart ar rud

railroad *n* bóthar iarainn

railway *n* iarnród, bóthar iarainn

rain *n* báisteach, fearthainn *vt* & *i*, it is ~ *ing* tá sé ag cur (fearthainne, báisti), tá sé ag báisteach, to ~ *blows on a person* duine a chrústáil, a liúradh

rainbow *n* tuar ceatha, bogha báistí

rainfall *n* fliuchras; báisteach

rainy *a* báistiúil, for the ~ day le haghaidh na coise tinne

raise *n* ardú (pá) *vt* tóg, croch, ardaigh

raisin *n* rísín

rake[1] *n* ráca *vt* & *i* rácáil, to ~ *the fire* an tine a choigilt, to ~ *up the past* seanchairteacha a tharraingt ort

rake[2] *n* réice, ragairneálaí

rakish *a* réiciúil, ragairneach

rally *n* slógadh; iompú bisigh, bloscadh, téarnamh *vt* & *i* athchruinnigh, cruinnigh; téarnaigh, to ~ *from an illness* teacht chugat féin as breoiteacht

ram[1] *n* reithe, (*tool*) seimide

ram[2] *vt* pulc, sac, ding, to ~ *a car* carr a sháinniú

ramble *n* camchuairt *vi*, rambling ag fánaíocht, ag fámaireacht; ag rámhaille

ramification *n* craobhú

ramp *n* fánán

rampage *n*, on the ~ ag imeacht le dásacht

rampant *a* forleathan; neamhshrianta, dásachtach, ~ *growth* fás borb

rampart *n* múr, rampar, sonnach

ramshackle *a*, ~ *house* raingléis ti

ranch *n* rainse

rancher *n* rainseoir

rancid *a* camhraithe, bréan

rancour *n* domlas, mioscais, faltanas

183

random *n, at* ~ go fánach, gan aird *a* fánach, iomrallach, ~ *guess* buille faoi thuairim

range *n* lé, réim, réimse, fairsinge; sliabhraon; sornóg, ~ *of vision* raon, fad, radhairc, *firing* ~ léibheann lámhaigh *vt & i* réimnigh, sín, rith, *to* ~ *over the country* imeacht tríd an tír, rith na tíre a bheith agat, *prices ranging from £5 to £10* praghsanna sa réimse £5 go dtí £10

rank[1] *n* rang, sraith; cipe, cliath (catha); céimíocht, gradam, oireachas *vt & i* rangaigh, *to* ~ *among the great writers* bheith áirithe ar na scríbhneoirí móra

rank[2] *a* rábach, uaibhreach, borb; bréan; glan-, dearg-

rankle *vi, to* ~ *in a person's mind* goilleadh ar intinn duine, bheith ag déanamh angaidh do dhuine

ransack *vt* ransaigh, piardáil, siortaigh

ransom *n* fuascailt, *to hold a person to* ~ duine a chur ar fuascailt *vt* fuascail, ceannaigh

rant *n* bladhmann, callaireacht *vi,* ~ *ing* ag callaireacht, ag radaireacht

rap *n* smitín, cniog, cnag *vt & i* cnag, cniog, rapáil, ~ *out* spalp

rapacious *a* amplach, cíocrach, santach; creachach

rape *n* éigean; fuadach *vt* éignigh, sáraigh; fuadaigh

rapid *a* sciobtha, gasta, mear

rapier *n* ráipéar

rapture *n* néal (áthais) *pl* sceitimíní, *I went into* ~*s* tháinig sciathán, eiteoga, ar mo chroí

rare[1] *a* tanaí, éadlúth; annamh

rare[2] *a, (of meat)* scothbhruite

rascal *n* cladhaire, rógaire, cuilceach, bithiúnach

rash[1] *n* gríos, bruth

rash[2] *a* mear, grod, tobann, spadhrúil

rasher *n* slisín

rasp *n, (tool)* raspa *vt & i* raspáil

raspberry *n* sú craobh

rasping *a* díoscánach, scríobach

rat *n* francach, luch mhór *vi* sceith, ~ *on* loic ar, séan, téigh siar ar, *to* ~ *on a person* fealladh ar dhuine; duine a bhrath

rate *n* ráta, táille; gearradh, sraith, *at any* ~ ar aon nós, ar aon chuma; ach go háirithe, cibé ar bith; *at a fierce* ~ ar nós an diabhail, ar luas nimhe *vt* meas, rátáil

rath *n* ráth

rather *adv,* ~ *than be idle* seachas, de leisce, a bheith díomhaoin, ~ *cold* sách fuar, fuar go maith, *I'd* ~ *sit than stand* b'fhearr liom suí ná seasamh

ratify *vt* daingnigh

rating *n* grádú

ratio *n* cóimheas, coibhneas

ration *n & vt* ciondáil

rational *a* céillí, réasúnach

rationalize *vt* réasúnaigh

rationing *n* ciondáil; cumadh (bia, etc)

rattle *n* gliogar, gliogram, glothar; crothal *vt & i, rattling* ag gliogarnach, *to* ~ *sth* gliogarnach a bhaint as rud, *he is rattling on* tá rilleadh faoi, tá sé ag roiseadh leis, *rattling away in English* ag spalpadh Béarla

raucous *a* grágach

ravage *vt, to* ~ *sth* foghail, slad, a dhéanamh ar rud

rave *vi, he is raving* tá sé ag rámhaille; tá sé as a mheabhair

ravel *vt & i* rois, sceith, *don't* ~ *it* ná cuir in aimhréidh é

raven *n* fiach (dubh)

ravenous *a* craosach, amplach, *I was* ~ bhí confadh ocrais orm

ravine *n* altán, ailt, céim, cumar

raving *n* rámhaille *a* rámhailleach, ~ *mad* glan as do mheabhair

ravish *vt* éignigh, sáraigh, creach

ravishing *a* draíochtach, fíorálainn, sciamhach

raw *a* amh; dearg; neamhoilte, ~ *weather* glasaimsir, ~ *material* bunábhar

ray[1] *n* ga, léas

ray[2] *n, (fish)* roc

rayon *n* réón

raze *vt* leag go talamh

razor *n* rásúr

razorbill *n* crosán

re *prep* i dtaobh, maidir le

re- *pref* ath-

reach *n, within one's* ~ in aice láimhe, faoi fhad láimhe díot, *out of his* ~ as a aice *vt & i* sín (amach), sroich, bain amach, ráinigh

react *vi* freagair, frithghníomhaigh (ar, in aghaidh), freasaigh
reaction *n* freagairt, frithghníomh; imoibriú
reactionary *n* frithghníomhaí *a* frithghníomhach
read *vt & i* léigh
readable *a* soléite
reader *n* léitheoir
readiness *n* oirchill; réidhe; éascaíocht; toilteanas
reading *n* léitheoireacht; léamh
readjust *vt* athchóirigh
ready *a* ullamh, réidh, éasca; toilteanach, ~ *to fall* ar tí titim
readymade *a* réamhdhéanta
real *a* nithiúil, réadúil, dearbh-, fíor-, *a ~ rogue* rógaire ar na hailt, rógaire ceart
realism *n* réalachas
realist *n* réalaí
realistic *a* réadúil
reality *n* réaltacht, nithiúlacht, *in ~* dáiríre
realize *vt* tuig, aithin, réadaigh, *it ~ d a good price* chuaigh sé luach maith
really *adv* dáiríre, go fírinneach, ~! ná habair! *I don't ~ know* níl a fhios agam i gceart, *she was ~ angry* bhí fearg cheart uirthi, ~ *and truly* dáiríre píre
realm *n* ríocht
ream *n* réam
reap *vt* bain, buain
reaper *n* buanaí; inneall bainte
rear[1] *n* cúl, deireadh, *from the ~* aniar
rear[2] *vt & i* tóg, oil; beathaigh, *the horse ~ ed up* d'éirigh an capall ar a chosa deiridh
rearguard *n* cúlgharda
reason *n* ábhar, réasún, cúis, fáth; ciall, meabhair *vt & i* réasúnaigh
reasonable *a* réasúnta, ciallmhar
reasoning *n* réasúnaíocht *a* réasúnach
reassure *vt, to ~ a person* duine a chur ar a shuaimhneas
rebate *n* lacáiste
rebel[1] *n & a* ceannairceach
rebel[2] *vi, to ~* ceannairc a dhéanamh, éirí amach
rebellion *n* ceannairc, éirí amach, reibiliún
rebellious *a* ceannairceach, easumhal, reibiliúnach

rebound *n* athphreab, athléim *vi* athphreab, scinn, fill
rebuff *n* aithis, gonc *vt* diúltaigh; tiontaigh siar, *to ~ a person* gonc, aithis, a thabhairt do dhuine
rebuild *vt* atóg
rebuke *n* achasán, aifirt *vt* ceartaigh, aifir
recall *vt & i* athghair, athghlaoigh; cuimhnigh, meabhraigh
recant *vt & i* séan, téigh siar ar
recapitulate *vt & i* achoimrigh, *to ~* achoimre a thabhairt
recede *vi* cúlaigh, tráigh, téigh ar gcúl
receipt *n* fáltas; admháil
receive *vt* faigh, glac, gabh, *to ~ a person* fáiltiú roimh dhuine
receiver *n* glacadóir
recent *a* deireanach, nua, *of ~ years* na blianta deireanacha seo
recently *adv* le deireanas, le déanaí, le gairid
receptacle *n* gabhdán, soitheach
reception *n* glacadh, *(of radio)* glacadóireacht; fáiltiú
receptionist *n* fáilteoir
recess *n* sos; cúil, diamhair, ascaill; cuas, caibhéad
recession *n* meathlú, cúlú
recipe *n* oideas
recipient *n* faighteoir
reciprocal *a* cómhalartach
reciprocate *vt & i* cómhalartaigh
recital *n* aithris; ceadal
recitation *n* aithriseoireacht, gabháil (véarsaí); dán
recite *vt* aithris, gabh, reic
reckless *a* rábach, meargánta, dúshlánach
reckon *vt & i* áirigh, cuntais; meas
reckoning *n* cuntas, áireamh; scot
reclaim *vt* athghabh; tarrtháil; minigh, *to ~ land* talamh a thabhairt chun mintíreachais
reclamation *n, (of land)* mintíriúchán
recline *vt & i, to ~ on one's side* luí, síneadh, ar do thaobh, *to ~ sth* rud a leagan ar a thaobh; rud a chasadh siar
recluse *n* díthreabhach
recognition *n* aitheantas, aithne
recognizable *a* inaitheanta
recognize *vt* aithin; admhaigh

recoil n, (of gun) speach, frithbhualadh, (of spring) athscinneadh, aisléim vi frithbhuail, speach; aisléim, athscinn; cúb (ó), cúlaigh siar (ó)

recollect vt meabhraigh, cuimhnigh, smaoinigh

recollection n cuimhneamh pl cuimhní cinn

recommend vt mol

recompense n cúiteamh, díol vt cúitigh

reconcile vt, to ~ athmhuintearas, réiteach, a dhéanamh, to ~ two opinions dhá thuairim a thabhairt le chéile

reconciliation n athchairdeas, athmhuintearas; réiteach

reconnaissance n taiscéalaíocht

reconstruct vt athchum, atóg

record n cuntas, taifead; ceirnín; teist, (sport) curiarracht vt cláraigh; taifead

recorder n cláraitheoir; fliúit Shasanach; gléas taifeadta, taifeadán

recording n taifeadadh

record-player n seinnteoir ceirníní

recount vt inis, ríomh, aithris

re-count vt athchomhair, athchuntais

recoup vt aisíoc, cúitigh, faigh ar ais

recourse n, to have ~ to sth dul i muinín ruda

recover vt & i athghabh, faigh ar ais, to ~ téarnamh, teacht chugat féin, bisiú

recovery n athghabháil; biseach, téarnamh

recreation n caitheamh aimsire

recruit n earcach vt earcaigh

recruitment n earcaíocht

rectangle n dronuilleog

rectify vt coigeartaigh, ceartaigh

rector n reachtaire

rectory n reachtaireacht

recumbent a sínte (siar)

recuperate vt & i slánaigh, bisigh; faigh ar ais

recur vi athfhill, atarlaigh, iompaigh, to ~ (to the memory) teacht ar ais chun cuimhne

recurring a athfhillteach

recycle vt athchúrsáil

red a dearg; rua

redden vt & i dearg, ruaigh

redeem vt fuascail, saor, slánaigh, ~ing us from death dár gceannach ón mbás

redeemer n fuascailteoir, slánaitheoir

redemption n fuascailt, slánú

Redemptorist n & a Slánaitheorach

redress n leigheas, leasú vt ceartaigh

reduce vt laghdaigh, maolaigh, caolaigh (ar), to ~ sth to ashes rud a fhágáil ina luaithreach, luaithreach a dhéanamh de rud, to ~ a person to silence duine a chur ina thost

reduction n laghdú, maolú

redundancy n iomarcaíocht

redundant a iomarcach

reed n gáinne, giolc, ~(s) giolcach

reef n sceir, branra, scairbh, boilg; cúrsa vt & i cúrsáil, to ~ a sail cúrsaí a chur i seol; dul i gcúrsaí

reek n géarbholadh, blas vt & i, to ~ of smoke bheith ag plúchadh deataigh, the place ~ed poverty bhí boladh, blas, na bochtaineachta ar fud na háite, ~ing with bréan le, lofa le

reel[1] n spól; roithleán, crann tochrais vt & i tochrais, glinneáil

reel[2] n cor, ríl

reel[3] vi, my head ~ed tháinig meadhrán, roithleán, i mo cheann, ~ing about ag tuisliú, ag starragánacht, thart

refectory n proinnteach

refer vt & i cuir síos do, tarchuir, tagair do, to ~ a matter to a person scéal a chur faoi bhráid duine, I am not ~ring to you ní tú atá mé a rá, ní chugatsa atá mé

referee n réiteoir; moltóir

reference n tarchur, tagairt; teastas, cáilíocht, teistiméireacht

referendum n reifreann

refill n athlán, athlíonadh vt athlíon

refine vt & i scag, athleáigh; snoigh; foirfigh; uaisligh

refined a deismíneach, deismir, caoin

refinement n deismíneacht, míneadas; snoiteacht

refinery n scaglann

reflect vt & i frithchaith; léirigh; machnaigh, smaoinigh, the trees were ~ed in the water bhí scáil na gcrann le feiceáil san uisce, to ~ (badly) on a person drochmheas a chaitheamh ar dhuine, to ~ credit on a person deachlú a thabhú do dhuine, meas a tharraingt ar dhuine

reflection n frithchaitheamh, scáth, scáil; machnamh

reflector n frithchaiteoir

reflex n athfhilleadh, ~ *action* frithluail a frithluaileach, athfhillteach

reflexive n & a athfhillteach

reform n leasú vt & i leasaigh, ceartaigh, feabhsaigh

Reformation n Reifirméisean, Athrú Creidimh

reformatory n scoil cheartúcháin

reformer n leasaitheoir

refract vt athraon, cam

refrain[1] n loinneog, curfá

refrain[2] vi, to ~ *from* coinneáil ó, fanacht ó, staonadh ó, to ~ *from smoking* gan tobac a chaitheamh

refresh vt úraigh, fionnuaraigh, athnuaigh

refreshing a fionnuar, íocshláinteach, ~ *drink* deoch athbheochta

refreshment n fionnuarú, úrú, to take some ~ bia agus deoch a chaitheamh

refrigerator n cuisneoir

refuel vt & i, to ~ athbhreoslú

refuge n dídean, tearmann, port

refugee n dídeanaí

refund n & vt aisíoc

refusal n diúltú, loiceadh, obadh, eiteach

refuse[1] n dramhaíl, gráscar, bruscar, brocamas

refuse[2] vt diúltaigh, eitigh, éar

refute vt bréagnaigh

regain vt faigh ar ais, bain amach arís, she ~ *ed consciousness* tháinig a meabhair ar ais chuici

regal a ríoga, riúil, maorga

regard n beann, aird, suim; meas, cion, ómós, *in that* ~ maidir leis sin, as ~ *s i* dtaca le, dála, *with kind* ~ *s* le deamhéin

regard[2] vt féach, dearc; breathnaigh ar, *they* ~ *him as a gentleman* tá sé ina dhuine uasal acu

regardless adv, ~ *of* beag beann ar, ar neamhchead do, ~ *of expense* is cuma cad a chosnódh sé

regatta n geallta bád

regent n leasrí

régime n réim, córas

regiment n reisimint

region n réigiún, dúiche, ceantar, críoch

regional a réigiúnach

register n clár, rolla vt cláraigh

registrar n cláraitheoir

registration n clárú

registry n clárlann

regressive a cúlaitheach, aischéimnitheach

regret n aiféala, aithreachas, *to send one's* ~ *s* do leithscéal a ghabháil vt, to ~ *sth* cathú a bheith ort faoi rud, *I* ~ *to say* (*that*) is oth liom a rá (go)

regrettable a cásmhar, brónach

regular a rialta; gnáth-, seasta

regularity n rialtacht

regularize vt, to ~ *sth* rud a thabhairt chun rialtachta

regularly adv go rialta, go féiltiúil, coitianta; de ghnáth

regulate vt rialaigh

regulation n riail; rialú; rialachán

rehabilitate vt athshlánaigh

rehearsal n cleachtadh; réamhléiriú

rehearse vt cleacht

reign n réimeas vi, to ~ bheith i réim, i gcoróin

reimburse vt aisíoc

rein n & vt srian

reindeer n réinfhia

reinforce vt neartaigh (le), treisigh

reinstate vt cuir ar ais

reissue n atheisiúint, atheagrán vt atheisigh

reiterate vt athluaigh, to ~ *sth* rud a athrá

reject n colfairt vt diúltaigh (do), cuileáil, cuir suas de

rejoice vt & i gairdigh, geal, to ~ gliondar a bheith ort, gairdeas a dhéanamh

rejoin vt athcheangail, athnaisc, to ~ *a person* casadh arís ar dhuine

rejoinder n athfhreagra, aisfhreagra

rejuvenate vt athnuaigh

relapse n athbhuille, atitim, *I had a* ~ *of the cold* d'iompaigh an slaghdán orm vi atit, athiompaigh

relate vt & i inis, aithris, eachtraigh, *relating to* ~ ag baint le, *to be* ~ *d to a person* gaol a bheith agat le duine, *all* ~ *d to you* gach duine de do mhuintir, *we are* ~ *d by marriage* táimid i gcleamhnas (le chéile), *we are in no way* ~ *d* níl gaol ná páirt againn le chéile, *to* ~ *to a person* tuiscint a bheith agat do dhuine

relation n insint; coibhneas; gaol, duine muinteartha, *public* ~ *s* caidreamh poiblí, *in* ~ *to* maidir le

relationship *n* gaol, muintearas; coibhneas; baint

relative *n* duine muinteartha, gaol *a* coibhneasta, gaolmhar

relatively *adv*, ~ *happy* sách sona, réasúnta sona, sona go leor

relativity *n* gaolmhaireacht, coibhneasacht

relax *vt & i* bog, maolaigh, scaoil, *to* ~ do shuaimhneas a ghlacadh

relaxation *n* bogadh, scaoileadh, maolú; scíth, faoiseamh

relay *n* sealaíocht; leaschraoladh *vt* leaschraol

release *n* fuascailt, saoradh, scaoileadh *vt* fuascail, lig amach, scaoil

relent *vi* bog, maolaigh

relentless *a* neamhthrócaireach; buan, gan staonadh

relevance *n* baint

relevant *a* ábhartha, *it is* ~ *to the subject* baineann sé le hábhar

reliability *n* iontaofacht, tairise

reliable *a* iontaofa, muiníneach, tairiseach

reliance *n* iontaoibh, muinín

relic *n* taise *pl* iarsmaí

relief¹ *n* faoiseamh, fóirithint; sealaíocht, uainíocht, sos

relief² *n* rilíf, *to bring sth into* ~ rud a thabhairt chun léire

relieve *vt* fóir ar, maolaigh, *to* ~ *a person (from pain, distress)* faoiseamh a thabhairt do dhuine, *to* ~ *a person (at work, etc)* uainíocht a dhéanamh ar dhuine

religion *n* reiligiún, creideamh

religious *a* cráifeach, diaganta; reiligiúnach, ~ *order* ord rialta, ord crábhaidh

relinquish *vt, to* ~ *sth* rud a ligean uait, scaradh le rud, éirí as rud

relish *n* blas; séasúr, anlann; díogras, *to have a* ~ *for sth* dúil a bheith agat i rud *vt, to* ~ *sth* blas a fháil ar rud; sásamh a bhaint as rud; tuiscint a bheith agat do rud, *I don`t* ~ *the idea* ní thaitníonn an smaoineamh liom in aon chor

reluctance *n* dochma, drogall, doicheall, leisce

reluctant *a* leisciúil, drogallach, *I was* ~ *to speak to her* ba leasc liom labhairt léi

rely *vi, to* ~ *on sth* seasamh ar rud, do

bhrath a bheith ar rud, *to* ~ *on a person* bheith ag brath ar dhuine; iontaoibh a bheith agat as duine

remain *vi* fan; mair

remainder *n* fuílleach, iarsma

remains *npl* fuílleach, iarsmaí, conablach; taisí; corp

remand *n* athchur *vt* athchuir

remark *n* focal, tagairt *vt & i* sonraigh, tabhair faoi deara, *to* ~ *on sth* tagairt do rud, rud a lua

remarkable *a* suaithinseach, suntasach, *she is a* ~ *woman* bean ar leith í

remedial *a*, ~ *teaching* teagasc feabhais, teagasc leasúcháin

remedy *n* leigheas, *legal* ~ cúiteamh dlí *vt* leigheas

remember *vt & i* cuimhnigh, meabhraigh, *I* ~ *it* is cuimhin liom é, ~ *me to them* beir mo bheannacht chucu

remembrance *n* cuimhneachán, cuimhne

remind *vt, to* ~ *a person of sth* rud a mheabhrú, a chur i gcuimhne, do dhuine

reminder *n* cuimhneachán; litir mheabhrúcháin

reminiscence *n* athchuimhne, *pl* cuimhní cinn

remiss *a* sleamchúiseach, neamartach, faillitheach

remission *n* maitheamh, lamháil, loghadh

remit *vt* maith, logh, lamháil; seol, *to* ~ *a sum of money* suim airgid a íoc

remittance *n* seoltán

remnant(s) *n* iarsma, fuílleach, dramhaíl, conablach, *(of cloth)* luideog

remonstrate *vi, to* ~ *with a person* aitheasc a thabhairt do dhuine

remorse *n* aiféala, doilíos

remote *a* iargúlta, aistreánach, coimhthíoch, i bhfad i gcéin, *in* ~ *ages* na cianta cairbreacha ó shin

removal *n* aistriú

remove *vt* bain as, bain de; tóg de; aistrigh

remover *n* aistritheoir, *stain* ~ smálghlantóir

remunerate *vt* íoc, *to* ~ *a person* luach a shaothair a thabhairt do dhuine, a shaothair a chúiteamh le duine

remuneration *n* luach saothair, pá

Renaissance n An Athbheochan

rend vt réab, stoll, stróic, coscair

render vt, to ~ fat saill a ghléleá, to ~ good for evil an mhaith (a dhéanamh) in aghaidh an oilc, to ~ a service to a person gar a dhéanamh do dhuine, to ~ an account of sth cuntas a thabhairt i rud, to ~ sth useless rud a chur ó mhaith, rud a fhágáil gan mhaith

rendezvous n ionad coinne; coinne

renegade n séantóir

renege vt & i, to ~ on a promise dul siar ar ghealltanas, to ~ a card cárta a cheilt

renew vt & i athnuaigh

renewal n athnuachan

rennet n binid

renounce vt tréig, séan, diúltaigh do

renovate vt athchóirigh

renown n clú, cáil

renowned a clúiteach

rent[1] n cíos tr cíosaigh, to ~ land talamh a ligean ar cíos; talamh a thógáil ar cíos

rent[2] n stróic(eadh), réabadh, scoilt

renunciation n tréigean, diúltú, séanadh

repair n deisiú, deisiúchán, cóiriú vt deisigh, cóirigh, to ~ sth caoi, dóigh, a chur ar rud

reparation n díol, éiric, cúiteamh, leorghníomh

repartee n eagnaíocht, dea-chaint, abarthacht

repast n séire, lón, proinn, béile

repatriate vt aisdúichigh, to ~ a person duine a chur ar ais chun a thíre féin

repay vt aisíoc, díol, cúitigh

repayment n aisíoc(aíocht), díol, cúiteamh

repeal n aisghairm, Repéil vt aisghair

repeat a, ~ broadcast athchraoladh vt aithris, abair arís; athdhéan, don't ~ this story ná bog do bhéal air mar scéal, to ~ one's folly filleadh, iompú, ar an mbaois

repeatedly adv go mion minic, arís agus arís eile, I've told you ~ dúirt mé leat fiche uair

repel vt ruaig, fill, iompaigh siar, to ~ a person duine a choinneáil amach uait; gráin a chur ar dhuine, to be repelled by sth col a bheith ort le rud

repellent a ruaigtheach; obach; déistineach

repent vt & i, to ~ aithreachas a dhéanamh, to ~ one's sins aithrí a dhéanamh i do pheacaí

repentance n aithreachas, aithrí

repercussion n frithbhualadh, toradh, iarmhairt

repertoire n stór

repetition n athrá, aithris

replace vt cuir ar ais; ionadaigh, to ~ a person dul in áit duine; duine eile a chur in áit duine

replenish vt athlíon, athsholáthair

replica n macasamhail

reply n freagra vi freagair, to ~ to sth freagra a thabhairt ar rud

report n tuairisc, tuarascáil; faisnéis, scéala; luaidreán, ráfla vt & i tuairiscigh, to ~ on sth cuntas, tuairisc, a thabhairt ar rud, I'll ~ you to the teacher déarfaidh mé leis an múinteoir thú, he is ~ed to be rich tá sé amuigh air go bhfuil sé saibhir, tá ainm an tsaibhris air

reporter n nuachtóir, tuairisceoir

repose n ciúnas, suaimhneas, scíth, sos vi, to ~ do scíth a ligean, to ~ on luí (siar) ar

represent vt léirigh; ionadaigh, seas do, ~ing the president thar ceann an uachtaráin

representation n íomhá, samhail, léiriú, proportional ~ ionadaíocht chionmhar

representational a léiritheach

representative n ionadaí, teachta a, ~ government rialtas ionadaíochta

repress vt cloígh, smachtaigh, cuir faoi chois

repression n cosc, smachtú; géarleanúint, cos ar bolg

repressive a smachtúil

reprieve n spás, faoiseamh

reprimand n iomardú, spraic vt ceartaigh, to ~ a person spraic a chur ar dhuine

reprint n athchló vt athchlóigh

reprisal n díoltas

reproach n achasán, aithis, milleán vt, to ~ a person with sth rud a chasadh le duine

reproachful a achasánach, iomardach, milleánach

reproduce vt & i atáirg, síolraigh

reproduction n macasamhail; atáirgeadh; síolrú

reproof n lochtú, ceartú

reprove vt lochtaigh, ceartaigh, cáin

reptile n péist, reiptíl

republic n poblacht

republican n & a poblachtach

repudiate vt diúltaigh (do), séan

repugnant a aimhréireach (to le); colach; masmasach

repulsive a gránna, déistineach, samhnasach

reputable a creidiúnach

reputation n cáil, clú, he has a ~ for learning tá ainm an léinn air

request n iarraidh, iarratas, achainí vt iarr

requiem n éagnairc, ~ Mass aifreann na marbh

require vt, to ~ sth of a person rud a iarraidh, a éileamh, ar dhuine, that work ~s patience teastaíonn foighne chun na hoibre sin, all that is ~d an méid atá de dhíth

requirement n gá, riachtanas, coinníoll

requisite n riachtanas pl fearais, acraí a riachtanach, oiriúnach

requisition n foréileamh vt foréiligh

requital n cúiteamh, díol, éiric

requite vt díol, cúitigh

rescind vt cealaigh

rescue n & vt tarrtháil, sábháil

research n taighde vt & i taighd

resemblance n cosúlacht, dealramh

resemble vt gabh le, téigh le, to ~ a person dealramh a bheith agat le duine

resent vt, to ~ sth olc a ghlacadh le rud

resentment n fala, faltanas, olc

reservation n cur in áirithe; acht, agús; forchoimeád; tearmann

reserve n cúl, cúltaca; taisce, stór, stoc; discréid, dúnáras, strainséarthacht vt taisc, coinnigh, to ~ judgment breithiúnas a fhorchoimeád, to ~ seats suíocháin a chur in áirithe

reserved a discréideach, dúnárasach; coimhthíoch, cotúil

reservoir n taiscumar

reside vi cónaigh

residence n cónaí, teach cónaithe

resident n cónaitheoir a cónaitheach

residue n fuílleach, farasbarr, iarmhar

resign vt & i, to ~ from a post éirí as post,

to ~ oneself to sth géilleadh do rud, tabhairt isteach do rud, to ~ oneself to the will of God do thoil a chur le toil Dé

resignation n éirí as; géilliúlacht, umhlaíocht

resilient a acmhainneach, to be ~ teacht aniar a bheith ionat

resin n roisín

resist vt, to ~ sth cur in aghaidh ruda, diúltú do rud

resistance n cur in aghaidh, frithbheart; friotaíocht

resolute a diongbháilte, rúndaingean

resolution n fuascailt, scaoileadh; rún; seasmhacht, diongbháilteacht, daingne

resolve n diongbháilteacht vt scaoil, réitigh, to ~ to do sth é a bheith de rún agat rud a dhéanamh, cinneadh ar rud a dhéanamh

resonance n athshondas, fuaimneacht

resort n seift; muinín; taithí, gnás, holiday ~ ionad saoire, to have ~ to lies dul ar na bréaga vi, to ~ to sth dul i muinín, i leith, ruda, to ~ to a place áit a thaithí, a lonnú; triall ar áit

resound vt & i athshon, athfhuaimnigh, to ~ a person's praises duine a mholadh go spéir, it ~ed through the land ba chomhchlos ar fud na tíre é, his fame ~ed far and near chuaigh a gháir i gcéin is i gcóngar, the hills ~ed baineadh macalla as na cnoic

resounding a foghrach, athshondach; iomráiteach

resource n seift, gus pl acmhainn, gustal

resourceful a seiftiúil, she is ~ tá déanamh gnó inti

respect n meas, urraim, ómós, in that ~ maidir leis sin, with due ~ to you i gcead duit

respectable a measúil, creidiúnach, fiúntach

respectful a ómósach, measúil, urramach

respectively adv faoi seach

respiration n análú, riospráid

respirator n análaitheoir

respite n cairde, sos, spás

resplendent a dealraitheach, lonrach, niamhrach; taibhseach

respond vi freagair

response n freagairt, freagra

responsibility *n* freagracht, cúram, muirear

responsible *a* freagrach (as), ciontach (i), *he himself was* ~ *for it* bhí sé féin ina chiontaí leis, eisean faoi deara é, eisean ba chionsiocair leis

responsive *a* freagrach, soghluaiste, mothálach

rest¹ *n* scíth, sos, socracht, suaimhneas; taca, branra *vt & i, to* ~ scíth, do shuaimhneas, a ghlacadh, ~ *it against the wall* cuir ina luí, ina sheasamh, leis an mballa é, *my eyes* ~*ed on it* lonnaigh mo shúile air, *God* ~ *her* beannacht Dé lena hanam, *let the matter* ~ fág marbh é, fág ina chodladh é mar scéal

rest² *n, the* ~ an chuid eile, an fuílleach

restaurant *n* teach itheacháin, bialann, proinnteach

restful *a* suaimhneach, sáil, sámh

restitution *n* aiseag, aisíoc, leorghníomh, cúiteamh

restive *a* giongach, dodach, corrthónach

restless *a* míshuaimhneach, corrach, giodamach, corrthónach, guairneánach

restoration *n* athbhunú; deisiú; athghairm

restore *vt* cuir ar ais; aisig; athchóirigh, deisigh

restrain *vt* srian, ceansaigh, coisc

restraint *n* srian, guaim, cosc, ríochan

restrict *vt* cúngaigh, teorannaigh, srian

restricted *a* teoranta, srianta

restriction *n* cúngú, teorannú, srian; crapall

restrictive *a* sriantach, ~ *clause* clásal cuimsitheach

result *n* toradh, iarmhairt, *as a* ~ *of that*, dá bharr, dá bhrí, sin *vi, it* ~*ed in a large profit* bhí brabach mór air, tháinig brabach mór as, *it will* ~ *in argument* tiocfaidh conspóid de

resume *vt, to* ~ *power* cumhacht a fháil ar ais, *to* ~ *work* dul ag obair arís

resumé *n* achoimre

resurgence *n* aiséirí, athbheochan

resurrection *n* aiséirí

retail *n & vt* miondíol

retailer *n* miondíoltóir, ceannaí gearr

retain *vt* coimeád, coinnigh

retaliate *vt, to* ~ *on a person* tomhas a

láimhe féin a thabhairt do dhuine, sásamh a bhaint as duine

retaliation *n* díoltas, íoc, cúiteamh

retard *vt* moilligh

retarded *a* mallintinneach

retch *vi* brúcht, *the child is* ~*ing* tá tarraingt orla ar an leanbh

retention *n* coinneáil, coimeád siar

retentive *a* coimeádach, coinneálach

reticent *a* dúnárasach, tostach, beagfhoclach

retina *n* reitine

retinue *n* lucht coimhdeachta, tionlacan, buíon

retire *vt & i* tarraing siar, *to* ~ (*to a place*) dul ar leithligh, i leataobh, *to* ~ *from work* éirí as obair, *to* ~ *a person from his post* duine a scor as a phost

retirement *n* scor; cúlú

retiring *a* cúthail, cúlráideach

retort *n* aisfhreagra, aibéil chainte *vt & i* aisfhreagair, *to* ~ *aibéil* chainte, freagra grod, a thabhairt do dhuine

retrace *vt, to* ~ *one's steps* filleadh ar do choiscéim

retreat *n* cúlú, teitheadh; díseart; cúrsa spioradálta *vi* cúlaigh, teith

retribution *n* cúiteamh, éiric

retrieval *n* aisghabháil, aisfháil

retrieve *vt* faigh ar ais

retrograde *a* aisiompaitheach, aischéimnitheach, ~ *step* céim siar

retrogression *n* céim siar

retrogressive *a* cúlaitheach, aisiompaitheach

retrospect *n* cúlamharc, *in* ~ ag féachaint siar

retrospective *a* cúlghabhálach, aisbhreathnaitheach

return *n* filleadh, casadh; tuairisc; fáltas, *in* ~ *for sth* i ndíol, in aghaidh, thar ceann, ruda *vt & i* fill, cas, tiontaigh, iompaigh, ~ *the book* cuir ar ais an leabhar

reunion *n* athaontú; teacht le chéile

reunite *vt & i* athaontaigh, athshnaidhm, tar le chéile arís

reveal *vt* foilsigh, nocht, taispeáin

revel *n* scléip, pléaráca *vi, to* ~ scléip a dhéanamh, *to* ~ *in sth* pléisiúr, sásamh, a bhaint as rud

revelation *n* taispeánadh, foilsiú, nochtadh

reveller n ragairneálaí, pléaráca, scléipire

revelry n pléaráca, radaireacht, scléip

revenge n díoltas

revenue n ioncam, teacht isteach

reverberate vt & i frithchaith, aisfhuaimnigh, to ~ macalla a dhéanamh, the walls ~d to the sound bhain an torann macallaí as na ballaí

revere vt urramaigh, to ~ a person ómós, urraim, a bheith agat do dhuine

reverence n ómós, urraim, your ~ a oirmhinnigh vt oirmhinnigh, to ~ sth urraim a bheith agat do rud

reverend a, the R~ George Burke an tUrramach, an tOirmhinneach, Seoirse de Búrca

reverent a ómósach

reverie n bruadar, brionglóid

revers n lipéad

reversal n cúlú, dul siar, cur siar

reverse n malairt; aisiompú; díomua; cúl vt & i iompaigh, cúlaigh, ~d droim ar ais; taobh tuathail amach

revert vi iompaigh, to ~ to type filleadh ar an dúchas

review n athbhreithniú; léirbhreithniú; léirmheas vt athbhreithnigh; léirbhreithnigh, to ~ a book leabhar a léirmheas

reviewer n léirmheastóir

revile vt líomhain, spídigh, to ~ a person duine a dhíbliú

revise vt athbhreithnigh, leasaigh

revision n athbhreithniú, leasú

revival n athbheochan

revive vt & i athbheoigh, to ~ teacht chugat féin, teacht bheith, to ~ a person's spirits athmhisneach a thabhairt do dhuine

revoke vt tarraing siar, cealaigh, aisghair

revolt n éirí amach, ceannairc vi éirigh amach, it ~s me cuireann sé samhnas, déistin, orm

revolution n imrothlú; réabhlóid

revolutionary n réabhlóidí a réabhlóideach

revolve vt & i imrothlaigh, cas, tiontaigh, revolving ag roithleagadh

revolver n gunnán

revue n ilsiamsa

revulsion n tobathrú, iompú; casadh aigne, masmas

reward n luach (saothair), duais vt, to ~

a person duais, luach saothair, a thabhairt do dhuine

rhapsody n rapsóid, rosc (ceoil); néal (áthais)

rhetoric n reitric

rhetorical a reitriciúil, roscach

rheum n sram, brach, réama

rheumatism n daitheacha, scoilteacha

rhinoceros n srónbheannach

rhododendron n ródaidéandrón

rhubarb n biabhóg, rúbarb

rhyme n rím; rann, there's neither ~ nor reason to it níl binneas ná cruinneas ann vt & i, to ~ rann a chumadh; (of words) rím a dhéanamh le chéile

rhythm n rithim, gluaiseacht

rhythmic(al) a rithimeach

rib n easna; rígín

ribald a gáirsiúil, graosta

ribbed a cliathach, easnach; rígineach

ribbing n, (knitting) rígín

ribbon n ribín

rice n rís

rich a saibhir; méith; borb, uaibhreach

riches npl saibhreas, stóras, ollmhaitheas

rick n cruach, stáca

rickets n raiciteas

rickety a corraiceach

rid vt, to ~ a person of a disease duine a shaoradh ó ghalar, to ~ oneself of sth rud a chur diot, fáil réidh le rud, to get ~ of a cold scaradh le slaghdán

riddance n cur ó dhoras, they are a good ~ bliain mhaith ina ndiaidh

riddle[1] n tomhas

riddle[2] n criathar, rilleán vt rill, criathraigh

ride n marcaíocht; siob vt & i marcaigh, to ~ a horse capall a mharcaíocht

rider n marcach, (addendum) aguisín

ridge n droim; iomaire; buaic (tí)

ridicule n magadh vt, ridiculing a person ag fochaid, ag magadh, ar dhuine

ridiculous a áiféiseach, that's ~ níl aon dealramh leis sin; cúis gháire chugainn!

rife a forleathan, flúirseach

riff-raff n scroblach, gramaisc

rifle[1] n raidhfil

rifle[2] vt ransaigh, siortaigh, creach

rift n scoilt; brúcht

rig n rígín; feisteas, oil ~ rige ola vt rigeáil, ~ out feistigh

rigging *n* rigín, tácla

right *n* ceart, cóir; dliteanas, ceartas, teideal, *on the* ~ *is* deis, *to turn* ~ casadh faoi dheis, ~ *of way* ceart slí *a* ceart, cóir, cruinn; deas, ~ *hand* lámh dheas, deasóg, deis, ~ *angle* dronuillinn, *not in one's* ~ *mind* gan a bheith i gceart (sa cheann), gan a bheith ceart *vt* ceartaigh, *to* ~ *sth* rud a chur i gceart, ina cheart

righteous *a* fíréanta, prionsabálta

rightful *a* dlisteanach, ceart

righthand *a, on the* ~ *side* ar thaobh na láimhe deise, ar deis

righthanded *a* deisealach, deasach, deaslámhach

rigid *a* dolúbtha, docht

rigmarole *n* deilín, raiméis, rangalam

rigorous *a* dian, crua

rigour *n* déine, cruatan

rig-out *n* cóir éadaigh, feisteas

rile *vt*, griog, *to* ~ *a person* bheith ag séideadh faoi dhuine

rim *n* fonsa, fóir, imeall, feire

rind *n* craiceann, crotal

ring[1] *n* fáinne, drol; ciorcal; cró *vt* ciorclaigh, fáinnigh, timpeallaigh

ring[2] *n* cling *vt & i* cling, *to* ~ *a bell* clog a bhaint, a bhualadh, *to* ~ *a person on the telephone* glaoch (ar an teileafón) ar dhuine, *it* ~*s true* tá blas, craiceann, na fírinne air, *to make the heavens* ~ macalla a bhaint as na spéartha

ring-fort *n* lios, ráth

ringleader *n* ceann feadhna, ceannaire

ringlet *n* bachall, drol, búcla, lúb

ringworm *n* borrphéist

rink *n* rinc

rinse *n* sruthlú, rinseáil *vt* sruthlaigh, rinseáil

riot *n* círéib, racán

rip *n* roiseadh, réabadh *vt & i* réab, rois, sceith

ripe *a* aibí

ripen *vt & i* aibigh, buígh

ripple *n* cuilithín, boiseog, lonnach *vi*, *rippling* ag tonnaíl

rise *n* éirí; méadú; ard *vi* éirigh, ardaigh, *the fish are rising* tá aiste ar an iasc, *the sun has* ~ *n* tá an ghrian ina suí

rising *n* éirí, (*rebellion*) éirí amach, *early* ~ mochóirí

risk *n* fiontar, priacal, baol *vt, to* ~ *sth* dul i bhfiontar ruda, dul sa seans le rud

risky *a* priaclach, seansúil

rissole *n* riosól

rite *n* deasghnáth

ritual *n* deasghnáth, searmanas *a* deasghnách

rival *n* iomaitheoir, coimhlinteoir; céile comhraic

rivalry *n* coimhlint; iomaíocht

river *n* abhainn, sruth

river-basin *n* abhantrach

river-bed *n* leaba abhann

rivet *n* seam *vt* seamaigh

rivulet *n* sruthán

roach *n* róiste

road *n* bóthar, slí, bealach; ród

roadblock *n* bacainn bhóthair

roadworthy *a* inaistir

roam *vt & i, to* ~ bheith ag fánaíocht, ag siúl romhat, *to* ~ *the world* an domhan a shiúl

roan *a* gríséadach

roar *n & vi* búir, géim

roaring *n* búireach, béicíl *a*, ~ *fire* craos tine, tine chraosach

roast *n* rósta *vt & i* róst

rob *vt & i* robáil, goid, *to* ~ *a nest* nead a chreachadh

robber *n* robálaí, ladrann

robbery *n* robáil

robe *n* róba, *judge's* ~ gúna breithimh

robin *n* spideog

robot *n* robat

robust *a* urrúnta

rock[1] *n* carraig, carracán, creig

rock[2] *vt & i* luasc, bog, ~*ing* ag bogadh, ag luascadh

rock-climbing *n* ailleadóireacht

rocker *n* luascán

rocket *n* roicéad, *off like a* ~ imithe mar a bheadh caor thine ann

rocky *a* creagach, carrach, carraigeach, ~ *patch, place* creagán

rod *n* slat, fleasc

rodent *n* creimire

roe *n* eochraí, pis, *soft* ~ lábán

roebuck *n* ruaphoc

rogue *n* cladhaire, rógaire, cneámhaire

roguery *n* rógaireacht, claidhreacht, cneámhaireacht

roguish *a* rógánta

roistering *a* ragaireach

role *n* páirt (aisteora), ról; gnó, cion feidhme

roll *n* rolla, burla, *sausage* ~, rollóg ispíní *vt & i* roll, iomlaisc, burláil, *to ~ up sleeves* muinchillí a chornadh, a thrusáil, ~*ing* ag roithleagadh, ag longadán

roller *n* rollóir; rollán; roithleán; saoiste

roller-skates *npl* scátaí rothacha

rolling-pin *n* crann fuinte

Roman *n & a* Rómhánach

romance *n* finscéal; scéal ridireachta; scéal grá, *R~ languages* na teangacha Rómánsacha *vi*, *romancing* ag rómánsaíocht

romantic *a* rómánsach

romanticism *n* rómánsaíocht; rómánsachas

romp *n* pléaráca, rancás *vi*, ~ *ing* ag rancás, ag pramsach

roof *n* díon, *thatched* ~ ceann tuí *vt* díon

rook *n* préachán

room *n* slí, fairsinge, spás, áit; seomra

roost *n* fara *vi* fáir

root[1] *n* fréamh, bun, rúta *vt & i* fréamhaigh

root[2] *vt & i* tochail, tóch, taighd

rope *n* rópa, téad *vt*, *to ~ sth* rud a cheangal le rópa; rud a ghabháil (i lúb)

rosary *n* paidrín, Coróin Mhuire

rose *n* rós

rosebud *n* cocán róis

rose-hip *n* mogóir

rosemary *n* rós Mhuire, marós

rose-tree *n* rósóg

roster *n* uainchlár

rostrum *n* rostram, ardán, crannóg

rosy *a* rósach, ar dhath an róis; dealraitheach

rot *n* lobhadh *vt & i* lobh, dreoigh, morg

rota *n* uainchlár, róta

rotary *a* rothlach

rotate *vt & i* rothlaigh, téigh thart, cuir thart

rotation *n* rothlú; uainíocht

rote *n*, *to learn sth by* ~ rud a chur de ghlanmheabhair

rotovator *n* rótachartaire

rotten *a* lofa

rotund *a* cruinn, ciorclach; corpanta

rouble *n* rúbal

rouge *n* dearg, breasal

rough *n* garbh, corraiceach, garg, anfach; carrach, ~ *handling* cíorláil, ~ *weather* garbhshíon

roughage *n* gairbhseach

roughen *vt & i* garbhaigh

roughly *adv* go garbh ~ *speaking* tríd is tríd, ar an iomlán, ~ *a mile* tuairim is míle

roulette *n* rúiléid

round[1] *n* ciorcal; timpeall, cuairt, cur, cúrsa; dreas, babhta *a* cruinn, rabhnáilte

round[2] *vt & i*, *to ~ sth* rud a dhéanamh cruinn, *to ~ a headland* ceann tíre a scoitheadh, *she ~ed on him* dhearg sí, phléasc sí, air, *to ~ up sheep* caoirigh a locadh, a chluicheadh

roundabout *n* timpeallán *a* timpeallach, *to take a ~ way* timpeall, cor bealaigh, a chur ort féin

rounders *npl* cluiche corr

rouse *vt* dúisigh, múscail, spreag

rousing *a* spreagúil

rout *n* ruaig, maidhm, raon maidhme *vt* ruaig, maidhm

route *n* bealach, slí, raon

routine *n* gnáthamh

rove *vt & i*, *roving about* ag fánaíocht thart, *roving the country* ag taisteal, ag siúl, na tíre

rover *n* fánaí, réice

row[1] *n* sraith, rang, treas

row[2] *n* gleo, racán, iaróg

row[3] *vt & i* iomair, rámhaigh, ~ *ing* ag rámhaíocht

rowan *n* caorthann

rowdy *n* racánaí *a* racánach, callánach

rowdyism *n* racánaíocht

rower *n* iomróir

rowlock *n* roillic, leaba iomartha

royal *a* ríoga

royalist *n* ríogaí

royalty *n* ríochas; ríora, ríshliocht, rítheaghlach, (*payment*) dleacht

rub *n* cuimilt, *there's the* ~ sin é an buille *vt & i* cuimil, slíoc, slíob

rubber *n* cuimleoir, scriosán; rubar, cúitiúc

rubbish *n* bruscar, truflais, cunús, cáith

rubble *n* brablach

rubella *n* bruitíneach dhearg

rubric *n* rúibric

ruby *n* rúibín

rucksack n mála droma
ruction n raic, callán
rudd n ruán
rudder n stiúir
ruddy a luisniúil, dearg
rude a garbh, tútach, drochbhéasach, mímhúinte, borb
rudiment n buntús, ~s of learning uraiceacht, aibítir, léinn
rue vt & i, you will ~ it beidh a aithreachas ort; beidh daor ort, to ~ doilíos a dhéanamh
ruff n rufa
ruffian n ruifíneach
ruffle n rufa; lonnach; corraí vt & i, the sea is ~d tá an fharraige bainte, to ~ sth rud a chur in aimhréidh, to ~ a person corraí, corrabhuais, a chur ar dhuine
rug n ruga, súsa
rugby n rugbaí
rugged a garbh, cairbreach, cnapánach, aistreánach
ruin n creach, scrios; ballóg, fothrach, pl cabhlacha, taisí vt creach, scrios, mill, loit
ruinous a scriosach, caillteach, the castle is in a ~ state tá an caisleán ina fhothrach
rule n riail, smacht, ceannas, tiarnas; rialóir, as a ~ de ghnáth vt rialaigh; línigh
ruler n rialtóir; (implement) rialóir, riail
rum n rum
rumble n tormáil, torann vi, rumbling ag tormáil, ag torann
ruminant n & a athchogantach
ruminate vt & i athchogain; machnaigh (ar)
rummage vt & i ransaigh, siortaigh, piardáil
rumour n ráfla, luaidreán vi, it was ~ed

that chuaigh iomrá amach go
rump n prompa, ~ steak stéig gheadáin
rumple vt, to ~ sth roic, filltíní, a chur i rud
rumpus n scliúchas
run n rith, ruthag, geábh, a ~ on tickets ráchairt ar thicéid, on the ~ ar do theitheadh, ar do sheachaint, ar do choimeád vt & i rith, teith, to ~ a shop siopa a reáchtáil, he was ~ down by a car leag carr é
runaway n teifeach
rundale n rondáil
rung n runga
runner n reathaí, (plant) reathaire; fáinne reatha
runway n rúidbhealach
rupee n rúipí
rupture n scoilt; maidhm sheicne vt & i scoilt, bris, maidhm
rural a tuathúil, tuaithe, ~ science tuatheolaíocht
rush[1] n brobh (luachra), feag pl luachair
rush[2] n rúid, ruathar, siota, sciuird; práinn, deifir vt & i brostaigh, deifrigh, sciurd, to ~ off imeacht sna gáinní, sna fáscaí (reatha)
rusk n rosca
russet a (donn)rua, ruaimneach
rust n meirg; smúr, smoirt
rustic n tuathánach, fear tíre, bean tíre a tuathúil
rustle n seordán, siosarnach vi, to ~ siosarnach a dhéanamh
rusty a meirgeach
rut[1] n clais, sclaig, sloc
rut[2] n láth
ruthless a neamhthrócaireach, díbheirgeach
rye n seagal
ryegrass n seagalach

S

sabbath n sabóid, saoire an Domhnaigh
sabbatical a sabóideach
sable n sáible a dubh, ciardhubh
sabotage n sabaitéireacht
saboteur n sabaitéir
sabre n marc-chlaíomh
saccharin n siúicrin

sachet n saicín
sack n sac vt sac, to ~ a person duine a shacáil, duine a chur chun bealaigh, bata is bóthar a thabhairt do dhuine
sackcloth n sacéadach
sacrament n sacraimint
sacramental a sacraimintiúil

sacred *a* naofa, beannaithe, diaga, ~ *promise* geall dobhriste

sacrifice *n* íobairt *vt & i* íobair

sacrificial *a* íobartach

sacrilege *n* sacrailéid

sacrilegious *a* sacrailéideach

sacristan *n* sacraisteoir

sacristy *n* eardhamh, sacraistí

sad *a* brónach, gruama, danaideach, truamhéalach

sadden *vt & i* dubhaigh, *to* ~ brón a chur ar; éirí gruama

saddle *n* diallait *vt*, *to* ~ *a horse* diallait a chur ar chapall

saddler *n* saidléir, diallaiteoir

sadist *n* sádach

sadistic *a* sádach

sadness *n* brón, buairt, gruaim, cian

safe[1] *n* taisceadán

safe[2] *a* slán, sábháilte, *to be on the* ~ *side* ar eagla na heagla

safe-conduct *n* pas coimirce

safeguard *n* coimirce taistil, cosaint (ar bhaol, etc), *to* ~ *sth* rud a choinneáil slán

safety *n* sábháilteacht

saffron *n* cróch

sag *n* tabhairt (uaidh), stangadh *vi* stang

saga *n* sága

sagacious *a* críonna, gaoiseach, eagnaí

sagacity *n* críonnacht, gliceas

sage[1] *n*, (*herb*) sáiste

sage[2] *n* eagnaí, éigeas, fáidh, saoi *a* eagnaí, críonna

Sagittarius *n* an Saighdeoir

sago *n* ság

sail *n* seol, *under full* ~ faoi iomlán éadaigh, faoi lánseol *vt & i* seol

sailcloth *n* anairt (bheag)

sailing *n* mairnéalacht, seoltóireacht

sailor *n* mairnéalach, seoltóir

saint *n* naomh, ~ *Peter* Naomh Peadar, ~ *Catherine* San Caitríona

sake *n*, *for the* ~ *of* ar mhaithe le, ar son, thar ceann, *for peace* ~ de ghrá an réitigh

salad *n* sailéad

salary *n* tuarastal

sale *n* díol, díolachán, reic, ceantáil

saleable *a* sodhíolta

Salesian *n & a* Sailéiseach

salesman *n* díoltóir

salient *a* starrach; follasach, suntasach

saline *a* goirt, salanda

saliva *n* seile

sallow *a* buí, liathbhuí

sally[1] *n* saileach

sally[2] *n* rúid *vi*, *to* ~ *forth* éirí amach

salmon *n* bradán

salon *n* salón

saloon *n* halla, salún

salt *n* salann *a* salanda, goirt, ~ *water* sáile *vt* saill, leasaigh

salt-cellar *n* sáiltéar

saltpetre *n* sailpítear

salutary *a* sochrach, tairbheach

salute *n* cúirtéis, beannú *vt* beannaigh

salvage *n* tarrtháil, éadáil *vt* tarrtháil

salvation *n* slánú

salve *n* céirín, ungadh, íocshláinte *vt* suaimhnigh, leigheas, *to* ~ *one's conscience* ceirín a chur le do choinsias

same *pron & a* céanna, *at the* ~ *time* san am céanna; in éineacht, *all the* ~ mar sin féin, *it's all the* ~ *to me* is cuma liom, *is é an dá mhar a chéile domsa é, it is the* ~ *with me, in my case* is é an dála céanna agamsa é, ní taise domsa é

sample *n* sampla *vt* tástáil, blais

sanatorium *n* sanatóir

sanctify *vt* naomhaigh, beannaigh

sanctimonious *a* béalchráifeach

sanction *n* smachtbhanna, pionós; ceadú *vt*, *the grant was* ~*ed* ceadaíodh an deontas

sanctity *n* naofacht

sanctuary *n* sanctóir; tearmann

sand *n* gaineamh

sandal *n* cuarán

sandbank *n* oitir (ghainimh), muc ghainimh

sand-eel *n* corr (ghainimh), spéirlint

sandhill *n* dumhach, méile, muc ghainimh

sandpaper *n* páirín

sandpiper *n* gobadán

sandstone *n* gaineamhchloch

sandwich *n* ceapaire

sandy *a* gainmheach, (*of hair*) fionnrua

sane *a* réasúnta, céillí

sanguine *a*, (*of complexion*) lasta, (*of temperament*) dóchasach

sanitation *n* sláintíocht

sanity *n* ciall

Santa Claus *n* San Nioclás, Daidí na Nollag

sap *n* sú, súlach

sapling *n* buinneán, fás, meathán

sapphire *n* saifir

sappy *a* cumhra, glas, súmhar

sarcasm *n* searbhas, géarchaint

sarcastic *a* searbhasach, géar, ~ *smile* leamhgháire

sardine *n* sairdín

sardonic *a* searbh, fonóideach

sash *n* sais

Satan *n* an diabhal, an tÁibhirseoir

satchel *n* mála scoile, tiachóg

sated *a* dóthanach, sách

satellite *n* satailít *a*, ~ *planet* pláinéad coimhdeachta, ~ *state* fostát

satin *n* sról

satire *n* aoir

satirical *a* aorach, seanbhlastúil

satirist *n* aorthóir

satirize *vt* aor

satisfaction *n* sásamh, cúiteamh; sástacht; sult

satisfactory *a* sásúil

satisfied *a* sásta

satisfy *vt* comhlíon; sásaigh

saturate *vt* maothaigh, cuir ar maos; sáithigh

saturation *n* maos; sáithiú

Saturday *n* Satharn, *he will come on* ~ tiocfaidh sé Dé Sathairn

Saturn *n* Satarn

satyr *n* satair

sauce *n* anlann, blastacht, sotal

saucepan *n* sáspan

saucer *n* sásar, fochupán

saucy *a* ladúsach, soibealta, deiliúsach, giodalach

saunter *vi* fálróid, spaisteoireacht; guailleáil *vi*, ~ *ing* ag fálróid, ag spaisteoireacht; ag guailleáil thart

sausage *n* ispín

savage *n* duine fiáin, duine barbartha *a* fiáin, brúidiúil

save[1] *vt* & *i* sábháil, saor, slánaigh, tarrtháil; coigil, *God* ~ *you* Dia duit

save[2] *prep* ach (amháin)

savings *npl* airgead taisce, coigilteas

saviour *n* slánaitheoir

savoury *a* blastóg *a* blasta, séasúrach, neamh-mhilis

saw *n* & *vt* & *i* sábh

sawdust *n* min sáibh

sawmill *n* muileann sábhadóireachta

Saxon *n* & *a* Sacsanach

saxophone *n* sacsafón

say *vt* abair, '*very well*' *said Brian* 'tá go maith' arsa Brian, *to* ~ *nothing of* gan trácht ar, *to* ~ *Mass* Aifreann a léamh, a rá

saying *n* rá, nath, seanfhocal; ráiteachas

scab *n* gearb

scabbard *n* truaill

scabby *a* carrach, gearbach

scaffold *n* scafall; croch

scaffolding *n* scafall, scafláil, stáitse

scald *n* scalladh *vt* scall, scól

scald-crow *n* feannóg

scalding *n* scóladh *a* scalltach

scale[1] *n* gainne, lann; screamh, coirt *vt* & *i* gainnigh, lannaigh; coirtigh; scamh; sceith

scale[2] *n* scála *pl* meá

scale[3] *n* scála; scóip, *on a large* ~ ar an mórchóir *vt* dreap; grádaigh, scálaigh

scallion *n* scailliún

scallop *n* muirín; scolb, cléithín

scalp *n* craiceann an chinn, plait

scalpel *n* lansa

scamp *n* raimsce, cuilceach

scamper *n* scodal, ruaig *vi* rith, sciurd, scinn

scan *vt* & *i* scan; breathnaigh, grinnigh

scandal *n* scannal, náire, oilbhéim

scandalize *vt* scannalaigh, *to* ~ *a person* scannal, ábhar oilbhéime, a thabhairt do dhuine

scandalous *a* scannalach, náireach

scanner *n* scanóir

scansion *n* scanadh

scant *a* giortach, gann, tearc, *I have* ~ *regard for them* is beag mo mheas orthu

scanty *a* gortach, tearc, scáinte

scapegoat *n* sceilpín gabhair

scapular *n* scaball

scar *n* colm, méirscre *vt*, *to* ~ *skin* colm a fhágáil i gcraiceann

scarce *a* tearc, gann, gannchúiseach

scarcely *adv* ar éigean

scarcity *n* ganntanas, gannchúis, gorta, teirce

scare *n* scanradh; scaoll *vt* scanraigh

scarecrow *n* fear bréige, babhdán

scarf *n* scaif, carbhat

scarlet *n* scarlóid *a* scarlóideach, ~ *fever* fiabhras dearg

scathing *a* géar, feanntach, ~ *remarks* bearradh teanga

scatter *vt & i* scaip, croith, leath, scáin

scatter-brained *a* éaganta, scaipthe

scavenger *n* scroblachóir

scene *n* suíomh, ionad; radharc, *behind the* ~ *s* ar chúl stáitse; ar an gcúlráid

scenery *n* radharcra; radharc tíre

scenic *a* taibhseach, sciamhach, ~ *route* bóthar álainn

scent *n* boladh, boltanas, cumhracht; cumhrán, mos *vt* bolaigh; cumhraigh, *to* ~ *sth* boladh ruda a chur

sceptic *n* sceipteach

sceptical *a* sceiptiúil, díchreidmheach, amhrasach

sceptre *n* ríshlat

schedule *n* sceideal, clár

scheme *n* scéim *vt & i* pleanáil, beartaigh

schism *n* siosma

schizophrenia *n* scitsifréine

scholar *n* scoláire, fear léinn

scholarly *a* scolártha

scholarship *n* scoláireacht; léann

scholastic *n* scolaí *a* scolaíoch

school *n* scoil *vt* teagasc; traenáil

schooner *n* scúnar

sciatica *n* sciaitice

science *a* eolaíocht; ealaín, ~ *fiction* ficsean eolaíochta

scientific *n* eolaíoch

scientist *n* eolaí

scintillate *vi* drithligh

scion *n* buinne, géag, fleasc

scissors *npl* siosúr

sclerosis *n* scléaróis

scoff *n* fonóid, magadh *vi*, *to* ~ *at a person* fonóid, magadh, a dhéanamh faoi dhuine

scold *n* báirseach *vt & i* ith, liobair, scioll, *to* ~ *a person* gearradh teanga, léasadh teanga, a thabhairt do dhuine

scone *n* bonnóg

scoop *n* scaob, scúp *vt* scaob, sluaisteáil

scooter *n* scútar

scope *n* raon, éirim, scód, scóip, cuimsiú; ligean, saoirse

scorch *vt* loisc, dóigh, gread, ruadhóigh

score *n* scríob, scór, stríoc *vt* riastail, scóráil, scrabh, *to* ~ *a goal* báire, cúl, a chur

scorn *n* tarcaisne, scorn *vt* tarcaisnigh, díspeag

scornful *a* tarcaisneach, drochmheasúil

Scorpio *n* an Scairp

scorpion *n* scairp

Scotch *n* fuisce na hAlban; canúint na hAlban *pl, the* ~ na hAlbanaigh *a* Albanach

scot-free *a* gan cháin, *he went* ~ thug sé a cháibín saor leis

scoundrel *n* bithiúnach, ropaire, cladhaire

scour[1] *n* buinneach, sciodarnach; sciúradh *vt & i* sciúr, sciomair; úraigh

scour[2] *vt & i* sciurd, ransaigh, criathraigh, *to* ~ *the country* an dúiche a shiúl ina horlaí beaga

scourge *n* sciúirse, *they are a real* ~ is mór an phlá i dtír iad *vt* sciúrsáil, lasc, céas, cúr, scól

scout *n* scabhta; taiscéalaí, *boy* ~ *s* gasóga *vi* ~ *ing* ag scabhtáil, ag taiscéaladh

scowl *n* grus, púic, duifean *vi*, *he* ~ *ed* chuir sé gruig air féin, tháinig muc ar gach mala aige

scraggy *a* scáinte, reangach, scroigeach

scramble *n* crúbadach, streachailt, coimhlint; sciob sceab, sciútam *vt & i* streachail, *he* ~ *d up the hill* aníos leis an cnoc ar a cheithre boinn, *to* ~ *for sth* coimhlint a dhéanamh faoi rud, *to* ~ *eggs* uibheacha a scrobhadh

scrap[1] *n* blúire, ruainne; giob, gearróg *pl* bruscar, dramhaíl, conamar

scrap[2] *n* bruíon, scléip, racán

scrap[3] *vt*, *to* ~ *sth* rud a chaitheamh i dtraipisí, faoi thóin cártaí

scrape *n* scríob, scráib *vt & i* scríob, scrabh; scamh, cart, *to* ~ *a sum of money* dornán airgid a chonlú, *scraping on a fiddle* ag streancánacht, ag scríobáil, ar fhidil

scratch *n* scríob, marc, scrabha, scráib, *at* ~ ar an scríobline *vt & i* scríob, scrábáil; tochais

scraw *n* scraith

scrawl *n* scrábáil

scream *n & vt & i* scread, scréach

scree *n* screathan

screech *n* scréach *vi* scréach, *to* ~ scréach a chur, a ligean, asat

screen *n* scáthlán, scáth, scáileán; scagaire *vt* scáthaigh, fothainigh; criathraigh, scag

screw *n* scriú, bís *vt* scriúáil
screwdriver *n* scriúire
scribble *n* & *vt* & *i* scrábáil
scribe *n* scríobhaí
scrimmage *n* conabhrú, coimheascar, scrimisc, clibirt
script *n* script
scripture *n* scrioptúr
scroll *n* scrolla
scrotum *n* cadairne
scrounge *vt* & *i*, to ~ *around* bheith ag diúgaireacht, ag súmaireacht, thart
scrounger *n* súmaire, stocaire
scrub[1] *n* muine, casarnach, scrobarnach
scrub[2] *n* sciomradh, sciúradh *vt* & *i* sciomair, sciúr
scrum(mage) *n* clibirt
scruple *n* scrupall *vi*, to ~ *to do sth* bheith scrupallach i dtaobh rud a dhéanamh, *he didn't* ~ *to do it* níor scorn leis é (a dhéanamh)
scrupulous *a* scrupallach, mionchúiseach, pointeáilte
scrutineer *n* iniúchóir
scrutinize *vt* scrúdaigh, grinnigh, glinnigh, iniúch
scrutiny *n* mionscrúdú, iniúchadh
scuffle *n* gráscar *vi*, *scuffling* (*with*) i ngráscar (le)
scullery *n* cúlchistin
sculptor *n* dealbhóir, snoíodóir
sculpture *n* dealbhóireacht *vt* dealbhaigh, snoigh
scum *n* screamh, coirt; gramaisc
scurf *n* screamh, gainne; sail chnis
scurrilous *a* madrúil, salach, suarach, náireach
scurry *n* sciuird *vi* sciurd, scinn
scurvy *n* galar carrach, claimhe *a* suarach, truaillí
scut *n* sciot
scythe *n* & *vt* speal
sea *n* farraige, muir
sea-anemone *n* bundún leice
seabed *n* grinneall na farraige
seaboard *n* imeallbhord
sea-bream *n* deargán, garbhánach
seafaring *n* maraíocht, loingseoireacht
seagull *n* faoileán
seal[1] *n* rón
seal[2] *n* séala *vt* séalaigh, to ~ *sth* séala a chur ar rud
seam *n* uaim; siúnta; féith, síog

seaman *n* mairnéalach, loingseoir, maraí
seance *n* séans
sear *vt* loisc, breoigh, dóigh
search *n* cuardach, ransú, tóraíocht *vt* & *i* cuardaigh, tóraigh, siortaigh, ransaigh, ~ *for* lorg
searcher *n* cuardaitheoir, lorgaire, ransaitheoir
searchlight *n* tóirsholas
seascape *n* muirdhreach
seashore *n* cladach
seasickness *n* tinneas farraige
seaside *n*, *at the* ~ cois farraige, ~ *resort* baile saoire cois trá
season *n* séasúr, ráithe, ionú, uair, tréimhse *vt* & *i* tuar, (*of wood*) stálaigh, (*of food*) blaistigh, leasaigh
seasonable *a* séasúrach, ionúch
seasonal *a* séasúrach
seasoning *n* blastán, leasú
seat *n* suíochán, cathaoir, binse *vt* suigh
seaweed *n* feamainn
seaworthy *a* inseolta, acmhainneach
secede *vi* scar (le), dealaigh (ó)
secluded *a* cúlráideach, uaigneach, cúlánta, ~ *place* diamhair, cúlráid
seclusion *n* cúlráid, uaigneas; leithleachas
second[1] *n* soicind, meandar, ala
second[2] *n* tacaí, fear taca, *the* ~ an dara ceann, *James the S*~ Séamas a Dó *a* dara, dóú; ath-, *a* ~ *time* athuair
second[3] *vt* tacaigh le, cuidigh le
secondary *a* tánaisteach, ~ *school* meánscoil, ~ *meaning* fochiall
seconder *n* cuiditheoir
second-hand *a*, ~ *car* carr athláimhe, *to buy sth* ~ rud a cheannach ar athláimh
secrecy *n* discréid, rúndacht, ganfhiosaíocht, dorchadas
secret *n* rún, *in* ~ faoi choim, os íseal *a* rúnda, discréideach, ganfhiosach, folaitheach
secretariat *n* rúnaíocht
secretary *n* rúnaí
secrete *vt* & *i* ceil, folaigh; tál, sil
secretion *n* folach, ceilt; tál
secretive *a* rúnmhar, ganfhiosach, ceilteach, béaliata, foscúil
sect *n* seict
sectarian *a* aicmeach; seicteach
sectarianism *n* seicteachas

section n gearradh, teascán; gasra; rannóg; mír

sector n teascóg; rannóg, *public* ~ earnáil phoiblí

secular a ciantréimhseach; saolta, tuata, ~ *clergy* gnáthchléir

secure a daingean, diongbháilte, teann *vt* daingnigh, dún, feistigh, greamaigh; caomhnaigh; urraigh, dílsigh

security n sábháil, slándáil; daingne; dílse, urra; urrús, *to go* ~ *for a person* dul i ngeall, in urraíocht, ar dhuine

sedate a maorga, forasta

sedative n suaimhneasán a suaimhneasach

sedentary a suite, suiteach

sedge n cíb

sediment n moirt, deasca, dríodar

sedimentary a, ~ *rock* carraig dhríodair

sedition n ceannairc

seduce *vt* meall, claon, meabhlaigh, *to* ~ *a girl* cailín a chur ó chrích, ó chion

seduction n meabhlú, mealladh

seductive a meabhlach, meallacach

see¹ n easpagóideacht, suí easpaig

see² *vt & i* feic, amharc, féach, *I know her to* ~ tá súilaithne agam uirthi

seed n síol, pór *vt & i* síolaigh

seedling n síolphlanda

seedy a éidreorach; (*of clothes, etc*) smolchaite

seek *vt* lorg, cuardaigh, iarr

seeker n cuardaitheoir, lorgaire, sirtheoir

seem *vi*, *he* ~s *tired* tá cuma thuirseach air, *you* ~ *like a prince to me* dealraím le prionsa thú, *they* ~ *to be satisfied* is cosúil go bhfuil siad sásta, *I* ~ *to have heard that name* samhlaítear dom gur chuala mé an t-ainm sin, *it* ~s *that* is cosúil go, dealraíonn sé go, *you have enough, it* ~s *to me*, tá do dhóthain agat, dar liom; feictear dom go bhfuil do dhóthain agat

seeming a dealraitheach, ~*ly* de réir cosúlachta

seemliness n cuibheas, cneastacht, geanúlacht

seemly a fiúntach, cuibhiúil, geanúil

seep *vi* úsc, sil, tar faoi

seer n fear feasa, fáidh

see-saw n maide corrach, crandaí bogadaí *vi*, *to* ~ bogadh suas agus anuas

seethe *vi* coip, *seething* ag oibriú, *seething with anger* ag fiuchadh le fearg

segment n teascán, mír *vt & i* deighil, scar, *to* ~ *sth* rud a roinnt ina theascáin

segregate *vt & i* leithscar, deighil, dealaigh (ó)

seine n saighean

seismic a seismeach

seize *vt* gabh, glac, tóg, greamaigh, beir ar, *to* ~ *the opportunity* an deis a thapú

seizure n gabháil, forghabháil, fuadach, glacadh; (*fit*) taom; breith

seldom *adv* go hannamh

select¹ a tofa, scothúil

select² *vt* roghnaigh, togh, pioc

selection n rogha; roghnú, toghadh

selective a roghnach

self n an duine féin, *she is her old* ~ *again* tá sí chuici féin arís, tá sí ar a seanléim arís

self-assured a diongbháilte, teann, treallúsach

self-centred a leithleach

self-confident a, *to be* ~ bheith muiníneach, dóchasach, asat féin

self-conscious a comhfhiosach; cotúil, náireach

self-contained a neamhspleách, (*of flat*) glanscartha

self-control n féinsmacht, stuaim, guaim

self-denial n féindiúltú

self-government n féinrialtas

self-important a tromchúiseach, postúil

self-indulgence n sácráilteacht, sáile, macnas

selfish a leithleach

self-possessed a stuama

self-raising a, (*of flour*) éiritheach

self-righteous a ceartaiseach

selfsame a ceannann céanna

selfservice n féinseirbhís

self-willed a ládasach, stuacach, diúnasach

sell *vt & i* díol, reic, *cattle were* ~ing *well* bhí an-imeacht ar eallach

seller n díoltóir, reacaire

semantics npl séimeantaic

semblance n cosúlacht, samhail

semen n seamhan

semi- n & a leath-, breac-, scoth-

semicolon n leathstad

semi-conscious a, *to be* ~ bheith ar leathaithne

semi-detached *a* leathscoite
semi-final *n*, *(game)* cluiche leathcheannais
seminar *n* seimineár
seminary *n* coláiste sagartachta
semi-skilled *a* breacoilte
semolina *n* seimilín
senate *n* seanad
senator *n* seanadóir
send *vt* cuir, seol, to ~ *for a person* fios a chur ar dhuine, to ~ *word to a person* scéala a ligean, a chur, chuig duine
sender *n* seoltóir
send-off *n*, he had a great ~ bhí comóradh mór leis
seneschal *n* seanascal
senile *a* críon, díblí
senility *n* seanaois, críonnacht; leanbaíocht (na seanaoise)
senior *n* seanóir, sinsearach *a* sinsearach, sean-, *John O'Brien* ~, Seán Mór Ó Briain
seniority *n* sinsearacht
senna *n* séinne
sensation *n* mothú, meabhair; scailéathan, gáifeacht
sensational *a* gáifeach, scailéathanach
sense *n* céadfa; mothú; ciall, stuaim, réasún, *have* ~! bíodh ciall agat! *vt* airigh, braith, mothaigh, meabhraigh
senseless *a* gan aithne, gan mheabhair; éaganta, éigiallta, míchéillí, díchéillí
sensibility *n* céadfacht
sensible *a* inbhraite, céadfach; ciallmhar, stuama, staidéarach, fódúil, réasúnta
sensitive *a* goilliúnach, íogair, mothálach
sensitivity *n* mothálacht, íogaireacht
sensory *a* céadfach
sensual *a* collaí, ~ *pleasures* pléisiúir na colainne
sensuous *a* súil; collaí
sentence *n* breithiúnas, daorbhreith; *(grammar)* abairt, ~ *of death* breith bháis *vt*, he was ~*d to imprisonment* gearradh príosún air
sententious *a* nathach
sentiment *n* mothúchán; tuairim, aigne; maoithneachas
sentimental *a* maoithneach, maoth
sentry *n* fairtheoir
separate *a* ar leith; scartha, scoite *vt* & *i* scar, dealaigh, deighil
separation *n* scaradh, dealú, deighilt

separator *n* deighilteoir
September *n* Meán Fómhair
septic *a* seipteach
sepulchre *n* ula, tuama
sequel *n* iarsma, fuíoll, iarmhairt
sequence *n* ord, sraith; seicheamh
sequin *n* seacain
serenade *n* saranáid
serene *a* sámh, suaimhneach; fionnuar, ciúin, soineanta
serenity *n* suaimhneas, ciúnas, soineann
serf *n* seirfeach, daoirseach
serge *n* saraiste
sergeant *n* sáirsint
serial *n* sraithscéal *a* srathach
serialize *vt* srathaigh
series *n* sraith, ~ *of calamities* tuabiste ar dhroim tuabiste
serious *a* dáiríre, tromaí, tromchúiseach
sermon *n* seanmóir
serpent *n* ollphéist, nathair
serrated *a* fiaclach
serum *n* séiream
servant *n* seirbhíseach, searbhónta
servant-boy *n* buachaill aimsire
servant-girl *n* cailín aimsire
serve *vt* & *i* friotháil (ar), fóin do, freastail, seirbheáil, riar, to ~ *the purpose* an gnó a dhéanamh, to ~ *a master* bheith i do sheirbhíseach ag máistir, it ~*s you right* is maith an airí ort é; a chonách sin ort, *if my memory* ~*s me right* más buan mo chuimhne
server *n* friothálaí, dáileamh; dáileoir
service *n* seirbhís, freastal, fónamh; feidhmeannas; garaíocht, *civil* ~ státseirbhís, *dinner* ~ foireann dinnéir, *the cow lost the* ~ chaill an bhó an dáir, *in* ~ (with) ar aimsir (ag)
serviceable *a* lónta, infheidhme
serviette *a* naipcín boird
servile *a* daor-, sclábhánta, táir, uiríseal
serving *n*, *(portion)* cuid, *(distribution)* riar, dáileadh
Servite *n* Seirbhíteach
servitude *n* braighdeanas, daoirse, *penal* ~ pianseirbhís
session *n* seisiún; suíochán
set¹ *n* foireann, cur, sraith; dream, drong, *(dance)* seit, *(stage)* láithreán, ~ *of teeth* cíor, draid, cár (fiacla), *(burrow)* brocach

set² a daingean, siochta, cruaite, socraithe, ar tinneall

set³ vt & i cuir, suigh, leag; socraigh, deisigh; téacht, cruaigh, sioc, stalc, táthaigh, to ~ hair gruaig a fheistiú, to ~ the table an bord a ghléasadh, a leagan, to ~ a fire tine a fhadú, the sun is ~ting tá an ghrian ag dul faoi, ag luí, he ~ about me with a stick ghabh sé de bhata orm, to ~ about sth scaoileadh faoi rud, cur chun ruda, díriú ar rud, to ~ to work dul i gceann oibre, to ~ down a load ualach a scaoileadh anuas, to ~ forth cur chun bealaigh; leag amach, to ~ a prisoner free príosúnach a ligean saor, to ~ a dog on a person gadhar a dhreasú i nduine, a scaoileadh le duine

set-back n céim siar, cur siar, dul ar gcúl, that was a ~ to him chuir sin cúl air

settee n tolg

setter n, (dog) sotar

setting n cur, suíomh; leagan; leaba, ~ of sun dul faoi na gréine

settle vt & i socraigh, réitigh; lonnaigh; plandáil; deasc, siothlaigh, to ~ a person in life críoch a chur ar dhuine, to ~ down in a place cur fút in áit, the weather is ~d tá bun ar an aimsir

settle-bed n leaba shuíochán; leaba raca

settlement n socrú, réiteach; lonnaíocht, marriage ~ socraíocht chleamhnais

settler n lonnaitheoir, seadaitheoir; coilíneach

seven n & a seacht, ~ persons seachtar, mórsheisear

seventeen n & a seacht déag, ~ towns seacht mbaile dhéag

seventeenth n & a, the ~ day an seachtú lá déag, one ~ an seachtú cuid déag

seventh n & a seachtú

seventieth n & a seachtódú

seventy n & a seachtó

sever vt scoith, teasc, to ~ one's connection with an organization scaradh le heagraíocht

several a ar leith, leithleach; éagsúil, ~ people roinnt, go leor, a lán, daoine

severe a dian, anróiteach, crua, trom, géar, deannachtach, feanntach, (of style, etc) lom

severity n déine, cruas; loime

sew vt & i fuaigh

sewage n camras

sewer n séarach, camra

sewerage n séarachas

sewing n obair fhuála; fuáil

sex n gnéas, cineál

sextant n seiseamhán

sexton n cléireach; reiligire

sexual a gnéasach, collaí, ~ intercourse comhriachtain

sexuality n collaíocht

shabby a leadhbach, smolchaite; suarach; sprionlaithe

shack n seantán

shackle n geimheal, cuibhreach vt cuibhrigh, to ~ a person iarainn, crapall, laincis, a chur ar dhuine

shade n scáth, scáil, foscadh; scáthlán, a ~ better claon beag níos fearr vt scáthaigh, fothainigh; scáthlínigh

shadow n scáth, scáil vt, to ~ a person leanúint go dlúth de dhuine

shady a scáthach, foscúil; amhrasach

shaft n crann, cros, sáfach; saighead; lorga; fearsaid, (of cart, etc) seafta, leathlaí; poll, sloc, ~ of sunlight maide gréine, ga gréine

shag n seaga

shaggy a mothallach, mosach, giobach, gruagach

shake n croitheadh, suaitheadh vt & i croith, crith; bagair, he was shaking all over bhí sé ar ballchrith

shake-down n sráideog

shaky a corrach, creathach, éagobhsaí

shallot n seallóid

shallow n tanalacht; scairbh a tanaí, éadomhain, neamhfhuaimintiúil

sham n cur i gcéill a, ~ fight troid mar mhagadh, ~ sickness tinneas bréige, vt & i, he shammed sickness lig sé air gur tinn a bhí sé, he is only shamming níl sé ach ag ligean air

shamble vi spágáil

shambles n seamlas, the place was a ~ bhí an áit ina chosair easair

shame n náire, aiféaltas vt náirigh, imdhearg, you ~d me thug sibh mo náire

shamefaced a aiféalach, maolchluasach

shameful n náireach, scannalach, aithiseach

shameless a gan náire, mínáireach, téisiúil

shampoo n foltfholcadh, seampú

shamrock n seamróg

shank n lorga, spanla; cos, luiseag

shanty[1] n seantán, bothán

shanty[2] n rabhcán maraí

shape n cruth, cló, cuma, cumraíocht, déanamh; sonra, toirt; múnla vt & i cum, deilbhigh, múnlaigh, ceap, cruthaigh, snoigh

shapeless a éagruthach

shapely a córach, cruthach, cuanna, greanta

shard n slige

share[1] n cuid, páirt, roinn, cion, sciar; scair vt roinn

share[2] n soc (céachta)

shark n siorc, (person) lomaire, basking ~ liamhán gréine

sharp a géar, biorach, nimhneach, faobhrach, binbeach, ~ incline mala rite, ~ practice camastaíl, caimiléireacht

sharpen vt & i géaraigh, faobhraigh, líomh, bioraigh, to ~ sth faobhar a chur ar rud

sharpener n líofóir, bióiór

sharpening-stone n cloch fhaobhair

sharpness n géire, líofacht, gontacht; riteacht

shatter vt & i bris, pléasc, mionaigh, réab, scrios, coscair, to ~ sth smionagar, smidiríní, a dhéanamh de rud

shave n bearradh, he had a narrow ~ is maith a scar sé leis, dóbair dó vt & i bearr, to ~ wood adhmad a scamhadh

shaving n slis pl scamhadh, slisneach

shawl n seál

she pron sí, sise; í, ise, ~ came tháinig sí, ~ was beaten buaileadh í, ~ is a doctor is dochtúir í, ~ who knows an té, an bhean, a bhfuil a fhios aici

sheaf n punann; scuab

shear vt lom, lomair, scoith, bearr

shears n deimheas

sheath n truaill, faighin

sheathe vt, to ~ a sword claíomh a chur i dtruaill, to ~ a cable cábla a chumhdach

shebeen n síbín

shed[1] n scáthlán, bothán, bráca

shed[2] vt caith, scoith, teilg; doirt, fear, sil, dáil

sheen n loinnir, dealramh, niamh, lí, snas

sheep n caora

sheep-dog n madra caorach, sípéir

sheepish a uascánta, maolchluasach

sheepskin n craiceann caorach

sheer a cruthanta; géar, rite, glaningearach; mín, sreabhnach, trédhearcach, out of ~ spite le teann, le tréan, oilc for ~ joy le neart, le barr, áthais

sheet n braillín; bileog, leathanach, leathán; scód, (of water) réimse, balance ~ clár comhardaithe, ~ of ice leac oighir

she-goat n minseach

sheik n síc

shelf n seilf; scairbh

shell n sliogán, mogall, blaosc; faighneog; creatlach vt scil, rúisc, speal, to ~ a town pléascáin a scaoileadh le baile

shellfish n sliogán; iasc sliogáin

shelter n scáthlán; díon, foscadh, fothain, scáth, dídean vt & i fothainigh, díon, to ~ from a shower dul ar foscadh ó chith

shelterbelt n crios foscaidh

sheltered a foscúil, fothainiúil, cluthar, ~ from the wind ar chúl na gaoithe, the ~ side taobh an fhoscaidh

shelve vt, to ~ books leabhair a chur ar sheilfeanna, to ~ a question ceist a chur siar, a chur i leataobh

shepherd n aoire, tréadaí vt aoirigh

sheriff n sirriam

sherry n seiris

shield n sciath, armas vt cumhdaigh, díon, scáthaigh

shift n aistriú, bogadh; seal; oirbheart, seift, to work in ~s sealaíocht, uainíocht, a dhéanamh vt & i aistrigh, athraigh; seiftigh, to ~ for oneself déanamh as duit féin, ~ing population daonra aistreach

shiftless a éidreorach

shift-work n obair shealaíochta

shifty a corrach, cleasach, lúbach

shilling n scilling

shilly-shally vi, don't ~ about it ná bí siar is aniar leis

shimmer n crithloinnir vi crithlonraigh, damhsaigh

shin n lorga; speir

shindy n racán

shine *n* taitneamh, loinnir, snas *vt & i* lonraigh, soilsigh, taitin, dealraigh; snasaigh, líomh

shingle[1] *n* sclátá, slinn *vt*, *to ~ a roof* slinnte adhmaid a chur ar cheann tí, *to ~ hair* gruaig a lombhearradh

shingle[2] *n* mionduirling, scaineagán

shingles *n* deir

shin-guard *n* loirgneán

shining *a* lonrach, dealraitheach, taitneamhach

ship *n* long, árthach, soitheach *vt*, *to ~ a cargo* lasta a thógáil ar bord, *to ~ goods to another country* earraí a sheoladh go tír eile

shipload *n* lasta, lucht, ládáil

shipmate *n* leathbhádóir

shipment *n* lastas

shipping *n* loingeas; loingseoireacht

shipwreck *n* longbhriseadh *vt*, *they were ~ed* tharla longbhriseadh dóibh

shipwright *n* saor loinge, saor báid

shipyard *n* longchlós, longcheárta

shirk *vt & i* cúlaigh ó, loic, ob, *~ing* ag stangaireacht

shirker *n* leiciméir, loiceach

shirt *n* léine

shiver *n & vi* crith

shoal[1] *n* oitir, scairbh

shoal[2] *n* scoil, cluiche, ráth (éisc) *vi* ráthaigh, cluich

shock[1] *n* coscairt, preab, *electric ~* turraing leictreach *vt* coscair, *to ~ a person* scannal a thabhairt do dhuine; duine a shuaitheadh; duine a chur trí chéile

shock[2] *n*, *~ of hair* stoth, suasán, larcán (gruaige)

shocking *a* coscrach, uafásach, náireach

shoddy *a* sramach, suarach

shoe *n* bróg, (*of horse*) crú, *if I were in your ~s* dá mbeinn i d'áitse *vt*, *to ~ a horse* capall a chrú, crú(ite) a chur faoi chapall

shoe-lace *n* (barr)iall

shoemaker *n* gréasaí

shoneen *n* seoinín

shoot *n* beangán, buinneán, péacán; sleamhnán; buíon seilge; comórtas lámhaigh *vt & i* caith, scaoil, lámhach, diúraic, (*of bud, etc*) eascair, *he shot off* as go brách leis, d'imigh sé d'urchar

shooting *n* lámhach, caitheamh; foghlaeireacht *a*, *~ star* réalta reatha

shop *n* siopa

shopkeeper *n* siopadóir

shoplifter *n* gadaí siopa

shopping *n* siopadóireacht, *~ centre* ionad siopadóireachta

shore[1] *n* cladach, cósta

shore[2] *n* taca *vt*, *to ~ up sth* taca a chur faoi rud

short *a* gearr, gairid, beag; giorraisc, aicearrach, *to be ~ of sth* bheith gann i rud, *we are three ~* táimid triúr easpach, *~ of breath* gearranálach, *~ answer* gearróg, *~ story* gearrscéal

shortage *n* easnamh, ganntanas, gátar, *~ of breath* giorra anála

shortbread *n* arán briosc

shortcake *n* brioscóid

short-circuit *n & vt* gearrchiorcad

shortcoming *n* easpa, locht

short-cut *n* aicearra, cóngar

shorten *vt & i* giorraigh, gearr, ciorraigh, *the days are ~ing* tá an lá ag dul i ngiorracht

shorthand *n* gearrscríobh, *~ typist* gearrchlóscríobhaí

short-lived *a* díomuan, gearrshaolach, duthain

shortly *adv* gan mhoill, ar ball beag

shortness *n* giorracht; ganchúis; giorraisce, *~ of breath* giorra anála

shorts *npl* briste gearrógach

shortsighted *a* gearr-radharcach, dallradharcach, gearr sa radharc

short-tempered *a* tobann, teasaí, taghdach

shot *n* urchar; grán, (*of person*) lámhachóir, *like a ~* de phléasc, de phlimp, d'urchar, *I'll have a ~ at it* féachfaidh mé mo lámh air, féachfaidh mé leis

shot-gun *n* gunna gráin

should *aux v*, *what ~ be done* an rud ba chóir, ba cheart, a dhéanamh, *they ~ have sat down* bhí sé ceart acu suí, *you ~ have seen her!* dá bhfeicfeá í! *I ~ n't think so* ní dóigh liom é, ní déarfainn é

shoulder *n* gualainn *vt & i* guailleáil, *to ~ a load* ualach a chur ar do ghualainn, dul faoi ualach

shoulder-blade *n* slinneán

shoulder-strap *n* guailleán

shout *n* béic, scairt, gáir, glaoch, liú *vt & i* béic, gáir, glaoigh, scairt, liúigh

shove *n* brú, sonc, sá *vt & i* brúigh, sac

shovel *n* sluasaid *vt & i* sluaisteáil, ~*ling clay* ag taoscadh créafóige

show *n* taispeáint, straibhéis; taispeántas, suaitheantas, seó; feic; *don't make a ~ of yourself* ná déan ceann ar clár díot féin *vt & i* taispeáin, léirigh, *to ~ a person in* duine a sheoladh, a threorú, isteach, *to ~ off* gothaí a chur ort féin, *that is all I have to ~ for it* sin a bhfuil ar a shon agam

show-case *n* cás taispeántais

shower *n* cith, múr, fras; cithfholcadh *vt & i* doirt, caith, *to ~ blows on a person* lui na mbuillí a chur ar dhuine, *to ~* cithfholcadh a ghlacadh

showery *a* ceathach

showman *n* fear seó

showy *a* péacach, taibhseach, feiceálach, gáifeach; taispeántach

shred *n* ruainne, luid, leadhbóg *vn* mionstiall, scillig

shrew *n* dallóg fhraoigh; báirseach

shrewd *a* críonna, gaoiseach, géarchúiseach, glic, fadcheannach

shriek *n & vi* scréach

shrill *a* géar, ard, caol, gluair

shrimp *n* ribe róibéis, séacla

shrine *n* scrín; cumhdach

shrink *vt & i* laghdaigh, crap, *the material shrank* chuaigh san éadach, *to ~ back from sth* cúbadh siar ó rud, loiceadh roimh rud; rud a ghráiniú

shrivel *vt & i* searg, spall

shrivelled *a* feosaí, seargtha

shroud n taiséadach, taisléine *vt* folaigh, *to ~ a corpse* taiséadach a chur ar chorp

Shrove *n* Inid, ~ *Tuesday* Máirt Inide

shrub *n* tom, tor

shrug *n* croitheadh guaillí *vt & i*, *to ~ do ghuaillí a chroitheadh, croitheadh a bhaint as do ghuaillí

shudder *n* creathán, crith *vi*, *to make a person ~* crith a bhaint as duine, *he ~ed* ghabh creathán tríd

shuffle *n* scuabáil; suaitheadh *vt & i*, *to ~* bheith ag scuabáil, ag tarraingt na gcos, *to ~ cards* cártaí a shuaitheadh

shun *vt* seachain, ob, diúltaigh (do)

shunt *n & vt & i* siúnt

shut *vt & i* dún, druid, iaigh, ~ *up!* éist do bhéal! bí i do thost! *a* dúnta, druidte, iata

shutter *n* comhla

shuttle *n* spól, eiteán, ~ *service* seirbhís tointeála *vt & i*, *we were being ~d back and forth* bhíomar ár dtointeáil anonn is anall

shuttlecock *n* cearc cholgach; eiteán

shy[1] *a* cúthail, cotúil, scáfar, coimhthíoch, cúlánta

shy[2] *vi* scinn, clis

sibilant *n & a* siosach

sick *n*, *the ~* na heasláin, lucht easláinte *a* breoite, tinn, *I'm ~ of it* tá mé bréan, dubh dóite, de

sick-call *n* glaoch tinnis; glaoch ola

sicken *vt & i* breoigh, meathlaigh, *it would ~ you* chuirfeadh sé múisc, samhnas, breoiteacht, ort

sickening *a* múisciúil, samhnasach, déistineach

sickle *n* corrán

sickly *a* galrach, leice, meata, militheach

sickness *n* breoiteacht, galar, tinneas

side *n* taobh, cliathán; leath; leaca, slios; colbha (leapa), ~ *by ~* with bord ar bhord le, bonn ar bhonn le, *to be on a person's ~* bheith i leith duine, on this ~ abhus, on the far, other, ~ thall, *there are two ~s to the story*, tá dhá cheann ar an scéal *vi*, ~ *with* taobhaigh le, claon le

sideboard *n* cornchlár

side-car *n* carr cliathánach

side-effect *n* seachthoradh

sidelong *a*, ~ *glance* claonamharc, leacan, catsúil, *to give a ~ glance at a person*, féachaint i ndiaidh do leicinn ar dhuine

sideroad *n* taobh-bhóthar

sideways *a & adv* cliathánach, i leataobh, ar sceabha

siding *n* taobhlach

sidle *vi*, *to ~ in* caolú isteach, téaltú isteach

siege *n* imshuí, léigear

sieve *n* criathar, rilleán *vt* criathraigh

sift *vt* criathraigh; scag

sifter *n* criathar

sigh *n* galrach, osna *vi*, *to ~* osna a ligean, ~*ing* ag osnaíl

sighing *n* osnaíl *a* osnaíoch

sight n amharc, radharc; iontas, *in* ~ le feiceáil, *I know him by* ~ tá súilaithne agam air, *(sorry)* ~ feic *vt*, *to* ~ *a ship* long a fheiceáil

sightless a dall

sightseer n fámaire, turasóir

sign n comhartha, tuar, *the* ~ *of the Cross* comhartha, fíor, na Croise, *shop* ~ fógra siopa, ~ *s on it* tá a rian air *vt* sínigh, saighneáil, *to* ~ *a paper* do lámh a chur le páipéar

signal n comhartha *vt & i* sméid, comharthaigh

signatory n sínitheoir

signature n síniú, lorg láimhe

signet-ring n fáinne séala

significance n brí, éifeacht

significant a éifeachtach, tábhachtach

signify *vt & i* ciallaigh; comharthaigh, *it doesn't* ~ níl aon tábhacht leis

signpost n craobh eolais

silage n sadhlas

silence n ciúnas, tost *vt*, *to* ~ *a person* duine a chur ina thost, ina éisteacht

silencer n tostóir

silent a ciúin, tostach, *be* ~ éist, bí i do thost, *to fall* ~ tost

silhouette n scáthchruth

silk n síoda

silky a síodúil

sill n tairseach (fuinneoige)

silly a seafóideach, amaideach, baoth, breallach, óinsiúil, éaganta

silo n sadhlann

silt n glár, láib abhann, síolta

silver n airgead a geal, airgeadúil

silvery a airgeadúil

similar a comhchosúil *(to* le)

similarity n comhchosúlacht

similarly *adv* ar an gcuma chéanna, mar an gcéanna

simile n samhail

simmer n & *vt & vi* suanbhruith

simony n siomóntacht

simper n streill *vi*, *to* ~ streill a chur ort féin, leamh-mheangadh a dhéanamh

simple a simplí; sothuigthe

simple-minded a simplí, uascánta, *how* ~ *you are!* nach leamh atá do cheann ort!

simpleton n pleidhce, simpleoir, leath-dhuine, duine le Dia

simplicity n simplíocht

simplify *vt* simpligh

simply *adv* go simplí, gan stró, ~ *lovely* go hálainn ar fad, ~ *by thinking about it* gan ach smaoineamh air

simulate *vt*, *to* ~ *illness* tinneas a ligean ort

simultaneous a comhuaineach, ~*ly* in aon am (le), in éineacht (le)

sin n peaca *vi* peacaigh, ciontaigh

since *adv & conj & prep* ó shin, nuair, *ever* ~ riamh ó shin, ó shin i leith, ~ *the seed was sown* ó cuireadh an síol, ~ *it happens that* ós rud é go, ~ *he is not here* nuair, ó tharla, ó, nach bhfuil sé anseo, ~ *morning* ó mhaidin

sincere a cneasta, fíréanta, íon

sincerity n cneastacht, fíréantacht

sinecure n oifig gan chúram

sinew n féith(eog), ~ *s* lúitheach

sinful a peacúil, coireach

sing *vt* can, ceiliúir, ~ *a song* abair, cas, amhrán, *to be able to* ~ guth a bheith agat, ~ *up* croch suas é, ~*ing (a song)* ag gabháil fhoinn, ag gabháil cheoil, *a kettle* ~*ing* citeal ag crónán, ag dúdaireacht, ag seinm

singe *vt* barrdhóigh, tíor

singer n amhránaí, ceoltóir

singing n amhránaíocht, cantaireacht, ~ *of birds* ceol éan

single a singil; aonarach, *married and* ~ pósta agus aonta, *every* ~ *one of you* gach aon duine riamh agaibh *vt*, *to* ~ *out a person* duine a phiocadh amach, díriú ar dhuine

single-handed a & *adv* dólámhach, i d'aonar

singlet n singléad

singly *adv* ceann ar cheann, duine ar dhuine

sing-song n deilín; cóisir amhránaíochta

singular a uatha; suntasach, *as an* gcoitiantacht

sinister a clé, tuathalach; dubh, tuath-, ~ *purpose* rún urchóide

sink n líntéar, umar, *kitchen* ~ doirteal *vt & i* báigh, suncáil, cuir go tóin poill, téigh faoi

sinker n tromán (dorú)

sinner n peacach

sip n bolgam, súimín, súmóg *vt* bain súimín as, *sipping it* ag súimíneacht as

siphon n & *vt & i* sifeón

sir *n* a dhuine uasail, (*title*) an Ridire, *dear* ~ a chara

sire *n* athair

siren *n* bonnán; síreána, cluanaire mná

sirloin *n* caoldroim

sisal *n* siseal

sissy *n* piteog

sister *n* deirfiúr; siúr, *S* ~ *Mary* an tSiúr Máire

sister-in-law *n* deirfiúr céile, bean dearthár

sit *vt & i* suigh, *he sat up in bed* d'éirigh sé, shuigh sé aniar sa leaba

site *n* láthair, suíomh, ionad, *building* ~ láithreán tógála, *camping* ~ láithreán campála *vt* suigh

sitting-room *n* parlús, seomra suí

situated *a* suite, *it is nicely* ~ tá suíomh breá air, *this is how I am* ~ seo mar atá agam

situation *n* suíomh, suí, áit; post; cás, staid

six *n & a* sé, ~ *persons* seisear

sixpence *n* réal

sixteen *n & a* sé déag, ~ *persons* sé dhuine dhéag

sixteenth *n & a, the* ~ *day* an séú lá déag, *one* ~ an séú cuid déag

sixth *n & a* séú

sixtieth *n & a* seascadú

sixty *n & a* seasca

size *n* méid, toirt, ~ *nine* uimhir a naoi

sizzle *n* sioscadh *vi* siosc

skate[1] *n* scáta *vi* scátáil

skate[2] *n*, (*fish*) sciata

skater *n* scátálaí

skating-rink *n* rinc scátála

skein *n* scáinne, íorna; iall (éan)

skeleton *n* cnámharlach, creatlach, ~ *key* leochair

skelp *n* sceilp

sketch *n* léaráid, sceitse *vt & i* sceitseáil

sketchy *a* maolscríobach, srac-

skew *n* sceabha a sceabhach

skewer *n* briogún, scibhéar

ski *n* sci *vi* sciáil

skid *n* sciorradh *vi* sciorr

skilful *a* ealaíonta, stuama, oilte, oir-bheartach

skill *n* ealaín, eolas, scil, oilteacht

skilled *a* innealta, eolach, oilte

skillet *n* scileád

skim *a*, ~ *milk* bainne bearrtha, sceidín

skim *vt & i* scimeáil, *to* ~ *milk* bainne a bhearradh, ~*ming over the water* ag scinneadh thar an uisce

skimp *vt & i* scimpeáil, spáráil

skimpy *a* giortach, sciotach, gann

skin *n* cneas, craiceann, seithe, leathar *vt* feann, lom, *to* ~ *an orange* oráiste a scamhadh, an craiceann a bhaint d'oráiste

skinflint *n* sprionlóir, cníopaire

skinny *a* creatlom, scáinte, tanaí

skintight *a* cneasluiteach

skip *n* foléim *vt & i* damhsaigh, scipeáil, *you* ~*ped a page* léim tú leathanach

skipper *n* scipéir, captaen

skipping *n* scipeáil, téadléimneach

skipping-rope *n* téad léimní

skirmish *n* scirmis

skirt *n* sciorta

skirting-board *n* clár sciorta

skittish *a* geiteach, giongach

skittle *n* scidil

skulking *n* sculcaireacht, téaltú *a* slíth-eánta, fáilí

skull *n* cloigeann, blaosc an chinn

skunk *n* scúnc

sky *n* spéir, aer, neamh

skylark *n* fuiseog

skylight *n* forléas, spéirléas

skyscraper *n* ilstórach, teach spéire

slab *n* leac, sclata

slack[1] *n* smúdar guail

slack[2] *n*, *to take up the* ~ an ligean a thabhairt isteach, ~*s* treabhsar *a* neamhghnóthach, díomhaoin; marbh; siléigeach, neamartach *vi*, *to* ~ *at work* buille marbh a ligean in obair

slacken *vt & i* lagaigh, maolaigh; scaoil, imigh as, lig as, *to* ~ *one's pace* do shiúl a mhoilliú, a lagú, *to* ~ *a rope* téad a bhogadh

slag *n* slaig

slake *vt & vt i* múch, coisc, *to* ~ *lime* aol a theilgean

slam *n & vt & i* plab

slander *n* clúmhilleadh, athiomrá, béadán *vt* clúmhill, spídigh

slanderous *a* clúmhillteach

slane *n* sléan

slang *n* béarlagair

slant *n* claon, fiar, leataobh, maig, sleabhac *vt & i* claon, fiar

slanting a claon, fiar, ar leathcheann, ar sceabha

slap n boiseog, bos, leidhce, leiceadar vt, to ~ a person boiseog, bos, a thabhairt do dhuine

slapdash a leibideach, maolscríobach

slash n scoradh vt scor

slat n slis, lata

slate n scláta, slinn vt, to ~ a house sclátaí a chur ar theach, slating each other ag feannadh a chéile

slattern n sraoill

slaughter n ár, eirleach, sléacht; marú vt maraigh, to ~ people ár, sléacht, a dhéanamh ar dhaoine

slaughter-house n seamlas

slave n daor, sclábhaí, tráill vi, to ~ sclábhaíocht a dhéanamh

slaver n & vt & i sram

slavery n braighdeanas, daoirse; sclábhaíocht

slavish a sclábhánta, lúitéiseach

slay vt maraigh

slaying n marú

sledge n carr sleamhnáin

sledge-hammer n ord, ceapord

sleek a sleamhain, mín, slim, vt slíoc

sleep n codladh, suan vi & i codail

sleeper n codlatán; leaba traenach

sleeping-bag n mála codlata

sleeping-car n cóiste codlata

sleeping-draught n deoch chodlata

sleep-walking n suansiúl

sleepy a codlatach, suanmhar, ~ little town baile beag marbhánta

sleepy-head n codlatán

sleet n flichshneachta

sleeve n muinchille

sleigh n carr sleamhnáin

sleight-of-hand n beartaíocht láimhe

slender a caol, seang, singil

slice n slis, stiall; sliseog, a ~ of luck sciorta den ádh vt scor, scillig

slicer n slisneoir

slick[1] n, oil ~ leo ola, plás ola

slick[2] a ábalta; sleamhain, éasca, pras

slide n sciorradh, sleamhnán vt & i sciorr, sleamhnaigh

sliding-door n comhla shleamhnáin

slight[1] n tarcaisne, díspeagadh vt, to ~ a person duine a dhíspeagadh, a bheag a dhéanamh de dhuine

slight[2] a slim, srac-, ~ change athrú

beag, ~ cough iarracht de chasacht, without the ~est doubt gan amhras dá laghad

slightly adv, ~ older beagán níos sine, ~ better rud beag, beagáinín, níos fearr, I know him ~ tá breacaithne, mearaithne, spallaíocht aithne, agam air

slim a seang, slim, tanaí, caol vt & i seangaigh, tanaigh, she is slimming tá sí á tanú féin

slime n lathach, ramallae, sláthach, animal ~ glóthach

slimy a ramallach, sramach, réamach

sling n crann tabhaill; iris, guailleán vt teilg, caith, to ~ sth over one's shoulder rud a chrochadh thar do leathghualainn

slink vi téaltaigh, he slunk away shlíoc sé leis

slip[1] n sciorradh; meancóg; fo-ghúna; fánán, ~ of the tongue rith focal, sciorradh focail, to give a person the ~ cor a chur ar dhuine vt & i sciorr, sleamhnaigh, ~ away éalaigh, don't let the chance ~ ná lig an deis uait, he ~ped up bhain meancóg dó

slip[2] n céis (mhuice), (of plant) slapar; slip, ~ of a girl slat de chailín

slip-jig n port luascach

slipper n slipéar

slippery a sciorrach, sleamhain

slipshod a maolscríobach

slip-stream n cúlsruth

slit n scoilt; gearradh vt scoilt, gearr

slither n sciorradh vi sciorr

sliver n slis

slob n slaba

slobber n priosla vi, ~ing ag priosláil

sloe n airne

slog n smíste vt, to ~ a person smíste a bhualadh ar dhuine, he is ~ging away tá sé ag greadadh, ag fadhbáil, ag tiaráil, leis

slogan n mana

sloop n slúpa

slop n, ~s dríodar, maothlach vi, to ~ over cur thar maoil; slaparnach a dhéanamh

slope n claon, fána, titim, mala, ~ of hill slios, leiceann, learg, cnoic vt & i claon, it ~s down tá fána leis

sloping a claon

sloppy a slapach, leibideach

slot n sliotán

sloth n leisce

slothful a leisciúil

slouch n sleabhac, dronn vi, to ~ along siúl go sraoilleach

slouching a sleabhcánta, ~ gait siúl sraoilleach

slough[1] n lodar, súmaire

slough[2] vt & i, to ~ (skin) an craiceann a chur, a chaitheamh

slovenly a liobarnach, maolscríobach, leibideach, slapach

slow a mall, righin; leasc; fadálach, malltriallach, ~ of speech doilbhir, the clock is ~ tá an clog déanach vt & i, ~ down, up moilligh

slowcoach n malltriallach, snámhaí

slow-moving a malltriallach

slow-witted a bómánta, mallintinneach

slug[1] n drúchtín, seilide (drúchta)

slug[2] n, (bullet) sluga

sluggish a malltriallach, spadánta, leasc, torpánta

sluice-gate n loc-chomhla

slum n sluma, plódteach; plódcheantar

slumber n tromchodladh, suan, támh, néal vi codail, to ~ bheith i do shuan

slump n, (in trade) meathlú, tobthitim vi, he ~ed down thit sé ina chnap, ina phleist, prices ~ed thit praghsanna

slur n aithis, smál, teimheal vt & i aithisigh, dispeag; cogain, mungail

slurry n sciodar

slush n lathach, pluda; bogoighear

slushy a lodartha, pludach

slut n sraoill, leadhbóg; toice, stiúsaí; bean choiteann

sly a glic, sleamhain, slítheánta, on the ~ faoi choim, gan fhios, ~ person slíbhín, slíodóir

smack[1] n buille boise, greadóg; flaspóg, smailleac, smeach vt smeach, to ~ a child bos a thabhairt do leanbh

smack[2] n, (fishing) ~ púcán

smack[3] vi, it ~ s of favouritism tá blas an fhabhair air

small n, ~ of back caoldroim a beag, gearr-, mion-, ~ talk mionchaint, great and ~ idir uasal agus íseal, mór beag

smallness n laghad

smallpox n bolgach (Dé)

smart a cliste, gasta; innealta, sciobalta,

pointeáilte; géar vi, my hands are ~ ing tá mo lámha greadta

smarten vt & i, ~ (yourself) up cuir cuma (éigin) ort féin; cuir fuinneamh éigin ionat féin

smash n smíste vt & i bris, smiot, to ~ sth to pieces smidiríní a dhéanamh de rud

smattering n breaceolas, smearadh, ~ of English gráscar Béarla

smear n smearadh; smál, aithis vt smear, to ~ a person's name ainm duine a shalú, droch-cháil a chur ar dhuine

smell n boladh, boltanas vt & i bolaigh, it ~s tá boladh as, ~ ing around ag bolaíocht thart

smelling-salts npl cumharshalann

smelt vt bruithnigh

smelter n bruithneoir

smile n aoibh, miongháire, meangadh (gáire) vi, he was smiling bhí fáthadh an gháire air, she ~d at me rinne sí gáire liom

smiling a aoibhiúil, gáiriteach; aoibhinn

smirch n smearadh vt smear, salaigh

smirk n straois, streill vi, ~ ing ag déanamh streille

smite vt buail, leadair, cloígh, treascair, to be smitten with a girl bheith splanctha i ndiaidh cailín, smitten with anxiety faoi imní

smith n gabha

smithereens npl smidiríní

smithy n ceártha

smock n forléine vt & i smocáil

smog n toitcheo

smoke n deatach, toit; gal tobac vt & i toitrigh, do you ~ an gcaitheann tú, to ~ a pipe píopa a chaitheamh, a ól, (a chimney, fire) to ~ deatach a dhéanamh, to ~ fish iasc a dheatú

smokeless a, ~ fuel breosla éadoite

smoker n caiteoir tobac

smoky a deatúil, smúitiúil, toiteach

smooth a mín, ré-, réidh; caoin; sleamhain, (of person) plásánta, ~ talk bladar, béal bán, ~ tract léinseach vt & i líomh, mínigh, sleamhnaigh, réitigh; iarnáil, smúdáil; locair

smother vt múch, plúch

smothering n múchadh, plúchadh a múchtach, plúchtach

smouldering a smolchaite, ~ fire cnáfairt tine

smudge *n* smál, smearadh *vt* smear
smug *a* bogásach
smuggle *vt & i* smuigleáil
smuggler *n* smuigléir
smuggling *n* smuigléireacht
smugness *n* bogás
smut *n* smúiteán, teimheal; graostacht
smutty *a* brocach; graosta
snack *n* raisín, sneaic, scroid
snack-bar *n* scroidchuntar
snag *n* fadhb, snaidhm; roiseadh
snail *n* seilide
snake *n* nathair (nimhe)
snap *n* sclamh, snap, *(of fingers)* smeach, *vt & i* snap, *to ~ at sth* áladh a thabhairt ar rud, *she ~ped at me* thug sí sclamh, glafadh, orm
snapdragon *n* srubh lao
snap-fastner *n* smeachdhúntóir
snapshot *n* grianghraf (mear)
snare *n* dol, lúb, gaiste, inleog, paintéar; súil ribe *vt* dol, rib, *to ~ an animal* ainmhí a ghabháil i ndol
snarl[1] *n* drannadh, dorr *vi* drann, drantaigh
snarl[2] *n* caisirnín *vi*, *thread ~ ing* snáithe ag dul in aimhréidh
snatch *n* sciobadh, fuadach, *~ of song* cuach (cheoil) *vt & i* sciob, fuadaigh
sneak *n* slíodóir, snámhaí *vi*, *~ away* slíoc, téaltaigh, *he ~ed over to us* shnámh sé anall chugainn go formhothaithe, *to ~ on a person* insint ar dhuine, duine a bhrath
sneaking *n* slíodóireacht *a* slítheánta, bradach
sneaky *a* snámhach, bradach, slítheánta
sneer *n* cár; seitgháire; fonóid *vi*, *to ~ (at a person)* fonóid a dhéanamh (faoi dhuine)
sneeze *n* sraoth *vi*, *to ~* sraoth a ligean
sneezing *n* sraothartach
sniff *n* séideog; boladh *vt & i* smúr, *to ~ at sth* bolú de rud, *~ing around* ag bolaíocht, ag smúrthacht, thart
snigger *n* seitgháire, smiota gáire, gáire múchta *vi*, *~ing* ag seitgháire, ag seitríl
sniggering *n* seitríl
snip *vt* sciot
snipe *n* naoscach, *(male) ~* gabhairín reo *vi*, *sniping* ag naoscaireacht
sniper *n* naoscaire

snippet *n* gearrthóg, sciot, *~ of information* mír eolais
snivelling *n* smaoisil, smugaíl *a* smaoiseach, smugach; caointeach
snobbery *n* baothghalántacht
snobbish *a* baothghalánta
snood *n* snúda
snooker *n* snúcar
snoop *vi*, *~ing around* ag brathadóireacht, ag smúrthacht, thart
snooty *a* smuilceach
snooze *n* néal, sámhán (codlata)
snore *n & i* srann
snort *n* seitreach, séideog, sraoth, srann *vi* srann
snot *n* smuga
snout *n* smuilc, smut, pus
snow *n* sneachta *vi*, *~ing* ag cur sneachta
snowball *n* liathróid sneachta, meall sneachta
snow-drift *n* muc shneachta, ráth sneachta
snowdrop *n* plúirín sneachta
snowflake *n* calóg shneachta, bratóg shneachta, lubhóg shneachta
snowy *a* sneachtúil; geal, ar ghile an tsneachta
snub[1] *n* gonc *vt*, *to ~ a person* gonc a thabhairt do dhuine
snub[2] *a*, *~ nose* caincín, geanc
snuff *n* snaois(ín) *vt & i*, *to ~ out a candle* an snab a bhaint de choinneal, coinneal a mhúchadh, *he ~ed it* d'imigh an dé as, stiúg sé
snuffle *vi*, *to ~* labhairt go srónach; smugaíl a dhéanamh
snug *a* seascair, teolaí
snuggle *vi*, *~ down* neadú síos, tú féin a shoipriú, *to ~ up to a person* luí isteach le duine
so *adv & conj* amhlaidh; chomh, *~ dear* chomh daor sin, *~ it seems* de réir cosúlachta, *I think ~* is dóigh liom é, *I suppose ~* is dócha é, *~ that* chun go, ionas go, *~ far* go dtí seo, go fóill, *~ be it* tá go maith, *a mile or ~* míle nó mar sin, *even ~* mar sin féin, *and ~ on* agus mar sin de, *if that be ~* más mar sin dó, *you don't own it ~ don't keep it* ní leat é agus mar sin ná coinnigh é
soak *vt & i* maothaigh, *~ up* súigh, *to put sth to ~* rud a chur ar maos

soaked *a* ar maos; leathbháite, *I was ~ through* bhí mé i mo líbín

so-and-so *n* a leithéid seo, *he is a right ~* suarachán ceart é, is é an duine gan chuntanós é *a, that ~ dog* an madra mallaithe sin

soap *n* gallúnach

soar *vi, to ~* éirí ar an aer, dul in airde, *prices ~ed* chuaigh na luachanna as compás

sob *n* smeach, cnead, snag *vi, sobbing* ag osnaíl ghoil, ag snagaireacht

sobbing *n* osnaíl ghoil, snagaireacht *a* snagach

sober *a* sóbráilte; stuama; neamhthaibhseach

sobriety *n* neamh-mheisce; measarthacht

so-called *a, ~ scholar* scoláire mar dhea, *the ~ restructuring plan* an plean athstruchtúraithe mar a thugtar air, *the maple properly ~* an fhíormhailp, an mhailp cheart

soccer *n* sacar

sociable *a* caidreamhach, cuideachtúil, sochaideartha

social *a* sóisialta; caidreamhach, *~ evening* céilí, oíche chaidrimh, scoraíocht, *~ welfare* leas sóisialta

socialism *n* sóisialachas

socialist *n* sóisialaí *a* sóisialach

society *n* sochaí; an saol; cumann

sociology *n* socheolaíocht

sock *n* stoca gearr

socket *n* cró, slocán, soicéad, *(of eye, etc)* logall

sod *n* fód; dairt; scraith

soda *n* sóid, *baking ~* sóid aráin

sodality *n* cuallacht

sodden *a* báite, aimlithe, *~ substance* spadalach

sodium *n* sóidiam

sodomy *n* sodamacht

sofa *n* tolg

soft *a* bog, maoth; sochma; leibideach, *~ drink* deoch neamh-mheisciúil

soften *vt & i* bog, maothaigh; maolaigh

soft-hearted *a* boigéiseach, bog

softly *adv* go ciúin, go fáilí

softy *n* leibide; boigéisí

soggy *a* maoth, uisciúil, *~ turf* spadalach móna

soil[1] *n* ithir, talamh, cré

soil[2] *vt & i* salaigh

soiled *a* salach

sojourn *n* lonnú *vi* lonnaigh

solace *n* sólás

solar *n* grianán *a* grian-

solder *n* sádar *vt & i* sádráil, táthaigh, *to ~ sth* goradh a chur ar rud

soldier *n* saighdiúir

sole[1] *n* sól

sole[2] *n* bonn, íochtar (bróige), trácht

sole[3] *a* aon-

solemn *a* sollúnta

solemnity *n* sollúntacht

solemnize *vt* sollúnaigh

solicit *vt* iarr, *to ~ a person for sth* rud a achainí ar dhuine, *~ing votes* ag tóraíocht vótaí

solicitor *n* aturnae

solicitous *a* imníoch, cúramach; fiafraitheach

solid *n* solad *a* crua, teann, daingean, fothúil, stóinsithe, tathagach, substainteach; dílis, tacúil, *as ~ as a rock* chomh buan le carraig

solidarity *n* dlúthpháirtíocht

solidify *vt & i* reoigh, téacht, cruaigh

solidity *n* teinne; tathag, fuaimint; daingne

solitary *a* aonarach; aonraic; diamhair, uaigneach, *~ confinement* gaibhniú aonair

solitude *n* aonaracht; uaigneas

solo *n* aonréad *a* aonréadach, aonair

soloist *n* aonréadaí

solstice *n* grianstad

soluble *a* intuaslagtha; infhuascailte

solution *n* tuaslagán; fuascailt, réiteach

solve *vt* tuaslaig; fuascail, réitigh, scaoil

solvency *n* sócmhainneacht

solvent *n* tuaslagóir *a* tuaslagach; sócmhainneach

sombre *a* dubhach, gruama, dorcha

some *pron & a & adv, ~ money* roinnt airgid, *~ other story* scéal éigin eile, *~ think (that)* ceapann daoine (go), *~ of us* cuid againn, *~ twenty pounds* fiche éigin punt

somebody *pron* duine éigin, *you must think you're ~* nách tú atá mórluachach

somehow *adv* ar chaoi éigin, ar chuma éigin, ar dhóigh éigin

someone *pron* duine éigin

somersault *n*, *he turned* ~ chuaigh sé de léim thar a chorp

something *pron* ní, rud éigin

sometime *adv*, ~ *or other* luath nó mall, ~ *last year* am éigin anuraidh, ~ *professor of history* ollamh le stair tráth

sometimes *adv* corruair, uaireanta

somewhat *adv*, ~ *excitable* ábhar teasaí, ~ *cold* cineál fuar, rud beag fuar

somewhere *adv* áit éigin

somnolent *a* suanmhar, marbhánta

son *n* mac

sonata *n* sonáid

song *n* amhrán, duan; ceol

song-thrush *n* smólach (ceoil)

sonic *a* sonach

son-in-law *n* cliamhain

sonnet *n* soinéad

sonorous *a* sonda

soon *adv* go luath, gan mhoill, in aicearracht, *too* ~ róluath, *as* ~ *as* chomh luath agus, ~*er or later* luath nó mall, *the* ~*er the better* dá luaithe is ea is fearr, *they are no* ~*er here than there* ní túisce thoir ná thiar iad

soot *n* súiche, smúr

soothe *vt* sáimhrigh, ciúnaigh, suaimhnigh

soother *n*, *baby's* ~ gobán súraic

soothing *a* suaimhneasach

soothsayer *n* fáistineach

sooty *a* smúrach, súicheach

sophisticated *a* sofaisticiúil

soporific *n* suanchógas *a* suanlaíoch; leadránach, marbhánta

soppy *a* maoth, maoithneach

soprano *n* soprán

sorcerer *n* asarlaí, draoi

sorcery *n* asarlaíocht, gintlíocht, draíocht

sordid *a* caillte, salach, táir

sordidness *n* salachar, táire, suarachas

sore *n* cneá *a* nimhneach, frithir, tinn, diachrach, *to be* ~ *at a person* goimh, olc, a bheith ort le duine

sorrel[1] *n* samhadh

sorrel[2] *a* deargrua

sorrow *n* brón, buairt, gruaim, doilíos, crá, mairg, aithreachas *vi*, *to* ~ bheith faoi bhrón

sorrowful *a* faoi bhrón, brónach, gruama, doilíosach, dubhach

sorry *a* buartha, díomách, *I'm* ~ *about that* tá aiféala, brón, cathú, orm faoi sin, *to be* ~ *for a person* trua a bheith agat do dhuine, *I'm* ~ *to say* (*that*) is oth liom a rá (go), *I'm* ~ *about your trouble* is trua liom do chás, *it is a* ~ *case* is caillte an cás é, *he is a* ~ *sight* is bocht an feic é, *better sure than* ~ is fearr glas ná amhras, is fearr deimhin ná díomá

sort *n* cineál, saghas, sórt, *out of* ~*s* meath-thinn *vt & i* sórtáil

soufflé *n* cúróg

sough *n* seoithín, seabhrán, srann *vi* srann, ~*ing* ag seordán

soul *n* anam, *the* ~ *of generosity* croí na féile, *there wasn't a* ~ *there* ní raibh duine ná deoraí, mac an aoin, ann

soulful *a* maoithneach; corraitheach

sound[1] *n* caolas, sunda

sound[2] *n* fuaim, glór; foghar; fuaimíocht, ~ *of voices* glóráil, *there is not a* ~ *out of him* níl smid, cniog, giog, húm ná hám, as, ~ *effects* seachghlórtha *a* slán, fuaimintiúil; folláin, ~ *sleep* codladh sámh, ~ *qualities* tréithe fónta, *he got a* ~ *thrashing* buaileadh go feillbhinn é *vt & i* fuaimnigh, ~ *the horn* séid an bonnán, *to* ~ *a person's heart* éisteacht le croí duine, *to* ~ *sweetly* fuaimniú go binn, *it* ~*s like the truth* tá craiceann, dealramh, na fírinne air

sound[3] *vt* grúntáil

sound-barrier *n* fuaimbhacainn

sounding *n* grúnta *a* fuaimneach

sound-proof *a* fuaimdhíonach

sound-track *n* fuaimlorg, fuaimrian

soup *n* anraith, súp

source *n* foinse, fréamh, tobar, *back to* ~ siar go bun, *reliable* ~ urra maith, údar maith

soutane *n* sútán

south *n* deisceart, *from the* ~ aneas, *to the* ~ ó dheas *adv & a*, *the* ~ *wind* an ghaoth aneas, *the* ~ *coast*, an cósta theas, *to go* ~ dul ó dheas, ~ *of* taobh theas de; ó dheas ó, laisteas de

south-east *n* oirdheisceart

south-easterly *a*, ~ (*wind*) (gaoth) anoir aneas

southerly a & adv, ~ *wind* gaoth aneas, *in a* ~ *direction* (san aird) ó dheas, *the* ~ *part* an taobh ó dheas

southern a deisceartach, ~ *part* deisceart

southwards adv ó dheas

south-west n iardheisceart

south-westerly a, ~ *(wind)* (gaoth) aniar aneas

souvenir n cuimhneachán

sovereign n flaith, rí, *(money)* sabhran a ceannasach

sovereignty n ceannas, flaitheas

soviet a sóivéadach

sow¹ n cráin (mhuice)

sow² vt & i, to ~ *seed* síol a chur

sower n síoladóir, curadóir; gineadóir

sowing n cur, curadóireacht

sow-thistle n bleachtán, slóchtán

soya n soighe

spa n spá

space n spás, slí, fairsinge, ~ *of time,* sealad, tamall, *short* ~ *of time* giorracht aimsire vt spásáil

spacecraft n spásárthach

spaceman n spásaire

spacing n spásáil

spacious a fairsing, scóipiúil, áirgiúil

spade n lái, rámhainn, spád, *(cards)* spéireata

spaghetti n spaigití

span n réise, ~ *of life* ré, uain, réimeas vt trasnaigh

spancel n buarach, laincis, urchall vt, to ~ *an animal* buarach a chur ar ainmhí

spaniel n spáinnéar

spank vt, to ~ *a person* na mása a ghreadadh ag duine

spanking n greidimín a, *at a* ~ *pace* de luas nimhe, sna firmiminti

spanner n castaire

spar¹ n sparra

spar² n speár vi, *sparring at me* ag caitheamh speár liom

spare a spártha; lom, ~ *tyre* bonn breise vt coigil, spáráil, *may God* ~ *me to do it* go bhfana Dia mé lena dhéanamh, *if I am* ~ *d* faoina bheith slán dom

sparing n coigilt, spáráil a coigilteach, spárálach, tíosach

sparingly adv, *to use sth* ~ tarraingt (go) caol ar rud

spark n aithinne, drithle, crithir, spré, ~ *of sense* sméaróid, splanc, chéille, *gay*

~ *boicín* vt & i drithligh, spréach; griosaigh, spreag

sparking-plug n spréachphlocóid

sparkle n drithle, spréacharnach vi drithligh, glinnigh

sparkling n spréacharnach, glioscarnach a drithleach

sparrow n gealbhan

sparrow-hawk n ruán aille, spioróg

sparse a gann, scáinte, tearc; i bhfad ó chéile

spasm n freanga, spaspas, ríog, ~ *of coughing* rabhlán, racht, casachtaí

spasmodic a riogach, taomach; fánach

spastic n & a spasmach

spate n buinne; roiseadh, *the river is in* ~ tá an abhainn ina tulca

spatter n scuaid, steallóg vt & i scaird, láib, spréigh, ~ *ing us with mud* ag stealladh clábair orainn

spawn n sceathrach, sceith vt & i sceith

spawning n sceathrach, sceith a sceitheach

spawning-ground n beirtreach

speak vt & i labhair, caint, can, *he* ~ *s well* tá deis a labhartha aige, ~ *the truth* abair an fhírinne, *give him leave to* ~ tabhair cead cainte dó, *it* ~ *s badly for him (that)* is olc an comhartha air (go), *so to* ~ mar a déarfá, *(of falling out), they don't* ~ ni bheannaíonn siad dá chéile

speak-easy n síbín

speaker n cainteoir; Ceann Comhairle, *English* ~ Béarlóir, *Irish* ~ Gaeilgeoir

spear n ga, sleá vt sleáigh

special n, ~ *(constable)* speisialach a sain-, sainiúil, speisialta, ar leith

specialist n saineolaí, speisialtóir

speciality n speisialtacht

specialize vi speisialaigh, to ~ dul le saineolaíocht, to ~ *in sth* speisialtóireacht a dhéanamh ar rud

specialized a sainfheidhmeach, speisialaithe

species n cineál, gné, speiceas

specific a sain-, sainiúil, sonrach

specification n sonraíocht, sonrú

specify vt ainmnigh, sonraigh

specimen n eiseamal, ~ *copy of book* sampla de leabhar, ~ *page* leathanach samplach

specious *a* cosúil, dealraitheach

speck *n* dúradán, spota, ~ *of dust* cáithnín deannaigh

speckle *n* bricín, dúradán *vt & i* breac

speckled *a* breac, ballach

spectacle *n* seó, suaitheantas; feic, ~ *s* spéaclaí, gloiní

spectacular *a* mórthaibhseach

spectator *n* breathnóir, *pl* lucht féachana

spectral *a* taibhsiúil, *(of colours)* speictreach

spectre *n* arracht, taibhse, samhail

spectrum *n* speictream

speculate *vi*, *to* ~ *about sth* tuairimíocht a dhéanamh faoi rud, *to* ~ *on the stock exchange* amhantraíocht a dhéanamh ar an stocmhalartán

speculation *n* tuairimíocht; amhantraíocht, spéacláireacht

speculative *a* tuairimeach; amhantraíoch

speculator *n* amhantraí

speech *n* caint, canúint, labhairt, urlabhra; óráid, aitheasc

speechless *a*, *I was left* ~ níor fágadh focal agam, rinneadh stangaire díom

speed *n* luas, siúl, éascaíocht, *at great* ~ sna fáscaí, faoi ghearradh, ar greadadh *vt & i*, *to* ~ tiomáint ar (ró)-luas, *to* ~ *up sth* dlús a chur le rud, luas a dhéanamh le rud, *God* ~ *you* go soirbhí Dia duit, beannacht Dé leat

speedometer *n* luasmhéadar

speedwriting *n* luathscríbhneoireacht

speedy *a* luath, gasta, tapúil, líofa

speleology *n* uaimheolaíocht

spell[1] *n* geis, ortha, geasróg, *under a* ~ faoi dhraíocht

spell[2] *n* dreas; laom, taom; seal, tamall scaitheamh, *bright* ~ gealán, aiteall, uaineadh

spell[3] *vt* litrigh

spellbound *a* faoi gheasa, faoi dhraíocht

spelling *n* litriú

spend *vt* caith; spíon

spender *n* caiteoir

spending *n* caitheamh

spendthrift *n* cailliúnaí, caifeachán, duine silteach

spent *a* caite, tugtha

sperm *n* speirm

spew *n & vt & i* sceith

sphagnum *n* súsán, sfagnam

sphere *n* sféar; réimse, ~ *of authority* limistéar údaráis

spherical *a* sféarúil, cruinn

sphinx *n* sfioncs

spice *n* spíosra

spicy *a* spíosrach

spider *n* damhán alla

spigot *n* spiogóid

spike *n* bior, spíce

spiky *a* spíceach, spiacánach

spill *vt & i* doirt

spillage *n* doirteadh

spin *n* casadh, guairne, rothlú *vt & i* rothlaigh; sníomh, ~ *ning yarns* ag eachtraíocht, ag scéalaíocht

spinach *n* spionáiste

spinal *a*, ~ *column* dromlach, ~ *cord* corda an dromlaigh, snáithe an droma

spindle *n* fearsaid, eiteán, mol

spin-dryer *n* castriomadóir

spine *n* dromlach, cnámh droma; spíon, colg, dealg

spineless *a* cladhartha, ~ *person* cladhaire, meatachán

spinner *n* abhraiseach, sníomhaí; spinéar

spinning *n* sníomh; guairneáil; spinéireacht *a* guairneach, rothlach

spinning-top *n* caiseal

spinning-wheel *n* tuirne

spinster *n* bean shingil

spiny *a* coilgneach, deilgneach, spíonach

spiral *n* bís, caisirnín, *smoke* ~ dual deataigh, rollóg dheataigh *a* bíseach, ~ *staircase* staighre bíse

spire *n* spuaic, stuaic

spirit *n* spiorad, sprid; taibhse, neach; anam, fuinneamh, meanma, intinn; faghairt; biotáille, *high* ~ *s* teaspach, éirí in airde, *in high* ~ *s* lán d'anam, *good* ~ *s* somheanma, *to be in low* ~ *s* lagmhisneach a bheith ort *vt*, *he was* ~ *ed away (as by the fairies)* tugadh as é

spirited *a* aigeanta, anamúil, miotalach, meanmnach, spioradúil, cróga

spiritism *n* spioradachas

spiritless *a* gan sracadh, marbhánta, *poor* ~ *lot* dream bocht silte

spiritual *a* spioradálta, ~ *advisor* anamchara

spiritualism *n* spioradachas

spirituality *n* spioradáltacht

spit¹ n, ~ bior (rósta), sand ~ gob gainimh

spit² n seile vt & i seiligh, to ~ seile a chaitheamh

spite n naimhdeas, mioscais, olc, he is full of ~ tá an íorpais ina chroí, in ~ of him dá bhuíochas, dá ainneoin, ar neamhchead dó vt, to do sth to ~ a person rud a dhéanamh le holc ar dhuine

spiteful a nimheanta, mioscaiseach, dúchroíoch, ~ man fear fala

spittle n seile, smugairle

spittoon n seileadán

splash n plab; sconnóg, steall, steanc vt & i steall, steanc, ~ing ag slaparnach

splay n spré a gathach vt & i spréigh

spleen n liathán; cancar, he vented his ~ on me lig sé amach a racht orm

splendid a calma, dealraitheach, taibhseach, riúil; go diail!

splendour n dealramh, soilse, lonracht, riúlacht

splice n spladhas vt spladhsáil

splint n cléithín

splinter n & vt & i scealp

split n & vt & i scoilt

splutter vt & i spréach

spoil n éadáil, ~s creach, foghail vt & i loit, mill, lobh

spoke n spóca (rotha)

spoken a, the ~ language an teanga bheo, an béal beo, ~ word caint, that is not the ~ version ní mar sin atá sé sa chaint

spokesman n urlabhraí, teanga labhartha

spoliation n creachadh; milleadh

sponge n múscán; spúinse vt & i spúinseáil, ~ on diúg

sponge-cake n ciste spúinse

sponger n diúgaire, súmaire

spongy a múscánta; spúinsiúil

sponsor n cara Críost; coimirceoir, urra, to be ~ to seasamh le vt, ~ed by faoi choimirce

sponsored a urraithe

sponsorship n urraíocht

spontaneous a spontáineach, uathspool n spól, eiteán

spoon n spúnóg

spoonful n spúnóg, lán spúnóige

sporadic a treallach, taodach, fánach

spore n spór

sport n lúthchleasaíocht; spórt, áineas, scléip, spraoi vt & i ~ing ag déanamh spóirt, spraoi, ~ing her new hat ag déanamh stró as a hata nua

sporting n cluichíocht, súgradh a súgrach, ~ chance cothrom, ~ gent cearrbhach; buachaill báire

sportive a géimiúil, machnasach, scléipeach, spórtúil

sportsman n fear spóirt

spot n ball, spota; smál; láthair, accident black ~ ball báis, on the ~ ar an bhfód; láithreach bonn, in a ~ i bponc, i dtrioblóid vt braith

spot-check n spotseiceáil, corrphromhadh vt spotseiceáil

spotless a gan smál, gan teimheal, ~ly clean gléghlan

spotlight n spotsolas

spotted a ballach, breac; brocach

spouse n céile, nuachar

spout n sconna; buinne vt & i steall, ~ing lies ag roiseadh bréag

sprain n leonadh, spreangadh vt leon

sprat n salán, stuifín

sprawl vi, to ~ do ghéaga a leathadh, tú féin a scaradh, ~ed on the bed spréite sa leaba n, (urban) ~ sraoilleáil (uirbeach)

spray n cáitheadh; craobhóg, gas; sprae vt & i cáith; spraeáil, spréigh; scaird

sprayer n spraeire

spread n & vt & i scar, spréigh; scaip, síolaigh, ~ them out scar amach iad n leathadh; sraith; spré; féasta

spreading a craobhach

spree n spraoi; ragús óil

sprig n craobhóg, gas

sprightly a bíogúil, anamúil, breabhsánta, bagánta

spring n earrach; fuarán, tobar; preab, tapaigean; lingeán, sprionga, ~ tide rabharta, ~ water fíoruisce vt & i preab, scinn; gob, eascair, gin, ~ from fréamhaigh ó, he sprang up d'éirigh sé de phreab, he sprang a question on me rop sé ceist chugam

springer n bó ionlao, bó thórmaigh

springy a lingeach

sprinkle n croitheadh vt croith, spréigh

sprinkler n croiteoir, spréire

sprinkling n crothán, sceo

sprint n ráib, rúid vi, ~ing ag rábáil

sprinter n rábálaí

sprite n siofra, ginid

sprout n bachlóg, péacán vt & i eascair, péac, gob (aníos)

spruce¹ n sprús

spruce² a breabhsánta, slachtmhar, sprúisiúil, sciobalta, pioctha vt, to ~ oneself up tú féin a phointeáil

spry a beoga, anamúil, breabhsánta

spunk n sponc, spriolladh

spunky a sponcúil

spur n spor, brod,(of bird) sáilín, ~ of mountain speir, sáil, sléibhe, on the ~ of the moment ar ala na huaire vt & i spor, broid, spreag

spurge n spuirse, bainne caoin

spurious a bréagach

spurn vt cic, rad; tarcaisnigh, to ~ sth diúltú do rud, droim láimhe a thabhairt do rud

spurt n steanc; rúid vt & i steanc, steall

sputter n spréachadh vt & i spréach, spriúch

spy n brathadóir, spiaire, S~ Wednesday Céadaoin an Bhraith vt & i, ~ out braith, ~ing on ag spiaireacht ar

spying n spiaireacht, brath

squabble n cnádánacht, aighneas, achrann vi, squabbling ag stealladh, ag aighneas

squad n scuad

squadron n scuadrún

squalid a broghach; suarach

squall¹ n cóch, gailbh

squall² n & vi sceamh; béic

squally a gailbheach, soinneánach

squalor n bréantas, ainnise; suarachas

squander vt díomail, meil, scaip

square n cearnóg, try ~ bacart a cearnach vt cearnaigh

squash n brú; brúitín, liothrach, lemon ~ liomanáid vt & i basc, brúigh, fáisc, leacaigh; cuir ar ceal, cuir faoi chois

squash (-rackets) n scuais

squat a, ~ person gróigeán vi, to ~ (down) suí ar do ghogaide, to ~ on a person's land suí ar thalamh duine

squatter n lonnaitheoir, suiteoir

squawk n grág vi, to ~ grág a chur asat

squeak n díoscán, gíog, there wasn't a ~ out of him ní raibh hob ná hé as vi gíog, ~ing ag píopaireacht

squeaky a díoscánach

squeal n & vi sceamh

squeamish a éisealach, cáiréiseach, scrupallach; samhnasach

squeeze n fáscadh; sciobas vt fáisc, teann

squeezer n fáiscire

squelch n pleist vt, to ~ sth pleist a dhéanamh de rud

squelching a, ~ sound glugar(nach)

squib n pléascáinín

squid n máthair shúigh

squiggle n camán, duailín; scriobláil

squint n, ~ in the eye fiar sa tsúil, ~ (eye) fiarshúil; claonfhéachaint, claonamharc vi, ~ing ag splinceáil

squint-eyed a fiarshúileach

squire n scuibhéir; tiarna talún

squireen n gearrbhodach

squirm vi, ~ing ag tabhairt na gcor, ag lúbarnaíl

squirrel n iora (rua), grey ~ iora glas

squirt n & vt & i scaird, steanc

stab n goin(eog), rop(adh), sá vt & i goin, rop, sáigh

stabbing n ropaireacht, sá a sáiteach; daigheartha, ~ pain daigh, arraing

stability n cobhsaíocht, foras, seasmhacht

stabilize vt cobhsaigh

stabilizer n cobhsaitheoir,daingnitheoir

stable¹ n stábla vt, to ~ a horse capall a chur ar stábla

stable² a cobhsaí, diongbháilte, fódúil, seasmhach

staccato a stadach, (of style) snagach

stack n & vt cruach

stadium n staid

staff n bachall, lorga; cliath (ceoil); foireann

stag n carria

stage n ardán, stáitse; pointe, ~ of growth céim fáis, in easy ~s ina gheábhanna beaga vt stáitsigh, to ~ a play dráma a chur ar stáitse

stagger vt & i tuisligh; eangaigh, ~ing ag gúngáil, ~ed junction acomhal fiartha, to ~ along the road dhá thaobh an bhóthair a thabhairt leat

staging n scafall; stáitsiú

stagnant a marbhánta, bodhar, marbh

stagnate vi stolp, to ~ éirí marbhánta, bodhar, marbh

stagnation n marbhántacht

stag-party n cóisir fear

staid *a* stuama

stain *n* smál, spota, teimheal; céir *vt* teimhligh, smear, salaigh; dathaigh, ruaimnigh

stained *a* salach, teimhleach, ~ glass gloine dhaite

stainless *a* dosmálta, gan teimheal

stair(s) *n* staighre

staircase *n* staighre

stake *n* cleith, sáiteán; cuaille, stáca; taca; duais, (in gambling) geall, they have no ~ in the country níl bun ar bith sa tír acu, at ~ i mbaol *vt*, to ~ out land talamh a spriocadh, a stangadh, to ~ a pound punt a chur, he ~d his reputation on it chuir sé a chlú i ngeall air

stalactite *n* aolchuisne

stalagmite *n* aolchoinneal

stale *a* stálaithe, (of drink) rodta, ~ smell boladh dreoite, domoladh, ~ taste seanbhlas *vt & i* stálaigh

stalemate *n* leamhsháinn *vt* leamhsháinnigh

stalk[1] *n* gas, cos, dlaíóg

stalk[2] *vi*, to ~ (along) céimniú (romhat) go huaibhreach, to ~ a deer stalcaireacht a dhéanamh ar fhia

stall *n* carcair, stalla; both, stainnín; buadán, mútóg *vt & i*, the engine ~ed loic an t-inneall

stallion *n* stail

stalwart *a* calma, diongbháilte

stamen *n* staimín

stamina *n* teacht aniar

stammer *n*, he has a ~ tá stad ann *vt & i* he was ~ing bhí sé ag stadaireacht, ag snagaireacht, to ~ out sth rud a rá go stadach

stamp *n* stampa; buille coise *vt & i* buail, stampáil, ~ing his feet ag greadadh a chos, to ~ out a disease aicíd a chur faoi chois

stampede *n* táinrith; scoiteach; rabharta, flosc, *vi*, they ~d d'imigh siad ina dtáinrith; chuaigh siad i scaoll

stance *n* seasamh, gotha; dearcadh, to take a firm ~ do chos a chur i dteannta

stand *n* seasamh; ardán, seastán (hat-, coat-, hall-) ~ crochadán; stainnín *vt & i* seas, to ~ a person a drink deoch a sheasamh do dhuine, to ~ one's ground an fód a sheasamh, it ~s to

reason tá sé ag luí le réasún, (of army) ~ ing by ar fuireachas, ~ by ar aire; bí ullamh, to ~ by a person, by one's promise, seasamh le duine, le do ghealltanas

standard *n* caighdeán; meirge, suaitheantas *a* caighdeánach, gnáth-

standard-bearer *n* meirgire

standardize *vt* caighdeánaigh

standing *n* seasamh *a* seasta, ~ committee buanchoiste

standing-stone *n* coirthe, gallán, stollaire, lia

stand-offish *a* leithleach

standstill *n*, at a ~ ina stop, ina stad

stanza *n* rann, véarsa

staple[1] *n* stápla *vt* stápláil

staple[2] *n* príomhtháirge *a* príomh-

star *n* réalta; cíoná, (small) ~ réaltóg, réiltín

starboard *n* deasbhord

starch *n* stailc, stáirse *vt* stáirseáil

stare *n* stánadh *vi* stán

starfish *n* crosóg mhara, crosán

stark *a* lom *adv*, ~ naked lomnocht, i do chraiceann dearg

starling *n* druid

starlit *a*, ~ night oíche spéirghealaí

starry *a* réaltach, réaltógach

start *n* bíog, geit, preab, cliseadh; tosú, tús, to give a person a ~ tosach a thabhairt do dhuine; geit a bhaint as duine, in fits and ~s i spailpeanna, i dtreallanna *vt & i* bíog, geit, clis; tosaigh, tionscain, bunaigh, she ~ed to cry chrom sí ar chaoineadh, to ~ an engine inneall a dhúiseacht

starter *n*, (of engine) dúisire; scaoilteoir; céadchúrsa

starting-point *n* pointe imeachta

startle *vt & i* geit, clis, to ~ a person bíogadh, geit, a bhaint as duine

startling *a* geiteach; scanrúil

starvation *n* ocras, gorta

starve *vt & i*, to ~ to death bás a fháil den ocras, to ~ a person bás duine a thabhairt leis an ocras, I am starving tá mé stiúgtha leis an ocras

state *n* bail, dóigh, riocht, cruth, staid; toisc; céim, dínit, maorgacht, mustar; stát, tír, lying in ~ luí faoi ghradam *vt*, abair, maígh

stately *a* maorga, státúil, ~ *woman* stáidbhean

statement *n* ráiteas; cuntas

statesman *n* státaire

statesmanlike *a*, *in a* ~ *manner* mar a dhéanfadh státaire maith

statesmanship *n* státaireacht

state-sponsored *a* státurraithe

static *a* statach

station *n* stáisiún, *naval* ~ port cabhlaigh, *bus* ~ busáras, *his* ~ *in life* a chéim, a ionad, sa saol, *the Stations of the Cross* Turas na Croise *vt*, *to* ~ *troops* trúpaí a chur ar stáisiún

stationary *a* ar stad, i do sheasamh

stationer *n* páipéaraí, ~'s *shop* siopa páipéar

stationery *n* páipéarachas

statistic(s) *n* staitistic; staidreamh

statistical *a* staitistiúil

statue *n* dealbh, íomhá

statuesque *a* dealbhach, maorga, státúil

stature *n* airde; clú, tábhacht

status *n* oireachas, stádas, céim

statute *n* reacht *a* reachtúil

statutory *a* reachtúil

staunch *a* diongbháilte, seasmhach *vt*, *to* ~ *blood* fuil a chosc

stave *n* clár, taobhán, (*of music*) cliath; rann, véarsa *vt*, ~ *off* coisc, cuir ar gcúl

stay¹ *n* cónaí, fanacht, lonnú, oiriseamh *vt* & *i* stad, stop, fan, lonnaigh, mair; coisc, *where are you* ~ *ing?* cá bhfuil tú ag cur fút?

stay² *n* (téad) taca

stay-at-home *n* cos ina cónaí

staying-power *n* teacht abhaile, buaine

stead *n*, *it stood me in good* ~ bhí sé an-fhóinteach dom, sheas sé dom, *in a person's* ~ in ionad duine

steadfast *a* daingean, diongbháilte, seasmhach, tairiseach, dílis

steady *a* neamhchorrach; socair; seasta; staidéarach, stuama *vt* stuamaigh, socraigh, *to* ~ *a table* bord a dhaingniú

steak *n* stéig

steal *vt* & *i* goid, *to* ~ *away* éalú, téaltú, *to* ~ *up on a person* teacht go fáilí ar dhuine, goid isteach ar dhuine

stealing *n* gadaíocht, goid

stealth *n* fáilíocht, *by* ~ go fáilí, go formhothaithe

stealthy *a* fáilí, *stealthily* go formhothaithe

steam *n* gal, deatach *vt* & *i* galaigh

steam-engine *n* galinneall

steamer *n* galtán, (*cooker*) galchorcán

steam-roller *n* galrollóir

steed *n* each

steel *n* cruach *vt*, *to* ~ *oneself to do sth* do mhisneach a chruinniú chun rud a dhéanamh

steep¹ *a* rite, crochta, géar

steep² *vt* maothaigh, *to* ~ *sth in water* rud a chur ar maos, ar bogadh, in uisce, *to* ~ *flax* líon a fholcadh, a phortú, a bhá

steeple *n* spuaic

steeplechase *n* léimrás

steer *vt* & *i* stiúir, *to* ~ *clear of sth* fanacht amach ó rud, rud a sheachaint

steering-wheel *n* roth stiúrtha

stem¹ *n* gas; cos; lorga, ~ *of boat* tosach báid, stuimine

stem² *vt* coisc, stop

stench *n* bréantas

stencil *n* stionsal *vt*, *to* ~ *sth* rud a chló le stionsal

stenographer *n* gearrscríobhaí

step *n* céim, coiscéim, troigh *vt* & *i* siúil, céimnigh

step- *a* leas-

stepmother *n* leasmháthair

steppe *n* steip

stepping-stone(s) *n* clocha cora, clochán

stepson *n* leasmhac

stereo *n* steiréafón *a* steiréafónach

stereotype *n* steiréaphláta *vt* plátáil

stereotyped *a* buanchruthach, nósúil

sterile *a* aimrid; steiriúil

sterility *n* aimride; steiriúlacht

sterilize *vt* aimridigh, steiriligh

sterling *a* fíor-, *pound* ~ punt Sasanach

stern¹ *n* deireadh (báid, loinge)

stern² *a* dian, crua; fiata

stethoscope *n* steiteascóp

stevedore *n* stíbheadóir

stew *n* stobhach *vt* stobh

steward *n* maor, stíobhard, reachtaire; (aer)óstach

stewardess *n* banmhaor; (aer)óstach

stick¹ *n* bata, maide; cipín

stick² vt & i sáigh, rop, sac; greamaigh, ceangail, ~ing out ag gobadh amach, to ~ to the work cloí leis an obair, to ~ it out an cúrsa a sheasamh

stickleback n garmachán

sticky a greamaitheach, ceangailteach; righin, achrannach; doilígh, deacair

stiff a righin, dolúbtha, docht, stalcach, stromptha, (of examination, etc) dian, crua, deacair

stiffen vt & i righnigh, cruaigh, stalc, stolp, stromp, cancraigh

stifle vt & i múch, plúch, tacht, coisc

stifling a plúchtach, tachtach, coisctheach

stigma n smál, spota; stiogma

stile n dreapa, céim

still¹ n stil

still² n grianghraf, stadán, in the ~ of the night i gciúnas na hoíche a ciúin, so-cair, ~ life ábhar neamhbheo adv go fóill, i gcónaí, fós, ar fad, nicer ~ níos deise fós vt & i ciúnaigh, suaimhnigh, socraigh

still-born a, ~ child marbhghin

stillness n ciúnas

stilted a craptha

stilts npl cosa croise

stimulant n spreagthóir, gríosaitheach

stimulate vt gríosaigh, spreag

stimulus n spreagadh

sting n cealg, ga; goimh, deann; goineog, to take the ~ out of it an iaróg a bhaint as vt & i cealg, goin, loisc, gathaigh

stingy a ceachartha, sprionlaithe, gortach, cruálach

stink n bréantas vt & i, to ~ bheith bréan, it ~s tá boladh bréan as, to ~ a person out duine a ruaigeadh le droch-bholadh

stint n ceangal, bac; dreas oibre, the daily ~ tasc an lae vt coigil, cum, cúngaigh ar

stipend n tuarastal

stipulate vt & i éiligh, to ~ for sth coinníoll a dhéanamh de rud

stipulation n coinníoll, agó

stir n bogadh, cor, corraíl vt & i bog, corraigh, measc, ~ up oibrigh

stirabout n brachán

stirring a corraitheach, gríosaitheach, storrúil

stirrup n stíoróip

stitch n greim, lúb (chniotála); arraing; tointe, ruainne vt & i fuaigh, to ~ sth greim (fuála) a chur i rud

stoat n easóg

stock n stoc, bun, ceap; bunadh, maicne, sliocht; (penal) ~s branraí, ceapa; (goods) stór, ~ exchange stoc-mhalartán vt, to ~ goods earraí a choimeád, to ~ a farm eallach, stoc, a chur ar fheirm

stockbroker n stocbhróicéir

stocking n stoca

stockpiling n stocthiomsú

stocktaking n stocáireamh

stocky a blocánta, suite, ~ person dal-caire

stodge n stolp vt & i pulc; srac, spágáil

stodgy a stolpach, stalcach; trom, leamh

stoical a stóchúil; fealsúnach, fad-araíonach

stoicism n stóchas

stoke vt & i stócáil

stoker n stócálaí

stole n stoil

stolid a dochorraithe, fuaraigeanta, ~ man stollaire fir

stomach n goile, bolg, méadail vt fulaing, cuir suas le

stone n cloch, lia; doirneog, méaróg, flat ~ leac, standing- ~, pillar - ~ gallán, stollaire vt, to ~ a person clocha a chaitheamh le duine, to ~ fruit na clocha a bhaint as torthaí a, ~ dead chomh marbh le hart

stonechat n caisín cloch

stony a clochach, creagach, leacach; crua, ~ place clochar, creagán

stook n stuca vt stuc

stool n stól, to fall between two ~s léim an dá bhruach a chailleadh

stoop n cromadh, sleabhac, dioc vi crom, umhlaigh, íslígh

stop n stad, stop, moill, cónaí; cosc; ponc, full ~ lánstad vt & i coisc, dún; stop, stad, seas; lonnaigh, staon, scoir; fan, ~! cuir uait! to ~ drinking ligean den ól, éirí as an ól

stopgap n sceach i mbéal bearna

stoppage n bac, cosc; stopainn

stopper n stopallán, dallán, piollaire

storage n stóráil, cóir stórála, ~ heater taiscthéitheoir

store *n* stór, taisce, cnuasach, stóras *pl* lón, *department* ~ siopa ilranna, *what was in* ~ *for her* an rud a bhí i ndán di *vt* stóráil, stuáil, coinnigh, taisc, cnuasaigh

storey *n* stór; staighre, *two* ~ *house* teach dhá stór, teach dhá urlár

stork *n* corr bhán

storm *n* stoirm, anfa, doineann; racán, callán, gleo, *to take a place by* ~ áit a ghabháil (le lámh láidir) *vt & i* éignigh, ionsaigh, gabh, (*of wind, rain, etc*) gread, steall

stormy *a* stoirmeach, doineanta; callánach

story *n* scéal; stair

story-teller *n* scéalaí, seanchaí, staraí

stout[1] *n* leann dubh

stout[2] *a* calma, cróga; téagartha, ramhar

stove *n* sornóg

stow *vt & i* stuáil, taisc, *to* ~ *away* fanacht i bhfolach (ar bhád, etc); dul ar bord (loinge, etc) gan fhios

stowaway *n* folachánaí (ar bhád)

straddle *n* srathair *vt & i*, *to* ~ *bheith, dul, ar scaradh gabhail, *to* ~ *a horse* tú féin a scaradh ar chapall

straggler *n* seachránaí, straigléir, strambánaí, malluaireach

straggling *a* streachlánach, sraoilleach

straight *n & a* díreach *adv*, ~ *away* lom díreach, caol díreach, glan díreach

straighten *vt & i* dírigh

straightforward *a* díreach, ionraic; simplí

strain *n* teannas, tarraingt, straidhn, strus; dua, (*of music*) streancán, séis, cuach, siansa; féith; cineál, pór *vt & i* teann; sníomh, stang; scag, síothlaigh, *don't* ~ *yourself* ná cuir masla ort féin, ná cuir thú féin thar d'acmhainn

strainer *n* síothlán, stráinín

strait *n* caolas, sunda; teannta, éigean *a* cúng, caol

straitened *a*, *in* ~ *circumstances* ar an ngannchuid

strand[1] *n* trá *vt*, *the ship was* ~ *ed on the sandbank* thriomaigh an long ar an oitir, *to be* ~ *ed* bheith tréigthe, bheith fágtha ar an trá fholamh

strand[2] *n* dual, dlaoi, tointe

strange *a* iasachta, coimhthíoch, strainséartha; iontach; greannmhar, deoranta, aduain, aisteach, ~ *land* coigríoch

stranger *n* strainséir, coimhthíoch, eachtrannach

strangle *vt* tacht

strap *n* iall, strapa, iris *vt* strapáil, *to* ~ *sth up* rud a fháscadh le strapaí

strapping *a* scafánta, scolbánta, ~ *fellow* scafaire, stollaire, strapaire

stratagem *n* cleas, beartaíocht

strategic *a* straitéiseach

strategy *n* straitéis

stratosphere *n* strataisféar

stratum *n* ciseal, sraith

straw *n* cochán, tuí; coinlín, sop, sifín, *the last* ~ *buile na tubaiste, *it's not worth* *a* ~ ní fiú tráithnín, brobh, é

strawberry *n* sú talún

strawboy *n* cleamaire

straw-rope *n* súgán

stray *n* ainmhí seachráin, (*of person*) fánaí, straeire, seachránaí *a* fánach, iomrallach *vi* fuaidrigh, *to* ~ *dul ar fán, dul amú, dul ar strae

streak *n* stríoc, riabh, síog, treall; féith *vt* síog

streaky *a* stríocach, síogach, treallach

stream *n* sruth(án), sreabh, glaise, ~ *of smoke* púir dheataigh *vi* sruthaigh, sreabh, sil, (*of hair, etc*) síob

streamer *n* sraoilleán

streamlet *n* sruthán, altán

streamlined *a* leabhairchruthach, sruthlíneach

street *n* sráid, *man in the* ~ *gnáthdhuine

strength *n* neart, láidreacht, cumhacht, treise, urrúntacht, *on the* ~ *of* i ngeall ar, mar gheall ar

strengthen *vt & i* neartaigh, treisigh, daingnigh

strenuous *a* crua, dian, teann

stress *n* teann, dua, strus, stró, saothar; béim ghutha, aiceann *vt*, *to* ~ *sth* béim a chur, a leagan, ar rud

stretch *n* tarraingt, síneadh; réimse, stáir, ~ *of mountainside* learg sléibhe, *by a long* ~ *go mór fada ó sin, searr, tarraing, righ, *to* ~ *oneself* searradh a bhaint asat féin, *the cloth* ~ *ed* tháinig as an éadach

stretcher *n* sínteán; cnaiste (leapa)

strew *vt* leath, scaip, scar, greagnaigh, easraigh

strict a docht, dian, díongbháilte

stricture n cosc, srian, *to pass* ~s *on a person* duine a cháineadh, locht a fháil ar dhuine

stride n céim (fhada), truslóg; siúl, imeacht, *to get into one's* ~ breith ar do ghreamanna vi, *he was striding along* bhí sé ag céimniú roimhe

strife n achrann, bruíon, deabhaidh, imreas

strike n stailc; buille, (*of oil etc*) aimsiú, *lucky* ~ sciorta den ádh vt & i buail, gread, bain, smiot, cnag, cniog, *to* ~ *against sth* bualadh faoi rud, *to* ~ *a rate* sraith a ghearradh, *what struck me most* an rud is mó ar chuir mé sonrú ann, (*of workers*), *to* ~ dul ar stailc, *to* ~ *up a song* amhrán a chrochadh suas, *to* ~ *a fighting attitude* goic throda a chur ort féin, *to* ~ *oil* teacht ar ola

striker n stailceoir; buailteoir, cnagaire, buailteán

striking n bualadh a béimneach; suaithinseach, feiceálach

string n sreang, corda, téad, ~ *of pearls* trilsín péarlaí, vt *to* ~ *a parcel* beart a cheangal le sreangán, *to* ~ *things together* rudaí a chur ar sreang

stringent a géar, dian

stringy a snáithíneach, sreangach

strip n stiall, leadhb, stráice, ciumhais

strip [2] vt & i nocht, lom, lomair, scamh, struipeáil, *to* ~ *baint díot*, *to* ~ *a salmon* bradán a bhléan, *to* ~ *a cow* bó a shniogadh

stripe n stríoc, riabh, síog

striped a riabhach, stríocach

strive vi troid, streachail, srac, sníomh (le), *striving for promotion* ag dréim le hardú céime

stroke [1] n buille, béim, stríoc, stróc, *by a* ~ *of luck* ar ámharaí an tsaoil, ~ *of work* stróic oibre, scaob oibre vt, *to* ~ *sth out* rud a chealú, a shíogadh

stroke [2] vt slíoc, cuimil

stroll n siúlóid, spaisteoireacht vi, ~*ing* ag spaisteoireacht, ag fálróid, ag válcaeireacht; ag siúl ar do bhogstróc

strong a láidir, neartmhar, tréan, dian, groí, teann; acmhainneach, urrúnta, ~ *drink* biotáille

stronghold n daingean, dún, dúnfort

strongminded a rúndaingean, intinneach

structural a struchtúrach

structure n foirgneamh; comhdhéanamh, déanmhas, struchtúr vt céimnigh, struchtúraigh

struggle n gleic, spairn, coimhlint, coimheascar vi spairn, srac, sraon, streachail, *to* ~ *along* bheith ag strácáil leat

strum n streancán vt & i méaraigh, *strumming on a guitar* ag streancánacht ar ghiotár

strut [1] n teanntóg vt, *to* ~ *sth* teanntóga a chur le rud

strut [2] n siúl giodalach vi, ~ siúl go gaigiúil, go móiréiseach

strychnine n stricnín

stub n bun, smut, snab vt, *to* ~ *one's toe against sth* do ladhar a smiotadh ar rud, *to* ~ *out a cigarette* toitín a mhúchadh

stubble n coinleach

stubborn a stuacach, stalcach, stóinsithe, cadránta

stubbornness n stuacacht, stalcacht, ceanndánacht, dúire

stuck-up a, *to be* ~ uabhar a bheith ort

stud [1] n stoda; bocóid vt greagnaigh, *to* ~ *sth with jewels* rud a bhreacadh le seoda

stud [2] n graí, ~ *horse* graíre

student n mac léinn, dalta, *clerical* ~, ábhar sagairt

studio n stiúideo

studious a staidéarach

study n staidéar, léann; seomra staidéir, *he is in a brown* ~ tá sé ar a mharana vt & i foghlaim, ~*ing* ag staidéar, ag déanamh léinn *to* ~ *a subject* staidéar a dhéanamh ar ábhar

stuff n ábhar, stuif, mianach; éadach; dramhaíl vt & i ding, pulc, stuáil, sac, líon

stuffing n stuáil; búiste

stuffy a plúchtach; tur, cúisiúil

stumble n tuisle vi tuisligh, *to* ~ *on the answer* teacht de thaisme ar an bhfreagra

stumbling-block n ceap tuisle

stump n stumpa, nuta, sciotán, bun, smut, *pine* ~ cailleach ghiúise vt stumpáil

stumpy a dúdach, giortach, smutach

stun vt, to ~ a person néal a chur ar dhuine, the news stunned me bhain an scéala an anáil díom

stunning a treascrach, millteanach

stunt[1] n cleas

stunt[2] vt crandaigh

stunted a cranda, giortach

stupefy vt dall, maolaigh, to ~ a person stangaire a dhéanamh de dhuine

stupendous a iontach, áibhéalta

stupid a dúr, dobhránta, bómánta, ainbhiosach, ~ person dúramán, pleota

stupidity n dúire, daille, bómántacht

stupor n néal, támh, toirchim

sturdy a tacúil, urrúnta

stutter n stad, snagaireacht vi, to ~ labhairt go stadach

sty[1] n fail muice, cró muice

sty[2] sleamhnán, craobhabhar

style n stíl, nós, déanamh, faisean

stylish a faiseanta, galánta, stíleach

suave a síodúil, plásánta

subconscious n fo-chomhfhios a fo-chomhfhiosach

subcontractor n fochonraitheoir

subdue vt cloígh, smachtaigh, ceansaigh; maolaigh

subdued a ceansaithe, cloíte; maol-chluasach

subject n géillsineach; (grammar) ainmní; ábhar a umhal (do), to be ~ to a person's authority bheith faoi lámh, réir, duine vt ceansaigh, cuir faoi smacht; cuir ar

subjection n smachtú, géilleadh, géillsine

subjective a suibiachtúil

subjunctive n & a foshuiteach

sublime a oirirc, uasal

submarine n fomhuireán a fomhuirí

submerge vt & i báigh, tum, folc, téigh faoi uisce

submission n géilleadh; umhlóid, umh-laíocht, stríocadh; aighneacht

submissive a géilliúil, umhal

submit vt & i géill, stríoc, umhlaigh; cuir isteach, to ~ work to one's superior obair a chur faoi bhráid d'uachtaráin

subnormal a fonormálta

subordinate n íochtarán a íochtaránach vt fo-ordaigh, íslígh

subscribe vt & i foscríobh, to ~ to an opinion taobhú le tuairim, moladh le

tuairim, to ~ ten pounds síntiús deich bpunt a thabhairt

subscriber n foscríobhaí; síntiúsóir

subscription n síniú; aontú; lámhaíocht, síntiús

subsequent a iartheachtach, at a ~ meeting ag cruinniú ina dhiaidh sin

subsequently adv ina dhiaidh sin

subservient a spleách; sclábhánta, not to be ~ to a person gan a bheith faoi shotal do dhuine

subside vi socraigh, síothlaigh, maolaigh, traoith, íslígh

subsidence n tabhairt faoi, trá, síothlú

subsidiary a cúnta, tánaisteach, seach-, ~ company fochomhlacht

subsidize vt, to ~ sth fóirdheontas a thabhairt do rud

subsidy n fóirdheontas

subsist vi mair

subsistence n maireachtáil, ~ wage pá cothabhála

subsoil n gaíon, fo- ithir

substance n substaint, brí, fuaimint, bunús, téagar; ábhar, damhna

substandard a, ~ housing tithe faoi bhun an ghnáthchaighdeáin

substantial a substaintiúil, bunúsach, fuaimintiúil, tathagach, acmhainneach

substantiate vt, to ~ sth bunús a thabhairt le rud

substantive n ainmfhocal

substitute n ionadaí, fear ionaid, as a ~ for tea in ionad tae, rubber ~ rubar tacair a ionadach vt ionadaigh, to ~ one thing for another rud a chur in ionad ruda eile

substitution n ionadú; ionadaíocht

substratum n foshraith, bunsraith

subtle a fíneálta, caol, caolchúiseach, glic

subtlety n fíneáltacht, caolchúis; mion-difríocht

subtract vt & i dealaigh

subtraction n dealú

suburb n fo-bhaile, bruachbhaile

suburban a fo-bhailteach

subvention n teanntaíocht

subversion n treascairt; suaitheadh

subversive a treascrach, suaiteach

subvert vt treascair, to ~ a person duine a chur de dhroim seoil; duine a shaobhadh

subway n fobhealach

succeed vt & i lean, to ~ a person teacht in áit duine, teacht i ndiaidh duine, to ~ to an estate eastát a fháil mar oidhreacht, if you ~ má éiríonn leat, má ritheann leat, I have ~ed tá liom

success n rath, it was a great ~ d'éirigh go hiontach leis

successful a rathúil

succession n sraith; comharbas, in ~ i ndiaidh a chéile

successive a leanúnach, two ~ days dhá lá i ndiaidh a chéile, as a chéile

successor n comharba, oidhre

succour n fóirithint, fortacht vt fóir ar

succulent a súmhar

succumb vi, to ~ to géilleadh do

such a, ~ a thing, a person a leithéid de rud, de dhuine, we were in ~ a hurry bhí a oiread sin deifre orainn, on ~ and ~ a day a leithéid seo de lá, lá mar seo, ~ is life sin é an saol, ~ is not my intention ní hé sin atá i gceist agam, in ~ a way (that) sa dóigh (is) go, i slí (go), ionas (go) pron, note-books and ~ leabhair nótaí agus a leithéidí, history as ~ an stair ina cáilíocht féin

suchlike a, ~ people daoine den chineál sin, a leithéidí sin de dhaoine pron, dresses and ~ gúnaí agus a leithéidí, gúnaí agus mar sin de

suck vt & i diúl, súigh, súraic, tarraing, to ~ up to a person lúitéis, tláithíneacht, a dhéanamh le duine

sucker n diúlaí; súmaire; amadán; meathán

suckle vt tál ar; oil; diúl

suckling n siolpaire a, ~ calf lao diúil

suction n sú, súiteán, súrac, tarraingt

sudden a tobann, grod, prap

suddenly adv go tobann, de gheit, de hap, de phreab

suddenness n tobainne

suds n sobal

sue vt agair, to ~ a person an dlí a chur ar dhuine

suede n svaeid

suet n geir

suffer vt & i fulaing, céas; broic le, cuir suas le, he ~s from asthma bíonn an múchadh ag cur air

sufferance n, on ~ le caolchead

suffering n fulaingt, pian, páis a fulangach, céasta

suffice vi, that will ~ me déanfaidh sin gnó, cúis, dom; tá mo dhóthain ansin, ~ it to say (that) is leor a rá (go)

sufficient a, that is ~ to feed him is leor sin lena chothú, a hundred pounds will be ~ déanfaidh céad punt an gnó

suffix n iarmhír

suffocate vt & i múch, plúch, tacht

suffocation n múchadh, plúchadh, tachtadh

suffrage n vóta, guth; ceart vótála

suffragette n sufraigéid

sugar n siúcra vt siúcraigh

sugary a siúcrúil

suggest vt spreag; mol

suggestion n moladh; leid, gaoth an fhocail, leathfhocal

suggestive a dúisitheach; gáirsiúil

suicidal a féinmharfach

suicide n féinmharú; féinmharfóir

suit n ceiliúr pósta; achainí, iarratas; culaith; (cards) dath, (legal) cúis dlí vt & i oiriúnaigh, oir (do), feil (do), it ~s you well gabhann sé go breá duit, to ~ cards cártaí a chúpláil, ~ yourself déan do rogha rud, pé rud is maith leat

suitability n oiriúnacht

suitable a feiliúnach, oiriúnach, fóirsteanach; cóiriúil

suit-case n mála taistil

suite n cóisir, foireann

suitor n suiríoch

sulk n stuaic, stailc, tormas vi, to ~ stailc a chur suas, dul chun stuaice

sulky a stuacach, stalcach, pusach, smuilceach, ~ expression pus, smut

sullen a dúr(anta); confach, dodach, púiciúil, ~ expression stuaic, stainc

sulphide n suilfíd

sulphur n ruibh, sulfar

sulphuric a ruibheach

sultan n sabhdán

sultana n bansabhdán, (raisin) sabhdánach

sultry a brothallach, meirbh, trom, marbhánta

sum n suim, to do ~s suimeanna a dhéanamh vt, to ~ up sth rud a choimriú

summarize vt coimrigh, achoimrigh

summary n coimriú, achoimre; suim

summer *n* samhradh
summerhouse *n* grianán
summery *a* samhrata
summit *n* barr, mullach, buaic, ~ *conference* cruinniú mullaigh
summon *vt* toghair, scairt ar, glaoigh ar, *to* ~ *up one's courage* do mhisneach a chruinniú
summons *n* toghairm; gairm, cuireadh, fógra *vt* seirbheáil
sump *n* umar (ola)
sumptuous *a* costasach, ollásach
sun *n* grian *vt, to* ~ *oneself* tú féin a ghrianadh
sunbathe *vi, to* ~ bolg le gréin a dhéanamh
sunburn *n* dó gréine
Sunday *n* Domhnach, *on* ~ Dé Domhnaigh
sundial *n* grianchlog
sundry *a* difriúil, éagsúil, ~ *expenses* ilchostais *npl* ilnithe
sunflower *n* nóinín na gréine, lus na gréine
sunglasses *npl* gloiní gréine, spéaclaí gréine
sunlight *n* solas na gréine, grian
sunny *a* grianmhar, grianach; gealgháireach, ~ *day* lá gréine
sunrise *n* éirí (na) gréine
sunset *n* luí gréine, dul faoi na gréine, fuineadh gréine
sunshine *n* taitneamh na gréine, grian
sunstroke *n* goin ghréine
suntan *n* buí
sunwise *adv* deiseal
sup *n* bolgam, súmóg, sciobas *vt & i, to* ~ *sth* súimín a bhaint as rud, *to* ~ suipéar a chaitheamh
super *a* ar fheabhas, thar barr, for-, os-, sár-,
superannuation *n* pinsean
superb *a* ar fheabhas, thar barr, sár-
superficial *a* éadrom, *a* ~ *knowledge* crothán eolais, eolas fánach, breaceolas
superfluous *a* iomarcach
superhuman *a* fordhaonna
superimpose *vt* forshuigh
superintend *vt* stiúir, feighil
superintendent *n* maoirseoir, feitheoir; ceannfort
superior *n* uachtarán *a* uachtarach, for-;

ardnósach, *I have one* ~ *to that* tá a sháru sin agam, ~ *in numbers* níos líonmhaire, ~ *strength* forneart
superiority *n* barr, barr feabhais; lámh in uachtar, binnbharraíocht
superlative *n,* (*grammar*) sárchéim *a* sármhaith, tofa, (*grammar*) sárchéimeach
supermarket *n* ollmhargadh
supernatural *a* osnádúrtha
supersede *vt, to* ~ *a person* duine a chur in ionad duine eile; dul in áit duine, *that method is now* ~ *d* tá an modh sin imithe as feidhm anois
supersonic *a* forshonach
superstition *n* piseog, geasróg
superstitious *a* piseogach
supervise *vt, to* ~ *work* maoirseacht, feitheoireacht, a dhéanamh ar obair
supervision *n* feitheoireacht, maoirseacht, stiúradh
supervisor *n* maor, feitheoir, maoirseoir
supine *n* faonán *a & adv* faon; droim faoi
supper *n* suipéar
supple *a* aclaí, ligthe, lúfar, umhal
supplement *n* forábhar, forlíonadh *vt* forlíon, *to* ~ *one's income* cur le do theacht isteach
suppliant *n & a* impíoch, achainíoch
supplier *n* soláthraí; lónadóir
supply *n* soláthar, lón; riar, *a month's* ~ dóthain míosa, díol míosa *vt* soláthair, riar
support *n* tacaíocht, taca, cúl, neartú *vt* iompair, tacaigh, fulaing, taobhaigh le, *to* ~ *a person* neartú le duine, seasamh le duine
supporter *n,* (*of person*) taobhaí, tacaí, cuiditheoir; taca
suppose *vt & i* cuir(eam) i gcás; abair; creid, *it is, I* ~ tá, is dócha, ~ *d to be* in ainm a bheith
supposition *n* barúil, cur i gcás, *on the* ~ (*that*) i gcleithiúnas go
suppress *vt* coisc, múch, ceil, brúigh fút, cuir faoi chois
suppression *n* cur faoi chois; ceilt
suppurate *vi, to* ~ braon, ábhar, angadh, a dhéanamh; líonadh
supremacy *n* ceannas, forlámhas, lámh in uachtar
supreme *a* ardcheannasach, sár-, ard-

surcharge n formhuirear, breischáin vt, to ~ sth breischáin a ghearradh ar rud

sure a cinnte, dearfa, deimhin, I'm ~ (that) bíodh geall air (go), gabhaim orm (go)

sureness n cruinneas, deimhneacht, cinnteacht

surety n urra; áirithe, to go ~ for a person dul i mbannaí, in urraíocht, ar dhuine

surf n bruth farraige

surface n dromchla, uachtar, barr, craiceann vt & i, to ~ sth dreach a chur ar rud, to ~ a road craiceann a chur ar bhóthar, to ~ (in water) teacht ar barr uisce

surf-board n clár toinne

surfeit n ceas vt, to ~ oneself masmas, ceas, a chur ort féin

surge n réablach, borradh farraige, ~ of anger rabharta feirge vi barr, tonn, brúcht

surgeon n máinlia

surgery n máinliacht; seomra freastail dochtúra

surly a gairgeach, duasmánta, dorrga, ~ expression smuilc, gramhas

surmise n buille faoi thuairim, barúil vt síl, ceap, to ~ (that) barúil a bheith agat (go)

surmount vt sáraigh, cloígh, cinn ar

surname n sloinne

surpass vt sáraigh, buail, to ~ a person barr a bhreith ar dhuine, duine a bhualadh amach, cinneadh ar dhuine

surplice n suirplís

surplus n fuíoll, farasbarr, barrachas

surprise n ionadh, iontas, ~ visit cuairt gan choinne vt, to ~ a person teacht aniar aduaidh, go fáilí, ar dhuine; ionadh a chur ar dhuine, to be ~d at sth iontas a bheith ort faoi rud, that ~s me is aisteach, ionadh, liom sin

surprising a iontach, aisteach

surrealism n osréalachas

surrender n géilleadh, tabhairt suas vt & i géill, tabhair isteach

surreptitious a ganfhiosach, faoi choim, fáilí

surround vt timpeallaigh

surrounding a & adv & prep timpeall, the ~ country an tír máguaird npl timpeallacht

surtax n breischáin, forcháin

surveillance n airdeall, faire

survey n léiriú, iniúchadh; suirbhé vt scrúdaigh, iniúch, to ~ a district suirbhéireacht a dhéanamh ar cheantar

surveyor n suirbhéir

survival n marthanas, teacht slán; iarsma

survive vt & i, to ~ maireachtáil, teacht slán, téarnamh, he ~d thug sé a cheann leis, he will not ~ the night ní sháróidh sé an oíche, to ~ a person maireachtáil i ndiaidh duine

survivor n marthanóir, éalaitheach, iarmharán, fear inste scéil

susceptible a leochaileach, sobhogtha, freagrach (do), ~ to subsidence i mbaol turnaimh, ~ to colds tugtha don slaghdán

suspect n díol amhrais a amhrasach vt, to ~ a person drochamhras a bheith agat ar dhuine, amhras a chaitheamh ar dhuine, I ~ed as much sin é a bhí mé a cheapadh, níor mheath mo bharúil orm

suspend vt croch, to ~ judgment breith a chur ar fionraí, ~ed in a liquid ar fuaidreamh i leacht

suspender n crochóg pl gealas

suspense n beophianadh, fionraí, in ~ ar bís

suspension n crochadh; fionraí; fuaidreamh, ~ of business scor gnó

suspicion n amhras

suspicious a amhrasach

sustain vt iompair, cothaigh, fulaing; lean de

sustenance n beatha, cothú, cothabháil

swab n ceirt, maipín; táithín cadáis vt, to ~ sth rud a ghlanadh le ceirt

swaddling-clothes npl bindealáin

swagger n guailléail; gaisce vi, to ~ goic a chur ort féin, mustar a dhéanamh

swallow[1] n fáinleog

swallow[2] n slog vt slog, lig siar, alp

swallow-hole n slogaide, súmaire, poll súraic

swamp n eanach, seascann, criathar vt & i báigh, folc, slog

swan n eala

swank n gaisce, galántacht; gaige vi, to ~ gaisce, stró, a dhéanamh

swap n iomlaoid, malairt vt babhtáil, malartaigh

swarm n saithe, scaoth, grathain, púir vi, to ~, (of bees) saithe a chaitheamh, ~ing with them dubh, druidte, foirg-the, leo

swarthy a crón, ciar, dóisceanta

swat vt smiot

swath n sraith, slaod

swathe vt fáisc

sway n luascadh; réim, riail, svae vt & i luasc, ~ing ag máinneáil, ag lon-gadán, ag gúngáil; ar luascadh, to ~ a person's opinion dul i bhfeidhm ar dhuine

swear vt & i eascainigh, mionnaigh, leabhraigh, I ~ to God idir mé is Dia; dar Dia, I could have sworn (that) thabharfainn an leabhar (go)

swear-word n eascaine, mionn

sweat n allas vt & i, to ~ allas a chur, (of wall, etc) taisrigh

sweater n geansaí

sweaty a allasach

swede n, (turnip) svaeid

sweep n scuabadh, buille scuaibe; réimse; glantóir simléar, ~ of river lúb abhann vt & i scuab; sciurd

sweeper n, carpet ~ scuabadóir cairpéad

sweeping a scuabach, scóipiúil, fairsing, faoileanda

sweepstake n crannchur, scuabgheall

sweet n milseán, (dessert) milseog a milis; binn; cumhra

sweetbread n briseán (milis)

sweeten vt & i milsigh, úraigh, cumhraigh

sweetheart n leannán, muirnín, céadsearc

sweetness n milseacht; cumhracht; binneas

swell n, (of sea) suaill, borradh (farraige), fág vt & i at, borr, séid, bolg

swelling n at, meall, borradh, forlíonadh

sweltering a beirithe, brothallach, bruithneach, ~ heat beirfean teasa

swerve n fiaradh, scinneadh ar fiar vi, to ~ fiaradh go tobann, scinneadh ar fiar

swift[1] n gabhlán gaoithe

swift[2] a mear, luath, éasca

swig n slog, gáilleog vt slog

swill n grúdarlach; sruthlú vt & i sruth-laigh, taosc, slog, ~ing drink ag déanamh craos dí

swim n & vt & i snámh

swimmer n snámhóir

swimsuit n culaith shnámha

swindle n caimiléireacht, calaois vt & i plucáil, to ~ a person calaois a dhéanamh ar dhuine

swindler n caimiléir, cneámhaire

swine n muc, mucra; cneámhaire, cladh-aire

swing n luascadh, aistriú, athrú tobann; luascán, in full ~ faoi lánseol vt & i luasc

swing-boat n bád luascáin

swing-door n luascdhoras

swinging a luascach

swipe n flip, glám vt & i, to ~ at the ball tarraingt ar an liathróid (de fhlip), to ~ sth rud a sciobadh

swirl n cuaifeach, guairneán

swish n seabhrán, siosarnach vt & i, to ~ a rod seabhrán a bhaint as slat

switch n slat, lasc, fleasc vt lasc; aistrigh, to ~ on the light, the radio an solas, an raidió, a chur ar siúl, to ~ off the light solas a mhúchadh

switchboard n lasc-chlár; malartán

swivel n sclóin vi, to ~ casadh ar sclóin

swivel-chair n cathaoir sclóine

swollen a borrach, ata

swoon n fanntais, laige, néal vi, to ~ titim i bhfanntais, i laige

swoop n ruathar, ráib, sitheadh, scríob vi, to ~ on sth teacht anuas de ruathar ar rud

sword n claíomh

swordfish n colgán

swordsmanship n claimhteoireacht

sworn a, ~ statement dearbhú faoi mhionn, ~ enemies deargnaimhde

swot n tiaráil (os cionn leabhar); tiarálaí vt & i, to ~ (a subject) tiaráil a dhéanamh (ar ábhar)

sycamore n seiceamar

syllable n siolla, smid

syllabus n siollabas

sylvan a coillteach

symbol n siombail, samhailchomhartha, samhaltán

symbolic a siombalach, fáthach, samhal-tach

symbolize vt siombalaigh, fíoraigh, samhailchomharthaigh

symmetrical a siméadrach

symmetry n siméadracht

sympathetic a báúil, páirteach, cásmhar

sympathize vi, to ~ with a person on sth comhbhrón a dhéanamh le duine faoi rud, rud a chásamh le duine

sympathy n trua, comhbhrón, bá

symphony n, ~ orchestra ceolfhoireann shiansach

symposium n siompóisiam

symptom n airí

synagogue n sionagóg

synchronize vt sioncrónaigh

syncopate vt coimrigh

syndicate n sindeacáit vt sindeacáitigh

syndrome n siondróm

synod n sionad

synonym n comhchiallach

synonymous a comhchiallach, ar comhchiall

synopsis n achoimre

syntax n comhréir

synthesis n sintéis

synthetic a sintéiseach, tacair

syphilis n sifilis, bolgach fhrancach

syringe n steallaire vt, to ~ sth rud a spré, a ní, le steallaire

syrup n síoróip, golden ~ órshúlach

system n córas

systematic a córasach, rianúil

T

tab n cluaisín

tabernacle n taibearnacal

table n bord, clár, tábla; cuibhreann

tableau n tabló

table-cloth n éadach boird, scaraoid

tablet n leac chuimhneacháin; táibléad; tabhall

taboo n geis

tabular a táblach

tabulate vt táblaigh

tacit a tostach, faoi thost

taciturn a dúnárasach, tostach

tack[1] n tacóid; greim gúshnáithe vt creimneáil, to ~ sth gúshnáithe a chur faoi rud; tacóidí a chur i rud

tack[2] vi bordáil, to ~ bord a chaitheamh, a thógáil

tackle n gléasra, tácla, úim; greamú vt tácláil; greamaigh, tabhair faoi

tact n cáiréis, tuiscint

tactful a cáiréiseach, tuisceanach

tactics npl oirbheartaíocht

tadpole n torbán, loscann, súmadóir

taffeta n tafata

tag n cluaisín, liopa, clib; nathán

tail n eireaball; eithre

tailor n táilliúir

taint vt smál vt & i truailligh, camhraigh, ~ed truaillithe; cortha, camhraithe

take vt beir, gabh, glac, tóg, I took sick ghabh, bhuail, tinneas mé, she took after her mother chuaigh sí lena máthair, when did it ~ place cathain a

tharla sé, to ~ off one's clothes do chuid éadaigh a bhaint díot, ~ it away with you ardaigh leat é, to ~ a jump léim a chaitheamh, the boat is taking water tá an bád ag déanamh uisce, to ~ up a trade gabháil le ceird, to ~ a rest do scíth a ligean, to ~ an oath mionn a thabhairt, he took to the mountains thug sé na sléibhte air féin

take-away n béilín amach

takeover n táthcheangal

takings npl fáltas

talcum n talcam

tale n eachtra, scéal, finscéal

talent n bua, éirim, tallann

talented a éirimiúil, tallannach, tréitheach

talk n caint; cabaireacht vi caintigh, labhair

talkative a cainteach, scéalach

talker n cainteoir

tall a ard

tallow n geir

tally n scór, cuntas

talon n crúb, ionga, crobh

tambourine n tambóirín, tiompán

tame a ceansa, cineálta vt ceansaigh, clóigh, minigh, smachtaigh

tamper vi, ~ with cuir isteach ar, ~ing with sth ag tincéireacht, ag spallaíocht, le rud, to ~ with a witness anáil a chur faoi fhinné

tan *n* coirt; dath na gréine *a* buí, crón *vt* coirtigh, cart, ~*ned by the sun* buí ón ngrian

tangent *n* tadhlaí, tangant

tangerine *n* táinséirín

tangible *a* inbhraite

tangle *n* achrann, aimhréidh, tranglam, ~ *of thread* gréasán snáithe

tanist *n* tánaiste

tank *n* tanc; umar

tankard *n* tancard

tanker *n* tancaer

tanner *n* súdaire

tannery *n* tonnús

tannin *n* tainnin

tantalize *vt* griog

tantrum *n* taghd, spadhar, racht feirge

tap[1] *n* buacaire, sconna, fóiséad

tap[2] *n* smitín, cnag, cniog *vt* cniog; bearnaigh, tarraing (as)

tape *n* ríbín, téip, ~ *measure* ribín tomhais, miosúr

taper *n* fáideog, coinneal; caolú *vt* & *i* caolaigh

tape-recorder *n* téipthaifeadán

tapestry *n* taipéis

tapioca *n* taipíoca

tap-root *n* meacan

tar *n* tarra *vt* tarráil

tardy *a* fadálach, malltriallach, righin

target *n* cuspóir, sprioc; marc; targaid

tariff *n* cáin, táille, taraif

tarmacadam *n* tarramhacadam

tarnish *n* smál, teimheal *vt* & *i* smálaigh, teimhligh

tarpaulin *n* tarpól

tarry *vi* seadaigh, moilligh

tart[1] *n* toirtín

tart[2] *a* géar

tartan *n* breacán

tartar *n*, *cream of* ~ gealtartar

task *n* cúram, obair, tasc; laisín

tassel *n* bobailín, scothóg, mabóg

taste *n* blas, tástáil, *to have a* ~ *for sth* dúil *a* bheith agat i rud *vt* & *i* blais, tástáil, *it* ~*s of fish* tá blas an éisc air

tasteless *a* leamh

tasty *a* blasta

tatter *n* cifle, giobal, leadhbóg, bratóg, slaimice

tattered *a* cifleogach, leadhbach, liobarnach, gioblach, sraoilleach

tattoo *n* tatú

taunt *n* creill, greannú, tarcaisne *vt* greannaigh, tarcaisnigh

Taurus *n* an Tarbh

taut *a* rite, teann

tavern *n* (teach) tábhairne

tawdry *a* suarach, táir

tawny *a* ciarbhuí, crón

tax *n* cáin

taxation *n* cánachas

taxi *n* tacsaí

taxidermist *n* seitheadóir

tea *n* tae

teach *vt* & *i* múin, teagasc, foghlaim

teacher *n* múinteoir, oide, máistir (scoile), máistreás (scoile)

teaching *n* múinteoireacht; teagasc

teak *n* téac

teal *n* praslacha, crannlacha

tea-leaves *npl* cnámhóga tae; duilleoga tae

team *n* foireann

teapot *n* taephota

tear[1] *n* deoir, *she burst into* ~*s* bhris a gol uirthi

tear[2] *n* réabadh, stolladh, stróiceadh *vt* & *i* réab, rois, stróic; srac

tearful *a* deorach, taidhiúir

tease *vt* clip, griog; spíon, *to* ~ *a person* dul ag cleithmhagadh ar dhuine, ag spochadh as duine, *to* ~ *wool* olann a shlámadh

teasel *n* leadán, cnádán

teat *n* ballán, sine

technical *a* teicniúil, ~ *school* ceardscoil

technicality *n* teicniúlacht, pointe teicniúil

technician *n* teicneoir

technique *n* teicníocht, teicníc

technology *n* teicneolaíocht

tedious *a* fadálach, liosta

tedium *n* leadrán

tee *n* tí *vt* & *i* tíáil

teenager *n* déagóir

teens *npl* déaga

teetotaller *n* lánstaonaire, staonaire

telegram *n* sreangscéal, teileagram

telegraph *n* teileagraf

telepathy *n* teileapaite

telephone *n* guthán, teileafón

telephonist *n* teileafónaí

telescope *n* teileascóp

televise *vt* teilifísigh

television *n* teilifís, ~ *set* teilifiseán

telex *n* teiléacs
tell *vt & i* abair, aithris, inis, *to ~ you the truth* déanta na fírinne, *to ~ on a person* scéala a dhéanamh ar dhuine
teller *n*, *(in bank)* airgeadóir
telltale *n* sceithire
temerity *n* dánacht, meargántacht
temper *n* colg, taghd, tintríocht, faghairt, *mild, fiery*, ~ meon séimh, tintrí *vt* faghair; maolaigh
temperament *n* cáilíocht, meon
temperamental *a* taghdach, spadhrúil
temperance *n* measarthacht, meánaíocht
temperate *a* meánúil, measartha
temperature *n* teocht
tempered *a* faghartha; maolaithe
tempest *n* anfa, stoirm
tempestuous *a* stoirmeach, anfach; fiáin
templar *n* teamplóir
temple¹ *n* ara, uisinn
temple² *n* teampall
tempo *n* luas, am
temporal *a* aimseartha; saolta; teamparálta
temporary *a* sealadach, neamhbhuan, duthain
tempt *vt* meall, *to ~ a person* cathú a chur ar dhuine
temptation *n* cathú
tempting *a* cathaitheach, meallacach
ten *n & a* deich, ~ *persons* deichniúr
tenacious *a* coinneálach, righin, docht, buan
tenacity *n* righneas, diongbháilteacht
tenancy *n* tionóntacht
tenant *n* tionónta
tend *vt & i* giollaigh, déan freastal ar, ~ *ing the sick* ag tabhairt aire do na heasláin, *it ~ s to break* tá claonadh chun briseadh ann, *he ~ s towards socialism* tá luí aige leis an sóisialachas, ~ *ing to greyness* i leith na léithe
tendency *n* claonadh (chun), luí (le)
tender¹ *a* bog, leochaileach, frithir; caoin, maoth, tláith, cúramach
tender² *n* tairiscint, *legal* ~ dlíthairiscint *vt* tairg
tender³ *n* bád freastail; feighlí
tenderness *n* boige, grámhaireacht, taise, tláithe
tendon *n* lúitheach, teannán
tendril *n* teannóg
tenement *n* tionóntán

tennis *n* leadóg
tennis-court *n* cúirt leadóige
tenon *n* tionúr
tenor *n* teanór; éirim
tense¹ *n* aimsir
tense² *a* rite, teannasach, ar tinneall
tension *n* teannas
tent *n* puball
tentacle *n* adharcán, braiteog
tentative *a* trialach
tenterhooks *npl*, *on* ~ ar cipíní
tenth *n & a* deichiú
tenuous *a* caolchúiseach, singil, tanaí
tenure *n* sealbhaíocht, tionacht
tepid *a* alabhog, leamh, patuar
term *n* téarma; tréimhse; *pl* comha, coinníollacha, *on friendly ~ s with her* mór léi, *they are not on speaking ~ s* níl siad ag caint le chéile, tá siad amuigh le chéile
terminal *n* teirminéal; críochfort; foirceann, *air* ~ aerstáisiún *a*, ~ *a building* críochfort, ~ *illness* galar báis
terminate *vt & i* scaoil, scoir, críochnaigh
terminology *n* téarmaíocht
terminus *n* ceann cúrsa, ceann scríbe; áras cinn aistir, críochfort
tern *n* geabhróg
terrace *n* ardán; léibheann; laftán
terrain *n* tír-raon
terrestrial *a* domhanda, talmhaí
terrible *a* imeaglach, millteanach, uafásach, gráiniúil, *he looked* ~ bhí cuma an diabhail, cuma iargúlta, air
terrier *n* brocaire; rolla tionóntaí
terrific *a* iontach, éachtach; uafásach, ~ ! go diail!
terrified *a* critheaglach, scanraithe
terrify *vt* sceimhligh, scanraigh
terrifying *a* scanrúil, uamhnach, eaglach
territory *n* críoch, dúiche, limistéar, fearann, tír
terror *n* imeagla, sceimhle, scanradh, scéin; uamhan, uafás
terrorism *n* sceimhlitheoireacht
terrorist *n* sceimhlitheoir
terrorize *vt* sceimhligh
terse *a* cóngarach, gonta, ~ *remark(s)* gearrchaint
terylene *n* teiriléin
test *n* promhadh, scrúdú, tástáil, triail, féachaint *vt* tástáil, triail, féach, seiceáil

testament n tiomna, uacht
testator n tiomnóir, uachtóir
testicle n magairle
testify vt & i dearbhaigh, to ~ against a person cruthú, dearbhú, ar dhuine
testimonial n teastas, teistiméireacht
testimony n fianaise, cruthú, teistiméireacht
test-tube n triaileadán, promhadán
tetanus n teiteanas
tether n nasc, téad, teaghrán, he is at the end of his ~ tá sé i ndeireadh na péice vt naisc, ceangail
text n téacs
textile n teicstíl
textual a téacsach
texture n fíochán, fabraic; uigeacht; mothú; tréith
than conj & prep ná, he is older ~ I am is sine é ná mé, later ~ I thought níos déanaí ná a shíl mé, more ~ twenty breis agus fiche, any person other ~ himself duine ar bith ach, seachas, é féin
thank vt, ~ you go raibh maith agat, he ~ed me ghabh sé buíochas liom
thankful a buíoch
thankless a, ~ task cúram gan bhuíochas
thanks n buíochas, ~! go raibh maith agat! ~ be to God a bhuí le Dia, buíochas le Dia
thanksgiving n altú
that pron & a & adv sin, siúd, úd, ~ man an fear sin, what is ~ cad é sin, don't believe ~ ná creid siúd, ~ is my opinion sin é mo bharúil, ~ house down below an teach úd thíos, with ~ he came in leis sin tháinig sé isteach, after ~ ina dhiaidh sin, the parcel ~ he left here an beart a d'fhág sé anseo conj go, gur, I said ~ I knew dúirt mé go raibh a fhios agam
thatch n tuí vt, to ~ a house díon tuí a chur ar theach
thatched a, ~ roof ceann tuí, díon tuí
thatcher n tuíodóir
thaw n coscairt vt coscair, leáigh; bog
the def art an, na James ~ Second Séamas a Dó
theatre n amharclann, operating ~ obrádlann
theft n gadaíocht, goid, bradaíl
their poss a, ~ car a ngluaisteán, ~ fa-

ther a n-athair, ~ hair a gcuid gruaige, ~ town an baile seo acusan
theirs pron, it is ~ is leo é, that one is ~ sin é a gceannsan; is leosan an ceann sin, a friend of ~ cara leo, dóibh, dá gcuid, that son of ~ an mac sin acu
theism n diachas
them pron iad, iadsan, with ~ leo, without ~ gan iad, against ~ ina gcoinne, the likes of ~ a leithéid(í), beating ~ á mbualadh
theme n ábhar, cuspóir, téama
themselves pron iadsan; (siad, iad) féin, feeding ~, á gcothú féin
then adv ansin, until ~ go dtí sin, now and ~ ó am go ham, anois is arís, since ~ riamh ó shin, ó shin i leith
theologian n diagaire
theological a diaga
theology n diagacht
theorem n teoirim
theoretical a teoiriciúil
theory n teoiric
therapeutic a teiripeach
therapy n teiripe
there adv ann, ansin, put it ~ cuir ansin é, ~ and then lom láithreach, ar an bpointe boise
thereabouts adv, or ~ nó timpeall air, nó faoin tuairim sin
thereby adv ar an gcaoi sin, dá bharr sin
therefore adv dá bhrí sin, dá bharr sin, mar sin de
thermal a teirmeach
thermometer n teirmiméadar
thermostat n teirmeastat
these pron & a iad seo, ~ days na laethanta seo; ar na saolta seo
thesis n téis; tráchtas
they pron siad, siadsan; iad, iadsan, ~ came tháinig siad, ~ were beaten buaileadh iad, ~ are doctors is dochtúirí iad, ~ say deirtear (vide inflected vb forms)
thick a dlúth, ramhar, tiubh, blood is ~ er than water aithníonn an fhuil a chéile
thicken vt & i ramhraigh, tiubhaigh
thicket n mothar, muine
thickness n raimhre, tiús
thief n gadaí, bradaí, meirleach
thieving n bradaíl, gadaíocht a bradach
thigh n ceathrú, láirig, leis, sliasaid
thimble n méaracán

thin *a* caol, lom, tanaí; gann, scáinte *vt &*
i caolaigh, scáin, tanaigh, deasc

thing *n* ní, rud

think *vt & i* cuimhnigh, smaoinigh; ceap,
meas, síl, *I ~ he is right* tá an ceart
aige, dar liom

third *n* trian, tríú *a* tríú, treas

thirst *n* íota, tart, *~ for learning* cíocras
léinn

thirsty *a* tartmhar, tirim, *I got ~* bhuail
tart mé

thirteen *n & a* trí déag, *~ persons* trí
dhuine dhéag

thirteenth *n & a, the ~ day* an tríú lá
déag, *one ~* an tríú cuid déag

thirtieth *n & a* triochadú

thirty *n & a* tríocha

this *pron & a, drink ~* ól seo, *~ man* an
fear seo, *~ evening* tráthnóna inniu,
~ year i mbliana, *it was like ~* seo
mar a bhí

thistle *n* feochadán

thole(-pin) *n* cnoga, dola

thong *n* iall

thorax *n* tóracs

thorn *n* dealg, spíon; sceach *pl* spíonlach,
deilgne

thorny *a* deilgneach, spíonach, colgach

thorough *a* críochnúil; cruthanta, corp-
anta, *~ly* go feillbhinn

thoroughbred *a* folúil, *~ horse* capall
folaíochta

thoroughfare *n* bealach

those *pron & a* iad sin, *~ who say so* an
dream a deir é, *~ books* na leabhair
sin

though *conj* bíodh (is) go, cé go, i ndiaidh
go, *~ he is only a child yet* agus gan
ann ach leanbh fós *adv* mar sin féin

thought *n* cuimhneamh, machnamh,
smaoineamh, *my ~s were elsewhere* ní
air a bhí m'intinn

thoughtful *a* machnamhach, meabhrach,
cuimhneach, smaointeach; tuis-
ceanach

thoughtfulness *n* smaointeacht, tuiscint

thoughtless *a* neamhaireach, místuama,
neamhthuisceanach

thoughtlessness *n* neamh-aistear, neamh-
mheontaíocht, místaidéar, místuaim

thousand *n & a* míle

thousandth *n & a* míliú

thrall *n* tráill

thrash *vt & i* leadhb, léas, liúr, *the whale*
was ~ing about bhí an míol mór á
oibriú féin, á únfairt féin

thrashing *n* léasadh, liúradh; oibriú, ún-
fairt

thread *n* snáth, *(single) ~* snáithe;
ruainne

threadbare *a* barrchaite, scáinte, smol-
chaite

threat *n* bagairt

threaten *vt* bagair

threatening *a* bagrach; consach

three *n & a* trí, *~ persons* triúr

thresh *vt* buail, súisteáil

threshold *n* tairseach

thrift *n* coigilteas, tíos, barainneacht;
rabhán

thrifty *a* coigilteach, tíosach, sábhálach

thrill *n* deann, drithlín *vt & i* crith, preab,
it ~ed me chuir sé drithlíní (áthais)
tríom

thrilling *a* corraitheach

thrive *vi* bisigh, rathaigh, bláthaigh

thriving *a* rafar

throat *n* scornach, sceadamán, bráid

throb *n* frithbhualadh, preabadh, cuisle
vi frithbhuail, preab

throbbing *n* broidearnach, preabarnach *a*
broidearnúil, preabach

throes *npl, in (one's) death ~* in ar-
raingeacha an bháis, ag saothrú an
bháis; ag tabhairt na gcor

thrombosis *n* trombóis

throne *n* ríchathaoir

throng *n* plód, slua, pulcadh *vt & i* plód-
aigh, plúch

throttle *n* scóig *vt* sciúch, tacht

through *prep* trí, de bharr *adv*, *~ and ~*
amach is amach, tríd is tríd

throughout *prep* ar fud, ar feadh, i rith
adv ó thús deireadh

throw *n* caitheamh, teilgean, urchar *vt*
caith, teilg, rad

thrush[1] *n* smólach

thrush[2] *n* craosghalar, béal salach

thrust *n* péac, ropadh, sá, turraing, fórsa
vt rop, sáigh, brúigh

thud *n* trostal, tuairt

thumb *n* ordóg

thump *n* paltóg; tailm *vt* buail, tuargain

thunder *n* toirneach

thunderbolt *n* caor thine

thurible *n* túiseán**

Thursday n Déardaoin, *on ~ morning* maidin Déardaoin

thus adv amhlaidh, mar sin

thwart[1] n seas, tochta

thwart[2] vt sáraigh, bac

thyme n tím

thyroid n & a tíoróideach

tiara n tiara

tick[1] n sceartán, sor

tick[2] n tic vt & i ticeáil, *(of engine), to ~ over* réchasadh

tick[3] n tocht

ticket n ticéad

tickle n cigilt, dinglis vt cigil

tidal a taoidmhear, *~ wave* tonn taoide, brúcht farraige

tide n taoide, *ebbing ~* (taoide) aife, *flowing ~* líonadh (taoide), *spring ~* rabharta

tidiness n deismireacht, gastacht, néatacht, slacht, ordúlacht

tidings npl scéala, tuairisc, tásc

tidy a deismir, néata, pointeáilte, slachtmhar, triopallach vt feistigh, cuir slacht ar

tie n ceangal, cuing, nasc; carbhat vt ceangail, naisc, *to ~ a knot* snaidhm a chur

tier n sraith

tiger n tíogar

tight a daingean, docht, crua, teann, fáisethe, *~ spot* cúngach, gábh

tighten vt & i dlúthaigh, fáisc, teann, righ

tights npl riteoga

tile n leacán, tíl, sláta

till[1] n scipéad

till[2] vt saothraigh

till[3] prep & conj go, go dtí (go)

tillage n cur, curaíocht

tiller[1] n curadóir

tiller[2] n halmadóir, maide stiúrach

tilt n goic, feirc, fiar, leataobh, maig vt & i claon, fiar, *it is ~ed* tá sceabha faoi, tá leataobh air

timber n adhmad

time n aimsir, am, tráth, cuairt, *for the first ~* den chéad uair, *a long ~ ago* fadó, *in a month's ~* faoi cheann míosa, *for some ~ past* le tamall anuas, *it is (high) ~* is mithid, *in olden ~s* anallód, *three ~s as much* a thrí oiread, *at this ~ of year* an taca seo den bhliain

timely a caoithiúil, tráthúil

timetable n clár ama, amchlár, tráthchlár

timid a eaglach, faiteach, scáfar, scinnideach

tin n stán vt stánaigh

tincture & a tintiúr; lí, imir

tinder n sponcán

tinfoil n scragall stáin

tinge n imir

tingle n drithlín, griofadach vi, *my fingers are tingling* tá drithlíní i mo mhéara

tingling n & a griofadach

tinker n tincéir vi, *~ing with sth* ag útamáil, ag tincéireacht, le rud

tinkle n cling, cloigineacht, gligín vi, *to ~* cling a dhéanamh

tinkling n cling, ceolán a clingeach, cloigineach

tinned a stánaithe

tinsel n tinsil

tinsmith n gabha geal

tint n fordhath, imir vt dathaigh

tiny a bídeach, mion, *the tiniest little bit* oiread na fríde

tip[1] n barr, gob, pointe, rinn, stuaic

tip[2] n síneadh láimhe, seachadadh

tip[3] n leid, nod

tipsy a súgach, maith go leor

tiptoe n, *on ~* ar barraicíní vi siúil ar do bharraicíní

tire vt & i tuirsigh, clip, traoch, suaith, *to ~ éirí* tuirseach

tired a tuirseach, *he is ~* tá tuirse air

tiredness n scíth, tuirse

tireless a dothuirsithe

tiresome a fadálach, tuirsiúil, liosta

tiring a tuirsiúil

tissue n fíochán, uige; ciarsúr páipéir, *~ of lies* gréasán bréag

tissue-paper n páipéar síoda

tit[1] n meantán

tit[2] n ballán, sine

titbit n goblach

tithe n deachú

titillate vt griog, cigil

titivate vt pointeáil

title n teideal

titter n scige, maolgháire vi, *~ing* ag scige, ag sciotaíl (gháire)

tittle n dada

tittle-tattle n giob geab, mionchaint

titular a teidealach

to *prep & adv* chuig, chun, go, go dtí, *give it ~ me* tabhair dom é, *what I have ~ say* an rud atá le rá agam, *they are ~ be married* tá siad le pósadh, *go ~ sleep* téigh a chodladh, *~ and fro* anonn is anall

toad *n* buaf

toadstool *n* beacán bearaigh, púca peill

toady *n* lútálaí, slusaí, seoinín *vi, ~ing* ag lútáil, ag tláithínteacht

toast[1] *n* tósta *vt* tóstáil

toast[2] *n* sláinte; cuspa sláinte *vt, to ~ a person* sláinte duine a ól

toaster *n* tóstaer

tobacco *n* tobac

tobacconist *n* tobacadóir

today *n & a & adv* inniu

toddler *n* lapadán, tachrán

toe *n* ladhar, méar coise, *big ~* ordóg (coise), *little ~* lúidín (coise)

toe-cap *n* barraicín

toffee *n* taifí

tog *vt, to ~ oneself out* gléas a chur ort féin

together *adv* le chéile, in éineacht, i dteannta a chéile, i gceann a chéile

toggle *n* scorán, buaircín

toil[1] *n* dua, saothar, anró *vi* saothraigh, *~ing* ag tiaráil, ag luain

toil[2] *n* líon, lúb, gaiste, dol

toilet *n* ionlann, leithreas; ionladh; maisiúchán

token *n* comhartha

tolerance *n* caoinfhulaingt, fulaingt

tolerant *a* caoinfhulangach, fulangach

tolerate *vt* broic le, fulaing, cuir suas le

toll[1] *n* cáin, dola; cuntas; caillteanas, dochar

toll[2] *vt & i* bain, buail (clog), *to ~ the knell* an chreill a bhualadh

tomato *n* tráta

tomb *n* tuama, feart

tomboy *n* cailín báire, Muireann i mbriste

tombstone *n* leac uaighe

tomorrow *n & a & adv* amárach, *the day after ~* anóirthear, amanathar, arú amárach

ton *n* tonna

tone *n* ton; tuin

tongs *npl* tlú, maide briste, ursal

tongue *n* teanga

tongue-twister *n* casfhocal, rabhlóg

tonic *n* athbhríoch *a* athbhríoch; tonach

tonight *n & adv* anocht

tonnage *n* tonnáiste

tonne *n* tona

tonsil *n* céislín

tonsilitis *n* céislínteas

tonsure *n* corann

too[1] *adv* ró- *~ many, ~ much* barraíocht, (an) iomarca

too[2] *adv* fosta, freisin, leis

tool *n* ball acra, gléas, uirlis

tooth *n* fiacail, *in the teeth of the storm* i mbéal na doininne

toothache *n* déideadh, tinneas fiacaile, daitheacha fiacaile

toothless *a* mantach

toothpaste *n* taos fiacla

tooth-pick *n* bior fiacla

top[1] *n* barr, maoil, rinn, mullach, uachtar, *on ~ of that* anuas air sin, ar a dhroim sin *a* uachtarach

top[2] *n, (spinning-) ~* caiseal

top-boot *n* buatais

topaz *n* tópás

topic *n* ábhar, téama

topography *n* dinnseanchas, topagrafaíocht

topple *vt & i* tit (le fána, i ndiaidh do mhullaigh); leag, treascair, *the statue is toppling* tá an dealbh ar forbhás, i mbaol titim

topsoil *n* barrithir

topsy-turvy *adv & a* bunoscionn, droim thar droim

torch *n* lóchrann, tóirse, trilseán

toreador *n* tarbhadóir

torment *n* céasadh, ciapadh, crá, piolóid *vt* céas, ciap, scól, cráigh

tormented *a* céasta, cráite, *~ with hunger* scrúdta leis an ocras

torn *a* stiallach, leadhbach, stróicthe, stollta

tornado *n* tornádó

torpedo *n* toirpéad

torpid *a* mairbhiteach, támhach

torpor *n* mairbhití, támh, toirchim

torque *n* torc

torrent *n* buinne, díle, tulca, rabharta, *~ of speech* flosc cainte, rois chainte

torrential *a* tulcach, *~ rain* díle bháistí

torrid *a* bruithneach, loiscneach, *~ zone* teochrios

torsion *n* caismirneach; toirsiún

torso n cabhail

tortoise n toirtís

torture n céasadh, pianadh vt céas, pian, ciap

toss n caitheamh suas, treascairt, *she took a ~* baineadh leagan aisti vt & i caith suas; leag; suaith, *~ ing about* ag únfairt

tot¹ n lucharachán (linbh)

tot² n deoir, súimín

tot³ vt suimigh

total n iomlán, suim a iomlán, lán-, *~ destruction* léirscrios

totalitarian a ollsmachtach

totter vi tuisligh, luasc

tottering a longadánach, tuisleach

touch n tadhall, teagmháil, mothú, *~ of humour* iarracht den ghreann, *~ of anger* mothú feirge, *finishing ~ (es)* bailchríoch vt & i tadhaill, teagmhaigh, *don't ~ them* ná bain dóibh, *~ ing on* bainteach le; buailte ar, *~ down,* (*in rugby*) talmhaigh, (*of aircraft*) tuirling

touching a tadhlach; truamhéalach, corraitheach

touch-line n taobhlíne

touchy a colgach, driseogach, tógálach, goilliúnach, íogair

tough a crua, doscúch, deacair, righin, stálaithe

toughen vt & i cruaigh, righnigh, stálaigh

toughness n cruas, righneas, stóinsitheacht

tour n camchuairt, turas

tourism n turasóireacht, cuartaíocht

tourist n turasóir, cuairteoir

tournament n ilchomórtas; turnaimint

tourniquet n tuirnicéad

tousle vt mothallaigh, cuir in aimhréidh

tousled a gliobach, aimhréidh, stoithneach, *~ hair* grágán, glib

tow vt tarraing (i do dhiaidh), tarlaigh

toward(s) prep chuig, go dtí, chun, i dtreo, *~ me* faoi mo dhéin, ionsorm

towel n tuáille

tower n túr, *round ~* cloigtheach

town n baile (mór)

townland n baile fearainn

toxic a tocsaineach

toy n bréagán, áilleagán vi, *~ ing (with)* ag méirínteacht (le), ag blaisínteacht le (bia)

trace n iarsma, lorg, rian vt lorg; línigh, rianaigh, *to ~ sth* lorg ruda, bonn ruda, a chur, *tracing pedigrees* ag déanamh ginealais, ag cur isteach gaoil

tracery n fíochán

tracing-paper n rianpháipéar

track n lorg, eang, raon, rian; bonn; cosán, slí vt lorg, *to ~ sth* lorg ruda a chur

tracker-dog n cú lorgaireachta

track-suit n raonchulaith

tract¹ n sliocht, trácht

tract² n limistéar, liomatáiste, réimse (talún), *alimentary ~* conair an bhia

tractor n tarracóir

trade n ceird, trachtáil, trádáil, *~ union* ceardchumann vt reic, trádáil; babhtáil

trade-mark n trádmharc

trader n tráchtálaí, trádálaí

tradesman n ceardaí

trade-unionist n ceardchumannaí

tradition n traidisiún, seanchas, *oral ~* béaloideas

traditional a traidisiúnta

traffic n trácht

tragedy n cinniúint, tragóid, tubaiste, traigéide

tragic a cinniúnach, tragóideach, tubaisteach, taismeach

tragi-comedy n greanntraigéide

trail n bonn, lorg, *nature ~* cosán dúlra, *~ of smoke* sraoill deataigh vt & i sraoill, sil a, *~ ing* sraoilleach

trailer n leantóir

train¹ n traein

train² vt traenáil

trainer n traenálaí

training n oiliúint, traenáil; oilteacht

trait n tréith

traitor n fealltóir, tréatúir

traitorous a fealltach, tréatúrtha

tram n tram

trammel n cuibhreach; traimil vt cuibhrigh

tramp¹ n bacach (bóthair), fear siúil

tramp² n trostal, trup, toirm vt & i, satail (ar), siúil

trample vt & i pasáil; satail (ar)

trance n támh, támhnéal, toirchim

tranquil a sámh, suaimhneach, ciúin

tranquillity n sáimhe, suaimhneas, ciúnas

tranquillize vt sámhaigh, suaimhnigh

tranquillizer n suaimhneasán

trans- pref tar-, tras-

transaction n idirbheart, ~ of business déanamh gnó

transcribe vt athscríobh

transfer n aistriú vt aistrigh

transferable a inaistrithe

transform vt & i claochlaigh

transformation n athchuma, claochlú

transformer n claochladán

transfusion n, blood ~ fuilaistriú

transgress vt & i ciontaigh; sáraigh

transgression n cion

transient a díomuan, neamhbhuan, duthain

transistor n trasraitheoir

transit n idirthuras, in ~ faoi bhealach

transition n athrú, aistriú, ~ year idirbhliain

transitive a aistreach

transitory a díomuan, gearrshaolach, neamhbhuan, ~ thing gal soip

translate vt aistrigh, tiontaigh

translation n aistriú(chán), tiontú

translator n aistritheoir

transmigration n imaistriú

transmission n iompar, tarchur, craoladh

translucent a tréshoilseach

transmit vt iompair, tarchuir, seachaid

transmitter n tarchuradóir

transparent a gléineach, trédhearcach

transpire vt & i trasghalaigh; easanálaigh; tar chun solais; tarlaigh, tit amach

transplant vt aistrigh, athphlandaigh

transport n iompar vt iompair, I was ~ed with joy tháinig sciathúin, néal áthais, orm

transpose vt aistrigh, malartaigh

transverse a trasna

trap n dol, gaiste, inleog, sás; trap vt gabh, gaistigh

trapeze n maide luascáin

trappings npl feisteas, táclaí, ciútraiminti, froigisí

Trappist n & a Trapach

trash n cosamar, dramhaíl, truflais

trauma n tráma, sceimhle

traumatic a trámach

travail n callshaoth, dua

travel n siúl, taisteal vt & i taistil, triall, siúil, imigh

traveller n taistealaí pl (an) lucht siúil

traverse vt trasnaigh, siúil

travesty n scigaithris

trawl n trál vt & i, ~ing ag trálaeireacht; ag spiléireacht

trawler n trálaer

tray n tráidire, trae

treacherous a cealgach, meabhlach, fealltach, fabhtach, feill-

treachery n cealg, feall, meabhal, oirchill

treacle n triacla

tread n satailt; céimniú; cluas (spáide); trácht (boinn), ~ of feet torann cos vt & i satail, siúil

treadle n troitheán

treason n tréas

treasonable a tréasach

treasure n ciste, maoin, stór, taisce

treasurer n cisteoir, sparánaí

treasury n ciste (an) stáit; órchiste

treat n féasta, pléisiúr, to give a person a ~ cineál a dhéanamh ar dhuine vt, (of ailment) cóireáil, they ~ed me well chaith siad go maith liom, ~ them gently láimhsigh go socair iad

treatise n tráchtas

treatment n bail, úsáid; ionramh; cóireáil, medical ~ cóir leighis

treaty n conradh

treble[1] n tribil

treble[2] a faoi thrí vt méadaigh faoi thrí

tree n crann, genealogical, family, ~ craobh ghinealaigh, géaga ginealaigh

trek n aistear, turas

trekking n, pony ~ fálróid ar chapaillíní

trellis n crannaíl

tremble n creathán, crith vi crith, creathnaigh, to ~ bheith ar crith

tremendous a ábhalmhór, ollmhór, iontach, uafásach

tremor n creathán, crith

trench n clais, díog, trinse vt clasaigh

trend n claonadh, lé, treo, ~ of thoughts seol, snáithe, smaointe

trespass n foghail, treaspás; bradaíl, forgive us our ~es maith dúinn ár bhfiacha

trespasser n foghlaí, treaspásóir

tress n cuach, dlaoi, dual, trilis, trilseán

trews n triús

tri- pref trí-

trial n féachaint, promhadh, tástáil, triail a trialach

triangle n triantán
triangular a triantánach
tribal a treibheach
tribe n aicme; treibh, treabhchas
tribulation n crá, dólás, léan
tribunal n binse breithimh
tributary n craobh-abhainn
tribute n cíos; bronntanas, to pay ~ to a person duine a mholadh
trice n, in a ~ ar iompú boise
trick n bob, cleas, ciúta, tréith, playing ~s ag cleasaíocht, ag bobaireacht vt, to ~ a person bob a bhualadh ar dhuine, cleas a imirt ar dhuine
trickery n bobaireacht, cleasaíocht, lúbaireacht, imeartas
trickle n silín, sreabh vi sil
trickling n silteach
trickster n áilteoir, cleasaí
tricky a cleasach, lúbach, ~ person ealaíontóir
tricolour n & a trídhathach
tricycle n trírothach
trident n trírinn
trifle¹ n beagní, mionrud
trifle² n traidhfil
trifling a fánach, it is no ~ matter ní haon dóithú é
trigger n truicear
trigonometry n triantánacht
trilogy n trióg
trim a comair, deismir, fáiscthe, triopallach vt bearr; cóirigh, maisigh
Trinity n Tríonóid
trinket n áilleagán
trio n tríréad; triúr
trip¹ n cor coise, tuisle vt & i tuisligh, to ~ a person barrthuisle a bhaint as duine
trip² n turas, truip, geábh
tripe n ruipleog, tríopas; raiméis, seafóid
triple a triarach
triplet n trírín
triplicate a triarach
tripod n trípéad
triptych n triptic
trite a seanchaite, súchaite, neafaiseach
triumph n bua, caithréim vi buaigh
triumphant a caithréimeach
trivial a fánach, mionchúiseach, éadrom, neafaiseach, fo-
trolley n tralaí, trucail

trollop n sraoill; striapach
trombone n trombón
troop n buíon, díorma; ~s trúpaí, fórsaí
trooper n trúipéir
trophy n craobh, trófaí
tropic n trópaic, ~s teochrios
tropical a teochreasach, trópaiceach
trot n sodar, bogshodar vi, ~ting ag sodar
trotter n crúibín
trouble n trioblóid, buairt, dua, stró, she has ~ with her heart tá an croí ag cur uirthi vt buair, cráigh, cuir as (do), that is not what ~s me ní hé atá ag déanamh buartha, tinnis, dom
troubled a buartha, imníoch; suaite, corrach
troublesome a crosta, callóideach, duaisiúil, caingneach, trioblóideach
trough n umar
trounce vt gread, liúr, rúisc, smíst
trouncing n greadadh, greasáil, leadradh, léasadh, sciúradh
troupe n compántas; cóisir
trousers npl bríste, treabhsar, triús
trout n breac
trowel n lián
truant n múitseálaí, to play ~ múitseáil a fánach, seachránach
truce n sos cogaidh
truck n trucail
truculent a bruíonach, colgach, trodach
trudge vi slaod, sraoill, spágáil
true a fíor, ceart, dílis, dearbh-
trump n mámh
trumpet n troimpéad, stoc, trumpa; bonnán; géim
trumpeter n stocaire, trumpadóir
truncheon n smachtín
trunk n trunc; cabhail, colainn; tamhan, stoc
trunk-call n cianghlaoch (gutháin)
trunk-road n príomhbhóthar
truss n burla, ceangaltán; trus vt trusáil
trust n iontaoibh, muinín, dóchas; iontaobhas
trustee n iontaobhaí
trustworthy a iontaofa, muiníneach, tairiseach
truth n fírinne; fíor
truthful a fírinneach

try n iarracht, (*rugby*) úd vt & i tástáil, féach, scrúd, to ~ a (*court*) case cás a thriail, ~ *on those shoes* triail na bróga sin ort, ~*ing to do sth* ag iarraidh rud a dhéanamh

trying a duaisiúil

tryst n dáil, coinne

tub n dabhach, umar, leastar, tobán; folcadán

tube n feadán, píobán, tiúb

tuber n tiúbar

tuberculosis n eitinn

tubular a feadánach

tuck n clupaid, filltín vt, to ~ *sth up* rud a chrapadh, ~*ed up in bed* soiprithe sa leaba, to ~ *cloth* éadach a úcadh

Tudor n & a Túdarach

Tuesday n Máirt, ~ *evening* tráthnóna Dé Máirt

tuft n curca, dos, scoth, dlaoi, dual, tortóg, stoth

tufted a cuircíneach; dosach, tortógach, dlaoitheach

tug n sracadh, tarraingt vt & i srac, tarraing

tug(-boat) n tuga

tug-of-war n tarraingt na téide

tuition n múineadh, teagasc

tulip n tiúilip

tumble n leagan, titim vt & i leag, tit, iomlaisc

tumbler n timbléar

tumour n meall, siad, *malignant* ~ cnoc ailse

tumult n callán, clampar, fothram, gleo, ruaille buaille

tumultuous a callánach, gleadhrach, racánach

tumulus n leacht, tuaim, feart, dumha

tune n aer, fonn, port, *in* ~ i dtiúin vt & i tiúin

tuneful a ceolmhar, binn

tunic n ionar, tuineach

tuning-fork n gabhlóg thiúnta

tunnel n tollán

turban n turban

turbary n, *right of* ~ móincheart

turbine n tuirbín

turbot n turbard

turbulence n callóid, racán; sruthlam; suaitheadh

turbulent a callóideach, racánach

tureen n túirín

turf n móin; fód, scraith

turf-cutter n sleádóir

turf-mould n grabhar móna, smúdar móna

turf-spade n sleán

turkey n turcaí

turmoil n clampar, círéib, suaitheadh

turn n casadh, cor, iompú; coradh; dreas, uain, seal; taom, ~ *of phrase* deismireacht chainte; dul cainte, *to take* ~*s at sth* sealaíocht a dhéanamh ar rud, *in* ~ faoi seach, *it is your* ~ is leatsa anois, ~ *about* gach re seal, *wait your* ~ fan le d'am, le do sheal, le d'iarraidh, *to do a person a good* ~ gar a dhéanamh do dhuine vt & i cas, cor; athraigh, iompaigh, tiontaigh, *to* ~ *a hare* cor, cluicheadh, a bhaint as giorria, *to* ~ *against sth* fuath a thabhairt do rud, ~ *back* fill, *he* ~*ed down the offer* dhiúltaigh sé don tairiscint, *the milk* ~*ed sour* ghéaraigh an bainne, *to* ~ *sth off* rud a mhúchadh, a stopadh, *to* ~ *sth on* rud a chur ar siúl, *as it* ~*ed out* faoi mar a tharla, *to* ~ *out well* cruthú go maith

turner n deileadóir; castóir

turnip n tornapa

turnover n láimhdeachas (airgid), ~ *tax* cáin láimhdeachais

turnstile n geata casta

turntable n caschlár

turpentine n tuirpintín

turquoise n turcaid

turret n túirín

turtle n turtar

tusk n starrfhiacail

tussle n fuireadh, iomrascáil vi fuirsigh

tussock n tortóg

tutor n oide, teagascóir

tweed n bréidín

tweezers npl pionsúirín

twelfth n & a, *the* ~ *day*, an dóú, dara, lá déag, *one* ~ an dóú, dara, cuid déag

twelve n & a dó dhéag, ~ *persons* dháréag, ~ *days* dhá lá dhéag

twentieth n & a fichiú

twenty n & a fiche, scór

twice adv dhá uair, faoi dhó

twig n cipín, craobhóg, spreasán

twilight n clapsholas, coineascar

twin n leathchúpla, ~*s* cúpla a cúplach

twine n sreangán, ruóg vt & i dual, sníomh, snaidhm, cas

twinge n daigh, deann, ríog

twinkle n drithliú vi drithligh, rinc

twinkling n, in the ~ of an eye i bhfaiteadh, ar leagan, na súl

twirl n fiodrince, rothlú vt & i cas, rothlaigh

twist n caisirnín, casadh, castainn, cor, lúb vt & i cas, fiar, lúb, sníomh

twisted a caisirníneach, cas, casta; fiar, cam, saobh

twister n lúbaire

twitch n drithlín, freanga, preab vi biog, preab

twitter(ing) n giolcadh, bíogarnach

two¹ n & a dó, dhá, ~ persons beirt, dís, ~ big ones dhá cheann mhóra

two-² pref dé-

tycoon n toicí

type¹ n cineál, saghas, sórt

type² n cló vt & i clóscríobh

typesetter n clóchuradóir

typesetting n clóchuradóireacht

typewriter n clóscríobhán

typhoid n & a tíofóideach

typhoon n tíofún

typhus n tífeas

typical a samplach, tipiciúil, as is ~ of their kind mar is dual dá leithéidí

typify vt samhailchomharthaigh

typing n clóscríbhneoireacht

typist n clóscríobhaí

typography n clóghrafaíocht

tyrannical a mursanta, tíoránta

tyranny n aintiarnas, ansmacht, tíorántacht

tyrant n aintiarna, tíoránach

tyre n bonn

U

ubiquitous a uileláithreach

udder n úth

ugliness n gránnacht, gráin, míofaireacht

ugly a gránna, míofar, droch-araíonach

ulcer n othras

ulcerous a othrasach

Ulster n Ulaidh, Cúige Uladh a Ultach, the ~ cycle an Rúraíocht

ulterior a níos faide anonn, ~ motive aidhm fholaigh

ultimate a déanach, deireanach

ultra- pref sár-, ultra(i)-, rí-

ultra-violet a ultraivialait

umbrella n scáth fearthainne, parasól

umpire n moltóir

un- a ain-, an-, mí-, droch-, neamh-

unable a neamhábalta, neamhinniúil, I am ~ to do it ní féidir liom, nílim in ann, é a dhéanamh

unacceptable a do-ghlactha

unaccompanied a gan tionlacan, neamhthionlactha

unaccustomed a neamhchleachtach (ar), núíosach (ag)

unadulterated a gan mheascadh, neamhthruaillithe

unaffected a nádúrtha, ~ by sth neamhspleách ar rud, gan beann ar rud

unanimous a, ~ decision moladh d'aon ghuth, ~ly d'aon ghuth

unanswerable a dofhreagartha

unappetizing a neamhbhlasta

unapproachable a doshroichte; doicheallach

unarmed a gan arm, neamharmtha

unassuming a neamhphostúil

unattractive a míthaitneamhach

unauthenticated a gan údar

unauthorized a neamhúdaraithe

unavoidable a dosheachanta, it is ~ níl neart air; níl imeacht uaidh

unaware a, ~ of sth aineolach ar rud

unawares adv gan fhios, he was caught ~ rugadh gairid, thall, air; thángthas aniar aduaidh air

unbalanced a míchothrom, éagothrom, neamhchothrom; mire, spadhrúil

unbearable a dofhulaingthe

unbeatable a dochloíte

unbecoming a neamhdheas, míchuibhiúil

unbelief n aincreideamh, neamhchreideamh

unbeliever n aincreidmheach, neamhchreidmheach, díchreidmheach

unbending a righin, docht, stóinsithe

unbiased *a* neamhchlaon, neamhleatromach

unblemished *a* gan smál

unbounded *a* éaguimseach

unbreakable *a* dobhriste

unbridled *a* ainrianta, neamhshrianta

unbusinesslike *a* mí-éifeachtach

uncanny *a* diamhair

uncertain *a* éiginnte

uncertainty *n* éiginnteacht

unchangeable *a* du-athraithe

uncharitable *a* mícharthanach, neamhcharthanach

unchristian *a* míchríostúil

uncivil *a* míshibhialta

uncivilized *a* barbartha

uncle *n* uncail

uncomfortable *a* míchompordach, míshócúlach, dochma

uncommon *a* neamhchoitianta, as an ngnáth

unconcerned *a* réchúiseach, neamhchúiseach

unconfirmed *a* éidearfa

unconscious *a* neamh-chomhfhiosach; gan mheabhair, gan aithne gan urlabhra

unconstitutional *a* míbhunreachtúil

uncontrollable *a* docheansaithe, dosmachtaithe

unconventional *a* neamhchoinbhinsiúnach

uncouple *vt* scoir

uncouth *a* cábógach, starrach

uncover *vt* nocht, foilsigh

unction *n* ola, ungadh, *extreme* ~ an ola dhéanach

unctuous *a* bealaithe, bladrach, olartha, ungthach

uncultivated *a* gan saothrú, bán, fiáin

undecided *a* éiginnte

undeniable *a* dobhréagnaithe, doshéanta

under[1] *prep* faoi, faoi bhun

under-[2] *pref* fo-

underclothes *npl* fo-éadach

underdeveloped *a* tearcfhorbartha

underdog *n* íochtarán

underdone *a* tearcbhruite

undergo *vt* téigh faoi, fulaing, gabh trí, *house* ~*ing repairs* teach á dheisiú

undergrowth *n* casarnach, scrobarnach, fáschoill

underhand *a* calaoiseach

underline *vt, to* ~ *sth* líne a chur faoi rud; béim a chur ar rud

undermine *vt* bain faoi (rud), toll faoi (rud), *to* ~ *a person's authority* an bonn a bhaint ó údarás duine

underneath *prep & adv* faoi bhun, in íochtar, faoi

undernourishment *n* gannchothú

underpants *npl* fobhriste

underpass *n* íosbhealach

underprivileged *a*, ~ *groups* grúpaí beagdheisc

underrate *vt, to* ~ *sth* rud a mheas faoina luach

undersigned *a* thíos-sínithe

undersized *a* giortach, scrobanta

understand *vt* tuig, aithin

understandable *a* intuigthe

understanding *n* eagna, eolas, meabhair chinn, tuiscint *a* tuisceanach

undertake *vt, to* ~ *a duty* dualgas a ghlacadh, a ghabháil ort féin, *to* ~ *a journey* tabhairt faoi thuras

undertaker *n* adhlacóir

undertaking *n* gabháil; gnóthas, fiontar; gealltanas

underwriter *n* frithgheallaí

undeveloped *a* neamhfhorbartha

undiplomatic *a* místuama, tútach

undisciplined *a* ainrialta

undo *vt* scaoil; mill, *to* ~ *harm* díobháil a leasú

undoing *n, it led to his* ~ is leis a fágadh, a cailleadh, é

undoubtedly *adv* gan amhras, gan aon agó

undress *vt & i, to* ~ do chuid éadaigh a bhaint díot

undue *a* míchuí

undulate *vi* tonn

undulating *a* droimneach; altach; tonnúil

unearth *vt* nocht, tochail (as an talamh)

unearthly *a* neamhshaolta, diamhair

uneasiness *n* corrabhuais, míshuaimhneas, neamhshocracht

uneasy *a* corrach, corrabhuaiseach, guairneánach, míshuaimhneach, míshocair

unemployed *a* dífhostaithe, díomhaoin

unemployment *n* dífhostaíocht, díomhaointeas

unequal *a* éagothrom, míchothrom, neamhionann

uneven *a* aimhréidh, éagothrom, míchothrom, cnocánach

unexpected *a* neamhthuairimeach, tobann, gan choinne

unfair *a* éagothrom, leatromach, míchothrom

unfaithful *a* mídhílis

unfamiliar *a* aduain, deoranta, coimhthíoch

unfasten *vt* scaoil, scoir

unfavourable *a* mífhabhrach, ~ *weather* aimsir chontráilte, ~ *report* drochtheist

unfeeling *a* cadránta, dúr, fuarchroíoch, mínádúrtha

unfitting *a* míchuibhiúil

unforgettable *a* dodhearmadta

unforgiveable *a* do-mhaite

unforgiving *a* neamaiteach

unfortunate *a* mí-ámharach, mífhortúnach, ~ *ly* ar an drochuair

unfree *a* daor

unfriendliness *n* eascairdeas, mímhuintearas, doicheall, fuaire

unfriendly *a* eascairdiúil, mímhuinteartha

unfurl *vt* scaoil (le gaoth)

unfurnished *a* gan troscán

ungainly *a* liopasta, gúngach, amscaí

ungrateful *a* díomaíoch, míbhuíoch

unguent *n* ungadh

unhappiness *n* míshonas, buairt

unhappy *a* duairc, míshona, iarghnóch

unhealthy *a* easlán, mífholláin, míshláintiúil

unhygienic *a* neamhshláinteach, neamhghlan

uni- *pref* aon-

uniform *n* culaith, éide *a* aonghnéitheach, comhionann

uniformity *n* ionannas

unify *vt* (comh)aontaigh

unilateral *a* aontaobhach

unimaginable *a* doshamhlaithe

uninhabited *a* neamháitrithe, ~ *place* díthreabh, áit gan chónaí

uninteresting *a* leamh, tur, neamhspéisiúil

union *n* aontacht, aontas, *trade* ~ ceardchumann

Unionist *n* Aontachtaí

unique *a* sainiúil, uathúil

unit *n* aonad

unite *vt* & *i* aontaigh, ceangail, cúpláil, táthaigh, snaidhm

unity *n* aontacht, cur le chéile

universal *a* uilíoch

universe *n* cruinne, domhan

university *n* ollscoil

unjust *a* éagórach, neamhchóir

unkempt *a* giobach, stothach

unkind *a* míchineálta, neamhcharthanach

unknown *a* anaithnid, aineoil *adv*, ~ *to me* gan fhios dom

unlawful *a* mídhleathach, neamhdhlisteanach

unless *conj* mura, murar

unlike *a* éagsúil, neamhchosúil, ~ *some others* ní hionann, murab ionann, agus daoine eile

unlikely *a* mídhealraitheach, neamhchosúil, neamhdhóchúil, *it is* ~ *that* ní móide go, ~ *person, place* andóigh, ~ *story* scéal gan dath, gan chraiceann

unload *vt* dílódáil, díluctaigh, folmhaigh

unlock *vt, to* ~ *sth* an glas a bhaint de rud

unloose *vt* díscaoil, scoir

unlucky *a* mí-ámharach, mishéanmhar, dona, *this place is* ~ tá iomard ar an áit seo

unmanageable *a* docheansaithe, doláimhsithe

unmannerly *a* dímhúinte, drochbhéasach, mímhúinte, madrúil

unnatural *a* mínádúrtha; ain-, an-

unnecessary *a* neamhriachtanach, gan ghá

unobtainable *a* dofhaighte, gan fháil, *it is* ~ níl fáil air, níl sé ar fáil

unofficial *a* neamhoifigiúil

unpack *vt* díphacáil, folmhaigh

unpleasant *a* doilbhir, míthaitneamhach

unprofitable *a* éadairbheach, ~ *journey* turas in aisce

unqualified *a* neamhcháilithe

unravel *vt* réitigh, rois, sceith

unreal *a* samhalta

unreasonable *a* míréasúnta

unrecognisable *a* as aithne, ó aithne, do-aitheanta

unreliable *a* neamhiontaofa, guagach

unrest *n* anbhuain, neamhshocracht

unripe *a* anabaí, glas

unruly *a* ainrianta, míralta, oilbhéasach

unsafe *a* contúirteach, baolach

unsatisfactory *a* míshásúil

unscrupulous *a* neamhscrupallach

unselfish *a* neamhleithleach

unsettled *a* claochlaitheach, bristeach; corrach, míshocair

unsightly *a* gránna, mímhaiseach

unskilled *a* neamhoilte

unsociable *a* dochaideartha, neamh-chuideachtúil, danartha

unsound *a* fabhtach

unstable *a* éagobhsaí, éadaingean, míshocair, neamhsheasmhach

unsteady *a* corrach, corraiceach, gogaideach, guagach, míshocair

unsuccessful *a* mírathúil, *he was* ~ níor éirigh leis

unsuitable *a* mí-oiriúnach, mífheiliúnach, mífhóirsteanach

untidiness *n* amscaíocht, míshlacht

untidy *a* amscaí, giobach, míshlachtmhar

untie *vt* dícheangail, scaoil

until *prep & conj* go dtí, (nó) go, go nuige

untimely *a* antráthach, míthráthúil

untrue *a* bréagach

untruthful *a* bréagach, neamhfhírinneach

unused *a* díomhaoin, gan úsáid

unusual *a* neamhchoitianta, neamhghnách

unwanted *a* gan iarraidh, nach dteastaíonn, iomarcach

unwavering *a* seasmhach

unwell *a, to be* ~ bheith tinn, gan bheith ar fónamh

unwholesome *a* mífholláin, míshláintiúil

unwieldy *a* anásta

unwilling *a* doicheallach, neamhthoilteanach, ~ *ly* in éadan do thola, de d'ainneoin

unwise *a* éigríonna

unworkable *a* doshaothraithe; dochurtha i bhfeidhm

unworthy *a* neamhfhiúntach; suarach

unyoke *vt & i* scoir

up *adv & prep* thuas, in airde, suas, *coming* ~ ag teacht aníos, ~ *to the knees in water* go glúine san uisce, *they are* ~ *early* tá siad ina suí go luath, ~ *in the sky* thuas sa spéir, *time is* ~ tá an t-am istigh, ~ *to now* go dtí anois, *it is all* ~ *with him* tá a phort seinnte, *his blood was* ~ bhí a chuid fola tógtha

upbringing *n* oiliúint, tabhairt suas

upheaval *n* círéib, clampar

uphold *vt, to* ~ *sth* seasamh, tacú, le rud, *to* ~ *the law* an dlí a chumhdach

upholstery *n* cumhdach

upland *n* talamh uachtarach, ardtalamh

upon *prep* ar, anuas ar, *winter is* ~ *us* tá an geimhreadh sa mhullach orainn

upper *a* uachtarach, ~ *part of mountain* uachtar sléibhe, ~ *class* uasaicme, *the* ~ *way* an bealach uachtair, *to get the* ~ *hand of a person* an ceann is fearr, an lámh in uachtar, a fháil ar dhuine

uppermost *a* in uachtar; is airde

uppishness *n* éirí in airde, prapaireacht

upright *a* díreach, ingearach; i do sheasamh; ionraic, onórach

uproar *n* círéib, racán, gleo, raic, rírá, hurlamaboc

uproot *vt* stoith, *to* ~ *sth* rud a bhaint ó fhréamh

upset *n* míthreoir, suaitheadh, *stomach* ~ iompú goile *vt* leag, iompaigh, corraigh, suaith, *that* ~ *him completely* chuir sin dá dhroim ar fad é, *it didn't* ~ *her a bit* níor chuir sé lá múisiam uirthi

upsidedown *adv & a* bunoscionn, droim in airde, trí chéile, *the house is* ~ tá an teach ina chíor thuathail

upstairs *adv* thuas (an) staighre, *to go* ~ dul suas (an) staighre

upstart *n* fáslach; boicín

upstream *a & adv* in aghaidh srutha

upward *a,* ~ *movement* gluaiseacht suas *adv,* ~ *s* suas, in airde

uranium *n* úrainiam

Uranus *n* Úránas

urban *a* uirbeach

urbane *a* síodúil, sibhialta

urchin *n* garlach, *sea* ~ cuán mara

urge *n* fonn, ragús *vt* brostaigh, gríosaigh, spreag, grod

urgency *n* dithneas, práinn, téirim

urgent *a* dithneasach, práinneach, cruógach, ~ *need* géarghá, *it is* ~ tá deifir, práinn, leis

uric *a* úrach

urine *n* mún, fual

urn *n* próca

Ursuline *n & a* Ursalach

us *pron* muid, muidne; sinn, sinne, *with* ~ linn, *without* ~ gan muid, sinn, *against* ~ inár gcoinne, *the likes of* ~ ár leithéid(í), *beating* ~ dár mbualadh

usage n nós, gnás, gnáthamh; úsáid

use n feidhm, úsáid, *it is no* ~ níl aon mhaith ann; níl gar ann, *to be of* ~ fónamh vt, *to* ~ *sth* feidhm, úsáid, a bhaint as rud, *they* ~ *d knives on them* d'oibrigh, d'imir, siad sceana orthu

useful a fónta, áisiúil, úsáideach, ~ *article* áirge, acra

useless a éadairbheach, neamaitheach, gan mhaith; ó mhaith, ~ *person* cunús; duine gan feidhm, duine leáite

user n úsáideoir

usher n uiséir

usual a coitianta, gnách, iondúil, gnáth-, *as* ~ mar is gnách

usurer n fear gaimbín, úsaire

usurp vt forghabh

usurper n forghabhálaí

usury n gaimbíneachas, úsaireacht

utensil n acra, *household* ~ *s* gréithe tí

uterus n útaras

utility n áisiúlacht, fóint

utmost n, *to do one's* ~ do chroídhícheall a dhéanamh a, *with the* ~ *speed* a luaithe is féidir

utopian a útóipeach

utter a iomlán, fíor-, dearg-, ~ *fool* amadán críochnaithe, ~ *loathing* gráin shaolta vt abair, inis, labhair, *to* ~ *a cry* scairt a chur asat, gáir a ligean

utterance n friotal; ráiteachas; glór, urlabhra

uvula n úbhal, sine siain

V

vacancy n folúntas

vacant a folamh, ~ *look* cuma bhómánta

vacate vt éirigh as, fág, scar le

vacation n saoire

vaccinate vt vacsáinigh, *to* ~ *a person against smallpox* an bholgach a ghearradh ar dhuine

vaccination n vacsáiniú, ~ *against smallpox* gearradh na bolgaí

vaccine n vacsaín

vacillating a guagach, luaineach

vacuum n folús, ~ *cleaner* folúsghlantóir, ~ *flask* folúsfhlaigín

vagina n faighin

vagrancy n bóithreoireacht, fánaíocht, fuaidreamh

vagrant n bodach bóthair, fánaí, geocach a fánach, geocúil

vague a doiléir, éiginnte, neamhchinnte

vain a baoth, díomhaoin; péacógach; leitheadach, mórtasach, uallach, *in* ~ in aisce, in aistear

vale n gleann

valentine n vailintín

valiant a gaisciúil, curata, oirbheartach

valid a bailí, dleathach

validity n bailíocht, fónamh

valley n gleann, ~ *(in roof)* log dín

valorous a laochta, gaisciúil

valour n gaisce, laochas, oirbheart

valuable n, *pl* ionnús, maoin a luachmhar

valuation n luacháil, meastóireacht

value n luach vt luacháil, meas

valuer n luachálaí, meastóir

valve n comhla

vampire n vaimpír, deamhan fola; súmaire

van n tús; veain

vandal n loitiméir, creachadóir

vandalism n loitiméireacht, creachadóireacht

vanguard n urgharda, *in the* ~ ar thús cadhnaíochta

vanilla n fanaile

vanish vi, *to* ~ dul as radharc, ceiliúradh

vanity n leithead, móráil; díomhaointeas, ~ *bag* máilín maise

vaporize vt & i galaigh

vapour n gal, smúit, toit, ceo; múch

variable n athróg a athraitheach, malartach, luaineach

variation n athrú; éagsúlacht

varicose a, ~ *vein* féith bhorrtha

varied a iolartha, il-, ilchineálach

variegated a breac, ildathach

variety n cineál, sórt; éagsúlacht, ilíocht, ilghnéitheacht, ~ *show* ilsiamsa

various a difriúil, éagsúil, ilghnéitheach

varnish n vearnais

vary vt & i éagsúlaigh, luainigh, athraigh, *it varies from* ní hionann é agus

vase n bláthchuach, vása

vaseline n veasailín

vassal n vasáilleach

vast a áibhéalta, ollmhór, ~ *amount of sth* an domhan de rud

vat[1] n dabhach, umar

vat[2] (*Value Added Tax*), n cáin bhreisluacha

vaudeville n ilsiamsa

vault[1] n boghta; lusca, uaimh

vault[2] n léim láimhe, *pole* ~ léim chuaille vt, *to* ~ (*over*) *a gate* geata a chaitheamh de léim láimhe

veal n laofheoil

veer vi fiar, *to* ~ *left* claonadh, aistriú, ar clé

vegetable n glasra a plandúil

vegetarian n feoilseántóir, veigeatóir a feoilseántach, veigeatórach

vegetation n fásra, glasra

vehemence n déine, fórsa

vehement a tréan, rachtúil

vehicle n feithicil

veil n fial vt fialaigh, clúdaigh

vein n cuisle, féith; síog

vellum n párpháipéar

velocity n luas; treoluas

velour n veiliúr

velvet n veilbhit

vendor n díoltóir, reacaire

veneer n athchraiceann, snaschraiceann

venerable a cásach, urramach

venerate vt onóraigh, *to* ~ *sth* ómós, urraim, a thabhairt do rud

vengeance n díoltas; díbheirg

vengeful a díoltasach; díbheirgeach

venial a solathach

venison n fiafheoil, oiseoil

venom n nimh, binb, goimh

venomous a binbeach, gangaideach, nimheanta

vent n gaothaire, poll, oscailt, craos, *to give* ~ *to one's feelings* do racht a ligean amach vt, *to* ~ *one's anger on a person* d'fhearg a ligean amach ar dhuine

ventilate vt aeráil

ventilation n aeráil

ventilator n gaothaire

ventriloquist n bolgchainteoir

venture n amhantar, fiontar vt & i, *to* ~ *to do sth* tabhairt faoi rud a dhéanamh; é a bheith de dhánacht ionat rud a dhéanamh, *they* ~ *d out into the storm* chuaigh siad i bhfiontar na stoirme

venue n ionad, láthair

Venus n Véineas

verandah n vearanda

verb n briathar

verbal a briathartha, ~ *account* cuntas béil

verbose a briathrach, gaofach, mórfhoclach, fadscéalach

verdict n breithiúnas

verge n bruach, ciumhais, grua, imeall vi, *verging on* ag bordáil ar

verify vt deimhnigh, fíoraigh

vermin n míolra

vernacular n canúint a, ~ *language* teanga choiteann

versatile a ildánach, iltréitheach

verse n ceathrú, rann, véarsa; véarsaíocht

version n insint, leagan, dul

versus prep in aghaidh, i gcoinne, in éadan

vertebrate n & a veirteabrach

vertical n ingear a (ceart)ingearach

vertigo n meadhrán

very a & adv an-, fíor-, rí-, ró-, adh-, *the* ~ *same man* an fear ceannann céanna, ~ *hot* iontach te, *he is the* ~ *one to do it* is é sás a dhéanta é

vespers npl easparta

vessel n árthach, soitheach

vest n ionar, veist vt dílsigh; éidigh

vestibule n eardhamh; póirse

vestige n rian, lorg, iarsma

vestments npl éide (sagairt), *Mass* ~ culaith Aifrinn

vet n tréidlia

veteran n scanfhondúir, seansaighdiúir a ársa

veterinary a, ~ *surgeon* tréidlia

veto n & vt cros

vex vt buair, cráigh, corraigh, *that* ~ *ed me* ghoill sin orm

vexation n buairt, crá; olc

vexed a iarghnóch

viability n inmharthanacht

viable a inmharthana

viaduct n tarbhealach

vibrant a tonnchreathach, ~ *colour* dath láidir, dath glé

vibrate *vi* tonnchrith
vibration *n* creathadh, tonnchrith
vicar *n* biocáire
vicarious *a* ionadach
vice[1] *n* ainbhéas, drochbhéas, duáilce
vice[2] *n* bís
vice-[3] *pref* leas-
viceroy *n* fear ionaid (an rí), leasrí
vice-versa *adv* (agus) a mhalairt go cruinn
vicinity *n* comharsanacht, cóngar, timpeallacht, *in the ~* ar na gaobhair
vicious *n* duáilceach; mailíseach, gangaideach; olc, mallaithe, drochmhúinte, oilbhéasach
vicissitude *n, the ~s of life* cora (crua) an tsaoil
victim *n* íobartach
victor *n* buaiteoir
Victorian *n & a* Victeoiriach
victorious *a* buach, coscrach, caithréimeach
victory *n* bua, buachan, caithréim, svae
victualler *n* biatach
victuals *npl* lón
video-tape *n* fístéip
vie *vi, vying with a person* i ndréim, in iomaíocht, le duine; *ag formad le duine*
view *n* amharc, radharc; aigne, dearcadh, *in ~* ar amharc, faoi do lé *vt* breathnaigh, féach, amharc
vigil *n* bigil, faire
vigilance *n* airdeall, aireachas
vigilant *a* airdeallach, aireach, coimhéadach
vigorous *a* bríomhar, fuinniúil, feilmeanta, groí
vigour *n* brí, gus, fuinneamh, éitir, luadar, lúth
Viking *n & a* Uigingeach, Lochlannach
vile *a* díblí, táir, truaillí, *~ remark* focal gránna
village *n* baile beag, sráidbhaile, gráig
villain *n* cladhaire, meirleach, bithiúnach
villainous *a* cladhartha, bithiúnta
villainy *n* cladhreacht, bithiúntas, mí-bheart
Vincentian *n & a* Uinseannach
vindictive *a* díoltasach, faltanasach, nimhneach
vine *n* fíniúin
vinegar *n* fínéagar

vineyard *n* fíonghort, fíniúin
vinyl *n* vinil
viola *n* vióla
violate *vt* sáraigh, éignigh
violation *n* sárú, éigniú
violence *n* foréigean, forneart
violent *a* foréigneach; garg, borb; tréan, dian, turraingeach
violet *n* sailchuach *a* corcairghorm, sailchuachach
violin *n* veidhlín
violinist *n* veidhleadóir
virago *n* báirseach; ainscian mná, ropaire mná, maistín mná
virgin *n* maighdean, ógh
virginal *a* maighdeanúil
virginity *n* maighdeanas, ócht
Virgo *n* an Mhaighdean
virile *a* fearga, fireann
virility *n* feargacht, fireannacht
virtual *a* fíorúil, dáiríre, *~ly over* geall le bheith thart
virtue *n* bua; suáilce, *by ~ of* de thairbhe
virtuous *a* suáilceach, dea-bheathach
virulent *a* nimhiúil, gangaideach, goimhiúil
virus *n* víreas
visa *n* víosa
viscount *n* bíocunta
viscous *a* glóthach, righin
visibility *n* infheictheacht; léargas
visible *a* infheicthe, sofheicthe, le feiceáil
vision-*n* aisling, fís, taibhreamh; léargas, radharc
visionary *n* aislingeach *a* aislingeach, samhalta
visit *n* cuairt *vt, to ~ a person, a place* cuairt a thabhairt ar dhuine, ar áit
visitor *n* cuairteoir, strainséir
vista *n* sraithradharc
visual *a* radharcach, *~ aids* áiseanna amhairc
visualize *vt* samhlaigh
vital *a* beath-; bunúsach, riachtanach
vitality *n* beogacht, brí, spionnadh
vitals *npl* áranna, baill bheatha
vitamin *n* vitimín
vitriol *n* vitrial
vituperative *a* spídiúil
vivacious *a* aigeanta, spleodrach, anamúil
vivacity *n* aigeantacht, spleodar
vivid *a* glé, glinn

viviparous *a* beobhreitheach
vivisection *n* beoghearradh
vocabulary *n* foclóir(in); stór focal, réimse focal
vocal guthach; cainteach, glórach
vocation *n* gairm
vocational *a* gairmiúil, ~ *school* gairmscoil
vocative *n & a* gairmeach
vociferous *a* glórach, labharthach, callánach
voice *n* glór, guth, *passive* ~ faí chéasta
void *n* folúntas, folús *a* folamh *vt* folmhaigh; eisfhear
voile *n* voil
volatile *a* luaineach; so-ghalaithe
volcano *n* bolcán
volition *n* toiliú, *of her own* ~ dá toil dheona féin
volley *n* rois, rúisc
volleyball *n* eitpheil
volt *n* volta
voltage *n* voltas
voluble *a* cainteach, glórach
volume *n* imleabhar; toirt; lánú

voluntary *a* deonach, toilteanach
volunteer *n* óglach; saoralaí *vt, to* ~ *one's services* seirbhís a thairiscint
voluptuous *a* macnasach, sáil
vomit *n* aiseag, múisc, sceith, orla, urlacan *vt & i* urlaic, aisig, sceith
voracious *a* alpach, craosach, ~ *person* alpaire
vortex *n* cuilithe, poll guairneáin
vote *n* guth, vóta, ~ *of thanks* rún buíochais *vt & i* vótáil
voter *n* vótálaí
votive *a* móideach
voucher *n* dearbhán
vow *n* móid *vt & a* móidigh, geall, dearbhaigh
vowel *n* guta
voyage *n* aistear farraige
vulcanize *vt* bolcáinigh
vulgar *a* gráisciúil, lodartha, lábúrtha, otair; gnáth-, ~ *talk* brocamas cainte
vulgarity *n* gráisciúlacht, lábúrthacht
vulnerable *a* éislinneach, soghonta
vulture *n* badhbh, bultúr

W

wad *n* loca; burla
wadding *n* flocas
waddle *n* lapadán, siúl na lachan *vi, to* ~ siúl ar nós na lachan, *waddling* ag lapadán
wade *vi, wading* ag lapadaíl, *to* ~ *through water* siúl trí uisce
wag *n* croitheadh, luascadh; eagnaí *vt & i* croith, luasc
wage *n* pá, tuarastal *vt, to* ~ *war* cogadh a fhearadh, a chur
wager *n* geall, geallchur *vt & i, to* ~ geall a chur, *I'll* ~ *you (that)* bíodh geall air (go); gabhaim orm (go)
waggon *n* vaigín
wagtail *n* glasóg
waif *n* díthreabhlach, tachrán
wail *n* olagón, uaill, ~ *ing* ag mairgneach, ag caí, ag gol
wainscot *n* vuinsciú
waist *n* coim, básta
waistband *n* banda coime

waistcoat *n* bástcóta, veist, vástcóta
wait *n* fanacht, feitheamh, fuireach, *to lie in* ~ *for them* luíochán a dhéanamh rompu *vi* fan, fuirigh (*for* le), freastail (*on* ar), ~ *ing for an opportunity* ag faire na faille
waiter *n* freastalaí
waiting-room *n* feithealann, seomra feithimh
waitress *n* banfhreastalaí
waive *vt, to* ~ *sth* rud a ligean tharat
wake *n* faire, tórramh *vt & i* dúisigh, múscail, *to* ~ *a corpse* corp a fhaire, a thórramh
wakeful *a* múscailteach, neamhchodlatach
waken *vt & i* múscail, dúisigh
walk *n* siúl, siúlóid, spaisteoireacht; cosán *vt & i* siúil
walker *n* coisí, siúlóir
walking *n* siúl, coisíocht
walk-out *n* stailc oibrithe

walk-over *n* bua gan dua, bua gan choimhlint

wall *n* balla, múr, claí, fál, fraigh, *within the four* ~ *s of the house* faoi iamh, faoi chreataí, an tí *vt*, ~ *in*, múr

wallaby *n* valbaí

wallet *n* tiachóg, vallait

wall-eyed *a* glórshúileach

wallflower *n* lus an bhalla; caochóg ar cóisir

wallop *n* paltóg, hap *vt* liúr, gread, smiot

wallow *vi* iomlaisc, ~ *ing about* ag únfairt

walnut *n* gallchnó

walrus *n* rosualt

waltz *n* válsa *vi* válsáil

wan *a* báiteach, liathbhán, leáiteach, tláith

wand *n* slat draíochta

wander *vi* fuaidrigh, ~ *ing* ag fálróid, ag fánaíocht; ag dul ar seachrán

wanderer *n* fánaí, seachránaí, siúlóir, straeaire

wandering *a* fánach, seachránach; seachmallach; ar fiarlaoid

wane *vi* cúlaigh

want *n* ceal, díth, easpa; angar, cruatan, *for* ~ *of help* d'uireasa cúnaimh *vt & i*, *they* ~ *for nothing* níl aon easnamh orthu, *I* ~ *it* tá sé ag teastáil uaim, tá sé de dhíobháil orm

wanting *a* díothach, easpach, díobhálach

wanton *a* macnasach, mínáireach, teaspúil, ~ *destruction* léirscrios ainrianta

war *n* cogadh *vi*, *to* ~ *against a person* cogadh a chur ar dhuine

warble[1] *n* ceiliúr *vi* ceiliúir, seinn

warble[2] *n* péarsla

warbler *n* ceolaire

war-cry *n* rosc catha

ward *n* barda (cathrach, ospidéil); coimircí *vt*, *to* ~ *off a blow* buille a chosaint

warden *n* bardach, seiceadóir, maor

warder *n* hairdéir

wardrobe *n* vardrús

ware *n* earra, gréithe

warehouse *n* trádstóras

warfare *n* cogaíocht

wariness *n* faichill

warlike *a* cogúil, gaiscitúil, cathach

warm *a* te, cluthar, teolaí; croítúil *vt & i* téigh, gor

warmth *n* teas, teocht, cluthaireacht

warn *vt*, *to* ~ *a person* rabhadh a thabhairt do dhuine; fainic a chur ar dhuine

warning *n* fainic, fógairt, rabhadh, foláireamh

warp *n* deilbh, dlúth; fiar, stangadh *vt & i* deilbhigh; fiar, stang, scól

warped *a* fiar, ~ *mind* intinn shaofa

warrant *n* banna, barántas *vt*, *to* ~ *a person* dul i mbannaí, in urrús, ar dhuine, *I'll* ~ *you* (*that*) mise faoi duit (go), gabhaim orm (go)

warranty *n* barántas; urra

warren *n* coinicéar

warrior *n* gaiscíoch, laoch, curadh

warship *n* long chogaidh

wart *n* faithne

wary *a* airdeallach, braiteach, faichilleach

wash *n* folcadh, níochán; ionlach, deoch; cúlsruth *vt & i* folc, nigh, ionnail

washable *a* sonite

washer *n* leicneán, seálán

washing *n* níochán, ionladh

wasp *n* foiche

waste[1] *n* diomailt, cur amú, vásta; dramhail, ~ *of money* caitheamh airgid *a*, ~ *paper* dramhpháipéar *vt & i* diomail, ídigh, meath, searg, *wasting away* ag snoí, ag cnaí, *wasting time* ag meilt ama

waste[2] *n* díthreabh, fásach

wasteful *a* caifeach, diomailteach, drabhlásach

wasting *n* cnaí, seargadh, snoí; meilt, diomailt

wastrel *n* ragairneálaí, drabhlásaí

watch[1] *n* uaireadóir

watch[2] *n* coimhéad, faire, *to keep a* ~ *on a person* faire ar dhuine *vt & i* breathnaigh, fair, féach, ~ *out*! fainic! seachain! aire duit!

watcher *n* coimhéadaí, fairtheoir

watchful *a* airdeallach, coimhéadach, aireach

watchman *n* fear faire, seiceadóir

water *n* uisce, *fresh* ~ fionnuisce, *spring* ~ fíoruisce, *salt* ~ sáile *vt* uiscigh

water-bailiff *n* báirseoir

water-colour *n* uiscedhath

watercress *n* biolar

waterfall *n* eas

watering-can *n* fraoch bhanna

water-lily *n* bual-lile, duilleog bháite

waterlogged *a* leathbháite, idir dhá uisce

waterproof *a* uiscedhíonach

watershed *n* dobhardhroim

water-skiing *n* uisce-sciáil

watertight *a* díonmhar (ar uisce)

waterway *n* uiscebhealach

watery *a* báiteach, uisciúil

watt *n* vata

wattage *n* vatacht

wattle *n* cleathóg, cleith; sprochaille

wattling *n* caoladóireacht; cliath

wave[1] *n* tonn, tonnadh, saoiste

wave[2] *n* croitheadh *vt & i* croith (ar, le)

wave-length *n* tonnfhad

wavering *a* guagach luaineach; creathánach

wavy *a* crothach, tonnúil, (*of hair*) droimníneach, camarsach, dréimreach

wax *n* céir, *ear* ~ sail chluaise *vt* ciar

waxen *a* ciarach

way *n* bealach, slí, ród; caoi, dóigh, *give* ~ géill (slí), *the bridge gave* ~ d'imigh, thug, an droichead, ~ *in* (bealach) isteach, ~ *out* (bealach) amach, *in a bad* ~ in anchaoi, *to go out of one's* ~ cor bealaigh, aistear, a chur ort féin; dua a chur ort féin, *in such a* ~ *that* sa dóigh (is) go, i slí go, *by the* ~ dála an scéil; mo dhearmad!

waylay *vt, to* ~ *a person* luíochán a dhéanamh roimh dhuine, éirí slí a dhéanamh ar dhuine

wayward *a* míchomhairleach, spadhrúil

we *pron* muid, muidne; sinn, sinne (*vide inflected vb forms*)

weak *a* fann, lag, meirbh, lagbhríoch, ~ *spot* éasc, *they were* ~ *laughing* bhí siad i lagracha ag gáire, ~ *drink* uiscealach

weaken *vt & i* lagaigh, meathlaigh

weakling *n* fágálach, meatachán

weakness *n* lagar, laige, meirfean, cloíteacht; éasc, locht

wealth *n* saibhreas, maoin, rachmas, ollmhaitheas

wealthy *a* saibhir, gustalach, rachmasach, ~ *person* toicí (mór)

wean *vt* scoith, *to* ~ *a child* leanbh a chosc, a bhaint den chíoch

weapon *n* arm

wear *n* caitheamh, idiú, *ladies* ~ éadaí ban *vt & i* caith, idigh; clip, *it* ~ *s well* tá caitheamh maith ann, ~ *down* cloígh, snoigh, tnáith, creim

wearable *a* inchaite

wearer *n* caiteoir

weariness *n* tuirse, suaitheadh, meirtne

wearisome *a* tuirsiúil, liosta

weary *a* tuirseach, cloíte, tnáite *vt & i* tuirsigh

weather *n* aimsir, uain, síon, *good* dea-aimsir, *bad* doineann, drochaimsir

weather-beaten *a* síonchaite, síondaite

weather-proof *a* díonmhar

weave *n* fí, fíochán *vt & i* fígh

weaver *n* fíodóir

web *n* gréasán, fíochán, uige; scamall, *spider's* ~ líon, gréasán, damháin alla

webbed *a*, ~ *foot* lapa scamallach

wed *vt & i* pós

wedding *n* bainis, pósadh

wedge *n & vt* ding

Wednesday *n* Céadaoin, *next* ~ Dé Céadaoin seo chugainn, *Ash* ~ Céadaoin an Luaithrigh

weed *n*, ~ *s* fiaile, luifearnach, lustan *vt & i, to* ~ fiaile a bhaint, gortghlanadh a dhéanamh

weed-killer *n* fiailicíd

week *n* seachtain

week-end *n* deireadh seachtaine

weekly *n* seachtanán *a* seachtainiúil

weep *vt & i* caoin, goil

weft *n* inneach

weigh *vt & i* meáigh, tomhais, *it* ~ *s a stone* tá cloch mheáchain ann, *it* ~ *ed heavily on my heart* bhí sé ina ualach ar mo chroí

weight *n* meáchan; trom; tromán

weighty *a* tromaí, trom, tromchúiseach

weir *n* cora

weird *a* diamhair, siúil, uaigneach

welcome *n* fáilte *a*, *you are* ~ tá fáilte romhat *vt, to* ~ *a person* fáilte a chur roimh dhuine, fáiltiú roimh dhuine

welcoming *n* fáiltiú *a* fáilteach

weld *vt & i* táthaigh

welfare *n* leas, sochar

well[1] *n* tobar, foinse, ~ *of stairs* log staighre

well² *a & adv* maith, *to be* ~ bheith ar fónamh, bheith go maith, *I got on* ~ d'éirigh go breá liom, *it's* ~ *for you* is méanar, aoibhinn, duit, *I was there as* ~ bhí mise ann freisin, chomh maith ~! bhuel!

well-behaved *a* dea-bhéasach, múinte

well-dressed *a* feistiúil, gléasta

well-fed *a* beathaithe

well-informed *a* eolach, feasach

well-kept *a* feistithe, pointeáilte

well-known *a* aithnidiúil, iomráiteach

well-meaning *a* dea-mhéineach

well-off *a* go maith as, deisiúil, *he is* ~ tá dóigh mhaith air, tá sé ina shuí go te

well-spoken *a* deisbhéalach, soilbhir

well-to-do *a* acmhainneach, gustalach, deisiúil, substainteach

welt *n* bálta, buinne; fearb, riast, léas *vt* riastáil

west *n* iarthar, *from the* ~ aniar, *to the* ~ siar *adv & a*, *the* ~ *wind* an ghaoth aniar, *the* ~ *coast* an cósta thiar, *to go* ~ dul siar, ~ *of* taobh thiar de; siar ó; laistiar de

westerly *a & adv*, ~ *wind* gaoth aniar, *in a* ~ *direction* siar, *the* ~ *part* an taobh thiar, an t-iarthar

western *a* iartharach, iar-

westwards *adv* siar

wet *a & vt & i* fliuch

wether *n* molt

wetness *n* fliche, fliuchras, taise

wetting *n* fliuchán, fliuchadh

wharf *n* caladh cuain

what *pron* céard, cad, cén rud, ~ *is that* cad é sin, ~ *is your name* cad is ainm duit, ~ *I have to say* an rud atá le rá agam, ~ *are you talking about* céard faoi a bhfuil tú ag caint a cá, cé, ~ *age is he* cá haois é, cén aois é, ~ *time is it* cén t-am é, ~ *a day!* a leithéid de lá!

whatever, whatsoever *pron & a* cibé (ar bith), pé, *nothing* ~ faic na ngrást

wheat *n* cruithneacht

wheedle *vt & i* bréag, meall, *wheedling* ag tláithínteacht

wheel *n* roth, roithleán *vt & i* faoileáil, cas

wheel-barrow *n* bara rotha

wheeze *n* cársán, seordán, feadán, píobarnach

whelk *n* cuachma, faocha chapaill

when *adv* cathain, cén uair, cá huair, ~

did it happen cathain a tharla sé, *he didn't say* ~ *he would come* ní dúirt sé cathain a thiocfadh sé *conj*, ~ *I entered the room* nuair a chuaigh mé isteach sa seomra

where *adv* cá, cén áit, cá háit, ~ *are you from* cad as duit, *I shall stay* ~ *I am* fanfaidh mé san áit a bhfuil mé, mar a bhfuil mé, *the house* ~ *I was born* an teach ar rugadh ann mé

whereabouts *adv & n* ~ *are you* cá bhfuil tú, *no one knows his* ~ níl a fhios ag aon duine cén taobh a bhfuil sé

wherever *adv & conj* cibé áit, pé áit

whet *vt* faobhraigh, *to* ~ *one's appetite* faobhar a chur ar do ghoile

whether *conj* cé acu, cibé acu, pé, *ask her* ~ *she can come* fiafraigh di an mbeidh sí in ann teacht, ~ *you like it or not* más olc maith leat é, pé olc maith leat é

whey *n* meadhg

which *pron & a* cé acu, cé a, ~ *of you said* it cé agaibh a dúirt é, ~ *is dearer, meat or fish* cé acu is daoire, feoil nó iasc, *the cat* ~ *drank the milk* an cat a d'ól an bainne, *a secret* ~ *I would not reveal* rún nach sceithfinn, ~ *book do you want* cé acu leabhar a theastaíonn uait, *the tree from* ~ *it was lopped* an crann dár scoitheadh é

whichever *pron & a* cibé, pé

whiff *n* gal, puth

while *n* scaitheamh, seal, tamall, *a* ~ *ago* ó chianaibh, *wait a* ~ fan go fóill, *it is worth your* ~ is fiú duit é *vt* bréag, meil *conj* ~ *I was there* fad is a bhí mé ann

whim *n* daol, teidhe

whimper *n* geoin, meacan *vi*, ~ *ing* ag diúgaireacht, ag geonaíl

whimsical *n* meonúil, teidheach

whin *n* aiteann

whinchat *n* caislín aitinn

whine *n* faí, sian, cuach *vi*, *whining* ag fuarchaoineadh, ag geonaíl, ag sianaíl

whinge *vi*, *whinging* ag faí

whinny *n* cuach, seitreach

whip *n* fuip, lasc *vt* fuipeáil, lasc, ~ *ped cream* uachtar coipthe

whipping *n* greadadh, lascadh

whirl *n* guairneán, rothlú *vt & i* rothlaigh, ~ *ing* ag guairneáil

whirling *a* guairneánach, roithleánach

whirlpool n coire (guairneáin), cuilithe ghuairneáin, poll súraic

whirlwind n cuaifeach, iomghaoth, sí gaoithe

whirr n seabhrán

whisk n flíp, leadhb; greadtóir vt & i scinn, sciurd; gread

whiskers npl féasóg leicinn; guairí cait

whiskey n fuisce, uisce beatha

whisper n cogar, sioscadh vt & i, to ~ to a person cogar a thabhairt do dhuine, it is ~ed that tá sé ina luaidreán go, ~ing ag cogarnach, ag siosarnach

whist n fuist

whistle n fead, sian; feadán; feadóg vi, to ~ fead a dhéanamh, a ligean, whistling ag feadaíl

Whit[1] n, ~ Sunday Domhnach Cincíse

whit[2] n dada, pioc, a dhath

white n bán, fionn, geal

whiten vt & i bánaigh, fionn, geal, tuar

whiteness n báine, finne, gile

whitethorn n sceach gheal

whitewash n aoldath vt aol, to ~ sth aol a chur ar rud

whiting n faoitín

whitlow n rosaid

Whitsun(tide) n Cincís

whittle vt scamh, smiot, miotaigh

whizz n seabhrán vi, the motor cycle ~ed past us chuaigh an gluaisrothar tharainn ar nós na gaoithe

who pron cé, a, ~ is that cé (hé) sin, ~ did it cé a rinne é, ~ has it cé aige a bhfuil sé, the person ~ answered me an té a d'fhreagair mé, he ~ has not got sense an té nach bhfuil ciall aige

whoever pron & conj cibé, pé (duine)

whole n iomlán, on the ~ tríd is tríd a uile, ~ number slánuimhir, the ~ day an lá go léir, an lá ar fad, the ~ lot of them an t-iomlán (dearg) acu, the ~ world an domhan cláir; an saol mór

wholemeal a, ~ bread caiscín, arán caiscín

wholesale n mórdhíol a coiteann; ar an mórchóir

wholesome a folláin

wholly adv go léir, ar fad

whom pron cé, a, ~ do you see there cé a fheiceann tú ansin, to ~ did you give it

cé dó ar thug tú é, the man ~ you see an fear a fheiceann tú, a man ~ I don't recognize fear nach n-aithním, those ~ he served an dream dár fhóin sé

whoop n cuach, liú vi, to ~ liú a ligean

whooping-cough n triuch

whore n striapach

whortleberry n fraochán

whose pron cé, a, ~ is the book cé leis an leabhar, the man ~ son is going away, an fear a bhfuil a mhac ag imeacht, a man ~ speech I did not understand fear nár thuig mé a chuid cainte, a woman ~ name was Deirdre bean darbh ainm Deirdre

why adv cad ina thaobh, cén fáth, cad chuige, that is ~ I did not come sin é an fáth nár tháinig mé, ~ don't you sit down cumá nach suíonn tú

wick n buaiceas

wicked a olc, duáilceach, mallaithe, urchóideach, droch-

wickerwork n caoladóireacht, caolach

wicket n geaitín

wide a fairsing, leathan, leitheadach, scóipiúil; iomrallach, ar foraoil, the ~ world an domhan cláir, an domhan braonach, ~ open ar dianleathadh

widen vt & i fairsingigh, leathnaigh

widespread a forleathan, leitheadach

widow n baintreach

widower n baintreach fir

width n fairsinge, leithead

wield vt beartaigh, imir

wife n bean (chéile), banchéile

wig n bréagfholt, peiriúic

wigwam n wigwam

wild n fláin, fiata, allta, círéibeach, ~ talk caint san aer, to go ~ dul le báiní, dul ar buile, imeacht le craobhacha; imeacht fiáin

wildcat n fia-chat a, ~ scheme scéim áiféiseach

wilderness n fásach, fiántas

wildlife n fiabheatha, fiadhúlra

wildness n fiántas, alltacht

wile n meang, he is full of ~ is iomaí cúinse, lúb, bóthar, ann

wilful a ceanndána, stóinsithe, toiliúil

will[1] n tiomna, uacht vt uachtaigh, fág le huacht

will² n toil, togradh; réir, *of one's own free ~* de do dheoin féin, *to work with a ~* oibriú le fonn vt & i toiligh, *do as you ~* déan do chomhairle féin, *as aux v, ~ he be there* an mbeidh sé ann, *I ~ will not be caught again* ní bhéarfar arís orm

willing a deonach, fonnmhar, sásta, toilteanach, ullamh, *~ horse* capall umhal, *~ly* de dheoin

willow n saileach

wilt vi feoigh, sleabhac

wily a cúinseach, glic, *he's a ~* one is iomaí cor is lúb ann

win vt & i buaigh, gnóthaigh, *to ~ a game, the war* cluiche, an cogadh, a bhaint

winch n unlas

wind¹ n gaoth

wind² vt & i tochrais, cas, lúb, *to ~ up a thread* snáithe a ghlinneáil

windbreak n fál fothana

windfall n toradh leagtha; amhantar

winding a casta, lúbach

winding-sheet n taiséadach

windlass n unlas, castainn

windmill n muileann gaoithe

window n fuinneog

windpipe n sciúch, píobán (garbh)

windrow n láithreán féir

windscreen n gaothscáth

windswept a sceirdiúil

windy a gaofar

wine n fíon

wing n eite, eiteog, sciathán

wink n caochadh, sméideadh; néal (codlata) vt & i caoch, sméid

winner n buaiteoir, *he was declared the ~* tugadh an chraobh dó

winter n geimhreadh vi geimhrigh

wintry a geimhriúil

wipe vt cuimil vt & i cuimil

wiper n cuimleoir, *windscreen ~* cuimleoir gaothscátha

wire n sreang vt sreangaigh, *to ~ (a message) to a person* sreangscéal, teileagram, a chur chuig duine

wireless n raidió, craolachán

wireworm n során

wiry a miotalach, scolbánta

wisdom n críonnacht, eagna, gaois

wise a críonna, eagnaí, gaoiseach, *~ man* eagnaí, saoi, fáidh, *~ woman* bean feasa

wiseacre n saoithín

wisecrack n ciúta vi, *to ~* nathaíocht a dhéanamh

wish n fonn, guí, toil, *to get one's ~* d'iarraidh a fháil, *I send you my best ~es* beir bua agus beannacht vt & i togair, *as you ~* mar is áil leat, *if you ~ más mian leat é, I ~ I had stayed at home* is mairg nár fhan sa bhaile

wishful a fonnmhar

wishy-washy a leamh

wisp n brobh, dlaíóg, *~ of fog* cifle ceo, slám ceo, *~ of grass* sop féir, *~ of smoke* dual deataigh, caisirnín deataigh

wistful a cumhach

wit n éirim, meabhair; deisbhéalaí, léaspairt, *to be at one's ~'s end* bheith i mbarr do chéille

witch n cailleach, draíodóir mná

witchcraft n draíocht, an ealaín dhubh

with prep le, maille le, *(along) ~ a person* in éineacht le, i bhfochair, duine

withdraw vt & i cúlaigh, tarraing siar, *to ~ a sum of money* suim airgid a aistarraingt

withdrawal n cúlú; aistarraingt

withe n gad

wither vt & i críon, dreoigh, searg, feoigh; mill

withered a cranda, dreoite, feoite, críon

withhold vt ceil, coimeád

within adv istigh, laistigh prep, *~ a mile of it* faoi mhíle de, i bhfoisceacht míle de, *~ a month* faoi cheann míosa

without adv amuigh, lasmuigh prep gan, *~ sth* in éagmais ruda

withstand vt, *to ~ an attack* ionsaí a sheasamh

witness n finné; fianaise

wittiness n abarthacht, tráthúlacht

witty a abartha, deisbhéalach, nathach, tráthúil, *~ speech* deaschaint

wizard n draíodóir (fir), draoi

wizened a feosaí, *~ face* aghaidh chasta

wobble n longadán vi, *wobbling* ag luascadh, ag longadán

woe n léan, mairg, *~ is me* monuar, mo léan géar

woe-begone a léanmhar, dobrónach

woeful a léanmhar, mairgiúil

wolf n mac tíre, faolchú vt, to ~ one's food do chuid bia a alpadh

woman n bean a ban-, a ~ dancer rinceoir mná

womanhood n banúlacht

womanly a banda, banúil

womb n broinn

wonder n ionadh, iontas, it's a ~ he wasn't killed ba mhór an obair nár maraíodh é vt & i, to ~ at sth iontas a dhéanamh de rud, I ~ where he is ní fheadar cá bhfuil sé, and no ~ ní nach ionadh

wonderful a éachtach, iontach, ~! go seoigh!

wonky a creathach

wood n adhmad; coill, doire

woodbine n féithleann

woodcock n creabhar

wood-cut n greanadh adhmaid; fiodhghreanadh

wooded a coillteach, faoi chrann

wooden a clárach, ~ box bosca adhmaid, bosca cláir, ~ leg cos mhaide

woodlouse n cláirseach, míol críon

woodpecker n cnagaire, snag (darach)

woodwind n craobh cheoil

woodwork n adhmadóireacht, saoirseacht adhmaid

woodworm n réadán

wooing n suirí

wool n olann; snáth

woollen a, ~ cloth éadach olla

woolly a lomrach, olanda, ollach

word n focal, briathar, don't say a ~ ná habair smid

work n obair, saothar, public ~s oibreacha poiblí vt & i oibrigh, saothraigh, ~ing ag obair; ar obair

workable a inoibrithe

worker n oibrí, saothraí

working n obair a, ~ party meitheal, ~ class lucht oibre, in ~ order i bhfearas, i ngléas

workmanlike a ceardúil, slachtmhar

workmanship n ceardaíocht, ealaín

workshop n ceardlann, cearta

world n domhan, saol, cruinne, they think the ~ of him síleann siad an dúrud de, tá meas an domhain acu air a, ~ war cogadh domhanda

worldly a talmhaí, saolta, ~ matters, outlook saoltacht

world-wide a ar fud an domhain, domhanda

worm n péist, cuiteog, cruimh; cam stile

worn a caite, ~ out athchaite; spíonta, tnáite

worried a buartha, imníoch

worry n buairt, crá, imní vt & i buair, ciap, ~ing the sheep ag sárú na gcaorach, it is ~ing me tá sé ag déanamh buartha dom

worse a, he is ~ than John is measa é ná Seán, to get ~ dul i ndonas, in olcas

worsen vt & i, to ~ éirí níos measa, dul in olcas, to ~ sth rud a dhéanamh níos measa

worship n adhradh, onórú vt adhair, onóraigh

worshipper n adhraitheoir

worst n, the ~ díogha, the ~ of it is (that) is é donas an scéil (go) a is measa, his ~ mistake an dearmad is measa aige

worsted n mustairt

worth n luach, fiúntas, it is ~ a pound is fiú punt é, it is not ~ mentioning is beag le rá é, ní fiú trácht air

worthless a beagmhaitheasach, suarach; díomhaoin, spreasánta, it is ~ ní fiú biorán, tráithnín, é; níl ann ach cacamas

worthy a fiúntach, diongbháilte, oiriúnach

wound n créacht, cneá, goin, lot vt créachtaigh, cneáigh, goin, loit

wrack n feamainn bhoilgíneach; bruth faoi thír

wraith n taise

wrangle n clampar, callóid, siosma, iomarbhá vi, wrangling about land ag pléadáil faoi thalamh

wrap n clúdach, fillteog vt clúdaigh, cuach, fill

wrapper n fillteán, ~ of book forchlúdach leabhair

wrath n díbheirg, fraoch

wrathful a díbheirgeach, fraochta

wreak vt, to ~ vengeance on a person díoltas a imirt, a agairt, ar dhuine

wreath n bláthfhleasc, fleasc

wreathe vt & i figh, cas, sníomh

wreck n raic, raiceáil, scrios, longbhriseadh vt scrios, bris, raiceáil

wreckage n raic

wren n dreoilín

wren-boys n lucht an dreoilín
wrench n freanga, spreagadh, stangadh, (*tool*) rinse vt stróic, freang, stang
wrestle vt & i sníomh, to ~ *with a person* bheith ag coraíocht, ag iomrascáil, le duine
wrestler n gleacaí, iomrascálaí
wrestling n coraíocht, iomrascáil, gleacaíocht
wretch n ainniseoir, cráiteachán, donán, truán
wretched a suarach, ainnis, dearóil, ~ *condition* anró; ainríocht, drochchaoi, dóigh bhocht
wriggle n lúbarnaíl vt & i, *wriggling* ag lúbarnaíl, to ~ *one's way in* sleamhnú, caolú, isteach
wring vt fáisc, to ~ *one's hands* do bhosa a shníomh
wrinkle n fáirbre, roc vt & i roc
wrinkled a fáirbreach, grugach, rocach
wrist n caol na láimhe, rosta, bunrí
wrist-watch n uaireadóir láimhe

writ n eascaire, *Holy* ~ an Scríbhinn Dhiaga
write vt & i scríobh
writer n scríbhneoir, údar
writhe vi, to ~ *with pain* bheith ag lúbarnaíl le pian, *to make a person* ~ freanga a bhaint as duine
writing n scríbhneoireacht; scríbhinn; scríobh, *I'd know her* ~ d'aithneoinn a lámh, lorg a láimhe
writing-paper n páipéar scríbhneoireachta
wrong n olc, éagóir, to be in the ~ bheith san éagóir a cearr, contráilte; mícheart, cam, éagórach, *you are* ~ níl an ceart agat, *what's* ~ *with you* cad tá ort, cad tá cearr leat, *to do sth* ~ rud a dhéanamh as an tslí vt, to ~ *a person* éagóir, leatrom, a imirt ar dhuine
wry a casta, cam, ~ *smile* draothadh gáire, *to pull a* ~ *face* strainc a chur ort féin
wryneck n cam-mhuin

X

X-ray x-gha, x-ghathú vt x-ghathaigh

xylophone n xileafón

Y

yacht n luamh
yachtsman n luamhaire
yank vt srac, stoith
Yankee n Poncán a Poncánach
yap vi, to ~ sceamh a ligean, (*of person*) clabaireacht a dhéanamh
yard[1] n slat
yard[2] n clós
yarn[1] n abhras, snáth
yarn[2] n eachtra, scéal, staróg vi eachtraigh
yawn n méanfach vi, to ~ méanfach a dhéanamh
year n bliain, *last* ~ anuraidh, *this* ~ i mbliana, *next* ~ an bhliain seo chugainn, *in the New Y* ~ san athbhliain, *leap* ~ bliain bhisigh

year-book n bliainiris
yearling n colpach; fóisc a, ~ *calf* gamhain bliana
yearly a bliantúil, ~ *salary* tuarastal bliana
yearn vi tnúth (le)
yearning n tnúthán a tnúthánach
yeast n gabháil, giosta
yell n béic, liú, scread vi béic, liúigh, scread
yellow n & a buí vt & i buígh
yellowhammer n buíóg
yelp n & vi sceamh
yeoman n scológ; giománach
yesterday n & adv inné, *the day before* ~ arú inné
yet adv go fóill, fós

yew n iúr
yield n táirgeacht, barr, toradh, (of milk) crú, bleán, lacht, tál vt & i géill, claon; tabhair, táirg, tál
yoghourt n iógart
yoke n cuing, cuingir, (of dress) cuingleán, bráid vt cuingrigh
yolk n buíocán
yonder a & adv siúd, úd, ansiúd, lastall, over ~ thall úd, ~ it is b'iúd, siúd, é (é)
yore n, of ~ anallód, fadó
you pron tú, tusa; thú, thusa, pl sibh, sibhse, ~ came tháinig tú, sibh, ~ were beaten buaileadh thú, sibh, are ~ a doctor an dochtúir thú, with ~ leat, libh, without ~ gan tú, gan sibh, against ~ i do choinne, in bhur gcoinne, the likes of ~ do, bhur, leithéid(í), beating ~ do do bhualadh, do bhur mbualadh
young a óg; lag, ~ man óganach, ógfhear, ~ woman ógbhean
youngster n aosánach, garsún, malrach

your poss a, ~ car, sg do ghluaisteán pl bhur ngluaisteán, ~ father, sg d'athair pl bhur n-athair, ~ hair, sg do chuid gruaige pl bhur gcuid gruaige, ~ town an baile seo sg agatsa pl agaibhse, ~ man mo dhuine
yours pron, it is ~ is leat, pl libh, é, that one is ~ sin é do cheannsa pl bhur gceannsa; is leatsa, pl libhse, an ceann sin, a friend of ~ cara leat, pl libh; cara duit, pl daoibh; cara de do chuid, pl de bhur gcuid, that son of ~ an mac sin agat, pl agaibh
yourself pron tusa, thusa; (tú, thú) féin, ~ feeding ~ do do chothú féin
yourselves pron sibhse, (sibh) féin, feeding ~, do bhur gcothú féin
youth n óige; aosánach, buachaill, macaomh, óganach, giolla, the ~ of the country ógra, aos óg, na tíre
youthful a óigeanta
yowl n uaill, uallfairt, glam
yo-yo n yó-yó

Z

zeal n díbhirce, díogras, dúthracht
zealous a díbhirceach, díograiseach, dúthrachtach
zebra n séabra
zenith n buaic
zephyr n leoithne (aniar)
zero n nialas
zest n faobhar, fonn
zig-zag n fiarlán vi, to ~ dul (ar) fiarlán,

fiarlán a dhéanamh
zinc n sinc
zip n sip
zip-fastener n sipdhúntóir
zodiac n stoidiaca
zone n crios
zoo n zú
zoology n míoleolaíocht, zó-eolaíocht

A

a¹ ə† *voc part, a dhuine uasail* Sir

a² ə† *part used with non-adj numerals, a haon, a dó* one, two, *Eoin Fiche a Trí* John the Twenty-Third

a³ ə† *prep used with vn, síol a chur* to sow seed, *téigh a chodladh* go to sleep

a⁴ ə *poss a* his, her, its, their, *a athair, a hathair, a n-athair* his, her, their, father, *a bhaile, a baile, a mbaile*, his, her, their, home

a⁵ ə† *rel vb part & pron, an té a chuireann síol* he who sows seed, *an lá a baisteadh é* the day he was baptised, *an cat a d'ól an bainne* the cat which drank the milk, *a bhfuil ann* all that is there

a⁶ ə *part used with abstract n denoting degree, a ghéire a labhair sí* how sharply she spoke

á¹ a: *poss a 3sg m & f & 3pl as object of vn, bhí mé á dhíol* I was selling it, *bhí sí á crá acu* she was being tormented by them, *tá siad á gceannach* they are buying them; they are being bought

á² a: *int* ah

ab ab *m3*, abbot

abair abərʹ *vt & i, vn* **rá** say, ~ *an fhírinne* speak the truth, ~ *amhrán* sing a song, ~ *leis fanacht* tell him to wait, *ní tú atá mé a rá* I am not referring to you, *mar a déarfá* so to speak

abairt abərtʹ *f2* sentence, phrase

ábalta a:bəltə *a3* able, able-bodied

ábaltacht a:bəltəxt *f3* ability

abar abər *m1* boggy ground, *in* ~ bogged down; in a difficulty

abartha abərhə *a3* given to repartee, witty

abarthacht abərhəxt *f3* wittiness

abhac auk *m1* dwarf

ábhach a:vəx *m1*, ~ *gliomach* lobsterhole

abhacht a:vəxt *f3* jocosity, drollery

abhaile əˈvalʹə *adv* home(wards), *chuir sé* ~ *orm* é he persuaded me of it

ábhailleach a:vəlʹəx *a1* playful, mischievous

ábhaillí a:vəlʹi: *f4* playfulness, mischief

abhainn aunʹ *f, gs* **abhann** *pl* **aibhneacha** river

ábhal a:vəl *a1, gsf & comp* **áibhle** great, immense

ábhalmhór ˈa:vəlˌvo:r *a1* colossal

abhantrach auntrəx *f2* river-basin

ábhar a:vər *m1* matter, material; cause; subject; fair amount or number; pus, ~ *tógála* building material, ~ *sagairt* clerical student, ~ *trua* object of pity, *ag déanamh ábhair* festering, *tá sé ar a* ~ *féin* hc is on his own, *ar an* ~ *sin* for that reason, *baineann sé le h*~ it is relevant

ábharachas a:vərəxəs *m1* materialism

ábhartha a:vərhə *a3* material; relevant

abhcach aukəx *a1* dwarf, dwarfish

abhcóide aukoˈdʹə *m1* advocate, counsel, barrister

abhlann aulən *f2* wafer, host

abhlóir auloˈr *m3* buffoon

abhóg auˈg *f2* bound; bad impulse

abhraigh aˈvri: *vi* fester

abhraiseach aurəsˈəx *f2* spinner

abhras aurəs *m1* yarn; handiwork

abhus əˈvus *adv & a* here, *taobh* ~ *den loch* on this side of the lake

ablach abləx *m1* carcass, carrion

abláil ablaˈl *f3* botching

absalóideach absəloˈdʹəx *a1* absolute

abú əˈbu: *int* for ever

acadamh akədəv *m1* academy

acadúil akəduˈl *a2* academic

acalaí akəliˈ *m4* acolyte

acaoineadh ˈaˌki:nʹə *m, gs* **-nte** plaintive crying

acaointeach ˈaˌki:nʹtʹəx *a1* plaintive, doleful

acarsóid akərsoˈdʹ *f2* anchorage

acastóir akəstoˈr *m3* axle

ach ax *conj & prep* but, *níl agam* ~ *é* it is all I have, *níl tú* ~ *ag amaidí* you are only fooling, *níl ann* ~ *go bhfeicim iad* I can barely see them, *gheobhaidh tú é* ~ *íoc as* you will get it if you pay for it, ~ *grásta Dé* but for the grace of God

achadh axə *m1* field

achainí axənˈi: *f4, pl* **-ocha** request, entreaty, petition

achainigh axənˈi: *vt & i* entreat, petition

achainíoch axənˈi:(ə)x *m1* petitioner *a1, gsm* ~ importunate

achair axərʹ *vt & i, pres* **achrann** *vn* ~**t** beseech

255

achar axər *m*1 area; distance, extent; period

achasán axəsa:n *m*1 reproach, insult

achoimre 'a,xom'r'ə *f*4 summary

achoimrigh 'a,xom'r'i: *vt* summarize, recapitulate

achomair 'a,xomər' *a*1, *gsf*, *npl* & *comp* **-oimre** concise, brief

achomaireacht 'a,xomər'əxt *f*3 conciseness, brevity,

achomharc 'a,xo:rk *m*1 appeal

achomharcóir 'a,xo:rko:r' *m*3 appellant

achrann axrən *m*1 tangle, entanglement; quarrelling, strife, *in ~ sna driseacha* caught in the briars

achrannach axrənəx *a*1 entangled, intricate; quarrelsome

acht axt *m*3, *pl ~anna* enactment; condition, *~ parlaiminte* act of parliament

achtaigh axti: *vt* enact

achtúire axtu:r'ə *m*4 actuary

aclaí akli: *a*3 supple, agile; flexible; adroit

aclaigh akli: *vt* & *i* limber; exercise; flex

aclaíocht akli:(ə)xt *f*3 agility; limbering; exercise; adroitness

acmhainn akvən' *f*2 capacity, endurance; means, resources; equipment

acmhainneach akvən'əx *a*1 strong, able to endure; well-to-do; seaworthy

acomhal 'a,ko:l *m*1 junction

acra¹ akrə *m*4 acre

acra² akrə *m*4 implement, tool; convenience

acrach akrəx *a*1 handy; convenient

acraíocht akri:(ə)xt *f*3 acreage

acu aku : **ag**

adac adək *m*1 hod

adamh adəv *m*1 atom

adamhach adəvəx *a*1 atomic

adamhaigh adəvi: *vt* atomize

adanóidí adəno:d'i *spl* adenoids

adh- a *pref* very

ádh a: *m*1 luck

adhain ain' *vt* & *i*, *pres* **adhnann** kindle; inflame; ignite; grate

adhaint ain't' *f*2 inflammation; ignition

adhair air' *vt*, *pres* **adhrann** *vn* **adhradh** adore, worship

adhairt airt' *f*2, *pl ~eanna* bolster, pillow

adhall ail *m*1 heat (in bitch)

adhaltrach ailtrəx *m*1 adulterer *a*1 adulterous

adhaltranas ailtrənəs *m*1 adultery

adhantach aintəx *a*1 igneous, inflammable

adhantaí ainti: *m*4 fire-lighter

adharc airk *f*2 horn, *in ~ gabhair* in a dilemma, *~ diallaite* peak of saddle, *in ~ a a chéile* at loggerheads

adharcach airkəx *a*1 horned, horny

adharcáil airka:l' *vt* horn, gore

adharcán airka:n *m*1 feeler, tentacle, antenna

adhartán airta:n *m*1 cushion; compress

adhascaid aiskəd' *f*2 nausea, morning sickness

adhastar aistər *m*1 halter

adhfhuafar 'a,uəfər *a*1 abominable

adhlacadh ailəkə *m*, *gs* **-ctha** *pl* **-cthaí** burial

adhlacóir ailəko:r' *m*3 undertaker

adhlaic ailək' *vt*, *pres* **-acann** bury

adhmad aiməd *m*1 wood, timber; material

adhmadóireacht aimədo:r'əxt *f*3 woodwork, carpentry

adhmaint aimən't' *f*2 lodestone, magnet

adhmainteach aimən't'əx *a*1 magnetic

adhmainteas aimən't'əs *m*1 magnetism

adhmhol 'a,vol *vt* extol, eulogize

adhmholadh 'a,volə *m*, *gs* **-lta** eulogy, panegyric

adhnua 'a,nuə *m*4, *~ a dhéanamh de* to make a fuss of him

adhradh airə *m*, *gs* **adhartha** adoration, worship

adhraitheoir airiho:r' *m*3 adorer, worshipper

ádhúil a:u:l' *a*2 lucky, fortunate

admhaigh advi: *vt* & *i* acknowledge, admit, confess

admháil adva:l' *f*3 acknowledgement, admission; receipt

adóib ado:b' *f*2 adobe

aduaidh ə'duəy' *adv* & *prep* & *a* from the north, *an ghaoth ~* the north wind

aduain aduən' *a*1 strange, unfamiliar; apart

ae e: *m*4, *pl ~nna* liver

aeistéitic e:s't'e:t'ək' *f*2 aesthetics

aeistéitiúil e:s't'e:t'u:l' *a*2 aesthetic

aer¹ e:r *m*1 air; gaiety, *~ beag gaoithe* little breath of wind, *tá an ghrian ar an ~* the sun is up, *~ an tsaoil* the pleasures of the world, *chaith sé in ~ é* he threw it up, abandoned it

aer² e:r *m*1 air, tune

aer(a)(i)- e:r(ə) *pref* air-, aero-, aerial; pneumatic

aerach e:rəx *a*1 airy; gay, lively; flighty

aeracht e:rəxt *f*3 airiness; gaiety; flightiness

aerachtúil e:rəxtu:l′ *a*2 eerie

aeradróm 'e:rə,dro:m *m*1 aerodrome

aeráid e:ra:d′ *f*2 climate

aeráideach e:ra:d′əx *a*1 climatic

aeraidinimic 'erə,d′i′n′im′ək′ *f*2 aerodynamics

aeraigh e:ri: *vt* aerate

aeráil e:ra:l′ *f*3 ventilation *vt* ventilate, air

aeraíocht e:ri:(ə)xt *f*3 open-air entertainment, *ag ~* taking the air

aerálaí e:ra:li: *m*4 ventilator

aerárthach 'e:r,a:rhəx *m*1, *pl* **-aí** aircraft

aerasól 'e:rə,so:l *m*1 aerosol

aerbhac 'e:r,vak *m*1 air-lock

aerbhrat 'e:r,vrat *m*1 atmosphere

aerdhíonach 'e:r,γ′i:nəx *a*1 air-tight

aerfhórsa 'e:r,o:rsə *m*4 air-force

aerfort 'e:r,fort *m*1 airport

aerga e:rgə *a*3 aerial, ethereal

aerloingseoireacht 'e:r,loŋ′s′o:r′əxt *f*3 aeronautics

aeróg e:ro:g *f*2 aerial

aeroibrithe 'e:r,ob′r′ihə *a*3 pneumatic

aeroiriúnaigh 'e:r,or′u:ni: *vt* air-conditioning

aeróstach 'e:r,o:stəx *m*1 air-hostess

aertha e:rhə *a*3 light-headed, giddy

aerthormán 'e:r,horəma:n *m*1 atmospherics

áfach ə:fəx *adv* however

ag eg′⁺ *prep*, *pron forms* **agam** agəm, **agat** agət, *m* **aige** eg′ə, *f* **aici** ek′i, **againn** agən′, **agaibh** agəv′, **acu** aku, at, *ag an scoil* at the school, *sin agat é* there it is for you, *is mór acu Seán* they have a great regard for Seán, *an teach seo againne* our house, *theip ar an misneach aige* he lost courage, *tá beirt mhac aige* he has two sons, *biodh ciall agat* have sense, *tá snámh aige* he can swim, *tá dúil agam ann* I desire it, *biodh aige* let him be, *duine acu* one of them, *caite ag an aois* worn out with age, *tá sé trom aige* it is heavy for him, *tá sé ag caint* he is speaking

aga agə *m*4 period, interval; distance

agaibh agəv′: **ag**

agaill agəl′ *f*2 earthworm, lobworm

againn agən′: **ag**

agair agər′ *vt*, *pres* **agraíonn** plead, entreat; avenge, *d'agair sé a dhioltas orthu* he wreaked vengeance on them

agairt agərt′ *f*3, *gs* **-artha** plea; vengeance

agáit aga:t′ *f*2 agate

agall agəl *f*2 exclamation, cry; talk, argument

agallamh agələv *m*1 address, discourse; interview, *~ beirte* dialogue

agam agəm: **ag**

agat agət: **ag**

aghaidh aiγ′ *f*2, *pl* **-eanna** face; front, aspect, *~ fidil* mask, *~ ar ~* face to face, *ar ~* facing; forward, *ag dul ar ~* progressing, *ar ~ leat* go ahead, *ceann ar ~* headlong, *in ~* against, in return for, *le h ~* for

agnóisí agno:s′i: *m*4 agnostic

agnóisíoch agno:s′i:(ə)x *a*1, *gsm ~* agnostic

agó ə′go: *m*4 objection, stipulation, *gan aon ~* undoubtedly

agóid ago:d′ *f*2 objection, protest, *lucht ~ e* protesters *vi* object, protest

agóideach ago:d′əx *a*1 protesting; cantankerous

aguisín agəs′i:n′ *m*4 addition, addendum

agus agəs⁺ *conj* and, *breis ~ bliain* more than a year, *tuairim ~ céad* about one hundred, *níor ith sé ~ níor ól sé* he neither ate nor drank, *fainic ~ ná tit* be careful not to fall, *d'imigh sé ~ fearg air* he went away in anger, *láidir ~ mar atá sé* strong as he is, *chomh maith ~ is féidir liom* as well as I can, *biodh ~ go bhfaca tú é* granted that you saw him

agús agu:s *m*1 addition, qualification; clause, reservation

aibéil ab′e:l′ *f*2, *~ chainte* back-chat *a*1 quick

áibhéalach a:v′e:ləx *a*1 exaggerative

áibhéalta a:v′e:ltə *a*3 exaggerated; huge, vast

áibhéil a:v′e:l′ *f*2 exaggeration

aibhéis av′e:s′ *f*2 abyss

aibhinne av′ən′ə *m*4 avenue

áibhirseoir a:v'ərs'o:r' m3 adversary, (the) Devil

áibhle a:v'l'ə : **ábhal**

aibhléis avl'e:s' f2 electricity

aibhleog avl'o:g f2 coal (of fire), ~ *dhóite* cinder

aibhneacha av'n'əxə : **abhainn**

aibhseach av'ʃ'əx a1 great, immense, *dath* ~ high colour

aibhsigh av'ʃ'i: vt & i enlarge (*ar*, on); emphasize; heighten (colour)

aibí ab'i: a3 ripe, mature; quick, clever, *súil* ~ keen eye

aibid ab'i:d' f2, pl ~**eacha** habit, religious dress

aibigh ab'i: vt & i ripen, mature

aibíocht ab'i:(ə)xt f3 ripeness, maturity; quickness, cleverness

aibítir ab'i:t'ər' f2, gs -**tre** pl -**trí** alphabet; rudiments

aibítreach ab'i:t'r'əx a1 alphabetical

Aibreán ab'r'a:n m1 April

aibreog ab'r'o:g f2 apricot

aice[1] ak'ə f4 nearness, proximity, *in* ~ *na farraige* near the sea, *ina* ~ *sin* along with that

aice[2] ak'ə f4, ~ *gliomach* lobsterhole

aicearra ak'ərə m4 short-cut; abridgement

aicearrach ak'ərəx a1 short; curt, *caint* ~ pithy speech

aicearracht ak'ərəxt f3, *in* ~ soon, without delay

aicéitiléin a'k'e:t'ə,l'e:n' f2 acetylene

aici ek'i : **ag**

aicíd ak'i:d' f2 disease

aicme ak'm'ə f4 genus, class; tribe; clique

aicmeach ak'm'əx a1 generic; class

aicmigh ak'm'i: vt classify

aicmiúil ak'm'u:l' a2 sectarian; cliquish

aicsean ak's'ən m1 action, feat

aicsím ak's'i:m' f2 axiom

Aidbhint ad'v'ən't' f2 Advent

aidhleanna ail'ənə npl oilskins

aidhm aim' f2, pl ~**eanna** aim, purpose, *d'aon* ~ on purpose

aidhmeannach aim'ənəx a1 designing, ambitious

aidhnín ain'i:n' m4 fuse (of explosive)

aidiacht ad'iəxt f3 adjective

aidiúnach ad'u:nəx m1 adjutant

aidréanailín ə'd'r'e:nə,l'i:n' m4 adrenalin

aife af'ə f4 ebb, *taoide* ~ ebbing tide

aiféala af'e:lə m4 regret, remorse; shame, embarrassment

aiféalach af'e:ləx a1 regretful, sorrowful; shamefaced, embarrassed

aiféaltas af'e:ltəs m1 shame, embarrassment; regret

aiféis a:f'e:s' f2 exaggeration; nonsense

aiféiseach a:f'e:s'əx a1 exaggerated; ridiculous

aifid af'əd' f2 aphid

aifir af'ər' vt, pres **aifríonn** rebuke

aifirt af'ərt' f3, gs **aifeartha** rebuke, reproach

Aifreann af'r'ən m1 Mass

aige eg'ə : **ag**

aigéad ag'e:d m1 acid

aigéadach ag'e:dəx a1 acid

aigéan ag'e:n m1 ocean

aigéanach ag'e:nəx a1 oceanic

aigeanta ag'əntə a3 spirited, cheerful

aighneacht ain'əxt f3 submission

aighneas ain'əs m1 argument, discussion

aighneasach ain'əsəx a1 argumentative

aigne ag'n'ə f4 mind, disposition; cheerfulness; intention

aigneolaíocht 'ag'n',o:li:(ə)xt f3 psychology

áil a:l' s (with is) desire, wish, *mar is* ~ *leat* as you wish

ailb al'əb' f2, pl ~**eanna** alb

ailbíneach al'əb'i:n'əx m1 & a1 albino

ailceimic 'al',k'em'ək' f2 alchemy

áiléar a:l'e:r m1 loft, attic; gallery

ailgéabar a'(ə)g'e:bər m1 algebra

ailibí a'l'əb'i: m4, pl ~**onna** alibi

ailigéadar a'l'əg'e:dər m1 alligator

ailim a'l'im' f2 alum

ailínigh 'a,l'i:n'i: vt align

ailiúnas a'l'u:nəs m1 alimony

aill al' f2, pl ~**te** cliff, precipice

áille a:l'ə : **álainn**

áilleacht a:l'əxt f3 beauty; delight

ailleadóireacht al'ədo:r'əxt f3 rock-climbing

áilleagán a:l'əga:n m1 toy; trinket; doll

ailléirge a'l'e:r'g'ə f4 allergy

ailléirgeach a'l'e:r'g'əx a1 allergic

ailp al'p' f2, pl ~**eanna** lump, chunk; knob

ailse al's'ə f4 cancer

ailt al't' f2, pl ~**eanna** steep-sided glen, ravine

áilteoir a:l´t´o:r´ *m3* trickster, practical joker

áilteoireacht a:l´t´o:r´əxt *f3* tricking, joking

ailtire al´t´ər´ə *m4* architect

ailtireacht al´t´ər´əxt *f3* architecture

áiméan a:m´e:n *int* amen

áiméar a:m´e:r *m1* chance, opportunity

aimhleas 'av´,l´as *m3* harm, detriment; evil

aimhleasach 'av´,l´asəx *a1* harmful, detrimental; misguided

aimhréidh 'av´,r´e:γ´ *f2* entanglement, *dul in* ~ to get entangled or entangled; dishevelled; involved; uneven

aimhréireach 'av´,re:r´əx *a1*, ~ *le* repugnant to

aimhrialta 'av´,r´iəltə *a3* irregular; anomalous

aimhrialtacht 'av´,r´iəltəxt *f3* anomaly

aimhriar 'av´,r´iər *f2*, *gs* **-réire** disobedience; incongruity

aimiréal am´ər´e:l *m1* admiral, ~ *dearg* red admiral

aimiréalacht am´ər´e:ləxt *f3* admiralty

ainitis am´ət´əs *f2* amethyst

aimléis am´l´e:s´ *f2* misery

aimlithe am´l´ihə *a3* sodden; enfeebled, bedraggled

aimnéise am´n´e:s´ə *f4* amnesia

aimpéar am´p´e:r *m1* ampère

aimpligh am´p´l´i: *vt* amplify

aimplitheoir am´p´l´iho:r´ *m3* amplifier

aimrid am´r´əd´ *a1* barren, sterile

aimride am´r´əd´ə *f4* barrenness, sterility

aimridigh am´r´əd´i: *vt* make barren, sterilize

aimseartha am´s´ərhə *a3* temporal

aimsigh am´s´i: *vt* aim; find; make attempt at, *an marc a aimsiú* to hit the mark

aimsir am´s´ər´ *f2* weather; time; (*grammar*) tense, ~ *shamhraidh* summer weather, *nósanna na haimsire seo* present-day customs, ~ *na Nollag* Christmastide, *ar, in,* ~ *ag duine in* service with, hired for a season by, a person

aimsitheoir am´s´iho:r´ *m3* marksman; finder

aimsiú am´s´u: *m4* aim; hit (on mark); attack

ain- an´ *pref* in-, un-, not; bad, unnatural; over-, intense

ainbhios 'an´,v´is *m3*, *gs* **-bheasa** ignorance

ainbhiosach 'an´,v´isəx *a1* ignorant; stupid

ainbhiosán 'an´,v´isa:n *m1* ignorant person; ignoramus

ainbhreith 'an´,v´r´eh *f2*, *pl* ~ **eanna** unjust judgment

aincheachtadh 'an´,x´l´axtə *m1* inexperience

ainchreideamh 'an´,x´r´ed´əv *m1* unbelief, infidelity

ainchreidmheach 'an´,x´r´ed´v´əx *m1* unbeliever, infidel

ainchrionna 'an´,x´r´i:nə *a3* imprudent, rash

aincis aŋ´k´əs´ *f2* malignancy; peevishness

aindiachaí 'an´,d´iəxi: *m4* atheist

aindiachas 'an´,d´iəxəs *m1* atheism

aindiaga 'an´,d´iəgə *a3* godless

aindleathach 'an´,d´l´ahəx *a1* illegal

aindlí 'an´,d´l´i: *m4* lawlessness

áineas a:n´əs *m3* sport, delight

ainéistéiseach 'an´,e:st´e:s´əx *m1 & a1* anaesthetic

aineoil 'an´,o:l´ *a3* unknown, strange

aineolach 'an´,o:ləx *a1* ignorant; inexperienced

aineolas 'an´,o:ləs *m1* ignorance, inexperience

ainfheoil 'an´,o:l´ *f3* proud flesh

aingeal aŋ´g´əl *m1* angel

ainghníomh 'an´,γ´n´i:v *m1*, *pl* ~ **artha** atrocity

aingí aŋ´g´i: *a3* malignant; fretful

aingiallta 'aŋ´,g´iəltə *a3* irrational

aingine aŋ´g´i:n´ə *f4* angina, ~ *chléibh* angina pectoris

aingli aŋ´l´i: *a3* angelic

ainglis aŋ´g´i:n´ə *f2* goitre

ainiarmhartach 'an´,iərvərtəx *a1* having evil consequences

ainimh an´əv´ *f2*, *gs & npl* ~ **e** *gpl* **-neamh** blemish, disfigurement

ainíochtach 'an´,ixtəx *a1* cruel

ainís an´i:s´ *f2* anise; caraway, *siol* ~ *e* aniseed

ainligh an´l´i: *vt* guide, steady boat against current; kedge, *an scéal a ainliú* to handle the matter adroitly

ainm an'əm′ m4, pl ~ neacha name; reputation; noun, in ~ a bheith ag obair supposed to be working, duine a chur as a ~ to miscall, abuse, a person, tá ~ an léinn air he has a reputation for learning

ainmfhocal 'an'əm′ˌokəl m1 noun, substantive

ainmheasartha 'an'ˌv′asərhə a3 immoderate, intemperate

ainmheasarthacht 'an'ˌv′asərhəxt f3 excess, intemperance

ainmhéid 'an'ˌv′e:d′ f2 hugeness, overgrowth

ainmhí an'əv′i: m4 animal; brute

ainmhian 'an'ˌv′iən f2, gs -mhéine pl ~ ta passion, lust

ainmhianach 'an'ˌv′iənəx a1 passionate, lustful

ainmhíoch an'əv′i:(ə)x a1, gsm ~ animal, brutish

ainmliosta 'an'əm′ˌl′istə m4 catalogue

ainmneach an'əm′n′əx m1 & a1 (grammar) nominative

ainmní an'əm′n′i: m4, (grammar) subject

ainmnigh an'əm′n′i: vt name; nominate; specify

ainmníocht an'əm′n′i:(ə)xt f3 nomenclature

ainmnithe an'əm′n′ihə a3 elect

ainmnitheach an'əm′n′ihəx m1 nominee

ainmníúchán an'əm′n′u:xa:n m1 nomination

ainmníúil an'əm′n′u:l′ a2 nominal; noted, well-known

ainneoin 'aˌn′o:n′ s, ~, d′ ~, in ~ notwithstanding, in spite of

ainneonach 'aˌn′o:nəx a1 involuntary

ainnir an'ər′ f2, pl ~eacha maiden, young woman

ainnis an'əs′ a1 miserable, wretched

ainnise an'əs′ə f4 misery

ainniseoir an'əs′o:r′ m3 miserable person, wretch

ainriail 'an'ˌriəl′ f, gs -alach lack of discipline; anarchy

ainrialaí 'an'ˌriəli: m4 anarchist

ainrialta 'an'ˌriəltə a3 undisciplined; anarchical

ainrianta 'an'ˌriəntə a3 unbridled, unruly; licentious

ainriocht 'an'ˌrixt m3, gs -reachta sorry plight, wretched condition

ainscian 'an'ˌs′k′iən f2, gs -céine wildness, fury, ~ mná virago

ainscianta 'an'ˌs′k′iəntə a3 wild, furious

ainseal an's′əl m1, dul in ~, chun ainsil to become chronic

ainsealach an's′ələx a1 chronic

ainsiléad an's′əl′e:d m1 balance, scales

ainspianta 'an'ˌsp′iəntə a3 grotesque; abnormal

ainspiantacht 'an'ˌsp′iəntəxt f3 grotesqueness; abnormality

Ainspiorad 'an'ˌsp′irəd m1, an t~ the Devil

ainsprid 'an'ˌsp′r′id′ f2 evil spirit

aintéine an't′e:n′ə f4 antenna

aintiarna 'an'ˌt′iərnə m4 despot; tyrant

aintiarnas 'an'ˌt′iərnəs m1 tyranny

aintiarnúil 'an'ˌt′iərnu:l′ a2 tyrannical

aintín an't′i:n′ f4 aunt

aintiún an't′u:n m1 anthem

aíocht i:(ə)xt f3 hospitality; lodging

aíochtlann i:(ə)xtlən f2 guest-house

aíonna i:(ə)nə : aoi

aipindic ˌa'pin′d′ək′ f2 appendix

aipindiciteas ˌa.pin′d′ə'k′i:t′əs m1 appendicitis

air er′ : ar¹

airc ar′k′ f2 greed, voracity; want

airc a:r′k′ f2 ark

airceach ar′k′əx a1 voracious; needy

aird¹ a:rd′ f2, gs & pl ~e direction, point of compass

aird² a:rd′ f2 attention; notice, focal gan ~ insignificant statement

airde a:rd′ə f4 height; altitude, level, fiche troigh ar ~ twenty feet in height, in ~ on high, up, ar cosa in airde at a gallop

airdeall a:rd′əl m1 alertness, watchfulness, vigilance, san, ag, ~ ar watchful over; on the alert against

airdeallach a:rd′aləx a1 alert, watchful

aire¹ ar′ə f4 care, attention; heed, notice, is iomaí rud ar m′ ~ I have many things to attend to, ~ duit! ~ chugat! look out!

aire² ar′ə m4 minister (of state)

aireach ar′əx a1 careful, attentive; vigilant

aireachas ar′əxəs m1 attention; vigilance

aireacht ar′əxt f3 ministry

aireachtáil ar′əxta:l′ f3 perception

aireagal ar'əgəl *m*1 oratory; apartment; (hospital) ward, *ceol aireagail* chamber music

aireagán ar'əga:n *m*1 invention

áireamh a:r'əv *m*1 counting, reckoning, enumeration: census; arithmetic; number, *rud a chur san* ~ to take sth into account

áireamhán a:r'əva:n *m*1 calculator

airéine ar'e:n'ə *f*4 arena

áirge a:r'g'ə *f*4 useful article, asset

airgead ar'əg'əd *m*1 silver; money, ~ *tirim* ready cash

airgeadaí ar'əg'ədi: *m*4 financier

airgeadas ar'əg'ədəs *m*1 finance

airgeadóir ar'əg'ədo:r' *m*3 cashier, teller

airgeadra ar'əg'ədrə *m*4 currency

airgeadúil ar'əg'ədu:l' *a*2 silvery; financial

áirgiúil a:r'g'u:l' *a*2 well-appointed; spacious

airí[1] ar'i: *m*4, *pl* ~**onna** symptom; characteristic

airí[2] ar'i: *f*4 desert, *is maith an* ~ *air é* it serves him right

áiria a:r'iə *m*4, *pl* ~**nna** aria

airigh ar'i: *vt*, *vn* -**reachtáil** perceive; feel; hear, *d'* ~ *mé uaim iad* I missed them

áirigh a:r'i: *vt*, *vn* -**reamh** count, reckon

airíoch ar'i:(ə)x *m*1 caretaker

áirithe[1] a:r'ihə *f*4 certainty, certain quantity, portion, allotment, *d'* ~, *in* ~ allotted, certain, *suíochán a chur in* ~ to book a seat

áirithe[2] a:r'ihə *a*3 certain, particular, *ach go h*~ at any rate, *go h*~ especially

áirithigh a:r'ihi: *vt* ensure

airleacan a:rl'əkən *m*1 advance, loan

áirmhéadar 'a:r',v'e:dər *m*1 comptometer

airmheán 'ar',v'a:n *m*1 epicentre

airne a:rn'ə *f*4 sloe

airneán a:rn'a:n *m*1 night-visiting; working, etc late at night

airnéis a:rn'e:s' *f*2 chattels; cattle; goods; equipment

airteagal art'əgəl *m*1 article

airtéiseach art'e:s'əx *a*1 artesian

airtléire art'l'e:r'ə *f*4 artillery

airtríteas art'r'i:t'əs *m*1 arthritis

ais[1] as' *s*, *ar* ~ back; again, *droim ar* ~ reversed, back to front, *le h*~ beside, compared with, *ar* ~ *nó ar éigean* at all costs

ais[2] as' *f*2, *pl* ~**eanna** axis

ais-[3] as' *pref* re-, back

áis a:s' *f*2, *pl* ~**eanna** convenience; facility; device, *an ndéanfá* ~ *dom*? would you do me a favour? *ní haon* ~ *dom é* it is of no use to me, *ar* ~! at ease!

aisce as'k'ə *f*4 favour, gift, *in* ~ for nothing, *turas in* ~ journey in vain

alschothú 'as',xohu: *m*4 feedback

aiseag as'əg *m*1 restitution, vomit; emetic

aiseal as'əl *m*1 axle

aiseipteach as'ep't'əx *a*1 aseptic

aiséirí 'as',e:r'i: *m*4 resurrection; resurgence

aiséirigh 'as',e:r'i: *vi* rise again

aiséiteach as'e:t'əx *m*1 ascetic

aiséitiúil as'e:t'u:l' *a*2 ascetic

aiseolas 'as',o:ləs *m*1 feedback

aisfhreagra 'as',r'agrə *m*4 back answer, retort

aisghair 'as',γar' *vt* abrogate; repeal

aisghairm 'as',γar'əm' *f*2, *pl* ~**eacha** abrogation; repeal

aisig as'əg' *vt*, *pres* -**seagann** *vn* -**seag** restore; vomit

aisíoc 'as',i:k *m*3 repayment, restitution *vt* repay, refund

áisiúil a:s'u:l' *a*2 convenient, handy

áisiúlacht a:s'u:ləxt *f*3 convenience, utility

aisléim 'as',l'e:m' *f*2, *pl* ~**eanna** (*of spring*) recoil *vi* recoil

aisling as'l'əη' *f*2 vision; vision poem

aislingeach as'l'əη'əx *m*1 & *a*1 visionary

aispeist as'p'əs't' *f*2 asbestos

aistarraing 'as',tarəη' *vt*, *pres* ~**ionn** (*of money*) withdraw

aiste[1] as'tə *f*4 peculiarity; condition; scheme; essay, composition, ~ *bia* diet

aiste[2] as't'ə *s*, *tá* ~ *ar an iasc* the fish are rising

aisteach as't'əx *a*1 peculiar, strange; surprising; droll

aistear as't'ər *m*1 journey; roundabout way, inconvenience, *turas in* ~ a journey in vain

aisteoir as't'o:r' *m*3 actor

aisteoireacht as't'o:r'əxt *f*3 acting (in theatre, etc)

aisti as't'i : **as**[1]

aistreach as′t′rəx *a*1 (*of person*) roving, unsettled; (*of place*) inconvenient; transitive

aistreán as′t′ra:n *m*1 out-of-the-way place; inconvenience

aistreánach as′t′ra:nax *a*1 out-of-the-way, inconvenient; migratory

aistrigh as′t′r′i: *vt & i* move, transfer; translate

aistritheach as′t′r′ihəx *a*1 movable, *daonra* ~ shifting population

aistritheoir as′t′r′iho:r′ *m*3 remover; translator

aistriú as′t′r′u: *m*4 removal, transfer; translation

aistriúchán as′t′r′u:xa:n *m*1 translation

ait at′ *a*1 pleasant; fine; comical, queer

áit a:t′ *f*2, *pl* ~**eanna** place, position, room, ~ *seasaimh* standing room, ~ *tí* site for a house, *muintir na háite* the local people, *dá mbeifeá i m*′ ~ *se* if you were in my shoes, *in* ~ instead of, *cá h* ~? where?

aiteacht at′əxt *f*3 queerness, oddness

aiteal at′əl *m*l juniper

aiteall at′əl *m*l fine spell between showers

aiteann at′ən *m*l furze, gorse, whin

aiteas at′əs *m*l pleasantness, fun; queerness; queer sensation

aiteasach at′əsəx *a*1 pleasant, joyful

áiteoireacht a:t′o:r′əxt *f*3 arguing; argumentation

áith a: *f*2, *pl* ~ **eanna** kiln

aitheach ahəx *m*l churl

aitheanta ahəntə *a*3 recognized, accepted

aitheantas ahəntəs *m*l acquaintance, recognition; identification

aitheasc ahəsk *m*l address; exhortation, *vt* exhort

aitheascal ahəskəl *m*l oracle

aithin[1] ahən′ *vt*, *pres* **aithníonn** *vn* ~ **t** know, recognize; acknowledge, *rud a* ~ *t ó*, *thar*, *rud eile* to distinguish between one thing and another, *is furasta a* ~ *t* (*go*) it is easy to see, tell, (that)

aithin[2] ahən′ *vt*, *pres* **aithníonn** *vn* ~ **t**, ~ *t ar*, *de*, *dhuine rud a dhéanamh* to bid, command, a person to do sth

aithinne ahən′ə *f*4 firebrand; spark

aithis ahəs′ *f*2 slur, reproach; disgrace

aithiseach ahəs′əx *a*1 defamatory; shameful

aithisigh ahəs′i: *vt* slur, defame

aithne[1] ahn′ə *f*4 acquaintance, recognition; appearance, *fear atá ar m*′ ~ a man I know, *daoine a chur in* ~ *dá chéile* to introduce people to each other, *gan* ~ *gan urlabhra* unconscious; dead, *tá* ~ *bisigh air* he shows signs of improvement

aithne[2] ahn′ə *f*4, *pl* -**theanta** commandment, precept, *na Deich nA* ~ the Ten Commandments

aithnidiúil ahn′əd′u:l′ *a*2 familiar; well-known

aithreacha ahr′əxə : **athair**

aithreachas ahr′əxəs *m*l repentance, regret

aithrí ahr′i: *f*4 repentance; penance, ~ *thoirní* sudden repentance

aithríoch ahr′i:(ə)x *m*l penitent *a*1, *gsm* ~ penitent

aithris ahr′əs′ *f*2 narration; imitation; mimicry, *níl inti ach* ~ (*scine*) it is only a makeshift (knife) *vt & i*, *pres* ~**ionn** narrate, recite; imitate; mimic

aithriseach ahr′əs′əx *a*1 imitative; mocking

aithriseoireacht ahr′əs′o:r′əxt *f*3 recitation, mimicry

aithriúil ahr′u:l′ *a*2 fatherly, paternal

áitigh a:t′i: *vt & i* occupy; settle down to; argue, *rud a áitiú ar dhuine* to persuade a person of sth

áitithe a:t′ihə *a*3 established, practised, *bligeard* ~ confirmed blackguard

áititheach a:t′ihəx *a*1 persuasive

áititheoir a:t′iho:r′ *m*3 occupier; arguer

áitiúil a:t′u:l′ *a*2 local

áitreabh a:t′r′əv *m*l habitation, abode; premises

áitreabhach a:t′r′əvəx *m*l inhabitant

áitrigh a:t′r′i: *vt* inhabit

áitritheoir a:t′r′iho:r′ *m*3 inhabitant

ál a:l *m*l, *pl* ~**ta** litter; brood

ala alə *s*, *ar* ~ *na huaire* on the spur of the moment

alabhog 'alə,vog *a*l lukewarm

alabhreac 'alə,v′r′ak *a*l piebald; pied

áladh a:lə *m*l wound; lunge, ~ *a thabhairt ar rud* to grab, snap, at sth

álainn a:lən′ *a*l, *gsf*, *pl & comp* **áille** beautiful; delightful

aláram a'la:rəm m1 alarm
albam aləbəm m1 album
albatras aləbətrəs m1 albatross
alcaileach alkəl'əx a1 alkaline
alcól alko:l m1 alcohol
alcólach alko:ləx m1 & a1 alcoholic
alfraits ‚al'frat's' f2 rascal; scoundrel
alga aləgə m4 alga
allabhair 'a‚laur' f, gs -bhrach pl -bhracha echo
allabhrach 'a‚laurəx a1 evocative
allagár aləgər m1 (loud) talk; disputation; shout, ag ~ arguing
allaire ali:r'ə f4 partial deafness
allas aləs m1 sweat, perspiration, ag cur allais sweating
allasúil aləsu:l' a2 sweaty
allmhaire 'al‚var'ə f4 imported article, import
allmhaireoir 'al‚var'o:r' m3 importer
allmhairigh 'al‚var'i: vt import
allta altə a3 wild
alltacht altəxt f3 astonishment, ~ a chur ar dhuine to astonish a person
alluaiceach 'a‚luək'əx a1 airy, giddy
allúrach 'al‚u:rəx m1 foreigner a1 foreign
almanag aləmənəg m1 almanac
almóinn aləmo:n' f2 almond
almóir aləmo:r' m3 wall-cupboard; niche
almsa aləmsə f, gs ~n alms
aló alo: m4, pl ~ nna aloe
alp alp vt & i bolt, devour
alpach alpəx a1 voracious, greedy
alpaire alpar'ə m4 voracious eater
alpán alpa:n m1 lump, chunk
Alsáiseach alsa:'əx m1 & a1 Alsatian
alt alt m1 joint; knuckle; knot (in timber); hillock; article, paragraph, section (of act, etc), in ~ a chéile articulated, as ~ out of joint, rógaire ar na hailt é he is a real rogue vt articulate, joint
altach altəx a1 articulate, jointed; knotty; undulating
altaigh alti: vt & i, bia a altú, altú le bia to say grace at meals
altán alta:n m1 ravine; streamlet; hillock
altóir alto:r' f3 altar
altram altrəm m3 fosterage
altramaigh altrəmi: vt foster
altranas altrənəs m1 nursing
altú altu: m4 thanksgiving; grace (at meals)

alúm alu:m m1 alum
alúmanam ə'lu:mənəm m1 aluminium
am am m3, pl **amanna** time, an t-~ the time, faoin ~ seo by this time, in ~ trátha at the proper time, fan le d' ~ wait your turn, i ndiaidh an ~a after the event, seo d' ~ now is your chance, in ~ an chogaidh during the war
amach a'max adv & a out, an beulach ~ the way out, ó mo chroí ~ from the bottom of my heart, chuaigh sé an cnoc ~ he went off over the hill, na litreacha ~ the outgoing mail, fan ~ ón tine stay away from the fire, abair ~ é say it out, aloud, ón lá seo ~ from this day forward, ~ anseo later on, ~ ó apart from, except, is deas ~ é it is very nice indeed, ~ is ~ out and out, ~ is isteach le bliain a year approximately
amadán amədə:n m1 fool
amadánta amədə:ntə a3 fatuous
amadántacht amədə:ntəxt f3 fooling; foolishness
amaid aməd' f2 foolish woman
amaideach aməd'əx a1 foolish
amaideacht aməd'əxt f3 idiocy
amaidí aməd'i: f4 folly, nonsense, ag ~ fooling
amaitéarach amət'e:rəx m1 & a1 amateur
amanathar ə'manəhər adv & s & a the day after tomorrow
amárach ə'ma:rəx adv & s & a tomorrow
amarrán amara:n m1 contention; misfortune
amas aməs m1 attack; aim; attempt
ambaiste əm'bas't'ə int indeed, really
ambasadóir am'basə‚do:r' m3 ambassador
ambasáid ambəsa:d' f2 embassy
amchlár 'am‚xla:r m1 timetable
amh av a1, gsm ~ raw, uncooked
ámh a:v adv however
amhábhar 'av‚a:vər m1 raw material
amhail aul' prep & conj like, as
amháin ə'va:n' a & adv & conj one, only, (aon) uair ~ once (upon a time), is é an rud ~ é it is the same thing, ach ~ except, fiú ~ dá mbeadh sé agam even if I had it
amhantar auntər m1 chance, venture; windfall
amhantrach auntrəx a1 speculative, risky; lucky

amhantraí auntri: *m*4 speculator

amhantraíocht auntri:(ə)xt *f*3 speculation

ámharach a:vərəx *a*l lucky, fortunate

ámharaí a:vəri: *f*4, *ar ~ an tsaoil* by a stroke of luck

amharc aurk *m*l sight; look; view, *ar ~* in sight, *~ tíre* landscape *vt & i* look, see

amharcaíl aurki:l' *f*3 peering

amharclann aurklən *f*2 theatre

amhas aus *m*l mercenary; hooligan

amhastrach austrəx *f*2 barking

amhiarann 'av,iərən *m*l iron ore

amhlabhra 'av,laurə *f*4 inarticulateness

amhlachas aulxəs *m*l semblance; figure

amhlaidh auli: *adv* thus, so, *is ~ atá sé* the fact is, *tá mé ~ leat* I am like yourself in that respect, *ní h~ duitse é* it is different with you

amhlánta aula:ntə *a*3 boorish

amhola 'av,olə *f*4 crude oil

amhrán aura:n *m*l song

amhránaí aura:ni: *m*4 singer

amhránaíocht aura:ni:(ə)xt *f*3 singing

amhras aurəs *m*l doubt, suspicion

amhrasach aurəsəx *a*l doubtful, suspicious

amhsaine ausən'ə *f*4 mercenary service

amlóir amlo:r' *m*3 foolish person; awkward person

ámóg a:mo:g *f*2 hammock

amóinia a'mo:n'iə *f*4 ammonia

amparán ampəra:n *m*l hamper

ampla amplə *m*4 hunger; greed, voracity

amplach ampləx *a*l hungry; greedy

amplóir amplo:r' *m*3 hungry, greedy, person

amscaí amski: *a*3 untidy; awkward

amú ə'mu: *adv* wasted, in vain; astray

amuigh ə'miɣ' *adv & prep & a* out, outside, outer, *~ faoin spéir* out in the open, *~ thoir* far to the east, *an balla ~* the outer wall, *an rud is measa ~* the worst thing there is, *tá sé ~ air (go)* it is reported of him (that), *tá siad ~ le chéile* they are on bad terms, *tá sé ~ agat orm* I owe it to you, *~ agus istigh ar* approximately

an¹ ən† *def art*, *gsf & pl* **na** the

an² ə(n)† *interr vb part*, *an dtagann sé?* does he come? *an ólfaidh tú é?* will you drink it?

an³ ən† : is

an-⁴ an† *pref* very; great

an-⁵ an† *pref* in-, un-, not; bad, unnatural; over-, excessive

anabaí anəbi: *a*3 unripe, immature, *breith ~* premature birth

anabaíocht anəbi:(ə)xt *f*3 immaturity

anacair anəkər' *f*3, *gs* **-cra** *pl* **-craí** unevenness; discomfort; distress, *~ leapa* bedsore *a*l, *gsf*, *npl & comp* **-cra** uneven; uncomfortable; difficult

anacal anəkəl *m*l protection; quarter

anachain anəxan' *f*2, *pl* **-ana** mischance, calamity; harm

anacrach anəkrəx *a*l distressed, distressing

anaemach 'an,e:məx *a*l anaemic

anaemacht 'an,e:məxt *f*3 anaemia

anagram 'anə,gram *m*l anagram

anáid ana:d' *f*2 annuity

anáil ana:l' *f*3 breath, *tá an ~ ann* he is still breathing, *tá ~ bhreá ag an teach* the house is airy, spacious, *faoi ~ an Bhéarla* under the influence of English

anailís anəl'i:s' *f*2 analysis

anailísigh anəl'i:s'i: *vt* analyse

anairt anərt' *f*2, *~ (bheag)* sail-cloth, canvas

anaithnid 'an,ahn'əd' *a*l strange, unknown

analach anələx *f*2 analogy

análaigh ana:li: *vt & i* breathe; aspirate

análaitheoir ana:liho:r' *m*3 respirator

anall ə'nal *adv & prep & a* hither, from the far side, *~ as Sasana* over from England, *riamh ~* from time immemorial

anallód ə'nalo:d *adv* of yore, in olden times

análú ana:lu: *m*4 respiration, *~ tarrthála* kiss-of-life

anam anəm *m*3, *pl* **~acha** soul; life, *duine gan ~* unfeeling person; lifeless person, *tá a h~ istigh ann* she is devoted to him, *Dia le m'~* God bless my soul, *(mo) sheacht mh'~ thú* bravo, well done, *beidh d'~ agam* I'll kill you, *rith sé lena ~* he ran for his life, *lán d'~* in high spirits

anamchara 'anəm,xarə *m*, *gs* **~d**, *pl* **-chairde** spiritual adviser, confessor

anamúil anəmu:l' *a*2 lively, spirited

anann anən *m*l pineapple

anarac 'anə,rak *m*l anorak

anas anəs *m*1 anus

anás ana:s *m*1 need, poverty

anásta ana:stə *a*3 needy; clumsy

anatamaíocht ə'natəmi:(ə)xt *f*3 anatomy

anbhá 'an,va: *m*4 panic

anbhann anəvən *a*1 weak, feeble

anbhuain 'an,vuən' *f*2 restlessness; unease; disturbance

ancaire aŋkər'ə *m*4 anchor

anchaoi 'an,xi: *s*, *in* ~, *ar* ~ in a bad way

anchúinseach 'an,xu:n's'əx *a*1 monstrous; scoundrelly

anchuma 'an,xumə *f*4 bad, unnatural, appearance

anchumtha 'an,xumhə *a*3 misshapen

andóchas 'an,do:xəs *m*1 presumption

andóigh 'an,do:γ' *f*2, *pl* ~ **eanna** improbability; unlikely person, place

andúchasach 'an,du:xəsəx *a*1 non-native; exotic

andúil 'an,du:l' *f*2 craving; addiction

andúileach 'an,du:l'əx *m*1 addict

andúilíocht 'an,du:l'i:(ə)xt *f*3 addiction

aneas ə'n'as *adv & prep & a* from the south, *an ghaoth* ~ the south wind

anfa anəfə *m*4 storm; terror

anfhorlann 'an,o:rlən *m*1 violence, oppression

angadh aŋgə *m*1 pus, ~ *a dhéanamh* to fester

angaioch aŋgi:(ə)x *a*1, *gsm* ~ **purulent**

angar aŋgər *m*1 want, distress, *go bun an angair* to the bitter end

anghrách 'an,γra:x *a*1, *gsm* ~ **erotic**

Anglacánach aŋləkα:nəx *m*1 *& a* Anglican

anglais aŋləs' *f*2 milk and water; milksop, ~ *tae* weak tea

angóra aŋgo:rə *m*4 angora

aniar ə'n'iər *adv & prep & a* from the west, *an ghaoth* ~ the west wind, *teacht* ~ *aduaidh ar dhuine* to take a person unawares, *druid* ~ *chun na tine* come close to the fire, *shuigh sé* ~ *sa leaba* he sat up in the bed, *bhí scata ina dhiaidh* ~ there was a crowd trailing after him, *chugam* ~ *tú* bravo

aníos ə'n'i:s *adv & prep & a* up, *teacht* ~ *an staighre* to come up the stairs, *ag teacht* ~ *sa saol* prospering

anlaith 'an,lah *m*3, *gs & pl* -**atha** tyrant; usurper

anlann anlən *m*1 kitchen; condiment, sauce

anlathach 'an,lahəx *a*1 tyrannical; anarchical

anlathas 'an,lahəs *m*1 tyranny; usurpation; anarchy

anluchtaigh 'an,loxti: *vt* overload; glut

ann¹ *an* *adv* there, *tá un t-earrach* ~ it is spring, *nuair a bhi m'athair* ~ when my father was alive, *nuair a tháinig* ~ *dó* when he grew up, *ná bí* ~ *as* don't dither, *ag dul* ~ going there, *níl* ~ *ach sin* that is all there is to it

ann² a(:)n *s*, *in* ~ *rud a dhéanamh* able to do sth, *in* ~ *aige* a match for him

ann³ *an* : **i**

annála ana:lə *spl* annals

annálaí ana:li: *m*4 annalist

annamh anəv *a*1 rare, infrequent; unusual

anó 'an,o: *m*4 discomfort; distress, misery

anocht ə'noxt *adv & s & a* tonight

anoir ə'nor' *adv & prep & a* from the east, *an ghaoth* ~ the east wind, *tháinig siad* ~ *agus aniar orainn* they took us front and rear

anóirthear ə'no:r'h'ər *adv & s & a* the day after tomorrow

anois ə'nos' *adv* now, ~ *beag* just now

anóiteach 'an,o:t'əx *a*1 uncomfortable; miserable

anonn ə'non *adv & prep & a* over, to the other side, ~ *go Meiriceá* over to America, ~ *agus anall* to and fro, *tá sé ag dul* ~ *sa lá* it is getting late in the day

anord 'an,o:rd *m*1 chaos

anordúil 'an,o:rdu:l' *a*2 chaotic

anraith anrəh *m*4 soup; broth

anró 'an,ro: *m*4 hardship; wretched condition

anróiteach 'an,ro:t'əx *a*1 severe, inclement; distressing

ansa ansə *a*3 dearest, most beloved

ansacht ansəxt *f*3 love; loved one

anseo ən''s'o *adv* here, *ár seal* ~ our time in this life

ansin ən''s'in' *adv* there; then, ~ *féin* even then

ansiúd ən''s'u:d *adv* yonder; there

ansmacht 'an,smaxt *m*3 tyranny

ansmachtaigh 'an,smaxti: *vt* bully

anta(i)- antə *pref* anti-

antaibheathach 'antə,v'ahəx *m*1 & *a*1 antibiotic

antaiseipteach 'antə,s'ep'tə'x *a*1 antiseptic

antaiseipteán 'antə,s'ep't'a:n *m*1 antiseptic

Antartach ,an'tartəx *m*1 & *a*1 Antarctic

antlás 'an,tla:s *m*1 greed, covetousness

antlásach 'an,tla:səx *a*1 greedy, covetous

antoisceach 'an,tos'k'əx *m*1 extremist *a*1 extreme

antraicít antrək'i:t' *f*2 anthracite

antraipeolaíocht 'antrəp',o:li:(ə)xt *f*3 anthropology

antrapóideach 'antrə,po:d'əx *m*1 & *a*1 anthropoid

antrasc 'an,trask *m*1 anthrax

antráth 'an,tra: *m*3, *pl* ~ **anna** inopportune moment; late hour

antráthach 'an,tra:həx *a*1 late, untimely

anuas ə'nuəs *adv* & *prep* & *a* down, *teacht* ~ to come down, *le bliain* ~ for the past year, *ná tarraing* ~ *an scéal sin* don't mention that matter, *leag* ~ *ar an mbord é* lay it down on the table

anuasal 'an,uəsəl *m*1, *pl* **-uaisle** low-born person *a*1, *gsf*, *npl* & *comp* **-uaisle** low-born, ignoble

anuraidh ə'nuri: *adv* & *s* & *a* last year

aodh i: *f*4, ~ **thochais** nettlerash, hives

aoi i: *m*4, *pl* **aíonna** guest, lodger

aoibh i:v' *f*2 smile; pleasant expression

aoibheall i:v'əl *m*1 gambolling, *tá na ba ag* ~ the cows are gadding

aoibhinn i:v'ən' *a*1, *gsf*, *npl* & *comp* **-bhne** delightful, blissful, *is* ~ *duit* it is well for you

aoibhiúil i:v'u:l' *a*2 pleasant, smiling

aoibhneas i:v'n'əs *m*1 bliss, delight

aoileach i:l'əx *m*1 dung, farmyard manure

Aoine i:n'ə *f*4, *pl* **-nte** Friday, ~ *an Chéasta* Good Friday

aoir i:r' *f*2, *pl* **aortha** lampoon, satire

aoire i:r'ə *m*4 shepherd; pastor

aoirigh i:r'i: *vt*, *vn* **-reacht** shepherd, herd

aois i:s' *f*2, *pl* ~ **eanna** age; old age, *tá sí bliain d'* ~ she is a year old, *an fichiú* *h* ~ the twentieth century

aol i:l *m*1, *pl* ~ **ta** lime, ~ *beo* quicklime *vt* whitewash

aolchloch 'i:l,xlox *f*2 limestone

aolchoinneal 'i:l,xon'əl *f*2, *gs* & *pl* **-nnle** stalagmite

aolchuisne 'i:l,xis'n'ə *m*4 stalactite

aolmhar i:lvər *a*1 containing lime; limewhite

aon[1] i:n *m*1, *pl* ~ **ta** one; one person or thing, *a h*~ one, *a h*~ *déag* eleven, *uimhir a h*~ number one, *gach* ~ everyone, *mar* ~ *le* in addition to, *an t*~ *muileata* the ace of diamonds *num a* one, any, ~ *mhac amháin* one son, *in* ~ *áit* anywhere, *an bhfuil* ~ *arán agat?* have you any bread? *ní raibh* ~ *airgead agam* I had no money, *d'* ~ *ghuth* unanimously, *d'* ~ *ghnó*, *d'* ~ *turas* deliberately

aon-[2] i:n *pref* one, uni-, mono-

aonach i:nəx *m*1, *pl* **-ntaí** fair; assembly

aonad i:nəd *m*1 unit

aonar i:nər *m*1, *tá mé i m'* ~ I am by myself, alone, *duine aonair* one, lone, person, *scileanna aonair* individual skills

aonarach i:nərəx *a*1 single, solitary, lone

aonarán i:nəra:n *m*1 solitary person

aonaránach i:nəra:nəx *a*1 alone, solitary

aonbheannach 'i:n,v'anəx *m*1 unicorn

aonchéileachas 'i:n,x'e:l'əxəs *m*1 monogamy

aonchineálach 'i:n,x'in'a:ləx *a*1 homogeneous

aonghin 'i:n,γ'in' *f*2 only-begotten (child)

aonghnéitheach 'i:n,γ'n'e:həx *a*1 of the same character; uniform

aonraic i:nrək' *a*1 solitary; alone

aonraigh i:nri: *vt* isolate

aonréad 'i:n,re:d *m*1 solo

aonréadaí 'i:n,re:di: *m*4 soloist

aonta i:ntə *a*3 one; single

aontacht i:ntəxt *f*3 unity; union; unanimity;

Aontachtaí i:ntəxti: *m*4 Unionist

aontaigh i:nti: *vt* & *i* unite; agree

aontaitheach i:ntihəx *a*1 assenting, agreeing

aontaobhach 'i:n,ti:vəx *a*1 unilateral

aontas i:ntəs *m*1 union

aontíos 'i:n,t'i:s *m*1 cohabitation

aontumha 'i:n,tu:ə *f*4 celibacy *a*3 celibate

aonú i:nu: *num a* first, *an t-* ~ *háit* the first place

aor i:r *vt* satirize, lampoon

aorach i:rəx *a*1 satirical

aorthóir i:rho:r′ *m*3 satirist, lampooner

aos i:s *m*3 people, folk

aosaigh i:si: *vi* age; come of age

aosánach i:sa:nəx *m*1 youth; youngster

aosta i:stə *a*3 aged, old

aothú i:hu: *m*4 crisis (in sickness)

ápa a:pə *m*4 ape

apacailipsis 'apə, kal′əp′s′əs′ *m*4 apocalypse

apacailipteach 'apə, kal′əp′t′əx *a*1 apocalyptic

apacrafúil 'apə, krafu:l′ *a*2 apocryphal

apaigí 'apə, g′i: *m*4 apogee

apaipléis 'apə, p′l′e:s′ *f*2 apoplexy

apsaint apsən′t′ *f*2 absinth(e)

ar¹ er′ *prep, pron forms* **orm** orəm, **ort** ort, **air** er′ *m*, **uirthi** crhi *f*, **orainn** orən′, **oraibh** orəv′, **orthu** orhu on, in, at, *ar mo chúl* behind me, *ar ancaire* anchored, *ar aon aigne* of one mind, *ar meisce* drunk, *ar fheabhas* excellent, *ar mhná áille na hÉireann* one of the most beautiful women in Ireland, *ar dhath an róis* rose-coloured, *ar leathshúil* having only one eye, *ar ghrá Dé* for the love of God, *ar m'anam* by my soul, *duine ar fhichid* twenty-one persons, *ar aghaidh* forward, *ar sodar* trotting, *ar éirí dom* when I get, got, up, *tá ceann air* it has a head, *tá orm labhairt leis* I must speak to him, *tá tuirse air* he is tired, *cad tá ort?* what's wrong with you? *bhí rí ar Éirinn* there was a king of Ireland, *tá punt agam air* he owes me a pound, *tá sneachta air* it is going to snow, *tá sí ceanúil ar pháistí* she is fond of children

ar² er′ *defective v* said, says, *ar seisean* said he

ar³ ər† *rel part*, *an gort ar cuireadh an síol ann* the field in which the seed was sown *rel pron*, *ar cheannaigh sé* all that he bought

ar⁴ ər† *interr vb part*, *ar bhris tú é?* did you break it?

ar⁵ ər† : **is**

ár¹ a:r *m*1 slaughter; havoc

ár² a:r *poss a* our

ara¹ arə *m*4 charioteer

ara² arə *m*4, *(of head)* temple

ára a:rə *f*, *gs & gpl* ~ **nn**, *npl* ~ **nna** kidney *pl* loins; vitals

árach¹ a:rəx *m*1 bier, litter

árach² a:rəx *m*1 fetter; security; advantage

árachaigh a:rəxi: *vt* insure

árachas a:rəxəs *m*1 insurance

arae ə′re: *conj & adv* because; however

aragail arəgəl′ *f*2 ledge

araí¹ ari: *f, gs* ~ **on** *pl* ~ **onacha** bridle *pl* reins, *duine a thabhairt ar a* ~ *onacha* to bring a person under control

araí² ari: *f*4 appearance

araicis arək′əs′ *f*2, *dul in* ~ *duine* to go to meet a person

araiciseach arək′əs′əx *a*1 hasty, short-tempered

araid arəd′ *f*2 bin, chest

araile ə′ril′ə *pron, agus* ~ et cetera

araíonacht ari:nəxt *f*3 restraint

aralt arəlt *m*1 herald

araltach arəltəx *a*1 heraldic

araltas arəltəs *m*1 heraldry

arán ara:n *m*1 bread, *tá a chuid aráin ite* it is all up with him

arann arən *m*1 feeling

aranta arəntə *a*3 irritable, ill-humoured

araon ə′ri:n *adv* both, *sinn* ~ both of us

ararút arəru:t *m*1 arrowroot

áras a:rəs *m*1 habitation; house, building, *árais tí* household vessels

árasán a:rəsa:n *m*1 apartment; flat

áraslann a:rəslən *f*2 block of flats

arbhar arəvər *m*1 corn, cereals, ~ *Indiach* maize

arcán arka:n *m*1 piglet

ard¹ a:rd *m*1, *npl* ~ **a** height, hillock; top, high part, *in* ~ *a réime* at the peak of his career, *os* ~ openly, publicly *a*1 high, tall; loud, *farraige* ~ rough sea, *tá a shúil* ~ he is ambitious, *go h*~ *sa tráthnóna* in mid-afternoon, ~ *i bhfarraige* far out to sea

ard-² a:rd† *pref* arch-, high, chief; noble

ardaigh a:rdi: *vt & i* raise; increase, *cnoc a ardú* to ascend a hill, ~ *leat é* take it away with you

Ard-Aighne 'a:rd'ain′ə *m*4 Attorney-General

ardaitheach a:rdihəx *a*1 ascendant, ascending

ardaitheoir a:rdiho:r′ *m*3 lifter; lift, elevator

ardán a:rda:n *m*1 height; platform; stage; stand; terrace (of houses)

ardbhrú 'a:rd'vru: *m4* high pressure, ~ *fola* high blood-pressure

ardchathair 'a:rd'xahər' *f*, *gs* -thrach *pl* -thracha metropolis

ardcheannas 'a:rd'x'anəs *m1* supremacy

ardchlár 'a:rd'xla:r *m1* plateau

ardeaglais 'a:rd'agləs' *f2* cathedral

ardeaspag 'a:rd'aspəg *m1* archbishop

Ard-Fheis 'a:rd'es' *f2*, *pl* ~eanna national convention

ardintinneach 'a:rd,in't'ən'əx *a1* high-spirited; headstrong

ardmháistir 'a:rd'va:s't'ər' *m4*, *pl* -trí headmaster

ardmháistreás 'a:rd'va:s't'r'a:s *f3* headmistress

ardmhéara 'a:rd'v'e:rə *m4* lord mayor

ardnósach 'a:rd,no:səx *a1* grand, pompous; formal

ardteistiméireacht 'a:r(d),t'es't'əm'e:r'əxt *f3* leaving certificate

ardtráthnóna 'a:r(d),tra:'no:nə *m4* mid-afternoon

ardú a:rdu: *m4* elevation; exaltation, excitement, ~ *tuarastail* increase in salary, ~ *céime* promotion

aréir ə're:r' *adv & s & a* last night

argain arəgən' *f3* destruction, plunder

argóint arəgo:n't' *f2* argument

arís ə'r'i:s' *adv* again; afterwards, *faoin am seo* ~ by this time next year

arm arəm *m1* arm, weapon; implement; army, *faoi* ~ under arms

armach arəməx *a1* armed

armadóir arəmədo:r' *m3* armourer, arms manufacturer

armadóireacht arəmədo:r'əxt *f3* manufacture of arms

armáid arəma:d' *f2* armada

armáil arəma:l' *f3* armament *vt* arm

armas arəməs *m1* coat of arms; shield

armchúirt 'arəm,xu:rt' *f2*, *pl* ~eanna court martial

armlann arəmlan *f2* armoury, magazine

armlón 'arəm,lo:n *m1* ammunition

armóin arəmo:n' *f2* harmony; harmonium

armónach arəmo:nəx *a1* harmonic

armónaigh arəmo:ni: *vt* harmonize

armúr arəmu:r *m1* armour

armúrtha arəmu:rhə *a3* armoured

arna a(:)rnə *used with vn*, ~ *chríochnú*

dom when I had completed it, ~ *fhoilsiú ag* published by

arócar aro:kər *m1* Chile pine, monkey-puzzle

arracht arəxt *m3* spectre, monster; giant; juggernaut

arrachtas arəxtəs *m1* brawn, strength

arraing arəŋ' *f2*, *pl* ~eacha stabbing pain, stitch in side, *in* ~*eacha an bháis* in the throes of death

arsa arsə *defective v* said, says, ~ *mise* said I

ársa a:rsə *a3* ancient; aged

ársaíocht a:rsi:(ə)xt *f3* old age; antiquarianism

ársaitheoir a:rsiho:r' *m3* antiquarian

arsanaic arsənək' *f2* arsenic

art art *m1* stone, *chomh marbh le h*~ stone dead

Artach artax *m1 & a1* Arctic

artaire artər'ə *m4* artery

artaireach artər'əx *a1* arterial

árthach a:rhax *m1*, *pl* -aí vessel, boat; container

artola 'art,olə *f4* petrol

arú aru: ~ *inné* the day before yesterday, ~ *amárach* the day after tomorrow

arúil aru:l' *a2* arable

as¹ as *prep & adv*, *pron forms* **asam** asəm, **asat** asət, **as** as *m*, **aisti** as't'i *f*, **asainn** asən', **asaibh** asəv', **astu** astu out of, from, *abair as Gaeilge* say it in Irish, *aithním as a shiúl é* I recognize him by his walk, *tá siad géar as a mbarr* they are sharp at the top, *tá sé as aithne* he is unrecognizable, *as baile* away from home, *moladh iad as a gcineáltas* they were praised for their kindness, *bíodh dóchas agat as Dia* trust God, *as a chéile* end to end, one after another, *thit siad as a chéile* they fell apart, *as go brách leis* off he went, *tá sé ag dul as* he is fading away, *go maith as* well-off

as² as : **as¹**

asaibh asəv' : **as¹**

asainn asən' : **as¹**

asáitigh 'as,a:t'i: *vt* dislodge

asal asəl *m1* ass, donkey

asam asəm : **as¹**

asanálaigh 'as,ana:li: *vt & i* exhale

asarlaí asərli: *m4* sorcerer; conjurer

asarlaíocht asərli:(ə)xt *f3* sorcery; conjuring tricks

asat asət : as¹

asbheir 'as,v'er' vt, vn -bhreith deduce

ásc a:sk s, ar an gcéad ~ at the first attempt, in the first instance

ascaill askəl' f2 armpit; recess; avenue (of houses), ~ mhara an arm of the sea

aschur 'as,xur m1 output

asclán askla:n m1 armful; gusset

asfalt asfəlt m1 asphalt

aslonnaigh 'as,loni: vt evacuate

aslonnú 'as,lonu: m4 evacuation

asma asmə m4 asthma

aspairín aspər'i:n' m4 aspirin

aspal aspəl m1 apostle

aspalacht aspələxt f3 apostleship; apostolate

aspalda aspəldə a3 apostolic

aspalóid aspəlo:d' f2 absolution

asparagas as'parəgəs m1 asparagus

asplanád asplənα:d m1 esplanade

astaróideach astəro:d'əx m1 & al asteroid

astitim 'as',t'it'əm' f2 (atomic) fall-out

astralaí astrəli: m4 astrologer

astralaíoch astrəli:(ə)x al, gsm ~ astrological

astralaíocht astrəli:(ə)xt f3 astrology

astu astu : as

at at m1, pl atanna swelling vi swell; bloat

atá ə'ta: pres rel of bí

atáirg 'a,ta:r'g' vt reproduce

atáirgeach 'a,ta:r'g'əx al reproductive

atáirgeadh 'a,ta:r'g'ə m reproduction

ath- ah ~ a⁺ pref re-, second; old, ex-; return, counter-; later, after

áth a: m3, pl ~ anna ford; spawning bed (in river); opening

athair¹ ahər' m, gs -ar pl aithreacha father; ancestor, ~ críonna, ~ mór grandfather

athair² ahər' f, gs athrach creeper

áthán a:ha:n m1 anus

athaontaigh 'ah,i:nti: vt reunite

athaontú 'ah,i:ntu: m reunion

athartha¹ ahərhə f4 fatherland

athartha² ahərhə a3 paternal, ancestral

atharthacht ahərhəxt f3 paternity

áthas a:həs m1 joy, gladness

áthasach a:həsəx al glad, joyful

athbheochan 'a,v'o:xən f3 revival, ~ an Léinn the Renaissance

athbheoigh 'a,v'o:y' vt revive, reanimate

athbhliain 'a,v'l'iən' f3 coming, new, year

athbhreithnigh 'a,v'r'ehn'i: vt review, revise

athbhreithniú 'a,v'r'ehn'u: m review, revision

athbhrí 'a,v'r'i: f4 renewed vigour; ambiguity

athbhríoch 'a,v'r'i:(ə)x m1 tonic al, gsm ~ stimulating; tonic; ambiguous

athbhuille 'a,vil'ə m4 counterblow; palpitation; relapse

athbhunú 'a,vunu: m4 re-establishment, restoration

athchaint 'a,xan't' f2 backbiting; impudence

athchairdeas 'a,xa:rd'əs m1 reconciliation

athchaite 'a,xat'ə a3 worn-out; cast-off

athcheannaí 'a,x'ani: m4 second-hand dealer

athchluiche 'a,xlix'ə m4, (of match) replay

athchogain 'a,xogən' vt & i pres -gnaíonn ruminate, chew the cud

athchogantach 'a,xogəntəx m1 & al ruminant

athchóirigh 'a,xo:r'i: vt rearrange; restore, renovate

athchomhair 'a,xo:r' vt, vn -eamh recount, recalculate

athchomhairle 'a,xo:rl'ə f4 change of mind

athchraiceann 'a,xrak'ən m1, pl -cne veneer

athchuimhne 'a,xiv'n'ə f4 reminiscence

athchuir 'a,xir' vt, vn -chur replant; remand; replace

athchum 'a,xum vt reconstruct; distort

athchuma 'a,xumə f4 transformation; distortion

athchur 'a,xur m1 remand

athdhúchas 'a,γu:xəs m1 atavism

athdhúchasach 'a,γu:xəsəx al atavistic

athfhéar 'ah,e:r m1 aftergrass

athfhill 'ah,il' vt & i recur; refold

athfhillteach 'ah,il't'əx al ~ uí frng, recurrent

athfhreagra 'ah, agrə m4 rejoinder

athfhrí 'a,r'itəl m1 quotation

athghabh 'a,γav vt, vn ~ áil recapture; recover (possession)

athghabháil 'a,γava:l' f3 recapture; recovery

athghairm 'a,ɣar'əm' f2, pl ~eacha encore; repeal

athghlaoigh 'a,ɣli:ɣ' rt, vn -aoch recall

athiomrá 'ah,imra: m4 backbiting; slander

athlá 'a,la: s, rud a chur ar ~ to put off sth to another day

athlámh 'a,la:v f2, ds -áimh, ar athláimh second-hand, culaith athláimhe castoff suit

athlasadh 'a,lasə m, gs -sta inflammation

athleagan 'a,l'agən m1 paraphrase

athléaigh 'a,l'a:ɣ' rt remelt; (of metal) refine

athléim 'a,l'e:m' f2 rebound

athléimneach 'a,l'e:m'n'əx al resilient

athlíon 'a,l'i:n rt & i refill, replenish

athluaigh 'a,luəɣ' rt reiterate

athluaiteachas 'a,luət'əxəs m1 tautology

athmhagadh 'a,vagə m1 mimicry

athmhuintearas 'a,vin't'ərəs m1 reconciliation

athnuachan 'a,nuəxən f3 renewal; renovation; rejuvenation

athnuaigh 'a,nuəɣ' rt, vn -uachan renew, renovate; rejuvenate

athphlandaigh 'a,flandi' rt replant; transplant

athrá 'a,ra: m4, pl ~ite repetition, reiteration

athrach ahrəx m1 change, alteration; alternative, chomh dócha lena ~ as likely as not

athraigh ahri' rt & i change, alter; move

athraitheach ahrihəx al changeable,

movable; variant

athraon 'a,ri:n rt refract

athrú ahru: m4 change, alteration; variation

athscinmeach 'a,s'k'in'əm'əx al elastic

athscinn 'a,s'k'in' rt spring back; recoil

athscinneadh 'a,s'k'in'ə m (of spring) recoil

athscríobh 'a,s'k'r'i:v rt rewrite, copy, transcribe

athshondach 'a,hondəx al resonant

athshondas 'a,hondəs m1 resonance

athsmaoineamh 'a,smi:n'əv ml, pl -nte afterthought, teacht ar ~ to change one's mind

athuair 'ah,uər' s as adv again, a second time

atit 'a,t'it' vi, vn ~im relapse

atitim 'a,t'it'əm' f2, pl ~eacha second fall; relapse

Atlantach ,at'lantəx al Atlantic

atlas atləs m1 atlas

atmaisféar 'atməs,f'e:r m1 atmosphere

atmaisféarach 'atməs,f'e:rəx al atmospheric

atóg 'a,to:g rt, vn ~áil rebuild; retake

atóin 'a,to:n' f3, (of vessel) false bottom

atráth 'a,tra: m3, rud a chur ar ~ to adjourn sth

atreorú 'a,t'r'o:ru: m4 diversion

atuirse 'a,tirs'ə f4 weariness; dejection

atuirseach 'a,tirs'əx al weary; dejected

aturnae atu:rne: m4, pl ~tha attorney, solicitor

B

b', ba¹ bə,b'ʲ: is

ba² ba: bó

bá¹ ba: f4, pl ~nna bay; strip, ~ i monarcha bay in factory

bá² ba: f4 sympathy, liking

bá³ ba: m4 drowning; immersion, inundation, ~ tarta quenching of thirst

báb ba:b f2 maiden

babaí babi: m4 baby

bábánta ba:ba:ntə a3 babyish

babhdán bauda:n m1 bogeyman; scarecrow

babhla baulə m4 bowl

babhlaer baule:r m1 bowler (hat)

babhláil baula:l' rt & i bowl

babhlálaí baula:li: m4, (sport) bowler

babhstar baustər m1 bolster

babhta bautə m4 bout, spell; occasion, ~í sometimes

babhtáil bauta:l' f3 & vt exchange, swop, barter

bábhún ba:vu:n m1 bawn, walled enclosure; bulwark, breakwater

bábóg ba:bo:g *f2* doll

babún ˌba'bu:n *m1* baboon

bac bak *m1* balk, hindrance; barrier, ~ (na tine) (fire-)hob *vt & i* balk, hinder; *ná ~ leo* let them alone; don't mind them

bacach bakəx *m1* lame person; beggar *a1* lame; halting

bacachas bakəxəs *m1* begging, sponging

bacadaíl bakədi:l' *f3* limping

bacadradh bakədrə *m1* limping, hobbling

bacaí baki: *f4* lameness, *céim bhacaí a bheith ionat* to have a limp

bácáil ba:ka:l' *vt* bake; fire (pottery)

bácailt ba:kəl'i:t' *f2* bakelite

bacainn bakən' *f2* barrier, obstacle

bacán baka:n *m1* crook; peg, post *ar na bacáin* in preparation, in train, *rud a iompar ar bhacán do láimhe* to carry sth over one's arm

bacart bakərt *m1* try square

bách ba:x *a1, gsm ~* affectionate

bachaillín baxəl'i:n' *m4* bacillus

bachall baxəl *f2* crook, staff; crozier; ringlet, *go barra ~* in abundance

bachallach baxələx *a1* crooked; ringleted

bachlaigh baxli: *vi* bud

bachlóg baxlo:g *f2* bud, sprout

bachta baxtə *m4* turf-bank

baclainn baklən' *f2, pl ~ eacha* bent arm, ~ *mhóna* armful of turf, *bhí an leanbh ina, ar a, baclainn aici,* she was carrying the child in her arms

bacóide bako:d'ə *ar chos bhacóide* standing, hopping, on one leg

bacstaí baksti: *m4* boxty, bread made of raw potatoes

bácús ba:ku:s *m1* bakehouse, bakery; pot-oven

bád ba:d *m1* boat

badánach bada:nəx *a1* tufted

badhbh baiv *f2* war-goddess; vulture; carrion-crow, ~ *chaointe* banshee

badmantan badməntən *m1* badminton

bádóir ba:do:r' *m3* boatman

bádóireacht ba:do:r'əxt *f3* boating

bagair bagər' *vt & i, pres* -**graíonn** brandish; beckon; threaten; drive (animals)

bagairt bagərt' *f3, gs* -**artha** threat

bagáiste baga:s't'ə *m4* baggage

bagánta baga:ntə *a3* hale; spruce

baghcat 'bai ˌkat *m1* boycott

baghcatáil 'bai ˌkata:l' *vt* boycott

bagrach bagrəx *a1* threatening, menacing

bagún bagu:n *m1* bacon

baic bak' *f, ~ an mhuiníl* nape of neck

baiceáil bak'a:l' *vt & i* back

báicéir ba:k'e:r' *m3* baker

báicéireacht ba:k'e:r'əxt *f3* baking

baicle bak'l'ə *f4* band of people; clique

baictéir bak't'e:r' *mpl* bacteria

baictéarach bak't'e:rəx *a1* bacterial

baictéareolaíocht 'bak't'e:r ˌo:li:(ə)xt *f3* bacteriology

baig bag' *vt* bag

báigh ba:y' *vt* drown; submerge; sink; immerse; inundate, *báite i bhfiacha* sunk in debt

bail bal' *f2* prosperity; state, ~ *ó Dhia air* God bless him, *cuir ~ ar an teach* put the house in order, *gan bhail* invalid

bailbhe bal'əv'ə *f4* dumbness; stammering

bailc bal'k' *f2* downpour (of rain) *vt, vn* **balcadh,** pour down

bailchríoch 'bal' ˌx'r'i:x *f2* finishing touch

baile bal'ə *m4, pl* -**lte** home; place, town, ~ *fearainn* townland, *arán ~* home-made bread

bailé bal'e: *m4, pl ~* **anna** ballet

baileabhair bal'aur' *s, ~ a dhéanamh de dhuine* to make a fool of a person

baileach bal'əx *a1* exact, *níl a fhios agam ~* I don't know exactly, *ní ~ a bhí tú imithe* you had only just left

bailéad bal'e:d *m1* ballad

bailí bal'i: *a3* valid

bailigh bal'i: *vt & i* collect, gather, *ag bailiú oilc* festering, *bhailigh sé leis* he went off, *bailithe de rud* fed up with sth

bailitheacht bal'ihəxt *f3* boredom

bailitheoir bal'iho:r' *m3* collector

bailiúchán bal'u:xa:n *m1* collection, ~ *daoine* gathering of people

báille ba:l'ə *m4* bailiff

bain ban' *vt & i, vn* -**t** extract, dig out; reap, *gual a bhaint* to mine coal, *glas a bhaint* to open a lock, *clog a bhaint* to strike a bell, *duais a bhaint* to win a prize, *beatha a bhaint amach* to make a living, *nuair a bhain mé an teach amach* when I got to the house, *bhain sé gáire asam* he made me laugh, ~*fidh mé tamall as* it will do me for a while,

~ *díot do hata* take off your hat, ~*t de rud* to shorten, reduce, sth, *ní bhaineann sé duit* it doesn't concern you, *bhain taisme dó* he met with an accident, *tá costas ag* ~*t leis* it involves expense, ~*eadh siar as* he was taken aback ~*t faoi dhuine* to appease, pacify, a person

baincéir baŋˈkʹeːrʹ *m3* banker

baincéireacht baŋˈkʹeːrʹəxt *f3* banking

baineanda banʹəndə *a3* effeminate

baineann banʹən *a1* female; effeminate

baineannach banʹənəx *m1 & al* female

báiní baːnʹiː *f4* wildness, frenzy, *dul le* ~ to become furious

báinín baːnʹiːnʹ *m4* woven woollen cloth, homespun; flannel; white homespun jacket

baininscneach banʹənʹsˈkʹnʹəx *a1* feminine (gender)

bainis banʹəsʹ *f2*, *pl* ~**eacha** wedding (-feast) ~ *bhaiste* christening party

bainisteoir banʹəsʹtʹoːrʹ *m3* manager

bainisteoireacht banʹəsʹtʹoːrʹəxt *f3* managing; managership

bainistí banʹəsʹtʹiː *f4* thrift

bainistíocht banʹəsʹtʹiː(ə)xt *f3* thriftiness

bainistreás banʹəsʹtʹrʹaːs *f3* manageress

bainne banʹə *m4* milk, ~ *bó bleachtáin* cowslip, ~ *caoin* spurge

bainniúil banʹuːlʹ *a2* milky; milk-yielding

báinseach baːnʹsʹəx *f2* green; lawn

bainseo banʹsʹoː *m4*, *pl* ~**nna** banjo

baint banʹtʹ *f2* connection; relevance; harvesting, gathering

báinté ˌbaːnʹˈtʹeː: s, *tá an fharraige ina* ~ the sea is dead calm

bainteach banʹtʹəx *a1*, ~ *le rud* involved in, relative to, sth

bainteoir banʹtʹoːrʹ *m3* digger; reaper; picker

baintreach banʹtʹrʹəx *f2* widow, ~ *fir* widower

baintreachas banʹtʹrʹəxəs *m1* widowhood

báíocht baːiː(ə)xt *f3* sympathy

bairdéir baːrdʹeːrʹ *m3* warder

báire baːrʹə *m4* match, contest; hurling match; goal, *i dtús* ~ at the onset, at first ~ *in the middle*, *i ndeireadh* ~ when all was over, *cúl* ~ goalkeeper

bairéad barʹeːd *m1* biretta; cap

báireoir baːrʹoːrʹ *m3* player; hurler

bairille barʹəlʹə *m4* barrel

bairín barʹiːnʹ *m4* loaf, ~ *breac* barmbrack

bairneach baːrnʹəx *m1* limpet

bairrín baːrʹiːnʹ *m4* mitre

báirse baːrsʹə *m4* barge

báirseach baːrsʹəx *f2* scold, shrew, virago

báirseoir baːrsʹoːrʹ *m3* water-, game-, keeper; nagging person

báisín baːsʹiːnʹ *m4* basin

baisleac basʹlʹək *f2* basilica

baist basʹtʹ *vt* baptize, christen; name

baiste basʹtʹə *m4* baptism

Baisteach basʹtʹəx *m1* Baptist

báisteach baːsʹtʹəx *f2* rain; rainfall, *tá* ~ *air* it's going to rain

baisteadh basʹtʹə *m*, *gs* baiste *pl* -**tí** baptism; christening party

baistí basʹtʹiː *a3* baptismal, *athair* ~ godfather

báistigh baːsʹtʹiː *vi* rain

báistiúil baːsʹtʹuːlʹ *a2* rainy

báiteach baːtʹəx *a1* watery; pale, wan; (*of colour*) pastel

baithis bahəsʹ *f2* top, crown (of head), forehead

baitic batʹikʹ *f2* batik

baitín batʹiːnʹ *m4* conductor's baton

baltsiléir batʹəlʹeːrʹ *m3* bachelor

balaistíocht baləsʹtʹiː(ə)xt *f3* ballistics

balastar baləstər *m1* baluster *pl* banister(s)

balastráid balastraːdʹ *f2* balustrade

balbh baləv *a1* dumb; inarticulate; (*of sound*) dull

balbhán baləvaːn *m1* dumb person; stammerer

balc balk *m1* balk, beam; hard substance

balcais balkəsʹ *f2* clout, rag; garment

balcóin balkoːnʹ *f2* balcony

ball bal *m1* organ (of body); component part; place; spot, mark, ~ *acra* tool, ~ *dobhráin* mole, *baill bheatha* vitals, ~ *de chumann* member of a society, ~ *éadaigh* article of clothing, garment, ~ *séire* mess; bungler, *i m*~ *éigin* somewhere, *ar* ~ (*beag*) a (little) while ago; presently

balla balə *m4* wall

ballach[1] baləx *m1* wrasse

ballach[2] baləx *a1* spotted, speckled

ballán balaːn *m1* teat

ballasta balasta *m4* ballast

ballbhrúigh ˈbalˌvruːɣʹ *vt* bruise

ballchrith 'bal,x'r'ih s, ar ~ trembling all over

ballnasc 'bal,nask m1 ligament

ballóg balo:g f2 roofless house, ruin

ballóid balo:d' f2 ballot

ballraíocht balri:(ə)xt f3 membership

balsam balsəm m1 balsam, balm

balsamaigh balsəmi: vt embalm

balscóid balsko:d' f2 blotch; blister

bálta ba:ltə m4 welt (of shoe)

balún balu:n m1 balloon

bumbach bambəx a1 tiresome, frustrating

bambú bambu: m4, pl ~nna bamboo

ban-¹ ban pref female, -ess, -rix

ban² ban : bean

bán¹ ba:n m1, pl ~ta lea, grassland; uncultivated land

bán² ba:n m1 white a1 white; whiteheaded, fair, airgead ~ silver money, sioc ~ hoar-frost, leathanach ~ blank page, tá béal ~ aige he is plausible, tá an áit ~ the place is deserted

ban-ab 'ban,ab f3 abbess

banaí bani: m4 ladies' man; lady-killer

bánaí¹ ba:ni: m4 albino

bánaí² ba:ni: s, ~ a dhéanamh (le páiste) to pet (a child)

bánaigh ba:ni: vt & i whiten; clear out, bhánaigh an lá the day dawned, tá an áit á bánú the place is becoming deserted, ag bánú na tíre laying waste the country

banaltra banəltrə f4 nurse

banaltracht banəltrəxt f3 nursing

banana bə'nanə m4 banana

banbh banəv m1 piglet, bonham

bánbhuí 'ba:n,vi: a3 cream-coloured

banc bank m1 bank

bancáil baŋka:l' vt bank

banchliamhain 'ban,x'l'iəvən' m4, pl ~eacha daughter-in-law

banda¹ bandə m4 band

banda² bandə a3 womanly, feminine

bándearg 'ba:n,d'arəg a1 pink

bandia 'ban',d'iə m, gs -dé pl -déithe goddess

banéigean 'ban,e:g'ən m1 rape

bang baŋ m3, pl ~anna (swimming) stroke; effort

bangharda 'ban,ɣa:rdə m4 policewoman

bánghlóthach 'ba:n,ɣlo:həx f2 blancmange

banimpire 'ban,im'p'ər'ə m4 empress

banlámh 'ban,la:v f2 cubit

banna¹ banə m4 band (of musicians)

banna² banə m4 bond, binding, dul i mbannaí ar dhuine to go bail for a person, ~í pósta marriage banns

bannóir bano:r' m3 bondholder

banóglach 'ban,o:gləx m1 girl guide, ~ an Tiarna the handmaid of the Lord

banóstach 'ban,o:stəx m1 hostess

banphrionsa 'ban,f'r'insə m4 princess

banrach banrəx f2 enclosed field (for animals); paddock

banríon 'ban,ri:n f3, pl ~acha queen

bantam bantəm m1 bantam

bantiarna 'ban',t'iərnə f4 (titled) lady

bantracht bantrəxt f3 womenfolk

bánú ba:nu: m4 whitening; dawning; clearance, dispersal

banúil banu:l' a2 womanly, ladylike; modest

banúlacht banu:ləxt f3 womanliness; womanhood; modesty

baoi bi: m4, pl ~the buoy; float of fishing-net

baois bi:s' f2 folly

baoite bi:t'ə m4 bait

baoiteáil bi:t'a:l' vt bait

baoiteálaí bi:t'a:li: m4 hanger-on

baol bi:l m1 danger, níl sé lán ná ~ air it is not nearly full, is beag an ~ air é a dhéanamh he is hardly likely to do it

baolach bi:ləx a1 dangerous, is ~ nach bhfuil sé ag teacht I'm afraid he's not coming

baosra bi:srə m4 folly; idle boasting, tá sé le ~ he is in a rage

baoth bi: a1 foolish; vain

baothánta bi:ha:ntə a3 foolish; fatuous

baothdhána 'bi:,ɣa:nə a3 foolhardy

baothghalánta bi:,ɣala:ntə a3 snobbish

bara barə m4 barrow, ~ rotha wheelbarrow

baracáid baraka:d' f2 barricade

baraíd bari:d' s, pl ~í ar ~í, ag ~ ar, rud a dhéanamh on the point of doing sth

baraiméadar 'bara,m'e:dər m1 barometer

barainneach barən'əx a1 thrifty; parsimonious, níl a fhios agam go ~ I do not know exactly

barainneacht barən'əxt f3 economy, thrift

baráiste bara:s′t′ə *m4* barrage

baránta bara:ntə *m4* warranty

barántas bara:ntəs *m1* warrant; warranty, authority

barántúil bara:ntu:l′ *a2* trustworthy; authentic

baratón barəto:n *m1* baritone

barbarach barəbərəx *m1 & a1* barbarian

barbartha barəbərhə *a3* barbarous; (*of speech*) coarse

barbarthacht barəbərhəxt *f3* barbarity, ~ *chainte* coarse speech

bárc ba:rk *m1* bark, ship

bárcadh ba:rkə *s, ag* ~ *allais* streaming with perspiration

bard ba:rd *m1* bard

barda¹ ba:rdə *m4* garrison; guard

barda² ba:rdə *m4* (hospital, city) ward

bardach ba:rdəx *m1* warden

bardal ba:rdəl *m1* drake

bardas ba:rdəs *m1* municipal authority, corporation

bardasach ba:rdəsəx *m1* alderman *a1* municipal

barr ba:r *m1*, *npl* ~ **a** tip, point; top; surface; crop, *i m* ~ *a réime* at the height of his career, *tá an teach ar bharr* (*amháin*) *lasrach* the house is all aflame, *de bharr* as a result of, because, *dá bharr sin* consequently, *le* ~ *sainte* out of sheer greed, *mar bharr ar an ádh* as luck would have it, *thar* ~ excellent, *dhíol sé thar* ~ *amach é* he sold it outright, ~ *láin* (*mhara*), ~ *taoide* high tide; high-water mark

barra barə *m4* bar

barrach barəx *m1*, (*of flax, hemp*) tow

barrachas barəxəs *m1* predominance; surplus

barraicín barək′i:n′ *m4* tip,toe (of foot, stocking) toe-cap (of boot, shoe), *ag siúl ar do bharraicíní* walking on tiptoe

barrail bari:l′ *f3* loppings; husky grain; waste

barraíocht bari:(ə)xt *f3* excess, *tá punt de bharraíocht ann* it is a pound over, *duine a bharraíocht* to best a person

barrchaite 'ba:r‚xat′ə *a3* threadbare

barrchaolaigh 'ba:r‚xi:li: *vt* taper

barrchéim 'ba:r‚x′e:m′ *f2* climax; apogee

barriall 'ba:r‚iəl *f2*, *gs* -**rréille** *pl* ~**acha** bootlace, shoelace

barrliobar 'ba:r‚l′ibər *m1* numbness of fingers

barrloisc 'ba:r‚los′k′ *vt, vn* -**oscadh** singe

barróg baro:g *f2* hug; wrestling grip

barrshamhail 'ba:r‚haul′ *f3*, *gs* -**amhla** *pl* -**amhlacha** ideal

barrsheol 'ba:r‚x′o:l *m1*, *pl* ~**ta** topsail

barrthuairisc 'ba:r‚huər′əs′k′ *f2* additional information

barrthuisle 'ba:r‚his′l′ə *m4* stumble

barrúil baru:l′ *a2* gay; funny; droll

barúil baru:l′ *f3*, *pl* -**ulacha** opinion, *tá* ~ *aithne agam air* I think I know him

barúlach baru:ləx *a1* opinionated

barún baru:n *m1* baron

barúntacht baru:ntəxt *f3* barony

bas bas *f2*, (*fish*) ~ (*gheal*) bass

bás bas *m1*, *pl* ~**anna** death, *go* ~ until death, *tá eagla a bháis air roimh thaibhsí* he is in mortal fear of ghosts

basadóir basədo:r′ *m3* match-maker

básaigh ba:si: *vt & i* put to death, execute; die

basár bə'sa:r *m1* bazaar

basc bask *vt* bash; crush

bascadh baskə *m* bashing; severe injury, ~ *air* the devil take him

bascaed baske:d *m1* basket

básmhaireacht ba:svər′əxt *f3* mortality

básmhar ba:svər *a1* mortal

básta ba:stə *m4* waist; bellyband

bastallach bastələx *a1* bombastic; captious

bastard bastərd *m1* bastard, ~ *madra* mongrel

bástcóta 'ba:st‚ko:tə *m4* waistcoat

bastún ba:u:l′ *m1* lout

bású ba:su: *m4* execution

basún basu:n *m1* bassoon

bata batə *m4* stick; baton, ~ *is bóthar a thabhairt do dhuine* to dismiss a person summarily, to sack a person

bataire batər′ə *m4* battery

batráil batra:l′ *vt* batter

báúil ba:u:l′ *a2* sympathetic

bé b′e: *f4*, *pl* ~**ithe** maiden

béabhar b′e:vər *m1* beaver

beacán b′aka:n *m1* mushroom, ~ *bearaigh* toadstool

beach b′ax *f2* bee

beachaire b′axər′ə *m4* bee-keeper

beachlann b′axlən *f2* apiary

beacht b´axt *a1, gsm* ~ exact, precise, accurate

beachtaigh b´axti: *vt* correct, *ag beachtú orm* criticizing me

beachtaíoch b´axti:(ə)x *a1, gsm* ~ critical, captious

beachtaíocht b´axti:(ə)xt *f3* exactitude; criticism

beachtas b´axtəs *m1* accuracy, precision

beadaí b´adi: *m4* gourmet *a3* sweet-toothed, fastidious, *bia* ~ dainty food

beadaíocht b´adi:(ə)xt *f3* fastidiousness (about food); dainties

béadán b´e:da:n *m1* gossip, slander; worry

béadchaint b´e:d,xan´t´ *f2* slander

beag¹ b´eg *m1, pl* ~**anna** little; small amount, *ar a bheag* at least, *ná déan a bheag díot féin* don't demean yourself, *is* ~ *a tháinig* few came al, *comp* **lú** little, small; junior, lesser, *is* ~ *le rá é* it is not worth mentioning, *is é is lú is gann duit é* it's the least you might do, *ní* ~ *sin* that's enough, *is* ~ *orm é* I don't like it, *anois* ~ just now, *is* ~ *is deise* there are few nicer places, *is* ~ *nár thit mé* I nearly fell, *nach* ~ almost *ach chomh* ~ either, neither

beag-² b´eg *pref* small; -less; un-, in-

beagán b´ega:n *m1* little, *i m*~ *focal* in a few words

beagdheis b´eg,ɣ´es´ *f2, grúpaí* ~*e* underprivileged groups

beagmhaitheasach b´eg,vahəsəx *a1* useless, worthless; disobliging

beagnach b´egnax *adv* almost

beagóinia b´ə´go:n´iə *f4, pl* ~**nna** begonia

beaguchtach ´b´eg,uxtəx *m1* lack of courage, *ná cuir* ~ *air* don't dishearten him

beaichte b´axt´ə *f4* exactitude

bealgnit b´ag´n´ət´ *f2* bayonet

beairic b´ar´ək´ *f2* barrack(s)

béal b´e:l *m1, pl* ~**a** *in certain phrases* mouth, opening, entrance; lip, ~ *bán* soft talk, ~ *scine* edge of knife, ~ *cruaiche* open end of stack, ~ *salach* thrush, ~ *gan scáth* blabber, ~ *tuile* hydrant, *i m*~ *na doininne* in the teeth of the storm, *dul ar bhéal, ar bhéala, duine* to go over a person's head; to take precedence over a person, *i m*~

a mhaitheasa in his prime, *i m*~, *i mbéala, báis* at death's door

bealach b´aləx *m1, pl* -**aí** way, road; pass; direction; manner, ~ *aeir* air route, ~ *isteach* way in, *cuireadh chun bealaigh é* he was sent off, sacked, *duine a chur ar bhealach a leasa* to advise a person for his own good, *as* ~ *out of the way*; wrong, *ar bhealach* in a way

bealadh b´alə
 m1 grease, lubricant

bealaigh b´ali: *vt* grease, lubricate, *caint bhealaithe* unctuous speech

béalaithris ´b´e:l,ahr´əs´ *f2* oral account, tradition

béalbhach b´e:lvəx *f2* bridle-bit, gunwale; rim

béalchrábhadh ´b´e:l,xra:və *m1* lip-service to religion; hypocrisy

béalchráifeach ´b´e:l,xra:f´əx *a1* sanctimonious

béaldath ´b´e:l,dah *m3, pl* ~**anna** lipstick

béalta b´e:l,iətə *a3* tight-lipped, secretive

béalmhír ´b´e:l,v´i:r´ *f2, pl* ~**eanna** (*tool*) bit

béalóg b´e:lo:g *f2* small opening; (*of musical instrument*) mouthpiece

béaloideas ´b´e:l,od´əs *m1* oral tradition, folklore

béalscaoilte ´b´e:l,ski:l´t´ə *a3* indiscreet

Bealtaine b´altən´ə *f4* May, *Lá* ~ May Day

bean b´an *f, gs & npl* **mná** *gpl* **ban** woman; wife, ~ *chabhrach* ~ *ghlúine*, midwife ~ *chéile* wife, ~ *rialta* nun, ~ *sí* banshee, ~ *tí* housewife; housekeeper, *a bhean uasal* madam, ~ *Uí Néill* Mrs. O'Neill

beangán b´aŋga:n *m1* young branch; shoot; scion; graft; prong

beann¹ b´an *f2* horn; antler; prong

beann² b´an *f2* regard; dependence, *tá mé beag* ~ *air* I have little regard for, little fear of, him

beann³ b´an **beanna** b´anə : **binn¹**

beannach b´anəx *a1* horned; peaked; gabled; angular

beannacht b´anəxt *f3* blessing, greeting ~ (*na Naomhshacraiminte*) Benediction, ~ *Dé leat* God speed you, ~ *Dé lena anam* God rest his soul

beannachtach b´anəxtəx *a1, buíoch* ~ effusively grateful

beannaigh b'ani: *vt & i* bless; greet, *níl siad ag beannú dá chéile* they are not on speaking terms, *bheannaigh sé isteach chugainn* he called in to us

beannaithe b'anihə *a3* blessed, holy, *na hoird bheannaithe* the religious orders

beannaitheach b'anihəx *a1* beatific

beannaitheacht b'anihəxt *f3* beatitude

beannú b'anu: *m4* blessing, greeting

béar b'a:r *m1* bar (in public house)

béar b'e:r *m1* bear

beara b'arə : **bior**

bearach b'arəx *m1* heifer

bearbóir b'arəbo:r' *m3* barber

bearbóireacht b'arəbo:r'əxt *f3* hairdressing

béarfaidh b'e:rhi: *fut of* **beir**

béarla b'e:rlə *m4* speech, B~ English language

béarlachas b'e:rləxəs *m1* anglicism

béarlagair b'e:rləgər' *m4* jargon

Béarlóir b'e:rlo:r' *m3* English speaker

bearna b'a:rnə *f4* gap, ~ *mhíl* hare-lip

bearnach b'a:rnəx *a1* gapped

bearnaigh b'a:rni: *vt* breach; broach; tap

bearnas b'a:rnəs *m1* gap, pass

bearr b'a:r *vt* clip; cut; shave; skim (milk)

bearradh b'a:rə *m*, ~ *gruaige* hair-cut, ~ *cainte* dressing-down

beart[1] b'art *m1*, *npl* ~**a** bundle; parcel

beart[2] b'art *m1*, *npl* ~**a** a cast, move (in game); plan; action, *i mbearta crua in evil plight, tar éis na m*~ when all is said and done

beart[3] b'art *m3*, *pl* ~**anna** berth

beartach b'artəx *a1* scheming, contriving

beartaigh b'arti: *vt & i* brandish; plan; consider

beartaíocht b'arti:(ə)xt *f3* scheming; ingenuity

beartán b'arta:n *m1* bundle, parcel

beartas b'artəs *m1* policy

beartú b'artu: *m4* plan, contrivance

béas[1] b'e:s *m3*, *gs & npl* ~**a** habit *pl* conduct, manners, *tá fios a bhéas aige* he knows how to behave

béas[2] b'e:s *m3* beige

béasach b'e:səx *a1* well-behaved; mannerly

béasaíocht b'e:si:(ə)xt *f3* politeness; etiquette

béascna b'e:sknə *f4* mode of conduct; custom; culture

beatha b'ahə *f4* life; livelihood; sustenance, *slí bheatha* means of livelihood, *is é do bheatha, dé do bheatha*, you are welcome, ~ *duine a scríobh* to write someone's biography

beathach b'ahəx *a, beo* ~ alive and active

beathaigh b'ahi: *vt* feed, nourish; rear

beathaisnéis 'b'ah,as'n'e:s' *f2* biography

beathaisnéisí 'b'ah,as'n'e:s'i': *f4* biographer

beathaithe b'ahihə *a3* fat, well-fed

beathaitheach b'ahihəx *a1* nourishing, fattening

beathaitheacht b'ahihəxt *f3* fatness, obesity

beathú b'ahu: *m4* feeding, nourishment

beibheal b'ev'əl *m1 & vt* bevel

béic b'e:k' *f2*, *pl* ~**eacha** yell, shout ~ *asail* donkey's bray *vi* yell, shout

béicíl b'e:k'i:l' *f3* yelling, shouting

beidh b'ey' *fut of* **bí**

beifear b'ef'ər *fut aut of* **bí**

béile b'e:l'ə *m4* meal

beilt b'el't' *f2*, *pl* ~**eanna** belt

béim b'e:m' *f2*, *pl* ~**eanna** blow; notch; emphasis

béimneach b'e:m'n'əx *a1* striking, smiting

Beinidicteach b'en'əd'ək'təx *m1 & a1* Benedictine

beinifís b'en'əf'i:s' *f2* benefice

beinsín b'en's'i:n' *m4* benzine

beir b'er' *vt & i*, *vn* **breith** bear, give birth to; win; bring, take; catch, *rug an bhó* the cow calved, *rugadh leanbh di* she bore a child, *tá na cearca ag breith* the hens are laying, *bheith* ~ *the le rud* to gain by sth, *rug na gardaí air* the guards caught him, ~ *isteach air* get to close grips with him, ~ *ar do chiall* have sense, *breith ar dhuine i rás* to overtake a person in a race, ~ *as making off*, *tá siad ag breith uainn* they are drawing away from us

beireatas b'er'ətəs *m1*, *ráta, teastas, beireatais* birth-rate, birth-certificate

beirfean b'er'əf'ən *m1* boiling heat

beirigh b'er'i: *vt & i* boil; cook; bake

beiriste b'er'əs't'ə *m4*, (*cards*) bridge

beirt b'ert' *f2*, *pl* ~**eanna** two persons; pair

beirtreach b'ert'r'əx *f2* oyster-bed

beith b'eh *f2*, *pl* ~**eanna** birch, ~ *gheal* silver birch

beithé b'ehe: m4, pl ~**anna** laughing-stock; laugh, jeer

beithilín b'ehəl'i:n' m4 crib

beithíoch b'ehi:(ə)x m1 beast; animal; horse

beo b'o: m4, gs & pl ~ living being; life; livelihood; quick a3 living, alive; active, lively, sláo ~ leis God keep him, sreang sheo live wire

beobhreitheach b'o,v'r'ehəx a1 viviparous

beochan b'o:xən f3 animation

beochán b'o:xa:n m1, ~ tine small fire

beocht b'o:xt f3 life, animation

beoga b'o:gə a3 lively; vivid

beoghearradh b'o:,γ'arə m, gs -**rrtha** vivisection

beoigh b'o:γ' vt & i animate, enliven; (of wind) freshen

beoir b'o:r' f, gs **beorach** pl **beoracha** beer

beola b'o:lə spl lips

beophianadh b'o:,f'iənə m suspense, impatience

beostoc b'o:,stok m1 livestock

bheadh v'ex cond of **bí**

bhéarfadh v'e:rhəx cond of **beir**

bheas v'es fut rel of **bí**

bheifi v'ef'i: cond aut of **bí**

bheith v'eh vn of **bí**

bhfuil vil' pres dep of **bí**

bhí v'i: p of **bí**

bhíodh v'i:x p hab of **bí**

bhíothas v'i:həs p aut of **bí**

bhítí v'i:t'i: p hab aut of **bí**

bhuel wel' int well

bhur vu:r poss a your (pl)

bí b'i: substantive vb be; exist, an Té a bhí agus atá He who was and is, tá sé agam I have it, an lá atá inniu ann the present day, bhí go maith (go) all went well (until), má tá tú réidh if you are ready, tá orm a rá I must say, má tá fút imeacht if you intend to go away, bhí uaim labhairt leis I wanted to speak to him, tá sé bliain d'aois he is a year old, mar atá namely, bíodh is gur gheall sé é even though he promised it, má tá as to that, however

bia b'iə m4, pl ~**nna** food; meal; substance

biabhóg b'iəvo:g f2 rhubarb

biachlár b'iə,xla:r m1 menu (card)

bia-eolaí b'iə,o:li: m4 dietician

biaiste b'iəs't'ə f4 season, period (of plenty), ~ an éisc fishing season

bialann b'iələn f2 canteen, restaurant

bianna b'iənə m4 ferrule

biatach b'iətəx m1 victualler a1 food-providing; generous

biatas b'iətəs m1 beet

biathaigh b'iəhi: vt feed, tá sé ag biathú sneachta snow-flakes are falling

bibe b'ib'ə m4 bib

bíceips b'i:k'e:p's' f2 biceps

bídeach b'i:d'əx a1 tiny

bige b'ig'ə f4 littleness

bigil b'ig'əl' f2 vigil; eve of feast

bile b'il'ə m4 (large, sacred) tree

bileog¹ b'il'o:g f2 leaf, ~ pháipéir sheet of paper

bileog² b'il'o:g f2 billhook

bileogach b'il'o:gəx a1 leafy; laminated

bille b'il'ə m4 bill; currency note

billéad b'il'e:d m1 (army) billet

billéardaí b'il'e:rdi: spl billiards

billiún b'il'u:n m1 billion

binb b'in'əb' f2 venom, fury, ar ~ on edge

binbeach b'in'əb'əx a1, (of voice, speech) venomous, sharp

bindealán b'in'd'əla:n m1 swaddling cloth; bandage

binid b'in'əd' f2 rennet

binn¹ b'in' f2, npl **beanna** gpl **beann** peak; gable; cliff, ~ seáil corner of shawl, hata trí bheann three-cornered hat, ~ a gúna the lap of her dress, ~ siosúir blade of scissors

binn² b'in' a1 sweet, melodious, d'éirigh go ~ liom I got on splendidly

binnbharraíocht b'in',vari:(ə)xt f3, an hhinnbharraíocht a bheith agat ar dhuine to gloat over a person

binneas b'in'əs m1, (of sound) sweetness

binneog b'in'o:g f2 head-square

binse b'in's'ə m4 bench, seat; ledge, ~ breithimh judge's bench; tribunal, an B~ the Bench

bintiúr b'in't'u:r m1 debenture

bíobalta b'i:bəltə a3 biblical

Bíobla b'i:blə m4 Bible

biocáire b'ika:r'ə m4 vicar

bíocunta b'i:,kuntə m4 viscount

bíog¹ b'i:g f2 chirp

bíog² b'i:g vi start, jump; twitch

biogadh b'i:gə *m*, *gs* **-gtha** start, jump

biogamacht b'igəməxt *f3* bigamy

biogarnach b'i:gərnəx *f2* squeaking, chirping

biogóid b'igo:d' *m4* bigot

biogóideacht b'igo:d'əxt *f3* bigotry

biogúil b'i:gu:l' *a2* jumpy; lively; sprightly

biolar b'ilər *m1* (water)cress

bioma b'i:mə *m4* beam

biongó b'iŋgo: *m4* bingo

bior b'ir *m3*, *gs* **beara** *pl* ~ **anna** point; spit, spike; ~**seaca** icicle, ~ **fiacla** tooth-pick, *chuaigh sé ar bhior a chinn isteach san uisce*, he went head first into the water, *tháinig* ~ *ar a shúile* his eyes flashed anger

biorach b'irəx *a1* pointed; sharp

bioraigh b'iri: *vt & i* point, sharpen, *bhioraigh sé a chluasa* he cocked his ears

biorán b'ira:n *m1* pin, ~ **cniotála** knitting-needle

bioránach b'ira:nəx *m1* sprat

bioranta b'irəntə *a3* sharp, cold

bioróir b'iro:r' *m3* sharpener, pencil parer

biosún b'i:su:n *m1* bison

biotáille b'ita:l'ə *f4* spirits; strong drink

biotúman b'itu:mən *m1* bitumen

bís b'i:s' *f2*, *pl* ~ **eanna** vice; screw; spiral, *ar* ~ in suspense, impatient

biseach b'is'əx *m1* improvement (in health); increase, *bliain bhisigh* leap-year

bíseach b'i:s'əx *a1* spiral

bisigh b'is'i: *vt & i* improve; recover; increase, prosper

bisiúil b'is'u:l' *a2* productive; fecund

bith-1 b'ih *s*, *ar* ~ any, *lá ar* ~ (*anois*) any day (now), *cibé ar* ~ at any rate, *níl ciall ar* ~ *aige* he has no sense

bith-2 b'ih ~ b'i⁺ *pref* ever-, constant

bith-3 b'ih ~ b'i⁺ *pref* bio-

bitheog b'iho:g *f2* microbe

bitheolaíocht b'ih,o:li:(ə)xt *f3* biology

bíthin b'i:hən' *s*, *trí*, *ar*, *bhíthin* because of, *dá bhíthin sin* for that reason

bithiúnach b'ihu:nəx *m1* scoundrel

bithiúnta b'ihu:ntə *a3* scoundrelly

bitseach b'it's'əx *f2* bitch

biúró b'u:ro: *m4*, *pl* ~ **nna** bureau

bladair bladər' *vt & i*, *pres* **-draíonn** *vn* **-dar** cajole, flatter

bladar bladər *m1* cajolery, flattery

bladhaire blair'ə *m4* flame

bladhm blaim *f3*, *pl* ~ **anna** flame; flareup *vi* flame, blaze, flare-up

bladhmach blaiməx *a1* flaming

bladhmaire blaimər'ə *m4* boaster

bladhmann blaimən *m1* blaze; boasting

bladhmannach blaimənəx *a1* blazing, boastful

bladrach bladrəx *a1* cajoling, flattering

bláfar bla:fər *a1* blooming, beautiful; tidy; demure

blagaid blagəd' *f2* bald head

blaincéad blaŋ'k'e:d *m1* blanket

blais blas' *vt & i* taste; partake of

blaiseadh blas'ə *m* taste, bite, sup

blaisféim blas'f'e:m' *f2* blasphemy

blaisínteacht blas'i:n't'əxt *f3* toying with food or drink, *níl tú ach ag* ~ *air* you are only nibbling at, sipping, it

blaistigh blas't'i: *vt* season (food)

blaosc bli:sk *f2* shell (of egg, nut, etc), ~ *an chinn* skull, cranium

blár bla:r *m1* open space; field, *bheith ar an m* ~ (*folamh*) to be down and out

blas blas *m1*, *pl* ~ **anna** taste, flavour; accent, mode of pronunciation, *tá* ~ *na fírinne air* it rings true, *dheamhan* ~ nothing at all

blasta blastə *a3* tasty; (*of speech*) correct, telling, *bia* ~ savoury food

blastán blasta:n *m1* flavouring, seasoning

blastóg blasto:g *f2* savoury

bláth bla: *m3*, *pl* ~ **anna** blossom, flower(s); bloom; prosperity, *faoi bhláth* in blossom; flourishing, *i m* ~ *a shaoil* in the prime of his life

bláthach bla:həx *f2* buttermilk

bláthadóir bla:hədo:r' *m3* florist

bláthaigh bla:hi: *vi* bloom, bloom

bláthchuach 'bla:,xuəx *m4* vase

bláthfhleasc 'bla:,l'ask *f2* wreath, garland

bleacht b'l'axt *m3* milk

bleachtaire b'l'axtər'ə *m4* detective

bleachtaireacht b'l'axtər'əxt *f3* detecting, *scéal* ~ *a* detective story

bleachtán b'l'axta:n *m1* sow-thistle

bleaist b'l'as't' *f2*, *pl* ~ **eanna** blast; blight

bleaisteáil b'l'as't'a:l' *vt & i* blast

bleán b'l'a:n *m*1 yield of milk; milking

bleánlann b'l'a:nlən *f*2 milking parlour

bléasar b'l'e:sər *m*1 blazer

bleathach b'l'ahəx *f*2 grist, ~ *uibhe* egg-flip

bleib b'l'eb' *f*2, *pl* ~**eanna** bulb (of plant)

bleid b'l'ed' *f*2, *bhuail sé* ~ *orm* he accosted me; *he addressed me in a wheedling manner*

bléin b'l'e:n' *f*2, *pl* ~**te** groin; cavity; cove

bléitse b'l'e:t's'ə *m*4, (*cloth*) bleach

bliain b'l'iən' *f*3, *pl* ~**anta**, **-ana** *with numerals* year, *leanbh bliana* year old child, *i mbliana* this year

bliainiris 'b'l'iən',ir'əs' *f*2 annual (publication), year-book

blianacht b'l'iənəxt *f*3 annuity

bliantóg b'l'iənto:g *f*2 annual (plant)

bliantúil b'l'iəntu:l' *a*2 yearly, annual

bligeard b'l'ig'a:rd *m*1 blackguard

bligh b'l'iɣ' *vt, vn* **bleán** milk, *bradán a bhleán* to strip a salmon

bliosán b'l'isa:n *m*1 artichoke

bliteoir b'l'it'o:r' *m*3 milker

bloc blok *m*1 block

blocánta bloka:ntə *a*3 stocky

blogh blau *f*3, *pl* ~**anna** fragment *vt & i* break into bits, shatter

blonag blonag *f*2 soft fat, lard; blubber

blosc blosk *m*1 explosive sound, blast *vt & i* explode

bloscadh bloskə *m*1 crack, explosion; rally (in sickness); increase (in yield)

blúire blu:r'ə *m*4 bit, fragment

blús blu:s *m*1, *pl* ~**anna** blouse

bó bo: *f, gs & gpl* ~ *npl* **ba** cow

bob bob *m*4, *pl* ~**anna** ~ *a bhualadh ar dhuine* to play a trick on a person

bobáil boba:l' *vt & i*, (*of hair*) bob; (*of hedge*) trim; blink

bobailín bobal'i:n' *m*4 tuft; tassel; pompon

bobaireacht bobar'əxt *f*3, *ag* ~ *ar dhuine* playing tricks on a person

bobarún bobəru:n *m*1 booby

bobghaiste bob,yas't'ə *m*4 booby-trap

boc bok *m*1 buck, playboy, ~ *mór* big-wig

bocáil boka:l' *vt* toss, *liathróid a bhocáil* to bounce a ball

bocaire bokər'ə *m*4 small cake; muffin

bocánach boka:nəx *m*1 goblin

bóchna bo:xnə *f*4 the ocean

bocht boxt *m*1 poor person, *na boicht* the poor *al* poor, *is* ~ *an scéal é* it is a sad state of affairs, *is* ~ *liom do chás* I'm sorry for your trouble

bochtaigh boxti: *vt* impoverish

bochtaineacht boxtən'əxt *f*3 poverty; meanness; humiliation

bochtán boxta:n *m*1 poor person; mean person

bocóid boko:d' *f*2 boss, stud

bod bod *m*1 penis, ~ *gadhair* cuckoo-pint

bodach bodax *m*1 churl, lout, ~ *mór* big-wig, ~ *bóthair* vagrant

bodhaire baur'ə *f*4 deafness, (*of sound*) dullness, ~ *Uí Laoire* feigned deafness

bodhar baur *al, npl* **-dhra** deaf, *tá mé* ~ *ag éisteacht libh* I am tired listening to you, *toirneach bhodhar* distant thunder, *tá mo chos* ~ I have no feeling in my leg, *uisce* ~ stagnant water

bodhraigh bauri: *vt* deafen, *ná* ~ *mé* don't bother me, *pian a bhodhrú* to deaden pain

bodhraitheach baurihəx *al* deafening

bodhrán[1] baura:n *m*1 deaf person; dullard

bodhrán[2] baura:n *m*1 winnowing drum; (*kind of*) tambourine

bodóg bodo:g *f*2 heifer

bodúil bodu:l' *a*2 churlish, surly

bog bog *m*1 soft part, etc, ~ *na cluaise* lobe of ear *al* soft, tender, *tóg (go)* ~ *é* take it easy, *snaidhm bhog* loose knot, *uisce* ~ lukewarm water, *imeacht* ~ *te* to go off hotfoot *vt & i* soften; move, loosen, slacken *pian a bhogadh* to ease pain, ~ *díom* release (your grip on) me, *ag* ~ *adh chun siúil* making a move to go, *cliabhán a bhogadh* to rock a cradle

bogach bogax *m*1 soft, boggy, ground

bogadach bogədəx *f*2 movement; ~ *stirring*; rocking

bogadh bogə *m, gs* **-gtha** softening, easement; movement, *ar* ~ (*of nail, etc*) loose, (*of clothes*) steeping

bogán boga:n *m*1 soft ground; shell-less egg

bogarnach bogərnəx *f*2, *rud a choinneáil ar* ~ to dangle sth

bogásach boga:səx *a*1 smug

bogfhiuchadh 'bog,uxə *s*, ~ *a bhaint as rud* to simmer sth

bogha bau *m*4, *pl* ~**nna** bow; ring, circle, ~ *báistí* rainbow

boghaisín baus'i:n' *m*4 ring, circle

boghdóir baudo:r' *m*3 archer

boghdóireacht baudo:r'əxt *f*3 archery

boghta bautə *m*4 vault; storey

boglach bogləx *m*1 wet weather; thaw

bogmheisce 'bog,v'es'k'ə *s*, *ar* ~ slightly inebriated

bogshifín 'bog,hif'i:n' *m*4 bulrush

bogshodar 'bog,hodər *m*1 canter

bogstróc 'bog,stro:k *s*, *ar do bhogstróc* at one's leisure

bogúrach bogu:rəx *a*1 soft; maudlin

boicín bok'i:n' *m*4 gay spark; upstart

bóidicín bo:d'ək'i:n' *m*4 bodkin

boige bog'ə *f*4 softness

boigéiseach bog'e:s'əx *a*1 soft-hearted; gullible

bóileágar bo:l'e:gər *s*, *ar* ~ neglected, mislaid

boilg bol'əg' *f*2, *pl* ~**eacha** submerged reef

boilgearnach bol'əg'ərnəx *f*2 bubbling

boilgeog bol'əg'o:g *f*2 bubble

boilsc bol's'k' *f*2 bulge

boilsceannach bol's'k'ənəx *a*1 bulging

boilscigh bol's'ki: *vt & i* bulge; *(of currency)* inflate

boilsciú bol's'k'u: *m*4, *(of currency)* inflation

Boilséiveach bol's'e:v'əx *m*1 & *al* Bolshevik

Boilséiveachas bol's'e:v'əxəs *m*1 Bolshevism

bóín bo:i:n' *f*4, ~ *Dé* ladybird

boinéad bon'e:d *m*1 bonnet

boirbe bor'əb'ə *f*4 fierceness; coarseness; *(of growth)* rankness

boirbeáil bor'əb'a:l' *f*3 threatening; *(of wound)* gathering

boiric bor'ək' *f*2 protuberance, swelling

boirrche bor'əx'ə *f*4 swelling; surge *(of anger)*

boiseog bos'o:g *f*2 pat, slap; ripple, ~ *uisce* palmful of water

bóitheach 'bo:,hax *m*1 cowhouse, byre

bóithreoireacht bo:hr'o:r'əxt *f*3 travelling the roads, vagrancy

bóithrín bo:hr'i:n' *m*4 country lane, boreen

bólacht bo:ləxt *f*3 cattle, kine

boladh bolə *m*1, *pl* -**aithe** smell, scent; sense of smell

bólaí bo:li: *spl*, *sna* ~ *seo* in these parts

bolaigh boli: *vt* smell, scent

bolaíocht boli:(ə)xt *f*3 smelling, sniffing, *ag* ~ *thart* nosing about

bolastar boləstər *m*1 bolster

bolb boləb *m*1 caterpillar

bolcáinigh bolka:n'i: *vt* vulcanize

bolcán bolka:n *m*1 volcano

bolcánach bolka:nəx *a*1 volcanic

bolg[1] boləg *m*1 belly, stomach; bellyful; bag; *pl* bellows, ~ *le gréin a dhéanamh* to sunbathe, ~ *soláthair* corpus, miscellany, ~ *loinge* hold of ship

bolg[2] boləg *vt & i* bulge; blister, *seolta a bholgadh* to fill, swell, sails, *farraige bholgtha* heaving sea

bolgach[1] boləgəx *f*2, ~ *(Dé)* smallpox, ~ *fhrancach* syphilis

bolgach[2] boləgəx *a*1 big-bellied; bulging

bolgam boləgəm *m*1 mouthful, sup

bolgán boləga:n *m*1 bubble; (lamp-)bulb, ~ *béice* puff-ball

bolgchaint 'boləg,xan't' *f*2 ventriloquism

bolgchainteoir 'boləg,xan't'o:r' *m*3 ventriloquist

bolgóid boləgo:d' *f*2 bubble

bolgshúileach 'boləg,hu:l'əx *a*1 pop-eyed

bolla bolə *m*4 bowl, *cluiche* ~*í* game of bowls

bollán bola:n *m*1 boulder

bollóg bolo:g *f*2 loaf

bológ bolo:g *f*2 bullock

bolscaire bolskər'ə *m*4 announcer; publicist; propagandist

bolscaireacht bolskər'əxt *f*3 announcing; publicity; propaganda

bolta boltə *m*4 bolt

boltáil bolta:l' *vt* bolt

boltanach boltənəx *a*1 olfactory; odorous

boltanas boltənəs *m*1 smell, scent

bómánta bo:ma:ntə *a*3 slow-witted

bómántacht bo:ma:ntəxt *f*3 dullness, stupidity

bóna bo:nə *m*4 collar; lapel

bónas bo:nəs *m*1 bonus

bonn[1] bon *m*1 sole; foothold; foundation, basis; tyre; track, ~ *istigh* insole, *thug sé do na boinn é; bhain sé as na boinn é* he made off as fast as he could, *in, ar, áit na m~*; *láithreach* ~ immediately, *ar aon bhonn* on equal footing, ~ *ar bhonn* side by side, ~ *le* ~ at close quarters

bonn[2] bon *m*1 coin; medal

bonnaire bonər'ə *m*4 walker, trotter; footman

bonnán bona:n *m*1, ~ *(buí, léana)* bittern; siren, hooter

bonnbhualadh 'bon,vuələ *m*1, *gs & pl* **-uailte** callus, blister on sole of foot

bonneagar 'bon,agər *m*1 infrastructure

bonnóg bono:g *f*2 bannock, scone

bonsach bonsəx *f*2 javelin, ~ *shlaite* stout rod, switch

bórach[1] bo:rəx *a*1 bandy, bow-legged

bórach[2] bo:rəx *a*1 boric

bórasach bo:ra:səx *a*1 boracic

borb borəb *a*1 fierce, violent; rude; rich, rank, *deoch bhorb* strong drink, *boladh* ~ pungent smell

bord bo:rd *m*1 table; board, council *ar bhord na cathrach* on the outskirts of the city, ~ *ar bhord le* side by side, level, with, *ar* ~ *loinge* on board a ship, *(of boat)* ~ *a chaitheamh* to tack

bordáil bo:rda:l' *vt & i* board, go aboard; take on board, *bád ag* ~ a boat tacking, *ag* ~ *ar*, le bordering, verging, on

borgaire borəgər'ə *m*4 burger

borr bor *vt & i* swell, grow, *ag* ~ *adh chuig duine* getting angry with a person

borrach borəx *a*1 swollen; arrogant

borradh borə *m*, *gs* **-rrtha** swelling, growth; expansion, ~ *farraige* swell in sea, ~ *trádála* boom

borrchré bor,x'r'e: *f*4 fuller's earth

borróg boro:g *f*2 bun

borrphéist 'bor,f'e:s't' *f*2 ringworm

borrtha borə *a*3 varicose

borrúil boru:l' *a*2, *(of soil)* rich, *(of plants)* fast-growing; enterprising, puffy

bos bos *f*2 palm (of hand); handful; slap, *ar iompú boise* instantly, ~ *camáin* 'boss', blade, of hurling-stick

bósán bo:sən *m*1 boatswain

bosca boskə *m*4 box, ~ *ceoil* melodeon

boschrann 'bos,xran *m*1 door-knocker; bell-clapper

boslach boslax *m*1 handful

both boh *f*3, *pl* **~anna** booth, hut

bothán boha:n *m*1 cabin; shed, coop

bothántaíocht boha:nti:(ə)xt *f*3 visiting houses for pastime or gossip

bóthar bo:hər *m*1, *pl* **bóithre** road, ~ *iarainn* railroad, *buail (un)* ~! beat it! *an* ~ *a thabhairt do dhuine* to dismiss a person

botún botu:n *m*1 blunder, mistake

brá bra: *m*4, *pl* **~nna** captive, hostage

brabach brabax *m*1 gain, profit; benefit, advantage

brablach brabləx *m*1 rubble

brabús brabu:s *m*1 profit; advantage

brabúsach brabu:səx *a*1 profitable, lucrative

brabúsaí brabu:si: *m*4 opportunist

brac brak *m*1, *pl* **~anna** bracket

bráca[1] bra:kə *m*4 brake, harrow, *faoi bhráca na hainnise* in absolute misery

bráca[2] bra:kə *m*4 shed; hovel

brach brax *m*3 pus, rheum

brách bra:x *s*, *go* ~ forever; never, *as go* ~ *leis* off he went

brachadh braxə *m*1 fermentation; suppuration

brachaí braxi: *a*3 bleary

brachán braxa:n *m*1 porridge, stirabout, ~ *lom* gruel, ~ *a dhéanamh de rud* to make a mess of something

bradach bradəx *a*1 thieving; scoundrelly; stolen, *bó bhradach* trespassing cow

bradaí bradi: *m*4 pilferer, thief

bradaigh bradi: *vt & i* pilfer, steal; steal away

bradáil bradi:l' *f*3 thieving; *(of grazing animals)* trespassing on crops

bradán brada:n *m*1 salmon

brádán bra:da:n *m*1 drizzling; drizzle

bradhmheana 'brad,v'anə *m*4 bradawl

bradóg brado:g *f*2 landing-net

braich brax' *f*2 & *vt & i*, *pres* **-achann** malt

bráicín bra:k'i:n' *m*4 stare, batten

bráid bra:d' *f*, *gs* **-áid** *pl* **~e** neck; throat; bust, ~ *coise* instep, *dul thar* ~ to pass by, *rud a chur faoi bhráid duine* to set sth before a person; to submit, refer, sth to a person

bráidín bra:d'i:n' *m*4 child's bib

braighdeanach braid′ənəx *m*1 captive, prisoner

braighdeanas braid′ənəs *m*1 captivity, bondage

braille bral′ə *m*4 braille

braillín bral′i:n′ *f*2 sheet

brainse bran′s′ə *m*4 branch

bráisléad bra:s′l′e:d *m*1 bracelet

bráite bra:t′ə *m*4 fishing-ground

braiteach brat′əx *a*1 perceptive; alert; treacherous

braiteog brat′o:g *f*2 tentacle

braith brah *vt & i*, *vn* -ath perceive, feel; spy out; betray, ~ *im uaim iad* I miss them, *bhí siad do mo bhrath* they observed me closely, ~ *im air go* I get the impression from him that, *tá mé ag brath (ar) imeacht* I intend to go away, *bhí mé ag brath ar litir uait* I was expecting a letter from you, *ag brath ar an déirc* depending on charity

bráithreachas bra:hr′əxəs *m*1 brotherhood

bráithriúil bra:hr′u:l′ *a*2 brotherly

bran[1] bran *m*1 bream

bran[2] bran *m*1, ~ (*mór*) bran, ~ *beag* pollard

branar branər *m*1 broken lea, fallow

branda[1] brandə *m*4 brand

branda[2] brandə *m*4 brandy

brandáil brandə:l′ *vt* brand

branra branrə *m*4 supporting bar; rest; tripod; gridiron *pl* (penal) stocks; reef, ~ *brád* collar-bone

braoi bri: *f*4, *pl* ~ **the** eyebrow

braon bri:n *m*1, *pl* ~ **ta** drop, small quantity, *tá* ~ *sa chapall sin* that is a spirited horse, *tá* ~ *air* it is going to rain, (of wound) *ag déanamh braoin* suppurating

braonach bri:nəx *a*1 dripping; misty, wet; tearful, *an domhan* ~ the wide world

brat[1] brat *m*1 cloak; covering, coating; (stage) curtain, ~ *urláir* floor-carpet

brat[2] brat *m*1 broth

bratach bratəx *f*2 flag

bratail brati:l′ *f*3 flapping (as of sail)

brath brah *m*1 perception, feeling; spying, betrayal; expectation; dependence, *Céadaoin an Bhraith* Spy Wednesday, *tá* ~ *aige (ar) imeacht* he intends to go away

bráth bra: *m*3, *lá an bhrátha* day of judgment, doomsday

brathadóir brahədo:r′ *m*3 betrayer; spy, informer

brathadóireacht brahədo:r′əxt *f*3 betraying, *ag* ~ *thart* snooping around

bráthair bra:hər′ *m*, *gs* -**ar** *pl* -**áithre** brother, kinsman; friar; brother in religious order; monkfish, *bráithre aon cheirde* birds of a feather

bratóg brato:g *f*2 small cloak, covering; rag, ~ *shneachta* snowflake

bratógach brato:gəx *a*1 ragged; in rags

breá b′r′a: *a*3 *gsm* ~, *gsf*, *npl & comp* ~**tha** fine, excellent, *ba bhreá liom a bheith ann* I'd love to be there, ~ *bog anois* easy on there, *nach* ~ *nár labhair tú liom!* how well you did not speak to me!

breab b′r′ab *f*2, *pl* ~**anna** bribe *vt* bribe

breabaireacht b′r′abər′əxt *f*3 bribery

breabhsánta b′r′ausa:ntə *a*3 sprightly; spruce

breac[1] b′r′ak *m*1 trout; (single) fish

breac[2] b′r′ak *a*1 speckled, dappled, *cuilt bhreac* patchwork quilt, *aimsir bhreac* middling weather *vt & i* speckle, dapple; lighten, change, in colour, *tuairisc a bhreacadh* (*síos*) to write, jot down, a report, ~ *an leabhar mór*, post the ledger, *bhreac an lá suas* the day cleared up a bit, *tuama a bhreacadh* to carve a tombstone

breac-[3] b′r′ak *pref* middling, partly; odd, occasional

breacachan b′r′akəxən *f*3 variegation; patchwork

breacadh b′r′akə *m*1 variegation, ~ *an lae* daybreak

breacaireacht b′r′akər′əxt *f*3 variegation; carving; doodling; smattering

breacán b′r′aka:n *m*1 tartan, plaid *pl* old clothes

breaceolas ′b′r′ak,o:ləs *m*1 smattering

breacfhostaíocht ′b′r′ak,osti:(ə)xt *f*3 casual employment

Breac-Ghaeltacht ′b′r′ak,ɣe:ltəxt *f*3 mixed Irish- and English-speaking districts

breacoilte ′b′r′ak,ol′t′ə *a*3 semi-skilled

breacsháile ′b′r′ak,ha:l′ə *m*4 brackish water

breacsholas 'b'r'ak,holəs *m*1 half-light, glimmer

bréad b'r'e:d *m*1 braid

bréag[1] b'r'e:g *f*2 lie, falsehood, *ainm bréige* false, assumed, name, *moladh bréige* insincere praise

bréag[2] b'r'e:g *vt* cajole, coax; soothe

bréagach b'r'e:gax *a*1 lying, false

bréagadóir b'r'e:gədo:r' *m*3 liar; cajoler

bréagán b'r'e:ga:n *m*1 toy, plaything

bréagfholt 'b'r'e:g,olt *m*1 wig

bréagnaigh b'r'e:gni: *vt* contradict, refute

bréagnaitheach b'r'e:gnihəx *a*1 contradictory

bréagriocht 'b'r'e:g,rixt *m*3, *gs* -**reachta** disguise

breall b'r'al *f*2 blubber lip; blemish; fool, *tá ~ ort* you are making a mistake

breallach[1] b'r'aləx *m*1 clam

breallach[2] b'r'aləx *a*1 protuberant; blubber-lipped; foolish

breallaireacht b'r'alər'əxt *f*3, *~ (chainte)* nonsense

breallánta b'r'ala:ntə *a*3 silly

bréan b'r'e:n *a*1 foul, rancid, putrid, *bheith ~ de rud* to be disgusted with, tired of, sth *vt & i* pollute; putrefy

bréanlach b'r'e:nləx *m*1 filthy place; cesspool

bréantas b'r'e:ntəs *m*1 rottenness, stench, filth

breasal b'r'asəl *m*1 raddle; rouge

breáthacht b'r'a:həxt *f*3 beauty, excellence

breáthaigh b'r'a:hi: *vt & i* beautify; become beautiful

breathnaigh b'r'ahni: *vt & i* observe, examine; watch, *tá tú ag breathnú go maith* you are looking well

breathnóir b'r'ahno:r' *m*3 observer, spectator

breicneach b'r'ek'n'əx *a*1 freckled

bréid b'r'e:d *m*4, *pl* -**eanna** frieze; cloth, canvas; bandage, *~ceo* patch of fog

bréidín b'r'e:d'i:n' *m*4 homespun cloth; tweed *pl* gossamer

bréifin b'r'e:f'ən' *f*, *gs* -**fne** *pl* -**fní** perforation

bréige b'r'e:g'ə *f*4 falseness

breis b'r'es *f*2, *pl* -**eanna** increase; excess; increment, *~ agus bliain* more than a year, *sa bhreis, de bhreis (ar)* in addition (to), over and above, *costas*

~e additional cost, *dul i m~* to prosper

breischáin 'b'r'es',xa:n' *f*, *gs* -**chánach**, *pl* -**chánacha** surtax, surcharge

breischéim 'b'r'es',x'e:m' *f*2, *pl* -**eanna** comparative degree

breiseán b'r'es'a:n *m*1 additive

breisiúil b'r'es'u:l' *a*2 increasing; prolific

breith[1] b'r'eh *f*2, *pl* -**eanna** birth; bringing, taking; seizing, *lá ~e* birthday, *má bhíonn ~ agat air* if you find time for it, *níl aon bhreith aige ort* he can't compare with you

breith[2] b'r'eh *f*2, *pl* -**eanna** judgment, decision; injunction, *go bráth na ~e* till doomsday

breitheamh b'r'ehəv *m*1, *pl* -**thiúna** judge, *~ dúiche* district justice

breithghreamannach 'b'r'e,γ'r'amənəx *a*1 captious

breithiúnach b'r'ehu:nəx *a*1 judicial; discerning, judicious; critical

breithiúnas b'r'ehu:nəs *m*1 judgment, *~ báis* sentence of death, *~ aithrí* (sacramental) penance

breithnigh b'r'ehn'i: *vt* adjudge

breo b'r'o: *m*4, *pl* -**nna** brand, torch; glow

breoch b'r'o:x *a*1 glowing

breochloch 'b'r'o:,xlox *f*2 flint

breogán b'r'o:ga:n *m*1 crucible

breoigh b'r'o:γ' *vt & i* glow; heat; sear; sicken

breoite b'r'o:t'ə *a*3 sick, ailing

breoiteachán b'r'o:t'əxa:n *m*1 delicate person, invalid

breoiteacht b'r'o:t'əxt *f*3 sickness, ill-health

breosla b'r'o:slə *m*4 fuel

breoslaigh b'r'o:sli: *vt* fuel

brí b'r'i: *f*4, *pl* -**onna** strength, vigour; significance, meaning, *cén bhrí ach* what matter but, *de bhrí go* whereas, because, *dá bhrí sin* therefore

briathar b'r'iəhər *m*1, *pl* -**thra** word; verb

briathrach b'r'iəhrəx *a*1 verbose

bríbhéir b'r'i:v'e:r' *m*3 brewer

bríbhéireacht b'r'i:v'e:r'əxt *f*3 brew; brewing

brice b'r'ik'ə *m*4 brick

bríceadóir b'r'i:k'ədo:r' *m*3 bricklayer

bricfeasta 'b'r'ik',f'astə *m*4 breakfast

bricín b'r'ik'i:n' *m*4 speckle; freckle

brícín b'r'i:k'i:n' *m4* briquette

bricíneach b'r'ik'i:n'əx *a1* freckled

bricliath 'b'r'ik',l'iə *a1*, *gsm* **-léith** *gsf &* *comp* **-léithe** grizzled

brídeach b'r'i:d'əx *f2* bride

brídeog b'r'i:d'o:g *f2* ceremonial image of St. Brigid

brilléis b'r'il'e:s' *f2* silly talk; nonsense

brín b'r'i:n' *s*, ~ *óg* carefree young man

briocht b'r'ixt *m3*, *gs* **breachta** charm, spell; amulet

briogáid b'r'iga:d' *f2* brigade

briogáidire b'r'iga:d'ər'ə *m4* brigadier

briogún b'r'igu:n *m1* skewer

bríomhar b'r'i:vər *a1* strong, vigorous, *bia* ~ sustaining food

brionglóid b'r'iŋlo:d' *f2* dream

brionglóideach b'r'iŋlo:d'əx *a1* dreamy

brionnaigh b'r'ini: *vt* forge (money, a document)

brionnú b'r'inu: *m4* forgery

briosc b'r'isk *a1* brittle; crisp; brisk, *glór* ~ lively voice

briosca b'r'iskə *m4* biscuit

brioscán b'r'iska:n *m1* (potato) crisp

brioscarnach b'r'iskərnəx *f2* crunch, crackle

brioscóid b'r'isko:d' *f2* short biscuit, shortcake

briota b'r'itə *m4*, *(of sea)* chop, choppy wave, ~ *gaoithe* breeze

briotach b'r'itəx *a1* lisping

briotaireacht b'r'itər'əxt *f3* lisping; lisping speech

bris[1] b'r'is' *f2*, *pl* ~**eanna** loss

bris[2] b'r'is' *vt & i* break; *(of money, bills)* change, ~ *eadh as a phost é* he was dismissed from his post, *bhris siad amach le chéile* they fell out with each other, *bhris ar an bhfoighne aige* he lost patience, ~ *eadh cath orthu* they were defeated in battle

briseadh b'r'is'ə *m*, *gs* **-ste** *pl* **-steacha** break, fracture; defeat; dismissal, ~ *puint* change of a pound *pl* breakers

briseán b'r'is'a:n *m1* pancreas, ~ (*milis*) sweetbread

briste b'r'is't'ə *a3* broken; defeated, *talamh* ~ cultivated land, *airgead* ~ small change, ~ *as gnó* out of business

bríste b'r'i:s't'ə *m4* trousers; *(of harness)* breeching

bristeach b'r'is't'əx *a1*, *(of weather)* broken, unsettled

bristeoir b'r'is't'o:r' *m3*, ~ *oighir* ice-breaker, ~ *cloch* stone-breaker

bristín b'r'i:s't'i:n' *m4* panties, knickers

bró bro: *f4*, *pl* ~**nna** quern; millstone; dense mass

brobh brov *m1*, ~ (*luachra*) rush, ~ *féir* blade of grass

broc brok *m1* badger

brocach[1] brokəx *m1* badger's set

brocach[2] brokəx *a1* grey; pock-marked, spotted; grimy, *caint bhrocach* smutty talk

brocailí brokəl'i: *m4* broccoli

brocaire brokər'ə *m4* terrier

brocais brokəs' *f2* den; dirty, smelly, place

brocamas brokəməs *m1* refuse, ~ *cainte* vulgar, nonsensical, talk

brod brod *m1* goad

bród bro:d *m1* pride; arrogance; elation

bródúil bro:du:l' *a2* proud; arrogant

bródúlacht bro:du:ləxt *f3* pride; arrogance

bróg bro:g *f2* boot, shoe, ~ *adhmaid* clog

broghach braux *a1* dirty

broic brok' *vi*, *vn* ~ (with *le*), bear, tolerate

broicéad brok'e:d *m1* brocade

bróicéir bro:k'e:r' *m3* broker

broid[1] brod' *f2* captivity; distress; misery, ~ *oibre* pressure of work

broid[2] brod' *vt* goad, prod; nudge

broideadh brod'ə *m*, *gs* **-idte** prod, nudge; *(fishing)* bite

broidearnach brod'ərnəx *f2* throbbing; pulsation; effervescence

broidearnúil brod'ərnu:l' *a2* throbbing, pulsating; effervescent

broidiúil brod'u:l' *a2* pressed, busy

bróidnéireacht bro:d'n'e:r'əxt *f3* embroidering; embroidery

bróidnigh bro:d'n'i: *vt* embroider

broigheall brail' *m1* cormorant

broim brom' *m3*, *pl* **-omanna** & *vi*, *pres* **-omann** *vn* **-omadh** fart

broimfhéar 'brom',e:r *m1* couch-grass

bróimid bro:m'id' *f2* bromide

broincíteas broŋ'k'i:t'əs *m1* bronchitis

broinn bron' *f2*, *pl* ~**te** womb, *galar* ~ *e* congenital disease

bróis bro:s' *f2* brose; mess

bróisiúr bro:s'u:r *m1* brochure

bróiste bro:s't'ə *m4* brooch

bróitseáil bro:t's'a:l' *vt* broach

brollach brolax *m1* breast, bosom; front; preface

bromach bromax *m1* colt

bromastún bromastu:n *m1* brimstone

brón bro:n *m1* sorrow, *mo bhrón* alas

brónach bro:nax *a1* sorrowful, sad

broncach broŋkəx *a1* bronchial

bronn bron *vt* grant, bestow

bronnadh bronə *m, gs* **-nnta** *pl* **-nntaí** grant, bestowal

bronntanas brontənəs *m1* gift, present

bronntóir bronto:r' *m3* giver, bestower

brosna brosnə *m4* decayed twigs, kindling; faggot

brostaigh brosti *vt & i* hasten, urge; hurry

brostaitheach brostihəx *a1* inciting, stimulating

brostaitheoir brostiho:r' *m3* inciter, stimulator

brothall brohəl *m1* heat, sultriness; exuberance

brothallach brohələx *a1* hot, sultry

brú¹ bru: *m4, pl* ~**nna** hostel

brú² bru: *m4* press, shove, crush; pressure; bruise, ~ *fola* blood pressure

bruach bruəx *m1* bank (of river, etc), brink, ~ *cathrach* fringe of city, *i ngreim an dá bhruach* in a precarious situation, *léim an dá bhruach a chailleadh* to fall between two stools

bruachánach bruəxa:nəx *n & a1* riparian

bruachbhaile 'bruəx,val'ə *m4, pl* **-lte** suburb

bruachsholas 'bruəx,holəs *m1, pl* **-oilse** footlight

bruadar bruədər *m1* dream, reverie

bruar bruər *m1* fragments; crumbs

bruas bruəs *m1, npl* ~**a** (thick) lip

brúcht bru:xt *m3, pl* ~**anna** belch; burst, eruption, ~ *sneachta* sudden heavy fall of snow, ~ *farraige* huge, tidal, wave *vi* belch; burst forth, erupt

brúchtadh bru:xtə *m, gs* **-chta** *pl* **-aí** eruption; belching, eructation

brúid bru:d' *f2, pl* ~**eanna** brute

brúidiúil bru:d'u:l' *a2* brutal

brúidiúlach bru:d'u:ləx *a1*, ~ *beathaithe* gross, fleshy

brúidiúlacht bru:d'u:ləxt *f3* brutality

brúigh bru:ɣ' *vt & i* press, crush, shove,

push; *brú ar dhuine* to intrude on a person, ~ *fút* have patience

bruinneall brin'əl *f2* fair maiden

bruíon¹ bri:n *f2, pl* ~**ta** fairy dwelling

bruíon² bri:n *f2, pl* ~**ta** strife, quarrel *vi* fight, quarrel

bruíonach bri:nəx *a1* quarrelsome

bruis bris' *f2, pl* ~**eanna** brush

bruite brit'ə *a3* boiled, cooked, *capall* ~ *fiery horse, an gadaí* ~ *the mean thief*

brúite bru:t'ə *a3* pressed, bruised, crushed, ~ *faoi chois* down-trodden

bruith brih *f2* boiling, cooking; baking; grilling, ~ *laidhre* inflammation between the toes; impatience *vt & i* boil, cook; bake, *bhruith sé a mhéara* he burned his fingers

bruithean brihən *f2, gs* **-thne** heat, *séideán bruithne* heat blast; warm wind, *ceo bruithne* heat haze

bruithneach brihn'əx *f2* hot place, furnace *a1* hot, torrid

bruithneoir brihn'o:r' *m3* smelter

bruithnigh brihn'i: *vt* smelt

brúitín bru:t'i:n' *m4* mashed potatoes; pulp

bruitíneach brit'i:n'əx *f2* measles, ~ *dhearg* German measles

brus brus *m1* broken bits; dust

brúsalóis bru:səlo:s' *f2* brucellosis

bruscán bruska:n *m1* fragments, ~ *beag airgid* a little money, ~ *daoine* group of people

brúscán bru:ska:n *m1*, ~ (*carranna*) carcrash

bruscar bruskər *m1* crumbs; refuse, litter, rubbish; rabble

bruth¹ bruh *m3* heat; rash, eruption, ~ *ar éadach* nap on cloth, ~ (*farraige, le tír*) surf, ~ *faoi thír* wrack

bruth-² bruh ~ bru* *pref* igneous

bruthaire bruhər'ə *m4* cooker

bú bu: *m4, pl* ~**nna** hyacinth

bua buə *m4, pl* ~**nna** victory; talent, gift; merit; destiny, *de bhua* (*ruda*) by virtue of (sth), *cloch bhua* precious stone, *beir* ~ (*agus beannacht*) yours sincerely

buabhall buəvəl *m1* buffalo; bugle; drinking-horn

buabhallaí buəvəli: *m4* bugler

buacach buəkəx *a1* lofty; rich, luxuriant; buoyant, *bheith go* ~ to be in fine fettle

buacacht buəkəxt f3 loftiness; hích, nes; buoyancy

buacaire buəkər'ə m4 cock, tap

buach buəx a1, gsm ~ victorious

buachaill buəxəl' m3 boy, bachelor, young man, (young) man-servant, ~ bó cowherd, cowboy, ~ aimsire servant-boy, ~ báire playboy

buachailleacht buəxəl'əxt f3 herding (cattle)

buachalán buəxələ:n m1, ~ (buí) ragweed

buachan buəxən : **buaigh**

buadán buədə:n m1 stump of horn; bandage; finger-stall

buaf buəf f2 toad

buafhocal 'buə,okəl m1 epithet; punchline

buaibheach buəv'əx a1 bovine

buaic buək' f2, pl ~**eanna** highest point, zenith; crest, ~ tí ridge, bheith sa bhuaic ar dhuine to be down on a person, is é do bhuaic é it is best for you

buaiceas buək'əs m1 wick

buaigh buəɣ' vt & i, vn buachan win, gain; (with ar) defeat, go mbua Dia leat God prosper you

buail buəl' vt & i, vn ~**aladh** hit, strike; defeat, arbhar a bhualadh to thresh corn, airgead a bhualadh to mint money, ~eadh breoite é he fell sick, bhuail tart mé I got thirsty, bualadh ar an veidhlin to play on the violin, ~ ar aghaidh, ~ romhat go right ahead, cuan a bhualadh to make harbour, ~ i do phóca é put it in your pocket, bhuail sí sa rang mé she excelled me in class, ~te ar touching upon, bualadh le duine to meet a person, tá an uair ~te linn it is coming near the time, ~te suas leis an gcé lying alongside the quay

buaile buəl'ə f4, pl **-lte** booley, milking-place in summer pasture; fold, enclosure

buaileam buəl'əm s, ~ sciath braggadocio, braggart

buailteach buəl't'əx a1 pugnacious, given to striking

buailteán buəl't'a:n m1 striker (of flail)

buailteoir buəl't'o:r' m3 striker, beater; thresher, ~ uibhe eggbeater

buailtín buəl't'i:n' m4 pounder, beetle

buain buən' vt, vn ~ reap

buaine buən'ə f4 permanence, durability; longevity

buainteoir buən't'o:r' m3 mower, harvester

buair buər' vt & i, vn ~**eamh** grieve, vex, ná ~ mé don't bother me

buaircín buər'k'i:n' m4 (tree-) cone; toggle-pin

buaircíneach buər'k'i:n'əx m1 conifer a1 coniferous

buairt buərt' f3, gs **-artha**, pl **-arthaí** sorrow, vexation, tá sé ag déanamh buartha dom it is worrying me

buaiteach buət'əx a1 winning, victorious, bheith ~ le rud to be the gainer by sth

buaiteoir buət'o:r' m3 winner, victor

bualadh buələ m, gs & pl **buailte**, beating, striking, inneall buailte threshing machine, ~ bos clapping of hands, applause, ~ cloiche stone-bruise, ní raibh ~ ar bith ar an iasc inniu the fish were not taking today, níl do bhualadh ann there is no one to surpass you, bhí ~ mór ann aréir there was a big fight last night

bual-lile 'buə(l'),l'il'ə f4 water-lily

bualtrach buəltrəx f2 cow-dung

buama buəmə m4 bomb

buamadóir buəmədo:r' m3 bomber

buamáil buəma:l' vt & i bomb

buan¹ buən a1 enduring, permanent, más ~ mo chuimhne if my memory serves me right, go ~ constantly, always, chomh ~ le carraig as solid as a rock

buan-² buən pref permanent, perpetual; fixed

buanaí buəni: m4 reaper

buanaigh buəni: vt perpetuate, go mbuanaí Dia sibh God preserve you

buanaitheoir buəniho:r' m3 fixative

buanchoiste 'buən,xos't'ə m4 standing committee

buanchruthach 'buən,xruhəx a1 stereotyped

buanfas buənfəs m1 durability

buannacht buənəxt f3 billeting; squatter's claim

buannúil buənu:l' a2 bold, presumptuous

buanordú 'buən,o:rdu: m4 standing order

buanseasmhach 'buən',s'asvəx a1 persevering, steadfast

buanseasmhacht 'buən̪ˌsˈasvəxt *f*3 perseverance

buanseilbh 'buən̪ˌsˈelʲəvʲ *f*2 fixity of tenure

buarach buərəx *f*2 stall-rope; spancel

buartha buərhə *a*3 sorry, sorrowful, *bheith ~ faoi rud* to be perturbed about sth, *tá cuma bhuartha air* he looks worried

buatais buətəsʲ *f*2 top-boot

búbónach bu:bo:nəx *a*1 bubonic

bucainéir bokənʲeːrʲ *m*3 buccaneer

búch bu:x *a*1, *gsm ~* gentle, affectionate

búcla bu:klə *m*4 buckle; ringlet

búclach bu:kləx *a*1 buckled; ringleted

búcláil bu:kla:lʲ *vt* buckle

búcólach bu:ko:ləx *m*1 *& a* bucolic

Búdachas bu:dəxəs *m*1 Buddhism

budragár budrəga:r *m*1 budgerigar

buí[1] bi: *s*, *a bhuí le Dia* thanks be to God (for it)

buí[2] bi: *m*4 yellow *a*3 yellow; sallow, *~ ón ngrian* tanned by the sun, *Fear B~* Orangeman, *iasc ~* dried fish

buicéad bikʲeːd *m*1 bucket

buidéal bidʲeːl *m*1 bottle

buidéalaigh bidʲeːli: *vt* bottle

buifé bifʲeː *m*4, *~ reatha* running buffet

buígh bi:ʲ *vt & i*, *vn* **-iochan** yellow, tan, *arbhar ag buíochan* corn ripening, *iasc a bhuíochan* to cure fish (by drying)

buile bilʲə *f*4 madness, frenzy, *ar ~* mad, furious, *fear ~* madman

builín bilʲiːnʲ *m*4 loaf

buille bilʲə *m*4 blow, stroke; beat, *ar bhuille boise* instantly, *~ faoi thuairim* random guess, *tá sé os cionn a bhuille* he is well able for his work, *~ súl* glance, *~ dorú* cast of fishing-line, *~ mall* a bit late

buillean bilʲən *m*1 bullion

buime bimʲə *f*4 foster-mother, nurse

buimpéis bimʲpʲeːsʲ *f*2 vamp (of shoe, stocking), dancing-shoe, pump

buinne[1] binʲə *m*4 shoot (of plant); torrent, spate

buinne[2] binʲə *m*4 course of interwoven rods (in basketry); wale; hoop; flange; welt (of shoe), *lán go ~ (béil)* full to the brim

buinneach binʲəx *f*2 scour, diarrhoea

buinneán[1] binʲaːn *m*1 slender shoot; sapling

buinneán[2] binʲaːn *m*1 bunion

buíocán bi:kaːn *m*1 yolk

buíoch bi:(ə)x *a*1, *gsm ~* thankful; satisfied, *níl siad ~ dá chéile* they are not on very good terms

buíochán bi:(ə)xaːn *m*1 jaundice, *tháinig (na) buíocháin air* he took the jaundice

buíochas bi:(ə)xəs *m*1 thanks, gratitude, *níl a bhuíochas ort* don't mention it, *dá bhuíochas* in spite of him

buíóg bi:o:g *f*2 yellowhammer

buíon bi:n *f*2, *pl ~ta* band, company, troop

búir bu:rʲ *f*2, *pl ~eanna* bellow, roar; bray; low *vi* bellow, roar, low

búireach bu:rʲəx *f*2 bellowing, roaring

buirg birʲəgʲ *f*2 borough

buirgcheantar 'birʲəgʲˌxʲantər *m*1 urban district

buirgéiseach birʲəgʲeːsʲəx *m*1 burgess *a*1 bourgeois

buirgléir birʲəgʲlʲeːrʲ *m*3 burglar

buirgléireacht birʲəgʲlʲeːrʲəxt *f*3 burglary

búiríl bu:rʲiːlʲ *f*3 bellowing, roaring

buiséad bisʲeːd *m*1 *& vt & i* budget

buiséal bisʲeːl *m*1 bushel

búiste bu:sʲtʲə *m*4 stuffing; poultice; bulge

búistéir bu:sʲtʲeːrʲ *m*3 butcher

búistéireacht bu:sʲtʲeːrʲəxt *f*3 butchering, butchery

builéir bitʲlʲeːrʲ *m*3 butler

bulaí boli: *m*4 bully, *~ fir* good man yourself

bulba boləbə *m*4 (lamp-)bulb

bulc bolk *m*1 bulk, mass; bundle; cargo

bulcaid bolkədʲ *f*2 bulkhead

bulla[1] bulə *m*4 buoy, *~ eangaí* float of net

bulla[2] bulə *m*4 (papal) bull

bulla[3] bulə *m*4, *~ gaoithe* gust of wind

bulla[4] bulə *m*4, *~ (bó) báisín* whirligig, revolving motion

bulladóir bulədo:rʲ *m*3 bulldog

bullán bula:n *m*1 bullock

bumaile boməlʲə *m*4 boom (of sail)

búmaraing 'bu:məˌranʲ *f*2 boomerang

bumbóg bombo:g *f*2 bumble-bee; busy-body

bun¹ bun *m*1, *pl* ~**anna** base, bottom; stock, stump; extremity; ~ **na spéire** horizon, **níl** ~ **ná barr air** it is meaningless, **is é a bhun is a bharr go** the fact of the matter is that, **thit sé i m**~ **a chos** he collapsed, ~ **abhann** mouth of river, **tá sé i m**~ **a mhéide** he is fully grown, ~ **agus biseach** principal and interest, **tá** ~ **ar an aimsir** the weather is settled, **gnó a chur ar** ~ to establish a business, **faoi bhun** beneath, **i m**~ **an tí** attending to the house, ~ **ribe carbuncle**

bun-² bun *pref* basic, primary, elementary; medium

bunábhar 'bun,a:vər *m*1 raw material; (*of literary work*) substance

bunadh bunə *m*1 stock, kind, *mo bhunadh féin* my own kindred, ~ *na háite* the local people, *an fhirinne bhunaidh* the essential truth

bunaigh buni: *vt* found, establish

bunaíoch buni:(ə)x *a*1, *gsm* ~ primitive

bunaíocht buni:(ə)xt *f*3 establishment

bunairgead 'bun,ar'əg'əd *m*1 principal, capital sum

bunáit 'bun,a:t' *f*2, *pl* ~**eanna** ordinary residence; base

bunáite 'bun,a:t'ə *f*2 main part; majority

bunaitheoir buniho:r' *m*3 founder

bunalt 'bun,alt *m*1 butt-joint, ~ *creidimh* article of faith

bunaois 'bun,i:s' *f*2 fairly advanced age

bunaosta 'bun,i:stə *a*3 fairly old

bunata bunətə *a*3 basic; primary

bunchíos 'bun,x'i:s *m*3, *pl* ~**anna** ground rent

bunchloch 'bun,xlox *f*2 foundation-stone

bunchnoic 'bun,xnok *mpl* foot-hills

bundallán bundəla:n *m*1 bung, stopper

bundamhna 'bun,daunə *m*4 primary matter; raw material

bundlaoi 'bun,dli: *f*4 eaves (of thatch)

bundúchasach 'bun,du:xəsəx *m*1 aborigine *a*1 aboriginal

bundún bundu:n *m*1 fundament; bottom, ~ *leice* sea-anemone

bungaló buŋgolo: *m*4, *pl* ~**nna** bungalow

bunóc buno:k *f*2 infant

bunoideachas 'bun,od'əxəs *m*1 primary education

bunoscionn ,bunəs'k'in *adv & a* upside down; confused, wrong, ~ *le réasún* opposed to reason

bunreacht 'bun,raxt *m*3 constitution

bunreachtúil 'bun,raxtu:l' *a*2 constitutional

bunrí 'bun,ri: *f*4, *pl* ~**theacha** wrist

bunscoil 'bun,skol *f*2, *pl* ~**eanna** primary school

bunsócmhainn 'bun,so:kvən' *f*2 fixed asset

bunsprioc 'bun,sp'r'ik *f*2 fixed stake, mark, *dul go* ~ to get down to brass tacks

bunsraith 'bun,srah *f*2 bottom layer, foundation; substratum

buntáiste bunta:s't'ə *m*4 advantage

buntomhas 'bun,to:s *m*1 dimension; standard (of weight, measurement)

buntús buntu:s *m*1 rudiment(s)

bunú bunu: *m*4 foundation, establishment

bunúil bunu:l' *a*2 well-founded; substantial; well-to-do; original

bunuimhir 'bun,iv'ər' *f*, *gs* -**mhreach** *pl* -**mhreacha** cardinal number; radix

bunús bunu:s *m*1 origin, basis; substance; majority, ~ *an chreidimh* the essence of faith, *tá* ~ *maith air* he is well-to-do, ~ *an ama* most of the time, ~ *gach aon lá* almost every day

bunúsach bunu:səx *a*1 original, basic; substantial; well-to-do

búr bu:r *m*1 boor

burdún bu:rdu:n *m*1 refrain; tale, gossip; epigram in verse

burgúin borəgu:n' *f*2 burgundy (wine)

burla bu:rlə *m*4 bundle, roll, bale

burláil bu:rla:l' *vt* bundle, roll together, bale

burlaire bu:rlər'ə *m*4 baler

bursa borsə *m*4 burse; purse

búrúil bu:ru:l' *a*2 boorish

bus bos *m*4, *pl* ~**anna** bus

bús bu:s *m*1 buzz; noise, ~ *deataigh* clouds of smoke

busáras 'bos,a:rəs *m*1 bus station

busta bostə *m*4 bust

buta¹ botə *m*4 butt (of wine, etc), ~ *ime* cask of butter

buta² botə *m*4 butt, thick end, stock

bútán bu:ta:n *m*1 butane

buthal buhəl *m*1 fulcrum

butrach botrəx *f*2 buttery

cá ka: *interr a, pron & adv* what; how; where, *cá haois* what age, *cá has* where from, *cá fhad* how long

cab kab *m*1, *pl* ~**anna** mouth; snout; opening; lip

cába ka:bə *m*4 cape; collar

cabaireacht kabər'əxt *f*3 babbling; loquacity

cabáiste kaba:s't'ə *m*4 cabbage

cábán ka:ba:n *m*1 cabin

cabhail kaul' *f*, *gs* -**bhlach** *pl* -**bhlacha** body; torso; frame (of structure, vehicle, etc); bodice

cabhair[1] kaur' *f*, *gs* -**bhrach** help, assistance

cabhair[2] kaur' *vt, pres* -**bhraíonn** *vn* -**bhradh** emboss, chase

cabhán kaua:n *m*1, ~ *abhann* yellow water-lily

cabhlach kauləx *m*1 fleet; navy

cabhrach kaurəx *a*1 helpful

cabhraigh kauri: *vi* help, ~ *liom* help me

cabhsa kausə *m*4 causeway; path

cábla ka:blə *m*4 cable

cáblach ka:bləx *a*1 funicular; thickly plaited

cábóg ka:bo:g *f*2 clodhopper, clown

cac kak *m*3, *pl* ~ **anna** excrement, ordure *vt & i* void excrement

cáca ka:kə *m*4 cake

cacamas kakəməs *m*1 dross, refuse; worthless thing

cách ka:x *m*4 everyone

cachtas kaxtəs *m*1 cactus

cad kad *interr pron* what, ~ *chuige*? why? ~ *as duit*? where are you from? ~ *fá*? why? ~ *é mar tá tú*? how are you? ~ *é mar olagón*! what wailing!

cadairne kadərn'ə *m*4 scrotum

cadás kada:s *m*1 cotton

cadhail kail' *vt, pres* **caidhleann** *vn* **caidhleadh** coil, twist, *ag caidhleadh sneachta* driving snow

cadhan kain *m*1 pale-breasted brent goose; barnacle goose, ~ *aonair* lone bird

cadhnaíocht kaini:(ə)xt *f*3, *ar thús* ~*a* in the vanguard

cadhnra kainrə *m*4 battery

cadóg kado:g *f*2 haddock

cadráil kadra:l' *f*3 chattering; gossip

cadránta kadra:ntə *a*3 hard, unfeeling; stubborn

cafarr kafa:r *m*1 helmet

cág ka:g *m*1, *npl* ~**a** jackdaw, ~ *cos-dearg* chough

caibhéad kav'e:d *m*1 recess; press

caibhéar ka'v'a:r *m*4 caviar

caibidil kab'əd'əl' *f*2, *gs* -**dle**, *pl* -**dlí** chapter; debate

cáibín ka:b'i:n' *m*4 caubeen, old hat, *do cháibín a thabhairt saor leat* to get off scot-free

caibinéad kab'ən'e:d *m*1 cabinet

caibléir kab'l'e:r' *m*3 cobbler

caibléireog kab'l'e:r'o:g *f*2 cobbler

caid kad' *f*2, *pl* ~**eanna** football; game of football

caidéal kad'e:l *m*1 pump

caidéalaigh kad'e:li: *vt* pump out

caidéis kad'e:s' *f*2 inquisitiveness, ~ *a chur ar dhuine* to accost a person

caidéiseach kad'e:s'əx *a*1 inquisitive, nosy

cáidheach ka:γ'əx *a*1 dirty

caidhp kaip' *f*2, *pl* ~**eanna** coif, bonnet, ~ *bháis* death-cap

caidhséar kais'e:r *m*1 cutting, channel

caidhte kait'ə *m*4 quoit

caidreamh kad'r'əv *m*1 intercourse, intimacy; association, *oíche chaidrimh* social evening

caidreamhach kad'r'əvəx *m*1 sociable person *a*1 sociable

caife kaf'ə *m*4 coffee; café

caifeach kaf'əx *a*1 prodigal, wasteful

caifeachán kaf'əxa:n *m*1 prodigal

caiféin kaf'e:n' *f*2 caffeine

caifirín kaf'ər'i:n' *m*4 head-scarf

caiftéire kaf'ət'e:r'ə *m*4 cafeteria

caígh ki:γ' *vt & i* weep, lament, bewail

caighdeán kaid'a:n *m*1 set measurement; standard

caighdeánach kaid'a:nəx *a*1 standard

caighdeánaigh kaid'a:ni: *vt* standardize

cáil ka:l' *f*2, *pl* ~**eanna** reputation; quality; amount, portion, *i g* ~ *sagairt* in the capacity of a priest

cailc[1] kal'k' *f*2 chalk; pipeclay, *dul thar* ~ (*le rud*) to overstep the mark

cailc-² kal'k' *pref* calc(i)-

cailceach kal'k'əx *a*1 chalky; chalk-white

cailciam kal'k'iəm *m*4 calcium

cailcigh kal'k'i: *vt & i* calcify

caileandar kal'əndər *m*1 calendar

caileann kal'ən *f*2, *gs* **-ille** calends, *Lá Caille* New Year's Day

cailéideascóp 'kal'e:d'ə,sko:p *m*1 kaleidoscope

cailg kal'əg' *f*2, *pl* ~ **eanna** sting *vt* sting

cáiligh kal'i: *vt & i* qualify

cailín kal'i:n' *m*4 girl; young unmarried woman; maid-servant

cáilíocht ka:l'i:(ə)xt *f*3 quality; disposition; qualification, ~ *a thabhairt ar dhuine* to give a reference concerning a person

cailís kal'i:s' *f*2 chalice; calyx

cáilitheach ka:l'ihəx *a*1 qualifying

cáiliúil ka:l'u:l' *a*2 famous, celebrated

caill kal' *f*2, *pl* ~ **eanna** loss, *níl* ~ *air* he's not bad *vt & i* lose; miss, ~ *eadh go hóg é* he died young

cailleach kal'əx *f*2 old woman; hag; alcove, ~ *ghiúise* pine stump, ~ *dhubh* cormorant

cailliúint kal'u:n't' *f*3, *gs* **-úna** loss

cailliúnaí ka:'un:i: *m*4 loser; spendthrift

caillte kal't'ə *a*3 lost, perished; dreadful, sordid

caillteach kal't'əx *a*1 losing; ruinous, *lá* ~ perishing day

caillteanas kal't'ənəs *m*1 loss

cáilmheas 'ka:l',v'as *m*3 goodwill

Cailvíneachas kal'əv'i:n'əxəs *m*1 Calvinism

cáim ka:m' *f*2, *pl* ~ **eacha** fault, blemish

caime kam'ə *f*4 crookedness; dishonesty

caimiléir kam'əl'e:r' *m*3 dishonest person, crook

caimiléireacht kam'əl'e:r'əxt *f*3 crookedness, dishonesty

caimileon kam'əl'o:n *m*1 chameleon

cáimric ka:'m'r'ək' *f*2 cambric

caimseog kam's'o:g *f*2 fib

cáin ka:n' *f*, *gs* **cánach** *pl* **cánacha** fine, penalty; tax *vt & i* fine; condemn, censure

cáinaisnéis 'ka:n',as'n'e:s' *f*2 (parliamentary) budget

cainche kan'əx'ə *f*4 quince

caincín kaŋ'k'i:n' *m*4 (snub) nose

cáineadh ka:n'ə m, *gs* **-nte** condemnation, censure

cainéal¹ kan'e:l *m*1 channel

cainéal² kan'e:l *m*1 cinnamon

caingean kaŋ'g'ən *f*2, *gs & pl* **-gne** cause, dispute; plea, ~ *dlí* action at law

caingneach kaŋ'n'əx *a*1 actionable; troublesome

cáinmheas 'ka:n',v'as *m*3, *(of tax, fine)* assessment

cainneann kan'ən *f*2 leek

cainníocht kan'i:(ə)xt *f*3 quantity

caint kan't' *f*2, *pl* ~ **eanna** speech, talk; discourse, ~ *na ndaoine* common speech, *leagan* ~ *e* mode of expression, *ag* ~ *le duine* speaking to a person

cainteach kan't'əx *a*1 talkative; chatty

cáinteach ka:n't'əx *a*1 fault-finding, censorious

cainteoir kan't'o:r' *m*3 speaker, talker

cáinteoir ka:n't'o:r' *m*3 fault-finder

caintic kan't'ək' *f*2 canticle

caintigh kan't'i: *vt & i* speak (*le* to); address, accost

cáipéis ka:p'e:s' *f*2 document

cáipéiseach ka:p'e:s'əx *a*1 documentary

caipín kap'i:n' *m*4 cap, ~ *sonais* caul

Caipisíneach kap'əs'i:n'əx *m*1 & *a*1 Capuchin

caipiteal kap'ət'əl *m*1 capital

caipitleachas kap'ət'l'əxəs *m*1 capitalism

caipitlí kap'ət'l'i: *m*4 capitalist

cairbid kar'əb'i:d' *f*2 carbide

cairbín kar'əb'i:n' *m*4 carbine

cairbreach kar'əb'r'əx *a*1 ridged, rugged, *na cianta* ~ *a ó shin* in remote ages

cairde ka:rd'ə *m*4 respite; credit, *rud a chur ar* ~ to put off sth

cairdeagan ka:rd'əgən *m*1 cardigan

cairdeas ka:rd'əs *m*1 friendship

cairdeasaíocht ka:rd'əsi:(ə)xt *f*3 fraternization

cairdiach ka:rd'iəx *a*1, *gsm* ~ cardiac

cairdín ka:rd'i:n' *m*4 accordion

cairdinéal ka:rd'ən'e:l *m*1 cardinal

cairdinéalta ka:rd'ən'e:ltə *a*3 cardinal

cairdiúil ka:rd'u:l' *a*2 friendly

cairdiúlacht ka:rd'u:ləxt *f*3 friendliness

cairéad ka:r'e:d *m*1 carrot

cairéal kar'e:l *m*1 quarry

cáireás ka:r'e:s *m*1 caries

cáiréis ka:r′e:s′ *f2* carefulness; nicety, delicacy

cáiréiseach ka:r′e:s′əx *a1* careful; nice, delicate, ~ *ar bhia* fastidious about food

Cairmiliteach kar′əm′əl′i:t′əx *m1 & a1* Carmelite

cairpéad kar′p′e:d *m1* carpet

cairrín ka:r′i:n′ *m4* push-cart

cairt[1] kart′ *f2*, *pl* ~**eacha** chart; charter; parchment, deed

cairt[2] kart′ *f2*, *pl* ~**eacha** cart

cairtchlár ′kart′ˌxla:r *m1* cardboard

cairtéal kart′e:l *m1* cartel

cairtfhostaigh ′kart′ˌosti: *vt* charter

cáis ka:s′ *f2*, *pl* ~**eanna** cheese

cáisbhorgaire ′ka:s′ˌvorəgər′ə *m4* cheese-burger

Cáisc ka:s′k′ *f3* Easter; Passover

caiscín kas′k′i:n′ *m4* wholemeal; wholemeal bread

caise kas′ə *f4* stream, current

caiseach kas′əx *a1* gushing, flowing rapidly

caiséad kas′e:d *m1* cassette

caiseal kas′əl *m1* (ancient) stone fort; 'clamp' on stack of turf; spinning-top

caisearbhán ˌka:s′arəva:n *m1* dandelion

caisirnín kas′ərn′i:n′ *m4* kink (in rope, etc); twist, spiral, ~ *deataigh* wisp of smoke

caisleán kas′l′a:n *m1* castle; mansion

caislín kas′l′i:n′ *m4*, ~ *aitinn* whinchat, ~ *cloch* stonechat

caismír kas′m′i:r′ *f2* cashmere

caismirneach kas′m′ərn′əx *f2* meandering; twists, torsion

caismirt kas′m′ərt′ *f2* commotion; conflict; contention

caite kat′ə *a3* worn, consumed, spent, past; thrown, *an tseachtain seo* ~ last week

caiteach kat′əx *a1* wearing, wasteful

caiteachas kat′əxəs *m1* expenditure

caiteoir kat′o:r′ *m3* wearer; consumer; spender

caith kah *vt & i* wear (out), consume, spend; throw, cast, shoot, *píopa a chaitheamh* to smoke a pipe, *tá na blianta á gcaitheamh* the years are passing, *chaith sibh go maith liom* you entertained me well, *bhí sí ag ~eamh i ndiaidh an linbh* she was pining for the

child, *léim a chaitheamh* to take a jump, *ag ~eamh ó thuaidh* drifting north, *tá an aill ag ~eamh amach* the cliff is overhanging, *ag ~eamh anuas ar dhuine*, belittling a person, ~*fidh mé imeacht* I must go

cáith[1] ka: *f3* chaff; rubbish

cáith[2] ka: *vt & i* winnow; spray; beat, *ag ~eadh báistí* pouring rain

caitheamh kahəv *m1* wear, consumption; spending; throw, cast; shooting, ~ *to-bac* tobacco-smoking, ~ *aimsire* pastime, *i g~ an lae* in the course of the day, *níl ~ ar bith ort é a dhéanamh* you are not compelled to do it, ~ *i ndiaidh ruda* hankering after sth

cáithil ka:hi:l′ *f3* clearing of throat, hawking

caithiseach kahəs′əx *a1* affectionate; attractive, delightful, delicious

caithne kahn′ə *f4* arbutus

cáithnín ka:hn′i:n′ *m4* small flake, particle *pl* goose-flesh

caithreachas kahr′əxəs *m1* puberty

caithréim kahr′e:m′ *f2*, *pl* ~**eanna** martial career; triumph

caithréimeach kahr′e:m′əx *a1* triumphant; exultant

caithrigh kahr′i: *vi* reach puberty; develop

caiticeasma kat′ək′əsmə *m4* catechism

caitín kat′i:n′ *m4* pile, nap, of cloth; catkin

Caitliceach kat′l′ək′əx *m1 & a1* Catholic

Caitliceachas kat′l′ək′əxəs *m1* Catholicism

cál ka:l *m1* kale, cabbage, ~ *ceannann* colcannon

caladh kalə *m1*, *pl* -**ai** landing-place; ferry; harbour

calafort ′kalaˌfort *m1* port, harbour

calaigh kali: *vt*ˌ(*of ship*) berth

calaois kali:s′ *f2* deceit, fraud

calaoiseach kali:s′əx *a1* deceitful, fraudulent

calar kalər *m1* cholera

calc[1] kalk *m1*, *pl* ~**anna** dense mass, ~ *toite* belch of smoke

calc[2] kalk *vt & i* caulk, cake, ~ *tha leis an tart* parched with thirst

calcalas kalkələs *m1* calculus

call kal *m4* call, need; claim, right

callaire kalər´ə *m*4 crier, bellman; ranter; loud-speaker

callaireacht kalər´əxt *f*3 crying, proclaiming; shouting; ranting

callán ka:la:n *m*1 noise, clamour

callánach kala:nəx *a*1 noisy, clamorous

callóid kalo:d´ *f*2 commotion; wrangle; disquiet; drudgery

callóideach kalo:d´əx *a*1 turbulent; troublesome

callshaoth ´kal͡hi: *m*3 travail; contention, trouble

calm kaləm *m*1 calm

calma kaləmə *a*3 brave, strong; fine, splendid

calmacht kaləməxt *f*3 bravery; strength

calóg kalo:g *f*2 flake

calógach kalo:gəx *a*1 flaky, flaked

calra kalrə *m*4 calorie

cam[1] kam *m*1, *npl* ~**a** cresset, melting-pot, ~ *stíle* worm, ~ *an íme* buttercup

cam[2] kam *m*1, *npl* ~**a** bend; crooked object; crookedness, fraud *a*1 bent, crooked; distorted, wrong, *cleas* ~ dishonest trick *vt* & *i* bend, distort, *ga solais a chamadh* to refract a ray of light

camall kaməl *m*1 camel

camán[1] kama:n *m*1 hurling-stick; quaver

camán[2] kama:n *m*1, ~ *meall* camomile

camarsach kamərsəx *a*1 wavy, curled

camas kaməs *m*1 small bay, cove; bend of river, *chuir sé a cheann ina chamas* he curled himself up

cámas ka:məs *m*1 fault-finding, disparagement; affectation

camastaíl kaməsti:l´ *f*3 crookedness; fraud, dishonesty

camchéachta ´kam͡x´e:xtə *m*4, *an C*~ the Plough

camchuairt ´kam͡xuərt *f*2 ramble, tour

camfar kamfər *m*1 camphor

camghob ´kam͡ɣob *m*1, *npl* ~**a** crossbill

camhaoir kaui:r´ *f*2 daybreak

camhraigh kauri: *vi*, *(of fish, meat, etc)* become tainted

camhraithe kauriha *a*3 tainted, rancid

cam-mhuin ´kam͡vin´ *f*2 wryneck

camóg kamo:g *f*2 crook; camogie-stick; gaff-hook; comma

camógaíocht kamo:gi:(ə)xt *f*3 camogie

campa kampə *m*4 camp; faction

campáil kampa:l´ *vi* camp

campálaí kampa:li: *m*4 camper

camra kamrə *m*4 sewer

camras kamrəs *m*1 filth, sewage

can kan *vt* & *i* chant, sing; speak, talk

cána ka:nə *m*4 cane

canablach kanəbləx *m*1 & *a*1 cannibal

canablacht kanəbləxt *f*3 cannibalism

cánachas ka:nəxəs *m*1 taxation

canad kanəd *interr adv* where

canáil kana:l´ *f*3 canal

canáraí kana:ri: *m*4 canary

canbhás kanəva:s *m*1 canvas

cancar kaŋkər *m*1 canker; malignancy; cantankerousness

cancrach kaŋkrəx *a*1 cankerous; cantankerous

candaí kandi: *m*4 candy

candam kandəm *m*1 amount

cangarú kaŋgəru: *m*4 kangaroo

canna kanə *m*1 can, *ar na* ~*i* drunk

cannaigh kani: *vt* can

canóin kano:n´ *f*3, *pl* -**ónacha** cannon

canónach kano:nəx *m*1 canon

canónaigh kano:ni: *vt* canonize

canónta kano:ntə *a*3 canonical

canónú kano:nu: *m*4 canonization

canrán kanra:n *m*1 muttering, murmuring, grumbling

canta[1] kantə *m*4 chunk

canta[2] kantə *a*3 nice, neat, pretty

cantain kantən´ *f*3 chanting, singing

cantaireacht kantər´əxt *f*3 chanting, singing; murmuring, complaining

cantal kantəl *m*1 plaintiveness; peevishness, petulance

cantalach kantələx *a*1 plaintive; peevish, querulous

canú kə´nu: *m*4, *pl* ~**nna** canoe

canúint kanu:n´t´ *f*3, *gs* -**úna** speech, expression; vernacular, dialect; accent

canúnach kanu:nəx *a*1 dialectal

canúnachas kanu:nəxəs *m*1 dialectal trait(s), vernacularism; colloquialism

caoch ki:x *m*1, *npl* ~**a** blind, purblind, person *a*1, *gsm* ~ blind, purblind, *bhuail sé* ~ *mé* he beat me hollow, *coirce* ~ blasted oats *vt* & *i* blind; daze, dazzle, *chaoch an píopa* the pipe choked, *súil a chaochadh* (*ar dhuine*) to wink (at a person)

caochadh ki:xə *m*, *gs* **-chta** winking, closing, *i g~ na súl* in the twinkling of an eye

caochán ki:xa:n *m*1 purblind creature; mole

caochneantóg 'ki:x,n'anto:g *f*2 dead-nettle

caochpholl 'ki:x,fol *m*1 bog-hole

caochshráid 'ki:x,hra:d' *f*2, *pl* **~eanna** cul-de-sac

caoga ki:gə *m*, *gs* **~d**, *pl* **~idí**, *ds* & *npl* with numerals **~id** & a fifty

caogadú ki:gədu: *m*4 a fiftieth

caoi ki: *f*4, *pl* **caíonna** way, manner; means, opportunity, *~ a chur ar rud* to put sth in order, to repair sth, *is é an chaoi a bhfuil sé (go)* the fact is (that), *i g~, sa chaoi, (is)* go so that, *ar aon chaoi, ar chaoi ar bith* anyway, *cén chaoi a bhfuil tú?* how are you?

caoiche ki:x'ə *f*4 blindness, purblindness

caoile ki:l'ə *f*4 narrowness; slenderness; meagreness

caoimhe ki:v'ə *f*4 gentleness; loveliness; smoothness

caoin[1] ki:n' *a*1 smooth, delicate, gentle; refined

caoin[2] ki:n' *vt* & *i* keen, lament; cry, weep

caoinchead 'ki:n',x'ad *s*, *le ~ (ó)* by kind permission (of)

caoindúthrachtach 'ki:n',du:hrəxtəx *a*1 earnest, devout

caoineadh ki:n'ə *m*, *gs* & *pl* **-nte** keen, lament; weeping; elegy

caoineas ki:n'əs *m*1 smoothness, gentleness

caoinfhulaingt 'ki:n',ulən't' *f*, *gs* **-gthe** tolerance

caoinfhulangach 'ki:n',uləŋəx *a*1 tolerant

caointeach ki:n't'əx *a*1 plaintive, mournful

caointeoir ki:n't'o:r' *m*3 mourner, crier

caoireoil 'ki:r',o:l' *f*3 mutton

caoithiúil ki:hu:l' *a*2 convenient, opportune; pleasant, kindly

caoithiúlacht ki:hu:ləxt *f*3 opportuneness; pleasantness, kindliness, *ar do chaoithiúlacht* at your convenience

caol ki:l *m*1, *pl* **~ta** slender part of body, of limb; narrow water; osier, twig (in basket-making). *~na coise* ankle, *~ na láimhe* wrist, *~ na sróine* bridge of nose *a*1 thin, slender; fine; narrow,

fead chaol shrill whistle, *aigéad ~* dilute acid, *béile ~* meagre repast, *tuiscint chaol* subtle perception, *tar ~ díreach abhaile* come straight home

caolach ki:ləx *m*1 osiers, twigs; wickerwork

caoladóir ki:lədo:r' *m*3 wicker-worker; basket-maker

caoladóireacht ki:lədo:r'əxt *f*3 wattling, wicker-work; basketry

caolaigeanta 'ki:l,ag'əntə *a*3 narrow-minded

caolaigh ki:li' *vt* & *i* become thin; narrow; reduce; dilute; attenuate, palatalize, *caolú isteach* to edge one's way in, to sidle in

caolán ki:la:n *m*1 creek; small intestine, *~, snáithe caoláin* catgut

caolas ki:ləs *m*1 strait, narrow water; narrow place; bottleneck

caolchuid 'ki:l,xid' *f*, *an chaolchuid de rud* the lesser part of sth, *ar an g~* in needy circumstances, in want

caolchúis 'ki:l,xu:s' *f*2 subtlety

caolchúiseach 'ki:l,xu:s'əx *a*1 subtle

caoldroim 'ki:l,drom' *m*3, *pl* **-omanna** small of back; sirloin (of beef)

caolsáile 'ki:l,sa:l'ə *m*4 inlet, firth

caolsráid 'ki:l,sra:d' *f*2, *pl* **~eanna** alley

caolú ki:lu: *m*4 attenuation, narrowing; dilution

caomh ki:v *a*1 dear, gentle; pleasant; lovely, smooth

caomhnaigh ki:vni: *vt* cherish; preserve; conserve

caomhnaitheach ki:vnihəx *a*1 preservative, protective

caomhnóir ki:vno:r' *m*3 guardian, protector; patron

caomhnú ki:vnu: *m*4 preservation, conservation, protection

caonach ki:nəx *m*1 moss, *~ liath* mildew

caonaí ki:ni: *s*, *~ (aonair)* lone person

caor ki:r *f*2 berry; round object, ball; glowing object, *~ thine* fireball, *tá an teach ina aon chaor amháin* the house is all ablaze

caora ki:rə *f*, *gs* & *gpl* **~ch** *npl* **-oirigh** sheep; ewe

caorán ki:ra:n *m*1 fragment, small sod, of turf; moor

caordhearg 'ki:r,γ'arəg *a*1 glowing

caoróg ki:ro:g *f*2, (*plant*) *~ léana* pink

caorthann ki:rhən *m*1 mountain ash, rowan

capaillín kapəl'i:n' *m*4 pony

capall kapəl *m*1 horse

capsúl kapsu:l *m*1 capsule

captaen kapte:n *m*1 captain

cár ka:r *m*1 grin, grimace; set of teeth

cara kara *m*, *gs* ~**d** *pl* **cairde** *gpl* ~**d** *in certain phrases* friend, ~ *Críost*, ~ *as Críost* godparent, *a chara na gcarad* my dearest friend

caracatúr karəkətu:r *m*1 caricature

carachtar karəxtər *m*1 character

carachtracht karəxtrəxt *f*3 characterization

caramal karəməl *m*1 caramel

carbad karəbəd *m*1 chariot

carbaihiodráit 'karəbə,hidra:t' *f*2 carbohydrate

carball karəbəl *m*1 (hard) palate; gum; jaw; boulder

carbán karəba:n *m*1, *(fish)* carp

carbhán karəva:n *m*1 caravan

carbhas karəvəs *m*1 carouse, carousal

carbhat karəvat *m*1 cravat, scarf; (neck-)tie

carbólach karəbo:ləx *a*1 carbolic

carbón karəbo:n *m*1 carbon

carbónmhar karəbo:nvər *a*1 carboniferous

carbradóir karəbrədo:r' *m*3 carburettor

carcair karkər' *f*, *gs* **-crach** *pl* **-cracha** prison; stall, pen

cardáil ka:rda:l' *f*3 carding (of wool); discussion, gossip *vt & i* card; discuss

carghas kari:s *m*1 Lent; self-denial, *an C*~ *a dhéanamh* to keep the Lenten fast

carn ka:rn *m*1 cairn; heap, pile; great amount *vt & i* heap, pile, accumulate

carnabhal ka:rnəvəl *m*1 carnival

carnabhóir ka:rnəvo:r' *m*3 carnivore

carnach ka:rnəx *a*1 cumulative

carnadh ka:rnə *m*, *gs* **-ntha** accumulation, ~ *crúb* pounding of hoofs

carnán ka:rna:n *m*1 (small) heap, mound, *(cards)* kitty

caróg karo:g *f*2 crow

carr¹ ka:r *m*1, *pl* ~**anna** car, ~ *sleamhnáin* sledge

carr² ka:r *f*3 crust, coating; rocky patch

carracán karəka:n *m*1 rocky eminence; large rock

carrach karəx *a*1 rough-skinned; scabby, mangy; rocky, *an galar* ~ scurvy

carraeir kare:r' *m*3 carman, carrier

carraeireacht kare:r'əxt *f*3 carting; carriage, haulage

carraig karəg' *f*2, *pl* ~**eacha** rock

carraigeach karəg'əx *a*1 rocky

carraigín karəg'i:n' *m*4 carrageen moss

carráiste kara:s't'ə *m*4 carriage

carrchlós 'ka:r,xlo:s *m*1 car-park

carrmhogall ka:r,vogəl *m*1 carbuncle

cársán ka:rsa:n *m*1 wheeze

cársánach ka:rsa:nəx *a*1 wheezy

cart kart *vt & i* tan (leather); scrape clean; clear away

cárt ka:rt *m*1 quart

cárta ka:rtə *m*4 card, *caite i gcártaí* discarded

cartagrafaíocht 'kartə,grafi:(ə)xt *f*3 cartography

cartán kartə:n *m*1 carton

carthanach karhənəx *a*1 charitable; loving; friendly

carthanacht karhənəxt *f*3 love, charity; friendliness, friendship

carthanas karhənəs *m*1, *(of foundation, etc)* charity

cartlann kartlən *f*2 archives

cartlannaí kartləni: *m*4 archivist

Cartúiseach kartu:s'əx *m*1 & *a*1 Carthusian

cartún kartu:n *m*1 cartoon

cartúnaí kartu:ni: *m*4 cartoonist

cartús kartu:s *m*1 cartridge

carúl karu:l *m*1 carol

cas kas *a*1 twisted, winding; curly; complicated; devious *vt & i* twist; turn; wind, *amhrán a chasadh* to sing a song, *níor chas sé orainn ó shin* he hasn't returned to us since, *chas tú bréag liom* you accused me of lying, ~ *adh orm, dom, liom, é* I met, happened to meet, him, *má chastar arís mé é* if I happen to be there again

cás¹ ka:s *m*1, *pl* ~**anna** case; circumstances; matter for concern, *is é an* ~ *(go)* the fact of the matter is (that), *cuir(eam) i g*~ *(go)* (let us) suppose (that), *is trua liom do chás* I am sorry about your trouble, *bheith i g*~ *faoi rud* to be concerned about sth, *ní* ~ *orm, liom, iad* they are no concern of mine cás² ka:s *m*1, *pl* ~anna (*of box*, *etc*) case; frame; cage

cásach ka:səx *a*1 honoured, venerable, respectful

casacht kasəxt *f*3 cough

casachtach kasəxtəx *f*2 cough(ing)

casadh kasə *m*1, *pl* -staí twist, turn; reproach, ~ *in abhainn* wind in a river, ~ *an tobac* cable-stitch, ~ *aigne* nausea, *le* ~ *an phoist* by return of post, *rud a chur ar* ~ to set sth spinning

cásaigh ka:si: *vt* lament, deplore; inquire for, *chásaigh sé bás m'athar liom* he sympathized with me on my father's death

cásáil ka:sa:l' *f*3 casing *vt* encase, case

casal kasəl *m*1 chasuble; mantle

cásamh ka:səv *m*1 lamenting, grumbling; condolence

casaoid kasi:d' *f*2 complaint *vt & i* complain, grumble

casaoideach kasi:d'əx *a*1 complaining

casarnach kasərnəx *f*2 brushwood, scrub

casaról kasəro:l *m*1 casserole

casca kaskə *m*4 cask

caschaint 'kas,xan't' *f*2 cross-talk

cáscúil ka:sku:l' *a*2 paschal

casfhocal 'kas,okəl *m*1 tongue-twister

casla kaslə *f*4 small harbour, creek

cásmhaireacht ka:svər'əxt *f*3 concern; plaintiveness; sympathy

cásmhar ka:svər *a*1 concerned; plaintive; sympathetic

casóg kaso:g *f*2 cassock; jacket, coat

casta kastə *a*3 twisted, wound; intricate, *ceist chasta* knotty question, *aghaidh chasta* wizened face

castacht kastəxt *f*3 complexity, intricacy

castainéad kastən'e:d *m*1 castanet

castainn kastən' *f*2 windlass; twist, kink

castaire kastər'ə *m*4 spanner

cástán kasta:n *m*1 (Spanish, sweet) chestnut

castóir kasto:r' *m*3 winder, turner

casúireacht kasu:r'əxt *f*3 hammering

casúr kasu:r *m*1 hammer

cat kat *m*1 cat, ~ *crainn* pine marten, ~ *mara* angel-fish; calamity

catach katəx *a*1 curly, curly-haired; dog-eared

catacóm katəko:m *m*1 catacomb

catail kati:l' *f*3 curliness

catalaíoch katəli:(ə)x *m*1 catalyst *a*1, *gsm* ~ catalytic

catalóg katəlo:g *f*2 catalogue

cátaoir ka:ti:r' *f*, *gs* ~each ember-days

cath kah *m*3, *pl* ~anna battle; conflict; trial; battalion

cathach kahəx *m*1 battle reliquary *a*1 battling, warlike

cathain kahən' *interr adv* when

cathair kahər' *f*, *gs* -thrach *pl* -thracha city; circular stone fort, ~ *ghríobháin* maze, labyrinth

cathaitheach kahihəx *a*1 tempting; regretful, sorrowing

cathaitheoir kahiho:r' *m*3 tempter; mischief-maker

cathaoir kahi:r' *f*, *gs* ~each *pl* ~eacha chair; seat, throne, ~ *uilleann* armchair

cathaoirleach kahi:rləx *m*1 chairman

cathartha kahərhə *a*3 civic, civil, *an tArm C*~ the Irish Citizen Army

cathlán kahla:n *m*1 battalion

cathróir kahro:r' *m*3 citizen

cathróireacht kahro:r'əxt *f*3 citizenship

cathú kahu: *m*4 conflict, battle; temptation; regret, sorrow

catóid kato:d' *f*2 cathode

catóir kato:r' *m*3 curler

catsúil 'kat,su:l' *f*2, *gs & npl* ~e *gpl* -úl sidelong glance; ogle

catúil katu:l' *a*2 feline, cat-like

cé¹ k'e: *f*4, *pl* ~anna quay

cé² k'e: *interr pron* who, whom; what, *cé a rinne é?* who did it? *cé a dúirt tú?* whom did you say? *cé hé an fear seo?* who is this man? *cé aige a bhfuil sé?* who has it? *cé leis an leabhar?* whose is the book? *cér díobh é?* who are his people? *cérbh é an fear sin?* who was that man? *cérb iad?* who are they? *cén fear é?* what man is he? *cén uair?* when? *cén áit?* where? *cén fáth?* why? *cé againn is airde?* which of us is the taller? *cé acu ceann is fearr leat?* which one do you prefer? *níl a fhios agam cé acu fear nó bean atá ann* I don't know whether it is a man or a woman, *cé chomh mór leis?* how big is he? *cé mar a thaitin sé leat?* how did you like it?

cé³ k'e: *conj* although, *cé nach bhfeicim iad* although I do not see them, *cé is moite (de)* except (for), *cé nár imigh tú fós?* have you not gone away yet?

ceachartha k'axərhə *a3* near, mean, niggardly

ceacharthacht k'axərhəxt *f3* meanness

ceacht k'axt *m3*, *pl* ~**anna** lesson; recited passage, episode; (school) exercise

céachta k'e:xtə *m4* plough

ceachtar k'axtər *pron* either, ~ *den bheirt* either of the two (persons), *níor labhair* ~ *againn* neither of us spoke

cead k'ad *m3* leave, permission, *i g* ~ *duit* by your leave; with due respect to you ~ *a chinn a thabhairt do dhuine* to let a person go free, ~ *tobac a dhiol* licence to sell tobacco, ~ *taistil* permit to travel

céad¹ k'e:d *m1*, *pl* ~**ta** hundred; century, *faoi chéad* a hundredfold, *faoin g* ~, *sa chéad* per cent, ~ *(meáchain)* hundredweight

céad² k'e:d *num a* first, *an chéad fhear* the first man, *na chéad daoine* the first people, *an chéad lá eile* the next day

céad-³ k'e:d *pref* first

céad-⁴ k'e:d *pref* hundred, many

céadach k'e:dəx *a1* hundredfold; great, immense

ceadaigh k'adi: *vt & i* permit, allow; ask permission, *cheadaigh sé liom é* he consulted me about it

ceadaithe k'adihə *a3* permitted; sanctioned

ceadaitheach k'adihəx *a1* permissive

ceadal k'adəl *m1* (music) recital

Céadaoin k'e:di:n' *f4*, *pl* ~**eacha** Wednesday, ~ *an Luaithrigh* Ash Wednesday, ~ *an Bhraith* Spy Wednesday

céadar¹ k'e:dər *m1* cedar

céadar² k'e:dər *m1* cheddar (cheese)

céadchosach 'k'e:d,xosəx *m1* centipede

céadfa k'e:dfə *f4* (bodily) sense; perception, understanding

céadfach k'e:dfəx *a1* sensory; perceptive, sensible

céadfacht k'e:dfəxt *f3* sensibility

ceadmhach k'advəx *a1* permissible

céadphroinn 'k'e:d,fron' *f2*, *pl* ~**te** breakfast

céadrata k'e:drətə *a3* primitive

ceadú k'adu: *m4* permission, sanction

céadú k'e:du: m4 & *a* hundredth

céaduair 'k'e:d,uər' *a*, *de*, *chéaduair* first, at first,*déan do chuid a chéaduair* take your meal first

ceadúnaí k'adu:ni: *m4* licensee

ceadúnaigh k'adu:ni: *vt* license

ceadúnas k'adu:nəs *m1* licence

ceáfar k'a:fər *m1*, *pl* -**fraí** caper; frisk; (music) caprice

ceáfrach k'a:frəx *a1* frisky

ceaig k'ag' *m4*, *pl* ~**eanna** keg

ceaileacó k'al'əko: *m4* calico

ceaintín k'an't'i:n' *m4* can; canteen

ceal k'al *m4* want, lack; absence of, *(de) cheal nirt* for want of strength, *rud a chur ar* ~ to abolish sth, *rud a ligean ar* ~ to let sth fall into disuse; to neglect sth

céalacan k'e:ləkən *m1* morning fast, *bheith ar* ~ to be fasting from the previous night

cealaigh k'ali: *vt* do away with; hide; rescind, cancel; consume

cealg k'aləg *f2* deceit; treachery; sting (of insect), *ag cothú ceilge* creating mischief, hatching a plot *vt* beguile; deceive; (*of insect*) sting, *leanbh a chealgadh* to lull a child to sleep

cealgach k'aləgəx *a1* guileful; treacherous; beguiling

cealgadh k'aləgə *m*, *gs* -**gtha** beguilement, deception

ceall, ~ *a* k'al, k'alə : **cill**

ceallafán k'aləfa:n *m1* cellophane

ceallalóid k'aləlo:d' *f2* celluloid

ceallalós k'aləlo:s *m1* cellulose

ceallamán k'aləma:n *m1* hoard (of money)

cealú k'alu: *m4* rescission, cancellation

ceamara k'amərə *m4* camera

ceana k'anə : **cion¹**

ceanastar k'anəstər *m1* canister

ceangail k'aŋgəl' *vt*, *pres* -**glaíonn** bind, tie

ceangailteach k'aŋgəl't'əx *a1* binding, connecting; sticky

ceangal k'aŋgəl *m1* tie, binding; fetter; (*of poem*) envoy, ~ *cairdis* bond of friendship

ceangaltán k'aŋgəlta:n *m1* truss, bundle

ceann¹ k′an *m*1, *npl* ~**a & ds cionn** in *certain phrases* head; roof; end, extremity; one, *tá ~ faoi, ~ síos, air* he is downcast, ashamed, *lig a cheann leis* let him go free, *thug sé a cheann leis* he survived, escaped, ~ *ar aghaidh* headlong; on purpose, ~ *gruaige* head of hair, ~ *comhairle, (of parliament)* speaker, *tá sé ina cheann maith dóibh* he provides well for them, ~ *báid* bows of boat, *dul chun cinn* advance, progress, ~ *a thógáil de rud* to take notice of sth, ~ *cait* long-eared owl, *ceann cípín* blockhead, ~ *tíre* promontory, ~ *cúrsa, scríbe* journey's end, destination, *oíche chinn, cheann, féile* eve of festival, *an* ~ *a bhaint de scéal* to begin a story; to broach a subject, ~ *a chur ar scéal* to conclude a story; to close a subject, *tá dhá cheann ar an scéal* there are two sides to the story, *fuair sé an* ~ *is fearr orm* he got the better of me, *dhá cheann* two, *punt an* ~ a pound each, *ina g~ is ina g~* one by one, *ar* ~ at the head of, in front of, *tháinig teachtaire chugam ar a cheann* a messenger came to me for it, *de cheann* for the sake of, instead of, *de chionn go, cionn is (go)* because, *tá an samhradh dár gcionn* summer lies ahead of us, *faoi cheann míosa* in a month's time, *fan go* ~ *seachtaine* wait for a week, *bhí sé i g~ a dheich mbliana d'aois* he had reached ten years of age, *dul i g~ oibre* to set to work, *ina cheann sin* along with that, *i g~ a chéile* together, *os cionn* above; in charge of, *os cionn céad* more than a hundred, *thar* ~ on behalf of; for the sake of, in return for, *(bheith) thar cionn* (to be) excellent

ceann-² k′an *pref* chief, main; -headed

céanna k′e:nə *m*4, *mar an g~* in like manner *a*3 very, same, *ar an gcuma chéanna* in like manner, *san am* ~ at the same time, nevertheless

ceannach k′anəx *m*1 purchase

céannacht k′e:nəxt *f*3 identity

ceannadhairt ′k′an‚airt′ *f*2, *pl* ~**eanna** bolster, pillow

ceannaghaidh ′k′an‚aiγ′ *f*, *gs & pl* -**nnaithe** face, features

ceannaí k′ani: *m*4 buyer; dealer, merchant, ~ *gearr* retailer

ceannaigh k′ani: *vt & i* buy, purchase; bribe, *dár gceannach ón mbás* to redeem us from death

ceannainne ′k′anən′ə *f*4 blaze (on animal's forehead)

ceannairc k′anər′k′ *f*2 mutiny, revolt

ceannaireach k′anər′k′əx *m*1 mutineer, rebel *a*1 mutinous, rebellious

ceannaire k′anər′ə *m*4 leader, guide; corporal

ceannaitheoir k′aniho:r′ *m*3 buyer

ceannann k′anən *f*2 white-faced animal *a*1, *(of animal)* white-faced, having blaze on forehead, *tonnta ~a* white-crested waves, *an rud* ~ *céanna* the selfsame thing

ceannáras ′k′an‚a:rəs *m*1 headquarters

ceannas k′anəs *m*1 sovereignty; authority, command; assertiveness, *Banc Ceannais na hÉireann* the Central Bank of Ireland

ceannasach k′anəsəx *a*1 sovereign; commanding, masterful; assertive

ceannasaí k′anəsi: *m*4 commander; controller

ceannasaíocht k′anəsi:(ə)xt *f*3 leadership, command; assertion

ceannbhán k′anəva:n *m*1, ~ *(móna)* bogcotton, cotton-grass

ceannbheart ′k′an‚v′art *m*1, *npl* ~**a** headgear; helmet

ceannbhrat ′k′an‚vrat *m*1 canopy

ceanncheathrú ′k′an‚x′ahru: *f*, *gs* ~**n** *pl* ~**na** headquarters

ceanndána ′k′an‚da:nə *a*3 headstrong; stubborn

ceanndánacht ′k′an‚da:nəxt *f*3 wilfulness, stubbornness

ceanneasna ′k′an‚asnə *f*4 grey homespun

ceannfort k′anfərt *m*1 commander, leader; (army) commandant; (police) superintendent

ceannlá ′k′an‚la: *m*, *gs* -**lae** *pl* -**laethanta** appointed day, ~ *an chíosa* gale day

ceannlíne ′k′an′‚l′i:n′ə *f*4, *pl* -**nte** headline

ceannlitir ′k′an′‚l′it′ər′ *f*, *gs* -**treach** *pl* -**treacha** capital letter

ceann-nochta ′k′a(n)‚noxtə *a*3 bareheaded

ceannródaí ′kan‚ro:di: *m*4 leader, guide; pioneer

ceannsmacht 'k'an,smaxt *m3* mastery, ~ *a fháil ar dhuine* to get the better, the upper hand, of a person

ceannsraith 'k'an,srah *f2*, *pl* ~**eanna** capitation

ceannteideal 'k'an,t'ed'əl *m1* caption, heading

ceanrach k'anrəx *f2* headstall, halter

ceansa k'ansə *a3* gentle, meek; tame

ceansacht k'ansəxt *f3* gentleness, meekness; tameness

ceansaigh k'ansi: *vt* appease; tame, control

ceansú k'ansu: *m4* appeasement; control, restraint

ceant k'ant *m4*, *pl* ~**anna** auction

ceantáil k'anta:l' *f3* auctioning; sale, clearance *vt & i* auction, *ag* ~ *ar a chéile* outbidding each other

ceantálaí k'anta:li: *m4* auctioneer

ceantar k'antər *m1* district

ceantrach k'antrəx *a1* district, local

ceanúil k'anu:l' *a2* loving, affectionate, fond

ceanúlacht k'anu:ləxt *f3* affection, kindness

ceap¹ k'ap *m1*, *npl* ~**a** stock; block, base ~ *magaidh* laughing-stock, ~ *gréasaí* shoemaker's last, ~ *tuisle* stumbling-block, ~*a* (penal) stocks, ~ *rotha* nave of wheel, ~ *oifigí* office block

ceap² k'ap *vt & i* chip; fashion, shape; invent; appoint; think; intend, *dán a cheapadh* to compose a poem, *an rud a cheap Dia dó* what God ordained for him, *ainmhí a cheapadh* to head off an animal, *liathróid a cheapadh* to field a ball

ceapach k'apəx *f2* plot, ~ *bláthanna* flower-bed

ceapachán k'apəxa:n *m1* appointment (to post); (*of art*) composition

ceapadóir k'apədo:r' *m3* composer, inventor

ceapadóireacht k'apədo:r'əxt *f3* composition

ceapaire k'apər'ə *m4* sandwich

ceapóg k'apo:g *f2* little plot; (seed-)bed; dibble

ceapord 'k'ap,o:rd *m1* small sledge-hammer

cearbhas k'arəvəs *m1* caraway

cearc k'ark *f2*, *gs* **circe** hen, ~ *fhraoigh* grouse, ~ *cholgach* shuttlecock

cearchaill k'arəxəl' *f2* log: girder

céard k'e:rd *interr pron* what

ceardaí k'a:rdi: *m4* artisan, craftsman

ceardaíocht k'a:rdi:(ə)xt *f3* craft; craft-work, craftsmanship, workmanship, *ag* ~ working at a trade

ceardchumann 'k'a:rd,xumən *m1* trade union

ceardchumannaí 'k'a:rd,xuməni: *m4* trade-unionist

ceardlann k'a:rdlən *f2* workshop, workroom

ceardscoil 'k'a:rd,skol' *f2*, *pl* ~**eanna** technical school

ceardúil k'a:rdu:l' *a2* well-wrought, workmanlike

ceardúlacht k'a:rdu:ləxt *f3* skilled workmanship, artistry

cearn k'a:rn *f3* corner, angle, *as gach* ~ from all quarters

cearnach k'a:rnəx *a1* angular; square; quadratic

cearnaigh k'a:rni: *vt* square

cearnóg k'a:rno:g *f2* square

cearnógach k'a:rno:gəx *a1* angular; four-square

cearr k'a:r *f3*, *pl* ~**anna** injury, wrong, *tá* ~ *bheag air* he is a bit off in the head *a1* wrong

cearrbhach k'arəvəx *m1* card-player, gambler, gamester

cearrbhachas k'arəvəxəs *m1* card-playing, gaming, gambling

ceart k'art *m1*, *npl* ~**a** right, ~ *vótála* franchise, *a cheart a thabhairt do dhuine* to give a person his due, *bhain sé* ~ *díobh* he held his own against them, *bhí sé de cheart acu suí* they should have sat down, *níl a fhios agam i g*~ I don't really know, *tá sé fuar i g*~ it is quite cold, *duine nach bhfuil i g*~ one who is not in his right mind, *ó cheart* properly, originally *a1* right; just, proper; true, correct, *ba cheart duit labhairt leis* you should speak to him, *tá sin mar is* ~ that is as it should be, *bhí fearg cheart uirthi* she was really angry, *níl an fear sin* ~ that man is not right in the head, ~ *go leor* right enough; all right

ceárta k'a:rtə *f4* forge; workshop

ceartaigh k'arti: *vt & i* correct; rectify; amend; chastise; mend; expound

ceartaiseach k'artəs'əx *a1* insistent on one's rights; dogmatic; conceited; self-righteous

ceartaitheach k'artihəx *a1* corrective, amending

ceartaitheoir k'artiho:r' *m3* corrector; reformer, ~ *sáibh* saw-setter

ceartas k'artəs *m1* justice *pl* rights, just claims

ceartchreideamh 'k'art,x'r'ed'əv *m1* orthodoxy

ceartchreidmheach 'k'art,x'r'ed'v'əx *a1* orthodox

cearthaí k'arhi: *f4* nervousness, jitters

ceartlár 'k'art,la:r *m1* exact centre

ceartú k'artu: *m4* correction, amendment; chastisement; adjustment

ceartúchán k'artu:xa:n *m1* correction

ceas k'as *m3* surfeit; excess; oppression, sorrow

céas[1] k'e:s *m3* matted hair, wool

céas[2] k'e:s *vt & i* crucify; torment; suffer agony

ceasacht k'asəxt *f3* complaining; murmur, grumble, *ag ~ ar rud* complaining about the meagreness of sth

céasadh k'e:sə *m, gs & pl* -**sta** crucifixion; agony, torment

céasadóir k'e:sədo:r' *m3* crucifier, tormentor

céasla k'e:slə *f4* paddle (for currach, etc)

céaslaigh k'e:sli: *vt & i* paddle

ceasna k'asnə *m4* affliction, complaint

ceasnaigh k'asni: *vt & i* complain, grumble

ceasnúil k'asnu:l' *a2* complaining, querulous, peevish

céasta k'e:stə *a3* crucified; tormented; tormenting; miserable, *faí chéasta* passive voice

ceastóireacht k'asto:r'əxt *f3* questioning; interrogation, *ag ~ ar dhuine* cross-examining a person

céatadán k'e:tədə:n *m1* percentage

ceatha k'ahə : **cith**

ceathach k'ahəx *a1* showery

ceathair k'ahər' *m4, pl* ~**eanna** four, ~ *déag* fourteen

ceathairchosach 'k'ahər',xosəx *m1 & a1* quadruped

ceathairéad k'ahər'e:d *m1* quartet

ceathairshleasach 'k'ahər',hl'asəx *a1* quadrilateral

ceathairuilleach 'k'ahər',il'əx *a1* quadrangular

ceathairuilleog 'k'ahər',il'o:g *f2* quadrangle

ceathanna k'ahənə : **cith**

ceathartha k'ahərhə *a3* fourfold; quaternary, elemental

ceathracha k'ahrəxə *m, gs* ~**d** *pl* ~**idí** *a* forty

ceathramhán k'ahrəva:n *m1* quadrant

ceathrar k'ahrər *m1* four persons

ceathrú[1] k'ahru: *f, gs* ~**n** *pl* ~**na** *ds* ~**in** *in certain phrases* quarter, fourth, thigh, ~ *caorach* sheep's haunch, *saighdiúiri a chur ar ~in* to quarter soldiers, ~ *anama a iarraidh* to ask for quarter, ~ *d'amhrán* verse of a song

ceathrú[2] k'ahru: *num a* fourth

ceathrúnach[1] k'ahru:nəx *m1* quartermaster

ceathrúnach[2] k'ahru:nəx *a1* quartered, *seisiún* ~ quarter sessions

céibhe k'e:v'ə : **ciabh**

céide k'e:d'ə *m4* flat-topped hill; place of assembly; (*street name*) drive

ceil k'el' *vt* conceal; suppress, withhold, *a cheart a cheilt ar dhuine* to deny a person his right, *cárta a cheilt* to renege a card

céile k'e:l'ə *m4* companion; spouse, *fear* ~ husband, *bean chéile* wife, ~ *comhraic* antagonist, ~ *imeartha* opponent in game, *a chéile* each other, *tá sé i gceann a chéile go maith* it is well put together, *ó lá go* (*a*) *chéile* from day to day, *is é an dá mhar a chéile é* it is the same thing, *míle ó chéile* a mile apart, *bhi an fhoireann trí chéile ann* the whole team was there, *trí, trína, chéile* mixed-up, confused

céileachas k'e:l'əxəs *m1* companionship; cohabitation; copulation

céilí k'e:l'i: *m4* friendly call, visit; social evening; Irish dancing session, dance

ceiliúir k'el'u:r' *vt & i pres-*úrann* warble, sing; celebrate, *ceiliúradh de dhuine* to bid farewell to a person

ceiliúr k'el'u:r *m1* warble, song; address, greeting, ~ *pósta* proposal of marriage

ceiliúradh k'el'u:rə *m, gs* **-rtha** celebration, leave-taking

céill k'e:l', **céille** k'e:l'ə : **ciall**

céillí k'e:l'i: *a3* sensible, rational

ceilp k'el'p *f2* kelp

ceilt k'el't *f2* concealment; withholding, denial

Ceilteach[1] k'el't'əx *m1* Celt *a1* Celtic

ceilteach[2] k'el't'əx *a1* secretive, withholding

Ceiltis k'el't'əs *f2* Celtic (language)

céim k'e:m' *f2, pl* **~eanna** step; degree, rank; pass, ravine, ~ *siar* retrogression, ~ (*i gcloí, i mballa*) stile, ~*eanna na gealaí* phases of the moon, *ar aon chéim le* on a par with, *rug ~ orm* I got into difficulties

céimí k'e:m'i: *m4* graduate

ceimic k'em'ək' *f2* chemistry

ceimiceach k'em'ək'əx *a1* chemical

ceimiceán k'em'ək'a:n *m1* chemical

ceimiceoir k'em'ək'o:r' *m3* chemist

céimíocht k'e:m'i:(ə)xt *f3* rank, distinction

céimiúil k'e:m'u:l' *a2* distinguished, notable

céimneach k'e:m'n'əx *a1* stepped

céimnigh k'e:m'n'i: *vt & i* step; grade, graduation; truncation

céimniú k'e:m'n'u: *m4* stepping, tread; grading, graduation

céimseata k'e:m's'ətə *f, gs* **~n** geometry

céimseatúil k'e:m's'ətu:l' *a2* geometric

céin k'e:n' : *cian*[1,3]

céine k'e:n'ə : *cian*[3]

ceinteagrád k'en't'ə,gra:d *m1* centigrade

ceinteagrádach 'k'en't'ə,gra:dəx *a1* centigrade

ceintilítear 'k'en't'ə,l'i:t'ər *m1* centilitre

ceintiméadar 'k'en't'ə,m'e:dər *m1* centimetre

céir[1] k'e:r' *f, gs* **céarach** *pl* **céaracha** wax; coating, stain

céir[2] k'e:r' : *ciar*[1]

ceirbreach k'er'əb'r'əx *a1* cerebral

ceirbream k'er'əb'r'əm *m1* cerebrum

ceird k'e:rd' *f2, pl* **~eanna** trade, craft; occupation

céire k'e:r'ə : *ciar*[1]

ceiribín k'er'əb'i:n' *m4* cherub

ceirín k'er'i:n' *m4* poultice

ceirisín k'er'əs'i:n' *m4* kerosene

céiriúil k'e:r'u:l' *a2* waxy

ceirnín k'e:rn'i:n' *m4* disc, record

céirseach k'e:rs'əx *f2* (hen) blackbird

ceirt k'ert' *f2, pl* **~eacha** rag, clout, *cuir ort do cheirteacha* put on your clothes

ceirtlín k'ert'l'i:n' *m4* ball, clew, ~ *a dhéanamh, (of cabbage, etc)* to form a head

ceirtlis k'ert'l'əs *f2* cider

céis k'e:s' *f2, pl* **~eanna**, ~ *mhuice* young pig, slip

céislín k'e:s'l'i:n' *m4* tonsil

céislínteas k'e:s'l'i:n't'əs *m1* tonsilitis

ceisneamh k'es'n'əv *m1* complaining; complaint, grumble, *ní raibh sé i bhfad ag ~* he was not long ailing (before he died)

ceist k'es't' *f2, pl* **~eanna** question; inquiry; point, problem, *bhí sé i g~ agam an áit a dhíol* I was thinking of selling the place, *ná bíodh ~ ort faoi* you needn't be concerned about it

ceisteach k'es't'əx *m1* interrogative *a1* questioning, interrogative

ceistigh k'es't'i: *vt & i* question, interrogate

ceistitheoir k'es't'iho:r' *m3* questioner

ceistiú k'es't'u: *m4* interrogation

ceistiúchán k'es't'u:xa:n *m1* interrogation; questionnaire

ceithearnach k'ehərnəx *m1* kern, footsoldier; light-armed soldier; (chess) pawn, ~ *coille* outlaw

ceithre k'ehr'ə *num a* four, ~ *dhuine dhéag* fourteen persons

ceo[1] k'o: *m4* fog; mist; haze, ~ *deannaigh* cloud of dust

ceo[2] k'o: *m4, níl ~ ar bith air* there is nothing wrong with him, *an bhfuil aon cheo ar siúl?* is there anything on?

ceobhrán k'o:vra:n *m1* light drizzle; mist

ceobhránach k'o:vra:nəx *a1* misty, drizzly

ceoch k'o:x *a1, gsm* ~ foggy; misty, cloudy

ceol k'o:l *m1, pl* **~ta** music; song; ringing sound, ~ *a bhaint as an saol* to enjoy life, *mo cheol thú* bravo

ceolaire k'o:lər'ə *m4* warbler

ceolán k'o:la:n *m1* little bell; tinkle, ~ *linbh* whimpering child

ceolchoirm 'k'o:l,xor'əm' *f2*, *pl* ~**eacha** concert

ceoldráma 'k'o:l,dra:mə *m4* opera

ceolfhoireann 'k'o:l,or'ən *f2*, *gs & pl* -**rne** orchestra

ceolfhoireanach 'k'o:l,o:rn'əxəl *a1* orchestral

ceolmhaireacht k'o:lvər'əxt *f3* tunefulness

ceolmhar k'o:lvər *a1* musical, tuneful; vigorous

ceoltóir k'o:lto:r' *m3* musician; singer

ceomhar k'o:vər *a1* foggy

cha xa†, **chan**† xan† *neg part* not, ~ *phósann siad go hóg* they do not marry young, *chan ólaim é* I do not, will not, drink it, *chan fhuil sin ceart* that is not right, *char ith sé é* he did not eat it

chan² xan† : **is**

char† xar† *neg vb part*, ~ *fhan siad ach seachtain* they only stayed a week

char² xar†, **charbh** xarv† : **is**

cheal x'al ~ *nár imigh tú fós*? have you not gone away yet? ~ *nach bhfuil a fhios sin agat*? surely you know that?

cheana hanə *adv* already; beforehand; other, last, *mar atá ráite* ~ (*féin*) as stated above, *an lá* ~ the other day, *an tú atá ann*? *is mé* ~ is that you? it is, indeed

chí x'i: *var pres of* **feic²** ~ *Dia sinn* God help us, ~ *Dia sin* what a pity

choíche xi:x'ə *adv* ever, forever, *beidh sé* ~ *amhlaidh* it will always be so, *ní thiocfaidh sé* ~ he will never come, *an fhírinne* ~ to be perfectly truthful

chomh xo: *adv* as, so, ~ *geal le sneachta* as white as snow, ~ *luath agus is féidir* as soon as possible, ~ *hard léi!* how tall she is!

chonacthas xonəkəs *p aut of* **feic²**

chonaic xonək' *p of* **feic²**

chuaigh xuəɣ' *p of* **téigh²**

chuala xuələ *p of* **clois, cluin**

chualathas xuələhəs *p aut of* **clois, cluin**

chuathas xuəhəs *p aut of* **téigh²**

chucu xuxu : **chuig**

chugaibh xugəv' : **chuig**

chugainn xugən' : **chuig**

chugam xugəm : **chuig**

chugat xugət : **chuig**

chuici xik'i : **chuig**

chuig xig' ~ **hig**† *prep, pron forms* **chugam** xugəm, **chugat** xugət, *m* **chuige**

xig'ə, *f* **chuici** xik'i, **chugainn** xugən', **chugaibh** xugəv', **chucu** xuxu, to, towards; for; at, *tháinig sé chugam* he came to me, *níor chuir tú chuige i gceart* you didn't go the right way about it, *ní chugat atá mé* I am not referring to you, *seo chuige* here goes, *chugam aniar thú* bravo, *teacht chugat féin* to come to, recover, *an bhliain seo chugainn* next year, *cad chuige*? why? *maith* ~ *cluichí (a imirt)* good at (playing) games

chuige xig'ə : **chuig**

chun xun *prep* to, towards, for, *dul* ~ *na cathrach* to go to the city, ~ *an bhaile* home(wards), *duine a chur* ~ *báis* to put a person to death, *dul* ~ *olcais* to get worse, to go to the bad, *ceathrú* ~ *a sé* a quarter to six, ~ *rud a dhéanamh* (in order) to do something, *ag ullmhú* ~ *a bpósta* preparing for their marriage, *lá* ~ *taistil* a suitable day for travelling

ciabh k'iəv *f2*, *gs* **céibhe** *f2*; tress

ciabhach k'iəvəx *a1* long-haired

ciach k'iəx *m1* hoarseness; gloom, sadness

ciachán k'iəxa:n *a1* hoarseness, huskiness

ciachánach k'iəxa:nəx *a1* hoarse

ciachmhar k'iəxvər *a1* foggy, dark; gloomy, sorrowful

ciainid k'iən'i:d' *f2* cyanide

ciall k'iəl *f2*, *gs* **céille** *ds* **céill** in certain phrases sense; sanity; perception; meaning, *duine a thabhairt chun céille*, to make a person see reason, *in aois (na) céille* at the age of reason, ~ *cheannaithe* the teachings of experience, *tú féin a chur i gcéill* to make oneself clear, felt, *cur i gcéill* pretence

ciallaigh k'iəli: *vt & i* mean, signify; explain, interpret

ciallmhaireacht k'iəlvər'əxt *f3* sensibleness, reasonableness

ciallmhar k'iəlvər *a1* sensible, reasonable

cian¹ k'iən *f*, *pl* ~**ta** *ds* **céin** & *dpl* ~**aibh** in certain phrases long time, age; distance, distant place, *le* ~ *d'aimsir* this long time, *i gcéin* in the distance, far off, *i mbaile is i gcéin* at home and abroad, *ó chianaibh* a while ago

cian² k'iən *m4* sadness, melancholy

cian³ k'iən *a*1, *gsm* **céin** *gsf & comp* **céine** long; distant

cianach k'iənəx *a*1 melancholy; peevish

cianaosta 'k'iən,i:stə *a*3 long-lived, very old; primeval

cianda k'iəndə *a*3 distant, remote

cianghlaoch 'k'iən,ɣli:x *m*1, ~ **gutháin** trunk-call

cianóg k'iəno:g *f*2 small coin, mite, *níl* ~ **rua agam** I haven't a rex

ciap k'iəp *vt* harass, annoy; torment

ciapach k'iəpəx *a*1 annoying, tormenting

ciapadh k'iəpə *m*, *gs* **-ptha** annoyance, torment

ciar¹ k'iər *a*1, *gsm* **céir** *gsf & comp* **céire** dark, swarthy

ciar² k'iər *vt* wax

ciarach k'iərəx *a*1 waxen

ciarbhuí 'k'iər,vi: *a*3 tawny

ciardhubh 'k'iər,ɣuv *a*1 jet-black, sable

ciaróg k'iəro:g *f*2 beetle

ciarsúr k'iərsu:r *m*1 kerchief, handkerchief

cíb¹ k'i:b' *f*2 sedge

cíb² k'i:b' *f*2 pip (in fowl)

cibé k'ə'b'e: *pron & a* whoever; whatever, whichever, ~ **ar bith** at any rate, ~ **acu** whether

cíbeach k'i:b'əx *a*1 sedgy

cibleachán k'ib'l'əxa:n *m*1 (nine) pin

cic k'ik' *m*4, *pl* ~ **eanna** kick

ciceáil k'ik'a:l' *vt & i* kick

ciclipéid 'k'ik'l'ə,p'e:d' *f*2 encyclopaedia

cifle k'if'l'ə *m*4 tatter, ~ **ceo** wisp of fog, vapour

cigil k'ig'əl' *vt & i, pres* **-glíonn** tickle; *(of light)* play

cigilt k'ig'əl't' *f*2 tickle, titillation; play (of light)

cigilteach k'ig'əl't'əx *a*1 ticklish

cigire k'ig'ər'ə *m*4 inspector

cigireacht k'ig'ər'əxt *f*3 inspection; inspectorship

cíle k'i:l'ə *f*4 keel

cileagram 'k'il'ə,gram *m*1 kilogram(me)

ciléar k'il'e:r *m*1 keeler, shallow tub

cileavata 'k'il'ə,vatə *m*4 kilowatt

cililítear 'k'il'ə,l'i:t'ər *m*1 kilolitre

ciliméadar 'k'il'ə,m'e:dər *m*1 kilometre

cill k'il' *f*2, *npl* **cealla** *gpl* **ceall** church; churchyard; cell

cillín k'il'i:n' *m*4 cell; hoard, nest-egg

cime k'im'ə *m*4 captive, prisoner

ciméara k'im'e:rə *m*4 chimera; mirage; delusion

cín k'i:n' *f*2, *pl* **cíona** ~ **lae** diary

Cincís k'iŋ'k'i:s' *f*2 Pentecost, Whitsun(tide)

cincíseach k'iŋ'k'i:s'əx *m*1 person or animal born at Whitsuntide; ill-starred person *a*1 Pentecostal; ill-starred

cine k'in'ə *m*4, *pl* **-níocha** race, *fear mo chine* my kinsman, *cúl le* ~ a stranger to one's kind

cineál k'in'a:l *m*1, *pl* ~ **acha** kind, species; sex, gender; class; sort, variety, ~ **Eoghain** the descendants of Eoghan, *rud a thabhairt chun cineáil* to develop the natural qualities of sth, ~ *a dhéanamh ar dhuine* to give a person a treat, ~ **fuar** somewhat cold

cineálach k'in'a:ləx *a*1 generic; qualitative

cineálta k'in'a:ltə *a*3 kind; pleasant, mild; tame, *ainmhí* ~ good breed of animal

cineáltas k'in'a:ltəs *m*1 kindness; natural quality

cineama k'in'əmə *m*4 cinema

cinedheighilt 'k'in'ə,ɣ'ail't' *f*2 apartheid

ciniceas k'in'ək'əs *m*1 cynicism

cinici k'in'ək'i: *m*4 cynic

ciniciúil k'in'ək'u:l' *a*2 cynical

ciníoch k'in'i:(ə)x *a*1, *gsm* ~ racial, ethnical

ciníochas k'in'i:(ə)xəs *m*1 racialism

cinn¹ k'in' *vt & i* (with *ar*) surpass, overcome; be too much for, *chinn orm é a dhéanamh* I failed to do it

cinn² k'in' *vt & i* fix, determine, decree

cinneadh k'in'ə *m*1 determination, decision, ~ *dáta* fixing of date, ~ **coiste** the findings of a committee

cinnfhearann 'k'in',arən *m*1 headland (in ploughing)

cinnire k'in'ər'ə *m*4 person leading an animal by the head; guide, attendant

cinniúint k'in'u:nt' *f*3, *gs* **-úna** fate, destiny; chance; tragedy

cinniúnach k'in'u:nəx *a*1 fateful; fatal, tragic

cinniúnachas k'in'u:nəxəs *m*1 fatalism

cinnte k'in't'ə *a*3 certain; definite; stingy

cinnteach k'in't'əx *a*1 fixed, definite; definitive

cinnteacht k'in't'əxt *f3* certainty; stinginess; limitation

cinntigh k'in't'i: *vt & i* make certain; confirm, assure

cinntitheach k'in't'ihəx *m1* determinant; determinative *a1* decisive; determinative

cinntiú k'in't'u: *m4* confirmation

cinseal k'in's'əl *m1* ascendancy; dominance

cinsealach k'in's'ələx *a1* ascendant, dominating

cinsealacht k'in's'ələxt *f3* an Chinsealacht the Ascendancy

cinsire k'in's'ər'ə *m4* censor

cinsireacht k'in's'ər'əxt *f3* censorship, ag ~ ar dhuine censoring a person

cinsiriúil k'in's'ər'u:l' *a2* censorial

cíoch k'i:x *f2* breast, pap

cíochbheart k'i:x,v'art *m1* brassière

cioclón k'iklo:n *m1* cyclone

cíocrach k'i:krəx *a1* greedy, eager (for food, etc)

cíocras k'i:krəs *m1* greed, eagerness (for food, etc), ~ léinn thirst for learning

ciombal k'imbəl *m1* cymbal

cion¹ k'in *m3*, *gs* ceana love, affection; esteem; effect, influence, rud a chur i g ~ ar dhuine to impress sth on a person, ~ croí a dhéanamh le leanbh to hug a child to one's bosom

cion² k'in *m4* share, amount, rinne sé ~ fir he played a man's part, ag obair ar chion a láimhe féin working on his own account

cion³ k'in *m3*, *pl* ~ta offence, transgression; blame, is é a chionta féin é it is his own fault

cioná k'i:na: *m4*, (cards) five of trumps; chief, champion, star

ciondáil k'inda:l' *f3 & vt* ration

ciondargairdín k'indər,ga:rd'i:n' *m4* kindergarten

cionmhaireacht k'inəvər'əxt *f3* proportion, share

cionmhar k'inəvər *a1* proportional

cionn k'in : **ceann¹**

cionroinn 'k'in,ron' *vt* apportion

cionroinnt 'k'in,ron't' *f2*, *pl* -rannta apportionment, portion

cionsiocair 'k'in,s'ikər *f*, *gs* -crach *pl* -cracha primary cause

ciontach k'intəx *a1* guilty *m1* culprit

ciontacht k'intəxt *f3* guilt, guiltiness

ciontaí k'inti: *s*, is tú is ~ leis you are to blame for it

ciontaigh k'inti: *vt & i* blame, accuse; convict; transgress

ciontóir k'into:r' *m3* offender

ciontú k'intu: *m4* conviction

cíor k'i:r *f2* comb; crest, ~ fiacla set of teeth, ~ mheala honeycomb, an chíor a chogaint to chew the cud, tá an teach ina chíor thuathail the house is upside down *vt & i* comb; examine minutely

cíoradh k'i:rə *m*, *gs* -rtha combing; discussion, examination

cíorbhuí k'i:r,vi: *m4*, *pl* ~onna goldcrest

ciorcad k'irkəd *m1* circuit

ciorcal k'irkəl *m1* circle

ciorclach k'irkləx *a1* circular; cyclic

ciorclaigh k'irkli: *vt* encircle, circle

ciorclán k'irkla:n *m1* circular (letter)

cíorláil k'i:rla:l' *f3* combing; searching; rough handling *vt & i* comb; search; tousle, handle roughly

cíoróis k'iro:s' *f2* cirrhosis

ciorraigh k'iri: *vt & i* cut; hack, maim; curtail; overlook, bewitch

ciorrú k'iru: *m4* mutilation; curtailment

cíos k'i:s *m3*, *pl* ~anna rent; tax, tribute, ~ dubh extortion

cíosaigh k'i:si: *vt* rent, pay rent for; compensate for

cíosceannach 'k'i:s,x'anəx *m1* hire-purchase

ciotach k'itəx *a1* left-handed; clumsy; inconvenient

ciotaí k'iti: *f4* left-handedness; awkwardness, ~ a dhéanamh do dhuine to inconvenience a person

ciotóg k'ito:g *f2* left hand; left-hander; left-handed person; awkward person

ciotógach k'ito:gəx *a1* left-handed; awkward

ciotrainn k'itrən' *f2* awkward fall; clumsiness

ciotrúnta k'itru:ntə *a3* clumsy; contrary

ciotrúntacht k'itru:ntəxt *f3* clumsiness; contrariness

cipe k'ip'ə *m4* body of troops in close formation; rank; band

cipín k'ip'i:n' *m4* little stick, twig, ~ solais match, bheith ar ~i to be on tenterhooks

circe k'ir'k'ə : **cearc**

circeoil k'ir'k'‚o:l' f 3 chicken(meat)

circín k'ir'k'i:n' m4, ~ trá dunlin

círéib k'i:r'e:b' f 2, pl ~eacha riot; obstreperous person

círéibeach k'i:r'e:b'əx a1 wild, riotous; obstreperous

círín k'i:r'i:n' m4 crest, ~ coiligh cockscomb, ~ toinne crest of wave, dul i g~ a chéile to fight, bhí ~ troda air his hackles were up

círíneach k'i:r'i:n'əx a1 crested; flushed

cirte k'irt'ə f 4 rightness, correctness

cis¹ k'is' f 2, pl ~eanna wicker container; basket, crate

cis² k'is' f 2 restraint, handicap vt & i place one's weight (ar on); restrain; handicap

ciseach k'is'əx f 2 wattled causeway; improvised footbridge, ~ a dhéanamh de rud to make a mess of sth

ciseal k'is'əl m1 layer, course (in building)

ciseán k'is'a:n m1 (wicker) basket

cispheil k'is',f'el' f 2 basketball

cist k'is't' f 2, pl ~eanna cyst

ciste k'is't'ə m4 chest, coffer; treasure; fund

císte k'i:s't'ə m4 cake

Cistéirseach k'is't'e:rs'əx m1 & a1 Cistercian

cisteoir k'is't'o:r' m3 treasurer

cistin k'is't'ən' f 2, pl ~eacha kitchen

citeal k'it'əl m1 kettle

cith k'ih m3, gs ceatha pl ceathanna shower

cithfholcadh 'k'ih,olkə m, gs -ctha pl -cthaí shower (-bath)

cithréim k'ihr'e:m' f 2 deformity, tá ~ air he is maimed

citreach k'it'r'əx a1 citric

citreas k'it'r'əs m1 citrus

ciú k'u: m4, pl ~nna queue

ciúáil k'u:a:l' vi queue

ciúb k'u:b m1, pl ~anna cube

ciúbach k'u:bəx a1 cubic

ciúbachas k'u:bəxəs m1 cubism

ciúbaigh k'u:bi: vt cube

ciúin k'u:n' a1 calm, still, duine ~ quiet, silent, person

ciumhais k'u:s' f 2, pl ~eanna border, edge, ~ leathanaigh margin of page, ~ talaimh strip of land

ciumhsach k'u:səx a1 bordered, ringed

ciúnaigh k'u:ni: vt & i calm; pacify

ciúnas k'u:nəs m1 calmness; stillness, silence, quiet

ciúnú k'u:nu: m4 calming, pacification

ciúta k'u:tə m4 quip, clever remark; ingenious trick, knack

ciútraimintí k'u:trəm'ən't'i: fpl accoutrements

clab klab m1, pl ~anna mouth; garrulity

claba klabə m4 clamp, cleat (of oar)

clabaireacht klabər'əxt f 3 prattling, garrulousness

clábar kla:bər m1 mud

clábarach kla:bərəx a1 muddy

clabhar klaur m1 mantel-tree; mantelpiece; damper

clabhstra klaustrə m4 cloister

clabhsúr klausu:r m1 closure, an ~ a chur ar rud to bring sth to a close

clabhta klautə m4 clout, blow; chunk

clabhtáil klauta:l' vt clout

cladach kladəx m1 shore; rocky foreshore, ~ feamainne bank of seaweed

cladhaire klair'ə m4 villain; rogue; coward

cladhartha klairhə a3 villainous; cowardly

cladóir klado:r' m3 shore-dweller; shoreworker

cladóireacht klado:r'əxt f 3 shore-working

clagarnach klagərnəx f 2 clatter, ~ bháistí pelting rain

clagharraige 'klag,arəg'ə f 4 choppy sea

claí kli: m4, pl ~ocha dike, wall; fence

claibín klab'i:n' m4 lid; bar of latch, ~ muilinn mill-clapper

cláideach kla:d'əx f 2 mountain stream, torrent

claidhreacht klair'əxt f 3 villainy, roguery; cowardice

claifort 'kli:,fort m1 embankment

claig klag' f 2, pl ~eanna dent, dinge

claimhe klav'ə f 4 manginess, scurvy

claimhteoir klav't'o:r' m3 swordsman

claimhteoireacht klav't'o:r'əxt f 3 swordplay; swordsmanship

claíomh kli:v m1, pl -aimhte sword

cláréad kla:r'e:d m1 claret

cláríneach kla:r'i:n'əx m1 deformed person, cripple

cláirnéid kla:rn'e:d' f 2 clarinet

cláirseach kla:rsˈəx *f*2 harp; large flat object; woodlouse

cláirseoir kla:rsˈo:rˈ *m*3 harpist

cláirseoireacht kla:rsˈo:rˈəxt *f*3 playing the harp

clais klasˈ *f*2, *pl* ~eanna water channel; gully; rut, groove; spawning bed, ~ eochrach keyway, ~ luatha ash-pit, ~ éisc large quantity of fish

claisceadal klasˈkˈədəl *m*l choral singing; choir

clamh klav *m*l mange

clamhach klaux *a*l mangy; bald in spots

clamhán klaua:n *m*l buzzard

clamhsán klausa:n *m*l grumble, complaint

clampa klampə *m*4 clamp; built-up stack

clampaigh klampi: *vt & i* clamp

clampar klampər *m*l wrangle; commotion

clamprach klamprəx *a*l wrangling; disorderly

clann klan *f*2 children, offspring; race, descendants; followers

claochladán kli:xlˈəda:n *m*l transformer

claochlaigh kli:xli: *vt & i* deteriorate; change character of, metamorphose

claochlú kli:xlu: *m*4 change, deterioration; metamorphosis, transformation

claon¹ kli:n *m*l, *pl* ~ta incline; slope; inclination, tendency, ~ adhairte crick in neck, tá an ~ ann he is perverse by nature, ~ beag ró-ard a little too high al inclined; sloping; reclining; ~ ar, chun, prone to, partial to, breithiúnas ~ perverse judgment *vt & i* incline; slope; bend; decline; yield, ~adh chun raimhre to incline to obesity, chlaon sé leo he sided with them, ~adh ón bhfírinne to deviate from the truth

claon-² kli:n *pref* crooked, sloping; perverse; evil; indirect

claonach kli:nəx *a*l perverse, deceitful

claonachas kli:nəxəs *m*l deviationism; inclination to evil

claonadh kli:nə *m*, *gs* ~nta inclination; tendency; perversion, ~ na gréine declining of the sun, ~ chun na trócaire leaning towards mercy

claonamharc ˈkli:nˌaurk *m*l sidelong glance; squint

claonmharaigh ˈkli:nˌvari: *vt* mortify (passions)

claonmharú ˈkli:nˌvaru: *m*4 mortification

claonpháirteach ˈkli:nˌfa:rtˈəx *a*l partisan

claonpháirteachas ˈkli:nˌfa:rtˈəxəs *m*l collusion, partisanship

claonta kli:ntə *a*3 partial, prejudiced

claontacht kli:ntəxt *f*3 evil disposition; partiality, prejudice

clapsholas ˈklapˌholəs *m*l twilight

clár kla:r *m*l board; table; counter; flat surface; list, index; programme, ~ (béil) lid, ~ bairille stave of barrel, ~ éadain forehead, ~ na fírinne the plain truth, ~ na Mí the plains of Meath, an domhan cláir the whole world, ~ ábhair table of contents, ~ oibre work schedule; agenda, ~ comhardaithe balance sheet

clárach kla:rəx *a*l made of boards, wooden; flat, broad

cláraigh kla:ri: *vt & i* tabulate; register, flatten; lay

cláraitheoir kla:riho:rˈ *m*3 registrar; recorder, ~ ríomhaireachta computer programmer

clárfhiacail ˈkla:rˌiəkəlˈ *f*2, *pl* -cla front tooth, incisor

clárlann kla:rlən *f*2 registry (office)

clárú kla:ru: *m*4 drubbing; tabulation; registration

clasach klasəx *a*l channelled; trenched grooved, gashed

clasaiceach klasəkˈəx *m*l classic *a*l classic(al)

clasaigh klasi: *vt & i* channel; trench; gash, groove; (of potatoes) mould; (of fish) make a redd

clásal kla:səl *m*l clause

claspa klaspə *m*4 clasp

clástrafóibe ˈkla:strəˌfo:bˈə *f*4 claustrophobia

clé kˈlˈe: *f*4 left hand; left-hand side *a*3 & *adv* left; sinister; wrong, evil

cleacht kˈlˈaxt *vt & i* perform habitually; be, become, accustomed to; practise

cleachta kˈlˈaxtə *a*l accustomed (ar, le to)

cleachtadh kˈlˈaxtə *m*l, *pl* -chtaí habit; practice, experience, ~ dráma rehearsal of play, leabhar cleachta exercise book

cleachtas k'l'axtəs *m*1 practice

cleachtóir k'l'axto:r' *m*3 practitioner

cleamaire k'l'amər'ə *m*4 strawboy, mummer

cleamhnas k'l'aunəs *m*1 relationship by marriage; marriage arrangement, match

cleandar k'l'andər *m*1 calender; stiffening (in cloth)

cleas k'l'as *m*1, *npl* ~ **a** trick; feat; knack, ~ *a lúith* athletics, *rinne mise an* ~ *céanna* I did the same thing

cleasach k'l'asəx *a*1 playful; tricky, crafty

cleasaí k'l'asi: *m*4 playful person or animal; trickster; juggler; acrobat; (*cards*) joker

cleasaíocht k'l'asi:(ə)xt *f*3 playfulness, trickery; dexterous feats, acrobatics, *ag* ~ *le rudaí* juggling with things

cléata k'l'e:tə *m*4 cleat

clébhord k'l'e:vo:rd *m*1 port, larboard

cléibhín k'l'e:v'i:n' *m*4 small creel or basket; wicker boat, currach

cleipteamáine k'l'ep't'ə,ma:n'ə *f*4 kleptomania

cleipteamáineach k'l'ep't'ə,ma:n'əx *m*1 & *a*1 kleptomaniac

cléir k'l'e:r' *f*2 clergy; band, company

cléireach k'l'e:r'əx *m*1 clerk; altar-boy; sexton

cléireachas k'l'e:r'əxəs *m*1 clerkship, *obair chléireachais* clerical work

cléiriúil k'l'e:r'u:l' *a*2 clerical

cléirtheach k'l'e:r',hax *m*, *gs* **-thí** *pl* **-thithe** presbytery

cleite k'l'et'ə *m*4 feather; quill; plume, ~ *comhrá* subject of conversation

cleiteach k'l'et'əx *f*2 moult, moulting process *al* feathered; pinnate

cleiteán k'l'et'a:n *m*1 penthouse (over door)

cleitearnach k'l'et'ərnəx *f*2, (*of bird*) fluttering

cleith k'l'eh *f*2, *pl* ~ **eanna** wattle, stake; pole; cudgel, ~ *uachtair* gaff (of sail), *bheith i g* ~ *le duine* to be dependent on a person

cléithín k'l'e:hi:n' *m*4 splint; (thatching) scallop

cleithiúnach k'l'ehu:nəx *a*1 dependent

cleithiúnaí k'l'ehu:ni: *m*4 dependant

cleithiúnas k'l'ehu:nəs *m*1 dependence,

(*bheith*) *i g* ~ *go* on the supposition that

cleithmhagadh 'k'l'e,vagə *m*1 teasing

cleitín k'l'et'i:n' *m*4 eaves (of thatch)

cliabh k'l'iəv *m*1, *gs* & *npl* **cléibh** ribbed frame; chest; creel; pannier

cliabhán k'l'iəva:n *m*1 cradle; wicker cage

cliabhrach k'l'iəvrəx *m*1 bodily frame, chest; inner body

cliamhain k'l'iəvən' *m*4, *pl* ~ **eacha** son-in-law, ~ *isteach* man married into farm, into household

cliant k'l'iənt *m*1 client

cliantacht k'l'iəntəxt *f*3 clientship; clientele

cliarlathach 'k'l'iər,lahəx *a*1 hierarchic(al)

cliarlathas 'k'l'iər,lahəs *m*1 hierarchy

cliath k'l'iə *f*2, *gs* **cléithe** wattled, latticed, frame; hurdle, ~ *fhuirste* harrow, ~ *catha* rank of battle,' ~ (*ceoil*) staff, stave, ~ *a chur ar rud* to darn sth

cliathach k'l'iəhəx *f*2 ribbed frame *a*1 ribbed, latticed; criss-cross

cliathán k'l'iəha:n *m*1 flank, side

cliathánach k'l'iəha:nəx *a*1 lateral, sideways, *carr* ~ side-car, jaunting-car

cliathbhosca 'k'l'iə,voskə *m*4 crate

cliathrás k'l'iə,ra:s *m*3 hurdle-race

clib k'l'ib' *f*2, *pl* ~ **eanna** tag

clibíneach k'l'ib'i:n'əx *a*1 matted; clustered

clibirt k'l'ib'ərt' *f*2 scrimmage; (*sport*) scrum(mage)

cling k'l'iŋ' *f*2, *pl* ~ **eacha** & *vt* & *i* clink; tinkle, ring

clingeach k'l'iŋ'g'əx *a*1 clinking; tinkling; ringing

clinic k'l'in'ək' *m*4 clinic

cliniciúil k'l'in'ək'u:l' *a*2 clinical

cliobóg k'l'ibo:g *f*2 filly; frisky person, *ag caitheamh* ~ playing leap-frog

clíoma k'l'i:mə *m*4 climate

clíomach k'l'i:məx *a*1 climatic

clíomaigh k'l'i:mi: *vt* acclimatize

cliotar k'l'itər *m*1 clitter; chatter

clip k'l'ip' *vt* prick; tease; tire, wear out

clipe k'l'ip'ə *f*4 pinnule, ~ *droma* spine

clis k'l'is' *vi* jump, start; flinch, fail

cliseach k'l'is'əx *a*1 easily startled, jumpy

cliseadh k'l'is'ə *m*, *gs* **-ste** jump, start; sudden collapse, failure

clisiam k'l'is'iəm *m4* confused talk, din

clisiúnach k'l'is'u:nəx *m1* bankrupt

clisiúnas k'l'is'u:nəs *m1* bankruptcy

cliste k'l'is't'ə *a3* dexterous; smart, clever

clisteacht k'l'is't'əxt *f3* dexterity; smartness, cleverness

clíth k'l'i: *m4* heat (in swine)

cliúsaí k'l'u:si: *m4* flirt

cló klo: *m4*, *pl* ~**nna** form; shape, appearance; impression, mould; print, type

clóbh klo:v *m1* clove

clóbhuail 'klo:,vuəl' *vt* print

clóca klo:kə *m4* cloak

cloch klox *f2* stone, ~ *chora* stepping-stone, ~ *phaidrín* bead of rosary, *cloch shneachta* hailstone, *cois cloiche* by the shore

clochach kloxəx *a1* stony

clochán kloxa:n *m1* stepping-stones; (old) stone structure

clochar kloxər *m1* stony place; convent

clóchas klo:xəs *m1* pertness, presumption

clóchasach klo:xəsəx *a1* pert, presumptuous

clochraigh kloxri: *vt & i* petrify

clóchur 'klo:,xur *m1* type-setting

clóchuradóir 'klo:,xurədo:r' *m3* typesetter

clódóir klo:do:r' *m3* printer

clódóireacht klo:do:r'əxt *f3* printing

cló-eagraí 'klo:,agri: *m4* compositor

clog[1] klog *m1* bell; clock, *a haon a chlog* one o'clock

clog[2] klog *m1 & vt & i* blister

clogach klogəx *a1* blistered

clogad klogəd *m1* helmet, ~ *gloine* bell-jar

clogarnach klogərnəx *f2* peal, sound of bells

clogás kloga:s *m1* bell-tower, belfry

clóghrafaíocht 'klo:,ɣrafi:(ə)xt *f3* typography

clogra klogrə *m4* carillon, set of bells

clóic klo:k' *f2* cloak; gloom; defect

cloicheán klox'a:n *m1* prawn

cloichín klox'i:n' *m4* stone, bead (of necklace)

cloichíneach klox'i:n'əx *a1* pebbly

cloigeann klog'ən *m1*, *pl* -**gne** skull; head, ~ *piopa* bowl of pipe, *tri cloigne déag fear* thirteen men, ~ *maide* blockhead

cloigh[1] kli:ɣ *vt* wear down, subdue, enervate

cloigh[2] kli:ɣ *vi* cleave, adhere (*le* to)

clóigh[1] klo:ɣ *vt* tame, domesticate, *tú féin a chló le rud* to accustom oneself to sth

clóigh[2] klo:ɣ *vt* print

cloigín klog'i:n' *m4* bell; cluster, ~ *gorm* bluebell

cloigineach klog'i:n'əx *a1* belled; tinkling; clustered

cloigtheach 'klog',hax *m*, *gs* -**thí** *pl* -**thithe** round tower; belfry

clóirid klo:r'id' *f2* chloride

clóirín klo:r'i:n' *m4* chlorine

clóirínigh klo:r'i:n'i: *vt* chlorinate

clois klos' *vt & i* hear

clóiséad klo:s'e:d *m1* closet, cabinet

cloisteáil klos't'a:l' *f3* hearing, listening

cloite kli:t'ə *a3* subdued, exhausted; enervating; abject, base

cloiteach kli:t'əx *a1* subduing, exhausting

cloiteacht kli:t'əxt *f3* weakness, exhaustion; meanness of spirit

cloiteoir kli:t'o:r' *m3* conqueror

clólann klo:lən *f2* printing-works

clór(a)(i) klo:rə *pref* chlor(o)-

clóraform klo:rə,forəm *m1* chloroform

clord klo:rd *m1* thwart; gangway; ledge

clos klos *s*, *is* ~ *dom* (go) I hear (that), *go g* ~ *dom* as I have heard

clós klo:s *m1* close, enclosure; yard; (*in street names*) court

closamhairc 'klos,aur'k' *áiseanna* ~ audio-visual aids

clóscríbhinn 'klo:,s'k'r'i:v'ən' *f2* typescript

clóscríbhneoireacht 'klo:,s'k'r'i:v'n'o:r'əxt *f3* typewriting, typing

clóscríobh 'klo:,s'k'r'i:v *vt & i*, *vn* ~, type(write)

clóscríobhaí 'klo:,s'k'r'i:vi: *m4* typist

clóscríobhán 'klo:,s'k'r'i:va:n *m1* typewriter

clostrácht 'klos,tra:xt *m3* hearsay

clú klu: *m4* reputation; honour, renown

cluain[1] kluən' *f3*, *pl* ~**te** meadow; aftergrass

cluain[2] kluən' *f3* deception; beguilement; dissimulation

cluaisín kluəs'i:n' *m4* auricle; tab, lobe

cluanach kluənəx *a*1 deceitful; beguiling, flattering

cluanaire kluənər'ə *m*4 deceiver; flatterer

cluanaireacht kluənər'əxt *f*3 deceitfulness; flattery, coquetry

cluas kluəs *f*2 ear; lug, handle, ~ spáide tread of spade, ~ maide rámha cleat of oar, chuir sé ~ air féin he pricked up his ears, ~ chaoin cuckoo-pint

cluasach kluəsəx *a*1 having ears; long-eared, casúr ~ claw-hammer, soitheach ~ vessel with handles

cluasaí kluəsi: *m*4 listener, eavesdropper

cluasaíocht kluəsi:(ə)xt *f*3 eavesdropping; listening, talking, in a furtive manner

club klob *m*4, pl ~anna club

clúdach klu:dəx *m*1 cover, wrap; lid, ~ litreach envelope

clúdaigh klu:di: *vt* cover, wrap

cluich klix' *vt* & i chase; turn, round up; harass, iasc ag ~eadh fish shoaling

cluiche klix'ə *m*4 game; joke; harassment; shoal (of fish), ~ faoileán flock of seagulls, ~ corr rounders

cluicheadh klix'ə *m*, gs -chte harrying, chase; harassment; nagging, ~ a bhaint as giorria to turn a hare

cluichíocht klix'i:(ə)xt *f*3 gaming, sporting

clúid[1] klu:d' *f*2, pl ~eacha nook, corner

clúid[2] klu:d' *f*2, pl ~eacha cover, covering

cluimhreach kliv'r'əx *f*2 feathers, plumage, ~ ghabhair mare's-tails

cluimhrigh kliv'r'i: *vt* pluck (feathers); preen

cluin klin' *vt* & i, vn ~stin hear

cluinteach klin't'əx *a*1 gossipy

clúiteach klu:t'əx *a*1 of good repute; honoured, renowned

clúmh klu:v *m*1 down, feathers; hair (on body); fur, ~ liath downy mildew

clúmhach klu:vəx *m*1 fluff, fuzz, al downy, feathery; hairy, furry; coated; fluffy; fleecy

clúmhilleadh 'klu:ˌv'il'ə *m*, gs -llte defamation of character, slander

clúmhillteach 'klu:ˌv'il't'əx *a*1 defamatory, slanderous

clúmhúil klu:vu:l' *a*2 downy; (of fruit) mildewed

cluthair kluhər' *f*, gs -thrach pl -thracha shelter; recess, covert

cluthaireacht kluhər'əxt *f*3 shelter; warmth, comfort; secrecy

cluthar kluhər *a*1 sheltered; warm, comfortable; secretive

clutharaigh kluhəri: *vt* shelter; make warm, comfortable; keep secret

cnádán kna:da:n *m*1 bur; (head of) burdock, teasel

cnádánach kna:da:nəx *a*1 bickering, disagreeable

cnádánacht kna:da:nəxt *f*3 bickering; disagreeable talk

cnáfairt kna:fər't' *f*2 bones, remains (of food), ~ (tine) smouldering (fire), ~ (chainte) muttering

cnag knag *m*1, npl ~a knock, crack, blow; cracking sound; crunch, ~ iomána hurling-ball *vt* & i knock, strike; lay low; beat, surpass, cnó a chnagadh to crack a nut, úll a chnagadh to crunch an apple

cnagadh knagə *m*, gs -gtha knocking, striking; cracking, crunching

cnagaire[1] knagər'ə *m*4 knocker, striker; woodpecker

cnagaire[2] knagər'ə *m*4 noggin

cnagaosta 'knag,i:stə *a*3 elderly

cnagarnach knagərnəx *f*2 cracking; crackle, crunch

cnagbheirigh 'knag,v'er'i: *vt* parboil

cnaguirlis 'knag,u:rl'əs *f*2 percussion instrument

cnaí kni: *m*4 gnawing, corrosion; wasting, decline

cnáib kna:b' *f*2 hemp

cnáibeach kna:b'əx *a*1 hempen

cnaigh kni:γ' *vt* & i gnaw, corrode; waste, wear away

cnáimhseach kna:v's'əx *f*2 midwife *a*1 obstetric(al)

cnáimhseachas kna:v's'əxəs *m*1 midwifery, obstetrics

cnáimhseáil kna:v's'a:l' *f*3 grumbling, complaining

cnáimhseálaí kna:v's'a:li: *m*4 grumbler

cnáimhseoir kna:v's'o:r' *m*3 obstetrician

cnaipe knap'ə *m*4 button; bead, stud, tá a chnaipe déanta it is all up with him

cnaiste knas't'ə *m*4 stretcher, side rail (of bed)

cnaíteach kni:t'əx *a*1 gnawing, consuming

cnámh kna:v *f*2 bone, ~*a scéil* the framework, outline, of a story, *gaol na g*~ close relationship, kinship

cnámhach kna:vəx *a*1 bony; big-boned; (*of vegetables*) coarse-ribbed

cnámhaigh kna:vi: *vt & i* ossify

cnámharlach kna:vərləx *m*1 skeleton

cnámhóg kna:vo:g *f*2 residue, ~ *ghuail* cinder

cnap knap *m*1, *pl* ~**anna** lump; heap; knock, *tá sé ina chnap codlata* he is fast asleep *or* heap, gather up; knock, raise lump(s) on

cnapach knapəx *a*1 lumpy; knobby, gnarled

cnapán knapa:n *m*1 lump, ~ *ime* pat of butter, ~ *fola* clot of blood

cnapánach knapa:nəx *a*1 lumpy; gnarled, rugged

cnapsac 'knap,sak *m*1 knapsack

cneá k'n'a: *f*4, *pl* ~**cha** wound, sore

cnead k'n'ad *f*3, *pl* ~**anna** pant; gasp, groan; sob *vi* pant, groan

cneadach k'n'adəx *a*1 panting, groaning

cneáigh k'n'a:γ' *vt* wound

cneámhaire k'n'a:vər'ə *m*4 mean person; rogue, crook

cneámhaireacht k'n'a:vər'əxt *f*3 meanness, roguery

cneas k'n'as *m*1, *npl* ~**a** skin; surface; good appearance

cneasaigh k'n'asi: *vt & i* cicatrize, heal

cneaschol 'k'n'as,xol *m*1 colour bar

cneasluiteach 'k'n'as,lit'əx *a*1 skintight

cneasta k'n'astə *a*3 honest, sincere; decent; mild-mannered, *aimsir chneasta* mild, calm, weather

cneastacht k'n'astəxt *f*3 honesty, sincerity; seemliness; mildness of manner

cneasú k'n'asu: *m*4 cicatrization, healing

cniog k'n'ig *m*4 rap, tap; blow, *ná bíodh* ~ *asat* don't make a sound *vt* rap; tap; strike, *tá sé* ~*tha* he is beaten

cníopaire k'n'i:pərə *m*4 mean, miserly, person

cníopaireacht k'n'i:pər'əxt *f*3 meanness, miserliness

cniotáil k'n'ita:l' *f*3 knitting; knitted material *vt & i* knit

cniotálaí k'n'ita:li: *m*4 knitter

cnó kno: *m*4, *pl* ~**nna** nut; metal nut, ~ *capaill* (horse) chestnut, ~ *cócó* coconut, ~ *coill*, ~ *gaelach* hazelnut

cnoc knok *m*1 hill, ~ *oighir* iceberg, ~ *ailse* malignant tumour, ~ *farraige* mountainous wave

cnocach knokəx *a*1 hilly

cnocadóir knokədo:r' *m*3 hillman, hill-climber

cnocadóireacht knokədu:r'əxt *f*3 hill-climbing

cnocán knoka:n *m*1 hillock; heap

cnocánach knoka:nəx *a*1 hilly, uneven

cnoga knogə *m*4 peg; thole-pin

cnólre kno:r'ə *m*4 nut gatherer; nutcracker

cnota knotə *m*4 knot, cockade; crest (of bird)

cnuaisciúin knuəs'k'u:n' *f*3 thrift; tidiness, efficiency

cnuaisciúnach knuəs'k'u:nəx *a*1 thrifty; tidy at work, efficient

cnuasach knu:səx *m*1 garnered food; collection, store, ~ *trá* gleanings of seashore

cnuasaigh knu:si: *vt & i* gather food (from woodland, sea-shore); pick (potatoes, etc); collect, store

cnuasainm 'knuəs,an'əm' *m*4, *pl* ~**neacha** collective noun

cnuasaitheach knu:sihəx *a*1 garnering; thrifty

cnuchair knuxər' *vt*, *pres* -**chraíonn** foot (turf)

cnuchairt knuxərt' *f*3, *gs* -**artha** footing (of turf); footed turf

cnúdán[1] knu:da:n *m*1 purring

cnúdán[2] knu:da:n *m*1 gurnard

cóbalt ko:bəlt *m*1 cobalt

cobhsaí kausi: *a*3 stable; resolute

cobhsaigh kausi: *vt* stabilize

cobhsaíocht kausi:(ə)xt *f*3 firmness, stability

cobhsaitheoir kausiho:r' *m*3 stabilizer

coc kok *vt*, *ag* ~ *adh féir* cocking hay

coca kokə *m*4, ~ (*féir*) cock of hay, ~ *liathróide* ball-cock

cocach kokəx *a*1 cocked, pointed; tufted; cocky

cócaire ko:kər'ə *m*4 cook

cócaireacht ko:kər'əxt *f*3 cooking, cookery

cócaireán ko:kər'a:n *m*1 cooker

cocán koka:n *m*1, ~ **róis** rosebud, (*of hair*) knot, bun

cócaon ko:ke:n *m*1 cocaine

cócaráil ko:kəra:l′ *vt & i* cook

cocatú ˌkoka'tu: *m*4, *pl* ~**nna** cockatoo

cóch ko:x *m*1 squall

cochall koxəl *m*1 hood; cowl, mantle; capsule, pod; landing-net, ~ *an chroí* pericardium, ~ *gaoithe* wind-sock, ~ *gruaige* hair-pad, *tháinig* ~ *air* he bristled, became angry

cochán koxa:n *m*1 straw

cócó[1] ko:ko: *m*4 cocoa

cócó[2] ko:ko: *m*4, *cnó* ~ coconut

cocól koko:l *m*1 cuckold

cocún koku:n *m*1 cocoon

cód ko:d *m*1 code

coda kodə : **cuid**

códaigh ko:di: *vt* codify

codail kodal′ *vt & i, pres* -**dlaíonn** sleep

codaisil kodas′i:l′ *f*2, *pl* ~**eacha** codicil

codán koda:n *m*1 fraction

codanna kodənə : **cuid**

codarsnach kodərsnəx *a*1 contrary; contrasting, opposite

codarsnacht kodərsnəxt *f*3 contrariety, contrast; contrariness, *i g* ~ *le* as opposed to

codladh kolə *m*, *gs* -**ata** sleep, ~ *na súl oscailte* day-dreaming, ~ *driúraic*, ~ *gliúragáin*, ~ *grifin* pins and needles, *fág ina chodladh é* let it rest

codlaidín kolad′i:n′ *m*4 opium

codlaidíneach kolad′i:n′əx *m*1 & *a*1 opiate

codlatach kolətəx *a*1 sleepy, drowsy; dormant

codlatán koləta:n *m*1 sleeper, sleepy-head; hibernating creature

códú ko:du: *m*4 codification

cófra ko:hrə *m*4 coffer, chest; (ko:frə) press

cogadh kogə *m*1, *pl* -**aí** war, ~ *dearg* out and out war, ~ *cathartha* civil war, ~ *na gcarad* quarrel between friends, *ag* ~ *le* warring with

cogain kogən′ *vt & i, pres* -**gnaíonn** chew, masticate; gnaw, grind, *caint a chogaint* to slur speech, to mutter

cogaíoch kogi:(ə)x *m*1 & *a*1 belligerent

cogaíocht kogi:(ə)xt *f*3 warfare; belligerency

cógaiseoir ko:gəs′o:r′ *m*3 pharmacist

cógaisíocht ko:gəs′i:(ə)xt *f*3 pharmacy; pharmaceutics

cogal kogəl *m*1 (corn-)cockle; tares

cogar kogər *m*1 whisper; secret, conspiring, talk, ~ *scéil a fháil* to get wind of a matter, ~ *mé leat*, ~ *mé seo* (*leat*) tell me in confidence

cogarnach kogərnəx *f*2 whispering; secret, conspiring, talk

cógas ko:gəs *m*1 medicinal preparation, medicine

cógaseolaíocht 'ko:gəsˌo:li:(ə)xt *f*3 pharmacology

cógaslann ko:gəslən *f*2 pharmacy

coguas koguəs *m*1 soft palate, cavity

cogúil kogu:l′ *a*2 warlike, bellicose

coibhéis kov′e:s′ *f*2 equivalence, equivalent

coibhéiseach kov′e:s′əx *a*1 equivalent

coibhneas kov′n′əs *m*1, *npl* ~**a** relationship, kinship, affinity; proportion

coibhneasacht kov′n′əsəxt *f*3 relativity; relativism

coibhneasta kov′n′əstə *a*3 relative; comparative

coicís kok′i:s′ *f*2 fortnight

coicísiúil kok′i:s′u:l′ *a*2 fortnightly

cóidiútar ko:d′u:tər *m*1 coadjutor; curate

coidlín kod′l′i:n′ *m*4 codling

coigeadal kog′ədəl *m*1 chant, chorus; clamour

coigeal kog′əl *f*2 distaff; narrow channel, ~ *na mban sí* bulrush

coigeartaigh kog′ərti: *vt* rectify, adjust

coigeartú kog′ərtu: *m*4 rectification, adjustment

coigil kog′əl′ *vt, pres* -**glíonn** spare, save; gather closely, rake, *an tine a choigilt* to bank up the fire with ashes

coigilt kog′əl′t′ *f*2 sparing, saving; conservation, thrift, ~ (*tine*) raked embers, banked-up fire

coigilteach kog′əl′t′əx *a*1 sparing, frugal

coigilteas kog′əl′t′əs *m*1 conservation, thrift, *cárta coigiltis* savings certificate

coigistigh kog′əs′t′i: *vt* confiscate

coigistíocht kog′əs′t′i:(ə)xt *f*3 confiscation

coigríoch kog′r′i:x *f*2 strange place; foreign country

coigríochach kog′r′i:xəx *m*1 stranger, foreigner *a*1 strange, foreign

coileach kol'əx *m*1 cock, ~ *gaoithe* weathercock

coileachmheáchan 'kol'əx,v'a:xən *m*1 bantam-weight

coileán kol'a:n *m*1 pup, cub

coiléar kol'e:r *m*1 collar

coilgneach kol'əg'n'əx *a*1 prickly, spiny; irritable, irascible

coiliceam kol'ək'əm *m*1 colic, gripes

coilichín kol'əx'i:n' *m*4 cockerel, *tá ~ air* his hackles are up

coilíneach kol'i:n'əx *m*1 colonist; outsider *a*1 colonial

coilíneacht kol'i:n'əxt *f*3 colony

coilínigh kol'i:n'i: *vt* colonize

coilíniú kol'i:n'u: *m*4 colonization

cóilís ko:l'əs' *f*2 cauliflower

coill[1] kol' *f*2, *pl* ~ **te** wood; forest

coill[2] *vt* geld, castrate; violate, despoil; expurgate

coilleadh kol'ə *m, gs* **-llte** castration; violation, robbery; expurgation

coillteach kol't'əx *a*1 wooded, sylvan

coilltéan kol't'a:n *m*1 eunuch

coim kom' *f*2 waist, middle; cloak, cover, *i g~ na hoíche* in the middle of the night, *faoi choim* in secret

coimeád kom'a:d *m, gs* ~ **ta** keeping; observance; protection; retention; maintenance, *fear ~ta* keeper, *ar do choimeád* on the run, in hiding, ~ *dleathach* lawful custody *vt & i* keep; observe; guard; hold; maintain; detain, *an bóthar a choimeád* to keep to the road

cóimeád ko:m'e:d *m*1 comet

coimeádach kom'a:dəx *m*1 *& a*1 conservative

coimeádachas kom'a:dəxəs *m*1 conservatism

coimeádaí kom'a:di: *m*4 keeper, custodian; conservator

coimeádán kom'a:da:n *m*1 container

coimeádta kom'a:tə *a*3 *as adv, go* ~ safely

cóimeáil ko:m'a:l' *f*3 assembly; assemblage, *líne chóimeála* assembly line *vt* assemble

coimeasár kom'əsa:r *m*1 commissar

coiméide kom'e:d'ə *f*4 comedy

coiméideach kom'e:d'əx *a*1 comic

coimhdeach kov'd'əx *a*1 accompanying, attendant; ancillary

coimhdeacht kov'd'əxt *f*3 accompaniment, ~ *a dhéanamh ar dhuine* to escort, chaperon, a person, *lucht ~a* retinue, attendants

cóimheá 'ko:'v'a: *f*4 balance, equilibrium

cóimheáchan 'ko:'v'a:xən *m*1 counterweight, counterbalance

coimhéad kov'e:d *m, gs* ~ **ta** watch, guard; observation *vt & i* watch over, guard; attend to, *an chontúirt a choimhéad* to beware of danger, *tá siad ag ~ orainn* they are looking at us

coimhéadach kov'e:dəx *a*1 watchful, vigilant; observant

coimhéadaí kov'e:di: *m*4 watcher, observer

cóimheas 'ko:'v'as *m*3, *gs & npl* ~ **a** comparison, collation, ~ *giaranna* gear-ratio *vt* compare, collate

cóimhéid 'ko:'v'e:d' *f*2 equal size or amount

cóimheonach 'ko:'v'o:nəx *a*1 congenial

cóimhiotal 'ko:'v'itəl *m*1 alloy

coimhlint kov'l'ən't' *f*2 race, contest; rivalry, competition

coimhlinteoir kov'l'ən't'o:r' *m*3 contestant, rival

coimhthíoch kov'hi:(ə)x *m*1 stranger; foreigner *a*1, *gsm* ~ foreign; unfamiliar; exotic; distant; aloof, shy, *aimsir choimhthíoch* unseasonable weather

coimhthíos kov'hi:s *m*1 strangeness; aloofness, shyness

coimín kom'i:n' *m*4 common, common pasturage

coimíneacht kom'i:n'əxt *f*3 commonage

coimirce kom'ər'k'ə *f*4 protection, guardianship; patronage

coimirceach kom'ər'k'əx *a*1 protecting; patronizing, tutelary

coimirceas kom'ər'k'əs *m*1 protectorate

coimirceoir kom'ər'k'o:r' *m*3 protector, guardian; patron

coimircí kom'ər'k'i: *m*4 ward

coimisinéir ,ko'm'is'ən'e:r' *m*3 commissioner

comisiún ,ko'm'is'u:n *m*1 commission

coimisiúnta ,ko'm'is'u:ntə *a*3 commissioned

coimpeart kom'p'ərt *m*3 conception

coimpléasc kom′p′l′e:sk *m*l constitution; digestive system; girth, circumference; complex

coimpléascach kom′p′l′e:skəx *a*l of strong constitution; large of girth; complex

coimpléid kom′p′l′e:d′ *f*2 compline

coimre kom′r′ə *f*4 neatness (of figure); conciseness (of style); summary

coimrigh kom′r′i: *vt* sum up, summarize

coinbhinsiún ,kon′′v′in′s′u:n *m*l convention

coinbhinsiúnach ,kon′′v′in′s′u:nəx *a*l conventional

coinbhint kon′(ə)v′ən′t′ *f*2 convent

coincheap ′kon′,x′ap *m*3, *gs & npl* ~**a** a concept *vt* conceive

coincleach koŋ′k′l′əx *f*2 mildew

coincréit koŋ′k′r′e:t′ *f*2 concrete

coincréiteach koŋ′k′r′e:t′əx *a*l concrete

coindris ′kon′,d′r′is′ *f*2, *pl* ~**eacha** dog-rose (tree)

cóineartú ′ko:′n′artu: *m*4 confirmation

coineascar kon′əskər *m*l twilight, dusk

coinicéar kon′ək′e:r *m*l rabbit-warren

coinín kon′i:n′ *m*4 rabbit

coinleach kon′l′əx *m*l stubble; stubble-field, ~ *féasóige* stubbly beard

coinlín kon′l′i:n′ *m*4 corn-stalk, straw, ~ *reo* icicle

coinne kon′ə *f*4 appointment; expectation (of meeting), *áit faoi choinne leabhar* a place for books, *tháinig sé faoi choinne an airgid* he came to get the money, *i g* ~ against, *os* ~ in front of, opposite, *os a, ina, choinne sin* as against that

coinneac ′ko,n′ak *m*l cognac

coinneáil kon′a:l′ *f*3 keeping; maintenance; retention; detention; observance

coinneal kon′əl *f*2, *gs & pl* -**nnle** candle; torch; light, glint, ~ *reo* icicle, *coinnle corra* bluebells

coinneálach kon′a:ləx *a*l retentive, tenacious

coinnealbhá ′kon′əl,va: *m*4 excommunication

coinnealbháigh ′kon′əl,va:γ′ *vt* excommunicate

coinnigh kon′i: *vt* keep; maintain; retain, hold; store; detain; observe

coinníoll kon′i:l *m*l, *pl* ~**acha** condition;

stipulation; covenant, pledge, *dar mo choinníoll* on my honour

coinníollach¹ kon′i:ləx *m*l, (*grammar*) conditional

coinníollach² kon′i:ləx *a*l covenanted; faithful, reliable; diligent

coinnleoir kon′l′o:r′ *m*3 candle-stick, ~ *craobhach* chandelier

coinscríobh ′kon′,s′k′r′i:v *m*, *gs* -**ofa** conscription *vt* conscript

coinscríofach ′kon′,s′k′r′i:fəx *m*l & *a*l conscript

coinseártó kon′s′e:rto: *m*4, *pl* ~**nna** concerto

coinsias kon′s′iəs *m*3 conscience, *dar mo choinsias* by my troth

coinsiasach kon′s′iəsəx *a*l conscientious

coinsíneacht ′kon′,s′i:n′əxt *f*3 consignment

coinsínigh ′kon′,s′i:n′i: *vt* consign

cointinn kon′t′ən′ *f*2 contention; contentiousness

cointinneach kon′t′ən′əx *a*l contentious, quarrelsome

coip kop′ *vt & i* ferment; froth, foam, *uachtar* ~ *the* whipped cream, *prátaí* ~ *the* creamed potatoes

cóip¹ ko:p′ *f*2 band, company; rabble

cóip² ko:p′ *f*2, *pl* ~**eanna** cope

cóip³ ko:p′ *f*2, *pl* ~**eanna** copy

cóipcheart ′ko:p′,x′art *m*l, *npl* ~**a** copyright

coipeach kop′əx *a*l frothy, foamy

coipeadh kop′ə *m*, *gs* -**pthe** fermentation; foam, lather; agitation

cóipeáil¹ ko:p′a:l′ *f*3 coping *vt* cope

cóipeáil² ko:p′a:l′ *f*3 copying, duplication *vt & i* copy

cóipeálaí ko:p′a:li: *m*4 copyist

cóipleabhar ′ko:p′,l′aur *m*l copy-book

coir kor′ *f*2, *pl* ~**eanna** crime, offence; fault, *duine gan choir* harmless person, *níl* ~ *air sin* that's not (too) bad

cóir¹ ko:r′ *f*3, *pl* **córacha** justice, equity; proper share, due; proper equipment; proper order, ~ *éadaigh* rig-out, ~ *a chur ar dhuine* to provide for, accommodate, a person, ~ *leighis* medical treatment, ~ (*ghaoithe*) favourable wind *a*l, *gsm* ~ *gsf*, *npl & comp* **córa** just, proper; decent, honest

cóir² ko:r′ *s*, *de chóir, a chóir, chóir* near, (*de*) *chóir* (*a bheith*) nearly

coirbéal kor'əb'e:l m1 & rt corbel

coirbhéad kor'əv'e:d m1 corvette

coirce kor'k'ə m4 oats

coirceog kor'k'o:g f2 (conical) beehive; cone

coirceogach kor'k'o:gəx a1 hive-shaped, conical

coirdial ko:rd'iəl m1 cordial

coire kor'ə m4 cauldron; boiler, ~ *bol-cáin* volcanic crater, ~ *(guairneáin)* whirlpool

coireach kor'əx m1 offender, transgressor a1 wicked; guilty

cóiréagrafaíocht 'ko:r'e:,grafi:(ə)xt f3 choreography

coiréal kor'e:l m1 coral

coiréalach kor'e:ləx m1 & a1 coral

coireolaíocht 'kor',o:li:(ə)xt f3 criminology

cóirigh ko:r'i: rt & i arrange, dress; fix, mend, repair

cóiríocht ko:r'i:(ə)xt f3 accommodation; equipment; fittings

cóiriú ko:r'u: m4 arrangement, dressing, repairing, mending

coiriúil kor'u:l' a2 criminal

cóiriúil ko:r'u:l' a2 favourable, suitable

coirloisceoir 'kor',los'k'o:r' m3 arsonist

coirloscadh 'kor',loskə m, gs **-ois550**-ois250** ar-son

coirm kor'əm' f2, pl ~ *eacha* ale; drinking-party, feast, ~ *cheoil* concert

coirne ko:rn'ə f4 cornea

coirneach ko:rn'əx m1 tonsured person, monk; osprey a1 tonsured

coirnéad ko:rn'e:d m1, *(musical instrument)* cornet

coirnéal[1] ko:rn'e:l m1 corner

coirnéal[2] ko:rn'e:l m1 colonel

coirpeach kor'əp'əx m1 malefactor, criminal; mischief-maker

coirpeacht kor'əp'əxt f3 criminality

coirpín kor'p'i:n' m4 corpuscle

cóirséad ko:rs'e:d m1 corset; corsage; wrap

coirt kort' f2, pl ~ *eacha* bark; bark-dye, tan; coating, scum, ~ *ar theanga* fur on tongue

coirteach kort'əx a1 cortical; coated; furred

coirthe kor'hə m4 (standing-)stone

coirtigh kort'i: rt decorticate; tan; coat, encrust

cois kos' : **cos**

coisbheart 'kos',v'art m1, npl ~ **a** footwear

coisc kos'k' rt & i, rn **cosc** check, stop; prevent, restrain; brake, *scéal a chosc* to suppress a story, *tá sé ~ the orm* I am forbidden to do it

coiscéim kos'k'e:m' f2, pl ~ **eanna** footstep; pace, ~ *bhacaí* limp

coiscin kos'k'i:n' m4 contraceptive

coisctheach kos'k'əx a1 preventive, restraining

coisí kos'i: m4 walker, pedestrian; (foot-) traveller; foot-soldier, infantryman

coisíocht kos'i:(ə)xt f3 pace, gait; foot-travel

cóisir ko:s'ər' f2 (wedding-)feast, banquet; party, social gathering; retinue

coisreacan kos'r'əkən m1 consecration; blessing, ~ *(mná)* churching, *uisce coisreacain* holy water

coisric kos'r'ək' rt consecrate; church, bless

coiste kos't'ə m4 jury; committee

cóiste ko:s't'ə m4 coach, carriage; jaunting-car, ~ *na marbh* (funeral) hearse

coisteoir kos't'o:r' m3 juror; member of committee

cóisteoir ko:s't'o:r' m3 coachman

coite kot'ə m4 small boat, cot

coiteann kot'ən m1 commonalty; community; *(of land)* common, *an ~ the* common people a common, general

coiteoir kot'o:r' m3 cottar, cottager

coitianta kot'iəntə a3 common, usual, *go ~* generally

coitiantacht kot'iəntəxt f3 commonalty, common people; the general run of things

cóitín ko:t'i:n' m4 little coat; petticoat

coitinne kot'ən'ə f4 generality, *i g~* in general

col kol m1, pl ~ **anna** prohibition, impediment (to marriage); incest; wicked deed, ~ *gaoil* forbidden degree(s) of relationship, ~ *ceathrair, ceathar* first cousin, ~ *móide* violation of vow, ~ *a ghlacadh le duine*, to take an aversion to a person

cóla ko:lə m4 cola

colach koləx a1 incestuous; wicked; repugnant

colainn kolən′ *f*2, *pl* ~**eacha** (living) body; trunk, *i g* ~ *dhaonna* in human form, incarnate, *peacaí na* ~*e* the sins of the flesh, ~ *báid* hull of boat

coláiste kola:s′t′ə *m*4 college

coláisteach kola:s′t′əx *a*1 collegiate

colaistéaról ˌko′las′t′e:ro:l *m*1 cholesterol

colanda koləndə *a*3 physical

colasaem koləse:m *m*1 coliseum

colbha koləvə *m*4 outer edge, side; ledge

colg koləg *m*1 blade, sword; bristle; dorsal fin, *tháinig* ~ *air* he became angry

colgach koləgəx *a*1 bearded, bristling, angry, *aimsir cholgach* bitterly cold weather

colgán koləga:n *m*1 prickle, bristle; swordfish

colgrach koləgrəx *f*2 mare's-tail

coll kol *m*1 hazel

collach koləx *m*1 boar

collaí koli: *a*3 carnal, sexual

colláid kola:d′ *f*2 collation

collaíocht koli:(ə)xt *f*3 carnality, sexuality

collóir kolo:r′ *m*3 water diviner

colm[1] koləm *m*1 dove

colm[2] koləm *m*1 scar

colmán koləma:n *m*1 (little) dove

colmnach koləmnəx *a*1 scarred

colmóir koləmo:r′ *m*3 hake

cológ kolo:g *f*2 collop

colpa koləpə *m*4, ~ (*coise*) calf (of leg), ~ (*súiste*) handle (of flail)

colpach koləpəx *f*2 yearling heifer or bullock

colscaradh ˌkolˌskarə *m*, *gs* -**rtha** *pl* -**rthaí** divorce

coltar koltər *m*1 coulter

colún kolu:n *m*1 column

colúnaí kolu:ni: *m*4 columnist

colúnáid kolu:na:d′ *f*2 colonnade

colúr kolu:r *m*1 pigeon, ~ *toinne* black guillemot

com kom *m*1, *pl* ~**anna** coomb, mountain recess

comadóir komədo:r′ *m*3 commodore

comáil koma:l′ *rt* tie together, interlace

comair komər′ *a*1, *gsf*, *npl* & *comp* **coimre** (*of figure*) neat, (*of style*) concise

comaitéir komət′e:r′ *m*3 commuter

comaoin[1] komi:n′ *f*2, *pl* ~**eacha** favour, obligation; recompense; enhancement, *bheith faoi chomaoin ag duine* to be under a compliment to a person, ~ *a ghlacadh ó dhuine* to accept a consideration from a person, ~ *Aifrinn* Mass offering

Comaoin[2] komi:n′ *f*2, *pl* ~**eacha** Holy Communion, ~ *na Naomh* the Communion of Saints

Comaoineach[1] komi:n′əx *f*, *gs* & *gpl* ~ *npl* ~**a** Holy Communion

comaoineach[2] komi:n′əx *a*1 obliging, kind

comard ˈkomˌa:rd *m*1 equivalent

comardaigh ˈkomˌa:rdi: *vt* equate

comh- ko:′ *pref* mutual, joint, common; co-, fellow-; equal; close, near; full, complete

comha ko:′ *f*4 condition, terms (of peace); indemnity, reward

comhad ko:d *m*1 cover; protection, keeping; file, ~ *na fírinne* the preservation of truth

comhaill ko:l′ *vt*, *vn* -**aill** fulfil, perform, *riail a chomhall* to observe a rule

comhaimseartha ˈko:′amˈs′ərhə *a*3 contemporary (*le* with)

comhair[1] ko:r′ *s*, *faoi chomhair*, *i g* ~ for, intended for, *os* ~ in front of, opposite, *os* ~ *an tsaoil* for everyone to see

comhair[2] ko:r′ *vt* & *i* count, calculate

comhaireamh ko:r′əv *m*1 count; calculation

comhairíocht ko:r′i:(ə)xt *f*3 exchange of services, mutual assistance

comhairle ko:rl′ə *f*4 advice, counsel; influence; council, *bheith idir dhá chomhairle faoi rud* to be in two minds about sth, ~ *contae* county council

comhairleach ko:rl′əx *a*1 advisory, consultative

comhairleoir ko:rl′o:r′ *m*3, adviser, counsellor: councillor

comhairligh ko:rl′i: *vt* & *i* advise, counsel; decide, resolve

cómhaith ˈko:′vah *f*2 equal (goodness), *a chómhaith* his equal *a*1 equally good

cómhalartach ˈko:′valərtəx *a*1 reciprocal

cómhalartaigh ˈko:′valərti: *vt* reciprocate

comhall ko:l *m*1 fulfilment, performance, observance

comhalta ko:ltə *m*4 foster-brother, -sister; fellow, member

comhaltacht ko:ltəxt *f*3 fellowship

comhaltas ko:ltəs *m*1 joint fosterage; association, brotherhood; membership

comhaontas 'ko:'i:ntəs *m*1 alliance, concord

comhaontú 'ko:'i:ntu: *m*4 agreement

comhar ko:r *m*1 mutual assistance; co-operation, partnership, working together

comharba ko:rbə *m*4 successor; inheritor of property, heir

comharbas ko:rbəs *m*1 succession: inheritance

comharchumann 'ko:r͵xumən *m*1 co-operative society

comh-ard 'ko:'a:rd *m*1 equal height, level; comparison *a*l equally high, level (*le* with)

comhardaigh ko:rdi: *vt* equalize; adjust, balance

comhardú ko:rdu: *m*4 equalization; adjustment, balance

Cómhargadh 'ko:͵varəgə *m*1, *an* ~ the Common Market

comharsa ko:rsə *f*, *gs* & *gpl* ~ *n npl* ~ *na* neighbour, *bean na* ~ *n* neighbouring woman

comharsanacht ko:rsənəxt *f*3 neighbourhood, vicinity, *ag* ~ *le duine* living near a person; being neighbourly with a person

comharsanúil ko:rsənu:l′ *a*2 neighbourly

comhartha ko:rhə *m*4 sign; mark, symbol; signal; notice; token, *slán mo chomhartha* bless the mark, *dá chomhartha sin* as an indication of that, ~ *i cuain* harbour bearings, *tá a* ~ *i (sóirt) agam* I know now what she looks like

comharthaigh ko:rhi: *vt* mark; indicate; signal

comharthaíocht ko:rhi:(ə)xt *f*3 signs, appearance; signalling

comhbhá 'ko:'va: *f*4 sympathy; alliance

comhbheith 'ko:'v′eh *f*2 co-existence

comhbhráithreachas 'ko:'vra:hr′əxəs *m*1 confraternity

comhbhrón 'ko:'vro:n *m*1 condolence, sympathy

comhbhrúitéan 'ko:'vru:t′a:n *m*1 compress

comhchaidreamh 'ko:'xad′r′əv *m*1 association

comhchealgaire 'ko:'x′aləgər′ə *m*4 conspirator

comhcheangail 'ko:'x′aŋgəl′ *vt* & *i*, *pres* **-glaíonn** bind, join together; combine

comhcheangal 'ko:'x′aŋgəl *m*1 combination, affiliation, association

comhcheilg 'ko:'x′el′əg′ *f*2, *npl* **-chealga** *gpl* **-chealg** conspiracy

comhcheol 'ko:'x′o:l *m*1 harmony

comhchiall 'ko:'x′iəl *s*, *ar* ~ *le* as sensible as, synonymous with

comhchiallach 'ko:'x′iələx *m*1 synonym *a*l synonymous (*le* with)

comhchoirl 'ko:'xor′i: *m*4 accomplice

comhchoirigh 'ko:'xor′i: *vt* recriminate

comhchoiriú 'ko:'xor′u: *m*4 recrimination

comhcholáiste 'ko:'xola:s′t′ə *m*4 constituent college

comhchosach 'ko:'xosəx *a*l isosceles

conhchruinn 'ko:'xrin′ *a*l round, globular, circular

comhchruinnigh 'ko:'xrin′i: *vt* & *i* gather, congregate, concentrate

comhdaigh ko:di: *vt* file

comhdháil 'ko:'γa:l′ *f*3 meeting; convention, congress

comhdhéan 'ko:'γ′e:n *vt* make up, constitute

comhdhéanamh 'ko:'γ′e:nəv *m*1 constitution, structure, composition

comhdheas 'ko:'γas *a*l ambidexterous

comhdhlúite 'ko:'γlu:t′ə *a*3 condensed

comhdhlúthaigh 'ko:'γlu:hi: *vt* & *i* condense

comhdhúil 'ko:'γu:l′ *f*2 compound

comhdhuille 'ko:'γil′ə *m*4 counterfoil

coméigean 'ko:'e:g′ən *m*1 coercion

coméignigh 'ko:'e:g′n′i: *vt* coerce

comhfháisc 'ko:'a:s′k′ *vt* squeeze together, compress

comhfháscadh 'ko:'a:skə *m*, *gs* **-áiscthe** compression

comhfhios 'ko:'is *s*, *i g* ~ (*don saol*) openly, to everyone's knowledge

comhfhiosach 'ko:'isəx *a*l conscious

comhfhocal 'ko:'okəl *m*1 compound word

comhfhreagair 'ko:'r′agər′ *vi*, *pres* **-graíonn** correspond

comhfhreagrach 'ko:'r′agrəx *a*l corresponding, harmonizing comhfhreagracht 'ko:'r'agrəxt *f3* correspondence, agreement; joint responsibility

comhfhreagras 'ko:'r'agrəs *m1* correspondence (letters, etc)

comhfhuaim 'ko:'uəm' *f2*, *pl* ~eanna consonance, assonance

comhghairdeas 'ko:'γa:rd'əs *m1* congratulation

comhghairm 'ko:'γar'əm' *f2*, *pl* ~eacha convocation

comhghéilleadh 'ko:'γ'e:l'ə *m*, *gs* -llte compromise

comhghleacaí 'ko:'γ'l'aki: *m4* equal, peer, fellow

comhghnás 'ko:'γna:s *m1*, *pl* ~anna protocol; (social) conventions

comhghnásach 'ko:'γna:səx *a1* conventional

comhghreamaigh 'ko:'γ'r'ami: *vi* cohere

comhghreamaitheach 'ko:'γ'r'amihəx *a1* cohesive

comhghuaillí 'ko:'γuəl'i: *m4* ally

comhiomlán 'ko:'imla:n *m1 & a1* aggregate

comhla ko:ləf4 shutter; valve, ~ (dorais) door(-leaf)

comhlach[1] ko:ləx *a1* valvular

comhlach[2] ko:ləx *a1* associate

comhlachas ko:ləxəs *m1* association

comhlacht ko:ləxt *m3* company, firm

comhlán 'ko:'la:n *a1* full up; complete, perfect, *brabús* ~ gross profit

comhlánaigh 'ko:'la:ni: *vt* complete, complement

comhlann ko:lən *m1* match; contest, fight

comhlántach 'ko:'la:ntəx *a1* complementary

comhlánú 'ko:'la:nu: *m4* complement, ~ doiciméid completion of document

comhlárnach 'ko:'la:rnəx *a1* concentric

comhlathas 'ko:'lahəs *m1* commonwealth

comhleá 'ko:'l'a: *m4* fusion (of metals)

comhléaigh 'ko:'l'a:γ *vt* (of metals) fuse

comhlíon 'ko:'l'i:n *vt* fulfil; perform, observe; complete, *duaigas a chomhlionadh* to carry out an obligation

comhlíonadh 'ko:'l'i:nə *m*, *gs* -nta fulfilment; performance, observance; completion; requital

comhluadar 'ko:'luədər *m1* company; household

comhluadrach 'ko:'luədrəx *a1* companionable; associative

comhoibrigh 'ko:'ob'r'i: *vi* co-operate, collaborate

comhoibriú 'ko:'ob'r'u: *m4* co-operation

comhoiriúnach 'ko:'or'u:nəx *a1* compatible, harmonizing; matching

comhoiriúnacht 'ko:'or'u:nəxt *f3* compatibility

comhoiriúnaigh 'ko:'or'u:ni: *vt* match, harmonize

comhordaigh 'ko:'o:rdi: *vt* co-ordinate

comhphobal 'ko:'fobəl *m1* community, *an C~ Eorpach* the European Community

comhrá ko:ra: *m4*, *pl* ~ite conversation, ~ béil gossip

comhrac ko:rək *m1* encounter; fight; meeting, ~ aonair duel, ~ oíche agus lae twilight, ~ an dá uisce the confluence of two streams

comhraic ko:rək' *vt & i* encounter; fight, *an áit a gcomhraiceann na taoidí* where the tides meet

comhráiteach ko:ra:t'əx *m1* conversationalist *a1* conversational

comhréidh 'ko:'re:γ *a1* flat, *crosaire* ~ level crossing

comhréir 'ko:,re:r' *f2* accord, congruity; syntax, *i g~ (le)* proportional (to)

comhréiteach 'ko:'re:t'əx *m1* compromise; agreement

comhréitigh 'ko:'re:t'i: *vt & i* compromise, agree

comhriachtain 'ko:'riəxtən' *f3* coition, copulation

comhrialtas 'ko:,riəltəs *m1* coalition government

comhrian 'ko:'riən *m1*, *pl* ~ta contour

comhrianach 'ko:'riənəx *a1* contour

comhshamhlaigh 'ko:'hauli: *vt & i* assimilate

comhshaolach 'ko:'hi:ləx *a1* contemporary

comhshínigh 'ko:'hi:n'i: *vt* countersign

comhshleasach 'ko:'hl'asəx *a1* equilateral

comhshondas 'ko:'hondəs *m1* assonance

comhshuaitheadh 'ko:'huahə *m*, *gs* -uaite concussion

comhshuigh 'ko:'hiγ' *vt* arrange in position, compose

comhshuíomh 'ko:'hi:v *m1* composition

comhthacaigh 'ko:'haki: *vi*, ~ **le** corroborate

comhthacaíocht 'ko'haki:(ə)xt *f 3* corroboration

comhtháite 'ko:'ha:t'ə *a3* fused; cohesive, coherent; integrated

comhthaobhach 'ko:'hi:vəx *a1* collateral

comhtharlaigh 'ko:'ha:rli: *vi* coincide

comhtharlú 'ko:'ha:rlu: *m4* coincidence

comhthéacs 'ko:,he:ks *m4* context

comhthiarnas 'ko:'hiərnəs *m1* condominium

comhthionól 'ko:,hino:l *m1* assembly; gathering, group, community

comhthíreach 'ko:'hi:r'əx *m1* compatriot

comhthogh 'ko:'hau *vt* co-opt

comhthráth 'ko:'hra: *s*, *i g* ~ concurrently

comhthreomhar 'ko:'hr'o:vər *a1* parallel

comhthreomharán 'ko:'hr'o:vəra:n *m1* parallelogram

comhuaineach 'ko:'uən'əx *a1* simultaneous

comóir komo:r' *vt* convene; celebrate; escort

comónta komo:ntə *a3* common, ordinary

comóradh komo:rə *m1* gathering, assembly; celebration; accompaniment, escort

comórtas komo:rtəs *m1* comparison; competition

compánach kompa:nəx *m1* companion

compántas kompa:ntəs *m1* association, ~ **aisteoirí** troupe of actors

comparáid kompəra:d' *f 2* comparison; likeness

comparáideach kompəra:d'əx *a1* comparative

compás kompa:s *m1* compass; (pair of) compasses; limit, circumference

complacht kompləxt *m3*, (army) company; gang

compord kompo:rd *m1* comfort

compordach kompo:rdəx *a1* comfortable; comforting; pleasant

comrádaí komra:di: *m4* comrade; mate

comrádaíocht komra:di:(ə)xt *f 3* comradeship

con kon : **cú**

cón ko:n *m1* cone

conabhrú 'konə,vru: *m4* mauling, scrimmage

conablach konəbləx *m1* carcase; remains; hulk

conách kə'na:x *m1* prosperity, *a chonách sin ort* more luck to you; it serves you right

conacra 'kon,akrə *m4* conacre

cónaí ko:ni: *m*, *gs & pl* -**aithe** dwelling, residence; state of rest; stop, stay, *bheith i do chónaí in áit* to be living in a place, *i g* ~ always, still

cónaidhm 'ko:,naim' *f2*, *pl* ~ **eanna** federation

cónaiféar ko:nəf'e:r *m1* conifer

cónaigh ko:ni: *vi* dwell, reside; rest, stay

conair konər' *f2* path, passage, ~ *an bhia* alimentary canal

conairt konərt' *f2*, *pl* ~ **eacha** pack (of hounds)

cónaisc 'ko:,nas'k' *vt & i* connect; amalgamate, federate

cónaitheach ko:nihəx *a1* constant, continual; persevering; resident

cónaitheoir ko:niho:r' *m3* resident

conamar konəmər *m1* broken bits, fragments

conas konəs *interr adv* how

cónasc 'ko:,nask *m1* link; connection; conjunction

cónascach 'ko:,naskəx *a1* linking; connecting; federal; conjunctive

cónascachas 'ko:,naskəxəs *m1* federalism

cónascadh 'ko:,naskə *m*, *gs* -**ctha** *pl* -**chaí** amalgamation, fusion; federation

conbharsáid kon(ə)varsa:d' *f2* conversation; intercourse

conbhua 'kon,vuə *m4* *pl* ~ **nna** convoy

concar koŋkər *m1* conger (eel)

concas koŋkəs *m1* conquest

conchró 'kon,xro: *m4*, *pl* ~ **ite** kennel

concordáid koŋko:rda:d' *f2* concordat

confach konəfəx *a1* rabid; ill-tempered; angry, *...péir chonfach* sullen sky

confadh konəfə *m1* rabies; anger, ill temper, *madra confaidh* mad dog, ~ *ocrais* ravenous hunger, *tá* ~ *ar an lá* the day looks threatening

cóngar ko:ŋgər *m1* proximity; vicinity, *i g* ~ *áite* near a place, *dul an* ~ to take the short-cut, *cóngair tí* household appliances

cóngarach ko:ŋgərəx *a1* near, convenient; terse, witty

conlaigh konli: *vt & i* glean, gather

conláisteach konla:s't'əx *a1* compact, tidy; convenient

conlán konla:n *m1* gleaning; collection; group, family, *rud a dhéanamh ar do chonlán féin* to do sth on one's own initiative, on one's own account

connadh konə *m1* firewood; fuel

cónra ko:nrə *f4* coffin

conradh konrə *m, gs* -**nartha** *pl* -**nartha(í** contract; treaty; bargain, *C~ na Gaeilge* the Gaelic League

conraitheoir konriho:r' *m3* contractor; member of a league

conrós 'kon,ro:s *m1, pl* ~**anna** dog-rose

consairtín konsərt'i:n' *m4* concertina

consal konsəl *m1* consul

consan konsən *m1* consonant

conslaod 'kon,sli:d *m1* distemper

conspóid konspo:d' *f2* argument; controversy *vt & i* argue; contest

conspóideach konspo:d'əx *a1* argumentative; controversial

conspóidí konspo:d'i: *m4* contestant (of will, etc); controversialist

constábla konsta:blə *m4* constable

constáblacht konsta:blaxt *f3* constabulary

constaic 'kon,stak' *f2* obstacle

contae konte: *m4, pl* ~**tha** county

contráil kontra:l' *f3* contrary; contrariness

contráilte kontra:l't'ə *a3* contrary; wrong, *aimsir chontráilte* unfavourable weather

contráilteacht kontra:l't'əxt *f3* contrariness, perversity

contralt 'kon,tralt *m1* contralto

contrártha kontra:rhə *a3* contrary, opposite (*le* to)

contrárthacht kontra:rhəxt *f3* contrast, opposite

contúirt kontu:rt' *f2* danger

contúirteach kontu:rt'əx *a1* dangerous

cónúil ko:nu:l' *a2* conical

copail kopəl' *f2* copula

copar kopər *m1* copper

copóg kopo:g *f2* dock, ~ *an chroí* auricle of heart

cor kor *m1, npl* ~**a** a turn, twist; (*dancing*) reel, ~ *bealaigh* detour, ~ *cainte* idiom, *ag tabhairt na g~* writhing; in the throes of death, ~ *coise* trip, ~ *na péiste* cable-stitch, ~*a* (*crua*) *an tsaoil* the vicissitudes of life, ~ *i mbia* contamination in food, ~ *lín* cast of net, ~ *éisc* haul of fish, *as* ~ out of order, *ar aon chor* at any rate, *ar chor ar bith*, *in aon chor* at all *vt & i* turn, *feoil chortha* tainted meat, ~ *a thabhairt do dhuine* to give a person the slip

cór¹ ko:r *m1* chorus, choir

cór² ko:r *m1* corps

cora korə *f4* weir

córach ko:rax *a1* shapely; comely

coradh korə *m, gs* -**rtha** *pl* -**rthaí** turn, bend, ~ *biorach* hairpin bend

córagrafaíocht 'ko:rə,grafi:(ə)xt *f3* choreography

coraintín korən't'i:n' *m4* quarantine

coraíocht kori:(ə)xt *f3* wrestling; turning, *ag* ~ *ar an iasc* casting for fish

córam ko:rəm *m1* quorum

corann korən *m1* tonsure

córas ko:rəs *m1* system

corc kork *m1* cork

corca korkə *f4* race, people

corcach korkəx *f2* marsh

corcáil korka:l' *vt* cork

corcair korkər' *f, gs* -**cra** purple (dye-stuff)

corcán korka:n *m1* pot

corcra korkrə *a3* purple

corcrán korkra:n *m1*, ~ *coille* bullfinch

corda¹ ko:rdə *m4* cord, string, ~ *an rí* corduroy

corda² ko:rdə *m4* chord

córlann ko:rlən *f2* choir, chancel (of church)

corn¹ ko:rn *m1*, (*musical instrument*) horn; (*trophy*) cup, ~ (*óil*) (drinking-) horn, ~ *na bhfuíoll* cornucopia

corn² ko:rn *vt* roll, coil

corna ko:rnə *m4* roll, coil

cornchlár 'ko:rn,xla:r *m1* sideboard

cornphíopa 'ko:rn,f'i:pə *m4* hornpipe

coróin koro:n' *f, gs* -**ónach** *pl* -**ónacha** crown; corona, *C~ Mhuire* rosary

coróinéad koro:n'e:d *m1* coronet

corónach koro:nəx *a1* coronary

corónaigh koro:ni: *vt* crown

corónú koro:nu: *m4* coronation

corp korp *m1* body; corpse; trunk; (*of ship*) hulk, ~ *eaglaise* nave of church, *i g~ an lae* in the middle of the day, *le* ~ *nirt* by sheer force

corpán korpa:n *m1* corpse

corpanta korpəntə a3 corpulent, *bithiúnach* ~ out-and-out scoundrel

corparáid korpəra:d′ f2 corporate body

corparáideach korpəra:d′əx a1 corporate

corpartha korpərhə a3 corporal; corporeal

corpeolaíocht 'korp,o:li:(ə)xt f3 physiology

corplár 'korp,la:r m1 centre, core

corpoiliúint 'korp,ol′u:n′t′ f3 physical training

corpraigh korpri: vt incorporate

corr[1] kor f2 projection, angle, edge, *chuir sé é féin ar a chorr leis* he overreached himself

corr[2] kor f2, ~(*éisc, ghlas, mhóna*) heron, ~ *bhán* white stork

corr[3] kor f2, ~(*ghainimh*) sand-eel

corr[4] kor a1, gsm ~ odd; tapering; round, curved, *éan* ~ odd man out

corr-[5] kor pref odd; occasional; tapering; projecting; rounded

corrabhuais korəvuəs′ f2 uneasiness; confusion

corrabhuaiseach korəvuəs′əx a1 uneasy; confused

corrach[1] korəx m1 bog, marsh

corrach[2] korəx a1 unsteady, unsettled; projecting, pointed, *codladh* ~ uneasy sleep

corradh korə s, ~ *le, agus, ar* more than

corraghiob 'korə,γ′ib s, *ar do chorraghiob* on one's hunkers

corraí kori: m4 movement; stir, excitement, *ná cuir* ~ *air* don't vex him

corraiceach korək′əx a1 rough; unsteady; odd

corraigh kori: vt & i move, stir, ~ *ort* hurry up, *is furasta é a chorraí* he is easily vexed

corráil kori:l′ f3 movement, stir; agitation, excitement

corraithe koriha a3 agitated, excited

corraitheach korihəx a1 moving, stirring, exciting

corrán kora:n m1 hook, sickle; crescent, ~ *géill* angle of jaw; jaw-bone

corránach kora:nəx a1 hooked, angular; projecting, *giall* ~ lantern jaw

corrdhuine 'kor,γin′ə m4, pl **-dhaoine** occasional person; queer person

corrmhéar 'kor,v′e:r f2 forefinger

corrmhíol 'kor,v′i:l m1, pl, ~ **ta** gnat

corróg koro:g f2, (*anatomy*) hip

corrthónach 'kor,ho:nəx a1 restless, fidgety

corrthónacht 'kor,ho:nəxt f3 restlessness, fidgetiness

cortasón kortəso:n m1 cortisone

cortha[1] korhə a3 tired, exhausted

cortha[2] korhə a3 tainted, turned

córúil ko:ru:l′ a2 choral

cos kos f2, ds **cois** *in certain phrases* leg; foot; handle; shaft, stem; lower end, ~ *a croise*, ~ *a fuara* stilts, *siúl de chos* to travel on foot, *cur sna cosa* to make off, *ar* ~ *a in airde* galloping, *rug sé a chosa leis* he made his escape, *ag cur a chos uaidh*, (*of horse*) flinging out its hoofs, (*of person*) displaying temper, *rud a chur faoi chois* to suppress sth, ~ *ar bolg* oppression, *le haghaidh na coise tinne* for the rainy day, *cois cnoic* at the foot of a hill, *cois na tine* beside the fire, *le cois* beside; along with; in addition to, *ar cois* afoot

cosain kosən′ vt & i, pres **-snaíonn** defend, protect; earn, merit; cost

cosaint kosən′t′ f3, gs **-anta** defence, protection

cosair kosər′ f, gs **-srach** trampled matter, litter, *tá an áit ina* ~ *easair* the place is in a mess

cosamar kosəmər m1 refuse, trash

cosán kosa:n m1 path, footway; way, passage, ~ *sráide* footpath, pavement

cosantach kosəntəx a1 defensive, protective

cosantóir kosənto:r′ m3 defender, protector; defendant

cosc kosk m1 check, restraint; prevention, prohibition

coscair koskər′ vt & i, pres **-craíonn** mangle; rend; disintegrate; defeat, *tá sé ag* ~ *t* a thaw has set in

coscairt koskərt′ f3, gs **-artha** mangling; slaughter; disintegration; defeat, *tá* ~ *ann* a thaw has set in

coscán koska:n m1 brake

coscrach koskrəx a1 distressful, shattering, shocking; victorious

coslia 'kos′,l′iə m4, pl ~ **nna** chiropodist

cosliacht 'kos′,l′iəxt f3 chiropody

cosmach kosməx a1 cosmic

cosmaid kosməd′ f2 cosmetic

cosmaideach kosməd′əx a1 cosmetic

cosmas kosməs *m*1 cosmos

cosmhuintir 'kos,vin't'ər' *f*2 hangers-on, dependants; poor people, proletariat

cosnochta 'kos,noxtə *a*3 barefooted

cósta ko:stə *m*4 coast

costáil kosta:l' *vt* & *i* cost

costas kostəs *m*1 cost, expense

costasach kostəsəx *a*1 costly, expensive; sumptuous

cosúil kosu:l' *a*2 (with *le*) like, resembling, *is* ~ *go* it appears that, apparently

cosúlacht kosu:ləxt *f*3 likeness; appearance, resemblance; double, *de réir* ~ *a* to all appearances, apparently

cóta ko:tə *m*4 coat, ~ (*beag*) petticoat, ~ *fearthainne* raincoat, ~ *mór* overcoat

cotadh kotə *m*1 bashfulness, shyness

cothabháil kohəva:l' *f*3 sustenance, maintenance

cothabhálach kohəva:ləx *a*1 sustaining, nourishing

cothaigh kohi: *vt* & *i* feed; nourish; stir up, promote; maintain, *ag cothú díoltais* harbouring revenge

cothaitheach kohihəx *m*1 nutrient *a*1 feeding, sustaining

cothroime kohrəm'ə *f*4 evenness, balance; fairness, equity

cothrom kohrəm *m*1 level; balance; equal measure; fair play; equity, *ar* ~ at par, ~ *an lae a rugadh é* (on) the anniversary of his birth, ~ *na haimsire sin* at the corresponding period, ~ *na Féinne a thabhairt do dhuine* to give a person fair play *a*1 even; level, balanced; fair, equable; average, *seachtain* ~ a week exactly, *duine* ~ *ar bith* any ordinary person, *cluiche* ~, draw, drawn game

cothromaigh kohrəmi: *vt* even, level; balance, equalize

cothromaíocht kohrəmi:(ə)xt *f*3 evenness, balance; equilibrium

cothú kohu: *m*4 nourishment, sustenance; promotion, maintenance, ~ *feirge* incitement to anger

cotúil kotu:l' *a*2 bashful, shy

crá kra: *m*4 anguish, torment; sorrow

crábhadh kra:və *m*1 religious practice; piety, devotion

cradhscal kraiskəl *m*1 shuddering; repugnance

craein kre:n' *f*, *gs* **-aenach** *pl* **-aenacha** (*machine*) crane

crág kra:g *f*2 large hand; claw, paw; clutch (of engine), ~ *airgid* handful of money

crágach kra:gəx *a*1 having large hands; chelate

crágáil kra:ga:l' *vt* & *i* claw, paw; handle roughly or unskilfully

craic krak' *f*2, *pl* **-eanna** crack, chat

craiceann krak'ən *m*1, *pl* **-cne** skin; rind; surface; finish, polish, *tá* ~ *na fírinne air* it rings true

craicneach krak'n'əx *a*1 smooth-skinned; well-finished, polished, *scéal* ~ plausible story

cráifeach kra:f'əx *a*1 religious; pious, devout

cráifeacht kra:f'əxt *f*3 devoutness; piety, devotion

cráigh kra:γ' *vt* agonize, torment; distress, grieve, annoy

cráin kra:n' *f*, *gs* **-ánach** *pl* **-ánacha** sow; (breeding) female

cráinbheach kra:n',v'ax *f*2 queen bee

cráiniam kra:n'iəm *m*4 cranium

cráite kra:t'ə *a*3 agonized, tormented, grieved

cráiteachán kra:t'əxa:n *m*1 tormented, miserable, person; wretch

crampa krampə *m*4 cramp

cranda krandə *a*3 stunted; withered, decrepit

crandaí krandi: *m*4, ~ *bogadaí* see-saw

crandaigh krandi: *vt* & *i* stunt; become stunted

crann kran *m*1 tree; mast, pole; handle, shaft; beam; wooden implement, ~ *ardaithe* jack, ~ *fuinte* rolling pin, ~ *snámha* (dug-out) canoe, ~ *solais* chandelier, ~ *tabhaill* sling, catapult, ~ *tochrais* (winding) reel, ~ *tógála* crane, ~ *tomhais* guess, *crainn a chaitheamh ar rud*, *rud a chur ar chrainn* to cast lots for sth, *bheith faoi chrann smola* to be blighted, accursed, *dul as do chrann cumhachta* to lose control of oneself, *cos chrainn* wooden leg

crannail krani:l' *f*3 timbering; latticework; ship's masts

crannchur 'kran,xur *m*1 casting of lots; sweepstake, lottery

crannlach kranləx *m*1 brushwood; (withered) stalks

crannlaoch 'kran,li:x *m*1, *pl* ~**ra** old soldier

crannlacha 'kran,laxə *f*, *gs & gpl* ~ **n** *npl* ~**in** teal

crannóg krano:g *f*2 piece of wood; wooden frame; pulpit; crannog, lakedwelling; crow's-nest; (mill-)hopper

cranra kranrə *m*4 knot in timber

cranrach kranrəx *a*1 knotty; callous, horny

cranraigh kranri: *vt & i* become knotty; harden, make or grow callous, *ag cranrú leis an aois* stiffening with age

craobh kri:v *f*2, *pl* ~**acha** *gpl* ~ in certain phrases branch, bough, ~ *ghinealaigh* genealogical tree, *dul, imeacht, le* ~*acha* to go wild, mad, *tugadh an chraobh dó* he was awarded the palm, declared the winner, ~ *na hÉireann* the championship of Ireland, ~ *eolais* signpost, ~ *cheoil* woodwind instrument, *arbhar craoibhe* eared corn

craobh-abhainn 'kri:v,aun' *f*, *gs* ~**ann** *pl* -**aibhneacha** affluent, tributary

craobhabhar 'kri:v,aur *f*, *gs* ~**bhrach** *pl* -**abhracha** sty (on eye)

craobhach kri:vəx *m*1 branches, loppings *a*1 branched, branching; flowing, spreading

craobhaigh kri:vi: *vt & i* branch; spread

craobhchluiche 'kri:v,xlix'ə *m*4 final; championship game

craobhóg kri:vo:g *f*2 twig, spray

craobhscaoil 'kri:v,ski:l' *vt* propagate, disseminate, broadcast

craobhscaoileadh 'kri:v,ski:l'ə *m*, *gs* -**lte** propagation, dissemination; broadcast

craol kri:l *vt & i* announce, proclaim; broadcast

craolachán kri:ləxa:n *m*1 broadcasting; wireless

craoladh kri:lə *m*, *gs* -**lta** *pl* -**ltaí** broadcast

craoltóir kri:lto:r' *m*3 broadcaster

craorag kri:rəg *a*1 blood-red, crimson, *fuisce a ól* ~ to drink whiskey neat

craos kri:s *m*1 gullet; maw; vent;

gluttony, ~ *gunna* breech of gun, ~ *tine* roaring fire

craosach kri:səx *a*1 open-mouthed; voracious, gluttonous, *tine chraosach* roaring fire

craosaire kri:sər'ə *m*4 glutton

craosán kri:sa:n *m*1 gullet; gorge, ravine

craosdeamhan 'kri:s',d'aun *m*1 demon of gluttony

craosfholc 'kri:s,olk *vt* gargle

craosfholcadh 'kri:s,olkə *m*, *gs* -**ctha** gargle

craosghalar 'kri:s,γalər *m*1 thrush

crap krap *vt & i* contract, shrink; draw in or up

crapadh krapə *m*, *gs* -**ptha** *pl* -**pthaí** contraction, shrinkage

crapall krapəl *m*1 fetter; disablement, restriction

crapallach krapələx *a*1 crippling, restrictive

craplaigh krapli: *vt* fetter; cripple

craptha krapə *a*3 stilted, cramped

cré[1] k'r'e: *f*4, *pl* ~**anna** clay, soil; earth, dust

cré[2] k'r'e: *f*4, *pl* ~**anna** creed

creabhar k'r'aur *m*1 gadfly; horsefly; woodcock

creach[1] k'r'ax *f*2 foray, (cattle-)raid; booty; prey; loss, ruin *vt & i* raid; plunder; ruin

creach[2] k'r'ax *vt* brand, cauterize

creachach k'r'axəx *a*1 predatory

creachadh k'r'axə *m*, *gs* -**chta** *pl* -**chtaí** plunder, spoliation; ruin

creachadóir k'r'axədo:r' *m*3 raider; plunderer, spoiler

créacht k'r'e:xt *f*3 gash, wound

créachta k'r'e:xtə *f*4 consumption

créachtach[1] k'r'e:xtəx *m*1 (purple) loosestrife

créachtach[2] k'r'e:xtəx *a*1 gashed, wounded

créachtaigh k'r'e:xti: *vt* gash, wound

créafóg k'r'e:fo:g *f*2 clay, earth

creagach k'r'agəx *a*1 craggy, stony, barren

creagán k'r'aga:n *m*1 rocky eminence; stony ground; callus

créam k'r'e:m *vt* cremate

créamadh k'r'e:mə *m*, *gs* -**mtha** cremation

créamatóiriam ˌkʹrʹeːmoˈtoːrʹiəm *m4* crematorium

creat kʹrʹat *m3* frame; shape, appearance; rib of house-roof

creatach kʹrʹatəx *a1* gaunt, emaciated; weak

creathach kʹrʹahəx *f2* ague *a1* trembling, vibrating, *crann* ~ aspen tree

creathadh kʹrʹahə *m1* vibration

creathán kʹrʹaha:n *m1* tremble, quiver, ~ *talún* earth tremor

creathánach kʹrʹaha:nəx *a1* trembling, quivering; vibratory

creathnaigh kʹrʹahni *vi* tremble, quake; flinch

creatlach kʹrʹatləx *f2* framework, skeleton, hulk

créatúr kʹrʹeːtuːr *m1* creature; created thing, *an* ~ the poor thing/soul

cré-earra kʹrʹeːˌarə *m4* earthenware article *pl* earthenware

creid kʹrʹedʹ *vt & i* believe; suppose

creideamh kʹrʹedʹəv *m1* belief, faith; religion

creidiúint kʹrʹedʹuːnʹtʹ *f3, gs* -**úna** credit, credence, honour

creidiúnach kʹrʹedʹuːnəx *a1* creditable; respectable

creidiúnacht kʹrʹedʹuːnəxt *f3* creditableness; credit; respectability

creidiúnaí kʹrʹedʹuːni *m4* creditor

creidiúnaigh kʹrʹedʹuːni *vt* accredit

creidmheach kʹrʹedʹvʹəx *m1* believer *a1* believing, faithful

creidmheas ˈkʹrʹedʹˌvʹas *m3* credit

creidte kʹrʹeʹtʹə *a3* credible

creig kʹrʹegʹ *f2, npl* **creaga** *gpl* -**creag** crag; stony, barren, ground

creill kʹrʹelʹ *f2, pl* ~ **eanna** knell; taunt

creim kʹrʹemʹ *vt & i* gnaw; corrode, erode

creimeadh kʹrʹemʹə *m, gs* -**mthe** corrosion, erosion

creimeire kʹrʹemʹərʹə *m4* rodent; backbiter

creimneach kʹrʹemʹnʹəx *a1* gnawing; corrosive, erosive; corroded; decayed

créip kʹrʹeːpʹ *f2, pl* ~ **eanna** crape, crepe

creiteon kʹrʹetʹoːn *m1* cretonne

créúil kʹrʹeːuːlʹ *a2* clayey, earthy

cré-umha ˈkʹrʹeːˌuə *m4* bronze

cré-umhaí ˈkʹrʹeːˌuːi: *a3* bronze

criadóir kʹrʹiədoːrʹ *m3* ceramist, potter

criadóireacht kʹrʹiədoːrʹəxt *f3* ceramics, pottery

crián kʹrʹiaːn *m1* crayon

criathar kʹrʹiəhər *m1* sieve; riddle; quagmire, ~ *meala* honeycomb

criathrach kʹrʹiəhrəx *m1* (pitted) bog *a1* pitted, perforated; swampy

criathraigh kʹrʹiəhri *vt* sieve; riddle, sift; honeycomb

críne kʹrʹiːnʹə *f4* old age, decrepitude

crinnghréas ˈkʹrʹinʹˌɣʹrʹeːs *m3* fretwork

críoch kʹrʹiːx *f2, ds* **crích** *in certain phrases* limit; boundary; region, territory; end; completion, ~ *a chur ar dhuine* to settle a person in life, *rud a chur i gcrích* to complete, accomplish, sth, *duine a chur ó chrích* to ruin a person's prospects

críochadóireacht kʹrʹiːxədoːrʹəxt *f3* demarcation

críochnaigh kʹrʹiːxi *vt* demarcate

críochdheighilt ˈkʹrʹiːxˌɣʹailʹtʹ *f2* partition of territory

críochfort ˈkʹrʹiːxˌfort *m1* terminal

críochnaigh kʹrʹiːxni *vt & i* finish; complete, accomplish

críochnaithe kʹrʹiːxnihə *a3* finished, accomplished, complete, utter

críochnaitheach kʹrʹiːxnihəx *a1* final, finishing, closing

críochnúil kʹrʹiːxnuːlʹ *a2* complete, thorough; neat; methodical

críochú kʹrʹiːxu *m4* demarcation

criogar kʹrʹigər *m1*, ~ *(iarta)* cricket, ~ *féir* grasshopper

crion kʹrʹiːn *m1, pl* ~ **ta** anything old or withered *a1* old; withered, decayed *vt & i* age; wither, decay

crionna kʹrʹiːnə *a3* wise, prudent, shrewd; grown-up; old

crionnacht kʹrʹiːnəxt *f3* wisdom, prudence, shrewdness; maturity; old age

crios kʹrʹis *m3, gs* **creasa**, *pl* ~ **anna** girdle, belt; band; zone

crioslach kʹrʹisləx *m1* bosom

crioslaigh kʹrʹisli *vt* girdle, enclose

criosma kʹrʹismə *m4* chrism

Críost kʹrʹiːst *m4* Christ

Críostaí kʹrʹiːsti *m4 & a3* Christian

Críostaíocht kʹrʹiːsti(ə)xt *f3* Christianity

criostal kʹrʹistal *m1* crystal

criostalaigh kʹrʹistəli *vt & i* crystallize

Críostúil kʹrʹiːstuːlʹ *a2* Christian; charitable, humane

Críostúlacht k'r'i:stu:ləxt *f*3 Christianity; Christian charity

crith k'r'ih *m*3, *gs* **creatha** *pl* **creathanna** tremble, shiver; shudder, vibration, ~ *talún* earthquake *vt* tremble, shake

critheagla 'k'r'ih,aglə *f*4 fear, terror; timorousness

critheaglach 'k'r'ih,agləx *a*1 quaking, terrified; timorous

crithir k'r'ihər *f*, *gs* **-thre** *pl* **-threacha** spark; particle; powdered matter

critic k'r'it'ək' *f*2 critique

criticeas k'r'it'ək'əs *m*1 criticism

criticeoir k'r'it'ək'o:r' *m*3 critic

criticiúil k'r'it'ək'u:l' *a*2 critical

criú k'r'u: *m*4, *pl* ~**nna** crew

cró[1] kro: *m*4, *pl* ~**ite** eye, socket; enclosure, pen; (small) outhouse; hovel, ~ *na baithíse* fontanelle, ~ *gunna* bore of gun, ~ *sorcais* circus ring

cró[2] kro: *m*4 blood, gore

crobh krov *m*1 hand; clawed foot; talons

crobhaing krovəŋ' *f*2 cluster

croca krokə *m*4 crock

croch krox *f*2 cross; gallows; hook, hanger; (fire-)crane, *vt & i* hang, raise, carry, *seol a chrochadh* to hoist sail, ~ *leat* clear off, ~ *suas é* sing up

cróch kro:x *m*4 saffron; crocus

crochadán kroxədɑ:n *m*1 (hat-, coat-, hall-,)stand; clothes-hanger

crochadh kroxəm, *gs* **-chta** hanging; erection; pitch (of roof, etc)

crochadóir kroxədo:r' *m*3 hangman; gallows-bird; loafer

crochadóireacht kroxədo:r'əxt *f*3, *ag* ~ (*thart*) loafing about

crochaille kroxəl'ə *m*4 phlegm

cróchar kro:xər *m*1 bier; stretcher

crochóg kroxo:g *f*2 suspender (for stocking)

crochta kroxtə *a*3 hung, hanged; hanging, *aill chrochta* overhanging cliff, *cosán* ~ steep path, ~ *le hobair* taken up with work, *caint chrochta* affected speech

crochtín kroxt'i:n' *m*4 hammock; swing

cróga kro:gə *a*3 brave; hardy; spirited

crógacht kro:gəxt *f*3 bravery; hardiness; spiritedness

crogall krogəl *m*1 crocodile

croí kri: *m*4 heart; core, centre, *a chroí* my dear

croíbhrú 'kri:,vru: *m*4 contrition

croíbhrúite 'kri:,vru:t'ə *a*3 contrite

cróice kro:k'ə *m*4 croquet

cróicéad kro:k'e:d *m*1 croquette

croídhícheall 'kri:,ɣ'i:x'əl *m*1 utmost endeavour

croíleacán kri:l'əkɑ:n *m*1 core

cróilí 'kro:,l'i: *m*4 bed-ridden state, infirmity, *bheith i g~ an bháis* to be on one's death-bed *a*3 bed-ridden, infirm

croiméal krom'e:l *m*1 moustache

cróimiam kro:m'iəm *m*4 chromium

cróinéir kro:n'e:r' *m*3 coroner

cróineolaíoch 'kro:n',o:li:(ə)x *a*1, *gsm* ~ chronological

croinic kron'ək' *f*2 chronicle

croiniceoir kron'ək'o:r' *m*3 chronicler

cróise kro:ʃə *f*4 crochet

cróiseáil kro:ʃɑ:l' *vt & i* crochet

croisín kroʃi:n' *m*4 crutch, (*music*) crotchet

croiteoir krot'o:r' *m*3 sprinkler

croith kroh *vt & i* shake; scatter, sprinkle; wave (to)

croíúil kri:u:l' *a*2 hearty; cordial, cheerful

croíúlacht kri:u:ləxt *f*3 heartiness; cordiality, cheerfulness

crólinn 'kro:,l'in' *f*2, *pl* ~**te** pool of blood

crom krom *a*1 bent, stooped *vt & i* bend, stoop, *chrom sí ar chaoineadh* she started to cry

cróm kro:m *m*1 chrome

cromada kromədə *s*, *ar do chromada* crouched

cromán kromɑ:n *m*1 hip; crank; ~ *na gcearc* hen-harrier

crómatach kro:mətəx *a*1 chromatic

croimfhearsaid 'krom,arsəd' *f*2 crankshaft

cromleac 'krom,l'ak *f*, *gs* **-eice** *npl* ~**a** cromlech

cromóg kromo:g *f*2 hooked nose; hook, hooked stick

cromógach kromo:gəx *a*1 hooked; hook-nosed

crompán krompɑ:n *m*1 creek

crón kro:n *a*1 dark yellow; tawny, tan

crónachan kro:nəxən *f*3 dusk, nightfall

crónán kro:nɑ:n *m*1 hum; murmur, purr

cróntráth 'kro:n,trɑ: *m*3 dusk, gloaming

cros¹ kros *f2* cross; cross-piece; affliction; prohibition *vt* cross; prohibit; contradict

cros-² kros *pref* cross-

crosach krosəx *a1* crosswise; crossed; scarred; grimy, *caora chrosach* black-faced sheep, *bean chrosach* palmist, fortune-teller

crosadh krosə *m*, *gs* **-sta** prohibition

crosáid krosa:d′ *f2* crusade

crosáil krosa:l′ *vt & i* cross

crosaire krosər′ə *m4* crossing, cross-road(s)

crosán krosa:n *m1* razorbill; starfish

crosánacht krosa:nəxt *f3* genre of comic satire

crosbhóthar ˈkrosˌvo:hər *m1*, *pl* **-óithre** crossroads

crosfhocal ˈkrosˌokəl *m1* crossword

crosógaíocht krosoːgi:(ə)xt *f3* lacrosse

cros-síolrach ˈkro(s′)ˌs′i:lrəx *a1* hybrid

crosta krostə *a3* cross, fractious; troublesome; contrary

crotach krotəx *m1* curlew

crotal krotəl *m1* rind, husk; lichen, ~ *cnó* nutshell

crothán kroha:n *m1* sprinkling, light covering, ~ *eolais* a little knowledge

crothóg krohoːg *f2*, ~ *dhubh* coalfish

crú¹ kru: *m4*, *pl* **-ite** shoe (for animal's hoof)

crú² kru: *m4* milking; (yield of) milk

crua kruə *m4* hard state, difficult circumstances; hardness *a3* hard; solid; difficult; hardy, *greim* ~ tight grip, *aimsir chrua* severe weather, *deoch chrua* drink of strong spirits, ~ *sa chorp* constipated

crua-ae ˈkruəˌe: *m4*, *pl* ~**nna** liver

cruach¹ kruəx *f2* stack, rick; pile *vt* stack; pile

cruach² kruəx *f4* steel

cruachan kruəxən *f3* hardening

cruachás ˈkruəˌxa:s *m1* predicament; distress

cruacht kruəxt *f3* hardness; hardiness

crua-earra ˈkruəˌarə *m4* (article of) hardware

cruaigh kruəɣ′ *vt & i* harden

cruáil kru:a:l′ *f3* hardship, adversity; cruelty; stinginess

cruálach kru:a:ləx *a1* cruel; stingy

cruálacht kru:a:ləxt *f3* cruelty; stinginess

cruan kruən *m1 & vt* enamel

cruas kruəs *m1* hardness; stinginess

cruatan kruətən *m1* hardship

crúb kru:b *f2* claw; hoof

crúbach kru:bəx *a1* clawed, hoofed; club-footed, lame

crúbadach kru:bədəx *f2* crawling, scrambling

crúbáil kru:ba:l′ *vt & i* claw, paw

crúca kru:kə *m4* crook, hook, *do chrúcaí a chur i rud* to get sth in one's clutches, ~ *is cró* hook and eye

crúcach kru:kəx *a1* hooked

crúcáil kru:ka:l′ *vt & i* hook; claw, clutch

crúdóir kru:do:r′ *m3* farrier

cruib krib′ *f2*, *pl* ~**eanna** crib

cruibhéad kriv′e:d *m1* cruet

crúibín kru:b′i:n′ *m4* (little) claw or hoof, ~ *(muice)* crubeen, pig's trotter

cruicéad krik′e:d *m1* cricket

cruidin krid′i:n′ *m4* kingfisher

crúigh¹ kru:ɣ′ *vt* milk

crúigh² kru:ɣ′ *vt*, *capall a chrú* to shoe a horse

cruimh kriv′ *f2* maggot; grub, ~ *arbhair* corn-weevil, ~ *phucháin* fluke-worm

cruimheach kriv′əx *a1* maggoty

cruinn krin′ *a1* round; gathered; exact, accurate; clear, coherent, *éist go* ~ *leis* listen attentively to him

cruinne¹ krin′ə *f4* roundness

cruinne² krin′ə *f4* universe; orb, globe; world

cruinneas krin′əs *m1* exactness, accuracy; accumulation; clearness; frugality, *duine gan chruinneas* scatter-brain

cruinneog krin′o:g *f2* round object; globe

cruinnigh krin′i′ *vt & i* gather, assemble; collect; converge, focus (*ar* on); form

cruinnín krin′i:n′ *m4* globule

cruinniú krin′u: *m4* gathering, meeting; focussing; forming

crúiscín kru:s′k′i:n′ *m4* small jug; small jar

cruit¹ krit′ *f2*, *pl* ~**eanna** hump; small eminence

cruit² krit′ *f2*, *pl* ~**eanna** (small) harp

cruiteach krit′əx *a1* humped, hunch-backed

cruiteachán krit′əxa:n *m1* hunchback

crúiteoir kru:t′o:r′ *m3* milker

cruithneacht krihn′əxt *f3* wheat

cruitire krit′ər′ə *m4* harpist

cruóg kru:o:g *f2* urgent need

cruógach kru:o:gəx *a*1 pressing, urgent; busy

crúsca kru:skə *m*4 jug; jar

crústa kru:stə *m*4 crust, ~ *de dhorn* blow of a fist

crústach kru:stəx *m*1 & *a*1 crustacean

crústaigh kru:sti: *vt* pelt

crústáil kru:sta:l' *vt* drub, belabour

cruth kruh *m*3, *pl* ~ **anna** shape, appearance; state, condition, *i g* ~, *sa chruth,* *(is) go* in such a way that; in order that

cruthach kruhəx *a*l shapely

crúthach kru:həx *m*1, ~ *(bainne)* yield of milk

cruthaigh kruhi: *vt* & *i* create; form; prove, *cruthú go maith* to turn out well, *chruthaigh sé orm sa chúirt* he testified against me in court

cruthaíocht kruhi:(ə)xt *f*3 shape; promising appearance

cruthaitheach kruhihəx *a*l creative

cruthaitheoir kruhiho:r' *m*3 creator

cruthanta kruhəntə *a*3 lifelike, exact; real, *rógaire* ~ a proper rogue

cruthú kruhu: *m*4 creation; proof; testimony

cruthúnas kruhu:nəs *m*1 proof, evidence

cú ku: *m*4, *pl* ~ **nna** *gs* & *gpl* **con** *in certain phrases* hound, greyhound

cuach[1] kuəx *f*2 cuckoo; falsetto (voice); whinny; whine; sob, ~ *(cheoil)* strain of music, snatch of song

cuach[2] kuəx *m*4, *npl* ~ **a** *gpl* ~ bowl; goblet, ~ *abhlann,* ~ *altóra* ciborium, ~ *Phádraig* round-leaved plantain

cuach[3] kuəx *f*2 bundle; tress, curl; bow; embrace, *mo chuach thú* I love you *vt* bundle; roll, wrap; embrace, hug, *duine a chuachadh suas* to puff a person up

cuachach[1] kuəxəx *a*l falsetto

cuachach[2] kuəxəx *a*l bowl-shaped, hollow

cuachach[3] kuəxəx *a*l rolled; curled; tressy

cuachail kuəxi:l' *f*3 speaking in falsetto voice; whining; whinnying

cuachma kuəxmə *f*4 whelk

cuachóg kuəxo:g *f*2 bow-knot

cuaifeach kuəf'əx *m*1, ~ *(gaoithe)* whirlwind; blast of wind

cuaille kuəl'ə *m*4 pole; stake

cuain kuən' *f*2, *pl* ~ **eanna** litter, brood; band

cuainín kuən'i:n' *m*4 cove

cuaird kuərd' *f,* *gs* **-uarda** *an Chúirt Chuarda* Circuit Court

cuaire kuər'ə *f*4 curvature; camber

cuairt kuərt' *f*2, *pl* ~ **eanna** *pl* **-arta** *with numerals* circuit; round, course; visit; occasion, time

cuairteoir kuərt'o:r' *m*3 visitor; tourist

cual kuəl *m*1 faggot; bundle, heap

cuallacht kuələxt *f*3 fellowship, company; corporation, guild; sodality

cuan kuən *m*1, *pl* ~ **ta** haven, harbour; bend, curve

cuar kuər *m*1 curve; hoop, *a*l curved; bent; hooped *vt* & *i* curve

cuarán kuəra:n *m*1 sandal

cuanna kuənə *a*3 comely, graceful; charming, elegant

cuardach kuərdəx *m*1 search *a*l searching

cuardaigh kuərdi: *vt* & *i* search; search for, seek

cuardaitheoir kuardiho:r' *m*3 searcher

cuartaíocht kuərti:(ə)xt *f*3 visiting; tourism

cuas kuəs *m*1 *npl* ~ **a** cavity; recess; cove, creek; bay

cuasach kuəsəx *a*l cavernous, hollow; concave

cuasnóg kuəsno:g *f*2 wild bees' nest; lucky find

cúb ku:b *f*2 coop; bend, fold *vt* & *i* coop; bend; cower, shrink

cúbláil ku:bla:l' *f*3 manipulation; defalcation *vt* & *i* gather in, grab; manipulate; defalcate

cúbláir ku:bla:li' *m*3 grabber; defalcator

cúcamar ku:kəmər *m*1 cucumber

cudal kudəl *m*1, ~ *(sceitheach)* cuttlefish

cufa kofə *m*4 cuff

cufróg kufro:g *f*2 cypress

cuí ki: *a*1 fitting, proper

cuibheas kiv'əs *m*1 fitness, propriety; seemliness, decency

cuibheasach kiv'əsəx ~ ki:səx *a*l fair, middling

cuibhiúil kiv'u:l ~ ki:u:l' *a*2 proper; seemly, decent

cuibhreach kiv'r'əx *m*1 binding, fetter; trammel

cuibhreann kiv′r′ən *m*1 common table, mess; division, allotment, portion; enclosed field; tilled field, *bheith i g~ duine* to be at table with a person, to be in a person's company

cuibhrigh kiv′r′i: *vt* bind, fetter

cuid kid′ *f*3, *gs* **coda** *pl* **codanna** part; share; portion, *~ de na daoine* some of the people, *cuid mhór páipéir* a lot of paper, *mo chuid éadaigh* my clothes, *~ iontais é* it is a matter for wonder, *do chuid a shaothrú* to earn one's living, *a chuid* my dear

cuideachta kid′əxtə *f*4 company; companionship; fun, amusement

cuideachtúil kid′əxtu:l′ *a*2 companionable, sociable

cuideáin kid′a:n′ *a*1 extraneous; odd, *éan ~* strange bird; loner

cuidigh kid′i: *vi* help; requite, *cuidiú le rún* to second a motion, *~ liom* help me

cuiditheoir kid′iho:r′ *m*3 helper; supporter, seconder

cuidiú kid′u: *m*4 help, assistance

cúig ku:g′ *m*4 & *a* five, *~ déag* fifteen

cúige ku:g′ə *m*4 province

cúigeach ku:g′əx *m*1 & *a*1 provincial

cúigeachas ku:g′əxəs *m*1 provincialism

cuigeann kig′ən *f*2, *pl* **-gne** (of milk) churning; churn

cúigear ku:g′ər *m*1 five persons

cúigiú ku:g′u: *m*4 & *a* fifth

cúigréad ku:g′r′e:d *m*1 quintet

cuil kil′ *f*2, *pl* **~eanna** (insect) fly

cúil ku:l′ *f*, *gs* **cúlach** *pl* **cúlacha** corner, nook, *i g~ coicíse* cast aside

cuilce kil′k′ə *f*4 quilt; bedding, mattress

cuilceach kil′k′əx *m*1 rascal, scamp

cuileann kil′ən *m*1 holly

cúileann ku:l′ən *f*2 fair maiden *a*1 fair-haired

cuileog kil′o:g *f*2, (insect) fly

cúilín ku:l′i:n *m*4, (in games) point

cuilithe kil′əhə *f*4 eddy; vortex; centre, core, *i g~ tinnis* in the throes of sickness

cuilithín kil′əhi:n′ *m*4 ripple, chop; whirling flake

cuilmheáchan ′kil′v′a:xən *m*1 (boxing) fly-weight

cuilt kil′t′ *f*2, *pl* **~eanna** quilt

cuimhin kiv′ən′ *s*, *is ~ liom* I remember

cuimhne kiv′n′ə *f*4 memory, *cuimhní cinn* recollections; memoirs

cuimhneach kiv′n′əx *a*1 recollective; thoughtful, *is ~ liom* I remember

cuimhneachán kiv′n′əxa:n *m*1 commemoration; memento

cuimhneamh kiv′n′əv *m*1 remembrance; recollection; conception

cuimhnigh kiv′n′i′: *vt* & *i* remember; consider, think; remind; conceive

cuimhnitheach kiv′n′ihəx *a*1 memorial

cuimil kim′əl′ *vt* & *i* *pres* **-mlíonn** rub; stroke; wipe

cuimilt kim′əl′t′ *f*2 rubbing; stroking; wiping; friction

cuimleoir kim′l′o:r′ *m*3 wiper, rubber

cuimse kim′s′ə *f*4 good amount, plenty, *gan chuimse* limitless *as, thar, ~* exceeding, *tá fuacht as ~ ann* it is extremely cold

cuimsigh kim′s′i: *vt* comprehend; include, comprise; control

cuimsitheach kim′s′ihəx *a*1 comprehensive, inclusive; focal, *clásal ~* restrictive clause

cuimsiú kim′s′u: *m*4 connotation; scope; inclusion

cuing kiŋ′ *f*2, *pl* **~eacha** yoke; bond, obligation; tie; nape (of neck); neck of land

cuingir kiŋ′g′ər′ *f*, *gs* **-greach** *pl* **-greacha** yoke; pair, couple; group, herd

cuingrigh kiŋ′r′i: *vt* yoke, couple

cúinne ku:n′ə *m*4 corner; angle, nook

cúinneach ku:n′əx *m*1 corner(-kick) *a*1 cornered, having corners

cuinneog kin′o:g *f*2 churn

cúinse ku:n′s′ə *m*4 countenance; show; circumstance *pl* affairs; pretext; wile, *ar aon chúinse* in any, under no, circumstances, *ar chúinse go* on condition that

cúipéir ku:p′e:r′ *m*3 cooper

cuir kir′ *vt* & *i*, *vn* **cur** sow, plant; bury; set; put; send, *líon a chur* to cast a net, *snaidhm a chur* to tie a knot, *eolas an bhealaigh a chur* to ask the way, *báire a chur* to score a goal, *ag cur fearthainne* raining, *~eadh amach air go raibh sé breoite* he was reported to be sick, *tá a chroí ag cur air* his heart is troubling him, *~ as* put out (of);

add to; emit, extinguish, *cur as do dhuine* to disconcert a person, ~ *chun cinn* advance, promote, *cur chun ruda* to set about sth, ~ *de* put off; remove from; get done, get over, ~ *díot* be off, *cur fút in áit* to settle down in a place, *cur in aghaidh ruda* to oppose sth, *cur isteach ar phost* to apply for a job, *cur isteach ar dhuine* to inconvenience, interrupt, a person, *cur le gealltanas* to fulfil a promise, *ag cur le* in keeping with, *rud a chur ó mhaith* to render sth useless, ~ *uait* stop that, *cur síos ar rud* to describe sth, *cur suas de rud* to refuse to accept sth, *chuir siad trína chéile mé* they confused me, *scéal a chur trí chéile* to discuss a matter, ~ *umat* get dressed

cuircín kir′k′i:n′ *m4* crest, comb

cuircíneach kir′k′i:n′əx *a1* crested, tufted

cuireadh kir′ə *m1, pl* **-rí** invitation; summons

cuireata kir′ətə *m4*, (*cards*) knave, jack

cuirfiú kir′f′u: *m4, pl* **-nna** curfew

cuirín kir′i:n′ *m4* currant

cuirliún kirl′u:n *m1* curlew

cúirt ku:rt′ *f2, pl* **~eanna** court; mansion; courtyard, ~ *leadóige* tennis-court

cúirtéireacht ku:rt′e:r′əxt *f3* courting

cúirtéis ku:rt′e:s′ *f2* courtesy; (*military*) salute

cúirtéiseach ku:rt′e:s′əx *a1* courteous

cúirteoir ku:rt′o:r′ *m3* courtier

cúirtín kirt′i:n′ *m4* curtain

cúis ku:s′ *f2, pl* **~eanna** cause, reason; case, charge; movement, ~ *gháire* laughing matter, ~ *dlí* lawsuit, *ní dhéanfadh sin* ~ that wouldn't do

cúiseach ku:s′əx *a1* prim, demure

cúiseamh ku:s′əv *m1* accusation, charge

cúiseoir ku:s′o:r′ *m3* accuser

cúisí ku:s′i: *m4* accused person

cúisigh ku:s′i: *vt* accuse; charge, prosecute

cúisín ku:s′i:n′ *m4* cushion

cúisitheoir ku:s′iho:r′ *m3* prosecutor

cuisle kis′l′ə *f4* vein; pulse; forearm, ~ *uisce* water channel

cuisne kis′n′ə *m4* (hoar-)frost; frosty vapour

cuisneach kis′n′əx *a1* frosty, hardy

cuisneoir kis′n′o:r′ *m3* refrigerator

cuisnigh kis′n′i: *vt & i* freeze; refrigerate

cuisniúchán kis′n′u:xa:n *m1* refrigeration

cúistiúnach ku:s′t′u:nəx *a1* inquisitorial

cúistiúnacht ku:s′t′u:nəxt *f3* inquisition

cúistiúnaí ku:s′t′u:ni: *m4* inquisitor

cúiteach ku:t′əx *a1* compensating, retributive

cúiteamh ku:t′əv *m1* requital; recompense, compensation

cuiteog kit′o:g *f2* earthworm

cúitigh ku:t′i: *vt* requite; repay, compensate

cuitineach ku:t′i:n′əx *m1* cuticle

cúitiúc ku:t′u:k *m1* caoutchouc, rubber

cuitléireacht kit′l′e:r′əxt *f3* cutlery

cúl ku:l *m1, pl* **~a** in certain phrases back; reserve, support; (*games*) goal; (*of army*) rear, *ar chúl na gaoithe* sheltered from the wind, *dul ar g~* to go back; to recede, decline, ~ *a chur ar rud* to set back sth, (*marcaíocht*) *ar* ~ *a* (riding) pillion; ~ *taca* backing; backer, ~ *le cine* one who forsakes his own, ~ *gruaige* head of hair, ~ *báire* goalkeeper

cúlaí ku:li: *m4*, (*games*) back

cúlaigh ku:li: *vt & i* back, move back; reverse, retreat

cúlaith kuləh *f2, pl* **-tacha** suit, apparel; gear, equipment

cúlaitheach ku:lihəx *a1* regressive, retrogressive

cúlánta ku:la:ntə *a3* secluded; backward; shy

cúlarán ku:ləra:n *m1* earth-nut, pig-nut

cúlbhóthar ′ku:l,vo:hər *m1, pl* **-óithre** by-road

cúlchaint ′ku:l,xan′t′ *f2* backbiting

cúlchistin ′ku:l,x′is′t′ən *f2, pl* **~eacha** back-kitchen; scullery

cúlchríoch ′ku:l,x′r′i:x *f2* hinterland

cúléist ′ku:l,e:s′t′ *vi, vn* **~eacht** eavesdrop

cúlghabhálach ′ku:l,γava:ləx *a1* retrospective

cúlgharda ′ku:l,γa:rdə *m4* rearguard

cúlíonad ′ku:l,inəd *m1* background

cúlóg ku:lo:g *f2* pillion; pillion-rider, *ar* ~ riding pillion

cúlra ku:lrə *m4* background; (*of painting*) ground(work)

cúlráid 'ku:l,ra:d' *f2* secluded place, *ar an g~* in seclusion, *fanacht ar an g~* to stay in the background

cúlráideach 'ku:l,ra:d'əx *a1* secluded; retiring

cúlsruth 'ku:l,sruh *m3*, *pl* ~ **anna** backward current; slip-stream

cúltaca 'ku:l,takə *m4* reserve

cúltort 'ku:l,tort *vi* back-fire

cultúr kultu:r *m1* culture

cultúrtha kultu:rhə *a3* cultured

cúlú ku:lu: *m4* backing, reversal; retirement, withdrawal, ~ *gealaí* waning of moon

cum kum *vt & i* form, shape; compose; devise, invent; limit, ration

cuma[1] kumə *f4* shape, form; appearance, *ar chuma éigin* somehow, *ar aon chuma, ar chuma ar bith* at any rate, *ar an g~ chéanna* similarly

cuma[2] kumə *a, is ~ liom* it's all the same to me, I don't care, *is ~ duit* it doesn't matter to you, *is ~ nó bás é* it is the same as death, *is ~ no* matter, *bheith ar nós ~ liom faoi rud* to be indifferent to sth

cumá kə'ma: *interr adv* (with *ná, nach*) why (not)? ~ *nach suíonn tú?* why don't you sit down?

cumadh kumə *m, gs* -**mtha** formation; composition; contrivance, invention, ~ *bia* food-rationing

cumadóir kumədo:r' *m3* maker; composer, inventor

cumadóireacht kumədo:r'əxt *f3* composition, invention; fiction

cumaisc kuməs'k' *vt & i, pres* -**ascann** *vn* -**asc** mix; blend, combine; cohabit (*le* with)

cumalas kumələs *m1* cumulus

cumann kumən *m1* friendship, companionship; company; association, society, *a chumann* my darling

cumannachas kumənəxəs *m1* communism

cumannaí kuməni: *m4* communist

cumar kumər *m1* ravine; steep-sided inlet; confluence, channel

cumarsáid kumərsa:d' *f2* communication

cumas kuməs *m1* capability, power

cumasach kuməsəx *a1* capable, powerful

cumasaigh kuməsi: *vt* enable, empower

cumasc kuməsk *m1* mixture; blend, compound; merger

cumha ku:ə *m4* loneliness, homesickness, nostalgia

cumhach ku:əx *a1* lonesome, homesick, nostalgic

cumhacht ku:əxt *f3* power; authority, influence; strength, energy

cumhachtach ku:əxtəx *a1* powerful

cumhachtaigh ku:əxti: *vt* empower

cumharshalann 'ku:r,halən *m1* smelling-salts

cumhdach ku:dəx *m1* cover, protection; shrine (of relic)

cumhdaigh ku:di: *vt* cover, protect; keep, preserve, *an dlí a chumhdach* to uphold the law

cumhra ku:rə *a3* fragrant; pure, fresh; (*of timber*) sappy, green

cumhracht ku:rəxt *f3* fragrance; perfume; purity, freshness; sappiness

cumhraigh ku:ri: *vt* perfume; embalm; purify, freshen

cumhrán ku:ra:n *m1* perfume, scent

cumraíocht kumri:(ə)xt *f3* shape, form; configuration

cumtha kumhə *a3* shapely, comely; invented

cumthacht kumhəxt *f3* shapeliness, comeliness

cúnamh ku:nəv *m1* help, assistance

cúnant ku:nənt *m1* covenant

cúnantóir ku:nənto:r' *m3* covenanter

cúng ku:ŋ *m1* narrow; narrow part *a1* narrow, *áit chúng* confined space, *tuairimí ~ a* hide-bound opinions, *tá croí ~ aige* he is mean at heart

cúngach ku:ŋgəx *m1* narrow space, congestion, *bheith sa chúngach* to be in a difficult situation, ~ *croí* miserliness

cúngaigeanta 'ku:ŋ,ag'əntə *a3* narrow-minded

cúngaigh ku:ŋgi: *vt & i* narrow, restrict, *cúngú ar cheart duine* to encroach on a person's rights

cúngú ku:ŋgu: *m4* encroachment

cunsailéir kaunsəl'e:r' *m3* counsellor

cunta kuntə *m4* count

cúntach ku:ntəx *a1* helpful; auxiliary

cuntais kuntəs' *vt & i* count

cuntanós kuntəno:s *m1* countenance; pleasant appearance, civility

cuntaois kunti:s' *f2* countess

cuntar¹ kuntər *m*1 proviso, condition; chance; risk

cuntar² kuntər *m*1 (shop) counter

cuntas kuntəs *m*1 count; account, reckoning; narration, *sluaite gan chuntas* innumerable hosts, *i g ~ Dé* for goodness sake, *~ duine a chur* to inquire about a person

cuntasóir kuntəso:r' *m*3 accountant; book-keeper

cuntasóireacht kuntəso:r'əxt *f*3 accountancy; book-keeping

cúntóir ku:nto:r' *m*3 helper, assistant

cuntraphointe 'kuntrə,fon't'ə *m*4 counterpoint

cunús kunu:s *m*1 dirt, rubbish; slovenly, useless, person

cuóta kwo:tə *m*4 quota

cupán kopa:n *m*1 cup

cupard kopərd *m*1 cupboard

cúpla ku:plə *m*4 couple, pair; twins, *an C~* Gemini

cúplach ku:pləx *a*1 twin

cúpláil ku:pla:l' *f*3 copulation, mating; coupling *vt & i* link together; copulate, mate *cártaí a chúpláil* to suit cards

cúplán ku:pla:n *m*1, (device) coupling

cúpón ku:po:n *m*1 coupon

cur kur *m*1 sowing, planting; tillage; burial; setting, laying; course, round, *~ uirlisí* set of tools, *~ amach* emission, dispatch; production, *~ amach a bheith agat ar rud* to have knowledge of sth, *~ isteach* insertion; fitting; interference, *~ síos* description, account, *focal gan ~ leis* an empty statement, *~ le chéile* unity, cooperation, *~ trí chéile* confusion; discussion

cúr¹ ku:r *m*1 froth, foam

cúr² ku:r *vt* chastise, scourge

curach kurəx *f*2 currach; coracle

cúrach ku:rəx *a*1 frothy, foamy

curaclam kurəkləm *m*1 curriculum

curadh kurə *m*1 warrior, hero; champion

curadóir kurədo:r' *m*3 sower, tiller

curadóireacht kurədo:r'əxt *f*3 sowing, tilling

curaí kori: *m*4 curry

curaíocht kuri:(ə)xt *f*3 sowing, tillage; crops

cúram ku:rəm *m*1, *pl* **-aimí** care, responsibility, charge; family; task, duty

cúramach ku:rəməx *a*1 careful; tender; busy, full of care

cúránach ku:ra:nəx *a*1 frothy; foaming; creamy

curata kurətə *a*3 brave, heroic

curca kurkə *m*4 crest, tuft; topknot; cockade

curcach kurkəx *a*1 crested, tufted; cockaded

curfá kurfa: *m*4 chorus (of song)

curiarracht 'kur,iərəxt *f*3 (sport) record

cúróg ku:ro:g *f*2 soufflé

curra kurə *m*4 holster

cúrsa ku:rsə *m*4 course; career; round; affair; circumstance; reef (of sail); *~ í* menstrual period, *~ spioradálta* retreat, *~ í airgid* money matters, *ní ~ magaidh é* it is no laughing matter, *an ~ seo* on this occasion

cúrsáil ku:rsa:l' *f*3 & *vt* & *i* cruise; course, *seol a chúrsáil* to reef a sail

cúrsaíocht ku:rsi:(ə)xt *f*3 circulation, currency

cúrsóir ku:rso:r' *m*3 cruiser

cuspa kuspə *m*4 object; objective, *~ sláinte* toast; (art) model

cuspóir kuspo:r' *m*3 target; object; objective, purpose; theme

cuspóireach kuspo:r'əx *m*1 object; objective, accusative, case *a*1 objective, accusative

custaiméir kostəm'e:r' *m*3 customer

custaiméireacht kostəm'e:r'əxt *f*3 custom, dealing

custam kostəm *m*1 customs

custard kostərd *m*1 custard

cuthach kuhəx *m*1 rage, fury

cúthail ku:həl' *a*1 shy; diffident, modest

cúthaileacht ku:həl'əxt *f*3 shyness, diffidence

D

dá¹ da: *conj* if, *dá mbeinn gan titim* if I had not fallen, *dá mba ea féin* even so

dá² da: **do** *or* **de** + *poss* **a** a to or for him, her, its, their; of or from or off his, her, its, their, *thug sí dá hathair é*, she gave it to her father, *chuir sé i dtaisce dá chlann é* he put it by for his children, *bhain sé dá cheann é* he removed it from his head, *cuid dá n-oidhreacht* part of their inheritance

dá³ da: **do** *or* **de** + *rel part* **a** of those who(m), of that which, *iomlán dá mbaineann linn* all (of those) who are connected with us, *gach uair dá smaoiním air* every time I think of it, *dá fheabhas dá bhfuil sé* however good he is

dá⁴ da: **de** + *part* **a** however, *dá airde an sliabh* however high the mountain

daba dabə *m4* daub; blob; lump, *mac an ~* ring finger

dabhach daux *f2*, *gs* **daibhche** *pl* **dabhcha** vat, tub; pool, pond

dabhaid daud′ *f2* piece, section; chunk

dabht daut *m4*, *pl* ~**anna** doubt

dada dadə *m4* iota, jot, tittle, *ní ~ é* it is nothing, *an bhfuil ~ le rá agat?* have you anything to say?

daibhir dev′ər′ *m4*, *pl* **-bhre** poor person *a1*, *gsf*, *npl & comp* **-bhre** poor, indigent

daibhreas dev′r′əs *m1* poverty, indigence

daichead dax′əd *m1*, *pl* **-chidí** *& a* forty

daicheadú dax′ədu: *m4 & a* fortieth

daid dad′ *m4*, *pl* ~**eanna** dad

daideo 'da'd′o: *m4* grandad

daidí dad′i: *m4* daddy

daigh day′ *f2*, *pl* **daitheacha** stabbing pain; twinge, ~ **chroí** heartburn *pl* rheumatics, rheumatism

daighear dair *f2*, *gs* **-ghre** *pl* **-ghreacha** flame, fire, ~ **ghaoithe** blast of wind

daigheartha dairhə *a3* fiery; stabbing, painful

dáil¹ da:l′ *f3*, *pl* **dálaí**, **dála** *in certain phrases* meeting; tryst; assembly, convention; legislative assembly, parliament; distribution; circumstance, *bheith i n~ duine* to be in a person's company, ~ **di** serving of drink, *i ndeireadh na dála* when all is said and done, *i n~ le bheith déanta* nearly done, *mo dhála féin* as in my own case, *is é an dála céanna agamsa é*, it is the same with me, *dála mar a rinne mise* just as I did, *dála an scéil* by the way *pl* data

dáil² da:l′ *vt* allocate, distribute, allot; pour out

dáilcheantar 'da:l′ˌx′antər *m1* constituency

dáileadh da:l′ə *m*, *gs* **-lte** *pl* **-ltí** apportionment, distribution

dáileog da:l′o:g *f2*, drop, dose

dáilia da:l′iə *f4*, *pl* ~**nna** dahlia

daille dal′ə *f4* blindness; dullness, stupidity

dailtín dal′t′i:n′ *m4* brat; impudent fellow

dáimh da:v′ *f2* love of kind; fellow-feeling, natural affection

daimsín dam′s′i:n′ *m4* damson

daingean daŋ′gən *m1* stronghold; fort, citadel, secure place; security, *i n~* firmly fixed *a1*, *gsf*, *npl & comp* **-gne** fortified, solid, secure, steadfast

daingne daŋ′n′ə *f4* strength, security; firmness, solidity

daingnigh daŋ′n′i: *vt & i* fortify; strengthen, secure, *conradh a dhaingniú* to ratify a treaty, *dhaingnigh an slaghdán ann* his cold became chronic

daingnitheoir daŋ′n′iho:r′ *m3* stabilizer

dainséar dan′s′e:r *m1* danger

dainséarach dan′s′e:rəx *a1* dangerous

dair dar′ *f*, *gs & gpl* **darach** *npl* **daracha** oak

dáir da:r′ *f*, *gs* **dárach** heat (in cow)

dáiríre da:r′i:r′ə *m4* seriousness, *i n~* in earnest *adv & a3* earnest, serious; in earnest, in reality, ~ **píre** really and truly

dáiríreacht da:r′i:r′əxt *f3* earnestness, seriousness

dairt dart′ *f2* dart; missile, clod

dairtchlár 'dart′ˌxla:r *m1* dartboard

daite¹ dat′ə *a3* coloured, dyed, stained; comely

daite² dat′ə *a3* allotted, *an saol atá ~ dúinn* the life in store for us

330

daitheacha dahəxə *fpl* rheumatics, rheumatism

dálach da:ləx *s, ag obair Domhnach is ~* working ceaselessly

dalba daləbə *a3* bold, forward; large, strong

dalcaire dalkər'ə *m4* stocky person

dall¹ dal *m1* blind person; dull person; dimness, *~ bán* albino *a1* blind; dazzled; dull; dazed, *bheith ~ ar rud* to be ignorant of sth *vt* blind; dazzle; daze; obscure

dallach daləx *s, ~ dubh a chur ar dhuine* to hoodwink a person

dallachar daləxər *m1* dazzle

dalladh daləð *m, gs* -**llta** blinding; dazzlement, *bhí ~ bia ann* there was lashings of food, *ag obair ar ~* working intensely, *~ púicín* blindman's-buff; confusion; deception

dallamullóg 'dalə,mulo:g *m4* confusion, deception, delusion, *~ a chur ar dhuine* to hoodwink, delude, a person

dallán dala:n *m1* plug, stopper

dallarán daləra:n *m1* dunce, fool

dallóg dalo:g *f2* (window-)blind; blind creature, *~ fhéir* dormouse, *~ fhraoigh* shrew

dallradharcach 'dal,rairkəx *a1* shortsighted

dallraigh dalri *vt* blind, dazzle, benumb (with cold)

dallraitheach dalrihəx *a1* dazzling, glaring

dalta daltə *m4* foster-child; pupil, student; alumnus; cadet

daltachas daltəxəs *m1* fosterage; pupilage

daltas daltəs *m1* cadetship

damáiste dama:s't'ə *m4* damage; harm, injury *pl* damages

damáisteach dama:s't'əx *a1* damaging, harmful; damaged; *(of food)* gone off

damanta daməntə *a3* damned; damnable; wicked, terrible, *~ daor* terribly dear

damascach daməskəx *a1* damask, damascene

damba dambə *m4* dam

dambáil damba:l' *vt* dam

damh dav *m1* ox

dámh da:v *f2* (academic) faculty, *an ~* followers of the arts

damhán du:a:n *m1, ~ alla* spider

damhna daunə *m4* matter, substance, material, *~ bróin* cause of sorrow

damhsa dausə *m4* dance

damhsaigh dausi *vt & i* dance; jump about; gambol; shimmer

dámhscoil 'da:v,skol' *f2* bardic school

damhsóir dauso:r' *m3* dancer

damnaigh damni *vt* damn, condemn

damnú damnu: *m4* damnation, condemnation, *~ air!* damn it!

dán da:n *m1, pl* -**ta** art, art of poetry; poem, *an rud atá i n~ dúinn* what is in store for us

dána da:nə *a3* bold; daring, confident; audacious

dánacht da:nəxt *f3* boldness; daring, confidence, audacity

danaid danəd' *f2* grief, regret, loss

danaideach danəd'əx *a1* grievous, sad

danar danər *m1* foreigner, barbarian, *na Danair* the Danes

danartha danərhə *a3* cruel, barbarous; unsociable

danarthacht danərhəxt *f3* barbarity; unsociability

dánlann da:nlən *f2* art gallery

daoi di: *m4* ignorant person; dunce; boor

daoibh di:v' : **do²**

daoine di:n'ə : **duine**

daoineach di:n'əx *a1* populous; numerous

daoire di:r'ə *f4* dearness, costliness

daoirse di:rs'ə *f4* slavery, bondage; oppression

daoirsigh di:rs'i *vt & i* raise price of; make, become, dear

daoithiúil di:hu:l' *a2* churlish; uncivil

daol di:l *m1* beetle; insect, worm, *bhuail ~ caointe í* she took a sudden fit of crying

daonáireamh 'di:n,a:r'əv *m1* census of population

daonchairdeas 'di:n,xa:rd'əs *m1* philanthropy

daonchumhacht 'di:n,xu:əxt *f3* manpower

daonlathach 'di:n,lahəx *a1* democratic

daonlathaí 'di:n,lahi *m4* democrat

daonlathas 'di:n,lahəs *m1* democracy

daonna di:nə *a3* human; humane, kindly

daonnachas di:nəxəs *m1* humanism

daonnacht di:nəxt *f*3 humanity; kindliness

daonnachtaí di:nəxti: *m*4 humanist

daonnachtúlacht di:nəxtu:ləxt *f*3 humaneness; philanthropy

daonnaí di:ni: *m*4 human being

daonra di:nrə *m*4 population

daonscoil 'di:n,skol' *f*2, *pl* ~**eanna** folkschool

daor di:r *m*1 slave; condemned, convicted, person *a*1 unfree; servile; convicted, severe; dear, high-priced *vt* enslave; convict, condemn

daoradh di:rə *m*, *gs* -**rtha** enslavement; conviction, condemnation

daoránach di:ra:nəx *m*1 convict

daorbhreith 'di:r,v'r'eh *f*2 conviction, sentence

daorghalar 'di:r,ɣalər *m*1 piles

daorsmacht 'di:r,smaxt *m*3 slavery, oppression

daoscarshlua 'di:skər,hluə *m*4, *pl* ~**ite** common herd; rabble; rank and file

dar¹ dar *prep*, ~ **fia** by Jove, ~ **m'anam** by my soul

dar² dar *defective v* (with *le*) it seems, seemed, would seem (to), ~ *liom* it seems to me, I think, I thought, ~ *leis féin* in his own estimation

dar³ dar *do or* **de** + *indirect rel of copula* **ar** for whom (is), *an té* ~ *dual an miádh* he who is fated to misfortune, *bean* ~*bh ainm Deirdre* a woman whose name was Deirdre, *cé* ~ *diobh thú?* what is your (family) name?

dár¹ da:r *do or* **de** + *poss a* **ár** to, for, in, at, our; of, from, our, *slí bheatha* ~ *ndaoine* a way of living for our people, *duine* ~ *gclann* one of our children, *táimid* ~ *gcloí* we are being overcome

dár² da:r *do or* **de** + *rel part* **ar**, *an dream* ~ *fhóin sé* those whom he served, *an crann* ~ *scoitheadh iad* the tree from which they were lopped, *gach uair* ~ *smaoinigh mé air* every time I thought of it

dár³ da:r *prep*, *an lá* ~ *gcionn* the following day

dara darə *num a* second; next, other, *níl an* ~ *rogha agam* I have no alternative, *an* ~ *huair a thiocfaidh sé* next time he comes

dartán darta:n *m*1 clod, sod

dás da:s *m*1 dais

dásacht da:səxt *f*3 daring, audacity; madness, fury

dásachtach da:səxtəx *a*1 daring, audacious; mad, furious

dáta¹ da:tə *m*4 date; period, *tá an* ~ *caite* the time has expired

dáta² da:tə *m*4 (*fruit*) date

dátaigh da:ti: *vt* date

dath dah *m*3 colour; appearance, ~ *a chur ar rud* to colour, dye, paint, sth, *scéal gan* ~ an unlikely story, *níl a dhath céille acu* they have no sense, *dheamhan a dhath!* devil a bit!

dathadóir dahədo:r' *m*3 colourist; dyer, painter, ~ *cruthanta é* he is a born liar

dathadóireacht dahədo:r'əxt *f*3 dyeing, painting; exaggeration

dathaigh dahi: *vt & i* colour; dye, paint, *scéal a dhathú* to make a story plausible

dathannach dahənəx *a*1 multicoloured; colourful

dátheangach 'da:,haŋgəx *a*1 bilingual

dátheangachas 'da:,haŋgəxəs *m*1 bilingualism

dathúil dahu:l' *a*2 colourful; good-looking, comely, beautiful

dathúlacht dahu:ləxt *f*3 good looks, comeliness, beauty

de d'e¹ *prep, pron forms* **díom** d'i:m, **díot** d'i:t, **de** d'e *m*, **di** d'i *f*, **dinn** d'i:n', **díbh** d'i:v', **díobh** d'i:v, from, off; of, *tóg den bhord é* take it off the table, *stad sé den ól* he stopped drinking, *leanúint de rud* to keep at sth, *a leithéid de lá* such a day, *éirí de léim* to jump up, *de ghlanmheabhair* off by heart, *ag obair d'oíche is de lá* working day and night, *de ghnáth* as a rule, *de bhrí gur fíor é* because it is true, *de bharr* on account of, *ní den mhúineadh é* it is not the polite thing to do, not manners, *bhí sé de nós acu* it was customary with them, *is fada de bhlianta* (*ó*) it is years (since), *má tá sé de mhisneach agat* if you have the courage, *is fearr de bhia é* (*ná*) it is better food (than), *rud eile de* and what is more, *cibé ar domhan de* but howsoever, *de réir mo thuairime* in my opinion, *de dheoin nó d'ainneoin* willingly or unwillingly

-de d'ə (with comparatives) *is fearrde sibh í* you are the better for it

dé¹ d'e: *f, gs & pl* ~**ithe** puff, breath; glimmer, *ar an* ~ *deireadh* at one's last gasp

dé² d'e: (in names of days of the week) *Dé Domhnaigh* (on) Sunday

dé-³ d'e: *pref* bi-, di-, two-

dé⁴ d'e: : **dia**

dea- d'a(:) *hyphenated pref* good; well-

deabhadh d'auə *m1* haste, hurry

deabhaidh d'aui: *f, gs & pl* **deafa** strife, contention; fight

déabhlóid d'e:vlo:d' *f2* devolution

deabhóid d'avo:d' *f2* devotion

deabhóideach d'avo:d'əx *a1* devout, devotional

deaca(i)- d'akə *pref* deca-

deacair d'akər *f, gs & pl* **deacra** difficulty; hardship, distress *a1, gsf, npl & comp* **-cra** hard, difficult

déach d'e:(ə)x *a1, gsm* ~ dual

deachaigh¹ d'axi: *vt* decimate

deachaigh² d'axi: *p dep of* **téigh²**

deachtaigh d'axtə‚fo:n *m1* dictaphone

deachtaigh d'axti: *vt* instruct; dictate

deachthas d'axhəs *p dep aut of* **téigh²**

deachtóir d'axto:r' *m3* dictator

deachtóireacht d'axto:r'əxt *f3* dictatorship

deachtú d'axtu: *m4* dictation

deachú d'axu: *f, gs* ~ **n** *pl* ~ **na** tenth part, tithe

deachúil d'axu:l' *f3 & a2* decimal

deachúlach d'axu:ləx *a1* decimal

deachúlaigh d'axu:li: *vt* decimalize

deacracht d'akrəxt *f3* difficulty; distress, discomfort

déad d'e:d *m1, npl* ~ **a** tooth; set of teeth

déadach d'e:dəx *a1* dental, toothed

déadchíor d'e:d‚x'i:r *f2* denture

déag d'e:g‚s (with numerals) -teen, *aon* ~ eleven, *dó dhéag* twelve, *naoi* ~ nineteen *trí dhuine dhéag* thirteen persons, *a dhá oiread* ~ twelve times as much, *pl* ~ **a** tens, teens

deaganach d'aga:nəx *m1* deacon

deagóir d'ə:go:r' *m3* teenager

dealagáideacht d'aləgə:d'əxt *f3* delegation

dealaigh d'ali: *vt & i* part, separate; distinguish, differentiate, ~ *le* part

with,separate from, ~ *ó* subtract from

dealbh¹ d'aləv *f2* statue

dealbh² d'aləv *a1, gsm* ~ destitute; bare, empty; bleak

dealbhach d'aləvəx *a1* statuesque

dealbhaigh d'aləvi: *vt* sculpture

dealbhóir d'aləvo:r' *m3* sculptor

dealbhóireacht d'aləvo:r'əxt *f3* sculpture

dealg d'aləg *f2* thorn, prickle; spike; pin, brooch

dealgán d'aləga:n *m1* knitting-needle

dealrachán d'alrəxa:n *m1* clavicle, collar-bone

dealraigh d'alri: *vt & i* shine forth; illuminate, ~ *le* liken to, *dealraíonn sé go* it appears that

dealraitheach d'alrihəx *a1* shining, resplendent; handsome, *is* ~ *lena athair é* he looks like his father, *scéal* ~ a likely story

dealraitheacht d'alrihəxt *f3* appearance, resemblance; verisimilitude

dealramh d'alrəv *m1* sheen, radiance; appearance; resemblance, *de réir dealraimh* apparently, *níl aon* ~ *leis sin* that's ridiculous

dealú d'alu: *m4* separation; subtraction

dealús d'alu:s *m1* destitution

dealúsach d'alu:səx *a1* destitute, poor

deamhan d'aun *m1* demon, ~ *fola* vampire, *dheamhan a bhfaca mé* I saw nothing, *dheamhan a fhios agam* I haven't the faintest idea

deamhanta d'auntə *a3* demoniac(al); fiendish, *is* ~ *an bréagadóir é* he is an awful liar

dea-mhéin d'a(:)'v'e:n' *f2* goodwill, *le* ~ with kind regards

déan¹ d'e:n *m1* dean

déan² d'e:n *vt & i* do; practise; make; form; produce, *coir a dhéanamh* to commit a crime, *ionad duine a dhéanamh* to act in someone's place, *an Cháisc a dhéanamh* to celebrate Easter, *an fhírinne a dhéanamh* to speak the truth, *foighne a dhéanamh* to have patience, *tá an bád ag* ~*amh uisce* the boat is taking water, *do chuid a dhéanamh* to take one's meal, *ó rinne sé lá* since daylight, *fearthainn a dhéanamh* to rain, *aithris a dhéanamh ar dhuine* to imitate a person, *ag* ~*amh amach ar an tráthnóna* getting on for evening, *scéala a dhéanamh ar dhuine* to inform on someone, *an talamh a dhéanamh* to reach land, *~ amh ar an teach* to make for the house, *tá mé ag ~amh go bhfuil an ceart agat* I think you are right, *ag ~amh iontais de* wondering at it, *rinne sé dearmad de* he forgot it, *déanfaidh sé gnó, cúis* it will do, suffice *rinne sé eolas an bhealaigh dom* he directed me on my way, *~amh (as) duit féin* to provide, shift, for oneself, *trua a dhéanamh do dhuine* to take pity on a person, *gáire a dhéanamh faoi dhuine* to laugh at someone, *rinne sé faoi mo dhéin* he made for me, *rinne siad mór leis* they became pally with him

déanach d'e:nəx *a1* last, final; late, *ar na blianta ~a* in recent years

déanaí d'e:ni: *f4*, *le ~* of late

déanamh d'e:nəv *m1* doing; making; manufacture; *bhí sé ar dhéanamh uibhe* it was egg-shaped, *gan ~* undone, unfinished

déanfasach d'e:nfəsəx *a1* industrious, officious

déanmhas d'e:nvəs *m1* formation, structure

deann d'an *m3*, *gs & npl* ~a sting; pang, thrill

deannach d'anəx *m1* dust

deannachtach d'anəxtəx *a1* sharp, severe

deannachúil d'anəxu:l' *a2* dusty

deannóg d'ano:g *f2* pinch (of snuff)

déanta d'e:ntə *a3* complete, finished, *dochtúir ~* fully-qualified doctor, *~ na fírinne* to tell the truth, as a matter of fact

déantán d'e:nta:n *m1* artefact

déantóir d'e:nto:r' *m3* maker, manufacturer

déantús d'e:ntu:s *m1* make, manufacture

déantúsaíocht d'e:ntu:si:(ə)xt *f3* manufacturing

dear d'ar *vt* draw, design

deara d'arə *s*, *rud a thabhairt faoi deara* to notice sth, *rud a chur faoi ~ do dhuine* to cause someone to do something, *tú féin faoi ~ é* you are the cause of it yourself

dearadh d'arə *m1*, *pl* **-raí** design

dearbh¹ d'arəv *a1*, *is ~ liom go* I feel certain that, *go~* assuredly

dearbh-² d'arəv *pref* real, true; own, blood-; absolute

dearbhaigh d'arəvi: *vt & i* declare; confirm; prove, *dearbhú le rud* to testify to something

dearbhán d'arəva:n *m1* voucher

dearbhchló 'd'arəv,xlo: *m4*, *pl* ~**nna** positive

dearbhú d'arəvu: *m4* declaration; confirmation; proof

dearc d'ark *vt & i* look, behold; regard, consider

dearcach d'arkəx *a1* far-seeing, considerate

dearcadh d'arkə *m1* look; outlook; foresight; consideration

dearcán d'arka:n *m1* acorn

deardan d'a:rdən *m1* rough weather

Déardaoin d'e:r'di:n' *m4* Thursday, *~ Deascabhála* Ascension Thursday

dearfa d'arəfə *a3* attested, proved; sure, certain, *go ~* certainly, indeed

dearfach d'arəfəx *a1* affirmative, positive

dearfaidh d'e:rhi: *fut of* **abair**

dearg¹ d'arəg *m1*, *npl* ~**a** red; rouge, *an ~ a chur in uachtar* to turn the sod *a1* red; glowing; intense, *cneá dhearg* raw wound, *cosán ~* beaten track, *bhí cogadh ~ ann* there was bloody war, a regular set-to, *bhí an t-ádh ~ air* he was in real luck *vt & i* redden; blush; glow; wound; (of soil) turn up, *píopa a dheargadh* to light a pipe, *dhearg sí air* she rounded on him

dearg-² d'arəg' *pref* red; real; intense, utter

deargadaol 'd'arəgə,di:l *m1* devil's coach-horse

deargán d'arəga:n *m1* sea-bream

dearlacadh d'a:rləkə *m*, *gs & pl* **-laicthe** gift, bounty

dearlaic d'a:rlək' *f2* endowment *vt*, *pres* **-acann** grant, bestow, endow

dearmad d'arəməd *m1* forgetfulness, negligence; omission; mistake, *~ cló* misprint, *~ a dhéanamh ar, de, dhuine* to forget about a person, *mo dhearmad* by the way *vt* forget, overlook, omit

dearmadach d'arəmədəx *a1* forgetful, absent-minded

dearna¹ d'a:rnə *f*, *gs* ~**n** *pl* ~**na** palm (of hand); slap, thump

dearna² d'a:rnə *p dep of* **déan²**

dearnadóir d'a:rnədo:r′ *m3* palmist

dearnáil d'a:rna:l′ *f3* darning *vt & i* darn

dearóil d'aro:l′ *a1* frail, puny; cold, bleak; poor, wretched

dearscnaitheach d'arsknihəx *a1* excellent; distinctive; distinguished, prominent

deartháir d'arha:r′ ~ d'r′aha:r′ *m, gs -ár pl ~eacha* brother, *a Sheáin, a dhearttháir*, my dear Seán

dearthóir d'arho:r′ *m3* designer

deas¹ d'as *s, ó dheas* southwards, *dul ó dheas* to go south, *an taobh ó dheas* the southerly part

deas² d'as *s, de dheas, i n~*, do near, close, to

deas³ d'as *a1, (of position)* right, *an lámh dheas* the right hand

deas⁴ d'as *a1,* ~ do near, close; convenient to, *an ceann is deise duit* the nearest to you, *bheith ~ i ngaol do dhuine* to be closely related to a person

deas⁵ d'as *a1, gsm* ~ nice, *is* ~ *a chodlóinn néal* I'd love to take a nap, *is é atá* ~ *air* he sure can do it

deasach d'asəx *a1* righthanded

deasaigh d'asi: *vt & i* dress; prepare; settle in position, aim

deasbhord d'as̩vo:rd *m1* starboard

deasc¹ d'ask *f2* desk

deasc² d'ask *vt & i, (of liquid)* settle; glean; thin out

deasca d'askə *m4* dregs; sediment; leaven, yeast, ~ *an tslaghdáin* after effects of the cold, *de dheasca* in consequence of

deascabháil d'askəva:l′ *f3* ascension

deascán d'aska:n *m1* deposit, sediment; gleanings; accumulation; quantity

deaschaint d'as̩xan′t′ *f2* witty speech *pl* witticisms

deasghnáth d'as̩γna: *m3, gs & npl* ~ *a* rite, ceremony; formality

deaslabhra d'as̩laurə *f4* elocution

deaslámhach d'as̩la:vəx *a1* righthanded; dexterous, handy

deasóg d'aso:g *f2* right hand; right fist

deastógáil d'as̩to:ga:l′ *f3* assumption

deatach d'atəx *m1* smoke; vapour, steam

deataigh d'ati: *rt* smoke

deatúil d'atu:l′ *a2* smoky; vaporous

débheathach d'e:̩v′ahəx *m1 & a1* amphibian

débhríoch d'e:̩v′r′i:(ə)x *a1, gsm* ~ ambiguous

débhríocht d'e:̩v′r′i:(ə)xt *f3*, ambiguity

décharbónáit d'e:̩xarəbo:na:t′ *f2* bicarbonate

déchéileachas d'e:̩x′e:l′axəs *m1* bigamy

déchosach d'e:̩xosəx *m1 & a1* biped

défhoghar d'e:̩aur *m1* diphthong

deic d'ek′ *f2* deck

deiceagram 'd'ek′ə̩gram *m1* decigram

deich d'ex′ *m4 & a* ten

deichiú d'ex′u: *m4 & a* tenth

deichniúr d'ex′n′u:r *m1* ten persons; decade (of rosary)

deicibeil d'ek′ə̩b′el′ *f2* decibel

deiciméadar d'ek′ə̩m′e:dər *m1* decimetre

déideadh d'e:d′ə *m1* toothache

déidhe d'e:γ′ə *m4, uimhir dhéidhe* dual number

deifir d'ef′ər′ *f2, gs -fre* hurry; haste, *tá* ~ *leis* it is urgent

deifnídeach d'ef′n′i:d′əx *a1* definitive

deifreach d'ef′r′əx *a1* hurried, in a hurry

deifrigh d'ef′r′i: *vt & i* hurry, hasten

deighil d'ail′ *vt, pres -ghleann* part, separate, divide, partition

deighilt d'ail′t′ *f2* separation; division, partition

deighilteach d'ail′t′əx *a1* causing separation, divisive, *im* ~ soft butter

deighilteoir d'ail′t′o:r′ *m3* separator

deil d'el′ *f2, pl ~eanna* (turning-)lathe, *ar* ~ in good working order; neatly arranged

déil d'e:l′ *f2, (timber)* deal

deilbh d'el′əv′ *f2, pl ~eacha* frame; shape, appearance; warp

deilbhigh d'el′əv′i: *vt* frame; shape, fashion, *snáth a dheilbhiú* to warp thread

deilbhíocht¹ d'el′əv′i:(ə)xt *f3, (grammar)* accidence

deilbhíocht² d'el′əv′i:(ə)xt *f3* bareness, poverty

deileadóir d'el′ədo:r′ *m3* turner

déileáil d'e:l′a:l′ *f3* dealing *vi* deal

déileálai d'e:l′a:l′i: *m4* dealer

deilf d'el′f′ *f2, pl ~eanna* dolphin

deilgne d'el′əg′n′ə *f4* thorns, prickles

deilgneach¹ d'el′əg′n′əx *f2* chicken-pox

deilgneach² d'el′əg′n′əx *a1* thorny, prickly; barbed

deilín d'el′i:n′ *m4* sing-song, rigmarole

deiliús d'el'u:s *m*1 sauciness, impudence

deiliúsach d'el'u:səx *a*1 saucy, impudent

deilt d'el't' *f*2, *pl* ~ **eanna** delta

deimheas d'ev'əs *m*1 shears

deimhin d'ev'ən' s certainty, proof, ~ *a dhéanamh de rud* to make certain of sth *a*1, *gsf*, *npl* & *comp* -**mhne** sure, certain, *go* ~ *duit* I assure you, *go* ~ indeed

deimhneach d'ev'n'əx *a*1 certain; positive

deimhnigh d'ev'n'i: *vt* & *i* certify; affirm, confirm, verify, *deimhniú go* to make sure that

deimhniú d'ev'n'u: *m*4 certification, assurance, confirmation

deimhniúchán d'ev'n'u:xa:n *m*1 certification

deimhniúil d'ev'n'u:l' *a*2 affirmative

déin[1] d'e:n' s, *dul faoi dhéin duine* to go to meet, to fetch, a person, *ag teacht faoi mo dhéin* coming towards, for, me

déin[2] d'e:n' : **dian**

déine d'e:n'ə *f*4 swiftness; intensity; severity

deir[1] d'er' *f*2 shingles, herpes

deir[2] d'er' *pres of* **abair**

deirc d'er'k' *f*2 hole, hollow, cavity

déirc d'e:rk' *f*2 charity, alms(-giving), *bheith ar an* ~ to be reduced to beggary, *fear, bean,* ~*e* beggar(-man, -woman)

deirceach d'er'k'əx *a*1 hollow, *gealach dheirceach* crescent moon

déirceach d'e:rk'əx *m*1 almsgiver, charitable person; mendicant *a*1 charitable, helpful to the needy; mendicant

déircínteacht d'e:rk'i:n't'əxt *f*3 begging, importuning

deireadh[1] d'er'ə *m*1, *pl* -**rí** end; finish; stern, rear, *D*~ *Fómhair* October, *nil tús ná* ~ *air* it is in chaos; he is all confused, *bheith i n*~ *na déithe* to be at one's last gasp, *tá* ~ *déanta* everything is done, *bheith ar* ~ to be last, *faoi dheireadh* at last, *bheith ar* ~, *chun deiridh*, *le rud* to be behindhand with sth, *as a dheireadh* eventually, at the heel of the hunt, *an lá faoi dheireadh* the other day, ~ *báid* stern of boat, *cosa deiridh* hind legs, *roth deiridh* back wheel

deireadh[2] d'er'ə *p hab of* **abair**

deireanach d'er'ənəx *a*1 last; late; latter, *bheith* ~ *ag rud* to be late for sth, *ar* *na blianta* ~*a* in recent years, *an scéala is deireanaí* the latest news

deireanas d'er'ənəs *m*1, *le* ~ recently

deirfiúr d'er'əf'u:r ~ d'r'ef'u:r *f*, *gs* **-féar** *pl* ~ **acha** sister

deirge d'er'əg'ə *f*4 redness; glow; rawness; fallowness (of soil)

déirí d'e:r'i: *m*4 dairy

déiríocht d'e:r'i:(ə)xt *f*3 dairying

deirmitíteas ˌd'er'əm'ə't'i:t'əs *m*1 dermatitis

deis d'es' *f*2 right hand; right hand side; opportunity, *casadh faoi dheis* to turn right, *ar dheis na gréine* facing the sun, *dá mbeadh sé ar mo dheis agam* if I had it near me; if it were convenient for me, *an* ~ *a thapú* to seize the opportunity, *rinne sé* ~ *dom* it served my purpose, *tá* ~ *a labhartha aige* he speaks well, has the knack of saying the right thing, *tá* ~ *mhaith orthu* they are in good circumstances, ~ *imeartha* playing facilities, ~ *a chur ar rud* to repair something

deisbhéalach d'es'ˌv'e:ləx *a*1 well-spoken, witty

deisceabal d'es'k'əbəl *m*1 disciple

deisceart d'es'k'ərt *m*1 south, southern part

deisceartach d'es'k'ərtəx *m*1, southerner *a*1 southern

déise d'e:s'ə : **dias**[1]

deiseacht d'es'əxt *f*3 nearness, closeness

deiseal d'es'əl *adv* in right hand direction, sunwise, *dul* ~ to go clockwise, *casadh* ~, *ar* ~ to turn right

deisealach d'es'ələx *a*1 towards the right, clockwise; right handed, dexterous; tidy

deiseálán d'es'əla:n *m*1 cowlick

deisigh d'es'i: *vt* mend, repair

deisitheoir d'es'iho:r' *m*3 mender, repairer

deisiú d'es'u: *m*4 repair(ing), *thug siad* ~ *dá chéile* they abused each other

deisiúchán d'es'u:xa:n *m*1 mending, repairing, putting things in order

deisiúil d'es'u:l' *a*2 well-to-do; well-equipped

deisiúr d'es'u:r *m*1 southerly aspect

deismíneacht d'es'm'i:n'əxt *f*3 refinement; primness, preciosity

deismir d'es'm'ər' a1 fine, exemplary; neat, tidy; refined, pretty

deismireacht d'es'm'ər'əxt f3 example, illustration; neatness, tidiness; refinement, prettiness, ~ **chainte** nice turn of phrase

deismireán d'es'm'ər'a:n m1 curio

déistin d'e:s't'ən' f2 distaste, nausea; disgust, loathing

déistineach d'c:s't'ən'əx a1 distasteful, nauseating; disgusting, loathsome

déithe d'e:hə : **dia**

dénártha d'e':na:rhə a3 binary

deo d'o: s, go ~ forever, always, *ní rachaidh mé ann go ~ arís* I will never go there again, *bhí sé an-fhuar go ~* it was exceedingly cold

deoch d'ox f, gs **dí** pl ~**anna** drink; potion; infusion, wash, ~ **chodlata** sleeping-draught, *ar* ~ in one's cups

dé-ocsaíd d'e':oksi:d' f2 dioxide

deoin d'o:n' f3, pl **deonta** will, consent, *de do dheoin* (*féin*) of one's own free will

deoir d'o:r' f2, npl -**ora** gpl -**or** tear, drop, *deora codlata* sleeping draught, *deora Dé* fuchsia

deoise d'o:s'ə f4 diocese

deolcach d'o:lkəx m1 suckling

deolchaire d'o:lxər'ə f4 gratuity, bounty

deonach d'o:nəx a1 voluntary; willing; providential

deonachán d'o:nəxa:n m1 donation

deonaigh d'o:ni: vt & i grant, consent; condescend

deontas d'o:ntəs m1 grant

deontóir d'o:nto:r' m3 grantor, ~ *fola* blood donor

deonú d'o:nu: m4 grant, consent; condescension, *trí dheonú Dé* by God's will

deorach d'o:rəx a1 tearful

deoraí d'o:ri: m4 stranger, wanderer, exile; lonely person, *ní raibh duine ná ~ ann* there wasn't a soul there

deoraíocht d'o:ri:(ə)xt f3 exile

deoranta d'o:rəntə a3 strange, foreign, aloof

déroinn d'e:,ron' vt bisect

déscéalaíocht d'e:,s'k'e:li:(ə)xt f3 mythology

déshúiligh d'e:,hu:l'i: npl binoculars

dhá γa: num a two

dháréag γa:r'e:g m4 twelve persons, *an Dáréag* (*Aspal*) the Twelve (Apostles)

dhein γ'en' var p of **déan**

di d'i : **de, do**[2]

dí[1] d'i: : **deoch**

dí-[2] d'i: pref de-, di-, dis-, in-, un-

dia d'iə m, gs **dé** pl **déithe** God; deity, *D~ duit* God save you, *D~ (go deo) leat* bravo, *idir mé is D~* I swear to God, *mura bhfuil ag D~* unless God has decreed otherwise

diabhal d'iəvəl m1 devil, *an ~ capaill sin* that devil of a horse, *d'anam, do chorp, don ~ damn* you, *bíodh an ~ acu* to hell with them, *téigh tigh, i dtigh, diabhail go* to blazes, *ní miste liom sa ~* I don't care a damn, *ag imeacht in ainm an diabhail* going like the devil, (*don*) *~ focal* devil a word, (*ná*) *don ~ é* devil a bit, *~ a mbeadh a fhios agat* you would never know

diabhalta d'iəvəltə a3 mischievous, ~ *greannmhar* extremely funny

diabhlaí d'iəvli: a3 diabolic, devilish

diabhlaíocht d'iəvli:(ə)xt f3 devilry, witchcraft; devilment, mischievousness; cursing

diach d'iəx s deuce, *nach é an ~ é?* isn't it the deuce?

diachair d'iəxər' f3, gs -**chra** pain, affliction; distress

diachas d'iəxəs m1 theism

diachrach d'iəxrəx a1 painful, sore; distressing

diaga d'iəgə a3 divine; godly; sacred, holy; theological

diagacht d'iəgəxt f3 divinity, theology

diagaire d'iəgər'ə m4 theologian

dianta d'iəgəntə a3 godly, pious

diaibéiteas d'i:,b'e:t'əs m1 diabetes

diaidh d'iəγ' s, ~ *ar n~* gradually, *siúl i n~ duine* to walk after, a person, *mí ina dhiaidh* a month after, *i n~ a chéile* one after another; by degrees, *tá an teach uaigneach ina n~* the house is lonely since they went, *ní bheidh Dia ina dhiaidh orainn* God won't hold it against us, *i n~ an ama* after the (due) time, *leath i n~ a haon* half past one, *chuaigh sé i n~ a chinn isteach san uisce* he went head first into the water, *ina dhiaidh sin* afterwards, *ina dhiaidh sin is uile* notwithstanding all that, *i n~ gur iarr mé é* even though I asked for it

diail¹ d'iəl' f2, pl ~**eanna** dial

diail² d'iəl' a1 terrible, remarkable, *is* ~ *an reathaí é* he is a terrific runner, *go* ~! splendid!

diailigh d'iəl'i: vt & i dial

dialann d'iələn f2 diary

dialannaí d'iələni: m4 diarist

diall d'iəl vi, ~ *le, ar* incline towards, ~ *ó* decline, deviate, from

diallait d'iələt' f2 saddle

diallaiteoir d'iələt'o:r' m3 saddler

diamant d'iəmənt m1 diamond

diamhair d'iəvər' f2, pl -**mhra** dark, secluded, place; solitude; mystery, ~ *a bheith ort* to have an eerie feeling a1, npl -**mhra** dark; occult, mysterious; secluded; weird, lonely

diamhasla d'iə̯vaslə m4 blasphemy

diamhracht d'iəvrəxt f3 darkness; mysteriousness; weirdness

dian d'iən a1, gsm **déin** gsf & comp **déine** intense, strong; hard, severe

dianchosc 'd'iən'xosk m1 strict prohibition

dianchúram 'd'iən'xu:rəm m1 intensive care

dianleathadh 'd'iən''l'ahə s, ar ~ wide open

diantréanach 'd'iən''t'r'e:nəx a1 ascetic

diantréanas 'd'iən''t'r'e:nəs m1 asceticism

dí-armáil 'd'i:,arəma:l' f3 disarmament vt & i disarm

dias¹ d'iəs f2, gs **déise** ear of corn; spike (of plant)

dias² d'iəs m1 deism

diasraigh d'iəsri: vt & i glean

diathair d'iahər' f2 orbit, ar ~ in orbit

díbeartach d'i:b'ərtəx m1 banished person; outcast

díbh d'i:v' : **de**

dibheán də'v'a:n m1 divan

díbheirg 'd'i:,v'er'əg' f2 wrath, vengeance

díbheirgeach 'd'i:,v'er'əg'əx a1 wrathful, vengeful

díbheo 'd'i:,v'o: a3 lifeless, listless, moribund

díbhinn d'i:v'ən' f2 dividend

díbhirce d'i:v'ər'k'ə f4 ardour, eagerness, zeal

díbhirceach d'i:v'ər'k'əx a1 ardent, eager, zealous

díbhoilsciú 'd'i:,vol's'k'u: m4 deflation

dibholaíoch 'd'i:,voli:(ə)x m1 & a1, gsm ~ deodorant

díbir d'i:b'ər' vt, pres -**bríonn** drive out, banish, expel, *taibhse a dhibirt* to lay a ghost

díbirt d'i:b'ərt' f3, gs -**beartha** banishment, expulsion

diblí d'i:b'l'i: a3 worn-out, debilitated, dilapidated; vile, debased

dibligh d'i:b'l'i: vt & i wear out, debilitate, dilapidate; revile, abuse

díblíocht d'i:b'l'i:(ə)xt f3 debility, dilapidation, wretchedness; vileness

dícháiligh 'd'i:,xa:l'i: vt disqualify

dícheall d'i:,x'al m1 best endeavour, *tá sé ar a dhícheall* he is doing his best, ~ *anama* all-out effort

dícheallach 'd'i:,x'aləx a1 doing one's best; earnest, diligent, *duine* ~ industrious person

dícheann 'd'i:,x'an vt behead; cut off, destroy

díchéilli 'd'i:,x'e:l'i: a3 senseless, foolish

díchnámhaigh 'd'i:,xna:vi: vt bone, fillet

díchreidmheach 'd'i:,x'r'ed'v'əx m1 unbeliever a1 unbelieving; sceptical; incredulous

díchuimhne 'd'i:,xiv'n'ə f4 forgetfulness

díchuir 'd'i:,xir' vt, vn -**ur** expel; disperse, dispel

didean d'i:d'ən f2 cover, shelter; refuge, protection, *duine a dhídean* to shelter, protect, a person

dídeanach d'i:d'ənəx a1 sheltering, protecting

dídeanaí d'i:d'əni: m4 refugee

didhaoinigh 'd'i:,γi:n'i: vt depopulate

difear d'if'ər m1 difference

dífhostaíocht 'd'i:,osti:(ə)xt f3 unemployment

difríocht d'if'r'i:(ə)xt f3 difference

difriúil d'if'r'u:l' a2 different (*le*, from)

diftéire d'if't'e:r'ə f4 diphtheria

digeann d'ig'ən m1 extreme, extremity; climax

dígeanta d'ig'əntə a3 pertinacious, obdurate; die-hard

díghalraigh 'd'i:,γalri: vt disinfect

díghalrán 'd'i:,γalra:n m1 disinfectant

dihiodráitigh 'd'i:,hidra:t'i: vt dehydrate

dil d'il' a1 dear, beloved

díláithreach 'd'i:ˌla:hr'əx m1 displaced person

díláithrigh 'd'i:ˌla:hr'iː vt displace; clear out; demolish

díláraigh 'd'i:ˌla:riː vt decentralize

díle d'i:l'ə f, gs ~ **ann** pl **-lí** flood; deluge, torrent, an D~ the Flood, thar droim na ~ann over the crest of the ocean

díleá 'd'i:ˌl'a: m4 dissolution; digestion

díleách 'd'i:ˌl'a:x a1, gsm ~ digestive

díleagra 'd'iːˌagrə m4 address, memorial

díleáigh 'd'i:ˌl'a:ɣ' vt & i dissolve; digest

dílis d'i:l'əs a1, gsf, npl & comp **dílse** own; genuine; solid; loyal, faithful, a dteanga dhílis their own language, a oidhre ~ his lawful heir, ainm ~ proper name; proper noun, a Dhia dhílis dear God

dílleachta 'd'i:l'əxtə m4 orphan

dílleachtlann 'd'i:l'əxtlən f2 orphanage

dílse d'i:l's'ə f4 proprietory right; ownership; security; loyalty, fidelity, dul i n~ le rud to pledge oneself to sth

dílseacht 'd'i:l's'əxt f3 proprietory right, ownership; attribute; genuineness; allegiance, móid ~ a vow of fidelity

dílseánach d'i:l's'a:nəx m1 proprietor; loyal follower

dílseoir d'i:l's'o:r' m3 loyalist

dílsigh d'i:l's'iː vt vest; pledge; cede; appropriate; conceal, fiacha a dhílsiú to secure debts

díluacháil 'd'i:ˌluəxa:l' f3 devaluation vt devalue

diméin d'ə'm'e:n' f2, pl ~ **te** demesne

dimheas 'd'i:ˌv'as m3 disrespect, contempt

dímrí 'd'i:ˌm'r'iː f4 feebleness, helplessness; ineffectiveness

dímríoch 'd'i:ˌm'r'iː(ə)x a, gsm ~ feeble, helpless; ineffectual

díneach d'i:n'əx m1 draught, potion

díneamó d'i:n'əmoː m4, pl ~ **nna** dynamo

díneasár d'i:n'əsaːr m1 dinosaur

ding¹ d'iŋ' f2, pl ~ **eacha** wedge vt wedge; pack tightly, stuff

ding² d'iŋ f2, pl ~ **eacha** & vt dint

dinglis d'iŋ'l'əs' f2 tickle, titillation

dingliseach d'iŋ'l'əs'əx a1 ticklesome, ticklish

dinimit d'in'əm'i:t' f2 dynamite

dinit d'i:n'ət' f2 dignity; high estate

díníteach d'i:n'ət'əx a1 dignified

dínn d'i:n' : **de**

dinnéar d'in'e:r m1 dinner

dinnireacht d'in'ər'əxt f3 dysentery

dinnseanchas 'd'in'ˌs'anəxəs m1 topography

dintiúr d'in't'u:r m1 indenture pl credentials

diobh¹ d'i:v vt & i extinguish; eliminate; become extinct

díobh² d'i:v : **de**

díobhadh d'i:və m1 elimination, extinction

díobhaí d'i:viː a3 without issue, extinct

díobháil d'i:vaːl' f3 loss, deprivation; want; injury, damage, rud a bheith de dhíobháil ort to want, need of sth, cad é an ~ (ach) what harm (but)

díobhálach d'i:vaːləx a1 injurious, harmful; at a loss, wanting

díobhlásach d'i:vlaːsəx a prodigal

díoc¹ d'ik m3 pip (in fowl)

díoc² d'ik m3, pl ~ **anna** hunch, stoop

díocas d'i:kəs m1 eagerness, keenness

díocasach d'i:kəsəx a1 eager, keen

díochlaon 'd'i:ˌxli:n vt, (grammar) decline

díochlaonadh 'd'i:ˌxli:nə m, gs **-nta** pl **-ntaí** declension

díog d'i:g f2 ditch, trench, drain

díogarnach d'i:gərnəx f2 gasp(ing); breath, ~ sholais glimmer of light

díogha d'i:v m4 the worst, ~ na bhfear the worst of men, rogha an dá dhíogha choice between two evils

díograis d'i:grəs' f2 zeal; fervour; kindred affection, racht ~ e fit of devotion

díograiseach d'i:grəs'əx a1 fervent, zealous; devoted

díograiseoir d'i:grəs'o:r' m3 zealot, enthusiast

díol d'i:l m3 sale; payment; recompense, i n~ ruda in payment for sth, is maith an ~ ort é you well deserve it, ~ trua é he is to be pitied, ~ míosa de lón a month's supply of provisions, fuair sí a ~ d'fhear she got a husband worthy of her vt & i sell, pay, dhíol sé go daor as he paid dearly for it

díolachán d'i:ləxaːn m1 selling, sale

díolaim d'i:ləm' f3, pl **-amaí** gleaning, gathering; collection, ~ dána anthology of verse

díolaíocht d'i:li:(ə)xt f3 payment; instalment; recompense

díoltach d'i:ltəx *m*1 avenger

díoltas d'i:ltəs *m*1 vengeance, revenge

díoltasach d'i:ltəsəx *a*1 vengeful, vindictive

díoltóir d'i:lto:r' *m*3 seller; vendor, dealer

díolúine d'i:lu:n'ə *f*4, *pl* **-ntí** exemption, immunity; licence

diom d'i:m : **de**

diomá d'i:ma: *f*4 disappointment, sorrow

díomách d'i:ma:x *a*1, *gsm* ~ disappointed, sorry

díomail d'iməl' *vt*, *pres* **-mlaíonn** waste, squander

díomailt d'iməl't' *f*2 waste, extravagance

díomailteach d'iməl't'əx *a*1 wasteful, extravagant

díomaíoch d'imi:(ə)x *a*1, *gsm* ~ ungrateful

diomaite d'imət'ə ~ **de** apart from, besides

díomas d'i:məs *m*1 pride, arrogance; contempt

díomasach d'i:məsəx *a*1 proud, arrogant; contemptuous

díomhaoin d'i:vi:n' *a*1 idle; worthless; unemployed; unused

díomhaointeas d'i:vi:n't'əs *m*1 idleness; worthlessness, unemployment, ~ *an tsaoil* the vanity of the world

díomú d'imu: *m*4 displeasure, dissatisfaction

díomua d'i:muə *m*4 defeat; drawback, disability

díomuachas d'i:muəxəs *m*1 defeatism

díomuan d'i:ˌmuən *a*1 impermanent, transient; short-lived

díomúch d'imu:x *a*1, *gsm* ~ displeased, dissatisfied

díon d'i:n *m*1, *pl* ~ **ta** protection, shelter; covering; roof, *vt* protect, shelter, proof, roof, thatch

díonach d'i:nəx *a*1 protective; impermeable, proof

díonbhrollach d'i:nˌvroləx *m*1 preface

díonchruthú d'i:nˌxruhu: *m*, apologetics

diongbháil d'iŋvaːl' *f*3 match, equal; worth; constancy, assurance; *casadh fear a dhiongbhála air* he met his match

diongbháilte d'iŋvaːl't'ə *a*3 worthy, fitting; steadfast, constant, fixed, solid, thick-set; self-assured, *dúnta go* ~ securely closed, *ordú* ~ strict order, *labhairt go* ~ to speak decisively

díonmhar d'i:nvər *a*1 protective, (water-, weather-) proof

díonteach 'd'i:nˌt'ax *m*, *gs* **-tí** *pl* **-tithe** penthouse

dioplóma ˌd'ip'lo:mə *m*4 diploma

diopsamáine 'd'ipsəˌma:n'ə *f*4 dipsomania

díorma d'i:rmə *m*4 band, troop; detachment

díorthach d'i:rhəx *m*1 & *a*1 derivative

díorthaigh d'i:rhi: *vt* derive

díosal d'i:səl *m*1 diesel

diosc d'isk *vi* dissect

diosc d'isk *vi* creak, grate

diosca d'iskə *m*4 disc

dioscadh d'iskə *m*, *gs* **-etha** dissection

dioscaireacht d'iskər'əxt *f*3 light (house)work

dioscán d'i:ska:n *m*1 creaking, grating; squeak, ~ *fiacla* gnashing of teeth

dioscánach d'i:ska:nəx *a*1 creaky, squeaky, grating, rasping

diosmaid d'isməd' *f*2 dispensation

díospóireacht d'i:spo:r'əxt *f*3 disputing, debating; debate; discussion

diot d'i:t : **de**

díotáil d'i:ta:l' *f*3 indictment *vt* indict

díotchúisigh 'd'i:tˌxu:s'i: *vt* arraign

díothach d'i:həx *a*1 wanting, deficient; needy, destitute

díothaigh d'i:hi: *vt* destroy, eliminate; exterminate

díothóir d'i:ho:r' *m*3 destroyer, exterminator

díothú d'i:hu: *m*4 destruction, extermination

dip d'ip' *f*2, *pl* ~ **eanna**, ~ *chaorach* sheep-dip

dírbheathaisnéis 'd'i:r'ˈvʲahˌas'n'e:s' *f*2 autobiography

díreach d'i:r'əx *m*1 straight; straightforwardness, *rud a chur as a dhíreach* to put sth out of plumb *a*1 straight, direct; erect; straightforward; upright, honest, *soir* ~ due east, ~ *i ndiaidh a chéile* right after each other, *aill dhíreach* perpendicular cliff, *modh* ~ direct method, ~ *ag an doras* just at the door, *anois (go)* ~ just now, *go* ~ exactly

dírigh d'i:r'i: *vt & i* straighten, aim, direct, *gunna a dhíriú ar dhuine* to aim a gun at a person, *d'aire a dhíriú ar rud* to direct one's attention to sth, *diriú ar áit* to make straight for a place, *díriú ar dhuine* to round on a person

díríocht d'i:r'i:(ə)xt *f3* straightness; directness, uprightness

dís d'i:s' *f2* two; pair, couple, *an ~ acu* both of them

disc d'i:s'k' *f2* dryness, barrenness, *dul i n~* to run dry

díscaoil 'd'i:,ski:l' *vt & i* unloose, disperse, dissolve, disintegrate

díscigh d'i:s'k'i: *vt & i* dry up, drain out; consume; exterminate

disciplín d'is'k'əp'l'i:n' *m4* discipline

discréid d'is'k'r'e:d' *f2* discretion; reserve, secrecy

discréideach d'is'k'r'e:d'əx *a1* discreet; reserved, secret

díséad d'i:s'e:d *m1* duet

díseart d'i:s'ərt *m1* deserted place; hermitage

díshealbhaigh 'd'i:,haləvi: *vt* dispossess, evict

díshealbhú 'd'i:,haləvu: *m4* dispossession, eviction

dísle d'i:s'l'ə *m4* die; cube, *rud a chur ar dhíslí* to cast dice for sth

dispeag d'is'p'əg *vt* despise, belittle

dispeagadh d'is'p'əgə *m, gs* **-gtha** belittlement; (*grammar*) diminutive

dispeansáid d'is'p'ənsa:d' *f2* dispensation

díth¹ d'i: *f2, npl* **díotha** *gpl* **díoth** loss; deprivation; lack; need, *rud a bheith de dhíth, a dhíth, ort* to need something, *dul ar ~* to go to loss, *mo dhíth alas, ~ céille* folly

díthiomnach 'd'i:,himnəx *a1* intestate

díthneas d'ihn'əs *m1* haste, hurry, urgency

díthneasach d'ihn'əsəx *a1* urgent, hurried

díthreabh d'i:hr'əv *f2* uninhabited place; wilderness; hermitage

díthreabhach d'i:hr'əvəx *m1* recluse, hermit; homeless person; waif

diúc d'u:k *m1* duke

diúcacht d'u:kəxt *f3* duchy

diúg d'u:g *f2* drop *vt* drain, drink to the dregs; suck, sponge on

diúgaire d'u:gər'ə *m4* tippler; sponger

diúgaireacht d'u:gər'əxt *f3* draining, drinking dry; sponging, whimpering

diúilicín d'u:l'ək'i:n' *m4* mussel

diúité d'u:t'e: *m4, pl* **~ithe** duty

diúl d'u:l *m1* suck(ing), *leanbh (an) diúil* suckling *vt & i* suck

diúlach d'u:ləx *m1* fellow; lad

diúlfhiacail 'd'u:l,iəkəl' *f2, pl* **-cla** milktooth

diúltach d'u:ltəx *m1 & a1* negative, *dreach ~* forbidding aspect

diúltaigh d'u:lti: *vt & i* deny, refuse, *dhiúltaigh sé m'iarratas* he refused my application, *diúltú do rud* to renounce, reject, sth, *diúltú roimh dhuine* to shrink from, shun, a person

diúltú d'u:ltu: *m4* denial, refusal; renunciation

diúnas d'u:nəs *m1* obstinacy

diúracán d'u:rəka:n *m1* projectile, missile

diúraic d'u:rək' *vt & i, pres* **-acann** *vn* **-acadh** cast, shoot, project; brandish

diurnaigh d'u:rni: *vt* drain, swallow; embrace

dlaíóg dli:o:g *f2* (little) wisp; single stalk, blade, *~ ghruaige* lock of hair

dlaoi dli: *f4, pl* **~the** wisp; tuft; bundle of thatch, *~ ghruaige* lock, tress of hair, *an ~ mhullaigh a chur ar rud* to finish off sth; to cap sth, *~ de rópa* strand of rope

dlaoitheach dli:həx *a1, (of hair)* hanging in locks; (*of wool*) tufted

dleacht d'l'axt *f3, pl* **~anna** due, lawful right, *~ chustaim* customs duty, *~ údair* author's royalty

dleathach d'l'ahəx *a1* lawful; genuine; just

dlí d'l'i: *m4, pl* **~the** law, *an ~ a chur ar dhuine* to take legal proceedings against a person

dlí-eolaíocht 'd'l'i:,o:li:(ə)xt *f3* jurisprudence

dligh d'l'iɣ' *vt* be entitled to, merit; be liable to, *dlíonn sé beannacht* he deserves a blessing, *dlitear dom é* I am entitled to it, *dlitear díom é* it is incumbent on me, *tá sé dlite ort é a dhéanamh* you are under an obligation to do it

dlínse d'l'i:n'sə *f4* jurisdiction

dlíodóir d'l'i:(ə)do:r' *m3* lawyer

dlisteanach d'l'is't'ənəx *a1* lawful, legitimate; proper; loyal

dliteanas d'l'it'ənəs *m*1 lawful claim, right; liability

dlíthairgthe d'l'i:,har'ək'ə *a*3, *nótaí* ~ legal tender notes

dlíthí d'l'i:hi: *m*4 litigant

dlíthiúil d'l'i:hu:l' *a*2 legal, juridical, lawful

dlúimh dlu:v' *f*2, *pl* ~**eanna** mass; dense cloud, pad

dlúite dlu:t'ə *a*3 compressed

dlús dlu:s *m*1 compactness; density; fullness, ~ *ruda a bheith agat* to have an abundance of sth, ~ *a chur le rud* to speed up something

dlúsúil dlu:su:l' *a*2 diligent, industrious; expeditious

dlúth[1] dlu: *m*1 warp, *tá sé de dhlúth agus d'inneach ann* it is in his very nature

dlúth[2] dlu: *a*1 close; compact; dense; near

dlúthaigh dlu:hi: *vt & i* compress, tighten; draw together, *dlúthú le duine* to draw close to a person

do[1] də *poss a* your

do[2] do ~ də[†] *prep, pron forms* **dom** dom, **duit** dit', **dó** do: *m*, **di** d'i *f*, **dúinn** du:n', **daoibh** di:v', **dóibh** do:v', to, for, *dul don Spáinn* to go to Spain, *cóngarach do rud* near sth, *rud a thabhairt do dhuine* to give a person sth, *bheannaigh sé dom* he greeted me, *ní oireann sé duit* it doesn't suit you, *chonacthas dom (go)* it appeared to me (that), *inis scéal dúinn* tell us a story, *laethanta saoire do pháistí* holidays for children, *oíche mhaith duit* I bid you good night, *is maith dóibh é* it is well for them, *mar is eol duit* as you know, *b'éigean dóibh teitheadh* they had to fly, *cad is ainm dó?* what is his name? *ní gearánta duit* you shouldn't complain, *ag teacht dom* when I was coming, *sa chomhrá dúinn* during the course of our conversation

do-[3] do[†] *pref* impossible, difficult, to; ill, evil

dó[1] do: *m*4 burning; scorching; combustion; burn, ~ *laidhre* inflammation between the toes, ~ *seaca* frostbite

dó[2] do: *m*4, *pl* ~**nna** two, ~ *dhéag* twelve

dó[3] do: : **do**[2]

do-aimsithe ,do'am's'ihə *a*3 unattainable, inaccessible; elusive

do-áirithe ,do'a:r'ihə *a*3 countless, myriad

do-aitheanta ,do'ahəntə *a*3 unrecognizable, indistinguishable

do-athraithe ,do'ahrihə *a*3 unchangeable, immutable; irrevocable

dóbair do:bər' defective *v*, ~ *dom titim*; ~ *go dtitfinn, gur thit mé* I nearly fell, ~ *dó* it was a near thing for him

dobhar daur ~ do:r *m*1 water; flood, torrent

dobharchú 'daur,xu: ~ 'do:r,xu: *m*4 otter

dobhardhroim 'daur,γrom' ~ 'do:r,γrom' *m*3, *pl* -**omanna** watershed

dobhareach 'daur,ax ~ 'do:r,ax *m*1, *gs* -**eich** *npl* ~**a** hippopotamus

dobhogtha ,do'vokə *a*3 immovable, irresponsive

do-bhraite ,do'vrat'ə *a*3 imperceptible, intangible

dobhránta daura:ntə *a*3 dull, stupid

dobhréagnaithe ,do'v'r'e:gnihə *a*3 irrefutable, undeniable, incontrovertible

dobhriathar 'do,v'r'iəhər *m*1, *pl* -**thra** adverb

dobhriste ,do'v'r'is't'ə *a*3 unbreakable, *geall* ~ sacred promise

dobrón ,do'bro:n *m*1 intense sorrow; grief, affliction

dobrónach ,do'bro:nəx *a*1 grieving, afflicted

dócha do:xə *a*, *comp* **dóichí** (used with *is*) likely, probable, *is* ~ *é* I suppose so, *is* ~ *(go)* it is likely (that), *chomh* ~ *lena athrach* as likely as not, *is é is dóichí (de) go* it is most likely that

dochaideartha ,do'xad'ərhə *a*3 unsociable

dochaite ,do'xat'ə *a*3 durable, hardwearing; inexhaustible; inedible

dochar doxər *m*1 harm; hurt, injury; damage, debit, *sochar agus* ~ profit and loss

dóchas do:xəs *m*1 hope; expectation, trust, ~ *a bheith agat as duine, as rud* to hope in a person, in sth

dóchasach do:xəsəx *a*1 hopeful; confident, optimistic

docheansaithe ,do'x'ansihə *a*3 untameable, unmanageable

dochloiste ,do'xlos't'ə *a*3 inaudible

dochloíte ,do'xli:t'ə *a*3 indomitable, invincible; irrefutable

dochma doxmə *m4* privation, hardship; gloom, depression; reluctance *a3* distressed, uncomfortable; morose, reluctant

dochrach doxrəx *a1* harmful, hurtful, pernicious; distressing

dochraide doxrəd'ə *f4* hardship, oppression; distress

dochreidte ˌdo'x'r'et'ə *a3* incredible

docht doxt *a1*, *gsm* ~ tight; rigid; strict *vt* tighten, bind securely

dochtúir doxtu:r' *m3* doctor

dochtúireacht doxtu:r'əxt *f3* doctorate; medical practice; doctoring

dóchúil do:xu:l' *a2* likely, probable

dochuimsithe ˌdo'xim's'ihə *a3* boundless, infinite

dóchúlacht do:xu:ləxt *f3* likelihood, probability

dochurtha do:xurhə *a3* difficult to put, set, etc, ~ *i bhfeidhm* unenforcible

dócmhainn do:kvən' *f2* liability

dócmhainneach do:kvən'əx *a1* insolvent

dócúl do:ku:l *m1* discomfort; pain, distress

dodach dodəx *a1* sullen; restive, jibbing

dodhéanta ˌdo'y'e:ntə *a3* impossible, hard to do; impracticable

dodhearmadta ˌdo'y'arəmətə *a3* unforgettable

dodhíleáite ˌdo'y'i:ˌl'a:t'ə *a3* indigestible

dodhíolta ˌdo'y'i:ltə *a3* unsaleable

do-earráide ˌdo'ara:d'ə *a3* infallible

dofhaighte ˌdo'a:t'ə *a3* unobtainable; rare

dofheicthe ˌdo'ek'ə *a3* invisible, indiscernible

dofhulaingthe ˌdo'uləŋ'hə *a3* unbearable

do-ghafa ˌdo'γafə *a3* impregnable

doghonta ˌdo'γontə *a3* invulnerable

doghrainn dauərən' *f2* distress, affliction; difficulty

doghrainneach dauərən'əx *a1* distressful, afflicted; difficult

dogma dogmə *m4* dogma

dogmach dogməx *a1* dogmatic

dóib do:b' *f2* daub, plaster-clay; (sticky) mud

dóibeáil do:b'a:l' *vt* daub, plaster (with mud)

dóibh do:v' : **do²**

doicheall dox'əl *m1* churlishness, inhospitality; unwillingness, *brú an* ~ *to* intrude where one is not wanted

doicheallach dox'ələx *a1* churlish, inhospitable, grudging

doichte doxt'ə *f4* tightness, hardness, rigidity

doiciméad dok'əm'e:d *m1* document

doiciméadach dok'əm'e:dəx *a1* documentary

dóid do:d' *f2* hand, fist, handful; lump

do-idithe ˌdo'i:d'ihə *a3* inexhaustible

dóigh¹ do:y' *f2* way, manner; state, condition, ~ *oibre* method of working, *ar dhóigh éigin* somehow, *ar aon* ~, *ar dhóigh ar bith* anyhow, *sa* ~ *sin de* as far as that is concerned, *tá* ~ *mhaith orthu* they are in good circumstances, *bheith gan* ~ *to* be in a poor way, ~ *a chur ar rud* to fix sth, *ar* ~ *real, excellent, ar dhóigh go* so that, ~ *a fháil ar rud* to get a chance to do sth

dóigh² do:y' *f2* hope, expectation; confidence; likely subject, mark, ~ *a dhéanamh de rud* to take sth for granted, *de mo dhóigh* in my opinion, ~ *magaidh* butt for ridicule, *dar n* ~, *ar n* ~ of course, (used as *a* with *is*) likely, probable, *is* ~ *liom* (*go*) I am of opinion (that)

dóigh³ do:y' *vt* & *i* burn, sear, scorch

dóighiúil do:y'u:l' *a2* good-looking, handsome; generous; decent

dóighiúlacht do:y'u:ləxt *f3* handsomeness; generosity; decency

doilbh dol'əv' *a1* dark, gloomy; melancholy

doilbhir dol'əv'ər' *a1*, *gsf*, *npl* & *comp* -**bhre** dark, gloomy; slow of speech

doiléir dol'e:r' *a1* dim, obscure; vague

doiléire dol'e:r'ə *f4* dimness, obscurity; vagueness

doilfeoir dol'əf'o:r' *m3* conjurer, illusionist

doiligh dol'i: *a1*, *gsf*, *npl* & *comp* -**lí** hard, difficult; distressing

doilíos dol'i:s *m1* sorrow, melancholy, affliction; contrition

doilíosach dol'i:səx *a1* sorrowful, melancholy; contrite

doimhneacht dov'n'əxt *f3* depth; deep (place), *dul amach ar an* ~, to go out into deep water, on the deep (sea)

doimhnigh dov'n'i: *vt* & *i* deepen

Doiminiceach dom'ən'ək'əx *m1* & *a1* Dominican

doineann don'ən *f2* stormy weather, storm; wintriness

doineanta don'əntə *a3* stormy; inclement, wintry

doingean doŋ'g'ən *m1*, (*fish*) bass

doinsiún don's'u:n *m1* dungeon

do-inste ˌdo'in's't'ə *a3* inexpressible, indescribable

doirb dor'əb' *f2*, *pl* **~eacha** water beetle

doire dor'ə *m4* oak-wood; wood, grove, thicket

dóire do:ər'ə *m4* burner

doirneog do:rn'o:g *f2* round stone, handstone

doirnín do:rn'i:n' *m4* grip, handle; peg

doirseoir dors'o:r' *m3* door-keeper, porter

doirt dort' *vt & i* pour; spill, shed, *dhoirt an dath* the colour ran, *ag ~ eadh fearthainne* pouring rain, *tá sí ~ e dó* she is devoted to him

doirteadh dort'ə *m*, *gs* **doirte** pouring, spilling, *~ fola* bloodshed,

doirteal dort'əl *m1* (kitchen) sink

dóisceanta do:s'k'əntə *a* swarthy

do-ite ˌdo'it'ə *a3* inedible

dóite do:t'ə *a3* burned; withered; dry; bitter, severe, *bheith ~ de rud* to be tired of, fed up with, sth

dóiteacht do:t'əxt *f3* burning; bitterness, annoyance

dóiteán do:t'a:n *m1* conflagration, fire

dóithín do:hi:n' *m4*, *ní haon ~ Brian* Brian is not a man to be trifled with, *ní haon ~ an obair seo* this work is no joke

dol dol *m3*, *gs & npl* **~a** loop; noose, snare; *~ eangaí* cast of a net, *~ éisc* catch of fish, *~ daoine* group of people, *~ a bhaint as rud* to take a turn at sth *vt* loop; snare; net

dola[1] dolə *m4* thole-pin; peg

dola[2] dolə *m4* harm, loss; expense; toll

doláimhsithe ˌdo'la:v's'ihə *a3* unmanageable, unwieldy

dólámhach ˌdo:ˌla:vəx *a1* two-handed; all out; unaided, *ag obair ~* working energetically, (as *s*) *ar ~* with both hands, *ag ~ (le)* working, competing, strenuously (with)

dólás do:la:s *m1* dolour, tribulation; contrition

dólásach do:la:səx *a1* dolorous, sorrowful

doleigheasta ˌdo'l'aistə *a3* incurable

doléite ˌdo'l'e:t'ə *a3* illegible

doleithscéil ˌdo'l'e:ˌs'k'e:l' *a* inexcusable

dollar dolər *m1* dollar

doloicthe ˌdo'lok'ə *a3* fool-proof

doloiscthe ˌdo'los'k'ə *a3* noninflammable

dolúbtha ˌdo'lu:pə *a3* inflexible, rigid; stubborn

dom dom : do[2]

domhain daun' *f2*, *gs* **doimhne** *pl* **doimhneacha** depth; deep, abyss; *~ na farraige* the deep sea, *i ndoimhneacha an tsléibhe* in the recesses of the mountain *a1*, *gsf*, *npl & comp* **doimhne** deep; profound; *tá sé go ~ i bhfiacha* he is sunk in debt, *~ i bhfarraige* far out to sea

domhainiascaireacht 'daun'ˌiəskər'əxt *f3* deep-sea fishing

do-mhaite ˌdo'vat'ə *a3* unforgivable; unforgiving

domhan daun *m1* world; earth, *is beag den ~ é* it is very little indeed, *níl eagla ar ~ air* he is not a bit afraid, *pé ar ~ é* anyway, in any case, *an ~ de rud* a vast amount of sth, *tá meas an domhain acu air* they think the world of him

domhanda daundə *a3* terrestrial; mundane, worldly; world-wide, *cogadh ~* world war

domhanfhad 'daun'ad *m1* longitude

domhanleithead 'daun'ˌl'ehəd *m1* latitude

domhantarraingt 'daun'ˌtarən't' *f*, *gs* **-gthe** gravitation of the earth, gravity

domheanma ˌdo'v'anəmə *f*, *gs* **~n** low spirits, dejection

domhillte ˌdo'v'il't'ə *a3* indestructible

domhinithe ˌdo'v'i:n'ihə *a3* inexplicable

Domhnach daunəx *m1*, *pl* **-aí** Sunday, *i n~* indeed, forsooth

domhúinte ˌdo'vu:n't'ə *a3* incorrigible, unteachable

domlas domləs *m1* gall, bile; bitterness, rancour

domlasta domləstə *a3* bilious; rancorous; obnoxious, *rud ~* bitter, unsavoury, thing

domplagán dompləga:n *m1* dumpling

dona dona *a3* unfortunate, unlucky; bad; poor, wretched, *is ~ an scéal é* it is a sad state of affairs, *bheith go ~ to* be seriously ill

donacht donəxt *f3* badness, wretchedness; misfortune; illness, *dul i n~*, *chun ~a* to get worse

Dónall do:nəl *m1*, *~ na gréine* happy-go-lucky person; foolish fellow, *~ na gealaí* the man in the moon

donán dona:n *m1* unfortunate person, wretch

donas donəs *m1* ill-luck, misfortune; affliction, misery, *tá an ~ air le fuacht* it is dreadfully cold, *is cuma liom sa ~* I don't care a rap

donn don *m1* brown; brown animal; hard brown timber *a1* brown, *cailín ~* brown-haired girl, *teach ~ daingean* strong and secure house

donnóg dono:g *f2* dunnock, hedge-sparrow

doraitheacht dorihəxt *f3* line-fishing

doras dorəs *m1*, *pl* **doirse** door; doorway, *cur ó dhoras* riddance, evasion

dorcha dorəxə *f4* darkness, obscurity *a3* dark; obscure; blind; secretive

dorchacht dorəxəxt *f3* dark state, darkness

dorchadas dorəxədəs *m1* darkness, secrecy, reserve

dorchaigh dorəxi: *vt & i* darken; become secretive, reserved, *tá sé ag dorchú (san amharc)* his sight is failing

dorchla dorəxlə *m4* corridor

dord do:rd *m1* buzz, drone; (*of voice*) bass, *~ mara* murmur of sea, *~ beach* drone of bees, *~ na muruch* the mermaid's chant *vi* hum, buzz, drone; chant in deep voice

dordán do:rda:n *m1* hum, buzz, murmur, drone

dordghuth 'do:rd,γuh *m3* bass voice

doréitithe ,do're:t'ihə *a3* hard, impossible to disentangle; insoluble, *~ le ir-* reconcilable with

dorn do:rn *m1*, *npl* **doirne** fist; punch; handle, grip, *~ mine* handful of meal, *dul sna doirne, ar na doirne, le duine* to engage in fisticuffs with a person

dornáil do:rna:l' *f3* fistfighting, boxing *vt & i* fist, box

dornálaí do:rna:li: *m4* boxer

dornálaíocht do:rna:li:(ə)xt pugilism, boxing

dornán do:rna:n *m1* fistful, handful; small handle, grip, *~ daoine* small number of people

dornasc 'do:r,nask *m1* handcuff

dornásc 'do:r,na:sk *m1* feeling with hands, groping; (trout-)tickling

dornchla do:rnxlə *m4* hilt

dornóg do:rno:g *f2* mitten

doroinnte ,do'ron't'ə *a3* indivisible

dorr dor *f2* anger; growl

dorrga dorəgə *a3* surly, gruff

dorsán dorsa:n *m1* drumming, humming, sound; growl

dortúr do:rtu:r *m1* dormitory

dorú doru: *m4* marking-line; fishing-line, *as ~* out of alignment

dos dos *m1*, *pl* **~anna** bush, tuft; thicket

dosach dosəx *a1* bushy, tufted

dosaen dose:n *m4*, *pl* **~acha** dozen

doscaí doski: *a3* extravagant, reckless

doscaoilte ,do'ski:l't'ə *a3* impossible to loosen, indissoluble, unsheathed

do-scartha ,do'skarhə *a3* inseparable

doscriosta ,do's'k'r'istə *a3* ineradicable, indestructible

doscúch dosku:x *a1*, *gsm ~*, (*of person*) tough, hard

doshamhlaithe ,do'haulihə *a3* unimaginable, inconceivable

doshaothraithe ,do'hi:hrihə *a3* unworkable, (*of land*) irreclaimable

dosheachanta ,do'haxəntə *a3* unavoidable, inescapable

doshéanta ,do'he:ntə *a3* undeniable

doshiúlta ,do'x'u:ltə *a3* impassable

dosmachtaithe ,do'smaxtihə *a3* ungovernable, unruly, uncontrollable

dóthain do:hən' *f4* enough, sufficiency, *tá a seacht n~ le rá acu* they talk far too much, *~ rí de bhéile* a meal fit for a king

dóthanach do:hənəx *a1* sated, *bheith ~ de rud* to be fed up with sth

dothuigthe ,do'hik'ə *a3* unintelligible, incomprehensible; inscrutable

dothuirsithe ,do'hirs'ihə *a3* tireless, indefatigable

dóú do:u: *num a* second

drabhlás draula:s *m1* carouse; dissipation, *bheith ar an ~* to be debauched, a profligate

drabhlásach draula:sǝx *a*1 dissipated, profligate, wretched

drabhlásaí draula:si: *m*4 profligate

drae dre: *m*4, *pl* ~anna dray

draein dre:n′ *f*, *gs* -aenach *pl* -aenacha drain

draenáil dre:na:l′ *f*3 drainage *vt & i* drain, dig drain(s)

dragan dragǝn *m*1 dragon

dragún dragu:n *m*1 dragoon

draid drad′ *f*2, *pl* ~eanna grin, grimace, ~ bhreá fiacla fine set of teeth, lán go ~ full to the brim,

draidgháire 'drad′‚γa:r′ǝ *m*4 toothy smile, grin

draighean drain *m*1 blackthorn; angry appearance; reluctance, *bata*, *maide*, *draighin* blackthorn stick, *tá* ~ *chun bruine air* he is bristling for a fight

draighneán drain′a:n *m*1 blackthorn

draíocht dri:(ǝ)xt *f*3, *gs & pl* ~a a druidic art; magic, enchantment, *bheith faoi dhraíocht* to be under a spell

draíochtach dri:(ǝ)xtǝx *a*1 magical, bewitching, entrancing

draíodóir dri:(ǝ)do:r′ *m*3 magician; crafty person; rogue, ~ *fir* wizard, enchanter, ~ *mná* witch, enchantress

dram dram *m*3, *pl* ~anna dram

dráma dra:mǝ *m*4 drama, play

drámadóir dra:mǝdo:r′ *m*3 dramatist, playwright

drámaíocht dra:mi:(ǝ)xt *f*3 drama, dramatic art

drámata dra:mǝtǝ *a*3 dramatic

drámh dra:v *m*1, *pl* -áite non-trump card; inferior stuff; misfortune

dramhaíl dravi:l′ *f*3 inferior stuff; refuse, trash

dramhaltach draultǝx *f*2 trampling; trampled state

dramhpháipéar 'dra(v)‚fa:p′e:r *m*1 waste paper

drandal drandǝl *m*1 gum(s)

drann dran *vt & i* grin, snarl, ~ *adh le rud* to go near, interfere with, sth

drannach dranǝx *a*1 snarling

drannadh dranǝ *m*1 grin, snarl, *ná bíodh* ~ *agat leo* don't go near, meddle with, them

drantaigh dranti: *vt & i* snarl; brandish

drantán dranta:n *m*1 snarling; grum-

bling; growl; humming, buzzing, ~ *ceoil* crooning

drantánach dranta:nǝx *a*1 growling, grumbling; humming, crooning

draoi[1] dri: *m*4, *pl* ~the druid; wizard, magician; diviner; trickster

draoi[2] dri: *m*4, *an* ~ *daoine* a great number of people

draoib dri:b′ *f*2 mud, mire; scum

draoibeach dri:b′ǝx *a*1 muddy, miry

draoibeáil dri:b′a:l′ *vt* bespatter

draoidín dri:d′i:n′ *m*4 midget

draothadh dri:hǝ *s*, ~ *gáire* faint smile; wry smile

drár dra:r *m*1 drawer (*of table*); (*of clothing*) drawers

dreach d′r′ax *m*3, *gs & npl* ~a face; facial expression; aspect *vt* delineate, portray

dréacht d′r′e:xt *m*3 (literary, musical) piece, composition; draft

dréachtaigh d′r′e:xti: *vt* draft

dream d′r′am *m*3, *pl* ~anna body of people; group, set, *an* ~ *a deir é* those who say it

dreancaid d′r′aŋkǝd′ *f*2 flea

dreancaideach d′r′aŋkǝd′ǝx *a*1 infested with fleas, flea-bitten

dreap d′r′ap *vt & i* climb

dreapa d′r′apǝ *m*4 place suitable for climbing; ledge or crevice in cliff; stile

dreapadóir d′r′apǝdo:r′ *m*3 climber

dreapadóireacht d′r′apǝdo:r′ǝxt *f*3 climbing

dreas d′r′as *m*3, *gs & npl* ~a turn, spell, bout

dreasaigh d′r′asi: *vt* incite, urge on, drive

dreideáil d′r′ed′(z′)a:l′ *vt & i* dredge

dreidire d′r′ed′(z′)ǝr′ǝ *m*4 dredger

dreige d′r′eg′ǝ *f*4 meteor

dreigit d′r′eg′i:t′ *f*2 meteorite

dréim d′r′e:m′ *f*2 aspiration; contention; expectation, ~ *le cáilíocht* striving for distinction, *i n* ~ *le duine* vying with a person *vi* (with *le*) aspire to; contend with; expect, *ag* ~ *le hardú céime* striving for, expecting, promotion,

dréimire d′r′e:m′ǝr′ǝ *m*4 ladder

dréimreach d′r′e:m′r′ǝx *a*1 ladder-like, gradual; (*of hair*) wavy

dreo d′r′o: *m*4 decomposition, decay

dreoigh d′r′o:γ′ *vt & i* decompose, decay, rot

dreoilín d'r'o:l'i:n' *m*4 wren, *Lá an D* ~ St Stephen's Day, ~ *ceannbhuí* goldcrest, ~ *teaspaigh* grasshopper

dreoite d'r'o:t'ə *a*3 withered, decayed

dreoiteach d'r'o:t'əx *a*1 decaying, mouldering, withering

dríodar d'r'i:dər *m*l lees, dregs; sediment; slops; refuse

driog d'r'ig *f*2, *pl* ~**anna** droplet *vt* & *i* distil

driogaireacht d'r'igər'əxt *f*3 distilling; distillation

drioglann d'r'iglən *f*2 distillery

driopás d'r'ipa:s *m*l hurry, bustle; fumbling, clumsiness

driopásach d'r'ipa:səx *a*1 bustling; awkward, fumbling

dris d'r'is' *f*2, *pl* ~**eacha** bramble, briar, ~ *chosáin* obstruction

driseog d'r'is'o:g *f*2 bramble, briar

driseogach d'r'is'o:gəx *a*1 briary, prickly, irritable

drisín d'r'is'i:n' *m*4 intestine (of animal); drisheen

drisiúr d'r'is'u:r *m*l dresser

drithle d'r'ihl'ə *f*4 spark, sparkle; titillation

drithleach d'r'ihl'əx *a*1 sparkling, glittering; excitable

drithleog d'r'ihl'o:g *f*2 spark

drithligh d'r'ihl'i: *vi* spark; sparkle, twinkle, scintillate

drithlín d'r'ihl'i:n' *m*4 gleaming drip; twitch, thrill, tingle, ~ *i allais* beads of sweat

driuch d'r'ux *m*3 creepy feeling; angry appearance; fretfulness, ~ *craicinn*, ~ *fionnaidh* goose-flesh

droch- drox[+] *pref* bad; poor, evil; ill-, un-

drochaigne 'drox'ag'n'ə *f*4 ill-will, malevolence

drochaiseach 'drox'a:s'əx *a*1 disobliging

droch-aráionach 'drox'ari:nəx *a*1 ugly; ill-tempered, intolerant

drochbhail 'drox'val' *f*2 bad condition; ill-usage; invalidity, ~ *a bheith ort* to be in a bad way

drochbhéas 'drox'v'e:s *m*3, *gs* & *npl* ~**a** bad habit; vice; *pl* bad manners

drochbhéasach 'drox'v'e:səx *a*1 having bad habits; addicted to vice; ill-mannered

drochbhraon 'drox'vri:n *m*l bad drop; (inherited) taint of character

droch-chríoch 'dro(x)'x'r'i:x *f*2 bad end; ruination, ~ *air* confound him

droch-chroí 'dro(x)'xri: *m*4 weak heart; evil disposition, ill-will, ~ *a bheith agat do dhuine* to be ill-disposed towards a person

drochfhuadar 'drox'uədər *m*l, *tá* ~ *faoi* he is bent on mischief

drochiarraidh 'drox'iəri: *f*, *gs* -**ata** *pl* -**ataí** bad attempt, attack; indecent assault

drochíde 'drox'i:d'ə *f*4 ill-usage, abuse

drochiompar 'drox'impər *m*l bad behaviour, immoral conduct

drochiontaoibh 'drox'inti:v' *f*2 distrust

drochlabhartha 'drox'laurhə *a*3 eviltongued

drochmheas 'drox,v'as *m*3 contempt

drochmhianach 'drox'v'iənəx *m*l bad quality; baseness of character, *madra drochmhianaigh* vicious dog

drochmhisneach 'drox'v'is'n'əx *m*l discouragement, despondency

drochmhúineadh 'drox'vu:n'ə *m*, *gs* -**nte** bad manners, rudeness; viciousness (in animal)

drochmhúinte 'drox,vu:n't'ə *a*3 unmannerly, rude, *tarbh* ~ cross, vicious, bull

drochobair 'drox'obər' *f*2, *gs* -**oibre** bad work; mischief

drochrath 'drox'rah *m*3 ill luck, misfortune, ~ *air* bad luck to him

drochrud 'drox,rud[+] *m*3 bad thing, *an* ~ *a sheachaint* to avoid evil, *is é an* ~ *é* he is a wicked character

drochscéal 'drox,s'k'e:l *m*l, *pl* ~ **ta** piece of bad news

drochshaol 'drox'hi:l *m*l bad, hard, life; hard times, *An D* ~ the Famine

drochtheist 'drox'hes't' *f*2 bad testimony, unfavourable report

drochuair 'drox,uər' *f*2 evil hour, crisis, *ar an* ~ *(do dhuine)* unfortunately (for a person)

drogall drogəl *m*l aversion; reluctance; laziness

drogallach drogələx *a*1 reluctant; chary *(roimh*, of); lazy

droichead drox'əd *m*l bridge, ~ *tógála* drawbridge

droim drom′ *m3*, *pl* **-omanna** back; ridge, *ná cuir sa* ~ *ort é* don't antagonize him, ~ *in airde* prone; upside down, ~ *faoi* supine, ~ *ar ais* back to front, ~ *thar* ~ topsy-turvy, ~ *ar dhroim* in close succession, *ar a dhroim sin* on top of that, ~ *bóthair* camber of road, *ar dhroim talún* on the face of the earth, *duine a chur de dhroim tí* to drive a person out of his house, *chuir sin dá dhroim ar fad é* that upset him altogether, ~ *láimhe a thabhairt do rud* to abandon sth, *dá dhroim sin* on that account, *ól dá dhroim é* drink it at one draught, ~ *dubhach* melancholy

droimeann drom′ən *f2* white-backed cow *al* white-backed

droimneach[1] drom′n′əx *m1* black-backed gull

droimneach[2] drom′n′əx *al* ridged, undulating; arched, convex

droimscríobh ′drom′‚s′k′r′i:v *vt, vn* ~ endorse

droinse dron′s′ə *m4* drench

drol drol *m3*, *pl* ~**anna** loop, ring; link, staple; ringlet

drólann dro:lən *f2* colon *pl* intestines

dromadaire dromədər′ə *m4* dromedary

dromainn dromən′ *f2* ridge, mound

dromán droma:n *m1* camber; back-band

dromchla dromplə *m4* top, ridge, crest; (raised) surface, *ar dhromchla na talún* on the face of the earth

dromlach dromləx *m1* spine, spinal column; ridge

drong dron *f2* body of people; group, faction; multitude

dronline ′dron′‚l′i:n′ə *f4*, *pl* **-nte** straight line

dronn dron *f2* hump; camber, ~ *a bheith ort* to be hunchbacked; to have one's shoulders hunched

dronnach dronəx *al* humped, hunchbacked; arched, ridged; convex

dronuilleog ′dron‚il′o:g *f2* rectangle

dronuillinn ′dron‚il′ən′ *f2*, *pl* ~**eacha** right angle

drualus ′druə‚lus *m3* mistletoe ·

drubáil droba:l′ *f3* drubbing

drúcht dru:xt *m3* dew; dewdrop

drúchtín dru:xt′i:n′ *m4* light dew; dewdrop; white slug, ~*í allais* beads of sweat

drúchtmhar dru:xtvər *al* dewy

druga drogə *m4* drug

drugadóir drogədo:r′ *m3* druggist

drugáil droga:l′ *vt* drug

druid[1] drid′ *f2*, *pl* ~**eanna** starling

druid[2] drid′ *vt & i, vn* ~**im** close, shut, *doras a dhruidim* to close a door, ~*im le duine* to move close to, approach, a person, *tá an ceo ag* ~*im isteach orainn* the mist is closing in on us, ~*siar uaim* move away from me, ~ *i leataobh* move aside

druidte drit′ə *a3* closed, shut, *duine* ~ close, uncommunicative, person, ~ *le* close to, *mí* ~ full month, *tá an áit* ~ *leo* the place is swarming with them

druil dril′ *f2*, *pl* ~**eanna** drill, furrow

druileáil dril′a:l′ *f3* drill(ing) *vt & i* drill

druilire dril′ər′ə *m4*, (*tool*) drill

drúis dru:s′ *f2* lust

drúisiúil dru:s′u:l′ *a2* lustful, lascivious

druma dromə *m4* drum; (fife and) drum band

drumadóir dromədo:r′ *m3* drummer

druncaer dronke:r′ *m3* drunkard

drúthlann dru:hlən *f2* brothel

dtí d′i: *go* ~ to, until, even to, *go* ~ *an doras* as far as the door, *tháinig sé go* ~ *mé* he came up to me, *go* ~ *seo* up to now, hitherto, *ní haoibhneas go* ~ *é* there is no happiness to compare with it

dú[1] du: *dú* (used as *a* with *is*) native, natural, *an rud is* ~ *do dhuine* what is natural, proper, for a person

dú-[2] du: *pref* black, dark; great, intense; evil; unknown

dua duə *m4* labour, toil, trouble, *bhí a lán dá dhua agam* I had to work hard for it, had great difficulty with it, ~ *oibre* stress of work, ~ *na farraige* hardships of seafaring

duáilce du:a:l′k′ə *f4* vice; fault, defect; unhappiness

duáilceach du:a:l′k′əx *al* vicious, wicked; unhappy

duainéis duən′e:s′ *f2* labour, difficulty, distress; discontent

duairc duər′k′ *al* morose, cheerless, gloomy

duairceas duər′k′əs *m1* moroseness, cheerlessness, gloominess

duais¹ duəs´ f2, pl ~**eanna** gift, reward, prize

duais² duəs´ f2 gloom, dejection; trouble; distress

duaisbhanna 'duəs´‚vanə m4 prize-bond

duaiseach duəs´əx a1 gloomy, dejected; grim

duaiseoir duəs´o:r´ m3 prizewinner

duaislúil duəs´u:l´ a2 laborious, difficult, distressing

duaithníocht duəhn´i:(ə)xt f3 camouflage

dual¹ duəl m1 braid, tress; wisp, tuft, twist; ply, ~ **snáithe** strand of thread, ~ **deataigh** smoke spiral vt twine, braid, coil; fold

dual² duəl m1 dowel; knot (in timber)

dual³ duəl s (used as a with is) an rud is ~ do dhuine what is natural, proper, for a person, is ~ athar dó é like father like son, is ~ dúinn uile an bás death must come to all of us, an oidhreacht is ~ dó his rightful inheritance

dualach¹ duələx a1 curled; tufted; interlaced, twined

dualach² duələx a1 dowelled; knotted, gnarled

dualgas duəlgəs m1 natural right, due, duty, do dhualgas a dhéanamh to do one's duty, is beag an ~ orm é it is the least I can do, ar ~ on duty

duan duən m1, pl ~**ta** poem, song

duán¹ du:a:n m1 (fish-)hook, ~ báid boat-hook

duán² du:a:n m1 kidney

duánaí du:a:ni: m4 angler

duanaire duənər´ə m4 maker or reciter of verses, rhymer, crooner, verse anthology

duántacht du:a:ntəxt f3 angling

duartan duərtən m1 downpour

duasmánta duəsma:ntə a3 gloomy, morose, surly

dúbail du:bəl´ vt, pres -**blaíonn** double; fold (in two)

dúbailt du:bəl´t´ f2 doubling; duplication, fold

dúbailte du:bəl´t´ə a3 doubled, double

dubh duv m1 black; black substance; black speck, ~ a chaitheamh to wear black, an ~ a chur ina gheal ar dhuine to persuade a person that black is white, ~ na brátaí (form of) potato blight, ~ na fríde de rud the least little bit of sth, an ~ a dhéanamh ar dhuine

to act vilely towards a person, ~ na hoíche the dark of night a1 black; black-haired; swarthy; malevolent; dismal, uisce ~ dark water, tá an áit ~ le daoine the place is swarming with people, na céadta ~ a (de) countless hundreds (of), tá mé ~ dóite de I am heartily sick of it

dubh- duv pref black, dark; great, intense; evil; unknown

dubhach du:əx a1 dismal, gloomy; melancholy, sorrowful

dubhachas du:əxəs m1 gloom, sorrow

dubhaigh duvi: vt & i blacken, darken; blight; sadden, oppress

dúblach du:bləx m1 & a1 duplicate

dúch du:x m1 ink

dúchan du:xən f3 blackening, darkening; potato blight; sadness, ~ na gcnoc d'éanlaith vast flocks of birds, le ~ na hoíche at night-fall

dúchán du:xa:n m1 ink-well

dúchas du:xəs m1 heritage, patrimony; native place; natural affinity; heredity, native bent, de réir dúchais by traditional custom, filleadh ar do dhúchas to return home; to revert to kind, rud a bheith sa ~ agat, ~ ruda a bheith ionat, to have a natural aptitude for sth, tá an teanga ó dhúchas aige he is a native speaker of the language, áit dúchais native place; natural habitat, cainteoir dúchais native speaker, madra dúchais mad dog

dúchasach du:xəsəx m1 native a1 hereditary; innate; native

dúchéalacan 'du:‚x´e:ləkən m1 complete fast, cógas a chaitheamh ar ~ to take medicine on an empty stomach

dúcheist 'du:‚x´es´t´ f2, pl ~**eanna** puzzle, riddle

dúchíos 'du:‚x´i:s m3 "black" rent, ransom for privilege or immunity

dúchosach 'du:‚xosəx m1 maidenhair (fern)

dúchroíoch 'du:‚xri:(ə)x a1, gsm ~ joyless; spiteful

Dúchrónach 'du:‚xro:nəx m1 Black-and-Tan

ducht doxt m3, pl ~**anna** duct

dúdach du:dəx a1 stumpy; longnecked; mopish, foolish-looking

dúdaireacht du:dər'əxt *f*3 eavesdropping; gulping, puffing (at pipe), *tá an citeal ag ~* the kettle is singing

dufair dufar' *f*2 jungle

dufal dofəl *m*1 duffel

duga dugə *m*4 dock; basin (of canal)

dugaire dugər'ə *m*4 docker

dúghorm 'du:ɣorəm *a*l dark blue; navy-blue

duibhe div'ə *f*4 blackness; swarthiness; darkness, gloom; malevolence

duibheagán div'əga:n *m*1 abyss; deep chasm, depth(s), *iasc duibheagáin* deep-sea fish, *~ smaointe* profundity of thought

duibheagánach div'əga:nəx *a*l deep, abysmal, profound

duibhré 'div',re: *f*4, *oíche dhuibhré* moonless night; pitch-dark night

dúiche du:x'ə *f*4 hereditary land, native place; estate; district, *~ Dé* the kingdom of God, *an ~ timpeall, máguaird* the surrounding country, *an ~ daoine* huge concourse of people

dúid du:d' *f*2, *pl* **-eanna** stump; stumpy object; (craned) neck, *~ a chur ort féin* to crane one's neck

dúidín du:d'i:n' *m*4 short-stemmed (clay) pipe

duifean dif'ən *m*1 darkness, cloudiness; shadow; scowl

dúil[1] du:l' *f*2, *gs & npl* **-e** *gpl* **dúl** element, created thing, creature

dúil[2] du:l' *f*2 desire, fondness; expectation, hope, *~ a chur i rud* to take a liking to, get a longing for, sth, *~ i dtobac* craving for tobacco, *tá ~ san airgead aige* he is fond of money, *bheith ag ~ le rud* to desire sth; to expect, hope for, sth

Dúileamh du:l'əv *m*1, *(of God)* Creator

duileasc dil'əsk *m*1 dulse

duileascar dil'əskər *m*1, *~ (cloch)* rock moss; dyer's moss

duille dil'ə *m*4 leaf; eyelid

duilleach dil'əx *a*l leafy; leaf-shaped

duilleog dil'o:g *f*2 leaf, *~ bháite* (leaf of) water-lily

duillín dil'i:n' *m*4 docket

duilliúr dil'u:r *m*1 leaves, foliage

dúilmhear du:l'v'ər *a*l desirous, longing, expectant

duine din'ə *m*4, *pl* **daoine** person; *an ~* human being, man; mankind, *~ fásta* grown-up, adult, person, *~ uasal* gentleman, *caint na ndaoine* colloquial speech, *do dhuine féin* one's own relation, *in aois ~* of adult age, *mo dhuine* the person referred to, your man, *a dhuine uasail* sir, *~ de na mná* one of the women, *ba dhóigh le ~ (go)* one would think (that), *bhí ~ clainne aici* she had a child, *aon ~, ~ ar bith* anyone, anybody, *síleann daoine (go)* some (people) think that, *fuair siad scilling an ~* they got a shilling each

duineata din'ətə *a*3 human, kindly

dúinn du:n' : **do**[2]

dúire du:r'ə *f*4 dourness, stubbornness; dullness, stupidity; sullenness

duirling du:rl'əŋ' *f*2 stony beach

dúirt du:rt' *p* *of* **abair**

dúiseacht du:s'əxt *f*3 state of being awake, aroused, *bheith i do dhúiseacht* to be awake

dúisigh du:s'i: *vt & i* wake, awake; waken, rouse, *inneall a dhúiseacht* to start an engine

dúisire du:s'ər'ə *m*4 (mechanical) starter

dúisitheach du:s'íhəx *a*l evocative

duit dit' : **do**[2]

dul dol *m*3 going, departure; method; construction; version; occasion, instance, *níl ~ níos faide aige* he can go no further, *tá ~ air* there is a way of doing, of saying it, *dá mbeadh ~ agam ar a dhéanamh* if I could manage to do it, *tá sé in aghaidh ~a* it is against nature, against reason, *~ cainte* turn of phrase, *tá ~ eile ar an scéal* there is another version of the story, *den ~ seo* this time, on this occasion, *rún gan ~ amach air* unfathomable secret, *ar an gcéad ~ amach, ~ síos* in the first instance, *~ chun cinn* progress, *níl (aon) ~ as aige* he has no way out of it, no alternative, *~faoi na gréine* sunset, *~ i léig* decline

dúlachán du:ləxa:n *m*1 lake trout

dúlaíocht du:li:(ə)xt *f*3 bleak weather, *~ an gheimhridh* depths of winter

dúléim 'du:,l'e:m' *f*2 leap in the dark; plunge, *baineadh an ~ as* he gave a violent start

dúlra du:lrə *m4*, *an* ~ the elements, nature

dúluachair 'du:,luəxər' *f3*, *gs* **-chra** ~ *na bliana*, *an gheimhridh*, midwinter, depths of winter

dumha du:ə *m4* mound, tumulus

dumhach du:əx *f2*, *gs* **duimhche** *pl* **-mhcha** sandhill, dune; *pl* sandy ground, (sand-)links

dúmhál 'du:,va:l *m1* & *vt* blackmail

dúmhálaí 'du:,va:li: *m4* blackmailer

dumpáil dompa:l' *vt* dump

dún¹ du:n *m1*, *pl* **~ta** fort, fortress; haven; residence; promontory fort

dún² du:n *vt* & *i* close, shut; secure, fasten, ~ *do dhorn air* grasp, hold, it tight; take it when you have the chance, ~ *adh ar áit* to close in on a place, *cuirtíní a dhúnadh* to draw curtains

dúnárasach 'du:n,a:rəsəx *a1* reticent, reserved, taciturn

dúnbhásaí 'du:n,va:si: *m4*, (*person*) homicide

dúnbhású 'du:n,va:su: *m4*, (*deed*) homicide

dundarlán dundərla:n *m1* stocky person; blockhead; blow

dúnfort 'du:n,fort ~ du:nfərt *m1* fortified place, stronghold

dungaraí doŋgəri: *m4* dungaree

dúnghaois 'du:n,ɣi:s' *f2* policy

dúnmharaigh 'du:n,vari: *vt* murder

dúnmharfóir 'du:n,varəfo:r' *m3* murderer

dúnmharú 'du:n,varu: *m4* murder

dúnorgain 'du:n,orəgən' *f3* manslaughter

dúnpholl 'du:n,fol *m1* man-hole

dunsa donsə *m4* dunce

dúnta du:ntə *a3* closed (up); close, reticent; secured, fastened, *spéir dhúnta* heavily overcast sky

dúntóir du:nto:r' *m3* fastener

dúr du:r *a1* dour, obstinate; stupid; insensitive

dúradán du:rədə:n *m1* black speck; spot, ~ *i súil* mote in eye

dúradh du:rəv *p aut of* **abair**

dúramán du:rəma:n *m1* stupid person

dúranta du:rəntə *a3* dour, grim, morose

durdáil du:rda:l' *vi* coo

durdam du:rdəm *m1* murmur, chatter

dúreo du:,ro: *m4* black frost

dúrud 'du:,rud *m3*, *an* ~ a great deal, *tá an* ~ *airgid aige* he has loads of money, *shíl sé an* ~ *dínn* he thought the world of us

dúshlán 'du:,hla:n *m1* challenge, defiance; ~ *duine a thabhairt* to challenge a person, to defy a person, ~ *a chur faoi dhuine* to throw down the gauntlet to a person, *rud a dhéanamh as* ~ to do sth out of sheer bravado

dúshlánach 'du:,hla:nəx *a1* challenging, defiant; reckless; resistant; secure

dúshnámh 'du:,hna:v *m3* under-water swimming

dúshraith 'du:,hrah *f2*, *pl* ~ **eanna** base, foundation; substratum, ~ *an chreidimh* the basis of religion

dusta dostə *m4* dust

duthain duhən' *a1* short-lived, transient

dúthomhas 'du:,ho:s *m1* enigma

dúthracht du:hrəxt *f3* devotion, fervour; earnestness; favour, *do dhúthracht a chaitheamh le rud* to do one's very best with sth, *thug mé* ~ *bheag airgid dó* I gave him a little extra money (out of goodwill)

dúthrachtach du:hrəxtəx *a1* devoted; zealous; generous, kind, *oibrí* ~ earnest worker, *guí go* ~ to pray fervently

E

é e: *pron* he, him; it, *déan é* do it, *buaileadh é* he was struck, *gan é* without him, it, *mar é* like him, it, *is deas é* it is nice, *is é an fear céanna é* he is the same man, *is é sin* namely, *b'fhéidir é* it might be so

ea a *pron* (used with *is*) *is ea* it is, *ní hea* it isn't, *an ea?* is it? *múinteoir is ea é* he is a teacher, *más ea* (*féin*) even so, *is ea anois* well now, *an ea nach dtuigeann tú mé?* is it that you don't understand me?

éabann e:bən *m*1 ebony

Éabha e:və *f*4 Eve, síol ~ the human race

eabhar aur *m*1 ivory

eabhartha aurhə *a*3 ivory

éabhlóid e:vlo:d′ *f*2 evolution

each ax *m*1, *gs* eich *npl* ~a horse, steed

each-chumhacht ′a(x),xu:əxt *f*3 horse-power

eachma axmə *f*4 eczema

éacht e:xt *m*3 feat; achievement

éachtach e:xtəx *a*1 powerful; wonderful

eachtra axtrə *f*4 adventure; incident; tale

eachtrach axtrəx *a*1 extern(al)

eachtraigh axtri: *vt* & *i*, *vn* -aí relate, narrate, tell

eachtraíocht axtri:(ə)xt *f*3 adventuring, journeying, *ag* ~ spinning yarns

eachtránaí axtra:ni: *m*4 adventurer

eachtrannach axtrənəx *m*1 alien, foreigner *a*1 alien, foreign

eachtrúil axtru:l′ *a*2 adventurous, eventful

eacnamaí aknəmi: *m*4 economist

eacnamaíoch aknəmi:(ə)x *a*1, *gsm* ~ economic(al)

eacnamaíocht aknəmi:(ə)xt *f*3 economy; economics

éacúiméineach ,e:ku:′m′e:n′əx *a*1 ecumenical

éacúiméineachas ,e:ku:′m′e:n′əxəs *m*1 ecumenism

éad e:d *m*3 jealousy, envy, *in* ~ *le*, *ag* ~ *le* jealous of

éadach e:dəx *m*1, *pl* -aí cloth; clothing, clothes

éadáil e:da:l′ *f*3 acquisition; profit; spoil; wealth, *is beag an* ~ *dó é* he has little to gain by it

éadaingean ′e:,daŋ′g′ən *a*1, *gsf, npl* & *comp* -gne insecure; unstable, irresolute

éadairbheach ′e:,dar′əv′əx *a*1 unprofitable; futile

éadaitheoir e:diho:r′ *m*3 clothier, draper

éadálach e:da:ləx *a*1 acquisitive; profitable; rich

éadan e:dən *m*1 front, face; forehead; flat surface; end, *in* ~ against, opposed to, *ní bheadh sé d'* ~ *orm* I wouldn't have the audacity, *as* ~ *a chéile* one by one; in rapid succession; all together

eadarlúid ′adər,lu:d′ *f*2 interlude

eadhon a:(ə)n *adv* namely

éadmhar e:dvər *a*1 jealous, envious

éadóchas ′e:,do:xəs *m*1 despair

éadóchasach ′e:,do:xəsəx *a*1 despairing,hopeless

éadóigh ′e:,do:γ′ *f*2 unlikely place, thing, *is* ~ *go* it is unlikely that

éadoilteanach ′e:,dol′t′ənəx *a*1 involuntary

éadoimhneacht ′e:,dov′n′əxt *f*3 shallowness

éadóirseacht ado:rs′əxt *f*3 naturalization

éadóirsigh ado:rs′i: *vt* naturalize

éadomhain ′e:,daun′ *a*1, *gsf, npl* & *comp* -oimhne shallow

eadra adrə *m*4 morning milking-time; noon; interval

eadraibh adrəv′ : **idir**

eadráin adra:n′ *f*3 intervention in dispute, mediation, conciliation

eadrainn adrən′ : **idir**

eadránaí adra:ni: *m*4 mediator, arbitrator

éadrócaireach ′e:,dro:kər′əx *a*1 merciless

éadroime e:drəm′ə *f*4 lightness; airiness; giddiness

éadrom e:drəm *a*1 light; sparse; trivial; giddy

éadromaigh e:drəmi: *vt* & *i* lighten; alleviate, *tá mo cheann ag éadromú* I am getting dizzy

éadromán e:drəma:n *m*1 balloon, bladder, float

éag e:g *m*3 death; numbness, *dul in* ~, *dul d'* ~ to die, die out, *go h*~ forever, *ar chúl* ~*a* backward, forgotten *vi* die; die out

eagal agəl *a*1 (used with *is*) *is* ~ *liom (go)* I fear (that), *is* ~ *dó* he is in danger

eagán aga:n *m*1 hollow, pit; bird's crop

éaganta e:gəntə *a*3 silly, giddy

éagaoin ′e:,gi:n′ *vt* & *i* moan, lament, complain

éagaointeach ′e:,gi:n′t′əx *a*1 mournful; querulous

eagaois agi:s′ *f*2 gizzard

eagar agər *m*1 arrangement, order; state, plight, *fear eagair* editor, *cuir* ~ *ar do chuid páipéar* arrange your papers, *leabhar a chur in* ~ to edit a book

eagarfhocal ′agər,okəl *m*1 editorial

eagarthóir agərho:r′ *m*3 editor

eagarthóireacht agərho:r′əxt *f3* editing, *foireann* ~a editorial staff

eagla aglə *f4* fear, fright, ~ a chur ar *dhuine* to make someone afraid, *ar* ~ *go* for fear that, lest, *ar* ~ *na h*~ to be on the safe side

eaglach agləx *a1* fearful, afraid; timid

eaglais agləs′ *f2* church, *E*~ *na hÉireann* Church of Ireland

eaglaiseach agləs′əx *m1* churchman, clergyman

eaglasta agləstə *a3* ecclesiastical

éagmais e:(g)məs′ *f2* absence; want, *bheith in* ~ *ruda* to be without sth, *ina* ~ *sin* as well as that

éagmaiseach e:(g)məs′əx *a1* lonesome, longing

eagna agnə *f4* wisdom; intelligence, understanding

eagnaí agni: *m4* wise man, sage, *a3* wise, intelligent

éagnaigh e:gni: *vt & i*, *vn* -**ach** moan; complain; reproach, revile

éagnairc e:gnər′k′ *f2* requiem

eagnaíocht agni:(ə)xt *f3* wisdom; wittiness, smart talk

éagobhsaí e:,gausi: *a3* unstable

éagóir e:go:r′ *f3*, *pl* -**óracha** injustice, wrong; unfairness, ~ *a dhéanamh ar dhuine* to wrong a person, *bheith san* ~ to be in the wrong

éagórach e:go:rəx *a1* unjust; wrong

éagothroime e:,gohrəm′ə *f4* unevenness, unbalance; inequality

éagothrom e:,gohrəm *a1* uneven, unbalanced; unfair, inequitable

eagraigh agri: *vt* arrange, organize

eagraíocht agri:(ə)xt *f3* organization

eagrán agra:n *m1* edition, (*of journal*) issue, number

eagras agrəs *m1* organization

éagruth e:,gruh *m3* shapelessness; deformity; decay, *dul in* ~ to become ugly, go to rack and ruin

éagruthach e:,gruhəx *a1* shapeless; deformed; decayed

éagsúil e:gsu:l′ *a2* unlike; different, various

éagsúlacht e:gsu:ləxt *f3* unlikeness; variation; strangeness

éaguimhne e:,giv′n′ə *f4* oblivion

éaguimseach e:,gim′s′əx *a1* unbounded; immoderate

éagumas e:,guməs *m1* incapability; impotence

eala[1] alə *f4* swan

eala[2] alə *f*, ~ *mhagaidh* object of ridicule

éalaigh e:li: *vi* escape; elope; slip away, *éalú ar dhuine* to steal up on a person, *éalú ón tóir* to evade the pursuit

ealaín ali:n′ *f2*, *npl* -**iona** *gpl* -**ion** art; science, skill; workmanship, craft, *Máistir Ealaíne* Master of Arts, ~ *bheatha* livelihood, *ní h*~ *duit é* it is no way for you to carry on, *tá sé lán ealaíon* he is full of tricks

ealaíonta ali:ntə *a3* artistic, skilful; graceful; tricky

ealaíontóir ali:nto:r′ *m3* artist, craftsman; tricky person

éalaitheach e:lihəx *m1* escaper, fugitive, *a1* fugitive; elusive

éalang e:ləŋ *f2* defect, weak spot, ~ *a fháil ar dhuine* to take a person at a disadvantage

éalangach e:ləŋəx *a1* defective; weak, debilitated

eallach aləx *m1*, *pl* -**aí** cattle; livestock; poultry

ealta altə *f4* flock (of birds, etc)

éalú e:lu: *m4* escape, evasion; elopement

éalúchas e:lu:xəs *m1* escapism

éamh e:v *m1*, *npl* ~**a**, cry, entreaty; complaint

éan e:n *m1* bird; young of bird, ~ *róin* baby seal, ~ *corr* odd man out

eanach anəx *m1* marsh; pass; fowling

éanadán e:nəda:n *m1* bird-cage

Eanáir ana:r′ *m4* January

éaneolaíocht e:n,o:li:(ə)xt *f3* ornithology

eang aŋ *f3* track, trace; gusset; notch; groove; gap, ~ *talún* patch of land, ~*ai eochrach* wards of key

eangach[1] aŋgəx *f2* (fishing-)net; network

eangach[2] aŋgəx *a1* gusseted; chequered; notched, grooved

eangaigh aŋgi: *vt* notch, groove, indent

eanglach aŋləx *m1* numbness from cold; pins and needles

éanlaith e:nlah *f2* birds, fowl

éanlann e:nlən *f2* aviary

éar e:r *vt* refuse, deny

éaradh e:rə *m*, *gs* -**rtha** *pl* -**rthaí** refusal, denial; hindrance

earc ark *m*1, *npl* ~**a** lizard; reptile, ~ *luachra* newt

earcach arkəx *m*1 recruit

earcaíocht arki:(ə)xt *f*3 recruiting

éard e:rd (used as *pron* with *is*) is ~ *a deir sé go* what he says is that

eardhamh ar(ə)ɣəv *m*1 vestibule; sacristy

éarlais e:rləs *f*2 earnest (money); deposit

éarlamh e:rləv *m*1 patron (saint)

earnáil a:rna:l' *f*3 sector

earr a:r *f*2 end, extremity

earra arə *m*4 goods, merchandise; commodity, *is olc an t-* ~ *é* he is a bad lot

earrach arəx *m*1 spring, *an t-* ~ *a dhéanamh* to do the spring work

earráid ara:d' *f*2 error; contrariness; eccentricity, *dul in* ~ to go wrong

earráideach ara:d'əx *a*1 erroneous; incorrect; eccentric

eas as *m*3, *pl* ~**anna** waterfall, cascade, rapid

easair asər' *f*, *gs & gpl* -**srach** *npl* -**sracha** bedding, litter

easanálaigh 'as,ana:li: *vt & i* breathe out, exhale

easaontaigh 'as,i:nti: *vt & i* disagree (*le* with), dissent (*le* from); disunite

easaontas 'as,i:ntəs *m*1 disagreement, dissent; discord

easaontóir 'as,i:nto:r' *m*3 dissenter

éasc e:sk *m*1 flaw, weak spot

éasca e:skə *a*3 swift, nimble; fluent; easy; ready

éascaigh e:ski: *vt & i* make easy; hurry, expedite

eascaine askən'ə *f*4 imprecation; curse

eascainigh askən'i: *vt & i*, *vn* -**ní** curse, swear

éascaíocht e:ski:(ə)xt *f*3 speed; nimbleness; fluency; readiness

eascair askər' *vi*, *pres* -**craíonn** spring, sprout; (*of day*) break

eascairdeas 'as,ka:rd'əs *m*1 unfriendliness, antagonism

eascairdiúil 'as,ka:rd'u:l' *a*2 unfriendly, hostile

eascann askən *f*2 eel; snake

eascara 'as,karə *m*, *gs* ~**d** *pl* -**cairde** unfriendly person; enemy

eascra askrə *m*4 beaker

eascrach askrəx, **eascracha** askrəxə: **eiscir**

easláinte 'as,la:n't'ə *f*4 ill-health, ailment

easlán 'as,la:n *m*1 sick person, invalid, *a*1 sick, unhealthy

easmailt asməl't' *f*2 reproach; revilement

easna asnə *f*4, *pl* ~**cha** rib

easnach asnəx *a*1 ribbed

easnamh asnəv *m*1 want, deficiency; shortage, omission, *in* ~ *ruda* lacking sth, *níl aon* ~ *orthu* they want for nothing

easnamhach asnəvəx *a*1 deficient; insufficient, incomplete

easóg aso:g *f*2 stoat

easonóir 'as,ono:r' *f*3 dishonour, indignity

easpa[1] aspə *f*4 lack; loss, absence; deficiency, *rud a bheith in* ~, *d'* ~, *ort* to lack sth

easpa[2] aspə *f*4 abscess

easpach aspəx *a*1 lacking, deficient; defective, *táimid triúr* ~ we are three short

easpag aspəg *m*1 bishop

easpagóideacht aspəgo:d'əxt *f*3 bishopric, episcopacy

easparta aspərtə *f*, *gs* ~ *n pl* ~**na** vespers, evensong

easpórtáil 'as,po:rta:l' *vt* export

easpórtálaí 'as,po:rta:li: *m*4 exporter

easraigh asri: *vt* litter, strew

eastát asta:t *m*1 estate

easumhal 'as,u:əl *a*1, *npl* -**mhla** disobedient, insubordinate

easumhlaíocht 'as,u:li:(ə)xt *f*3 disobedience, insubordination

easurraim 'as,urəm' *f*2 irreverence, disrespect

easurramach 'as,urəməx *a*1 irreverent, disrespectful; disobedient

eatarthu atərhu : **idir**

eatramh atrəv *m*1 interval, lull; respite, ~ *a dhéanamh* to stop raining

eatramhach atrəvəx *a*1 interim; intermittent

eibhear ev'ər *m*1 granite

eibleacht eb'l'əxt *f*3 emulsion

éiceolaíocht 'e:k',o:li:(ə)xt *f*3 ecology

éide e:d'ə *f*4 clothes, dress; livery, *in* ~ *garda* in garda uniform

éideannas 'e:,d'anəs *m*1 (political) détente

éidearfa 'e:,d'arəfə *a*3 unconfirmed, uncertain

eidhneán ain'a:n *m*1 ivy

éidigh e:d'i: *vt* dress, clothe; accoutre

éidreorach e:‚d'r'o:rəx *a*l shiftless; feeble; paltry

éifeacht e:f'əxt *f*3 significance; force, effect; value; substance; achievement, *labhairt le h ~* to speak to good effect, *teacht in ~* to mature; to succeed in life

éifeachtach e:f'əxtəx *a*l significant; effective; highly capable, efficient

éifeachtúil e:f'əxtu:l' *a*2 effectual

éigean e:g'ən *m*l force, violence; rape; necessity, compulsion; distress, *b' ~ dom imeacht* I had to go, *ar ~* hardly, barely

éigeandáil e:g'ən‚da:l' *f*3 emergency

éigeantach e:g'əntəx *a*l compulsory; distressed

éigeas e:g'əs *m*l, *pl* **-gse** learned person, sage; poet

éigh e:γ' *vi*, *vn* **éamh** cry out, complain; (with *ar*) call upon, beseech

éigiallta 'e:‚g'iəltə *a*3 senseless, irrational; foolish, imbecile

éigin e:g'ən' *indcl a* some, *duine ~* someone, *céad ~ punt* a hundred pounds or so

éiginnte 'e:‚g'in't'ə *a*3 uncertain; indefinite, undecided

éiginnteacht 'e:‚g'in't'əxt *f*3 uncertainty, indefiniteness; indecision

éigiontach 'e:‚g'intəx *a*l innocent

éigiontaigh 'e:‚g'inti: *vt* acquit

éigneasta 'e:‚g'n'astə *a*3 dishonest; insincere

éignigh e:g'n'i: *vt* force; violate

éigríoch e:‚g'r'i:x *f*2 infinity

éigríonna 'e:‚g'r'i:nə *a*3 unwise, imprudent; inexperienced

éigse e:g'sə *f*4 learning, poetry; (assembly of) learned men, poets

eilc el'k' *f*2, *pl* **~eanna** elk

eile el'ə *a & adv & s* other, another, different; more, else, *ceann ~* another one, *un saol ~* the next world, *rud ~ de* furthermore, *níl teach ná ~ aige* he has neither a house nor anything else, *is beag ~ a bhí le rá aige* he had little else to say

éileamh e:l'əv *m*l claim, demand; complaint, accusation, *~ a dhéanamh ar rud* to claim sth, *an t- ~ a íoc* to foot the bill

eileatram el'ətrəm *m*l bier; hearse

éilicsir e:l'ək's'ər' *m*4 elixir

eilifint el'əf'ən't' *f*2 elephant

éiligh e:l'i: *vt & i* claim, demand; complain; ail

Eiliseach el'is'əx *m*l & *a*l Elizabethan

eilit el'ət' *f*2 doe, hind

éilitheoir e:l'iho:r' *m*3 claimant; complainant, plaintiff

éill e:l', *~ e* el'ə : **iall**

éillín e:l'i:n' *m*4 brood, clutch

éilligh e:l'i: *vt* corrupt, pollute, defile

éimear e:m'ər *m*l emery

éimigh e:m'i: *vt* refuse; deny, reject

eindéimeach ‚in'd'e:m'əx *a*l endemic

éindí e:n'd'i: *s, in ~* (*le*) together (with)

éineacht e:n'əxt *s, in ~* at the same time, at once; together, altogether, *in ~ le* together, along, with

éineart 'e:‚n'art *m*l enfeeblement

eintríteas ‚en''t'r'i:t'əs *m*l enteritis

eipic ep'ək' *f*2 epic

eipiciúil ep'ək'u:l' *a*2 epic(al)

eipidéim 'ep'ə‚d'e:m' *f*2 epidemic

eipidéimeach 'ep'ə‚d'e:m'əx *a*l epidemic

eipistil ‚e'p'is't'əl' *f*2 epistle

eire er'ə *m*4 load, burden

Éire e:r'ə *f*, *ds* **-rinn** *gs* **~ann** Ireland, *pé in Éirinn é* whoever he may be, *i bhfad ~ ann níos fearr* much better

eireaball er'əbəl *m*l tail

eireog er'o:g *f*2 pullet

éirí e:r'i: *m*4 rising, rise, *~ amach* outing; insurrection, *~ in airde* high spirits; uppishness, *~ croí* elation; palpitation, *~ slí* waylaying, hold-up; robbery, *~ slua* muster

éiric e:r'ək' *f*2 reparation, retribution; compensation, reward

eiriceach er'ək'əx *m*l heretic

eiriceacht er'ək'əxt *f*3 heresy

eiriciúil er'ək'u:l' *a*2 heretical

éirigh e:r'i: *vi* rise; grow; become, *éirí fuar* to get cold, *éirí amach* to go on an outing; to rise in revolt, *éirí as* to give up, to relinquish, *ag éirí chugam* defying me, *~ díom* leave me alone, *cad é d' ~ dó?* what happened to him? *d' ~ eatarthu* they quarrelled, *éirí i d'fhear* to become a man, *d' ~ leis* he succeeded, *d' ~ achrann* trouble developed

éirim e:r'əm' *f*2 scope; drift; inclination; talent, ~ *a chuid cainte* the tenor of his speech, ~ *aigne* mental power

éirimiúil e:r'əm'u:l' *a*2 lively; talented; intelligent

éiritheach e:r'ihəx *a*1 rising; prosperous, *plúr* ~ self-raising flour

eirleach e:rl'əx *m*1 destruction; slaughter

eirmín e:r'əm'i:n' *m*4 ermine

éis e:s' *s, d* ~, *tar* ~ after; although, *tar* ~ *an lae* at the end of the day, *tar* ~ *an tsaoil* after all, *dá* ~ *sin is uile* in spite of all that

éisc e:s'k' : **iasc**

eisceacht es'k'əxt *f*3 exception

eisceachtúil es'k'əxtu:l' *a*2 exceptional

eiscir es'k'ər' *f, gs* **eascrach** *pl* **eascracha** esker, (glacial) ridge

eisdíritheach 'es',d'i:r'ihəx *m*1 extrovert

eiseachadadh 'es',axədə *m, gs* **-chadta** extradition

eiseachaid 'es',axəd' *vt, pres* **-adann** extradite

eiseachas es'əxəs *m*1 existentialism

éisealach e:s'ələx *a*1 fastidious, squeamish

eiseamal es'əməl *m*1 specimen

eiseamláir es'əmla:r' *f*2 exemplar, model; example; illustration

eiseamláireach es'əmla:r'əx *a*1 exemplary

eisean es'ən 3 *sg m emphatic pron* he, him, ~ *a rinne é* he is the person who did it

eisigh es'i: *vt* issue

eisilteach es'əlt'əx *m*1 effluent

eisimirce 'es',im'ər'k'ə *f*4 emigration

eisimirceach 'es',im'ər'k'əx *m*1 & *a*1 emigrant

eisiúint es'u:nt' *f*3, *gs* **-úna** issue

éislinn e:s'l'ən' *f*2 vulnerable spot; flaw

éislinneach e:s'l'ən'əx *a*1 vulnerable; defective, handicapped

eisreachtaí 'es',raxti: *m*4 outlaw

eisreachtaigh 'es',raxti: *vt* proscribe, outlaw

éist e:s't' *vt* & *i* listen (*le* to); hear, heed; be silent, *cás a* ~*eacht* to hear a case

éisteacht e:s't'əxt *f*3 hearing; silence, *lucht* ~ *a* audience, *tabhair* ~ *dó* give him a hearing, *tá sé ina* ~ he is silent

éisteoir e:s't'o:r' *m*3 listener, hearer

eite et'ə *f*4 wing; flank; pinion, wing feather; fin

eiteachas et'əxəs *m*1 refusal

eiteán et'a:n *m*1 spindle; bobbin; shuttlecock

éitear e:t'ər *m*1 ether

eiteog et'o:g *f*2 wing; (little) wing feather, *chuir sé* ~*a ar mo chroí* it transported me with joy

éitheach e:həx *m*1 lying, falsehood, *leabhar éithigh a thabhairt* to take a false oath, *thug tú d* ~ you're a liar

eithne ehn'ə *f*4 kernel; nucleus

eithneach ehn'əx *a*1 nuclear

eithre ehr'ə *f*4 tail; fin

eitic et'ək' *f*2 ethics

eiticiúil et'ək'u:l' *f*2 ethical

eitigh et'i: *vt, vn* **-teach** refuse

eitil et'əl' *vi, pres* **-tlíonn** fly; flutter

eitilt et'əl't' *f*2 flight; flutter; flicker, *ar* ~ flying

eitinn et'ən' *f*2 consumption, tuberculosis

éitir e:t'ər' *f*2 strength, vigour

eitleán et'əl'a:n *m*1 aeroplane

eitleog et'əl'o:g *f*2 kite

eitleoir et'əl'o:r' *m*3 flyer, airman

eitleoireacht et'əl'o:r'əxt *f*3 flying; airmanship

eitlíocht et'əl'i:(ə)xt *f*3 aviation

eitneach et'n'əx *a*1 ethnic

eitpheil 'et',f'el' *f*2 volleyball

eitre et'r'ə *f*4 furrow, groove

eitrigh et'r'i: *vt* & *i* furrow, groove

eitseáil et's'a:l' *f*3 etching & *vt* etch

Eocairist okər'əs't' *f*2 Eucharist

eochair[1] oxər' *f, gs* **-chrach** *pl* **-chracha** key

eochair[2] oxər' *f, gs* **-chrach** *pl* **-chracha** border, edge

eochraí oxri: *f*4 roe (of fish)

eoclaip o:kləp' *f*2 eucalyptus

eol o:l *m*1 (used with *is*), *is* ~ *dom* (*go*) I know (that)

eolach o:ləx *a*1 knowledgeable; skilled; informed (*ar* in), familiar (*ar* with)

eolaí o:li: *m*4 knowledgeable person; expert; guide; scientist, ~ *an teileafóin* telephone directory

eolaíoch o:li:(ə)x *a*1, *gsm* ~ scientific

eolaíocht o:li:(ə)xt *f*3 science

eolaire o:lər'ə *m*4 directory

eolas o:ləs *m*1 knowledge, skill; familiarity; information, *réalta eolais* guiding star; *cuaille eolais* signpost, ∼ *a chur ar rud* to acquire a knowledge of sth,

eorna o:rnə *f*4 barley

eotanáis o:tənɑ:s′ *f*2 euthanasia

tá sé ar ∼ *agam* I know, have learned, it

F

fabhalscéal ′faul′ˌs′k′e:l *m*1, *pl* ∼**ta** legend, fable

fabhar fa(:)vər *m*1 favour; favouritism, influence

fabhcún fauku:n *m*1 falcon

fabhra faurə *m*4 eyelash; (eye)brow, ∼ *i (éadaigh)* fringe (of cloth)

fabhrach faurəx *a*1 favourable; partial

fabhraíocht fauri:(ə)xt *f*3 favouritism

fabht faut *m*1 fault, flaw; defect

fabhtach fautəx *a*1 faulty, flawed; unsound; treacherous

faca fakə *p dep of* **feic²**

fachnaoid faxni:d′ *f*2 derision; joking

facthas fakəs *p dep aut of* **feic²**

fad fad *m*1 length; distance, duration, extent, ∼ *saoil* length of life, *míle ar* ∼ a mile long; a mile altogether, *an bealach ar* ∼ the whole way, *rud eile ar* ∼ quite a different matter, ∼ *le, a fhad le* as far as, ∼ *(is), a fhad (is)* as long as, *i bh*∼ *ó chéile* far apart; sparse, *cá fhad?* how long? *dá fhad (go dtí é)* however long (it may be), ∼ *gach aon fhaid* ever so long

fada fadə *a*3 (*comp* **faide**) long; protracted, tedious, *is* ∼ *go* it will be a long time until, *go mór (is go)* ∼ ever so much, *chomh* ∼ *leis sin de* as far as that is concerned, *an* ∼ *eile go?* will it be long more until? *le*∼ for a long time past, ∼ *ó shin* long ago

fadaigh¹ fadi: *vt & i* set, kindle (fire); incite; erect

fadaigh² fadi: *vt & i* lengthen, *fadú le, ar, rud* to add to sth

fadálach fadɑ:ləx *a*1 slow; dilatory, tedious

fadaraíonach ′fadˌari:nəx *a*1 long-suffering, patient; long-headed

fadbhreathnaitheach ′fadˌv′r′ahnihəx *a*1 far-seeing

fadcheannach ′fadˌx′anəx *a*1 far-seeing, shrewd

fadfhulaingt ′fadˌulən′t′ *f*, *gs* **-gthe** long-suffering, endurance, forbearance

fadfhulangach ′fadˌuləŋəx *a*1 long-suffering, enduring, forbearing

fadharcán fairkɑ:n *m*1 knot (in timber), lump (on body); corn (on foot)

fadharcánach fairkɑ:nəx *a*1 gnarled; callous; lumpy

fadhb faib *f*2, *pl* ∼**anna** knot (in timber); callosity, lump; problem, *sin i an fhadhb* there's the snag

fadhbáil faibɑ:l′ *f*3 striking, slogging

fadlíne ′fadˌl′i:n′ə *f*4, *pl* ∼**nte** meridian

fadó ˌfaˈdo: *adv* long ago

fadsaolach ′fadˌsi:ləx *a*1 long-lived; easygoing

fadsaolaí ′fadˌsi:li: *f*4 longevity

fág¹ fɑ:g *m*3 large wave, swell

fág² fɑ:g *vt & i*, *vn* ∼**áil** leave; forsake; grant, suppose, *tá tuilleadh* ∼ *tha* there is more left, *d'fhág sé go luath* he left early, *is bocht a* ∼*adh iad* they were most unfortunate, ∼ *ann sin (go)* it follows from that (that), ∼ *slán acu* say farewell to them, *rud a fhágáil ar dhuine* to attribute sth to a person, to accuse a person of sth, ∼ *fúmsa é* let me deal with it, ∼ *aim le huacht (go)* I solemnly declare (that), *is leis a* ∼*adh é* it led to his undoing

fágálach fɑ:gɑ:ləx *m*1 laggard; weakling; changeling

faghairt fairt′ *f*3, *gs* -**artha** temper (of metal); fire, fervour; spirit; (glint of) anger

faghartha fairhə *a*3 tempered; fiery, mettlesome, *(of eyes)* glinting

fágtha fɑ:kə *a*3 left, forsaken, *créatúr beag* ∼ helpless little creature

faí fi: *f*4, *pl* ∼**the** note; cry; lament; *(grammar)* voice

fáibhile 'fa:,vʹilʹə *m4* beech

faic fak' *f4* (*with negative*) nothing, *níl ~ air* there is nothing the matter with him, *~ na fride, na ngrást* nothing whatsoever

faiche fax'ə *f4* green, lawn

faichill fax'əlʹ *f2* care, caution; wariness, *duine a chur ar a fhaichill* to put a person on his guard *vt & i* be careful of; (*with ar*) be wary of, be on guard against

faichilleach fax'əlʹəx *a1* careful, cautious

faicín fak'i:nʹ *m4* (baby's) napkin; rag

faicsean fak'sʹən *m1* faction

fáidh fa:γ' *m4, pl* **-ithe** prophet; wise man, sage

fáidheadóireacht fa:γ'(ə)do:rʹəxt *f3* prophecy; wise speech, *ag ~* prophesying; talking sagaciously

fáidhiúil fa:γ'u:lʹ *a2* prophetic; wise

faigh faγ' *vt* get; find; be able to, *bás a fháil* to die, *rud a fháil tomhaiste* to get sth measured, *ag fáil dorcha* getting dark, *ní bhfaighfeá iad a shásamh* you couldn't satisfy them

faighin fainʹ *f2, gs* **-ghne** *pl* **-ghneacha** sheath; case; vagina

faighneog fainʹo:g *f2* shell, pod

fail[1] falʹ *f2, pl* **~eanna** ring, bracelet; enclosure; lair, sty

fail[2] falʹ *f2, pl* **~eanna** hiccup

fáil fa:lʹ *f3* getting, finding; capability, *níl ~ air* it can't be got, found, *gan ~ ar chasadh acu* without any possibility of their returning, *ar ~* extant, available, *le ~* to be had, available, *chuir sé ó fháil (orm) é* he made it unobtainable (to me)

fáilí fa:lʹi: *a3* pleasant, affable; furtive, stealthy

faill falʹ *f2, pl* **~eanna** unguarded state; chance, opportunity; cessation

faillí falʹi: *f4, pl* **~ocha** neglect; delay, omission

faillligh falʹi: *vt & i* neglect; omit, delay

faillitheach falʹihəx *a1* negligent

faillitheoir falʹiho:rʹ *m3* negligent person; defaulter

fáilte fa:lʹtʹə *f4* welcome, *~ a chur roimh dhuine* to welcome a person, *F~ an Aingil* the Angelus, *~ Uí Cheallaigh,* generous welcome

fáilteach fa:lʹtʹəx *a1* welcoming

fáilteoir fa:lʹtʹo:rʹ *m3* receptionist

fáiltigh fa:lʹtʹi: *vi* welcome

fáiltiú fa:lʹtʹu: *m4* welcoming; reception

fainic fanʹək' *f2* warning, caution *vt & i* beware, *~ thú féin* mind yourself

fáinleog fa:nʹl'o:g *f2* swallow

fáinne fa:nʹə *m4* ring; circle; ringlet; halo, *~ an lae* break of day

fáinneach fa:nʹəx *a1* ring-like; ringed; ringleted

fáinneáil fa:nʹa:lʹ *f3* circling; fluttering

fáinnéirí fa:nʹe:rʹi: *m4* convalescence

fáinneoireacht fa:nʹo:rʹəxt *f3* ringing (of animals)

fáinnigh fa:nʹi: *vt & i* ring, encircle, *tá an lá ag fáinniú* the day is dawning

faíoch fi:(ə)x *a1, gsm ~* loud, plaintive; fluent; copious

fair farʹ *vt & i* watch; look out for, expect, *ag ~ e na huaire* tied to time, *ag ~ e ar dhuine* keeping a watch on a person, *~ thú féin* mind yourself, *ag ~ e na faille* waiting for an opportunity, *corp a fhaire* to wake a corpse

fáir fa:rʹ *f2, pl* **~eacha** (hen's) nest; bed, lair (of animal) *vi* roost

fáirbre fa:rʹbʹrʹə *f4* notch; wrinkle

fairche farʹəxʹə *f4* diocese

faire farʹə *f4* watch; wake, *~ leapa* bedside vigil, *fear ~* look-out, watchman, *bí ar dʹfhaire* look out

faireach firʹəx *f2* booing, hooting, jeering

faireog farʹo:g *f2* gland

fairis farʹəsʹ : **fara**[2]

Fairisíneach farʹəsʹi:nʹəx *m1* Pharisee *a1* Pharisaic(al)

fairsing farsʹənʹ *a1* wide, extensive; ample; plentiful; liberal, *teach ~* spacious house, *is ~ an cheist í* it is a broad question, *fómhar ~* abundant harvest, *tá croí ~ aici* she is openhearted

fairsinge farsʹənʹə *f4* width, extent; spaciousness; expanse; abundance

fairsingigh farsʹənʹi: *vt & i* widen, extend; broaden; become liberal, *ráiteas a fhairsingiú* to amplify a statement, *tá an bia ag fairsingiú* food is becoming more plentiful

fairtheoir farʹho:rʹ *m3* watcher, sentry

fáisc fa:ʃk´ *vt & i, vn* **fáscadh** squeeze; wring, press, bind closely; attack, *téad a fháscadh* to tighten a rope, *tá siad ag fáscadh orainn* they are pressing on us, ~ *ort abhaile* hurry off home, ~ *eadh as an mbochtaineacht iad* they were bred in poverty

fáisceán fa:ʃk´a:n *m1* binder, bandage

fáiscín fa:ʃk´i:n´ *m4* clip, fastener

fáiscire fa:ʃk´ər´ə *m4* squeezer

fáiscthe fa:ʃk´ə *a3* squeezed, pressed; tight; well-knit; trim, neatly dressed

faisean faʃən *m1* fashion; habit, mannerism

faiseanta faʃəntə *a3* fashionable; stylish

faisisteach faʃəsˊtˊəx *a1* fascist

faisisteachas faʃəsˊtˊəxəs *m1* fascism

faisistí faʃəsˊtˊi: *m4* fascist

faisnéis faʃnˊeːʃ *f2* information; intelligence, report; (*grammar*) predicate

faisnéiseach faʃnˊeːʃəx *a1* informative; (*grammar*) predicative

faisnéiseoir faʃnˊeːʃoːrˊ *m3* informant

fáistine fa:ʃtˊənˊə *f4* prophecy; divination

fáistineach fa:ʃtˊənˊəx *m1* prophet, soothsayer; future (tense) *a1* prophetic; (*grammar*) future

faiteach fatˊəx *a1* fearful, apprehensive; timid

faiteadh fatˊə *m1* flapping, flutter, *i bh ~ na súl* in the twinkling of an eye

fáithim fa:həmˊ *f2* hem

faithne fahnˊə *m4* wart

faitíos fatˊiːs *m1* fear, apprehension; timidity, *ar fhaitíos go* for fear that, lest

fál¹ fa:l *m1, pl* ~ta hedge, fence; wall, barrier; enclosure, field

Fál² fa:l *m1 Inis, Críocha, Fáil* (the island, territories, of) Ireland

fala falə *f4, pl* -lta grudge, resentment, *fear* ~ spiteful man

fálaigh fa:liː *vt* fence, enclose; lag

fallás fa:lɑːs *m1* fallacy

fallaing faləŋˊ *f2, pl* ~eacha mantle, cloak, ~ *sheomra* dressing-gown

fálróid fa:lroːdˊ *f2* sauntering, strolling; easy pace

falsa falsə *a3* false; lazy

falsacht falsəxt *f3* falseness; laziness, *ag* ~ idling

falsaigh falsiː *vt* falsify, *uacht fhalsaithe* forged will

falsaitheoir falsihoːrˊ *m3* falsifier, forger

falsóir falsoːrˊ *m3* lazy person

faltanas faltənəs *m1* spite, grudge

fáltas fa:ltəs *m1* income, profit; amount, supply

fámaire faːmərˊə *m4* stroller, idler; summer visitor; huge person or thing

fan fan *vi* stay, wait, remain

fán fa:n *m1* straying, wandering, vagrancy, *ar* ~ astray, *chuaigh sé le* ~ *an tsaoil* he took to a roving life

fána fa:nə *f4* declivity, slope; hollow, droop

fánach fa:nəx *a1* wandering, straying; aimless; futile, *comhrá* ~ casual conversation, *ceathanna* ~ *a* occasional showers

fanacht fanəxt *m3* wait, stay

fánaí fa:niː *m4* wanderer; casual worker; nomad

fanaiceach fanək´əx *m1 & a1* fanatic

fanaiceacht fanək´əxt *f3* fanaticism

fanaile fanəlˊə *m4* vanilla

fánaíocht fa:niː(ə)xt *f3* wandering; hiking; aimlessness; decline

fánán fa:na:n *m1* slope; ramp; chute; slip (for boats)

fann fan *a1, gsm* ~ faint, weak, languid

fanntais fantəʃ *f2* faint, swoon

fantaisíocht fantəsˊiː(ə)xt *f3* fantasy

faobhar fiːvər *m1* edge; blade, ~ *a chur ar rud* to sharpen sth, *tá* ~ *ar a teanga* she has a sharp tongue

faobhrach fiːvrəx *a1* sharp, cutting, biting; eager

faobhraigh fiːvriː *vt* sharpen, whet

faocha fiːxə *f, gs & gpl* ~u *npl* ~ in periwinkle, ~ *chapaill* whelk

faoi¹ fiː *prep, pron forms* **fúm** fuːm, **fút** fuːt, **faoi** fiː *m,* **fúithi** fuːhi *f,* **fúinn** fuːnˊ **fúibh** fuːvˊ, **fúthu** fuːhu, under, below, beneath; less than; about, round; concerning; against, ~ *chré* under the soil, buried, *tá an ghrian ag dul* ~ the sun is setting, *bheith* ~ *ualach* to be burdened, ~ *sholas an lae* in the light of day, ~ *bhláth* in flower, *ag dul* ~ *scrúdú* undergoing an examination, ~ *bhrón* sorrowful, *cur fút in áit* to settle down in a place, *bhí luas* ~ he was going at speed, *tá fás fúthu* they are growing, *fág fúm é* leave it to me, *mise ~ duit* I'll warrant you, *~ mar a bheadh fearg air* as if he was angry, *~ is go raibh siad ag troid* because they were fighting, *~ dhó* twice, *a sé ~ a seacht* six by seven, *a sé ~ a seacht* six by seven, *amuigh ~n tuath* out in the country, *~ mhaidin* by morning, *~ láthair* at present, *~ orlach de* within an inch of it, *~ dheireadh* at last, *dhéanfá gáire ~* you would laugh at it

faoi² fi: = **faoi¹**

faoileán fi:l'a:n *m1* seagull

faoileanda fi:l'əndə *a3* graceful

faoileoir fi:l'o:r' *m3* glider

faoisc fi:s'k' *vt* shell; parboil (shellfish)

faoiseamh fi:s'əv *m1* relief; alleviation, ease

faoistin fi:s't'ən' *f2* confession, *an Fhaoistin Choiteann* the Confiteor

faoitín fi:t'i:n' *m4* whiting

faolchú 'fi:l,xu: *m4, pl ~nna* wild dog, wolf

faomh fi:v *vt, pp* **faofa** accept; approve

faon fi:n *a1* supine; limp, languid

faonoscailt 'fi:n,oskəl't' *f2* slight opening; hint

faopach fi:pəx *s, san fhaopach* in dire straits, in a fix

fara¹ farə *m4* (hen-)roost

fara² farə *prep, pron forms* **faram** farəm, **farat** farət, **fairis** far'əs' *m*, **farae** fare: *f*, **farainn** farən', **faraibh** farəv', **faru** faru, along with; as well as, besides

faradh farə *m, gs* **-rtha** ferrying; ferry, *bád fartha* ferryboat

farae fare: = **fara²**

faraibh farəv' = **fara²**

farainn farən' = **fara²**

faram farəm = **fara²**

farantóireacht farəntə:r'əxt *f3* ferrying

faraor fə'ri:r *int* alas, *bheith ar an bh~*, to be in a bad way

farasbarr 'farəs,ba:r *m1* excess, surplus

farat farət = **fara²**

fardal fa:rdəl *m1* inventory

fardoras 'fa:r,dorəs *m1, pl* **-oirse** lintel (of door)

fargán farəga:n *m1* ledge

farradh farə *s, i bh~* in the company of, beside, *~ is, i bh~ is* compared with, beside

farraige farəg'ə *f4* sea

faru faru = **fara²**

fás fa:s *m1* growth, development; sapling, rod, *~ aon oíche* mushroom growth *vt & i* grow

fásach fa:səx *m1* waste, desert; deserted place; luxuriant growth

fáscadh fa:skə *m1, pl* **-ai** press, squeeze; tightness, pressure; exertion, *~ reatha* burst of speed, *den chéad, ar an gcéad, fháscadh*, at the first attempt

fáschoill 'fa:s,xol' *f2, pl ~te* undergrowth; grove

fáslach fa:sləx *m1* upstart

fásra fa:srə *m4* vegetation

fásta fa:stə *a3* grown, *duine ~* adult

fastaím fasti:m' *f4* nonsense

fáth¹ fa: *m3, pl ~anna* cause, reason, *cén ~?* why? *tú féin a chur i bh~* to assert oneself

fáth-² fa: *pref* mystic, figurative; wise, witty

fathach fahəx *m1* giant

fáthach fa:həx *a1* figurative, symbolic

fáthadh fa:hə *s, ~ an gháire* smile

fáthchiallach 'fa:,x'iələx *a1* allegorical, figurative

fáthmheas 'fa:,v'as *m3* diagnosis

fáthscéal 'fa:,s'k'e:l *m1 pl ~ta* allegory, parable

feá¹ f'a: *m4, pl ~nna* fathom

feá² f'a: *f4, pl ~nna* beech

feabhas f'aus *m1* excellence; improvement, *dá fheabhas iad* however good they may be, *ar fheabhas* excellent, *dul i bh~* to improve

Feabhra f'aurə *f4* February

feabhsaigh f'ausi: *vt & i* better, improve; get better

feac¹ f'ak *m4, pl ~anna* handle (of spade, shovel)

feac² f'ak *vt & i* bend

feacadh f'akə *m, gs* **-ctha** *pl* **-chaí** bend, bent posture, *~ a bhaint as rud* to bend sth

féach f'e:x *vt & i* look; consider; examine; test, *cuisle a fhéachaint* to feel a pulse, *~aint le rud a dhéanamh* to try to do sth, *tháinig sé do m'fhéachaint* he came to see me

féachadóir f'e:xədo:r' *m3* onlooker, observer

féachaint f'e:xən't' f3, gs **-ana** look; aspect; trial, *lucht féachana* onlookers

feacht f'axt m3, pl ~**aí** flow, current

feachtas f'axtəs m1 campaign

fead f'ad f2, pl ~**anna** whistle, *bheith i ndeireadh na feide* to be at one's last gasp

féad f'e:d auxiliary v, vn **-achtáil** be able to; ought to, ~*aim a rá* (go) I may say (that)

feadail f'adi:l' f3 whistling

feadair f'adər' defective v (with negative or interrogative) 1sg **feadar** 2sg **feadraís** 1pl **feadramar** know, *ní fheadair aon duine cá bhfuil sé* nobody knows where he is

feadaire f'adər'ə m4 whistler

feadán f'ada:n m1 tube; gully; whistle, wheeze, ~ *orgáin* organ reed

feadh f'a: m3 extent, duration, ~ *do radhairc* as far as the eye could see, ar ~ *tamaill* for a while, ar ~ *na tíre* throughout the country, ar ~ *m'eolais* as far as I know

feadhain f'a:n' f3, gs & pl **-dhna** troop, company, *ceann feadhna* commander, ringleader

feadhnach f'a:nəx m1 band, troop; pannier; pail; large quantity

feadóg¹ f'ado:g f2, ~ (*stáin*) (tin) whistle

feadóg² f'ado:g f2 plover

feag f'ag f3, pl ~**acha** rush

feall f'al m1 deceit, treachery; let-down vi (with ar) prove false to, betray; fail

feallaire f'alər'ə m4 deceiver, betrayer

feallmharú f'al,varu: m4 assassination

fealltach f'altəx a1 deceitful, treacherous

fealltóir f'alto:r' m3 betrayer, traitor

fealsamh f'alsəv m1, pl **-súna** philosopher

fealsúnacht f'alsu:nəxt f3 philosophy

feamainn f'amən' f2 seaweed

fean f'an m4, pl ~**anna** fan

feanléas f'an,l'e:s m1, pl ~**acha** fanlight

feann f'an vt flay, skin, *tá siad ag* ~ *adh a chéile* they are slating each other

feannóg f'a:rno:g f2 scald-crow, ~ *charrach* carrion-crow

feanntach f'antəx a1 bitter, sharp, severe

fear¹ f'ar m1 man; husband, ~ *ceoil, dlí, musician, lawyer*, ~ *feasa* seer, ~ *ionaid an rí*, king's deputy, viceroy; ~ *siúil* itinerant, ~ *teanga* interpreter, ~ *tí* householder; master of ceremonies,

~ (*céile*) husband, *leanbh fir* male child, *fuair sé an* ~ *maith air* he got the better of him, ~ *bréige* scarecrow

fear² f'ar vt & i pour out; perform; affect; excrete, *fáilte a fhearadh roimh dhuine* to accord a person a welcome, *ag* ~ *adh na ndeor* shedding tears, *cogadh a fhearadh* to wage war

fear-³ f'ar pref man-, male; manly, he-

féar f'e:r m1, npl ~**a** grass, hay, *ag tabhairt an fhéir* in the grave, dead

féarach f'e:rəx m1 pasture; grazing rent

fearacht f'aroxt s as prep like, as

féaráilte f'e:ra:l't'ə a3 fair, equitable

fearán f'ara:n m1 dove

fearann f'arən m1 land, territory; quarter, *baile fearainn* townland

fearas f'arəs m1 husbandry, management; equipment; apparatus, *i bh* ~ in working order

fearastúil f'arəstu:l' a2 well-equipped; competent; handy

fearb f'arəb f2 weal, welt

fearg f'arəg f2, ds **feirg** in certain phrases anger; irritation, *bheith i bhfeirg le duine* to be angry with a person

fearga f'arəgə a3 male; virile

feargach f'arəgəx a1 angry; irritated, inflamed

feargacht f'arəgəxt f3 manhood; virility

féarmhar f'e:rvər a1 grassy

fearnóg f'a:rno:g f2 alder

fearr f'a:r : **maith¹**

fearsaid f'arsəd f2 spindle; shaft, axletree; ridge of sand in tidal waters

feart¹ f'art m3, gs & npl ~**a** prodigy, miracle

feart² f'art m3, gs & npl ~**a** mound, tumulus; grave

fearthainn f'arhən' f2 rain; rainfall

feartlaoi f'fart,li: f4, pl ~**the** epitaph

fearúil f'aru:l' a2 manly, manful

fearúlacht f'aru:ləxt f3 manliness

feasa f'asə : **fios**

feasach f'asəx a1 knowing, well-informed, *is* ~ *mé, dom, é* I am aware of it

féasóg f'e:so:g f2 beard

féasrach f'e:srəx m1 muzzle

feasta f'astə adv from now on, henceforth, *ní fheicfidh tú* ~ *iad* you will not see them any more

féasta f'e:stə *m4* feast, banquet

féatas f'e:təs *m1* foetus

feic[1] f'ek' *m4* (sorry) sight, spectacle

feic[2] f'ek' *vt* & *i*, *vn* ~**eáil** see, *bheith le ~ eáil* to be visible, ~ *tear dom* (go) it appears to me (that)

feiceálach f'ek'a:ləx *a1* noticeable, conspicuous; striking, showy, handsome

féich f'e:x' : **fiach**[1]

féichiúnaí f'e:x'u:ni: *m4* debtor

féichiúnaigh f'e:x'u:ni: *vt* debit

féichiúnas f'e:x'u:nəs *m1* indebtedness, liability

féichiúnta f'e:x'u:ntə *a3* prompt, punctual

féideartha f'e:d'ərhə *a3* feasible, possible

féidearthacht f'e:d'ərhəxt *f3* feasibility, possibility

feidhm f'aim' *f2*, *pl* ~**eanna** function; use, duty; undertaking; effect; need, *i bh~* in operation, *i bh~ rúnaí* in the capacity of a secretary, *duine gan ~* useless person, *dul as ~* to fall into disuse, *níl ~ leis* it is not necessary, *chuir sí a toil i bh~ orthu* she imposed her will on them

feidhmeannach f'aim'ənəx *m1* functionary, official; executive; agent

feidhmeannas f'aim'ənəs *m1* function, service; office

feidhmigh f'aim'i: *vt* & *i* function; act; execute, enforce

feidhmiúchán f'aim'u:xa:n *m1*, *oifigeach feidhmiúcháin* executive officer

feidhmiúil f'aim'u:l' *a2* functional; efficient; forceful

féidir f'e:d'ər' *s* (used with *is*) *is ~* (go) it is possible (that), *níl ~ liom* I cannot, *más ~* if possible, *b'fhéidir é* maybe it is, maybe so

feifeach f'ef'əx *a1* expectant; watchful, attentive

feighil f'ail' *f2*, *gs* -**ghle** vigilance; care, attention, *i bh~ an tí* minding the house *nt* watch, oversee

feighlí f'ail'i: *m4* watcher, tender, overseer, ~ *páistí* babysitter

feil f'el' *vi*, *vn* ~**iúint** (with *do*) suit; fit

féil f'e:l' : **fial**[1,2]

féile[1] f'e:l'ə *f4* generosity, hospitality

féile[2] f'e:l'ə *f4*, *pl* -**lte** festival, feast (day), *Lá Fhéile Pádraig* St. Patrick's Day

féileacán f'e:l'əka:n *m1* butterfly, ~ *oíche* moth

féileadh f'e:l'ə *m1*, *pl* -**lí**, ~ *beag* kilt

feileastram f'el'əstrəm *m1* (wild) iris, flag

feileon f'el'o:n *m1* felon

feileonacht f'el'o:nəxt *f3* felony

féilire f'e:l'ər'ə *m4* calendar

feiliúnach f'el'u:nəx *a1* suitable; fitting; helpful

feill- f'el' *pref* foul, treacherous; exceedingly

feillbhinn 'f'el',v'in' *go ~* excellently, thoroughly

feilmeanta f'el'əm'əntə *a3* strong, vigorous, forceful

feilt f'el't' *f2* felt

féiltiúil f'e:l't'u:l' *a2* festive; periodic; regular, punctual

féin[1] he:n', f'e:n' *a* & *pron* -self; own; even, only, *mé ~* myself, *do scéal ~* your own story, *an uair sin ~* even at that time

féin-[2] f'e:n' *pref* self-, auto-

feiniméan f'en'əm'e:n *m1* phenomenon

féiniúlacht f'e:n'u:ləxt *f3* selfhood, separate identity

féinmharfóir 'f'e:n',varəfo:r' *m3* suicide

féinmharú 'f'e:n',varu: *m4* suicide

Féinne f'e:n'ə : **Fiann**

féinriail 'f'e:n',riəl' *f*, *gs* -**alach** autonomy

féinrialaitheach 'f'e:n',riəlihəx *a1* autonomous

féinspéis 'f'e:n',sp'e:s' *f2* egotism

féinspéiseachas 'f'e:n',sp'e:s'əxəs *m1* egoism

féinspéisí 'f'e:n',sp'e:s'i: *m4* egoist

féir f'e:r' : **fiar**

feirc f'er'k' *f2*, *pl* ~**eanna** peak; tilt (of hat, etc); fringe; haft, hilt

feircín f'er'k'i:n' *m4* firkin

feirdhris 'f'er',γ'r'is' *f2*, *pl* ~**eacha** dogrose

feire f'er'ə *m4* groove; rim, flange

féire f'e:r'ə : **fiar**

féirín f'e:r'i:n' *m4* gift, present

feirm f'er'əm' *f2*, *pl* ~**eacha** farm

feirmeoir f'er'əm'o:r' *m3* farmer

feirmeoireacht f'er'əm'o:r'əxt *f3* farming

feis f'es' *f2*, *pl* ~**eanna** festival; feis

feisire f'es'ər'ə *m4* member of (British) parliament

feisteas f'es't'əs *m1* fittings; furnishings; dress; arrangement

feisteoir f'es't'o:r' *m3* fitter; outfitter

feistigh f'es't'i: *vt* arrange, adjust; dress, equip; fasten, secure, moor.

féith f'e: *f2, pl* ~**eacha** sinew, muscle; vein; seam (of coal, etc); natural bent

feithealann f'ehələn *f2* waiting-room

feitheamh f'ehəv *m1* wait, expectation, *ag* ~ *le* waiting for, expecting

feitheog f'e:ho:g *f2* (small) sinew; muscle; (small) vein

feitheogach f'e:ho:gəx *a1* sinewy; muscular

feitheoir f'eho:r' *m3* supervisor, superintendent

feitheoireacht f'eho:r'əxt *f3* supervision, superintendence

feithicil f'ehək'əl' *f2, gs* -**cle** *pl* -**clí** vehicle

feithid f'ehəd' *f2* tiny creature, insect; wild creature

feithideolaíocht 'f'ehəd',o:li:(ə)xt *f3* entomology

feithidicíd f'ehəd'ək'i:d' *f2* insecticide

féithleann f'e:hl'ən *m1* honeysuckle, woodbine

féithuar 'f'e:h,uər *a1* nippy, chilly

feo f'o: *m4* withering, decay

feochadán f'o:xəda:n *m1* thistle

feodach f'o:dəx *a1* feudal

feodachas f'o:dəxəs *m1* feudalism

feoigh f'o:y' *vi* wither, decay

feoil f'o:l' *f3, pl* -**olta** flesh, meat

feoiliteach 'f'o:l',it'əx *a1* carnivorous

feoilséantach 'f'o:l',s'e:ntəx *a1* vegetarian

feoilséantóir 'f'o:l',s'e:nto:r' *m3* vegetarian

feoite f'o:t'ə *a3* withered, decayed

feolmhar f'o:lvər *a1* fleshy, fat, flabby

feothan f'o:hən *m1* gust; breeze; puff

feosaí f'o:si: *a3* wizened, shrivelled

fí f'i: *f4* weaving, weave; plait

fia[1] f'iə *m4, pl* ~**nna** deer

fia-[2] f'iə *pref* wild; large, outsize

fiabhras f'iəvrəs *m1* fever

fiabhrasach f'iəvrəsəx *a1* feverish

fiacail f'iəkəl' *f2, pl* -**cla** tooth; edge, ~ (**charraige**) projecting rock, *rud a rá faoi d'fhiacla* to mutter sth, *níor chuir sé* ~ *ann* he did not mince his words, *fiacla rotha* cogs of wheel

fiach[1] f'iəx *m1, gs* **féich** *dpl* ~**a** debt; *pl* price, *bheith i bhfiacha* to be in debt, *tá sé d'fhiacha orm é a dhéanamh* I am obliged to do it, *maith dúinn ár bhfiacha* forgive us our trespasses

fiach[2] f'iəx *m1, npl* ~**a** raven

fiach[3] f'iəx *m1* & *vt* hunt, chase

fiachóir f'iəxo:r' *m3* debtor

fiaclach f'iəkləx *a1* toothed; cogged; serrated

fiaclóir f'iəklo:r' *m3* dentist

fiafheoil 'f'iə,o:l' *f3* venison

fiafraí f'iəfri: *m, gs* & *pl* -**aithe** inquiry, question

fiafraigh f'iəfri: *vt* & *i* ask, inquire

fiafraitheach f'iəfrihəx *a1* inquisitive; solicitous

fiagaí f'iəgi: *m4* huntsman; hunter; provider

fiaile f'iəl'ə *f4* weeds

fiailicíd f'iəl'ək'i:d' *f2* weed-killer

fiáin f'i:a:n' *a1* wild; uncultivated; lawless; tempestuous, ~ *chun ruda* eager to do, to get, sth

fial[1] f'iəl *m1, gs* **féil** *npl* ~**a** veil

fial[2] f'iəl *a1, gsm* **féil** *gsf* & *comp* **féile** generous, hospitable

fianaise f'iənəs'ə *f4* witness, testimony, evidence, *i bh* ~ *duine* in the presence of a person

Fiann f'iən *f2, gs* **Féinne** the Fianna, band (of warrior-hunters)

fiannaíocht f'iəni:(ə)xt *f3* stories, lays, of the Fianna; ancient lore; romantic story-telling

fiántas f'i:a:ntəs *m1* wildness, fierceness; wilderness

fiaphoc 'f'iə,fok *m1* buck (deer)

fiar f'iər *m1, npl* ~**a** slant, bias; bend, twist; perverseness, *trasna ar* ~ diagonally *a1, gsm* **féir** *gsf* & *comp* **féire** slanting, diagonal; bent, perverse *vt* & *i* slant, veer; bend, twist, distort

fiarlán 'f'iər,la:n *m1* zig-zag

fiarlaoid f'iərli:d' *s, (dat)* ~ across, diagonally, athwart; wandering

fiarsceabha 'f'iər,s'k'au *m4* slant, *ar* ~ askew

fiarshúil 'f'iər,hu:l' *f2, gs* & *npl* ~**e** *gpl* -**úl** squint (eye)

fiarshúileach 'f'iər,hu:l'əx *a1* squint-eyed

fiarthrasna 'f'iər,hrasnə *adv* & *a3* diagonally; crossways

fiata f'iətə *a3* wild; fierce, angry; shy

fia-úll 'f'iə,u:l *m1, npl* ~**a** crab-apple

fibín f'i:b'i:n' *m*4 gadding; excitement, *go* ~ easily, idly

fiche f'ix'ə *m*, *gs* -**ad** *pl* -**chidí** *ds & npl* with numerals -**chid** *& a* twenty, *na fichidí* the twenties, *trí leabhar* ~*ad, ar fhichid, is* ~ twenty-three books, ~ *bean* twenty women

ficheall f'ix'əl *f*2 chess

fichiú f'ix'u: *m*4 *& a* twentieth

ficsean f'ik's'ən *m*1 fiction

fidil f'id'əl' *f*2, *gs* -**dle** *pl* -**dleacha** fiddle

fidléir f'id'l'e:r' *m*3 fiddler

fíf f'i:f' *f*2, *pl* ~**eanna** fife

fige f'ig'ə *f*4 fig

figh f'iɣ' *vt & i* weave, plait; (*of story, etc*) compose, contrive, *tá sé fite fuaite ann* it is in the very fibre of his being

figiúr f'ig'u:r *m*1, *pl* -**úirí** figure, digit; number

file f'il'ə *m*4 poet

fileata f'il'ətə *a*3 poetic(al); imaginative, romantic

filiméala f'il'əm'e:lə *m*4 nightingale

filíocht f'il'i:(ə)xt *f*3 poetry

Filistíneach f'il'əs't'i:n'əx *m*1 *& a*1 Philistine

fill f'il' *vt & i* bend, turn back; fold; return

filléad f'il'e:d *m*1 fillet

filleadh f'il'ə *m*1, *pl* -**lteacha** bend, fold; return, ~ *beag* kilt

fillteach f'il't'əx *a*1 folding

fillteán f'il't'a:n *m*1 folder, wrapper

fillteog f'il't'o:g *f*2 wrap

filltín f'il't'i:n' *m*4 crease, crinkle, pucker; tuck

fimíneach f'im'i:n'əx *m*1 hypocrite *a*1 hypocritical

fimíneacht f'im'i:n'əxt *f*3 hypocrisy

fine f'in'ə *f*4, *pl* -**nte** family group; race

fínéagar f'i:n'e:gər *m*1 vinegar

fíneáil f'i:n'a:l' *f*3 *& vt* fine

fíneálta f'i:n'a:ltə *a*3 fine; subtle, slender, delicate

fíneog f'i:n'o:g *f*2 mite

Finín f'in'i:n' *m*4 Fenian

Fíníneachas f'in'i:n'əxəs *m*1 Fenianism

finiúch f'in'u:x *a*1, *gsm* ~ maggoty, flyblown

finiúin f'in'u:n' *f*3, *pl* -**únacha** (grape-)vine; vineyard

finne f'in'ə *f*4 whiteness, fairness

finné f'in'e: *m*4, *pl* ~**ithe** witness

finscéal 'f'in',s'k'e:l *m*1, *pl* ~**ta** romantic tale; fable; fiction

finscéalaíocht 'f'in',s'k'e:li:(ə)xt *f*3 legendary tales; romancing, fiction

fíocas f'i:kəs *m*1 piles, haemorrhoids

fíoch f'i:x *m*1, *gs* **fich** *npl* ~**a** feud; anger, fury

fíochán f'i:xa:n *m*1 weaving; weave, web; tracery

fíochmhaire f'i:xvər'ə *f*4 ferocity

fíochmhar f'i:xvər *a*1 furious, ferocious

fíodóir f'i:(ə)do:r' *m*3 weaver

fíodrince f'id,riŋ'k'ə *m*4 twirl, pirouette

fíogach f'i:gəx *m*1 dog-fish

fíoghual f'i,ɣuəl *m*1 (wood) charcoal

fíon f'i:n *m*3, *pl* ~**ta** wine

fíonail f'ini:l' *f*3 kinslaying, fratricide, parricide

fíonaíolach f'ini:ləx *m*1 parricide, fratricide

fíonchaor 'f'i:n,xi:r *f*2 grape

fíonghort 'f'i:n,ɣort *m*1 vineyard

fíonn¹ f'in *m*1, *npl* ~**a** cataract (on eye)

fíonn² f'in *a*1 white; bright, clear; (*of hair*) fair

fíonn³ f'in *vt* ascertain, discover, find; invent

fíonnachrith 'f'inə,x'r'ih *m*3, *gs* -**chreatha** gooseflesh

fíonnachtain f'inəxtən' *f*3, *gs & pl* -**ana** find, discovery; invention

fíonnadh f'inə *m*1 (body) hair; fur, *tá* ~ *fiáin air* he has a wild appearance

fíonnaitheach f'inihəx *a*1 hairy; furry

fíonnmhóin 'f'in,vo:n' *f*3 peat-moss

fíonnuaire 'f'in,uər'ə *f*4 coolness, freshness

fíonnuar 'f'in,uər *a*1 cool; refreshing; serene

fíonraí f'inri: *f*4 suspense, suspension, *cuireadh ar* ~ *é* it was put in abeyance; he was suspended

fíontar f'intər *m*1 risk; enterprise, *chuaigh siad i bh*~ *na stoirme* they ventured out into the storm

fíontraí f'intri: *m*4 adventurer

fíor¹ f'i:r *f*, *gs* ~**ach** *pl* ~**acha** figure, form; image; appearance, ~ *na Croise* the sign of the Cross, ~ *na spéire* the horizon, ~ *aille* edge of cliff, ~**acha** *an bháis* portents of death

fíor² f'i:r *f*2 truth; pledge *a*1 true, *is* ~ *duit* you are right

fíor-³ f'i:r *pref* true, real; intense, very

fíoraigh¹ f'i:ri: *vt* figure, outline; symbolize; portend

fíoraigh² f'i:ri: *vt* verify; fulfil

fíoras f'i:rəs *m1* fact

fíorchaoin 'f'i:r,xi:n' *s,* ~ *fáilte* hearty welcome

fíoruisce 'f'i:r,is'k'ə *m4* spring water

fíos f'is *m3, gs* **feasa** knowledge; information, *tá a fhios agam (go)* I know that, *gan fhios (do)* unknown (to), *bean feasa* wise woman, fortune-teller, *chuir sé* ~ *air* he sent for him, *rud a chur i bh* ~ , *a thabhairt le* ~ , *do dhuine* to let a person know sth, *go bh* ~ *dom* as far as I knew

fíosaíocht f'isi:(ə)xt *f3* clairvoyance

fíosrach f'isrəx *a1* inquiring, inquisitive

fíosracht f'isrəxt *f3* inquisitiveness, curiosity

fíosraigh f'isri: *vt & i* inquire

fíosrúchán f'isru:xa:n *m1* inquiry, inquisition

fíre f'i:r'ə *f4* truthfulness, sincerity; genuineness, fidelity

fíréad f'i:r'e:d *m1* ferret

fíréan f'i:r'e:n *m1* just person; sincere person *a1* just, righteous; genuine

fíreann f'ir'ən *a1* male; virile

fíreannach f'ir'ənəx *m1 & a1* male

fíréanta f'i:r'e:ntə *a3* just, righteous; genuine; sincere

fíric f'i:r'ək' *f2* fact

fírinne f'i:r'ən'ə *f4* truth, *is é* ~ *an scéil (go)* the fact of the matter is (that), *dé dhéunta, go ráite, na* ~ *as a matter of fact*

fírinneach f'i:r'ən'əx *a1* truthful

fírinscneach f'ir'ən's'k'n'əx *a1 (grammar)* masculine

firmimlnt f'ir'əm'əm'ən't' *f2* firmament, *ag imeacht sna* ~*i* going at great speed; going crazy

fís f'is' *f2, pl* ~**eanna** vision

físeoireacht f'is'o:r'əxt *f3* inquisitiveness, *ag* ~ prying

físeolaíocht 'f'is',o:li:(ə)xt *f3* physiology

fisic f'is'ək' *f2* physics

fisiceoir f'is'ək'o:r' *m3* physicist

fisiteiripe 'f'is'ə,t'er'əp'ə *f4* physiotherapy

fisiteiripeach 'f'is'ə,t'er'əp'əx *m1* physiotherapist

fithis f'ihəs' *f2* path, passage; course, orbit

fithisigh f'ihəs'i: *vt & i* orbit

fiú f'u: *s* (used with *is*), *is* ~ *punt é* it is worth a pound, *ní* ~ *trácht air* it is not worth mentioning, *níl* ~ *na léine aige* he hasn't even a shirt, ~ *amháin dá mbeinn ann* even if I were there, *mór is* ~ grandeur, pomposity, ~ *le rá* notable, noteworthy

fiuch f'ux *vt & i* boil

fiuchadh f'uxə *m, gs* -**chta** boil(ing), *ar* ~ boiling, ~ *feirge* surge of anger

flúise f'u:s'ə *f4* fuchsia

fiúntach f'u:ntəx *a1* worthy; respectable, generous

fiúntas f'u:ntəs *m1* worth, merit; decency; generosity

fiús f'u:s *m1, pl* ~**anna** fuse

flagún flagu:n *m1* flagon

flaigín flag'i:n' *m4* flask

flainín flan'i:n' *m4* flannel

flaith flah *m3, gs & pl* -**atha** ruler, prince, chief

flaitheas flahəs *m1* rule, sovereignty; kingdom, *na flaithis* heaven

flaithiúil flahu:l' *a2* princely; lavish, generous

flaithiúlacht flahu:ləxt *f3* princeliness; generosity

flannbhuí 'flan,vi: *a3, (of colour)* orange

flas flas *m3* floss

flaspóg flaspo:g *f2* smack, kiss

fleá f'l'a: *f4, pl* ~**nna** feast, ~ *cheoil* festival of music

fleáchas f'l'a:xəs *m1* festivity, conviviality

fleasc f'l'ask *f2* rod, wand; band, hoop; wreath; *scion, ar fhleasc a dhroma on the flat of his back*

fleisc f'l'es'k' *f2, pl* ~**eanna** flex

fleiscín f'l'es'k'i:n' *m4* hyphen

fliche f'l'ix'ə *f4* wetness, dampness

flichshneachta f'l'ix'hn'axtə *m4* sleet

fliodh f'l'i *f2, gs* -**idhe** chickweed

flip f'l'i:p' *f2, pl* ~**eanna** flip; (heavy) blow

fliú f'l'u: *m4* influenza

fliuch f'l'ux *a1, gsm* ~ wet; rainy *vt & i* wet

fliuchadh f'l'uxə *m, gs* -**chta** wetting, ~ *do bhéil* a drop to drink

fliuchán f'l'uxa:n *m*1 wetness, moisture; wetting

fliuchras f'l'uxrəs *m*1 wetness; rainfall

fliúit f'l'u:t' *f*2, *pl* **~eanna** flute, ~ *Shasanach* recorder

fliúiteadóir f'l'u:t'ədo:r' *m*3 flautist

flocas flokəs *m*1 flock, wadding, ~ *cadáis* cotton-wool

flóra flo:rə *m*4 flora

flosc flosk *m*3, *pl* **~anna** flux; torrent, ~ *(chun) oibre* eagerness for work

fluairid fluər'i:d' *f*2 fluoride

fluaraiseach fluərəs'əx *a*1 fluorescent

flúinse flu:n's'ə *m*4 flounce

flúirse flu:rs'ə *f*4 abundance, plenty

flúirseach flu:rs'əx *a*1 abundant, plentiful

flústar flu:stər *m*1 flurry, flutter

fo- *pref* under-, sub-, hypo-, subsidiary; assistant, minor; trivial; occasional

fo-bhaile 'fo,val'ə *m*4, *pl* **-lte** suburb

fo-bhailteach 'fo,val't'əx *m*1 suburbanite *a*1 suburban

fobhríste 'fo,v'r'i:s't'ə *m*4 underpants

focal fokəl *m*1 word; phrase, remark; message, *níl ~ faoi* nothing is said about it, *sciorradh, titim, focail* slip of the tongue, *lámh is ~* solemn pledge, ~ *a chur ar rud* to bespeak sth

fócas fo:kəs *m*1 focus

fochaid foxəd' *f*2 mocking, derision

fochair foxər' *s* proximity, *bheith i bh~ duine* to be with a person

fochall foxəl *m*1 corrupt matter, filth; hollow (in core of tuber, fruit)

focheann 'fo,x'an *m*1 odd, occasional, one

fochéimí 'fo,x'e:m'i: *m*4 undergraduate

fochma foxmə *m*4 chilblain

fochupán 'fo,xopa:n *m*1 saucer

foclach fokləx *a*1 wordy, verbose

focleolaíocht 'fok(ə)l,o:li:(ə)xt *f*3 philology

foclóir foklo:r' *m*3 dictionary; vocabulary

fód fo:d *m*1 sod; strip of ground; layer of earth, of sods, *ar an bh~* on the spot, immediately, *an ~ a sheasamh* to stand one's ground, *an ~ dúchais* one's native place

fodar fodər *m*1 fodder, provender

fodhlí 'fo,γ'l'i: *m*4, *pl* **~the** by-law

fodhuine 'fo,γin'ə *m*4, *pl* **-dhaoine** inferior person; an odd person

fódúil fo:du:l' *a*2 sensible

fo-éadach 'fo,e:dəx *m*1, *pl* **-aí** underclothes, *ball fo-éadaigh* undergarment

fógair fo:gər' *vt & i, pres* **-graíonn** declare, proclaim; announce; warn, *earraí a fhógairt* to advertise goods, ~ *don diabhal iad* tell them to go to the devil

fógairt fo:gərt' *f*3, *gs* **-artha** call; proclamation; warning; summons, order

fogas fogəs *s* nearness, *i bh~ do rud* close to sth

fogha fau *m*4, *pl* **~nna** lunge; short run, dash, ~ *a thabhairt faoi dhuine* to attack a person

foghail faul' *f*3, *gs* **-ghla** *pl* **-ghlacha** plundering, depredation; trespass; spoils

foghar faur *m*1 sound

foghlaeir faule:r' *m*3 fowler

foghlaeireacht faule:r'əxt *f*3 fowling, *gunna* ~ a fowling-piece

foghlaí fauli: *m*4 plunderer; marauder, trespasser, ~ *mara* pirate

foghlaim fauləm' ~ fo:ləm' *f*3 learning; instruction, teaching *vt & i, pres* **-ionn** learn; experience; instruct, teach

foghlaimeoir fauləm'o:r' ~ fo:ləm'o:r' *m*3 learner

foghlamtha fauləmhə ~ fo:ləmhə *a*3 learned

foghraíocht fauri:(ə)xt *f*3 phonetics

fo-ghúna 'fo,γu:nə *m*4 slip, petticoat

fógra fo:grə *m*4 notice; warning; summons; placard, sign

fógraíocht fo:gri:(ə)xt *f*3 advertising

fógróir fo:gro:r' *m*3 announcer; advertiser

fóibe fo:b'ə *f*4 phobia

foiche fox'ə *f*4 wasp

foighne fain'ə *f*4 patience

foighneach fain'əx *a*1 patient

foighnigh fain'i: *vt & i, vn* **-neamh** have patience (*le* with); bear, endure

fóill fo:l' *a*1, ~ *ort* go easy, *go* ~ yet, still, *fan go* ~ wait a while

foilmhe fol'əv'ə *f*4 emptiness, vacuity

foilsceadh fol's'k'ə *m*1 stir, flutter, flurry; speed

foilseachán fol's'əxa:n *m*1 publication

foilsigh fol's'i: *vt* reveal, disclose; publish

foilsitheoir fol's'iho:r' *m*3 publisher

foilsitheoireacht fol'siho:r'əxt f3 publishing, publication

fóin fo:n' vi, pres **fónann** vn **fónamh** serve, be of use (do to); benefit

foinse fon's'ə f4 fountain, spring; source

fóint fo:n't' f2 usefulness, utility

fóinteach fo:n't'əx a1 practical, helpful

fóir[1] fo:r' f, gs ~**each** pl ~**eacha** boundary, limit; edge; "clamp", chuaigh sé thar ~ (leis) he went too far (with it)

fóir[2] fo:r' vt & i, vn ~**ithint** help, relieve, save, go bhfóire Dia orainn God help us, d fhóir an hia dúinn the food agreed with us

foirceann for'k'ən m1 end, extremity, limit

foirceanta for'k'əntə a3 finite

fóirdheontas 'fo:r',γ'o:ntəs m1 subsidy

foireann for'ən f2, gs & pl ~**rne** company; crew, team; staff; set

foirfe for'əf'ə a3 complete, perfect; aged, mature

foirfeacht for'əf'əxt f3 completeness, perfection; age, maturity

foirfigh for'əf'i: vt & i perfect; mature

foirgneamh for'əg'n'əv m1 building, structure; collection of buildings

foirgneoir for'əg'n'o:r' m3 builder

foirgníocht for'əg'n'i:(ə)xt f3 (art, trade, of) building

foirgthe for'ək'ə a3, ~ le honeycombed, infested, covered, with, ~ le daoine swarming with people

fóirithint fo:'rihən't' f2 help, succour, oifigeach ~e relieving officer

foirm for'əm' f2, pl ~**eacha** form

foirmigh for'əm'i: vt form; formulate

foirmiúil for'əm'u:l' a2 formal

foirmiúlacht for'əm'u:ləxt f3 formality

foirmle for'əm'l'ə f4 formula

foirnéis fo:rn'e:s' f2 furnace

fóirsteanach fo:rs't'ənəx a1 suitable, fitting

foirtil fort'əl' a1 strong

fóisc fo:s'k' f2, pl ~**eacha** ewe

foisceacht fos'k'əxt f3 nearness, proximity, i bh~ míle de within a mile of it

fóiséad fo:s'e:d m1 faucet, tap; funnel

foitheadh fohəx m1 diver, grebe

fola folə : **fuil**

folach folax m1 hiding, covering, concealment, i bh~ hidden, ~ cruach, ~

biog, a dhéanamh to play hide-and-seek

folachánaí folaxa:ni: m4 stowaway

folaigh foli: vt & i hide, cover, conceal; include

folaíocht foli:(ə)xt f3 blood, breeding; lineage, descent, ceart ~a birthright

foláir fola:r' s, ní ~ rud éigin a dhéanamh something must be done, ní ~ dom imeacht I must go, ní ~ liom mo scith a ligean I feel I must rest

foláireamh fola:r'əv m1 command; warning, notice

folaitheach folihəx a1 hidden, secret

folamh foləv a1, gsf & comp **foilmhe** npl -**lmha** empty; vacant, void, buille ~ missed blow

folc folk vt bathe; wash; immerse, submerge, ag ~adh fearthainne pouring rain

folcadán folkəda:n m1 bath(-tub)

folcadh folkə m, gs -**ctha** pl -**cthaí** bath, wash; drenching; steeping; immersion

foline 'fo,l'i:n'ə f4, pl -**nte** (telephone) extension

folláin fola:n' a1 healthy; wholesome, sound

follas foləs a1, gsf & comp **foilse** clear, evident; open, overt

follasach foləsəx a1 clear, evident, plain, obvious

folmhaigh foləvi: vt empty, discharge, exhaust

folracht folrəxt f3 blood, gore

folt folt m1 hair (of head)

foltfholcadh 'folt,olkə m, gs -**ctha** pl -**cthaí** shampoo

foluain foluən' f3 fluttering, flying; hovering, ar ~ floating

folúil folu:l' a2 full-blooded; thoroughbred

folúntas folu:ntəs m1 vacancy; emptiness, void

folús folu:s m1 emptiness; vacuum, void

fómhar fo:vər m1 autumn; harvest (season), an ~ a dhéanamh to do the harvest work

fomhórach 'fo,vo:rəx m1 & a1 pirate; giant, F~ Fomorian

fomhuireán 'fo,vir'a:n m1 submarine

fón fo:n m1 (tele)phone

fónamh fo:nəv *m*l service; usefulness; validity, *rud ar* ~ excellent thing, *bheith ar* ~ to be well, ~ *a dhéanamh do dhuine* to render service to a person

fondúir fondu:r´ *m*3 founder

fondúireacht fondu:r´əxt *f*3 foundation, institution

fonn¹ fon *m*l air, tune; melody, song

fonn² fon *m*l desire, inclination, *d'fhonn* in order to, ~ *oibre* eagerness for work

fonnmhar fonəvər *a*l desirous, eager, willing

fonóid fono:d´ *f*2 jeering; derision

fonóideach fono:d´əx *a*l jeering, derisive

fonsa fonsə *m*4 band, hoop; rim, ring

fónta fo:ntə *a*3 serviceable, useful; good, sound

for- for- *pref* over-, superior, super-; external; great, extreme

forábhar 'for,a:vər *m*l supplement

foracha forəxə *f*, *gs & gpl* ~ *n npl* ~ **in guillemot**

foráil fora:l´ *f*3 provision, *forálacha reachta* provisions of an enactment

forainm 'for,an'əm´ *m*4, *pl* ~ **neacha** pronoun

foráiste fora:s't'ə *m*4 forage

foraois fori:s´ *f*2 forest

foraoiseacht fori:s'əxt *f*3 forestry

foraoiseoir fori:s'o:r´ *m*3 forester

foras forəs *m*l base, foundation; established principle; stability; institution

forás fora:s *m*l growth, development; progress

forasta forəstə *a*3 established; stable; sedate, grave

forbair forəbər´ *vt & i, pres* **-braíonn** develop

forbairt forəbərt´ *f*3, *gs* **-artha** development; growth

forbhalla 'for,valə *m*4 parapet, battlement

forbhás forəva:s *m*l, *ar* ~ unsteady, liable to topple

forbhriste 'for,v´r'i:s't'ə *m*4 overalls

forc fork *m*l fork

forcamás forkəma:s *m*l watchfulness, attention; affectation, ~ *cainte* pedantry

forcháin 'for,xa:n´ *f*, *gs* **-ánach** *pl* **-ánacha** surtax

forchéimniú 'for,x´e:m´n´u: *m*4 progression

forchraiceann 'for,xrak'ən *m*l, *pl* **-cne** epidermis; foreskin

fordhaonna 'for,γi:nə *a*3 superhuman

fordheontas 'for,γ´o:ntəs *m*l bounty

fordhuilleog 'for,γil'o:g *f*2 fly-leaf

foréigean 'for,e:g'ən *m*l violence, force, compulsion

foréigneach 'for,e:g'n'əx *a*l violent, forcible

foréiligh 'for,e:l'i: *vt, vn* **-leamh** requisition

forghabh 'for,γav *vt* grasp; secure; usurp

forghabháil 'for,γava:l´ *f*3 grasp; forcible seizure, usurpation

forghabhálaí 'for,γava:li: *m*4 usurper

forlámhas 'for,la:vəs *m*l domination; authority; despotism; usurpation

forléas 'for,l'e:s *m*l, *pl* ~ **acha** skylight

forleathan 'for,l'ahən *a*l, *gsf & comp* **-eithne** widespread, far-reaching, general

forléine 'for,l'e:n'ə *f*4, *pl* **-nte** smock

forlíonadh 'for,l'i:nə *m*l, *pl* **-ntaí** filling, swelling; completion, supplement

forma forəmə *m*4 form, bench

formad forəməd *m*l envying; envy; emulation, *i bh* ~, *ag* ~, *le chéile* vying with each other

formhéadaigh 'for,ve:di: *vt* magnify

formheas 'for,v´as *vt* approve

formhór 'for,vo:r *m*l greater part, majority

formhothaithe 'for,vohihə *a*3 imperceptible, *tháinig sé isteach go* ~ he entered unnoticed

formhuinigh 'for,vin'i: *vt* endorse

forneart 'for,n´art *m*l superior strength; force, violence

forógra 'for,o:grə *m*4 proclamation, decree; forewarning

forrán fora:n *s*, ~ *a chur ar dhuine* to accost a person

fórsa fo:rsə *m*4 force, *na* ~ *i* the forces, troops

forscáth 'for,ska: *m*3, *pl* ~ **anna** canopy

forsheomra 'for,ho:mrə *m*4 antechamber, lobby

fórsúil fo:rsu:l´ *a*2 forceful, forcible

fortacht fortəxt *f*3 aid, succour; relief, comfort

fortún fortu:n *m*l fortune; chance, fate

fós fo:s *adv* yet, still; again, *agus ceann eile* ~ and yet another one, *agus* ~ and moreover, *níos deise* ~ nicer still

fosaíocht fosi:(ə)xt *f3* herding, attending, *ag* ~ *le duine* making up to a person

foscadh foskə *m1, pl* -**aí** shelter

foscúil fosku:l' *a2* shady, sheltered; discreet, secretive

fosfáit fosfa:t' *f2* phosphate

fosfar fosfar *m1* phosphorus

foshuíteach 'fo,hit'əx *m1 & a1* subjunctive

foslongfort 'fos'loŋ,fort *m1* encampment

fosta fostə *adv* also

fostaí fosti: *m4* employee

fostaigh fosti: *vt & i* catch, grip; hire, employ

fostaíocht fosti:(ə)xt *f3* employment

fostóir fosto:r' *m3* employer

fostú fostu: *m4* entanglement; hire, employment, *i bh* ~ *i ndris* entangled in a briar

fóta(i)- fo:tə *pref* phot(o)-

fótachóip 'fo:tə,xo:p' *f2, pl* ~**eanna** photocopy

fótagraf 'fo:tə,graf *m1* photograph

fótastat 'fo:tə,stat *m1* photostat

fothain fohan' *f3* shelter; discretion, *i bh* ~ , *faoi fhothain, an oileáin* in the lee of the island

fothainiúil fohan'u:l' *a2* sheltering; sheltered; discreet, secretive

fothair fohər' *f2, gs* **foithre** *pl* **foithreacha** wooded hollow, ravine; steep slope towards precipice

fothairge 'fo,ha:r'g'ə *m4* by-product

fothoghchán 'fo,hauxa:n *m1* by-election

fothrach fohrəx *m1* ruin (of building)

fothragadh fohrəgə *m, gs* -**gtha** bath; drenching; bustle

fothraig fohrag' *vt, pres* -**agann** bathe, wash; plunge

fothram fohrəm *m1* noise; din, tumult

fothú fohu: *m4* foundation, establishment

fothúil fohu:l' *a2* solidly based, solid

fraigh fray' *f2, pl* -**itheacha** wall *pl* rafters, roof

frainse fran'sə *m4* fringe

fráma fra:mə *m4* frame

francach fraŋkəx *m1* rat; *F* ~ Frenchman, ~ *mná* Frenchwoman

fraoch[1] fri:x *m1, gs* -**oigh** heather; heath, moor

fraoch[2] fri:x *m1, gs* -**oich** fierceness, fury

fraochán fri:xa:n *m1* bilberry, whortleberry, blueberry

fraochmhar fri:xvər *a1* heathery

fraochta fri:xtə *a3* fierce, furious

frapa frapə *m4* prop, ~ *aille* ledge in cliff

fras fras *f2* shower, ~ *a deor* floods of tears *a1* copious, abundant

frása fra:sə *m4* phrase

fraschanna 'fras,xanə *m4* watering-can

freagair f'r'agər' *vt & i, pres* -**graíonn** answer, respond; attend to, observe; outcrop, ~ *t do rud* to correspond to sth, *tá na carraigeacha ag* ~ *t ann* the rocks are exposed there

freagra f'r'agrə *m4* answer

freagrach f'r'agrəx *a1* answerable, accountable, *má bhíonn an lá* ~ if the day is suitable

freagracht f'r'agrəxt *f3* responsibility

fréamh f'r'e:v *f2, pl* -**acha** root; source, origin

fréamhaigh f'r'e:vi: *vt & i* root, take root; spring (*ó* from)

freanga f'r'aŋgə *f4* twist, contortion; twitch, spasm

freascó f'r'asko: *m4, pl* -**nna** fresco

freastail f'r'astəl' *vt & i, pres* -**alaíonn** attend

freastal f'r'astəl *m1* attendance, service

freastalaí f'r'astəli: *m4* attendant, waiter, helper

freasúra f'r'asu:rə *m4* opposition, *an* ~ the opposition (party)

freisin f'r'es'ən' *adv* also

fríd f'r'i:d' *f2* flesh-worm, mite, *oiread na* ~ *e* the least little bit

frídín[1] f'r'i:d'i:n' *m4* germ

frídín[2] f'r'i:d'i:n' *m4* barb

frigéad f'r'ig'e:d *m1* frigate

frigháire 'f'r'i,ya:r'ə *m4* slight smile

frimhagadh 'f'r'i,vagə *m1* light raillery

frioch f'r'ix *vt & i* fry

friochtán f'r'ixta:n *m1* frying-pan

friofac f'r'ifək *m1* barb (of hook); restraint

fríos f'r'i:s *m3, pl* -**anna** frieze

friotaíocht f'r'iti:(ə)xt *f3* resistance

friotal f'r'itəl *m1* speech, expression, utterance

friotháil f'r'iha:l' f3 attention, ministry, service vt & i attend, minister (ar to); serve

friotálai f'r'iha:li: m4 attendant, server

friothamh f'r'ihəv m1 refraction, reflection

friseáilte f'r'is'a:l't'ə a3 fresh; vigorous

frisnéis f'r'is'n'e:s' f2 contradiction; rebuttal

frith- f'r'ih ~ f'r'i⁺ pref (becomes fri- before t) anti-, counter-

frith f'r'i: m3 find, finding

frithbheartaigh 'f'r'i,v'arti vt counteract

frithbheathach 'f'r'i,v'ahəx m1 & a1 antibiotic

frithbhualadh 'f'r'i,vuələ m, gs -uailte recoil, repercussion; pulsation; throb

frithchaiteoir 'f'r'i,xat'o:r' m3 reflector

frithchaith 'f'r'i,xah vt, vn ~eamh reflect

frithchioclón 'f'r'i,x'iklo:n m1 anticyclone

frithchosúil 'f'r'i,xosu:l' a2 paradoxical

frithchosúlacht 'f'r'i,xosu:ləxt f3 paradox

frithdhúnadh 'f'r'i,γu:nə m, gs -nta lockout

frithgheallaí 'f'r'i,γ'ali: m4 underwriter

frithghiniúint 'f'r'i,γ'in'u:nt' f3, gs -úna contraception

frithghiniúnach 'f'r'i,γ'in'u:nəx m1 & a1 contraceptive

frithghníomh 'f'r'i,γ'n'i:v m1, pl ~artha counteraction; reaction

frithghníomhaí 'f'r'i,γ'n'i:vi: m4 reactionary

frithir f'r'ihər a1 sharp, sore; tender; intense

frithnimh 'f'r'i,n'iv' f2, pl ~eanna antidote

frithsheasmhacht 'f'r'i,hasvəxt f3 resistance, steadfastness

frithsheipteach 'f'r'i,hept'əx a1 antiseptic

frithsheipteán 'f'r'i,hept'a:n m1 antiseptic

frithshuigh 'f'r'i,hiγ' vt set against, contrast (le with)

fritonn 'f'r'i,ton f2, pl ~ta backlash

frog frog m1, pl ~anna frog

frogaire frogər'ə m4 frogman

froigisí frog'əs'i: npl frills, frippery; airs, affectation

fronsa fronsə m4 (theatrical) farce

fruilcheannach 'fril',x'anəx m1 hire-purchase

fuacht fuəxt m3 cold; chill; apathy

fuachtán fuəxta:n m1 chilblain

fuadach fuədəx m1 seizure; abduction, kidnapping; plunder, ~ croí palpitation

fuadaigh fuədi: vt & i take away by force; abduct, kidnap, tá mo chroí ag fuadach my heart is palpitating

fuadaitheoir fuədiho:r' m3 abductor, kidnapper; hijacker

fuadar fuədər m1 rush, bustle, activity, tá ~ troda faoi he is bent on fighting

fuadrach fuədrəx a1 busy, hurried, fussy

fuafar fuəfər a1 hateful, hideous, odious

fuaidire fuəd'ər'ə m4 vagrant

fuaidreamh fuəd'r'əv m1 wandering, vagrancy; fuss; suspension

fuaidrigh fuəd'r'i: vi wander, stray; fuss

fuaigh fuəγ' vt & i, pres -ann sew; stitch; bind, stick (do to)

fuáil fu:a:l' f3 sewing, stitching, needlework

fuaim fuəm' f2, pl ~eanna sound

fuaimint fuəm'ən't' f2 soundness, solidity, substance

fuaimintiúil fuəm'ən't'u:l' a2 fundamental, substantial, sound

fuaimíocht fuəm'i:(ə)xt f3 sound, acoustics

fuaimneach fuəm'n'əx a1 sounding, resounding, resonant

fuaimnigh fuəm'n'i: vt & i sound; pronounce

fuaimniú fuəm'n'u: m4 pronunciation, enunciation (of speech)

fuair fuər' p of faigh

fuaire fuər'ə f4 cold, coldness, ag dul i bh~ getting cool

fuairnimh 'fuər,n'iv' f2 sting of cold, numbness

fual fuəl m1 urine

fualán fuəla:n m1 chamber-pot

fuar fuər a1 cold; apathetic; without interest; uncooked, tá (sé) ~ agat a bheith ag caint it is useless for you to speak

fuaraigeanta 'fuər,ag'əntə a3 cool-headed, imperturbable fuaraigh fuəri: *vt & i* cool; make or become cold; become indifferent, *pian a fhuarú* to relieve pain, *lig don scéal sin fuarú* let that matter die down

fuarán fuəra:n *m*1 spring, fountain

fuaránta fuəra:ntə *a*3 frigid, indifferent; listless

fuarchráifeach 'fuər,xra:f'əx *a*1 lukewarm in religion; hypocritical

fuarchúis 'fuər,xu:s' *f*2 coolness, imperturbability; frigidity; indifference

fuarchúiseach 'fuər,xu:s'əx *a*1 cool, imperturbable; frigid; indifferent

fuarthan fuərhən *m*1 coolness; cool place

fuarthas fuərhəs *p aut of* faigh

fuarthé 'fuər,he: *m*4, *pl* ~anna apathetic person; apathy

fuascail fuəskəl' *vt, pres* -claíonn release, deliver; redeem, ransom; solve

fuascailt fuəskəl't' *f*2 release, deliverance; redemption, ransom; solution

fuascailteoir fuəskəl't'o:r' *m*3 liberator, emancipator; redeemer

fuath[1] fuə *m*3, *pl* ~anna phantom, spectre

fuath[2] fuə *m*3 hate, hatred

fuathaigh fuəhi: *vt* hate; turn against

fud fud *s, ar* ~ throughout; among, *ar* ~ *na háite* all over the place

fúibh fu:v' : faoi[1]

fuil fil' *f, gs & pl* fola blood, *fear a bhfuil* ~ *ann* a man of mettle, *aithníonn an fhuil a chéile* blood is thicker than water

fuilaistriú 'fil,as't'r'u: *m*4 blood transfusion

fuilchoscach 'fil,xoskəx *m*1 & *a*1 astringent

fuileadán fil'ədɑ:n *m*1 blood-vessel

fuilleach fi:l'əx *m*1 remains; remainder; balance, ~ *ama a bheith agat* to have plenty of time

fuilteach fil't'əx *a*1 bloody; bloodthirsty

fuin fin' *vt & i* knead; knit together, mould, *fear* ~ *te* well-knit man

fuineadh fin'ə *m*1, ~ *gréine* sunset

fúinn fu:n' : faoi[1]

fuinneamh fin'əv *m*1 energy, vigour; spirit

fuinneog fin'o:g *f*2 window; opening

fuinniúil fin'u:l' *a*2 energetic, vigorous

fuinseog fin's'o:g *f*2 ash

fuíoll fi:l *m*1 remainder, remains; surplus; defect, *bhí saol na bh~ acu* they lived in abundance, ~ *tinnis* aftereffects of sickness

fuip fip' *f*2, *pl* ~eanna whip

fuipeáil fip'ɑ:l' *vt* whip

fuireach fir'əx *m*1 wait, delay

fuirigh fir'i: *vi* wait, remain

fuirseadh firs'ə *m, gs* -ste harrowing; fuss, tussle

fuirsigh firs'i: *vt & i, pres* -scann harrow; fuss; tussle

fuisce fis'k'ə *m*4 whiskey

fuiseog fis'o:g *f*2 (sky)lark

fuist fis't' *m*4 whist

fúithi fu:hi : faoi[1]

fulacht fuləxt *f*3 cooking-place; barbecue

fulaing fuləŋ' *vt & i, pres* ~íonn bear, endure, suffer, tolerate

fulaingt fuləŋ't' *f, gs* -gthe (capacity for) suffering; endurance, tolerance

fulangach fuləŋəx *a*1 suffering; enduring, patient, tolerant

fúm fu:m : faoi[1]

fungas fuŋgəs *m*1 fungus

furasta furastə *a*3, *comp* fusa easy (to do)

fusacht fusəxt *f*3 easiness, *dá fhusacht é* however easy it might be

fústar fu:stər *m*1 fuss, fidgetiness

fústrach fu:strəx *a*1 fussy, fidgety

fút fu:t : faoi[1]

fúthu fu:hu : faoi[1]

fútráil fu:tra:l' *f*3 fidgeting, bungling

G

ga[1] ga *m*4, *pl* ~thanna spear, dart; sting; gaff, ~ *solais* ray of light, ~ *ciorcail* radius of circle

ga[2] ga *s, bhí* ~ *seá ann* he was panting, gasping for breath

gá ga: *m*4 need, requirement

gabairdín gabərd'i:n' *m*4 gabardine

gabh gav *vt & i* take; catch; capture; undertake; go, *colainn dhaonna a ghabháil* to assume human form, *leithscéal duine a ghabháil* to accept a person's apology, *ghabh sí* she conceived, *ghabh tinneas mé* I took sick, *cuan a ghabháil* to make harbour, *amhrán a ghabháil* to sing a song, ~ *aim pardún agat* I beg your pardon, *tá sé ag* ~ *áil ort* he is imposing on you, ~ *aim orm (go)* I'll warrant (that), *ghabh sé de bhata orm* he set about me with a stick, *ag* ~ *áil don staidéar* studying, ~ *ann sé go breá duit* it suits you well, *tá costas ag* ~ *áil leis* it involves expense, ~ *áil le ceird* to take up a trade, *buíochas a ghabháil le duine* to thank a person, *an tseachtain seo a ghabh tharainn* the past week

gábh ga:v *m*1, *npl* ~ **a** danger, peril

gabha gau *m*4, *pl* **gaibhne** smith, ~ *dubh* blacksmith

gabháil gava:l' *f*3 catch, seizure; undertaking; yeast, ~ *éisc* catch of fish, ~ *seubhe* taking of possession, ~ *(gine)* conception, ~ *féir* armful of hay, ~ *véarsaí* recitation of verses

gabhair gaur' *f*4 craze, *ar* ~ *chun ruda* crazy for sth, ~ *thobac* craving for tobacco

gabhairín gaur'i:n' *m*4, ~ *reo* male snipe

gabhal gaul *m*1 fork, crotch; forked inlet, ~ *ginealaigh* genealogical branch

gabhálaí gava:li: *m*4 invader, conqueror

gabháltas gava:ltəs *m*1 seizure; occupancy; holding (of land), ~ *gall* foreign occupation

gabhann gaun *m*1 (cattle-)pound; enclosure ~ *(cúirte)* dock

gabhar gaur *m*1 goat; horse-mackerel, *an G* ~ Capricorn

gabhdán gauda:n *m*1 container, receptacle

gabhlach gauləx *a*1 forked; branching; bow-legged

gabhlaigh gauli: *vt & i* fork, branch

gabhlán gaula:n *m*1 martin, ~ *gaoithe* swift

gabhlóg gaulo:g *f*2 (small) fork; forked stick; forked implement, ~ *bhoird* table-fork, ~ *cheoil, thiúnta* tuning-fork

gabhlógach gaulo:gəx *a*1 forked

gabhrán gaura:n *m*1 wild clematis

gach gax *a & s* every, each; everything, ~ *aon*, ~ *uile* every, ~ *dara*, ~ *re* every second (in series), ~ *a rabh aige* all he had

gad gad *m*1 withe, ~ *saili* osier withe, ~ *ar ghaineamh* useless expedient, *cladhaire gaid* gallows-bird

gada gadə : **goid**

gadaí gadi: *m*4 thief

gadaíocht gadi:(ə)xt *f*3 thieving; theft

gadhar gair *m*1, ~ *(fiaigh)* (hunting) dog, beagle

Gaeilge ge:l'g'ə *f*4 Irish (language)

Gaeilgeoir ge:l'g'o:r' *m*3 Irish speaker, learner of Irish

Gael ge:l *m*1 Irishman, Irishwoman

Gaelach ge:lax *a*1 Irish; attached to Irish culture; native to Ireland

Gaelachas ge:laxəs *m*1 Irish characteristic(s); attachment to Irish culture

Gaeltacht ge:ltəxt *f*3 Irish-speaking district

gafa gafə *a*3 taken, caught; absorbed, ~ *i bpríosún* held in prison, ~ *ag slaghdán* in the grip of a cold, ~ *in obair* engrossed in work, ~ *gléasta* fitted and ready; all dressed up

gág ga:g *f*2 crack, crevice; chap in skin; narrow creek

gágach ga:gəx *a*1 cracked, fissured; chapped; thin, miserable

gáibéal ga:b'e:l *m*1 gap; chasm

gaibhneacht gav'n'əxt *f*3 smith's work, metalwork, *ag* ~ forging metal

gáifeach ga:f'əx *a*1 dangerous, terrible; loud; exaggerated, *scéal* ~ sensational story, *éadach* ~ flamboyant clothes

gaige gag'ə *m*4 dandy

gailbh gal'əv *f*2, *pl* ~ **eacha** storm, squall

gailbheach gal'əv'əx *a*1 squally, stormy

gaileadán gal'ədə:n *m*1 boiler

gailearaí gal'əri: *m*4 gallery

gaileon gal'o:n *m*1 galleon

gaille gal'ə *m*4 galley (in printing)

gáilleog ga:l'o:g *f*2 mouthful, swig

gailliasc 'gal'iəsk *m*1, *gs & npl* **-léisc** pike

gailseach gal's'əx *f*2 earwig

gaimbín gam'b'i:n' *m*4 (exorbitant) interest, *fear* ~ usurer, gombeen man

gaimbíneachas gam'b'i:n'əxəs *m*1 usury; gombeenism

gainéad gan'e:d *m*1 gannet

gaineamh gan'əv m1 sand

gaineamhchloch 'gan'əv‚xlox f2 sandstone

gaineamhlach gan'əvləx m1 sandy desert

gainmheach gan'ə̃v'əx a1 sandy

gainne¹ gan'ə m4 scale(s) (of fish); scurf

gainne² gan'ə f4 scarcity; scantiness, dul i n~ to become scarce

gáinne ga:n'ə f4 reed; dart, imeacht sna gáinní to rush off

gaion gi:n m1 subsoil

gair gar' vt & i, vn ~m call, an chuach ag ~m the cuckoo calling, ~m ar dhuine to call upon a person, rí a ghairm de dhuine to proclaim a person king, ~im thú I acclaim you

gáir ga:r' f2, pl gártha cry, shout, ~(mholta) a ligean to give a cheer, d'aon gháir with one acclaim, chuaigh a gháir i bhfad he was heard of far and wide vt & i shout; laugh, gháir sé liom he shouted at me, ag ~e fúm laughing at me

gairbhéal gar'əv'e:l m1 gravel

gairdeach ga:rd'əx a1 joyous

gairdeas ga:rd'əs m1 joy, rejoicing

gairdín ga:rd'i:n' m4 garden

gaire gar'ə f4 nearness, proximity, i n~ áite near a place

gáire ga:r'ə m4 laugh, rinne sí ~ liom she smiled at me, leath a gháire air he smiled broadly

gairéad¹ gar'e:d m1 ostentation

gairéad² gar'e:d m1 garret, turret

gaireas gar'əs m1 device, apparatus

gairfean gar'əf'ən m1 roughness; rough ground

gairge gar'əg'ə f4 harshness, irritability; pungency

gairgeach gar'əg'əx a1 harsh, gruff, surly

gairid gar'əd' a1 short; near, gaol ~ close relationship, scoil ghairid hedge-school, cúirt ghairid petty sessions, rugadh ~ air he was caught unawares, ~ do mhíle nearly a mile, le ~ of late

gáiriteach ga:r'ət'əx a1 laughing, jolly

gairleog ga:rl'o:g f2 garlic

gairm gar'əm' f2, pl ~eacha call; summons; title; occupation, ~ slógaidh mobilization, ~ chrábhaidh religious vocation, an ghairm dheiridh last post, tá ~ dochtúra aige he is a doctor by profession, nó ghairm thú! bravo!

gairmeach gar'əm'əx m1 & a1 vocative

gairmiúil gar'əm'u:l' a2 vocational; professional

gairmoideachas 'gar'əm'‚od'əxəs m1 vocational education

gairmscoil 'gar'əm'‚skol' f2, pl ~eanna vocational school

gairneoireacht ga:rn'o:r'əxt f3 horticulture

gáirsiúil ga:rs'u:l' a2 lewd, obscene

gáirsiúlacht ga:rs'u:ləxt f3 lewdness, obscenity, ~ chainte filthy language

gairtéar gart'e:r m1 garter

gaisce gas'k'ə m4 feat (of arms); bravado

gaiscíoch gas'k'i:(ə)x m1 warrior, hero; boaster

gaiscíúil gas'k'u:l' a2 valiant; boastful

gaiste gas't'ə m4 snare, trap

gaistríteas gas't'r'i:t'əs m1 gastritis

gáitéar ga:t'e:r m1 gutter; drain-pipe, channel

gal gal f2 valour; steam, ~ uisce water vapour, ~ ghaoithe blast of hot wind, ~ tobac a smoke of tobacco, ~ soip transitory thing

gála¹ ga:lə m4 gale (of wind)

gála² ga:lə m4 (rent) gale, rud a íoc ina ghálaí to pay sth in instalments

galaigh gali: vt & i vaporize; evaporate; steam

galamaisíocht 'galə‚mas'i:(ə)xt f3 playfulness; histrionics

galán gala:n m1 crane-fly, daddy-long-legs

galánta gala:ntə a3 gallant; grand, éadach ~ stylish clothing, dóigheanna ~ genteel ways

galántacht gala:ntəxt f3 courtliness; stylishness; swank, ~ éadaigh elegance in dress

galar galər m1 sickness, disease; affliction, i n~ na gcás in a quandary

galbhánaigh galəvə:ni: vt galvanize

galf galf m1 golf

galfaire galfar'ə m4 golfer

gall gal m1 foreigner

gallán gala:n m1 standing-stone

gallchnó 'gal‚xno: m4, pl ~nna walnut

gallda galdə a3 foreign; anglicized

galldachas galdəxəs m1 foreign ways; anglicization

gallóglach 'gal‚o:gləx m1 gallowglass

Galltacht galtəxt *f3* English-speaking district

galltrumpa 'gal,trompə *m4* clarion

gallúnach galu:nəx *f2* soap

galóisí galo:s'i: *npl* galoshes

galrach galrəx *a1* diseased; sickly

galraigh galri: *vt & i* infect with disease; inoculate; become diseased

galstobh 'gal,stov *vt* braise

galtán galta:n *m1* steamer

galún galu:n *m1* gallon; vessel

gamal gaməl *m1* lout, fool

gambún gambu:n *m1* gammon

gamhain gaun' *m3, gs & pl* **-mhna** calf, *scéal an ghamhna bhuí* long-drawn-out story

gan gən *prep* without, ~ *phingin* penniless, *caint* ~ *éifeacht* ineffectual talk, ~ *bhaint* unreaped, ~ *bhia* ~ *deoch* without food or drink, *b'fhearr duit* ~ *fanacht* you had better not wait, *(agus)* ~ *ann ach leanbh fós* though he is only a child yet

gandal gandəl *m1* gander

ganfhiosach ganəsəx *a1* secret, secretive

ganfhiosaíocht ganəsi:(ə)xt *f3* secrecy, secretiveness, *ag* ~ acting surreptitiously

gangaid gaŋgəd' *f2* venom; bitterness

gangaideach gaŋgəd'əx *a1* venomous; bitter

gann gan *a1, gsm* ~ scarce; sparse, ~ *i mbainne* short of milk, ~ *ar mhíle* scarcely a mile

gannchuid 'gan,xid' *f3, gs* **-choda** slight portion, penury, scarcity, *bheith ar an n* ~ to be in straitened circumstances

gannchúis 'gan,xu:s' *f2* scarcity; penury; stinginess

gannchúiseach 'gan,xu:s'əx *a1* scarce; penurious; stingy

ganntanas gantənəs *m1* shortage, *ar an n* ~ in want

gaobhar gi:vər *m1, bheith i n* ~ *áite* to be near a place, *ar na gaobhair* nearby

gaofar gi:fər *a1* windy, *caint ghaofar* verbose speech

gaois gi:s' *f2* wisdom; shrewdness

gaoiseach gi:s'əx *a1* wise; shrewd

gaol gi:l *m1, pl* ~ **ta** relationship; relative, ~ *a bheith agat le duine* to be related to a person, *cairde gaoil* friends and

relations, *tá* ~ *idir an dá fhocal* the two words are connected

gaolmhaireacht gi:lvər'əxt *f3* relationship; affinity

gaolmhar gi:lvər *a1* related; cognate

gaorthadh gi:rhə *m1, pl* **-aí** (wooded) river-valley

gaosán gi:sa:n *m1* nose

gaoth¹ gi: *f2* wind, *imeacht ar nós na gaoithe* to go like the wind, *lucht gaoithe móire* gas-bags, ~ *a bhriseadh* to break wind, to belch, ~ *an fhocail* the slightest hint

gaoth² gi: *m1, npl* ~ **a** inlet of sea, estuary

gaothaire gi:hər'ə *m4* vent; ventilator

gaothrán gi:hra:n *m1* fan

gaothscáth 'gi:,ska: *m3, pl* **-anna** windscreen

gar¹ gar *m1, pl* ~ **anna** proximity; convenience, *i n* ~ *do rud* near sth, ~ *a dhéanamh do dhuine* to do a person a good turn, *níl* ~ *i gcaint* it is no use talking *a1* near, *go* ~ *ina dhiaidh sin* shortly afterwards

gar-² gar *pref* near; approximate

garach garəx *a1* obliging

garaíocht gari:(ə)xt *f3* favours, services, *bheith in áit na* ~ *a* to be in a position to help

garáiste gara:s't'ə *m4* garage

garastún garəstu:n *m1* garrison

garathair 'gar,ahər' *m, gs* **-ar** *pl* **-aithreacha** great-grandfather

garbh garəv *a1* rough; coarse; harsh, *obair gharbh* badly-finished work, *cuntas* ~ rough count

garbhaigh garəvi: *vt & i* roughen; become rough

garbhánach garəva:nəx *m1* coarse-grained person; sea-bream

garbhchríoch 'garəv,x'r'i:x *f2, G* ~ *a na hAlban* the Highlands of Scotland

garbhlus 'garəv,lus *m3* goose-grass

garbhshíon 'garəv,hi:n *f2* rough weather, ~ *na gcuach* spell of harsh weather in May

garchabhair 'gar,xaur' *f, gs* **-bhrach** first aid

garda ga:rdə *m4* guard, *bheith ar* ~ *(ar rud)* to be on guard (over sth), ~ *saighdiúirí* guard, body, of soldiers, ~ *(síochána)* policeman

gardáil ga:rda:l' *vt & i* guard

garg garəg *a1* acrid; rude; rough, *deoch gharg* harsh drink, *gníomh ~* violent deed, *ag gol go ~* weeping bitterly

gariníon 'gar,in'i:n *f2*, *pl* **~acha** granddaughter

garlach gar:rləx *m1* child; urchin

garmachán garəməxa:n *m1* stickleback

garmhac 'gar,vak *m1*, *gs & npl* **-mhic** grandson

garmheastachán 'gar,v'astəxa:n *m1* approximation

gáróid ga:ro:d' *f2* clamour, din; urgent call

garphointe 'gar,fon't'ə *m4* nearest point

garra garə *f4*, **~ bhuí** greater celandine

garraí gari: *m4* garden; plot; enclosure, *tá ~ ar an ngealach* there is a halo round the moon

garraíodóir gari:(ə)do:r' *m3* gardener

garraíodóireacht gari:(ə)do:r'əxt *f3* gardening

garrán gara:n *m1* grove

garsún garsu:n *m1* boy

garúil garu:l' *a2* obliging

gas gas *m1* stalk; sprig

gás ga:s *m1* gas; paraffin oil

gasail gasəl' *f2* gazelle

gasóg gaso:g *f2* little stalk; boy scout

gasra gasrə *m4* group of people; branch of organization; (army) section

gasta gastə *a3* fast; clever; neat, *diúlach ~* smart fellow

gastacht gastəxt *f3* quickness; cleverness; tidiness

gastrach gastrəx *a1* gastric

gasúr gasu:r *m1* boy; child

gátar ga:tər *m1* distress, *bheith i n~ (ruda)* to be in need (of sth)

gátarach ga:tərəx *a1* needy, distressed

gathaigh[1] gahi: *vt & i* sting; radiate

gathaigh[2] gahi: *vt* gaff

gathú gahu: *m4* radiation

gé g'e: *f4*, *pl* **~anna** goose, **~ fhiáin** wild goose; wanderer

geab g'ab *m4* gab, chatter, *do gheab a chur isteach* to interfere in a conversation

geabaire g'abər'ə *m4* chatterbox

geabaireacht g'abər'əxt *f3* chattering; loquacity

geabanta g'abəntə *a3* loquacious

geábh g'a:v *m3*, *pl* **~anna** (short) run,

spell of activity, **~ a thabhairt ar áit** to make a flying visit to a place

geabhróg g'auro:g *f2* (common) tern

geadán g'ada:n *m1* (bare) patch; buttocks, rump, **~ linbh** baby's bottom

geaf g'af *m3*, *pl* **~anna** gaff

geafáil g'afa:l' *vt* gaff

geafar g'afər *m1* gaffer

géag g'e:g *f2* branch, limb; offshoot, **~a duine** a person's limbs, **~ den mhuir** arm of the sea, **~ a ghinealaigh** family tree

géagach g'e:gəx *a1* branched; longlimbed; (of hair) flowing

geaitín g'at'i:n' *m4* wicket(-gate)

geáitse g'a:t's'ə *m4* pose; affectations, *ag déanamh geáitsí* putting on airs

geáitsíocht g'a:t's'i:(ə)xt *f3* gesturing, play-acting

geal g'al *a1* white, bright; pure, *is ~ an scéal liom é* it is glad news to me, *a ghrá geal* my dearest *vt & i* whiten, brighten, *nuair a gheal an lá* when day dawned, **~ ann sé mo chroí** it gladdens my heart

gealacán g'aləka:n *m1* white (of egg); white (of eye)

gealach g'aləx *f2* moon, *oíche ghealaí* moonlight night

gealán g'ala:n *m1* gleam; bright spell

gealas g'aləs *m1*, *pl* **~acha** suspender for trousers; *pl* braces

gealbhan g'aləvən *m1* sparrow

gealgháire 'g'al,γa:r'ə *m4* radiant smile; pleasant laugh

gealgháireach 'g'al,γa:r'əx *a1* sunny, radiant, joyous

geall g'al *m1*, *pl* **~ta** pledge; wager; prize, *rud a chur i n~* to pawn, pledge, sth, *dul i n~ ar rud* to go security for sth, *bíodh ~ air (go)* I'll wager, I'm sure (that), *is ~ le féasta acu é* it is like a feast to them, *tá sé ~ le bheith déanta* it is practically done, *i n~, mar gheall, air sin* on that account *vt & i* pledge (one's word), promise, **~ aim duit (go)** I assure you (that), *an rud a gheall Dia dúinn* what God ordained for us, *tá sí ~ta dó* she is engaged to him

geallchur 'g'al,xur *m1* betting; wager

geallearb 'g'al,arəb *vt* pawn

geallghlacadóir 'g'al,γlakədo:r' *m3* bookmaker, turf accountant

geallmhar g'aləvər *a*l fond (*ar of*), ~ *ar rud a dhéanamh* keen to do sth

gealltanas g'altənəs *m*l pledge, promise, ~ *pósta* engagement

gealt g'alt *f*2, *gs* **geilte** lunatic; panic-stricken person

gealtachas g'altəxəs *m*l lunacy; panic

gealtartar g'al,tartər *m*l cream of tartar

gealtlann g'altlən *f*2 lunatic asylum

geamaireacht g'amər'əxt *f*3 pantomime

geamhar g'aur *m*l springing corn or grass, braird; corn in the blade

geamhchaoch g'av,xi:x *a*l, *gsm* ~ bleary, purblind

geamhoíche g'av,i:x'ə *f*4, *pl* ~**anta** winter's night

geamhsholas g'av,holəs *m*l dim light

gean g'an *m*3 love, affection

geanas g'anəs *m*l chastity; modesty

geanasach g'anəsəx *a*l chaste; modest

geanc g'aŋk *f*2, *gs* **geince** snub nose

geanmnaí g'anəmni: *a*3 chaste

geanmnaíocht g'anəmni:(ə)xt *f*3 chastity

geansaí g'ansi: *m*4 jersey, gansey

geanúil g'anu:l' *a*2 loving; lovable; seemly

geanúlacht g'anu:ləxt *f*3 lovingness; lovableness; seemliness

géar g'e:r *a*l sharp; steep, *uillinn ghéar* acute angle, *scread ghéar* shrill scream, *focal* ~ cutting remark, *bainne* ~ sour milk, *intleacht ghéar* keen intellect, *siúl* ~ brisk walk, *rachaidh sé* ~ *go maith orm* it will put me to the pin of my collar

géaraigh g'e:ri: *vt & i* sharpen, *tá an ghaoth ag géarú* the wind is freshening, *do ghoile a ghéarú* to whet one's appetite, *géarú ar shiúl* to increase speed

gearán g'ara:n *m*l complaint, grievance; ailment *vt & i* complain, *ní ~ ta dom* I have no cause for complaint

géarán g'e:ra:n *m*l canine tooth

gearánach g'ara:nəx *a*l complaining

gearb g'arəb *f*2, *gs* **geirbe** scab; mange

gearbach g'arəbəx *a*l scabby

géarchéim g'e:r,x'e:m' *f*2, *pl* ~**eanna** emergency

géarchúis g'e:r,xu:s' *f*2 astuteness, discernment

géarchúiseach g'e:r,xu:s'əx *a*l astute, discerning

gearg g'arəg *f*2, *gs* **geirge** quail

geargáil g'arəga:l' *f*2 gargoyle

géarghá g'e:r,ɣa: *m*4 urgent need

géarleanúint g'e:r,l'anu:n't' *f*3, *gs* ~**úna** persecution

gearr[1] g'a:r *m*4, ~ *goirt* corncrake

gearr[2] g'a:r *a*l, *gsm* ~ *gsf & comp* **giorra** short; near, *freagra* ~ curt answer, *tomhas* ~ short measure, ~ *sa radharc* shortsighted, *is* ~ (*go*) it won't be long (until), *is* ~ (*ó*) it is not long (since) *vt & i* cut; shorten; levy, *an bholgach a ghearradh ar dhuine* to vaccinate a person against smallpox, *gamhain a ghearradh* to castrate a calf, *fíor na croise a ghearradh ort féin* to make the sign of the cross on oneself, *léim a ghearradh* to take a jump, *sraith a ghearradh* to strike a rate, ~*adh príosún air* he was sentenced to imprisonment

gearr-[3] g'a:r *pref* short; small; young; moderate

gearradh g'arə *m*, *gs* -**rrtha** *pl* -**rrthacha** cutting, cut; keenness; levy, ~ *gúna* cut of dress, *fear a bhfuil* ~ *ann* an incisive man, ~ *teanga* severe scolding, *na gearrthacha* the rates, *ag imeacht faoi ghearradh* going at speed

gearrán g'ara:n *m*l gelding; horse; nag

gearranáil g'a:r,ana:l' *f*3 shortness of breath

gearranálach g'a:r,ana:ləx *a*l short of breath; asthmatic

gearrbhodach g'a:r,vodəx *m*l young fellow; squireen

gearrcach g'a:rkəx *m*l nestling

gearrchaile g'a:r,xal'ə *m*4 young girl

gearrchaint g'a:r,xan't' *f*2 impertinent talk; terse remark

gearrinsint g'a:r,in's'ən't' *f*2 short account, epitome (*ar rud of* sth)

gearróg g'aro:g *f*2 short bit, scrap; short answer

gearr-radharcach g'a:(r),rairkəx *a*l shortsighted

gearrscéal g'a:r,s'k'e:l *m*l, *pl* ~**ta** short story

gearrscríobh g'a:r,s'k'r'i:v *m*, *gs* -**ofa** shorthand

gearrshaolach g'a:r,hi:ləx *a*l short-lived

gearrthóg g'a:,rho:g *f*2 cutting, snippet; cutlet

gearrthóir g'a:rho:r' *m3* cutter; (cold) chisel

géarú g'e:ru: *m4* sharpening; souring, ~ *siúil* increase of speed

géasar g'e:sər *m1* geyser

geasróg g'asro:g *f2* spell; superstition

geata g'atə *m4* gate

geataire g'atər'ə *m4* (long) rush; (wick of) rush candle

géibheann g'e:v'ən *m1* bond, fetter, *i n*~ in captivity; in sore distress

géibheannach g'e:v'ənəx *m1* captive *a1* distressing, critical, *cás* ~ crucial case

geilignit g'el'əg'n'i:t' *f2* gelignite

geilitín g'el'ət'i:n' *m4* gelatine

géill g'e:l' *vt & i* yield, surrender, ~*eadh do Dhia* to obey God, ~*eadh don namhaid* to submit to the enemy, *ghéill sé go raibh an ceart agam* he admitted that I was right, ~ *slí* yield right of way

géill g'e:l' : **giall**[1,2]

géilleadh g'e:l'ə *m, gs* -**llte** submission; compliance; credence

geilleagar g'el'əgər *m1* economy, ~ *na tíre* the national economy

geilleagrach g'el'əgrəx *a1* pertaining to economy

géilliúil g'e:l'u:l' *a2* submissive; compliant; credulous

géillsine g'e:l's'ən'ə *f4* subjection, allegiance

géillsineach g'e:l's'ən'əx *m1* subject

géim[1] g'e:m' *f2, pl* ~**eanna** low, bellow; roar, ~ *galltrumpa* clarion-call *vi* low, bellow; roar; trumpet

géim[2] g'e:m' *m4*, (*of birds, etc*) game; gameness

geimheal g'ev'əl *f2, gs & pl* -**mhle** fetter, shackle

geimhleach g'ev'l'əx *m1 & a1* captive

geimhreadh g'ev'r'ə *m1, pl* -**rí** winter

geimhrigh g'ev'r'i: *vi* winter; hibernate

geimhriú g'ev'r'u: *m4* hibernation

geimhriúil g'ev'r'u:l' *a2* wintry

géimiúil g'e:m'u:l' *a2* game; sportive

géimneach g'e:m'n'əx *f2* lowing, bellowing; roaring

géin[1] g'e:n' *f2, pl* ~**te** gene

géin[2] g'e:n' *f2, briste* ~*e* jeans

géineas g'e:n'əs *m1* genus

géineasach g'e:n'əsəx *a1* generic

géineolaíocht 'g'e:n',o:li:(ə)xt *f3* genetics

Geiniseas g'en'əs'əs *m1* Genesis

géiniteach g'e:n'ət'əx *a1* genetic

geir g'er' *f2, pl* ~**eacha** fat; suet

géire g'e:r'ə *f4* sharpness; steepness; shrillness; sourness

geireach g'er'əx *a1* fatty

geiréiniam ‚g'e'r'e:n'iəm *m4* geranium

geis g'es' *f2, npl* **geasa** *gpl* **geas** taboo, *is* ~ *dom é a dhéanamh* I am forbidden to do it, *rud a chur de gheasa ar dhuine* to place sth as a strict obligation on a person, *bheith faoi gheasa ag duine* to be under a person's spell

géis g'e:s' *f2, pl* ~**eanna** swan

geit g'et' *f2, pl* ~**eanna** start; fright, *de gheit* suddenly *vi* jump, start

geiteach g'et'əx *a1* easily startled; skittish

geiteo g'et'o: *m4, pl* ~**nna** ghetto

geo(i)- g'o: *pref* geo-

geocach g'o:kəx *m1* strolling musician; mummer; vagrant; cadger

geografach g'o:grəfəx *a1* geographical

geografaíocht g'o:grəfi:(ə)xt *f3* geography

geoiméadrach 'g'o:,m'e:drəx *a1* geometric(al)

geoiméadracht 'g'o:,m'e:drəxt *f3* geometry

geoin g'o:n' *f2* confused noise, drone, ~ *chainte* hum of conversation, ~ *ghadhar* cry of beagles

geolaí g'o:li: *m4* geologist

geolaíocht g'o:li:(ə)xt *f3* geology

geolbhach g'o:lvəx *m1* gill(s) (of fish); jowl

geonaíl g'o:ni:l' *f3* droning; whining

gheobhadh γ'o:x *cond of* **faigh**

gheobhaidh γ'o:i: *fut of* **faigh**

gheofaí γ'o:fi: *cond aut of* **faigh**

gheofar γ'o:fər *fut aut of* **faigh**

giall[1] g'iəl *m1, gs* **géill** *npl* ~**a** jaw, (lower) cheek; jamb (of door); corner (of gable-end), ~ *rinse* jaw of wrench

giall[2] g'iəl *m1, gs* **géill** *npl* ~**a** hostage, (human) pledge

giar g'iər *m1, pl* ~**anna** gear

giarsa g'iərsə *m4* joist; beam; girder

gibiris g'ib'ər'əs *f2* gibberish, ~ *chainte* unintelligible speech

gild g'il'd' *m4, pl* ~**eanna** guild

gile g'il'ə *f4* whiteness; fairness; gladness, ~ *na gréine* brightness of the sun, *a ghile mo chroí* my heart's beloved

gilidín g'il'əd'i:n' *m4* fry (of trout or salmon)

gilitín g'il'ət'i:n' *m4* guillotine

gimléad g'im'l'e:d *m1* gimlet

gin g'in' *f2*, *pl* ~**te** begetting; birth; foetus; offspring, ~ *shaolta* earthly being *vt & i* give birth to; beget; originate, *tá an geamhar ag* ~*iúint* the corn is springing, *teas a ghiniúint* to generate heat

gine g'in'ə *m4* guinea

ginea-, gini- g'i:n'ə *pref* gyn(o)-

gineadóir g'in'ədo:r' *m3* begetter; sower; generator

ginealach g'in'ələx *m1* genealogy, pedigree, *ó ghinealach go* ~ from generation to generation

ginealas g'in'ələs *m1* genealogy, *ag déanamh ginealais* tracing pedigrees

ginearál g'in'əra:l *m1* (army) general

ginearálta g'in'əra:ltə *a3* general

ginid g'in'əd' *f2* sprite, genie

ginideach g'in'əd'əx *m1 & a1* genitive

giniúint g'in'u:nt' *f3*, *gs* -**úna** procreation; birth; germination, ~ *Mhuire gan Smál* the Immaculate Conception, *baill ghiniúna* genitals, *stáisiún giniúna* generating station

ginmhilleadh 'g'in'v'il'ə *m*, *gs* -**llte** (procured) abortion

gintlí g'in't'l'i: *m4 & a3* gentile

gintlíocht g'in't'l'i:(ə)xt *f3* sorcery

giob g'ib *m4*, *pl* ~**anna** morsel; scrap, ~ *geab* pecking; chit-chat *vt* pick, peck

giobach g'ibəx *a1* shaggy; untidy

giobal g'ibəl *m1* rag, clout

gioblach g'ibləx *a1* ragged, tattered

gioblachán g'ibləxa:n *m1* ragamuffin

giobóg g'ibo:g *f2* tiny bit; scrap; rag

giobógach g'ibo:gəx *a1* scrappy; ragged; untidy

giodal g'idəl *m1* sauciness; self-conceit

giodalach g'idələx *a1* saucy; conceited

giodam g'idəm *m1* restlessness; giddiness, jauntiness

giodamach g'idəməx *a1* restless; giddy, jaunty

giofóg g'ifo:g *f2* gipsy

giog g'i:g *f2 & vi* cheep, chirp

giolc g'ilk *m3*, *pl* ~**acha** reed; tall, reed-like, grass

giolcach g'ilkəx *f2* reeds; cane, ~ (*shléibhe*) broom

giolcadh g'ilkə *m*, *gs* -**ctha** chirping; chirp, *éirí le* ~ *an ghealbhain* to rise with the dawn

giolla g'ilə *m4* youth; page; gillie; manservant, ~ *na leisce* lazy fellow

giollacht g'iləxt *f3* attendance, service; guidance, ~ *a dhéanamh ar rud* to attend to sth

giollaigh g'ili: *vt* lead; attend to, tend, *duine a ghiollacht* to guide a person

giománach g'i:ma:nəx *m1* yeoman; coachman, chauffeur; lackey, ill-mannered fellow

giomhán g'iva:n *m1* hank (of thread, etc)

giomnáisiam ,g'im'na:s'iəm *m4* gymnasium

giongach g'ingəx *a1* fidgety; skittish

giorra g'irə *f4* shortness, ~ *anála* shortness of breath, ~ *radhairc* short-sightedness

giorracht g'irəxt *f3* shortness; nearness, *i n* ~ *aimsire* in a short space of time, *i n* ~ *míle dúinn* within a mile of us

giorraigh g'iri: *vt & i* shorten

giorraisc g'irəs'k' *a1* short, abrupt, *ordú* ~ curt order

giorria g'iriə *m4*, *pl* ~**cha** hare

giorrú g'iru: *m4* abbreviation, curtailment, contraction

giorta g'irtə *m4* girth (of saddle)

giortach g'irtəx *a1* short, skimpy, *fear beag* ~ stumpy little man

giosta g'istə *m4* yeast

giota g'itə *m4* bit, piece, ~ *grinn* spell of fun

giotáil g'i:ta:l' *f3* pottering; fumbling

giotár g'o:ta:r *m1* guitar

gipis g'ip'əs' *f2* giblets

gipseam g'ip's'əm *m1* gypsum

girseach g'irs'əx *f2* young girl

Giúdach g'u:dəx *m1* Jew *a1* Jewish

giúiré g'u:r'e: *m4*, *pl* ~**ithe** jury

giuirléid g'u:rl'e:d' *f2* implement *pl* articles (of dress, furniture), knick-knacks, personal belongings

giúis g'u:s' *f2*, *pl* ~**eanna** fir, pine; bog-deal

giúistis g'u:s't'i:s' *m4* justice (of the peace), magistrate *pl* judiciary

giúmar g'u:mər *m1* humour, mood

giúmaráil g'u:məra:l' *vt* humour

giúrann g'u:rən *m*1 barnacle; teredo; barnacle goose

giúróir g'u:ro:r' *m*3 juror

giúsach g'u:səx *f*2 fir, pine(-trees; timber)

glac¹ glak *f*2 hand, half-closed hand, *rud a bheith i do ghlac agat* to have sth in one's grasp, ~ *leabhar* handful of books, ~ *crainn* fork of tree, ~ *saighead* quiver

glac² glak *vt* take, accept; undertake, *ord beannaithe a ghlacadh* to take holy orders, *do shuaimhneas a ghlacadh* to take one's ease, *an slaghdán a ghlacadh* to catch a cold, *eagla a ghlacadh roimh rud* to become afraid of sth, ~ *aimis le toil Dé* let us accept the will of God, *ghlac eagla é* fear seized him

glacadh glakə *m*, *gs* -**ctha** acceptance, reception; handling; seizure

glacadóir glakədo:r' *m*3 taker, acceptor; receiver

glacadóireacht glakədo:r'əxt *f*3 reception (of radio, etc); *gléas* ~ *a* receiving set

glacaire glakər'ə *m*4, (*of gramophone, etc*) pick-up

glacaireacht glakər'əxt *f*3 handling; touching; pawing

glae gle: *m*4 glue; sticky substance; slime

glafadh glafə *m*1 bark, ~ *a thabhairt ar dhuine* to snap at a person

glafarnach glafərnəx *f*2 confused din, ~ *na gaoithe* the howling of the wind

glagaireacht glagər'əxt *f*3 foolish behaviour, ~ (*chainte*) nonsense

glaidíólas glad'i:o:ləs *m*1 gladiolus

glaine glan'ə *f*4 cleanness; clarity; purity

glaise¹ glas'ə *f*4 stream

glaise² glas'ə *f*4 greenness; greyness; brightness; rawness

glam glam *f*2, *pl* ~**anna** bay, howl *vi* bay; howl

glám gla:m *m*1, *pl* ~**anna** grab, clutch *vt & i* grab, *ag* ~*adh ar rud* pulling and tearing at sth

glan glan *m*1 cleanness, ~ *na fírinne* the plain truth *a*1 clean, clear; pure, bright; clear-cut, *brabach* ~ net profit, *faisnéis ghlan* definite information, *sé troithe* ~ six feet exactly, *diúltú* ~ *de rud* to refuse sth absolutely, *fan* ~ *air* stay clear of it, *go díreach* ~ exactly *vt & i* clean, clear, *léim a ghlanadh* to

clear a jump, *tá an daichead* ~ *ta aige* he has passed the forty mark, *fiacha a ghlanadh* to clear debts

glanachar glanəxər *m*1 cleanliness

glanmheabhair 'glan'v'aur' *s*, *tá sé de ghlanmheabhair agam* I have it off by heart

glanoscartha 'glan'oskərhə *a*3, *dul* ~ *thar rud* to clear sth at a bound

glanscartha 'glan'skarhə *a*3 completely separated; (*of flat*) self-contained

glantáirgeacht 'glan'ta:r'g'əxt *f*3 net output

glantóir glanto:r' *m*3 cleaner; detergent

glao gli: *m*4, *pl* ~**nna** call, shout, ~ *gutháin* telephone call

glaoch gli:x *m*1, *gs* -**aoich** calling, call, ~ *ar earraí* demand for goods

glaoigh gli:γ *vt & i* cry out, shout; call for, *coileach ag glaoch* a cock crowing, *rolla a ghlaoch* to call a roll, *glaoch ar Dhia* to call upon God

glár gla:r *m*1 silt; (soft) mass

glas¹ glas *m*1 lock, ~ *fraincín* padlock, *an* ~ *a chur ar*, *a bhaint de*, *rud* to lock, unlock, sth, *faoi ghlas* under lock and key, ~ *fiacla* lockjaw

glas² glas *m*1 green (colour); grey (colour), ~ *caorach* undyed homespun *a*1 green; unripe; inexperienced; grey, *óganach* ~ callow youth, *aimsir ghlas* raw weather

glas³ glas *f*2 rivulet

glas-⁴ glas *pref* green; grey; pallid; immature

glasáil glasa:l' *vt* lock

glasán glasa:n *m*1 finch

glasíoc 'glas,i:k *m*3 part payment, instalment

glasóg glaso:g *f*2 wagtail

glasphluma 'glas,flomə *m*4 greengage

glasra glasrə *m*4 vegetable; vegetation

glasuaine 'glas,uən'ə *f*4 & *a*3 vivid green

glé g'l'e: *a*3 clear, bright, pellucid, *stíl ghlé* lucid style

gleacaí g'l'aki: *m*4 wrestler, acrobat; gymnast; trickster

gleacaíocht g'l'aki:(ə)xt *f*3 wrestling, acrobatics; gymnastics; trickery

gleadhair g'l'air' *vt*, *pres* -**dhrann** beat noisily, pummel, *ag gleadhradh báistí* pelting rain, *ag gleadhradh ceoil* playing (music) merrily

gleadhrach gʹlʹairəx *a*1 noisy; tumultuous, *sruthán* ~ dancing stream, *tine ghleadhrach* blazing, cheerful, fire

gleadhradh gʹlʹairə *m*, *gs* **-dhartha** noisy beating; tumult; blaze, glare, ~ *báistí* pelting (of) rain, ~ *daoine* vast number of people

gleann gʹlʹan *m*3, *pl* ~**ta** glen; valley, hollow, ~ *seo na ndeor* this vale of tears, *i n*~ *toinne* in the trough of a wave

gleanntán gʹlʹanta:n *m*1 small glen, dell

gléas gʹlʹe:s *m*1, *pl* ~**anna** arrangement; facilities; apparatus; attire; key (in music), *rud a chur i n*~ to adjust sth, *tá* ~ *oibre air* he is equipped to work, ~ *beo* means of livelihood, ~ *iompair* means of conveyance, ~ *a chur ort féin* to tog oneself out *vt* arrange; equip; prepare, ~ *an capall* harness the horse, ~ *ta i síoda* dressed in silk

gléasadh gʹlʹe:sə *m*, *gs* **-sta** equipment; preparation; attire

gléasra gʹlʹe:srə *m*4 apparatus, equipment; plant

gléasta gʹlʹe:stə *a*3 equipped; well-dressed

gléib gʹlʹe:bʹ *f*2, *pl* ~**eanna** glebe

gleic gʹlʹekʹ *f*2, *pl* ~**eaca** wrestling, fighting; contest, *dul i n*~ *le rud* to grapple with sth

gléigeal ʹgʹlʹe:ʹgʹal *a*1 pure white, brilliant, *uisce* ~ crystal-clear water, *aimsir ghléigeal* glorious weather, *mo leanbh* ~ my fairest child

gléine gʹlʹe:nʹə *f*4 clearness, lucidity, transparence, brightness

gléineach gʹlʹe:nʹəx *a*1 clear, lucid, transparent

gleo gʹlʹo: *m*4, *pl* ~**nna** fight, battle; noise, tumult, *ag* ~ fighting, raising ructions

gleoiríseach gʹlʹo:rʹe:sʹəx *a*1 boisterous, hilarious

gleoiseach gʹlʹo:sʹəx *f*2 linnet

gleoite gʹlʹo:tʹə *a*3 neat, pretty; charming

gleorán gʹlʹo:ra:n *m*1 nasturtium

gliaire gʹlʹiərʹə *m*4 gladiator

glib gʹlʹibʹ *f*2, *pl* ~**eanna** forelock, fringe; dishevelled hair

glic gʹlʹikʹ *a*1 clever; shrewd; cunning

gliceas gʹlʹikʹəs *m*1 cleverness; shrewdness; cunning

glicrín gʹlʹikʹrʹi:nʹ *m*4 glycerine

gligín gʹlʹigʹi:nʹ *m*4 little bell; tinkle; rattle-brained person

glinn gʹlʹinʹ *a*1 clear, distinct, vivid

glinne[1] gʹlʹinʹə *f*4 clarity, distinctness, vividness

glinne[2] gʹlʹinʹə *f*4, winding-frame (for fishing line)

glinneáil gʹlʹinʹa:lʹ *vt & i* wind (on reel, frame), *snáithe a ghlinneáil* to wind up a thread

glinnigh gʹlʹinʹi: *vt & i*, *vn* **-iúint** scrutinize; peer (*ar* at); sparkle

gliobach gʹlʹibəx *a*1 tousled, dishevelled; hairy, shaggy

gliogar gʹlʹigər *m*1 rattle, jingle; foolish talk, ~ *na gcág* the chatter of jackdaws

gliogarnach gʹlʹigərnəx *f*2 rattling, tinkling; prattle

gliogram gʹlʹigrəm *m*1 rattle, noise, ~ *cos* clatter of feet

gliomach gʹlʹiməx *m*1 lobster

gliondar gʹlʹindər *m*1 gladness, joyousness

gliondrach gʹlʹindrəx *a*1 glad, joyous

glioscarnach gʹlʹiskərnəx *f*2 glistening; sparkle, glitter

gliú gʹlʹu: *m*4 glue

gliúáil gʹlʹu:a:lʹ *vt* glue

gliúc gʹlʹu:k *m*3, *pl* ~**anna** peep

gliúcaíocht gʹlʹu:ki:(ə)xt *f*3 peering; furtiveness

gloine glonʹə *f*4 glass, ~ *fuinneoige* (pane of) window-glass, *gloiní a chaitheamh* to wear glasses, ~ *lampa* globe (of lamp), *gloiní boird* table glasses

gloineadóir glonʹədo:rʹ *m*3 glazier

gloineadóireacht glonʹədo:rʹəxt *f*3 glazing; glaziary

gloinigh glonʹi: *vt & i* vitrify; glaze

glóir glo:rʹ *f*2 glory, ~ *do Dhia* glory be to God, ~ *dhiomhaoin* vainglory

glóirigh glo:rʹi: *vt* glorify

glóirmhian ʹglo:rʹʹvʹiən *f*2, *gs* **-mhéine** *pl* ~**ta** ambition

glóirmhianach ʹglo:rʹʹvʹiənəx *a*1 ambitious

glóir-réim ʹglo:(rʹ)ʹre:mʹ *f*2, *pl* ~**eanna** triumphal course; pageant

glónraigh glo:nri: *vt* glaze

glór glo:r *m*1, *pl* ~**tha** voice; speech, utterance; sound

glórach glo:rəx *a*1 loud-voiced; noisy

glóráil glo:ri:l′ *f*3 sound of voices, noisiness

glórmhar glo:rvər *a*1 glorious

glórshúileach 'glo:r,hu:l′əx *a*1 wall-eyed

glotas glotəs *m*1 glottis

glóthach glo:həx *f*2 jelly; animal slime, ~ **fhroig** frog-spawn *a*1 gelatinous; viscous

glóthaigh glo:hi: *vi* gel

glothar glohər *m*1 rattle, gurgle, ~ **an bháis** death-rattle

gluair gluər′ *a*1 bright; loud, shrill

gluaire gluər′ə *f*4 clearness, brightness; loudness; shrillness

gluais¹ gluəs′ *f*2, *pl* ~**eanna** commentary; glossary, vocabulary

gluais² gluəs′ *vt & i* move, set in motion; go, proceed

gluaiseacht gluəs′əxt *f*3 movement, motion, ~ **lasánta** fiery impulse, ~ **chainte** rhythm of speech, ~ **na teanga** the language movement

gluaisrothar 'gluəs′,rohər *m*1 motorcycle

gluaisteán gluəs′t′a:n *m*1 motor-car

gluaisteánaí gluəs′t′a:ni: *m*4 motorist

gluaisteánaíocht gluəs′t′a:ni:(ə)xt *f*3 motoring

glúcós glu:ko:s *m*1 glucose

glug glug *m*1 plopping, plop

glugar glugər *m*1 plopping, squelching, gurgle, **ubh ghlugair** addle-egg

glúin glu:n′ *f*2, *gs & npl* ~**e** *gpl* -**ún** knee; generation, **trí ghlúin daoine** three generations of people, ~ **ghaoil** degree of relationship, ~ **staighre** step of stairs

gnách gna:x *a*1, *gsm* ~ customary, usual; ordinary, *is* ~ (*le*) it is customary (for), *mar is* ~ as usual

gnaíúil gni:u:l′ *a*2 beautiful; decent

gnaoi gni: *f*4 beauty; affection

gnás¹ gna:s *m*1, *pl* ~**anna** haunt, resort; lair; custom, ~ **dlí** legal convention

gnás² gna:s *f*2, *pl* ~**anna** cleft; hare-lip

gnáth¹ gna: *m*1, *npl* ~**a** custom, usage; customary thing, *as an n*~ out of the ordinary, *de ghnáth* as a rule

gnáth-² gna:† *pref* customary; vulgar, common; constant

gnáthaigh gna:hi: *vt & i* make a habit of, practise; frequent; haunt

gnáthamh gna:həv *m*1 custom; procedure; frequentation

gnátharm 'gna:h'arəm *m*1 regular army

gnáthchléir 'gna:x′l′e:r′ *f*2 secular clergy

gnáthdhochtúir 'gna:′γoxtu:r′ *m*3 general practitioner

gnáthdhuine 'gna:′γin′ə *m*4, *pl* -**dhaoine** ordinary person, **an** ~ the man in the street

gnáthghaoth 'gna:′γi: *f*2 prevailing wind

gnáthóg gna:ho:g *f*2 habitat; lair; cache

gnáthóir gna:ho:r′ *m*3 frequenter, habitué

gnáthshaighdiúir 'gna:′haid′u:r′ *m*3 private soldier

gné g′n′e: *f*4, *pl* ~**ithe** species, kind; appearance, ~ **de rud** an aspect of sth

gnéas g′n′e:s *m*1, *pl* ~**anna** sex

gnéasach g′n′e:səx *a*1 sexual

gné-eolaíocht 'g′n′e:,o:li:(ə)xt *f*3 physiognamy

gníomh g′n′i:v *m*1, *pl* ~**artha** function; act, deed, ~ **gaisce** feat of arms, ~ **creidimh** act of faith, **Gníomhartha na nAspal** the Acts of the Apostles, **peaca gnímh** actual sin

gníomhach g′n′i:vəx *a*1 active, **bainisteoir** ~ acting manager

gníomhachtaigh g′n′i:vəxti: *vt* activate

gníomhaigh g′n′i:vi: *vt & i* act

gníomhaíocht g′n′i:vi:(ə)xt *f*3 activity, performance; action (in play)

gníomhaire g′n′i:vər′ə *m*4 agent

gníomhaireacht g′n′i:vər′əxt *f*3 agency

gníomhas g′n′i:vəs *m*1 deed

gnó gno: *m*4, *pl* ~**thaí** business, **fear** ~ businessman, **tá** ~ **agam díot** I want to talk to you, **déanfaidh sé** ~ it will do, **tá déanamh** ~ **inti** she is resourceful, ~ **thaí eachtracha** foreign affairs, **rinne sé é d'aon ghnó** he did it on purpose

gnó-eagraí 'gno:,agri: *m*4 entrepreneur

gnólacht gno:ləxt *m*3 commercial firm

gnóthach gno:həx *a*1 busy; officious

gnóthachan gno:həxən *m*1 winning; benefit, *ag* ~ (*ar rud*) gaining (by sth)

gnóthaigh gno:hi: *vt & i* work; win, earn, *is beag a ghnóthaigh mé air* I gained little by it

gnóthas gno:həs *m*1 business enterprise

gnúis gnu:s′ *f*2, *pl* ~**eanna** face; countenance, ~ **a chur ort féin** to pull a wry face

gnúsacht gnu:səxt *f3* grunt

gnúsachtach gnu:səxtəx *f2, ag ~* grunting

go¹ gə *bheith ~ maith* to be well, *fuair sí bás ~ hóg* she died young, *~ feargach* angrily

go² gə *prep, míle ~ leith* a mile and a half, *~ bhfios dom* as far as I know

go³ gə *prep* to, till, until, *dul ~ Meiriceá* to go to America, *~ ham luí* until bedtime, *~ glúine san uisce* up to the knees in water, *~ brách* forever, *bliain ~ Luan seo chugainn* a year (ago) next Monday, *~ teacht an earraigh* until the coming of spring, *ní féasta ~ rósta* nothing makes a feast like roast meat

go⁴ gə† *conj* that, *deir sé ~ bhfuil deifir air* he says (that) he is in a hurry, *fan ~ dtiocfaidh sé* wait until he comes, *níor fhéad mé teacht mar ~ raibh mé tinn* I couldn't come because I was sick

go⁵ gə† *verbal part, ~ maire tú é* may you live to enjoy it, *~ raibh maith agat* thank you

gó go: *f4* lie, falsehood, deceit, *gan ghó* undoubtedly

gob gob *m1, npl ~* a beak, bill; tip, point, *~ a chur ort féin* to pout, *~ gainimh* spit of sand, *~ pinn* nib of pen *vt & i* peck (*ar* at); spring, sprout, *ag ~ adh amach* sticking out

gobach gobəx *a1* beaked, long-billed; pointed, sharp

gobadán gobədɑ:n *m1* sandpiper

gobán¹ gobɑ:n *m1* tip; gag, *~ súraic* baby's soother

gobán² gobɑ:n *m1* jack-of-all-trades, *an G ~ Saor* legendary builder

gobharnóir govərno:r′ *m3* governor

goblach gobləx *m1* beakful, mouthful (of food); (choice) morsel, chunk

gocarsach gokərsəx *f2* clucking (of fowl)

góchum 'go:,xum *vt* counterfeit

gogaide gogəd′ə *m4* hunkers

gogaideach gogəd′əx *a1* squatting; unsteady; giddy

gogail gogəl′ *vi, pres* -**alaíonn** *vn* **gogal** gobble, cackle

gogán gogɑ:n *m1* noggin, pail

goic gok′ *f2, pl ~eanna* cock, tilt, *chuir sé ~ throda air féin* he struck a fighting attitude

goiciúil gok′u:l′ *a2* cocked; perky

goid god′ *f3, gs* **gada** theft, larceny *vt & i* steal

goil gol′ *vt & i, vn* **gol** weep, cry (softly)

goile gol′ə *m4* stomach; appetite

góilín go:l′i:n′ *m4* (small) inlet, creek

goill gol′ *vi* grieve; vex, *ghoill an focal orm* the remark distressed me

goilliúnach gol′u:nəx *a1* painful, distressing, *duine ~* sensitive person

goimh gov′ *f2* sting, venom, *bhí ~ ar an lá* the day was bitingly cold, *~ a bheith ort le duine* to be sore at a person

goimhiúil gov′u:l′ *a2* stinging, venomous

goin gon′ *f3, pl* **gonta** wound; sting, *~ ghréine* sunstroke *vt* wound; sting, *ghoin sé an beo ann* it cut him to the quick, *ghoin mo choinsias mé* my conscience pricked me

goinbhlasta 'gon′,vlastə *a3* piquant

goineog gon′o:g *f2* stab, sting; gibe, cutting remark; fang

goirín gor′i:n′ *m4* pimple, pustule, *~ dubh* blackhead

goirmín gor′əm′i:n′ *m4* pansy

goirt gort′ *a1* saline, salt, *uisce ~* brackish water, *chaoin sí go ~* she wept bitterly

goirteamas gort′əməs *m1* saltiness; bitterness

góiséireacht go:s′e:r′əxt *f3* hosiery

góislín go:s′l′i:n′ *m4* gosling

gol gol *m1* weeping, *bhris a ~ uirthi* she burst into tears

goltraí goltri: *f4* (piece of) slow, sad, music

gonc goŋk *m1* snub

gonta gontə *a3* incisive; terse, *cainteoir ~* forceful speaker, *tagairt ghonta* pointed reference

gontacht gontəxt *f3* incisiveness; terseness; pungency

gor gor *m1* heat (of incubation), *cearc ar ~* clocking hen, *~ a dhéanamh ar uibheacha* to hatch eggs, *~ a dhéanamh ar rud* to brood over sth, *~ i gcneá* inflammation in a wound *vt & i* heat, warm; hatch, incubate

goradh gorə *m, gs* **-rtha** heat; incubation, *~ a chur ar rud* to solder sth

goraille go′ril′ə *m4* gorilla

gorlann gorlən *f2* hatchery

gorm gorəm *m1 & a1* blue

gormán gorəmɑ:n *m*1 black person; cornflower

gort gort *m*1 field, *ar ghort an bhaile* close at hand

gorta gortə *m*4 hunger, famine; meanness

gortach gortəx *a*1 hungry; skimpy, *áit ghortach* barren place, *bheith ~ le duine* to be stingy with a person

gortaigh gortiː *vt* hurt, injure

gortghlanadh 'gort,ɣlanə *m*, *gs* **-nta** clearance (of field); weeding

gortú gortu: *m*4 hurt, injury

gorún goru:n *m*1 haunch

gotha gohə *m*4 appearance; gesture; affectation, *chuir sé ~ i troda air féin* he struck a fighting attitude

gothaíocht gohiː(ə)xt *f*3 mannerism

grá grɑ: *m*4 love; charity, *i n ~ le duine* in love with a person, *ba mhór an ~ dia é* it would be a great act of charity, *a ghrá my dear, ~ mo chroí* my darling, *ar ghrá d'oinigh* for honour's sake, *de ghrá an réitigh* for peace sake

grabálaí graba:li: *m*4 grabber

grábháil gra:vɑ:l′ *f*3 engraving; (*of ship*) graving *vt* engrave; (*of ship*) grave

grabhar graur *m*1 crumbs, fragments, *~ móna* turf-mould

grách grɑ:x *a*1, *gsm* ~ loving; beloved

grád grɑ:d *m*1 grade; class, *~ teasa* degree of heat

grádaigh gra:di: *vt* grade; graduate, scale

gradam gradəm *m*1 esteem; distinction; respect, *bheith faoi ghradam* to be held in esteem, (*corp*) *ina luí faoi ghradam* (a body) lying in state

gradamach gradəməx *a*1 estimable, esteemed

grádán grɑ:dɑ:n *m*1 grade, gradient

graeipe gre:p′ə *f*4 graip

graf graf *m*1 & *vt* & *i* graph, chart

grafadh grafə *m*, *gs* **grafa** grubbing, hoeing

grafán grafɑ:n *m*1 hoe; grub-axe

grafóg grafo:g *f*2 (small) hoe

grag grag *m*1 grog

grág grɑ:g *f*2 raucous cry; croak

grágail gra:gil′ *f*3 cawing, croaking; braying; cackling

graí gri: *f*4, *pl* ~**onna** stud (of horses); breeding stud

graidhin grain′ *s*, *mo ghraidhin* (*go deo*) *thú* bravo, good for you

graiféad graf′e:d *m*1 grapnel, small anchor

gráig gra:g′ *f*2, *pl* ~**eanna** village, hamlet

gráiméar gra:me:r *m*1 grammar (book)

gráin gra:n′ *f*, *gs* **-ánach** hatred; ugliness; terror, *chuir an áit ~ orm* the place disgusted me, *is ~ liom é* I detest it, *~ an pheaca* the hatefulness of sin

grainc graŋ′k′ *f*2, *pl* ~**eanna** frown, grimace

gráinigh gra:n′i: *vt* hate, detest

gráiniúil gra:n′u:l′ *a*2 hateful; ugly; terrible

gráinne gra:n′ə *m*4 grain

gráinneach gra:n′əx *a*1 granular, granulated

gráinneog gra:n′o:g *f*2 hedgehog

gráinnigh gra:n′i: *vt* grain, granulate

gráinnín gra:n′i:n′ *m*4 granule; pinch, small quantity

gráinseach gra:n′s′əx *f*2 grange; granary

gráinteacht gra:i:n′t′əxt *f*3 fondling, cuddling

graire gri:r′ə *m*4 stud-horse

gráisciúil gra:s′k′u:l′ *a*2 vulgar, obscene

gram gram *m*1 gram(me)

gramadach gramədəx *f*2 grammar

gramadúil gramədu:l′ *a*2 grammatical

gramafón 'graməˌfo:n *m*1 gramophone

gramaisc graməs′k′ *f*2 rabble, mob

grámhar gra:vər *a*1 loving, affectionate; lovable

gramhas graus *m*1 grin, grimace

gramhsach grausəx *a*1 grinning, grimacing

grán gra:n *m*1, *~ cruithneachta* wheat grain, *~ agus glasruí* grain crops and vegetables, *~ (gunna)* shot, *~ iompair* ball-bearings, *~ arcáin* lesser celandine

gránach gra:nəx *m*1 & *a*1 cereal

gránádóir gra:nɑ:do:r′ *m*3 grenadier

gránáid gra:nɑ:d′ *f*2 grenade

gránaigh gra:ni: *vt* & *i* granulate; scrape

gránbhíorach 'gra:nˌv′irəx *a*1, *peann ~* ball-point pen

gránna gra:nə *a*3 ugly; disagreeable, *focal ~* vile remark, *tugadh íde ghránna dó* he was treated brutally, *an duine ~* the poor fellow

gránnacht gra:nəxt *f*3 ugliness

gránphlúr 'gra:n‚flu:r *m*1 cornflour

gránúll 'gra:n‚u:l *m*1, *npl* ~**a** pomegranate

graosta gri:stə *a*3 lewd, filthy, *scéal* ~ smutty story

graostacht gri:stəxt *f*3 lewdness, *ag* ~ talking smut

grásaeir gra:se:r' *m*3 grazier; cattle dealer, jobber

gráscar gra:skər *m*1 mob; refuse; affray, ~ *Béarla* smattering of English, *i n* ~ *le duine* scuffling with a person

grásta gra:stə *m*4, *gs & npl* ~ *gpl* **grást** grace, *Dia na ngrást* God of mercy, ~ *ó Dhia orthu* God rest them, *buille gan ghrásta* merciless blow, *ar stealladh na ngrást* blind drunk

grástúil gra:stu:l' *a*2 gracious; merciful

grástúlacht gra:stu:ləxt *f*3 graciousness; mercifulness

gráta gra:tə *m*4 grate; grid

grátáil¹ gra:ta:l' *f*3 grating; grille

grátáil² gra:ta:l' *vt* grate (potatoes, etc)

grathain grahən' *f*2 swarm; rabble

gread g'r'ad *vt & i* strike; lash; scorch, *an doras a ghreadadh* to hammer at the door, *ag* ~ *adh a mbos ar a chéile* clapping their hands, beating their hands together, *tá sé ag* ~ *adh leis* he is slogging away, ~ *leat* away with you, *tá mo lámha* ~ *ta* my hands are smarting

greadadh g'r'adə *m*, *gs* -**eadta** beating, trouncing, ~ *teanga* tongue-lashing, ~ *báistí* pelting rain, *ar* ~ *at* great speed, ~ *croí* heart-scald, ~ *chugat* bad cess to you, ~ *airgid* plenty of money

greadhnach g'r'ain'əx *a*1 noisy; merry, cheerful; bright

greadóg g'r'ado:g *f*2 slap, smack; appetizer, ~ *thine* brisk fire

greagán g'r'aga:n *m*1 drop (of spirits)

greagnaigh g'r'agni: *vt* pave, strew, *tá an áit greagnaithe leo* the whole place is strewn with them

Greagórach g'r'ago:rəx *a*1 Gregorian

greallach g'r'aləx *f*2 mire; slush

greamachán g'r'aməxa:n *m*1 adhesive

greamaigh g'r'ami: *vt & i* attach, fasten; adhere to; grip, grasp, *rud a ghreamú de rud* to stick sth to sth, *ionad a*

ghreamú duit féin to secure a place for oneself

greamaire g'r'amər'ə *m*4 pliers

greamaitheach g'r'amihəx *a*1 gripping; adhesive

grean¹ g'r'an *m*1 gravel; coarse sand

grean² g'r'an *vt* engrave, *adhmad a ghreanadh* to carve wood

greanadh g'r'anə *m*, *gs* -**nta** engraving; shapeliness, ~ *adhmaid* woodcut

greanadóir g'r'anədo:r' *m*3 engraver

greanadóireacht g'r'anədo:r'əxt *f*3 engraving

greann g'r'an *m*1 fun; mirth; jesting, *scéal grinn* funny story, ~ *a thabhairt do chailín* to fall in love with a girl

greannaigh g'r'ani: *vt* irritate; beard, challenge; taunt

greannán g'r'ana:n *m*1 comic(-paper)

greannmhaireacht g'r'anu:r'əxt *f*3 humorousness; queerness; lovingness

greannmhar g'r'anu:r *a*1 humorous; queer; loving

greanntraigéide 'g'r'an‚trag'e:d'ə *f*4 tragi-comedy

greanta g'r'antə *a*3 graven; ground; clear-cut, *obair ghreanta* polished work, ~ *ina pearsa* shapely of figure

greantacht g'r'antəxt *f*3 shapeliness, beauty; elegance

gréas g'r'e:s *m*3, *gs & npl* ~**a** ornamental work; decorative pattern; embroidery

gréasaí g'r'e:si: *m*4 shoemaker, cobbler

gréasaigh g'r'e:si: *vt* ornament, embroider

gréasáil g'r'asa:l' *f*3 beating, trouncing *vt* beat, trounce

gréasaíocht g'r'e:si:(ə)xt *f*3 shoemaking

gréasán g'r'e:sa:n *m*1 web; woven fabric, ~ *bóithre* network of roads, ~ *snátha* tangle of thread, ~ *bréag* tissue of lies

gréasta g'r'e:stə *a*3 ornamented, embroidered

gréibhlí g'r'e:v'l'i: *spl* knick-knacks, trinkets

greidimín g'r'ed'əm'i:n' *m*4 spanking, drubbing

greille g'r'el'ə *f*4 grille; gridiron

greim g'r'em' *m*3, *pl* **greamanna** grip; hold; bite; stitch, ~ *láimhe* handclasp, ~ *coise* foothold, *dul i n* ~ *i rud* to get caught in sth, *chuaigh siad i ngreamanna ina chéile* they came to grips with one another, *breith ar do ghreamanna* to get going properly, *na greamanna dubha* evil influences, *dul i n~* to engage, lock, mesh, *~ bia* morsel of food, *~ a bhaint as rud* to bite sth, *~ (fuála) a chur i rud* to stitch sth, *greamanna fáis* growing pains

greimlín g'r'em'l'i:n' *m4* adhesive plaster

gréisc g're:s'k' *f2 & vt* grease

gréiscdhíonach 'g're:s'k',γ'i:nəx *al* grease-proof

gréisceach g're:s'k'əx *al* greasy

gréiscli 'g're:s'k',l'i: *f4* grease-paint

gréithe g're:hə *spl* trinkets; presents; ware, *~ ti* household utensils

grian¹ g'r'iən *f2, gs* gréine *pl* ~ta *ds* gréin *in certain phrases* sun, *lá gréine* sunny day, *páiste gréine* illegitimate child, *cúl le gréin* bereft of sunlight *vt* sun, *tú féin a ghrianadh* to sun oneself

grian-² g'r'iən *pref* sun-, solar

grianach g'r'iənəx *a1* sunny; cheerful

grianadh g'r'iənə *m, gs* -nta sunning, basking

grianaíocht g'r'iəni:(ə)xt *f3* basking, sunniness

grianán g'r'iəna:n *m1* sunny upper room; solar; summerhouse

griancloch 'g'r'iən,xlox *f2* quartz

grianchlog 'g'r'iən,xlog *m1* sundial

grianghoradh 'g'r'iən,γorə *m, gs* -rtha sunning, basking

grianghraf 'g'r'iən,γraf *m1* photograph

grianghrafadóir 'g'r'iən,γrafədo:r' *m3* photographer

grianghrafadóireacht 'g'r'iən,γrafədo:r'əxt *f3* photography

grianmhar 'g'r'iənvər *a1* sunny; bright, cheerful

grianstad 'g'r'iən,stad *m4, pl* ~anna solstice

grideall g'r'id'əl *f2* griddle

gríl g'r'i:l' *f2, pl* ~eanna grill, grating

grinn g'r'in' *a1* perceptive; accurate, *amharc ~* penetrating look

grinneall g'r'in'əl *m1, (of river, etc)* bed; bed-rock

grinneas g'r'in'əs *m1* perspicacity, accuracy

grinnigh g'r'in'i: *vt* scrutinize

gríobhán g'r'i:va:n *m1, cathair ghríobháin* maze, labyrinth

gríodán g'r'i:da:n *m1* dregs, remains

griofadach g'r'ifədəx *m1* stinging, sensation; tingle *a1* tingling

griog g'r'ig *m3, pl* ~anna slight, irritating, pain *vt* tease; annoy; titillate

gríolsa g'r'ilsə *m4* grilse

gríos g'r'i:s *m1* hot ashes; ardour; rash (on skin)

gríosach g'r'i:səx *f2* hot ashes, *déanfaidh sé ~* he will wreak havoc *a1* glowing

gríosaigh g'r'i:si: *vt* inflame; incite, *an croí a ghríosú* to stimulate the heart

gríosaitheach g'r'i:sihəx *m1* stimulant *a1* stirring; provocative

gríosc g'r'i:sk *vt & i* broil, grill

gríosclann g'r'i:sklən *f2* grill-room

gríosóir g'r'i:so:r' *m3* agitator

griotháil g'r'iha:l' *f3 & vi* grunt

griothalán g'r'ihəla:n *m1* fuss, bustle

griscín g'r'i:s'k'i:n' *m4* slice of meat (for broiling), *~ uaineola* lamb chop

gríséadach g'r'i:s'e:dəx *a1* roan

gró gro: *m4, pl* ~ite crow-bar

grod grod *a1* sudden; prompt, *go ~ sa bhliain* early in the year *vt & i* quicken; urge on

grodfhoclach 'grod,okləx *a1* hasty

groí gri: *a3* strong, vigorous

gróig gro:g' *vt & i, (of turf)* foot; huddle

grósa gro:sə *m4* gross

grósaeir gro:se:r' *m3* grocer

grósaeireacht gro:se:r'əxt *f3* grocery (business)

grua gruə *f4, pl* ~nna cheek, *~ an chnoic* the brow of the hill, *~ diamaint* facet of diamond

gruagach¹ 'gruəgəx *m1* hairy goblin; ogre

gruagach² gruəgəx *a1* hairy, shaggy

gruagaire gruəgər'ə *m4* hairdresser

gruagaireacht gruəgər'əxt *f3* hairdressing

gruaig gruəg' *f2* hair (of head)

gruaim gruəm' *f2* gloom, dejection

gruama gruəmə *a3* gloomy; morose, *aimsir ghruama* dull weather

gruamaigh gruəmi: *vi* become gloomy, darken

grúdaigh gru:di: *vt & i* brew

grúdaire gru:dər'ə *m4* brewer

grúdarlach gru:dərləx *m1* swill; inferior ale

grúdlann gru:dlən *f2* brewery

grugach gruəgəx *a1* frowning, scowling

gruig grig' *f2, pl* ~eanna frown, scowl

grúm¹ gru:m *m*1 (ice-)floe

grúm² gru:m *m*1 bridegroom

grúmaeir gru:me:r′ *m*3 stable groom

grúnlach gru:nləx *m*1 dregs, refuse

grúnlas gru:nləs *m*1 groundsel

grúnta gru:ntə *m*4 depth, sounding

grúntáil gru:nta:l′ *vi* sound

grúpa gru:pə *m*4 group

grúpáil gru:pa:l′ *vt & i* group

grus grus *m*1 frown, scowl

grusach grusəx *a*1 gruff, laconic

grúscán gru:ska:n *m*1 grunting; growl

gruth gruh *m*3 curds

guagach guəgəx *a*1 unstable; fickle

guagacht guəgəxt *f*3 instability; fickleness

guailleadóireacht guəl′ədo:r′əxt *f*3 shouldering; swaggering

guailleáil guəl′a:l′ *vt & i* shoulder; swagger, *ag ~ thart* sauntering about

guailleán guəl′a:n *m*1 shoulder-strap *pl* braces

guailleog guəl′o:g *f*2 epaulet(te)

guaillí guəl′i: *m*4 companion

guaim guəm′ *f*2 (self-)control

guairdeall¹ guərd′əl *m*1 circling; uneasiness, *ag ~ i mo thimpeall* hovering about me

guairdeall² guərd′əl *m*1 storm petrel

guairdeallach guərd′ələx *a*1 circling; uneasy

guaire guər′ə *m*4 bristle, whisker

guaireach guər′əx *a*1 bristly

guairille ˌguər′r′il′ə *m*4 guerilla

guairilleach ˌguər′r′il′əx *a*1 guerilla

guairne guərn′ə *f*4 whirl, spin

guairneach guərn′əx *a*1 whirling, spinning

guairneán guərn′a:n *m*1 whirl; eddy; uneasiness, *poll guairneáin* vortex (of whirlpool)

guairneánach guərn′a:nəx *a*1 whirling, swirling; restless

guais guəs′ *f*2, *pl* ~eacha danger; dismay, *is ~ liom (go)* I fear (that)

guaiseach guəs′əx *a*1 dangerous

gual guəl *m*1 coal

gualach guələx *m*1 charcoal

gualainn guələn′ *f*2, *pl* guaillí shoulder, *chuir siad a nguaillí le chéile* they made a combined effort, ~ *cnoic* shoulder of hill, ~ *báid* bow of boat

gualcheantar ′guəlˌx′antər *m*1 coalfield

gualda guəldə *a*3 coal-black, charred

guamach guəməx *a*1 planned; comfortable

gui gi: *f*4, *pl* ~onna prayer, entreaty, *is é mo ghui (go)* it is my fervent wish (that)

guigh giy′ *vt & i* pray

guilpín gil′p′i:n′ *m*1 lout

guine gin′ə *f*4, *cearc ghuine* guinea-hen, *muc ghuine* guinea-pig

guíodóireacht gi:(ə)do:r′əxt *f*3 praying, petitioning; cursing

guiséad gis′e:d *m*1 gusset

gúm gu:m *m*1 plan, scheme

guma gomə *m*4 gum, ~ *peirce* gutta-percha

gúna gu:nə *m*4 gown, dress, ~ *breithimh* judge's robe

gúnadóir gu:nədo:r′ *m*3 dressmaker

gúnadóireacht gu:nədo:r′əxt *f*3 dressmaking

gunail gonəl′ *f*2 gunwale

gúnga gu:ŋgə *m*4 posterior; crouch, *suí ar do ghúngaí (beaga)* to sit on one's hunkers

gúngach gu:ŋgəx *a*1 narrow-rumped; crouched; ungainly

gúngáil gu:ŋga:l′ *f*3 swaying; awkward gait

gunna gonə *m*4 gun

gunnadóir gonədo:r′ *m*3 gunner

gunnán gona:n *m*1 revolver

gur¹ gər′ *conj* that, *dúirt sé ~ tháinig an litir* he said the letter had arrived

gur² gər′ **gura** gərə, **gurab** gərəb, **gurb** gərb†, **gurbh** gərv : **is**

gus gus *m*3 vigour; enterprise

gúshnáithe ′gu:ˌhna:hə *m*4 basting thread

gusmhar gusvər *a*1 forceful; enterprising

gustal gustəl *m*1 belongings; resources; enterprise

gustalach gustələx *a*1 wealthy; enterprising

guta¹ gutə *m*4 vowel

guta² gutə *m*4 filth, mire

gúta gu:tə *m*4 gout

guth guh *m*3, *pl* ~anna voice; utterance; vote, ~ *a bheith agat* to be able to sing, *d'aon ghuth* unanimously

guthach guhəx *a*1 vocal

guthaíocht guhi:(ə)xt *f*3 vocalization; voice, vote

guthán guha:n *m*1 telephone

H

haca hakə *m*4 hockey

haemaifilia ˈheːməˌfˈilˈiə *f*4 haemophilia

haileabó halˈəboː *m*4, *pl* ~**nna** halibut

háilléar haːlˈeːr *m*1 halyard

haingear haŋˈ(g)ər *m*1 hangar

hairicín harˈəkˈiːnˈ *m*4 hurricane

haisis hasˈəsˈ *f*2 hashis

haiste hasˈtˈə *m*4 hatch; hatchway; floodgate

halbard haləbərd *m*1 halberd; billhook

halla halə *m*1 hall; mansion; hallway

halmadóir haləmadoːrˈ *m*3 helm, tiller

hanla hanlə *m*4 handle

hap hap *m*4 *pl* ~**anna** hop, *de* ~ suddenly, ~ *de mhaide* wallop of a stick

hart hart *m*1 (*cards*) heart, *an t-aon* ~ the ace of hearts

hata hatə *m*4 hat, ~ *an tsagairt* species of sea-anemone

héadónachas heːdoːnəxəs *m*1 hedonism

hearóin haroːnˈ *f*2 heroin

heicseagán hekˈsˈəˌgaːn *m*1 hexagon

heicteagram ˈhekˈtˈəˌgram *m*1 hectogram

heicteár hekˈtˈaːr *m*1 hectare

heictiméadar ˈhekˈtˈəˌmˈeːdər *m*1 hectometre

héileacaptar ˈheːlˈəˌkaptər *m*1 helicopter

heipteagán ˈhepˈtˈəˌgaːn *m*1 heptagon

heirméiteach herˈəmˈeːtˈəx *a*1 hermetic

hibrid hibˈrˈədˈ *f*2 hybrid

hibrideach hibˈrˈədˈəx *a*1 hybrid

hicearaí hikˈərɪ *m*4 hickory

hidrigin ˈhidˈrˈəˌgˈinˈ *f*2 hydrogen

hiéana ˌhiːˈeːnə *m*4 hyena

hiodrálach hidraːləx *a*1 hydraulic

hiodrálaic hidraːləkˈ *f*2 hydraulics

hiodrant hidrənt *m*1 hydrant

hiopnóis hipnoːsˈ *f*2 hypnosis

hiopnóisigh hipnoːsˈiː *vt* hypnotize

hipeadróm ˈhipˈəˌdroːm *m*1 hippodrome

hipideirmeach ˈhipˈəˌdˈerˈəmˈəx *a*1 hypodermic

hipitéis ˈhipˈəˌtˈeːsˈ *f*2 hypothesis

hipitéiseach ˈhipˈəˌtˈeːsˈəx *a*1 hypothetic(al)

histéire hisˈtˈeːrˈə *f*4 hysteria

hob hob *s*, *ní raibh* ~ *ná hé as* there wasn't a move, a squeak, out of him, *bhí sí ar* ~ *imeacht* she was about to leave

hormón horəmoːn *m*1 hormone

húda huːdə *m*4 hood

húicéir huːkˈeːrˈ *m*3 (*boat*) hooker

húm huːm *s*, *ní raibh* ~ *ná hám as* there wasn't a sound, a move, out of him

húmas huːməs *m*1 humus

hurá həˈraː *int* hurrah!

hurlamaboc ˈhuːrləməˌbok *m*4 commotion, uproar

I

i i† *prep*, *pron forms* **ionam** inəm, **ionat** inət, **ann** an *m*, **inti** inˈtˈi *f*, **ionainn** inəń, **ionaibh** inəvˈ, **iontu** intu, in; into, *i dteach* in a house, *in eitleán* in a plane, *sa chathair* in the city, *san earrach* in the spring, *sna gardaí* in the guards, *in dhá áit* in two places, *i bhfad ó bhaile* far from home, *i measc na ndaoine* among the people, *tá sé i mbun a chuid oibre* he is attending to his work, *i gcrích* completed, *bheith in ann rud a dhéanamh* to be able to do sth, *in acmhainn an cháin a íoc* able to pay the tax, *i riocht pléascadh* ready to burst, *i gcaitheamh an lae* during the day, *i mbliana* this year, *i gcónaí* always, *in aisce* gratis, *i gceart* right, *in aice* near, *i gcead duit* by your leave, *rud a bheith ionat* to be capable of sth, *bhí céim bhacaí ann* he walked with a limp, *tá cloch mheáchain ann* it weighs a stone, *sagart atá ann* he is a priest, *tá sé ina oide* he is a teacher, *bheith i do bheatha* to be alive, *bheith i do sheasamh* to be standing, *tá sé ina shamhradh* it is like summer, *bheith freagrach i rud* to be answerable for sth, *tháinig siad i dtír* they came ashore, *dul i bhfeabhas* to get better, *cuir in iúl dó é* inform him of it, *go mall san oíche* late at night

i i: 3 *sg f pron* she, her; it, *phós sé í* he married her, *pósadh í* she got married, *tháinig sí chugam agus í ag gol* she came to me (and she) crying, *bean mar í* a woman like her, *ba gharbh an oíche í* it was a rough night, *is í an bhanaltra chéanna í* she is the same nurse, *bád álainn í* it is a lovely boat

iad iəd 3 *pl pron* they, them, *chualamar ag caint ~* we heard them talking, *díoladh go saor ~* they were sold cheaply, *d'imigh siad agus iad sásta* they went away satisfied, *gan ~* without them, *is maith na húlla ~* they are good apples, *agus daoine nach iad* and other people besides them, *is iad na cnoic is airde sa tír iad* they are the highest hills in the country

iaguar iəguər ~ d'z'aguər *m1* jaguar

iaidín iəd'i:n' *m4* iodine

iaigh iəγ' *vt & i* close, shut; dam; enclose, *~ le* unite with

iall iəl *f2*, *gs* **éille** *pl* ~**acha** *ds* **éill** *in certain phrases* thong, strap; leash, *~ bróige* bootlace, shoe-lace, *ar éill* on the leash, *~ éan* skein of birds in flight

iallach iələx *m1* constraint, compulsion, *~ a chur ar dhuine rud a dhéanamh* to compel a person to do sth

ialtóg iəltog *f2*, *~ (leathair)* bat

ialus iə,lus *m3* bindweed, convolvulus

iamh iəv *m1* closure, enclosure, *faoi ~ an tí* within the four walls of the house, *ní dheachaigh, níor tháinig, ~ ná foras air* he neither stopped nor stayed

iamhchríoch iəv,x'ri:x *f2* enclave

iar- iər† *pref* after-, post-; late, ex-; west, western

iarann iərən *m1* iron, *~ rotha* iron rim of wheel, *an t-~ a chur ar éadach* to iron cloth, *fuinneog iarainn* barred window

iarchéimí iər'x'e:m'i: *m4* post-graduate

iardheisceart iər'γ'es'k'ərt *m1* south-west

iarfhocal iər'okəl *m1* epilogue

iarghaois iər'γi:s' *f2* hindsight

iargharda iər'γa:rdə *m4* rearguard; ex-guard

iarghnó iər'γno: *m4* grief, regret; annoyance

iarghnóch iər'γno:x *a1*, *gsm* ~ vexed, distressed, unhappy

iargúil 'iər,gu:l' *f*, *gs* ~**úlach** *pl* ~**úlacha** remote corner; backward, isolated, place

iargúlta 'iər,gu:ltə *a3* backward, isolated; outlandish, *bhí cuma ~ air* he looked terrible

iarla iərlə *m4* earl

iarlacht iərləxt *f3* earldom

iarlais iərləs' *f2* changeling; chronically ailing person

iarmhaireach iərvər'əx *a1* eerie, lonely

iarmhairt iərvərt' *f3*, *gs* **-arta** result, consequence

iarmhar iərvər *m1* progeny; remainder; residue, *fear iarmhair a chine* the last survivor of his race

iarmharach iərvərəx *a1* residuary; residual

iarmharán iərvə:ra:n *m1* last survivor; remnant

iarmhartach iərvərtəx *a1* resultant, consequential

iarmhéirí 'iər,v'e:r'i: *m4* matins

iarmhír 'iər,v'i:r' *f2*, *pl* ~**eanna** suffix

iarn- iərn *pref* iron-, ferro-

iarnaí iərni: *a3* iron, made of iron; ironhard

iarnaigh iərni: *vt* put in irons; fit, cover, with iron

iarnáil iərna:l' *vt* iron, smooth with flatiron

iarnóin 'iər,no:n' *f3*, *pl* **-ónta** afternoon

iarnóir iərno:r' *m3* ironworker; ironmonger

iarnra iərnrə *m4* hardware

iarnród 'iərn,ro:d *m1* railroad

iaróg iəro:g *f2* quarrel; disturbance; after-effect, *an ~ a bhaint as* to take the sting out of it

iarógach iəro:gəx *a1* quarrelsome; hurtful

iarr iər *vt* request, demand; seek, *rud a ~aidh ar dhuine* to ask a person for sth, *ag ~aidh rud a dhéanamh* trying to do sth

iarracht iərəxt *f3* attempt, effort; quantity, *~ a thabhairt ar, faoi, rud* to attempt sth, *~ filíochta* piece of poetry, *~ den ghreann* a touch of humour, *an ~ seo* this time, *tá sé ~ bodhar* he is a bit deaf

iarraidh iəri: *f, gs* **-ata**, *pl* **-ataí** request, demand; attempt, *tá ~ ar an leabhar sin* that book is in demand, *gan ~* unasked, unwanted, *d' ~ a fháil* to get one's wish, *tabhair ~ air* have a go at it, *ar ~* missing, *fan le d' ~* wait your turn

iarratach iərətəx *a*1 petitioning; importunate

iarratas iərətəs *m*1 asking; importunity; (formal) application, *tá ~ air* it is in demand

iarratasóir iərətəso:r' *m*3 applicant

iarrthóir iərho:r' *m*3 petitioner; candidate; examinee

iarsma iərsmə *m*4 remainder, remnant; survivor; after-effect; encumbrance, *~ an drochbhirt* the consequence of an evil deed *pl* relics

iarsmalann iərsmələn *f*2 museum

iarta iərtə *m*4 hob (of fireplace)

iarthar iərhər *m*1 west, western region; back, remote part

iartharach iərhərəx *m*1 westerner *a*1 western; back; remote

iartheachtach 'iər'haxtəx *a*1 subsequent

iarthuaisceart 'iər'huəs'k'ərt *m*1 northwest

iasacht iəsəxt *f*3 lending, borrowing; loan, *ar ~* on loan, *ón ~* from outside, from abroad, *teanga ~a* foreign language

iasachtaí iəsəxti: *m*4 borrower

iasachtóir iəsəxto:r' *m*3 lender

iasc iəsk *m*1, *gs & npl* **éisc** fish, *na hÉisc* Pisces *vt & i* fish

iascach iəskəx *m*1 fishing; fishery

iascaire iəskər'ə *m*4 fisherman

iascaireacht iəskər'əxt *f*3 fishing

iascán iəska:n *m*1 small fish; mussel

iasceolaíocht 'iəsk,o:li:(ə)xt *f*3 ichthyology

iascúil iəsku:l' *a*2 abounding in fish, *líon ~* good fishing net

iata iətə *a*3 closed, shut; secured; constipated, *spéir ~* lowering sky

iatacht iətəxt *f*3 constipation

iatán iəta:n *m*1 enclosure (with letter)

iceach i:k'əx *a*1 healing, curative

idé id'e: *f*4, *pl* **~anna** idea

idé i:d'ə/f*4 ill-usage; plight, *~ béil* verbal abuse

idéal id'e:l *m*1 ideal

idéalach id'e:ləx *a*1 ideal

idéalachas id'e:ləxəs *m*1 idealism

idéalaí id'e:li: *m*4 idealist

idigh i:d'i: *vt* use up, consume; expend; abuse, destroy

idir[1] id'ər' *prep, pl pron forms* **eadrainn** adrən', **eadraibh** adrəv', **eatarthu** atərhu, between, amongst, *~ pháirceanna* between fields, *tá míle eatarthu* they are a mile apart, *~ an dá linn* in the meantime, *d'éirigh eadrainn* we fell out, *eatarthu féin atá sé* let them settle it among themselves, *bheith ~ eatarthu* to be betwixt and between, *~ fhir agus mhná* both men and women *~ Doire agus Cúil Raithin* between Derry and Coleraine

idir-[2] id'ər' *pref* inter-, mid-

idirbheart 'id'ər',v'art *m*1, *npl* **~a** transaction

idirchreidmheach 'id'ər',x'r'ed'v'əx *a*1 interdenominational

idirdhealaigh 'id'ər', γ'ali: *vt* differentiate, distinguish

idirdhealú 'id'ər',γ'alu: *m*4 differentiation, discrimination, distinction

idirghabháil 'id'ər',γava:l' *f*3 intervention, mediation; interposition

idirghabhálaí 'id'ər',γava:li: *m*4 mediator, go-between

idirghuí 'id'ər',γi: *f*4, *pl* **~onna** intercession; supplication

idirghuítheoir 'id'ər',γi:ho:r' *m*3 intercessor

idirlinn 'id'ər',l'in' *f*2, *pl* **~te** interval, intermission; pause, time-lag

idirmheánach 'id'ər',v'a:nəx *a*1 intermediate

idirnáisiúnta 'id'ər',na:s'u:ntə *a*3 international

idir-riocht 'id'ə(r'),ri:(ə)xt *f*3 interregnum

idirscaradh 'id'ər',skarə *m, gs* **-cartha** *pl* **-carthaí** separation; divorce

idirstad 'id'ər',stad *m*4, *pl* **~anna** (*punctuation*) colon

ifreanda if'r'əndə *a*3 hellish, infernal

ifreann if'r'ən *m*1 hell

il- il'~il[1] *pref* many; diverse, varied; multi-, poly-

ilbheartach 'il',v'artəx *a*1, (*of sportsman, etc*) all-round

ilbhláthach 'il,vla:həx *m*1 polyanthus *a*l multiflorous

ilbhliantóg 'il,v'l'iənto:g *f*2 perennial

ilbhliantúil 'il,v'l'iəntu:l' *a*2, (*of plant*) perennial

ilchineálach 'il,x'in'a:ləx *a*l mixed, varied, heterogeneous

ilchodach 'il,xodəx *a*l compound, composite

ilchomórtas 'il,xomo:rtəs *m*l tournament

ilchreidmheach 'il,x'r'ed'v'əx *a*l multidenominational

ilchríoch 'il,x'r'i:x *f*2 continent

ilchumasc 'il,xuməsk *m*l assortment

ildánach 'il,da:nəx *a*l skilled in various arts, versatile, accomplished

ildathach 'il,dahəx *a*l multicoloured, variegated, iridescent

íle i:l'ə *f*4 oil

ileochair 'il,oxər' *f*, *gs* **-chrach** *pl* **-chracha** skeleton key

ilfheidhmeannas 'il,aim'ənəs *m*l pluralism

ilghnéitheach 'il,γ'n'e:həx *a*l diverse, various, heterogeneous

íligh i:l'i: *vt* oil

íliocht il'i:(ə)xt *f*3 variety, diversity

ilphósadh 'il,fo:sə *m*, *gs* **-sta** polygamy

ilroinnt 'il,ron't' *f*2, *pl* **-rannta** division into many parts; fragmentation

ilsiamsa 'il,s'iəmsə *m*4 variety show, vaudeville

ilstórach 'il,sto:rəx *m*l skyscraper *a*l multi-storeyed

ilteangach 'il,t'aŋgəx *m*l & *a*l polyglot

iltíreach 'il,t'i:r'əx *m*l & *a*l cosmopolitan

iltréitheach 'il,t'r'e:həx *a*l versatile

im¹ im' *m*, *gs* ~ *e pl* ~**eanna** butter

im-² im' *pref* great, very

imaistriú im',as't'r'u: *m*4 transmigration

imbhualadh 'im',vuələ *m*, *gs* **-uailte** *pl* **-uailtí** collision

imchluiche 'im',xlix'ə *m*4 (card) drive

imchruth 'im',xruh *m*3, *pl* ~**anna** configuration, outline

imchuairt 'im',xuərt' *f*2, *pl* ~**eanna** circuit

imdhearg 'im',γ'arəg *vt* cause to blush, shame; revile

imdhíon 'im',γ'i:n *vt* immunize

imdhíonacht 'im',γ'i:nəxt *f*3 immunity

imdhíonadh 'im',γ'i:nə *m*, *gs* **-nta** immunization

imdhruid 'im',γrid' *vt*, *vn* ~ **im** encompass; besiege

imeacht im'əxt *m*3 going, departure; course; bearing; *bhí an-~ ar eallach* cattle were selling fast, *le h~ aimsire* with the passage of time, *is breá an t-~ atá faoi* he bears himself well, ~ *ai an lae* the events of the day, *tús a chur ar na himeachtaí* to open the proceedings, *sna himeachtaí seo* in these parts

imeagla im',aglə *f*4 great fear, terror

imeaglach im',agləx *a*l fearful; terrible

imeall im'əl *m*l border, edge, margin, ~ *na spéire* horizon, ~ *spéaclaí* rim of spectacles

imeallach im'ələx *a*l bordering, marginal; bordered

imeallbhord 'im'əl,vo:rd *m*l border, margin, seaboard

imeartas im'ərtəs *m*l play, playfulness; trickery, ~ *focal* quibble; pun

imeartha im'ərhə *a*3 prankish; practised, clever, ~ *le rud* fed up with sth

imghearradh 'im',γ'arə *m*, *gs* **-rrtha** circumcision

imigéin im'əg'e:n' *s*, *in*~ far off, far away

imigéiniúil im'əg'e:n'u:l' *a*2 far-away, remote

imigh im'i: *vi*, *vn* **imeacht** go, leave; travel, proceed; give way, *na faisin atá ag imeacht* current fashions, *tá airgead bréige ag imeacht* counterfeit money is in circulation, *tá an lá ag imeacht* the day is passing, *d'~ rud éigin air* sth happened to him, *d'~ as an téad* the rope slackened, *imeacht le rud* to make off with sth, *imeacht le ceird* to follow a trade, *ag imeacht le haer an tsaoil* leading the gay life, ~ *leat* get out of here, *imeacht ó smacht* to get out of control

imir¹ im'ər' *f*2, *pl* ~**eacha** tint, tinge

imir² im'ər' *vt* & *i*, *pres* **imríonn** play; gamble, ~ *t ar dhuine* to play a trick on a person, *arm a* ~ *t* to wield a weapon, ~ *an chóir leo* act justly towards them, *díoltas a* ~ *t ar dhuine* to wreak vengeance on a person, *tá an tsláinte ag* ~ *t air* his health is troubling him

imirce im'ər'k'ə *f*4 migration, emigration, *éan* ~ migratory bird imirceach im'ər'k'əx m1 migrant, emigrant al moving, migratory

imirt im'ərt' f, gs imeartha playing; play; use, cé leis (an) ~? whose turn is it to play? teach imeartha gaming house, ~ carthanachta the exercise of friendship, ~ faltanais the venting of spleen

imleabhar 'im',l'aur m1 volume

imleacán im'l'əka:n m1 navel; central point, hub

inline 'im',l'i:n'ə f4, pl -nte outline, perimeter, circumference

imlínigh 'im',l'i:n'i vt outline

imlitir 'im',l'it'ər' f, gs -treach pl -treacha circular (letter), ~ ón bPápa (papal) encyclical

imní im'n'i: f4 anxiety, concern, fretting

imníoch im'n'i:(ə)x al, gsm ~ anxious, concerned; diligent

imoibrigh 'im',ob'r'i vi react

impí im'p'i: f4, pl ~ocha entreaty; intercession

impigh im'p'i vt & i entreat, implore

impíoch im'p'i:(ə)x m1 supplicant; intercessor al, gsm ~ suppliant

impire im'p'ər'ə m4 emperor

impireacht im'p'ər'əxt f3 empire

impiriúil im'p'ər'u:l' a2 imperial

impiriúlachas im'p'ər'u:ləxəs m1 imperialism

imprisean ,im''p'r'is'ən m1 impression

impriseanachas ,im''p'r'is'ənəxəs m1 impressionism

imreas im'r'əs m1 strife, discord, ag ~ quarrelling, creating mischief

imreasach im'r'əsəx al contentious, quarrelsome

imreasc im'r'əsk m1 iris (of eye), mac imrisc pupil (of eye)

imreog im'r'o:g f2 butterscotch

imreoir im'r'o:r' m3 player

imrothlach 'im',rohləx al revolving

imrothlaigh 'im',rohli: vi revolve

imrothlú 'im',rohlu: m4, (of wheel, etc) revolution

imruathar 'im',ruəhər m1 onrush; invasion

imscríobh 'im',s'k'r'i:v vt circumscribe

imshaol 'im',hi:l m1 environment

imshruthú 'im',hruhu: m4, ~ (na fola) circulation (of the blood)

imshuí 'im',hi: m4 siege

imshuigh 'im',hiy vt beleaguer, besiege

imtharraingt 'im',harənt' f, gs -gthe attraction; gravity, ~ an domhain terrestrial gravitation

imtheorannaí 'im',ho:rəni: m4 internee

imtheorannaigh 'im',ho:rəni: vt intern

imtheorannú 'im',ho:rənu: m4 internment

imthoisceach 'im',hos'k'əx al circumstantial

in¹ in' pron, b'in é é that was it, nach in é an fear? isn't that the man?

in-² in' ~in⁺ pref capable of, fit for, fit to be

in-³ in' ~in⁺ pref in-, il-l, im-m, ir-r

inbhear in'v'ər m1 river-mouth, estuary, ~ éisc (river) fishery

inbhéarta 'in',v'e:rtə m4 inverse

inbhéartach 'in',v'e:rtəx al inverse

inbheirthe 'in',v'erhə a3 inborn, innate

inbhraite ,in'vrat'ə a3 perceptible, palpable, tangible

inbhreathnaitheach 'in',v'r'ahnihəx al introspective

inbhreathnú 'in',v'r'ahnu: m4 introspection

inchaite ,in'xat'ə a3 wearable; spendable; edible

inchinn in'x'ən' f2 brain

inchloiste ,in'xlos't'ə a3 audible

inchomórtais ,in'xomo:rtəs' a3 comparable (le with, to)

inchreidte ,in'x'r'et'ə a3 credible

inchurtha ,in'xurhə a3, ~ le comparable to, equal to, even with

indéanta ,in''d'e:ntə a3 practicable; fit to be done; possible

indíreach 'in',d'i:r'əx al indirect

indírítheach 'in',d'i:r'ihəx al introvertive

indírítheoir 'in',d'i:r'iho:r' m3 introvert

indóite ,in'do:t'ə a3 combustible

inearráide ,in''ara:d'ə a3 fallible

infhaighte ,in 'a:t'ə a3 procurable, available

infheicthe ,in''ek'ə a3 visible

infheidhme ,in''aim'ə a3 serviceable; fit, able-bodied

infheistigh ,in'es't'i: vt invest

infheistíocht 'in',es't'i:(ə)xt f3 investment, sum invested

infhill 'in',il' vt fold inwards; enfold; inflect

infhuascailte ,in'uəskəl't'ə a3 redeemable; solvable, soluble

infinideach in'f'ən'əd'əx *m*1 & *a*1 infinitive

ingear in'g'ər *m*1 perpendicular, vertical, *líne ingir* plumb-line

ingearach in'g'ərəx *a*1 perpendicular, vertical; sheer

inghlactha ,in'ɣlakə *a*3 acceptable, admissible

ingne iŋ'n'ə : **ionga**

ingneach iŋ'n'əx *a*1 having nails, claws

Inid in'əd' *f*2 Shrovetide, *Máirt ~ e* Shrove Tuesday

inimirce 'in',im'ər'k'ə *f*4 immigration

inimirceach 'in',im'ər'k'əx *m*1 & *a*1 immigrant

iníoctha ,in''i:kə *a*3 payable, due

iníon in'i:n *f*2, *pl* ~**acha** daughter, *a ~ ó* my dear girl, *I~ Uí Bhriain* Miss O'Brien

iníor in'i:r *m*1 grazing; pasture

inis[1] in'əs' *f*2, *gs* **inse** *pl* **insí** island

inis[2] in'əs' *vt* & *i*, *pres* **insíonn** *vn* **insint** tell, relate; describe, *d' ~ tú orm é* you informed me on me about it, *rud a thabhairt le hinsint do dhuine* to give a person a piece of one's mind about sth, *slán mar a n-instear* God save us from the likes of it

inite ,in''it'ə *a*3 edible

iniúch in'u:x *vt* scrutinize; audit

iniúchadh 'in',u:xə *m*, *gs* **-chta** *pl* **-chtaí** scrutiny; audit

iniúchóir 'in',u:xo:r' *m*3 scrutineer, auditor

inlasta ,in'lastə *a*3 inflammable

inleighis ,in''l'ais' *a*3 curable

inleog in'l'o:g *f*2 device; snare, trap

inlíocht in'l'i:(ə)xt *f*3 manoeuvre

inmháite ,in'vi:t'ə *a*3 enviable, *ní raibh mo thuras ~ orm* I had little to show for my journey

inme in'ə'v'ə *f*4 maturity, strength, *in ~ fir* fit to do a man's work, *bheith in ~ rud a dhéanamh* to be able to do sth

inmheánach 'in',v'a:nəx *m*1 innards *a*1 internal, *an bheatha ~* the interior life

inmholta ,in'voltə *a*3 commendable, praiseworthy; advisable

inne in'ə *m*4 middle, centre *pl* innards; bowels, guts

inné ə'n'e: *adv* & *s* & *a* yesterday

inneach in'əx *m*1 weft

innéacs in'e:ks *m*4, *pl* ~**anna** index

innéacsaigh in'e:ksi: *vt* & *i* index

inneall in'əl *m*1 arrangement, order; snare, device; machine, engine, *in ord agus in ~* in excellent condition, *~ a chur ort féin* to dress, tidy, oneself, *~ oilc* evil contrivance

innealra in'əlrə *m*4 machinery, (mechanical) equipment

innealta in'əltə *a*3 ordered; neat; skilled, *cailín ~* smartly-dressed girl

innealtóir in'əlto:r' *m*3 engineer

innealtóireacht in'əlto:r'əxt *f*3 engineering

inneoin in'o:n' *f*, *gs* -**onach** *pl* -**onacha** anvil

innill in'əl' *vt*, *pres* **inlíonn** arrange, set; array; equip; plot

innilt in'əl't' *f*2 grazing; pasture

inniu ə'n'u *adv* & *s* & *a* today, *mí is an lá ~* a month ago today, *bliain ó ~ a* year hence

inniúil in'u:l' *a*2 able, fit for, *bheith ~ ar rud a dhéanamh* to be able to do sth, *~ don bhóthar* ready for the road

inniúlacht in'u:ləxt *f*3 ability, competence

inoibrithe ,in'ob'r'ihə *a*3 workable, practicable

inólta ,in'o:ltə *a*3 drinkable

inphósta in'fo:stə *a*3 marriageable

inrátaithe ,in'ra:tihə *a*3 rateable

inroinnte ,in'ront'ə *a*3 divisible

inscéalaíochta ,in''s'k'e:li:(ə)xtə *a*3, *(of survivor)* alive to tell the tale

inscne in's'k'n'ə *f*4 gender

inscríbhinn 'in',s'k'r'i:v'ən' *f*2 inscription

inse[1] in's'ə *m*4 hinge

inse[2] in's'ə *f*3 inch, water-meadow

insealbhaigh 'in',s'aləvi: *vt* invest, install

inseamhnaigh 'in',s'auni: *vt* inseminate

inseamhnú 'in',s'aunu: *m*4 insemination, *~ saorga* artificial insemination

inseolta ,in''s'o:ltə *a*3 navigable; seaworthy

insint in's'ən't' *f*2 narration, utterance; version, *fear inste scéil* storyteller; survivor

insíolru: 'in',s'i:lru *m*4 inbreeding

insíothlaigh 'in',s'i:hli: *vi* infiltrate

insíothlú 'in',s'i:hlu: *m*4 infiltration

insligh 'in',s'l'i:y' *vt* insulate

inslin in's'l'ən' *f*2 insulin

inslitheoir 'in',s'l'iho:r' *m*3 insulator

insliú 'in',s'l'u: *m4* insulation

inspéise ,in'sp'e:s'ə *a3* worthy of notice, interesting

inspioráid insp'əra:d' *f2* (divine) inspiration

insteall 'in',s't'al *vt* inject

instealladh 'in',s't'alə *m*, *gs* **-llta** *pl* **-lltaí** injection

institiúid in's't'ət'u:d' *f2* institute

inti in't'i : **i**

intinn in't'ən' *f2* mind; spirits; intention, *tuirse ~ e* mental strain, *tá an dea- ~ acu dúinn* they are well-disposed towards us, *ní air a bhí m' ~* my thoughts were elsewhere, *rud a bheith ar ~ agat* to intend sth, *ar aon ~* of one mind

intinneach in't'ən'əx *a1* intentional; strong-willed, *~ suairc* merry and gay

intíre 'in',t'i:r'ə *a3* inland, domestic, internal

intleacht in't'l'əxt *f3* intellect, intelligence; ingenuity

intleachtach in't'l'əxtəx *a1* intellectual, intelligent; ingenious

intreach in't'r'əx *a1* intrinsic

intriacht in't'r'iəxt *f3* interjection

intuaslagtha ,in'tuasləkə *a3* soluble

intuigthe ,in'tik'ə *a3* understandable; implied

iobair i:bər' *vt & i*, *pres-* **-braíonn** sacrifice

iobairt i:bərt' *f3*, *gs* **-artha** sacrifice

iobartach i:bərtəx *m1* sacrificial victim *a1* sacrificial, sacrificing

íoc[1] i:k *m3* payment; charge; rate; requital, *in ~ ár bpeacaí* in atonement for our sins *vt & i* pay; requite, atone for

íoc[2] i:k *f2* healing, cure, *~ leighis* medicament *vt & i* heal, cure

íocaí i:ki: *m4* payee

íocaíocht i:ki:(ə)xt *f3* paying; payment

íochtar i:xtər *m1* lower part, bottom, *bheith in ~* to be underneath, to be down (trodden), *~ bróige* sole of shoe, *draid íochtair* bottom teeth, *~ na hÉireann* the north of Ireland

íochtarach i:xtərəx *a1* lower, low(-lying); inferior, humble

íochtarán i:xtəra:n *m1* lowly person; inferior, subordinate

íoclann i:klən *f2* dispensary

íocóir i:ko:r' *m3* payer

íocshláinte i:k,hla:n't'ə *f4* balm, balsam, restorative

iodálach ida:ləx *m1 & a1* italic, *cló ~* italic type, italics, *I~* Italian

íogair i:gər' *a1* sensitive; touchy, *cás ~* delicate case

ióglú i:glu: *m4*, *pl* **~nna** igloo

íol i:l *m1*, *npl* **~a** idol

íoladhradh 'i:l,airə *m*, *gs* **íoladhartha** idolatry

iolar ilər *m1* eagle

iolarach ilərəx *a1* aquiline

iolartha ilərhə *a3* manifold, numerous; varied

iolbhriseadh 'i:l,v'r'is'ə *m*, *gs* **-ste** iconoclasm

iolra ilrə *m4 & a3*, (grammar) plural

iolrach ilrəx *a1* multiple

iolrachas ilrəxəs *m1* pluralism

iolraigh ilri: *vt* multiply, *ús iolraithe* compound interest

iolrú ilru: *m4* multiplication

iomad iməd *s* great number or quantity; abundance, *an ~* many times, *an ~ airgid* too much money, *tá an ~ le rá agat* you talk too much

iomadaigh imədi: *vt & i* increase; proliferate; make, grow, numerous

iomadúil imədu:l' *a2* numerous, plentiful; excessive; exceptional

iomadúlacht imədu:ləxt *f3* numerousness, abundance

iomaí[1] imi: *f4* couch, bed

iomaí[2] imi: *a3* many, *is ~ lá a bhí mé ann* many a day I was there, *go h~* many a time, often

iomáin ima:n' *f3* (game of) hurling *vi* hurl, play hurling

iomaíocht imi:(ə)xt *f3* competition; emulation, *ag ~ le chéile* competing with one another

iomair imər' *vt & i*, *pres* **-mraíonn** *vn* **-mramh** row

iomaire imər'ə *m4* ridge

iomaireach imər'əx *a1* ridged; ribbed; corrugated

iomaitheoir imiho:r' *m3* competitor, rival

iománaí ima:ni: *m4* hurler

iománaíocht ima:ni:(ə)xt *f3* hurling

iomann imən *m1* hymn

iomarbhá 'imər,va: *f4* contention; controversy

iomarca imərkə *f* 4 excess; too many, too much, *bhí an ~ deifre ort* you were in too great a hurry, *~ a bhreith ó dhuine* to gain an advantage over a person, *uabhar agus ~* pride and arrogance

iomarcach imərkəx *a* 1 excessive; redundant; arrogant, *breith ~* exceedingly harsh judgment

iomard imərd *m* 1 reproach; affliction; hardship, *tá ~ ar an áit seo* this place is unlucky

iomardach imərdəx *a* 1 reproachful; challenging

iomardaigh imərdi: *vt* reproach; challenge; reprimand

iomas iməs *m* 1 intuition

iomasach iməsəx *a* 1 intuitive

iomchuí 'im,xi: *a* 3 appropriate, fitting

iomghaoth 'im,γi: *f* 2 whirlwind

iomhá i:va: *f* 4, *pl* **-nna** image, statue; likeness, *a ~ sa scáthán* his reflection in the mirror

iomháineachas i:va:n'əxəs *m* 1 imagery

iomlachtadh imləxtə *m* 1 ferrying; transport, passage

iomláine imla:n'ə *f* 4 fullness, entirety

iomlaisc imləs'k' *vt & i*, *pres* **-ascann** roll about, flounder; wallow

iomlán imla:n *m* 1 all; total, *~ na fírinne* the whole truth, *faoi ~ éadaigh* under full sail, *ina ~* in its entirety *a* 1 full, whole, complete

iomlaoid imli:d' *f* 2 change, fluctuation

iomlaoideach imli:d'əx *a* 1 alternating

iomlasc imləsk *m* 1 rolling, tumbling, floundering, *poll iomlaisc* wallow-hole

iomlat imlət *m* 1 mischievousness

iomlatach imlətəx *a* 1 mischievous

iomlua 'im,luə *m* 4 activity; agitation; exercise; mention, *~ bratach* fluttering of flags, *iomrá agus ~* report and discussion

iomluaigh 'im,luəγ' *vt & i* move, agitate, exercise; mention, propose

iompaigh impi: *vt & i* turn; reverse, change over, *d'~ an bád* the boat capsized, *fearg a iompú* to avert anger, *tá an bainne iompaithe* the milk has turned, *d'~ a lí air* he changed colour, *d'~ sí ina Caitliceach* she became a Catholic

iompair impər' *vt & i*, *pres* **-praíonn** carry, transport; support; endure, *bheith ag iompar (clainne)* to be with child, *tá sé ag iompar na bhfód* he is beneath the sod, *tú féin a iompar go maith* to carry oneself well; to behave well

iompaitheach impihəx *m* 1 convert; proselyte

iompar impər *m* 1 carriage, transport; load; support; endurance; bearing, conduct, *~ fuaime* transmission of sound, *~ scéalta* tale-bearing, *~ clainne* gestation, pregnancy

iompórtáil 'im,po:rta:l' *f* 3 importation, import *vt* import

iompórtálaí 'im,po:rta:li: *m* 4 importer

iompróir impro:r' *m* 3 carrier

iompú impu: *m* 4 turning, turn, *ar ~ boise* in a trice, *~ goile* stomach upset, *~ na bpeacach* the conversion of sinners

iomrá imra: *m* 4 rumour; discussion, *tá ~ leis* it is being reported, talked about, *bhí ~ an airgid orthu* they were reputed to have money

iomráiteach imra:t'əx *a* 1 well-known, famous

iomrall imrəl *m* 1 aberration, error, *~ aithne* mistaken identity, *~ aimsire* anachronism, *urchar iomraill* missed, wide, shot

iomrallach imrələx *a* 1 straying, wide of mark; mistaken

iomramh imrəv *m* 1 rowing, *bád iomartha* rowing-boat

iomrascáil imrəska:l' *f* 3 wrestling

iomrascálaí imrəska:li: *m* 4 wrestler

iomróir imro:r' *m* 3 oarsman, rower

ion in *a* 1, *gsm ~* pure; sincere

iona i:nə *spl* pains, pangs

ionacht i:nəxt *f* 3 purity

ionad inəd *m* 1 place, position; site; mark, trace, *~ coinne* rendezvous, *~ saoire* holiday resort, *tá a ghualainn as ~* his shoulder is dislocated, *a ~ sa saol* his station in life, *fear ionaid* deputy, substitute, *in ~ labhairt liom* instead of speaking to me

ionadach inədəx *a* 1 substitute, vicarious; out-of-the-way, inaccessible

ionadaí inədi: *m* 4 representative; substitute, deputy, *~ rí* viceroy

ionadaigh inədi: *vt* position; appoint; represent; substitute

ionadaíocht inədi:(ə)xt *f* 3 representation; substitution

ionadh i:nə *m1, pl* -**aí** wonder, surprise, *is* ~ *liom* (go) I am surprised (that), *bhí fearg air linn, ní nach* ~ he was angry with us, and no wonder

ionaibh inəv′ : **i**

ionaigh i:ni: *vt* purify

ionainn inən′ : **i**

ionam inəm : **i**

ion-análaigh 'in,ana:li: *vt & i* breathe in, inhale

ionann inən *a* same, identical; equal, *is* ~ *iad* they are identical, *is* ~ *an cás domsa* it is all the same to me, ~ *is a rá* (go) as much as to say (that), *tá deifir anois leis, murab* ~ *is riamh* it is urgent now, more than ever, *murab* ~ *is tusa* unlike you, *tá sé* ~ *is* (*a bheith*) *críochnaithe*

ionannas inənəs *m1* sameness, identity; uniformity

ionar inər *m1* tunic; jerkin

ionas inəs *s as adv,* ~ *go* so that, ~ *nach* so that ... not

ionat inət : **i**

ionathar inəhər *m1* entrails, intestines

ioncam iŋkəm *m1* income

ionchas inəxəs *m1* expectation, prospect, ~ *saoil* life expectancy, *ar* ~, *le h* ~, *go* in the expectation (that)

ionchoirigh 'in,xor′i: *vt* incriminate

ionchoisne 'in,xos′n′ə *m4* inquisition; inquest

ionchollú 'in,xolu *m4* incarnation

ionchorpraigh 'in,xorpri: *vt* incorporate

ionchúiseamh 'in,xu:s′əv *m1* prosecution

ionduchtú 'in,duxtu: *m4* induction

iondúil indu:l′ *a2* usual, customary, *go h* ~ usually, as a rule

ionfhásta 'in,a:stə *a3* ingrown, ingrowing

ionga iŋgə *f, gs* ~**n** *pl* **ingne** nail; claw, talon, *ar a ingne deiridh,* (*of animal*) rearing, ~ *tobac* quid of tobacco, ~ *gairleoige* clove of garlic

iongabháil iŋgava:l′ *f3* careful handling; attention; prudence, *duine a* ~ *go maith* to take good care of a person

ionghlanadh 'i:n,ɣlanə *m, gs* -**nta** purification

ionlach inləx *m1* wash, lotion

ionladh inlə *m, gs* **ionnalta** washing, ablutions

ionlao 'in,li: *a3* in-calf

ionnail inəl′ *vt, pres* **ionlann** wash, bathe

ionnaltán inəlta:n *m1* wash-basin

ionnarbadh inərbə *m, gs* -**btha** expulsion, banishment, *dul ar* ~ to go into exile

ionnús inu:s *m1* wealth, resources; valuables; resourcefulness

ionracas inrəkəs *m1* uprightness, honesty, integrity

ionradaíocht 'in,radi:(ə)xt *f3* irradiation

ionradh inrə *m1, pl* -**aí** incursion, invasion; pillaging, *ag* ~ *na tíre* invading, devastating, the country

ionraic inrək′ *a1* upright, honest; guileless

ionramh inrəv *m1* management, treatment; care

ionramháil inrəva:l′ *f3* handling, management; humouring, ~ *a dhéanamh ar rud* to manipulate sth *vt* handle, manage, manoeuvre; humour

ionramhálaí inrəva:li: *m4* handler, manipulator

ionróir inro:r′ *m3* invader

ionsaí insi: *m4* advance, attack; attempt, *d′* ~ *na farraige* towards the sea

ionsaigh insi: *vt & i* advance upon, attack; approach; attempt, *ag ionsaí abhaile* making for home; coming near home

ionsair 'in,ser′ : **ionsar**

ionsaitheach insihəx *a1* aggressive

ionsaitheoir insiho:r′ *m3* attacker, aggressor

ionsar 'in,ser′ *prep, pron forms* **ionsorm** 'in,sorəm **ionsort** 'in,sort, **ionsair** 'in,ser′ *m,* **ionsuirthi** 'in,sirhi *f,* **ionsorainn** 'in,sorən′, **ionsoraibh** 'in,sorəv′ **ionsorthu** 'in,sorhu, to, towards, *cuir scéala ionsair* send word to him

ionsoraibh 'in,sorəv′ : **ionsar**

ionsorainn 'in,sorən′ : **ionsar**

ionsorm 'in,sorəm : **ionsar**

ionsort 'in,sort : **ionsar**

ionsorthu 'in,sorhu : **ionsar**

ionstraim instrəm′ *f2* instrument

ionstraimeach instrəm′əx *a1* instrumental

ionstraimí instrəm′i: *m4* instrumentalist

ionstraimigh instrəm′i: *vt* instrument; orchestrate

ionsuigh 'in,si: *vt* plug in

ionsuirthi 'in,sirhi : **ionsar**

iontach intəx *a1* wonderful; surprising, strange, *d′éirigh go h* ~ *leis* it was a great success, *tá sé* ~ *te* it is very hot

iontaise 'in,tas'ə *f* 4 fossil

iontaiseach 'in,tas'əx *a*l fossil(ized)

iontaisigh 'in,tas'i: *vt & i* fossilize

iontaobhach ,in'ti:vəx *a*l trusting

iontaobhaí ,in'ti:vi: *m* 4 trustee

iontaobhaíocht ,in'ti:vi:(ə)xt *f* 3 trusteeship

iontaobhas ,in'ti:vəs *m*l trust, ~ *carthanais* charitable trust

iontaofa ,in'ti:fə *a*3 trustworthy, reliable

iontaofacht ,in'ti:faxt *f* 3 trustworthiness, reliability

iontaoibh ,in'ti:v' *f* 2 trust; reliance, confidence

iontas i:ntəs *m*l wonder, surprise, ~ *a dhéanamh de rud* to wonder at sth, *ag breathnú ar na hiontais* seeing the sights

iontlais intlas'ə *a*3 inlaid, *urlár* ~ parquet floor

iontóir i:nto:r' *m*3 purifier

iontráil intra:l' *f* 3 entry *vt & i* enter

iontrálaí intra:li: *m* 4 entrant

iontróid intro:d' *f* 2 introit

iontu intu : **i**

ionú inu: *m* 4 (proper) time, season, favourable opportunity, *dá mbeadh* ~ *agam air* if I had time to do it

ionú i:nu: *m* 4 purification

ionúin inu:n' *a*l, *comp* **ansa** dear, beloved

iora irə *m* 4, ~ *(rua)* (red) squirrel, ~ *glas* grey squirrel

iorna i:rnə *m* 4 hank, skein

ioróin i:ro:n' *f* 2 irony

iorónta i:ro:ntə *a*3 ironic(al)

iorpais i:rpəs' *f* 2 dropsy; venom, *tá an* ~ *ina chroí* he is full of spite

iorpaiseach i:rpəs'əx *a*l dropsical; venomous

iorras irəs *m*l promontory

íos- i:s *pref* least, minimum

Íosa i:sə *m* 4 Jesus

Íosánach i:sa:nəx *m*l & *a*l Jesuit

ioscaid iskəd' *f* 2 hollow behind knee, popliteal space, *go h* ~ *i san uisce* knee-deep in water, ~ *tobac* little bit of tobacco

íoschúirt 'i:s,xu:rt' *f* 2, *pl* ~**eanna** inferior court

íosfaidh i:si: *fut of* **ith**

íoslach i:sləx *m*l basement

Ioslamachas isləməxəs *m*l Islam

iospairt i:spərt' *f* 3, *gs* **-artha** ill-treatment, ill-usage

íosta istə *m* 4 store, depot; treasury

íosta i:stə *a*3 minimum, minimal

iostán ista:n *m*l cottage

iostas istəs *m*l lodging, accommodation, *teach iostais* lodging house, ~ *mac léinn* students' hostel

íota i:tə *f* 4 (great) thirst; ardent desire

iothlainn ihlən' *f* 2, *pl* ~**eacha** haggard

íreas i:rəs *m*l iris

íris¹ ir'əs' *f* 2 strap, sling (for carrying)

íris² ir'əs' *f* 2 journal, magazine

íriseoir ir'əs'o:r' *m*3 journalist

íriseoireacht ir'əs'o:r'əxt *f* 3 journalism

írisleabhar 'ir'əs',l'aur *m*l journal, magazine

is¹ is' *copula*, *(is) fear maith é, fear maith is ea é* he is a good man, *is óige mise ná é* I am younger than he is, *ní críonnacht creagaireacht* miserliness is not thrift, *ní hionann iad* they are not the same, *an fíor é? is fíor* is it true? it is, *an gloine é? is ea* is it glass? it is, *arbh é a bhí ann?* is it? *níorbh é, charbh é*, was it he who was there? it was not, *nárbh é an t-amadán é* wasn't he a right idiot, *deir sé gur mé a rinne é, ach ní mé* he says that it was I who did it, but it was not, *gura slán dóibh* God be with them, *gurab amhlaidh duit* the same to you, *nach leigheas ar chasacht é?* is it not a cure for a cough? *daoine nach iad* people other than they, *ba bhreá an bhean í, nár bhreá?* she was a fine woman, wasn't she? *silim gurb ea* I think it is so, *dúirt sí gurbh iad a bhí ann* she said it was they who were there, *ar leis féin é?* was it his own? *an teach ar le Seán é* the house John owns, owned, *nára fada an lui sin ort* I wish you a speedy recovery, *nárab amhlaidh duit* may it not be so for you, *dá mba mise thú* if I were you, *rud ab fhusa a dhéanamh* something that was easy to do, *níor, char, cheardaí an té a rinne é*, whoever made it was no tradesman, *ní hé nár mhaith liom é*, it is not that I wouldn't like it, *ráiteas nárbh fhíor* a statement that wasn't true, *an leat an teach? is liom* is the house yours? it is, *b'fhearr é sin* that would be better

is² is ~ s *prep* (of time) ~ *an* up to, ago, *bliain* ~ *an t-am seo* this time last year

ise is'ə 3 *sg f.* emphatic *pron* she, her, ~ *a dúirt é* she is the person who said it, *ach amháin* ~ except herself

íseal i:s'əl *m*1, *pl* **ísle** lowly person; low-lying place, *os* ~ in a low voice; in secret *a*1, *gsf, npl & comp* **ísle** low; low-sized, *tír* ~ low-lying country, *gníomh* ~ mean act, *glór* ~ low voice

ísleacht i:s'l'əxt *f*3 lowness, lowliness

ísleán i:s'l'a:n *m*1 low-lying place; depression; declivity

ísligh i:s'l'i: *vt & i* lower, depress, *isliú de chapall* to alight from a horse

ísliú i:s'l'u: *m*4 lowering, depression, decline; abasement

ispín is'p'i:n' *m*4 sausage

isteach ə's't'ax *adv & prep & a* in, into, ~ (*ar*) *an doras* in by, through the door, ~ *leat*, ~ *libh* in you go, *chuaigh sé* ~ *go cnámh* it penetrated to the bone, *tá an cíos* ~ *leis* it includes the rent, *bheith* ~ *le duine* to be in association with a person, *bíonn siad* ~ *is amach le chéile* they are on friendly terms

istigh ə's't'iγ' *adv & prep & a* in, inside; indoor, at home; inner, *bí* ~ come in, *tá an tairne* ~ *go domhain ann* the nail is embedded in it, *bhí sé* ~ *i bpríosún* he was confined to prison, *tá an fómhar* ~ the harvest is in, *tá fear do dhiongbhála* ~ *anois leat* you are pitted against your match now, *an litir atá* ~ *leis seo* the letter enclosed herewith, *tá béile maith* ~ *againn* we have had a good meal, *tabhair* (*cead*) *a bheith* ~ *dóibh* give them permission

to stay (for the night), *tá an eite dheas* ~ *arís* the party of the right is back in power, *bheith* ~ *ar chomórtas* to be entered for a competition, *níl sé* ~ *leis féin* he is dissatisfied with himself, *tá bliain eile* ~ another year is ended

istir ə's't'i:r' *adv* in the land; ashore, landed

istoíche ə'sti:x'ə *adv* by, at, night

ith ih *vt & i*, *vn* ~**e** eat, feed; bite, *tá an mheirg ag* ~**e** *an iarainn* the rust is corroding the iron, *ag* ~**e** *na gcomharsan* reviling, backbiting, the neighbours, *bhí sé ag* ~**e** *na bhfocal* he was mumbling his words, *ite ag an éad* consumed with jealousy

itheachán ihəxa:n *m*1 eating, *teach itheacháin* eating-house

ithiomrá 'ih,imra: *m*4, *pl* ~**ite** backbiting; slander

ithir ihər' *f*, *gs* **-threach** *pl* **-threacha** soil, earth; arable land

iubhaile u:val'ə *f*4 jubilee

iúd u:d *pron* that, yon, *b'* ~ *é* (*é*) yonder it is, *b'* ~ *iad ag imeacht ar cosa in airde* off they went at a gallop

lúil u:l' *m*4 July

iúl u:l *m*1 knowledge; direction; attention, *rud a chur in* ~ *do dhuine* to let a person know sth; to pretend sth to a person, *tú féin a chur in* ~ to express oneself; to assert oneself, *bhíomar ar an* ~ *céanna* we were on the same track, *d'* ~ *a bheith ar rud* to have one's attention on sth

lúpatar u:pətər *m*1 Jupiter

iúr u:r *m*1 yew

J

jab d'z'ab *m*4, *pl* ~**anna** job; post, employment

jabaire d'z'abər'ə *m*4 (cattle-)jobber

jacaí d'z'aki: *m*4 jockey

jaingléir d'z'aŋ'l'e:r' *m*3 straggler, vagrant

jéiníos d'z'e:n'i:s *spl* bits of earthenware; shards; "chanies"

jib d'z'ib' *f*2, *pl* ~**eanna** jib(-sail)

jíp d'z'i:p' *m*4, *pl* ~**eanna** jeep

júdó d'z'u:do: *m*4 judo

lá la: *m, gs* **lae** *pl* **laethanta** day; daytime, *lenár* ~ during our lifetime, *ag baint lae* as getting along somehow

lábach la:bəx *a*1 muddy, miry

lábán la:ba:n *m*1 mud; soft roe, milt

labhair laur' *vt & i, pres* **-bhraíonn** speak

labhairt laurt' *f*3, *gs* **-artha** speaking; speech; call

labhandar lavəndər *m*1 lavender

labharthach laurhəx *a*1 talkative; vociferous

labhras laurəs *m*1 (bay) laurel

lábúrtha la:bu:rhə *a*3 base, vulgar

lacáiste laka:s'tə *m*4 rebate, discount; allowance

lách la:x *a*1, *gsm* ~ affable, friendly

lacha laxə *f, gs & gpl* ~**n** *npl* ~**in** duck

láchan la:xən *f*3 dawning

lachín laxi:n' *f*4 duckling

lachna laxnə *a*3 dull grey; dun, drab

lacht laxt *m*3 milk; yield of milk, *súile ina* ~ eyes full of tears

lachtach laxtəx *a*1 lactic, milky; (*of eyes*) tearful

lachtadh laxtə *m, gs* **lachta** *pl* **-aí** lactation

lád la:d *m*1 watercourse

ládáil la:da:l' *f*3 lading; cargo *vt* lade

ládanam la:dənəm *m*1 laudanum

ladar ladər *m*1 ladle, *do* ~ *a chur i rud* to intervene in sth

ládasach la:dəsəx *a*1 self-willed; obstinate

ladhar lair *f*2, *gs* **laidhre** *pl* **-dhracha** interdigital, toe; claw; prong; fork; fistful

ladhrach lairəx *a*1 toed, clawed; pronged, forked

ladrann ladrən *m*1 robber, ~ (*saithe*) drone

ladúsach ladu:səx *a*1 pert; wheedling; silly

lae le:, **laethanta** le:həntə : **lá**

laethúil le:hu:l' *a*2 daily

laftán lafta:n *m*1 rocky ledge; grassy terrace, ~ *néalta* bank of clouds

lag lag *m*1, *npl* ~ a weak person, weak creature; weakness, (*le*) ~ *trá* (at) low tide *a*1 weak; fragile, *páistí* ~ *a* young children

lagachar lagəxər *m*1 weakness, faintness

lagaigh lagi: *vt & i* weaken; slacken, *deoch a lagú* to dilute a drink, *nár lagaí Dia thú* more power to you

lagar lagər *m*1, *pl* **-gracha** weakness, faintness; slackening, *bhí siad i lagracha ag gáire* they were weak from laughing

lágar la:gər *m*1 lager

lagbhrí 'lag,v'r'i: *f*4 weakness, enervation

lagbhríoch 'lag,v'r'i:(ə)x *a*1, *gsm* ~ weak, enervate

lagbhrú 'lag,vru: *m*4 low pressure, (*of weather*) depression

laghad laid *m*4 smallness, fewness, *níl amhras dá* ~ *faoi* there is not the least doubt about it, *ar a* ~ at least

laghairt lairt' *f*2, *pl* ~**eanna** lizard

laghdaigh laidi: *vt & i* lessen, decrease; reduce

laghdaitheach laidihəx *a*1 lessening, decreasing

laghdú laidu: *m*4 decrease; reduction

lagmhisneach 'lag,v'is'n'əx *m*1 lowspiritedness, low morale

lagú lagu: *m*4 weakening; abatement.

laí li: *m*4, *pl* ~**onna** pole, shaft

lái la:i: *f*4, *pl* **lánta** loy, spade

láib la:b' *f*2 mud, mire, ~ *abhann* silt *vt* muddy, spatter

laibhe lav'ə *f*4 lava

laibhín lav'i:n' *m*4 leaven

laicear lak'ər *m*1 lacquer

láidir la:d'ər' *m*4, *gsf & comp* **-dre** strong person, strong creature *a*1, *gsf, npl & comp* **-dre** strong; durable, *is* ~ *nár leagadh mé* it is a wonder I was not knocked down

láidreacht la:d'r'əxt *f*3 strength

láidrigh la:d'r'i: *vt & i* strengthen

laige lag'ə *f*4 weakness; faint, swoon, *ó* ~ *go neart* from childhood to maturity

láigh la:γ *vi, vn* **láchan** dawn

láimhdeachas la:v'd'əxəs *m*1 handling; manipulation; *cáin láimhdeachais* turnover tax

láimhseáil la:v's'a:l' *f*3 management; handling *vt* manage, handle

láimhsigh la:v's'i: *vt* handle, manipulate; grapple with

laincis laŋ′kʹəsʹ *f*2 fetter; hobble, spancel

laindéar lanʹdʹe:r *m*1 lantern

láine la:nʹə *f*4 fullness

láinnéar la:nʹe:r *m*1 lanyard; tatter

lainse lansʹə *f*4 launch

lainseáil lansʹa:lʹ *vt* launch

láinteacht la:i:nʹtʹəxt *f*3 blandishment; fondling

láíocht la:i:(ə)xt *f*3 affability; kindliness

laion li:n *m*1 pith; pulp

láir la:rʹ *f*, *gs* **lárach** *pl* **láracha** mare

láirig la:rʹəgʹ *f*2, *pl* ~**eacha** thigh

laiste lasʹtʹə *m*4 latch

laisteas ˌlasʹtʹas *adv* & *prep* & *a* on the south side

laistiar ˌlasʹtʹiər *adv* & *prep* & *a* on the west side; behind

laistigh ˌlasʹtʹiɣʹ *adv* & *prep* & *a* on the inside, within, indoors

laistíos ˌlasʹtʹi:s *adv* & *prep* & *a* below

láithreach[1] la:hrʹəx *m*1 ruined site; ruin; trace, imprint

láithreach[2] la:hrʹəx *a*1 & *adv* present, immediate; immediately

láithreacht la:hrʹəxt *f*3 presence

láithreán la:hrʹa:n *m*1 piece of ground; site; floor, space; (*of play*) set, ~ **féir** windrow

láithrigh la:hrʹi: *vi* present oneself, appear

laitís latʹi:sʹ *f*2 lattice, lattice-work

láma[1] la:mə *m*4 lama

láma[2] la:mə *m*4 llama

lamairne lamarnʹə *m*4 jetty

lámh la:v *f*2, *ds* **láimh** *in certain phrases* hand, arm; handwriting; signature; handle, *ó thuaidh* ~ *siar* (to) north by west, *rud a bheith idir lámha agat* to be engaged in sth, *fág ar a láimh é* leave it to him, *oibriú as* ~ *duine* to work in partnership with a person, *d'aon* ~ by concerted effort, *duine a thabhairt ar láimh, i láimh* to bring a person into custody, *tá* ~ *is focal eatarthu* they are engaged to be married, *rud a chur de láimh* to dispose of sth, *láimh le* close by, *as láimh* immediately, *cúl láimhe* reserve

lámhacán la:vəka:n *m*1 creeping, crawling (*as a child*)

lámhach[1] la:vax *m*1 shooting; fire *vt* shoot

lámhachóir la:vəxo:rʹ *m*3, (*person*) shooter, shot

lámhadóir la:vədo:rʹ *m*3 handler

lamháil laua:lʹ *f*3 allowance; discount; margin *vt* allow; remit

lámhainn la:vənʹ *f*2 glove

lámhaíocht la:vi:(ə)xt *f*3 helping hand; subscription

lamháltas laua:ltəs *m*1 allowance, concession

lámhcheird 'la:vˌxʹe:rdʹ *f*2, *pl* ~**eanna** handicraft

lámhchleasaí 'la:vˌxʹlʹasi: *m*4 juggler

lámhchleasaíocht 'la:vˌxʹlʹasi:(ə)xt *f*3 jugglery

lámhnáta 'la:vˌnətə *a*3 close-fisted

lámhleabhar 'la:vˌlʹaur *m*1 handbook, manual

lámh-mhaisiú 'la:(v)ˌvasʹu: *m*4 manicuring; manicure

lámhnán launa:n *m*1 bladder

lámhscaoileadh 'la:vˌski:lʹə *m*, *gs* **-lte** manumission

lámhscríbhinn 'la:vˌsʹkʹrʹi:vʹənʹ *f*2 manuscript

lampa lampə *m*4 lamp

lampróg lampro:gʹ *f*2 glow-worm; firefly

lán[1] la:n *m*1 full; contents, charge; arrogance, ~ *a chur le prátaí* to mould potatoes, *an* ~ *mara* high tide, *is mór an* ~ *airgid é* it is a great deal of money, *a* ~ *uisce* much water, *a* ~ *daoine* many people *a*1 full

lán[2] la:n *m*1 curve, bend

lána la:nə *m*4 lane

lánaigh la:ni: *vt* & *i* fill out, give volume to, *prátaí a lánú* to mould potatoes

lánaimseartha 'la:nˌamʹsʹərhə *a*3 full-time

lánán la:na:n *m*1 charge, filling

lánchúlaí 'la:nʹxu:li: *m*4 full-back

lánchumhachtach 'la:nˌxu:əxtəx *a*1 plenipotentiary

lánchumhachtóir 'la:nʹxu:əxto:rʹ *m*3 plenipotentiary

landair landərʹ *f*2 partition; recess; storeroom, pantry

langa langə *m*4 ling

langaire langərʹə *m*4 clout, blow

lánléargas 'la:nʹlʹe:rgəs *m*1 panorama, ~ *ar rud* clear insight into sth

lánmhar la:nvər *a*1 full, replete; self-conceited

lánmhúchadh 'la:nʹvu:xə *m*, *gs* **-chta** (*of lights*) black-out; asphyxia

lann lan *f* 2 plate, lamina; scale (of fish); blade

lannach[1] lanəx *m*1 mullet

lannach[2] lanəx *a*1 laminate(d); bladed

lánoiread 'la:n'or'əd *s, a* ~ equally as much, as many

lansa lansə *m*4 lance; lancet; blade

lansaigh lansi: *vt* lance

lánscoir 'la:n'skor' *vt, (of parliament)* dissolve

lánscor 'la:n'skor *m*1, *(of parliament)* dissolution

lánseol 'la:n''s'o:l *s, faoi* ~ under full sail; in full swing

lánstad 'la:n'stad *m*4, *pl* ~anna full stop; period

lánstaonadh 'la:n'sti:nə *m, gs* -nta total abstinence; teetotalism

lánstaonaire 'la:n'sti:nər'ə *m*4 teetotaller

lantán lanta:n *m*1 level place; grazing patch

lántosaí 'la:n'tosi: *m*4 full-forward

lánúin la:nu:n' *f* 2, *pl* ~eacha (married or engaged) couple

lánúnas la:nu:nəs *m*1 partnership in marriage; cohabitation, mating

lao li: *m*4, *pl* ~nna (young) calf, *a* ~ my dear

laoch li:x *m*1, *gs* -oich *pl* ~ra warrior, hero

laochas li:xəs *m*1 heroism, valour; boastfulness, bravado

laochta li:xtə *a*3 valorous, heroic

laofa li:fə *a*3 biased

laofheoil 'li:,o:l' *f* 3 veal

laoi li: *f* 4, *pl* ~the lay, (narrative) poem

laom li:m *m*3, *pl* ~anna flash, blaze; fit, spell

laomtha li:mhə *a*3 blazing; brilliant; fiery

lapa lapə *m*4 paw; flipper; webbed foot, ~ *na circe* cable-stitch

lapadáil lapədi:l' *f* 3 paddling, wading, ~ *na dtonn* the lapping of the waves

lapadán lapədа:n *m*1 toddling, waddling, flopping about; toddler; pinniped

lapairín lapər'i:n' *m*, ~ *locha* little grebe, dabchick

lár la:r *m*1 ground, floor; middle, centre, *bheith ar* ~ to be on the ground; to be laid low; missing

láraigh la:ri: *vt* centralize

laraing larəŋ' *f* 2 larynx

laraingíteas ˌlarəŋ''g'i:t'əs *m*1 laryngitis

larbha larəvə *m*4 larva

larcán larka:n *m*1, ~ *gruaige* mop of hair

lardrús la:rdru:s *m*1 larder

lárionad 'la:r,inəd *m*1 centre

lárlíne 'la:r,l'i:n'ə *f* 4, *pl* -nte diameter

lárnach la:rnəx *a*1 central, medial, innermost

lártheifeach 'la:r,hef'əx *a*1 centrifugal

lárthosaí 'la:r,hosi: *m*4 centre-forward

lárú la:ru: *m*4 centralization

las las *vt & i* light; blush; inflame

lása la:sə *m*4 lace

lasadh lasə *m, gs* -sta lighting, flaming; inflammation; blush

lasair lasər' *f, gs* -srach *pl* -sracha flame, blaze, ~ *choille* goldfinch

lasairéan ˌlasər',e:n *m*1 flamingo

lasán lasa:n *m*1 flame, flash; match (for lighting)

lasánta lasa:ntə *a*3 flaming, fiery; irritable; flushed

lasbhus ˌlas'vus *adv & prep & a* on the near side

lasc lask *f* 2 lash, whip; switch *vt & i* lash, whip; kick, strike; dash, ~ *ann, as* switch on, off

lascadh laskə *m, gs* -ctha lashing, whipping; kick

lascaine laskən'ə *f* 4 abatement, discount; easement (of weather conditions)

lasc-chlár 'lask,xla:r *m*1 switchboard

lasmuigh ˌlas'miɣ' *adv & prep & a* on the outside, outdoors, ~ *de sin* apart from that

lasnairde ˌlas'na:rd'ə *adv & prep & a* overhead

lasóg laso:g *f* 2 small flame; torch; match

lasta lastə *m*4 freight (load), cargo; large quantity

lastall ˌlas'tal *adv & prep & a* on the far side, beyond; on the other side, overleaf

lastas lastəs *m*1 freightage, cargo; shipment

lastliosta 'last,l'istə *m*4 manifest

lastoir ˌlas'tor' *adv & prep & a* on the east side

lastóir lasto:r' *m*3 lighter

lastuaidh ˌlas'tuəɣ' *adv & prep & a* on the north side

lastuas ˌlas'tuəs *adv & prep & a* above, overhead

lata latə *m*4 lath; louver; barrel-hoop

láth la: *m*1 heat, rut

lathach lahəx *f*2 mud, slush; slime

láthair la:hər′ *f*, *gs* **láithreach** *pl* **láithreacha** place, spot, site; presence, *in aice láithreach* nearby, *i ~ na huaire* at the present moment, *as ~* absent, *faoi ~* at present, *teacht i ~ a bheith ionat* to have a good presence

le l′ə *prep, pron forms* **liom** l′om, **leat** l′at, **leis** l′es *m*, **léi** l′e:i *f*, **linn** l′in′, **libh** l′iv′ **leo** l′o:, with; to, for; by, against, *bhí a aghaidh linn* he was facing us, *thit sé leis an aill* he fell down the cliff, *bhí an t-ádh leis* he was lucky, *tá liom* I have succeeded, *ná bí liom mar gheall air* don't annoy me about it, *le cuimhne na ndaoine* in living memory, *chomh mór le* as big as, *cara liom* a friend of mine, *tá a cheann leis* he is free to go, *d'oibrigh mé liom* I kept on working, *dul le ceird* to take up a trade, *dul le báiní* to go berserk, *tá costas leis* it entails cost, *ní maith liom é* I don't like it, *tá siad le pósadh* they are to be married

lé l′e: *f*4 leaning, partiality; lie; range, view

leá l′a: *m*4 melting; dissolution

leaba l′abə *f*, *gs* **leapa** *pl* **leapacha** bed, *~ dhearg* lair, *~ loinge* ship's berth, *~ luascáin* hammock, *~ sheoide* setting of jewel, *~ iomartha* rowlock, *i ~ rud* instead of sth, *i ~ a chéile* by degrees

leabaigh l′abi: *vt* bed, embed, set

leabhair l′aur′ *a*1 lithe, pliant

leabhairchruthach ′l′aur′‚xruhəx *a*1 streamlined

leabhal l′aul *m*1 libel

leabhar l′aur *m*1 book, *an ~ a thabhairt (i rud)* to swear by the book (to sth), *an ~ a ghlanadh* to clear one's account

leabhareolaíocht ′l′aur‚o:li:(ə)xt *f*3 bibliography, bibliology

leabharlann l′aurlən *f*2 library

leabharlannaí l′aurləni: *m*4 librarian

leabharthaca ′l′aur‚haka *m*4 book-end

leabhlach l′auləx *a*1 libellous

leabhlaigh l′auli: *vt* libel

leabhragán l′auragə:n *m*1 bookcase

leabhraigh l′auri: *vt & i* swear, *duine a leabhrú* to administer an oath to a person

leabhrán l′aura:n *m*1 booklet

leabhróg l′auro:g *f*2 libretto

leac l′ak *f*2 flat stone or rock; flagstone, slab; *(cards)* kitty, *~ a dhéanamh de rud* to beat sth flat, *~ oighir* (sheet of) ice

leaca l′akə *f*, *gs & gpl* **~n** *npl* **leicne** side of face, cheek; side, slope (of hill); side of leaf in book, etc.

leacach l′akəx *a*1 flagged, stony

leacaigh l′aki: *vt & i* flatten; crush; buckle, crumple up; dinge

leacam l′akəm *m*1 sidelong glance

leacanta l′akəntə *a*3 smooth-cheeked, comely; comfortable

leacht¹ l′axt *m*3, *pl* **~anna** grave-mound, cairn; heap, *~ (cuimhneacháin)* memorial, monument

leacht² l′axt *m*3, *pl* **~anna** liquid

léacht l′e:xt *f*3 lecture

leachtach l′axtəx *a*1 liquid

leachtaigh l′axti: *vt & i* liquefy; liquidate, liquidize

leachtaitheoir l′axtiho:r′ *m*3 liquefier; liquidizer; liquidator

léachtán l′e:xta:n *m*1 lectern

léachtóir l′e:xto:r′ *m*3 lecturer

léachtóireacht l′e:xto:r′əxt *f*3 lecturing; lectureship

leachtú l′axtu: *m*4 liquefaction; liquidation

leadair l′adər′ *vt*, *pres* **-draíonn** beat; hack; lacerate

leadán l′ada:n *m*1 bur, *~ liosta* burdock; claw, spine

leadhb l′aib *f*2, *pl* **~anna** strip; pelt; rag; blow, *~ aráin* chunk of bread *vt* tear in strips; beat; lap, lick

leadhbach l′aibəx *a*1 torn in strips; shabby; clownish

leadhbóg l′aibo:g *f*2 shred, tatter; untidy woman; flat-fish, flounder, *~ leathair* bat

leadóg l′ado:g *f*2 tennis, *~ bhoird* ping-pong

leadradh l′adrə *m*, *gs* **leadartha** *pl* **leadarthaí** beating, trouncing; laceration, wound

leadrán l′adra:n *m*1 lingering, loitering; dilatoriness; tedium

leadránach l′adra:nəx *a*1 dilatory, tedious

leafa l′afə *m*4, *~ gáire* faint, wry, smile

leafaos ′l′a‚fi:s *m*1 paste

leag l'ag *vt & i* knock down; lower; lay, set, ~ *amach* lay out, arrange; prescribe; allot, *bheith* ~ *tha ar rud* to be intent on sth, ~ *ort* (*féin*) get down to it, ~*adh ormsa é* I was blamed for it

leagáid¹ l'aga:d′ *m4* legate

leagáid² l'aga:d′ *f2* legacy

leagáideacht l'aga:d′əxt *f3* legation

leagan l'agən *m1, pl* ~**acha** knocking down, demolition; fall; lowering; laying, setting; imputation; version, ~ *a bheith agat le rud* to have a leaning towards sth, *tá* ~ *breá air* he has a fine bearing, *ar* ~ *na súl* at a glance, in a twinkling, ~ *cainte* turn of speech, ~ *amach* layout, arrangement

leaid l'ad *m4, pl* ~**eanna** lad

leáigh l'a:γ′ *vt & i* melt, *ag leá den saol* fading away to nothing, *nach leáite an duine é* what a useless person he is

leaisteach l'as′t′əx *a1* elastic

leaisteachas l'as′t′əxəs *m1* elasticity

leaistic l'as′t′ək′ *f2* elastic

leáiteach l'a:t′əx *a1* melting; dwindling; wan

leamh l'av *a1, gsm* ~ insipid, tasteless; lifeless, dull, *nach* ~ *atá do cheann ort* how simple-minded you are

léamh l'e:v *m1, pl* ~**a** reading; interpretation

leamhach l'aux *m1* marsh-mallow (plant)

leamhachán l'auxa:n *m1* marsh-mallow (sweet)

leamhan l'aun *m1* moth

leamhán l'aua:n *m1* elm tree

leamhaol 'l'av,i:l *m1, pl* ~**ta** (*paint*) distemper

leamhas l'aus *m1* softness; tastelessness, insipidity; inanity

leamhgháire 'l'av,γa:r′ə *m4* faint smile; dry, sarcastic, smile

leamhnacht l'aunəxt *f3* new milk

leamhsháinn 'l'av,ha:n′ *f2* stalemate

lean l'an *vt & i, vn* ~**úint** follow; continue, adhere; remain, endure, *mar* ~ *as* as follows, ~ *den phatrún* keep to the pattern, ~ *leat* keep going, proceed

léan l'e:n *m1, pl* ~**ta** deep affliction; anguish, *bhí* ~ *ar an aimsir* the weather was awful, *mo* ~, *mo* ~ *géar* woe is me, alas

léana l'e:nə *m4, pl* ~**nta** water-meadow; greensward, lawn

leanbaí l'anəbi: *a3* childlike; childish, *an aois* ~ second childhood

leanbaíocht l'anəbi:(ə)xt *f3* childhood; childishness; dotage

leanbán l'anəba:n *m1* baby; darling

leanbh l'anəv *m1, pl* ~**naí** child, *a* ~ *mo* child, my darling

léanmhar l'e:nvər *a1* grievous, agonizing, woeful

leann l'an *m3, pl* ~**ta** (pale) ale; beer, ~ *dubh* porter, stout

léann l'e:n *m1* learning; education, study

leanna l'anə : **lionn**

leannán l'ana:n *m1* lover; darling; spouse; fairy lover, *rud a bheith ina* ~ *ort* to be chronically affected by sth

leannánta l'ana:ntə *a3* chronic

leannlus 'l'an,lus *m3, pl* ~**anna** hop

léannta l'e:ntə *a3* learned, scholarly

leantach l'antəx *a1* consecutive; continuing

leantóir l'anto:r′ *m3* follower; trailer

leanúint l'anu:n′t′ *f3, gs* -**úna** following, pursuit; adherence; continuation, *lucht leanúna* followers, *ar* ~ (to be) continued

leanúnach l'anu:nəx *a1* continuous, successive; persistent; attached, faithful

leanúnachas l'anu:naxəs *m1* continuity; attachment, faithfulness

leanúnaí l'anu:ni: *m4* follower

leapachas l'apəxəs *m1* bedding

lear¹ l'ar *m1* sea, *thar* ~ overseas, abroad

lear² l'ar *m4* great number, great amount

léaráid l'e:ra:d′ *f2* diagram; illustration, sketch

learg l'arəg *f2* slope, side, ~ *sléibhe* (stretch of) mountainside

léargas l'e:rgəs *m1* sight, insight, discernment; visibility

learóg l'aro:g *f2* larch

léaróga l'e:ro:gə *fpl* blinkers

léarscáil 'l'e:r,ska:l′ *f2, pl* ~**eanna** map

léarscáiligh 'l'e:r,ska:l′i: *vt* map

léarscáilíocht 'l'e:r,ska:l′i:(ə)xt *f3* mapping

leas¹ l'as *m3* good, benefit; fertilizer

leas-² l'as *pref* vice-, deputy; step-; by-

léas¹ l'e:s *m1, pl* ~**acha** ray of light; radiance; glimmer; weal, blister

léas² l'e:s *m3* lease

léas³ l'e:s *f* 2 cornstalk (with ear); wisp of straw

léas⁴ l'e:s *vt* thrash, flog

leasa l'asə : **lios**

léasach l'e:səx *a*1 leasehold

leasachán l'asəxa:n *m*1 fertilizer

léasacht l'e:səxt *f* 3 leasehold

léasadh l'e:sə *m*, *gs* **-sta** *pl* **-staí** thrashing, flogging

leasaigh l'asi: *vt & i* amend, reform; cure, preserve; dress, fertilize, *bia a leasú* to season food

léasaigh l'e:si: *vt* lease, farm (out)

leasainm 'l'asˌanʲənʲ *m*4, *pl* ~**neacha** nickname

leasaitheach l'asəhəx *m*1 preservative *a*1 amending, reforming; preservative

leasaitheoir l'asiho:rʲ *m*3 reformer, improver, ~ *bagúin* bacon curer

leas-ardeaglais 'l'asˌaːrdˌagləsʲ *f* 2 pro-cathedral

leasc l'ask *a*1, *gsm* ~ lazy; slow, sluggish; reluctant, *ba* ~ *liom labhairt leis* I was diffident about speaking to him

léaslíne 'l'e:sˌlʲiːnʲə *f* 4, *pl* **-nte** horizon

leasmháthair 'l'asˌvaːhərʲ *f*, *gs* **-ar**, *pl* **-mháithreacha** stepmother

léaspáin l'e:spa:nʲ *mpl*, *gpl* **-án** dazzlement, *mura bhfuil* ~ *ar mo shúile* unless my eyes deceive me

léaspairt l'e:spartʲ *f* 2 sparkle, flash of wit

leasrach l'asrəx *m*1 loins, thighs

leasrí 'l'asˌriː *m*4, *pl* ~**the** regent; viceroy

leastar l'astər *m*1 vessel; cask, firkin; (wash-)tub

leasú l'asu: *m*4 amendment, reform, re-dress; cure, preservation; seasoning; dressing (of soil), fertilizer

leasúchán l'asu:xaːn *m*1 amendment

leat l'at : **le**

léata l'e:tə *m*4 leat, open drain

leataobh 'l'aˌtiːv *m*1 one side (of two); lay-by, *tá* ~ *ar na cruacha* the stacks are lopsided, *i, do,* ~ aside

leataobhach 'l'aˌtiːvəx *a*1 one-sided; lop-sided; biased

leath¹ l'ah *f*2, *ds* **leith** in certain phrases side; part, direction; half; portion, *ar leith, faoi leith* apart; distinct; remarkable, special, *i leith na láimhe deise* towards the right, *i leith na léithe* grey-ish, tending to grey, *bheith i leith duine* to be in favour of a person, *dul i leith*

na déirce to resort to alms, *ná cuir bréag i mo leith* don't impute a lie to me, *tar i leith* come hither, *ó shin i leith* from that time forth, *ceann go leith* one and a half, *ba* ~ *dóibh uile é* he was a match for them all

leath² l'ah *vt & i* spread; open wide; per-ish, *tá a radharc ag* ~ *adh air* his sight is getting dim, *tá mé leata leis an ocras* I am famished

leath-³ l'ah ~ l'a⁺ *pref* lying, turned, to one side; lopsided; partial; half-, hemi-, semi-; half grown, one of two

leathadh l'ahə *m*, *gs* **leata** spreading; diffusion; opening out; expansion, ~ *radhairc* indistinctness of vision, ~ *a fháil ó fhuacht* to be perished with cold

leathaghaidh 'l'ahˌaiʲ *f* 2 side of face, profile

leathan l'ahən *m*1 broad part, flat open space *a*1, *gsf & comp* **leithne** broad; wide, expansive

leathán l'aha:n *m*1 sheet (of paper, glass, etc)

leathanach l'ahanəx *m*1 page; sheet

leathanaigeanta 'l'ahənˌagʲəntə *a*3 broad-minded

leathar l'ahər *m*1 leather; skin, hide

leathbhádóir 'l'aˌvaːdoːrʲ *m*3 shipmate; colleague

leathbhreac 'l'aˌvʲrʲak *m*1 counterpart, ~ *an lae inniu* a day like today

leathcheann 'l'aˌxʲan *m*1 side of head; tilt of head, slant; half-glass (of spirits)

leathchruinne 'l'aˌxrʲinʲə *f* 4 hemisphere

leathchúlaí 'l'aˌxuːliː *m*4 half-back

leathchúpla 'l'aˌxuːplə *m*4 twin

leathdhuine 'l'aˌɣinʲə *m*4, *pl* **-dhaoine** half-wit

leathéan 'l'ahˌeːn *m*1 bird's mate; loner

leathfhada 'l'ahˌadə *a*3 fairly long; oblong

leathfhocal 'l'ahˌokəl *m*1 hint; catchword

leathlaí 'l'aˌliː *m*4 shaft (of cart, etc)

leathlámhach 'l'aˌlaːvəx *a*1 one-armed; short-handed

leathnaigh l'ahni: *vt & i* widen, extend

leathóg l'ahoːg *f*2 flat-fish, ~ *bhallach* plaice

leathphraitinn 'l'aˌfratʲənʲ *f* 2 foolscap

leathrach l'ahrəx *a*1 leathern; leathery

leathrann 'l'aˌran *m*1 couplet

leathscoite 'l'aˌskotʲə *a*3 semi-detached

leathstad 'l'a,stad *m4*, *pl* ~**anna** semi-colon

leath-thosaí 'l'a,hosi: *m4* half-forward

leath-threascairt 'l'a,hr'askərt' *s*, *rud a fháil ar* ~ to get sth at a knock-down price

leatrom l'atrəm *m1* uneven weight; in-equality; oppression, affliction, *tá* ~ *san ualach* the load is lopsided

leatromach l'atrəməx *a1* lopsided; biased; oppressive; distressed, afflicted

léi l'e:i : **le**

leibhéal l'ev'e:l *m1* level

leibhéalta l'ev'e:ltə *a3* level

léibheann l'e:v'ən *m1* level space; terrace; platform; ~ *cheann staighre* landing

leibide l'eb'əd'ə *f4* slovenly person; fool

leibideach l'eb'əd'əx *a1* slovenly; foolish

leice l'ek'ə *a3* sickly, delicate

leiceacht l'ek'əxt *f3* sickliness, delicacy

leiceadar l'ek'ədər *m1* slap (on face)

leiceann l'ek'ən *m1*, *npl* -**cne** cheek

léiche l'e:x'ə : **liach**[1]

leiciméir l'ek'əm'e:r' *m3* idler, shirker

leicneach l'ek'n'əx *f2* mumps

leictrea-, l'ek't'r'ə **leictri-** l'ek't'r'ə *pref* electr(o)-

leictreach l'ek't'r'əx *a1* electric(al)

leictreachas l'ek't'r'əxəs *m1* electricity

leictreoir l'ek't'r'o:r' *m3* electrician

leictreon l'ek't'r'o:n *m1* electron

leictreonach l'ek't'r'o:nəx *a1* electronic

leictreonaic l'ek't'r'o:nak' *f2* electronics

leictrigh l'ek't'r'i: *vt* electrify

leictriú l'ek't'r'u: *m4* electrification

leid l'ed' *f2*, *pl* ~**eanna** hint; prompt; clue

léidearnach l'e:d'ərnəx *f2* beating, pelt-ing; driving rain

leideoir l'ed'o:r' *m3* prompter

leidhce l'aik'ə *m4* limp thing; delicate person; slap

leifteanant l'ef't'ənənt *m1* lieutenant

léig l'e:g' *f2* decay, neglect, *dul i* ~ to decline, decay; to die out

léigear l'e:gər *m1* beleaguerment, siege

léigh l'e:γ' *vt & i*, *vn* **léamh** read, *an tAifreann a léamh* to say Mass

leigheas l'ais *m1*, *pl* ~**anna** healing, medicine; cure, remedy *vt & i* heal; cure, remedy

léigiún l'e:g'u:n *m1* legion

léigiúnach l'e:g'u:nəx *m1 & a1* legionary

léim l'e:m' *f2*, *pl* ~**eanna** jump, leap; obstacle to be jumped *vt & i* jump, leap

leimhe l'ev'ə *f4* tastelessness, insipidity; inanity

léimneach l'e:m'n'əx *f2 & a1* jumping, leaping

léimneoir l'e:m'n'o:r' *m3* jumper

léimrás l'e:m',ra:s *m3* steeplechase

léine l'e:n'ə *f4*, *pl* -**nte** shirt

léinseach l'e:n's'əx *f2* smooth tract of water, flat stretch of ground

leipreachán l'ep'r'əxa:n *m1* leprechaun

léir l'e:r' *a1* clear; distinct; clever, *go* ~ wholly, entirely; all

léirigh[1] l'e:r'i: *vt & i* clarify, explain, illus-trate; arrange; produce (play, etc)

léirigh[2] l'e:r'i: *vt* beat (down), subdue

léiritheach l'e:r'ihəx *a1* illustrative; repre-sentational

léiritheoir l'e:r'iho:r' *m3* demonstrator, portrayer; producer (of plays, etc)

léiriú[1] l'e:r'u: *m4* clarification, illustra-tion; arrangement; portrayal; produc-tion (of plays, etc)

léiriú[2] l'e:r'u: *m4* beating, dressing-down; weakness

léirmheas 'l'e:r',v'as *m3* critical consider-ation; criticism, review

léirmheastóir 'l'e:r',v'asto:r' *m3* critic, re-viewer

léirmheastóireacht 'l'e:r',v'asto:r'əxt *f3* criticism

léirscrios 'l'e:r',s'k'r'is *m*, *gs* ~**ta** total destruction, devastation *vt* destroy ut-terly, devastate

léirsitheoir l'e:rs'iho:r' *m3* (political) demonstrator

léirsiú l'e:rs'u: *m4* (political) demonstra-tion

léirsteanach l'e:rs't'ənəx *a1* perceptive; mistrusting; meticulous

leis[1] l'es' *f2*, *pl* **leasracha** thigh

leis[2] l'es' *adv* also

leis[3] l'es' *adv* uncovered, exposed

leis[4] l'es' : **le**

leisce l'es'k'ə *f4* laziness; reluctance; em-barrassment, ~ *na bréige* for fear of telling a lie

leisceoir l'es'k'o:r' *m3* lazy person, idler

leisciúil l'es'k'u:l' *a2* lazy; reluctant; shy

leisciúlacht l'es'k'u:ləxt *f3* laziness; re-luctance

leispiach l'es'p'iəx *m1 & a1, gsm* ~ **lesbian**

leite l'et'ə *f, gs* ~**an** porridge

leith l'eh *f2* flat-fish; flounder

léith l'e: : **liath**

leithcheal 'l'e,x'al *m3* passing over, exclusion; invidious distinction

léithe l'e:hə *f4* greyness; mouldiness

leithead l'ehəd *m1* breadth; width; latitude; overweening pride, conceit, ~ *tíre* expanse of country

leitheadach l'ehədəx *a1* broad, wide; widespread, prevalent; conceited

leitheadaigh l'ehədi. *vt* spread

leitheadúlacht l'ehədu:ləxt *f3* prevalence

leithéid l'ehe:d' *f2* like, counterpart, equal, *a* ~ *seo d'áit* such-and-such a place, *a* ~ *seo* take this for example, *daoine dá leithéidí* people of that kind

léitheoir l'e:ho:r' *m3* reader

léithcoireacht l'e:ho:r'əxt *f3* reading

leithinis 'l'eh,in'əs' *f2, gs* -**nse** *pl* -**nsí** peninsula

leithleach l'ehl'əx *a1* apart; distinct; stand-offish; selfish

leithleachas l'ehl'əxəs *m1* peculiarity, distinctiveness; stand-offishness; selfishness

leithligh l'ehl'i: *s, ar* ~ apart, by oneself, in particular

leithlis l'ehl'əs' *f2* isolation

leithlisigh l'ehl'əs'i: *vt* isolate

leithreas l'ehr'əs *m1* privy, lavatory, toilet

leithreasaigh l'ehr'əsi: *vt* appropriate

leithscéal 'l'e,s'k'e:l *m1, pl* -**ta** excuse; apology

leithscéalach l'e,s'k'e:ləx *a1* fond of excuses, apologetic

leitís¹ l'et'iəs *f2* lettuce

leitís² l'et'i:s' *f2*, ~ *mharfach* paralysis

leo¹ l'o: *m4*, ~ *ola* oil slick

leo² l'o: : **le**

leochaileach l'o:xəl'əx *a1* frail, fragile, tender

leoga l'o:gə *int* indeed

leoicéime ,l'o:'k'e:m'ə *f4* leukaemia

leoiste l'o:s'tə *m4* idler; drone

leoithne l'o:hn'ə *f4* light breeze

leomh l'o:v *vt & i* dare, presume; allow

leon¹ l'o:n *m1* lion, *an Leon* Leo

leon² l'o:n *vt* sprain; wound

leonadh l'o:nə *m, gs* -**nta** *pl* -**ntaí** sprain; wound

leonta l'o:ntə *a3* leonine

leor l'o:r *a1, is* ~ *sin* that is enough, *is* ~ *a rá (go)* suffice it to say (that), *go* ~ enough, plenty, *mór go* ~ big enough, *ceart go* ~ right enough; all right

leoraí l'ori: *m4* lorry

leorghníomh 'l'o:r,γ'n'i:v *m1* reparation, restitution

lí l'i: *f4, gs* ~**ocha** colour, complexion; lustre; pigment

lia¹ l'iə *m4, npl* ~**ga**, *gpl* -**g** stone

lia² l'iə *m4, pl* ~**nna** physician

lia³ l'iə *comp a* more, more numerous, *ní* ~ *tír ná nós* so many men, so many minds

liach¹ l'iəx *f2, gs* **léiche** ladle

liach² l'iəx *m1, gs* -**aich**, *npl* ~**a** sorrow; calamity; cry of lamentation

liacharnach l'iəxərnəx *f2* screeching, crying

liacht¹ l'iəxt *f3* medicine

liacht² l'iəxt *s, a* ~ so many, *dá* ~ however many

liag l'iəg *f2* stone, ~ *dhrandail* gumboil

liagóir l'iəgo:r' *m3* coxwain

liamhán l'iəva:n *m1*, ~ (*mór*), ~ *gréine* basking-shark

liamhás 'l'iə,va:s *m1, npl* ~**a** (*meat*) ham

lián l'i:a:n *m1* trowel; (blade of) propellor

liath l'iə *m1, gs* **léith** *npl* ~**a** grey (colour) *a1, gsm* **léith** *gsf & comp* **léithe** grey *vt & i* turn or make grey

liathadh l'iəhə *m, gs* **liata** greyness, ~ *an tae* colouring of milk

liathán l'iəha:n *m1* spleen

liathróid l'iəhro:d' *f2* ball, ~ *láimhe* handball

libh l'iv' : **le**

libhré l'iv'r'e: *m4, pl* ~**ithe** livery

libín l'i:b'i:n' *m4* dripping wet object

licéar l'ik'e:r *m1* liqueur

lictéar l'ik't'e:r *m1*, (*ship*) lighter

lig l'ig' *vt & i* let, allow; release; hire; cast, *do scíth a* ~*ean* to take a rest, ~*ean ort go* to pretend that, ~*ean as obair* to desist from work, *d'aithne a* ~*ean chuig, le, duine* to reveal one's identity to a person, *chugamsa a* ~ *sé an focal sin* he meant that remark for me, *ualach a* ~ *ean díot* to lay down a load,

~**ean den ól** to stop drinking, ~ **dó** leave him alone, **do ghlúin a ~ean fút** to go down on one's knee, ~ **fút** settle down, control yourself, ~ **le** let out, lengthen, **ná ~ leis é** don't let him get away with it, **tá an corcán ag ~ean uaidh**, **tríd** the pot is leaking, **scread a ~ean** to utter a scream, **rud a ~ean uait** to relinquish sth

ligean l'ig'ən *m*1 letting, releasing, casting; play, scope; extension, **ar ~ean** free in movement, running freely

ligh l'iɣ' *vt & i* lick; fawn on

ligthe l'ik'ə *a*3 loose-limbed, lithe, ~ **ar, le** given, addicted, to

lile l'il'ə *f*4 lily

limfe l'im'f'ə *f*4 lymph

limistéar l'im'əs't'e:r *m*1 area, territory; sphere of action

lincse l'iŋ'k's'ə *f*4 lynx

líne l'i:n'ə *f*4, *pl* -**nte** line; lineage; generation, ~ **uibheacha** clutch of eggs

líneach l'i:n'əx *a*1 marked with lines; linear

líneádach 'l'i:n',e:dəx *m*1, *pl* -**aí** linen

líneáil l'i:n'a:l' *f*3 lining *vt* line

líneár l'i:n'e:r *m*1, (*ship*) liner

ling l'iŋ' *vt & i* leap; jump at, attack

lingeach l'iŋ'g'əx *a*1 springy

lingeán l'iŋ'g'a:n *m*1 (mechanical) spring

línigh l'i:n'i' *vt & i* line, rule; draw

líníocht l'i:n'i:(ə)xt *f*3 (line-)drawing

líneitheoir l'i:n'iho:r' *m*3 drawer, draughtsman

linn[1] l'iN' *f*2, *pl* -**te** pool, pond; lake, sea

linn[2] l'iN' *f*2 space of time, period, **cúrsaí na ~e** current affairs, **idir an dá ~** meantime

linn[3] l'iN' : **le**

lintéar l'in't'e:r *m*1 drain, sink; culvert

lintile l'in't'əl'ə *f*4 lentil

liobair l'ibər' *vt*, *pres* -**braíonn** tear, tatter; scold

liobar l'ibər *m*1 loose, hanging, thing; limp object; hanging lip

liobarnach l'ibərnəx *a*1 hanging loose; tattered, flabby, slovenly; clumsy

liobrálach l'ibra:ləx *a*1 liberal

liobrálachas l'ibra:ləxəs *m*1 liberalism

liobrálaí l'ibra:li: *m*4 liberal

liocáir l'ika:r' *f*2 liquor

liocras l'ikrəs *m*1 liquorice

liodán l'ida:n *m*1 litany

liofa l'i:fə *a*3 ground, sharpened; fluent; eager; speedy

liofacht l'i:fəxt *f*3 sharpness; fluency; keenness, alacrity

líóg l'i:o:g *f*2 cowlick

liom l'om : **le**

líomanáid l'i:məna:d' *f*2 lemonade

liomatáiste l'i:mətɑ:s't'ə *m*4 limit, extent; district; tract of land

liombó l'imbo: *m*4 limbo

líomh l'i:v *vt* grind, sharpen; file, polish; erode

líomhain l'i:vən' *f*3, *gs* -**mhna** *pl* ~**tí** allegation; revilement *vt*, *pres* -**mhnaíonn** allege; revile

líomhán l'i:va:n *m*1 file

líomóg l'i:mo:g *f*2 pinch, nip

líomóid l'i:mo:d' *f*2 lemon

líon[1] l'i:n *m*1 flax; linen

líon[2] l'i:n *m*1, *pl* ~**ta** net; web

líon[3] l'i:n *m*1, *pl* ~**ta** full number, complement; fill, measure, ~ **tí** household, family, **an ~ daoine atá san áit** the population of the place *vt & i* fill; (*of tide*) flood

líonmhaireacht l'i:nvər'əxt *f*3 numerousness, abundance

líonmhar l'i:nvər *a*1 numerous, abundant; full, complete

lionn l'iN *m*, *gs* **leanna** *pl* ~**ta** humour (of the body), ~ **dubh** melancholy

líonóil l'i:no:l' *f*2 linoleum

líonolann 'l'i:n,olən *f*, *gs* -**olla** lint

líonra l'i:nrə *m*4 network, web

líonrith 'l'i:N,rih *m*4 palpitation; excitement; panic

lionsa l'iNsə *m*4 lens

liontán l'i:nta:n *m*1 small net, netting

liopa l'ipə *m*4 lip; lap; tag; flap

liopard l'ipərd *m*1 leopard

liopasta l'ipəstə *a*3 untidy; clumsy

lios l'is *m*3, *gs* **leasa** *pl* ~**anna** ring-fort; ring, halo

liosta[1] l'istə *m*4 list

liosta[2] l'istə *a*3 tedious; irksome; persistent

liostacht l'istəxt *f*3 tediousness; tiresomeness; persistence

liostaigh l'isti' *vt* list, enumerate

liostáil l'ista:l' *f*3 enlistment *vt & i* enlist

liothrach l'ihrəx *m*1 mush

liotúirge l'itu:r'g'ə *m*4 liturgy

liotúirgeach l'itu:r'g'əx *a*1 liturgical

lipéad l'ip'e:d *m*1 label

líreac l'i:r'ək *m*1 licking

líreacán l'i:r'əka:n *m*1 lollipop

liric l'ir'ək' *f*2 lyric

liriceach l'ir'ək'əx *a*1 lyric(al)

liteagraf 'l'it'ə,graf *m*1 & *vt* lithograph

liteagrafaíocht 'l'it'ə,grafi:(ə)xt *f*3 lithography

litear l'i:t'ər *m*1 litre

liteartha l'it'ərhə *a*3 literary; literal; literate

litir l'it'ər' *f*, *gs* -**treach** *pl* -**treacha** letter

litreoireacht l'it'r'o:r'əxt *f*3 lettering

litrigh l'it'r'i: *vt* spell

litríocht l'it'r'i:(ə)xt *f*3 literature

litriú l'it'r'u: *m*4 spelling, orthography

liú l'u: *m*4, *pl* ~**nna** yell, shout

liúdramán l'u:drəma:n *m*1 loafer

liúigh l'u:y' *vi* yell, shout

liúir l'u:r' *f*, *gs* -**úrach** *pl* -**úracha** lugger

liúireach l'u:r'əx *f*2 yelling, shouting

liúit l'u:t' *f*2, *pl* ~**eanna** lute

liúntas l'u:ntəs *m*1 allowance

liúr l'u:r *m*1, *pl* ~**acha** pole; blow (of stick) *vt* beat, trounce

liúradh l'u:rə *m*, *gs* -**rtha** beating, trouncing

liús l'u:s *m*1, (*fish*) pike

Liútarach l'u:tərəx *m*1 & *a*1 Lutheran

lobh lov *vt* & *i* rot, decay

lobhadh lauə *m*1 rot, decay

lobhar lauər *m*1 leper

lobhra laurə *f*4 leprosy

loc¹ lok *m*1 lock (of canal, etc)

loc² lok *vt* pen, enclose; park

loca¹ lokə *m*4 pen, fold; parking-place

loca² lokə lock (of hair, etc); tuft, handful

locair lokər' *vt*, *pres* -**craíonn** plane; smooth, polish

lócaiste lo:kəs't'ə *m*4 locust

locar lokər *m*1, (*tool*) plane

loc-chomhla 'lok,xo:lə *f*4 sluice-gate

loch lox *m*3, *pl* ~**anna** lake; pool; lough, *bheith faoi* ~ to be submerged

lochán loxa:n *m*1 small lake, pond

lóchán lo:xa:n *m*1 chaff

lóchrann lo:xrən *m*1 lantern; lamp, torch

locht loxt *m*3, *pl* ~**anna** fault

lochta loxtə *m*4 loft; gallery

lochtach loxtəx *a*1 faulty; erroneous; blameworthy, *airgead* ~ spurious money

lochtaigh loxti: *vt* fault, blame

lochtaitheach loxtihəx *a*1 fault-finding; censuring

lód¹ lo:d *m*1 load

lód² lo:d *m*1 lode

lódáil lo:da:l' *vt* & *i* load

lodar lodər *m*1 miry spot, slough

lodartha lodərhə *a*3 muddy, slushy; flabby; abject; vulgar

lofa lofə *a*3 rotten, decayed

lofacht lofaxt *f*3 rottenness, decay

log log *m*1 hollow, ~ *staighre* (well of) staircase, ~ *tine* fire-box, ~ *amharclainne* pit of theatre

logainm 'log,an'əm' *m*4, *pl* ~**neacha** place-name

logall logəl *m*1 socket (of eye, etc)

logán loga:n *m*1 hollow; pit; lowlying place

logánta loga:ntə *a*3 local

logh lau *vt* remit, forgive

logha lau *m*4, *pl* ~**nna** indulgence; allowance, concession

lógóireacht lo:go:r'əxt *f*3 wailing, lamentation

loic lok' *vt* & *i* flinch, fail; shirk

loiceach lok'əx *m*1 shirker; defaulter

loicéad lok'e:d *m*1 locket

loiceadh lok'ə *m*, *gs* -**cthe** failure, refusal; default

loighciúil laik'u:l' *a*2 logical

loighic laik' *f*2, *gs* -**ghce** logic

loilíoch lol'i:(ə)x *f*2, *gs* **loilí** cow after calving, milch cow

loime lom'ə *f*4 bareness; poverty

loine lon'ə *f*4 churn-dash; plunger, piston

loingeán lon'g'a:n *m*1 cartilage, gristle

loingeas lon'g'əs *m*1 ships, shipping; fleet

loingseoir lon's'o:r' *m*3 seaman, navigator

loingseoireacht lon's'o:r'əxt *f*3 seamanship, (skill in) navigation; seafaring, *bealach* ~ *a* ocean lane

loinneog lon'o:g *f*2 refrain

loinnir lon'ər' *f*, *gs* -**nnreach** light, brightness; radiance

loirgneán lor'əg'n'a:n *m*1 gaiter; shinguard

lóis lo:s' *f*2, *pl* ~**eanna** lotion

loisc los'k' *vt*, *vn* **loscadh** burn, scorch, sting

loisceoir los'k'o:r' *m*3 incinerator

loiscneach los'k'n'əx *m*1 firewood; caustic *a*l burning, scorching, stinging; caustic

lóiste lo:s't'ə *m*4 lodge

lóisteáil lo:s't'a:l' *f*3 lodgement *vt* & *i* lodge (money, etc)

lóistéir lo:s't'e:r' *m*3 lodger, boarder

lóistín lo:s't'i:n' *m*4 lodging, accommodation, *teach* ~ boarding-house

loit lot' *vt*, *vn* lot hurt; injure, damage

loiteach lot'əx *a*l injurious, damaging

loitiméir lot'əm'e:r' *m*3 destroyer; botcher

loitiméireacht lot'əm'e:r'əxt *f*3 destructiveness, destruction

lom lom *m*1 bareness; openness; nakedness, poverty, ~ *na fírinne* the naked truth, *an* ~ *a fháil ar dhuine* to take a person at a disadvantage *al* bare, thin, *teanga* ~ sharp tongue, *eiteach* ~ flat refusal, ~ *ar, chun* close to, against, ~ *díreach* straight, direct; right away, *bheith* ~ *dáiríre* to be in dead earnest *vt* & *i* lay bare; strip; become bare, *caora a* ~ *adh* to shear a sheep, *seol a* ~ *adh* to haul in a sail

lóma lo:mə *m*4, (*bird*) loon, diver

lomadh lomə *m*, *gs* **-mtha** baring, shearing, stripping; impoverishment

lomair lomar' *vt*, *pres* **-mraíonn** shear; denude, despoil

lomaire lomar'ə *m*4 shearer; fleecer, ~ *faiche* lawn-mower

lomán loma:n *m*1 log

lomchlár 'lom,xla:r *s*, ~ *na fírinne* the plain truth

lomlán 'lom,la:n *m*1 fullness, full capacity *al* filled to capacity

lomnocht 'lom,noxt *al*, *gsm* ~ stark naked

lomnochtacht 'lom,noxtəxt *f*3 nakedness

lomra lomrə *m*4 fleece

lomrach lomrəx *al* fleecy, woolly

lon lon *m*1, *pl* ~ **ta**, ~ (*dubh*) blackbird

lón lo:n *m*1, *pl* ~ **ta** provision, supply; food; repast, lunch, ~ *cogaidh* ammunition, munitions

lónadóir lo:nədo:r' *m*3 caterer, provisioner

lónadóireacht lo:nədo:r'əxt *f*3 catering, provisionment

long loŋ *f*2 ship

longadán loŋgəda:n *m*1 swaying, rocking

longbhriseadh 'loŋ,v'r'is'ə *m*, *gs* **-ste** *pl* **-steacha** shipwreck

longfort 'loŋ,fort ~ loŋfərt *m*1 camp; stronghold

longlann loŋlən *f*2 dockyard

lonnach lonəx *m*1 ripple

lonnaigh loni: *vt* & *i* stop, stay; settle; frequent

lonnaitheoir loniho:r' *m*3 squatter

lonnú lonu: *m*4 sojourn, stay; settlement

lonrach lonrəx *al* bright, shining; resplendent

lonradh lonrə *m*1 brightness, resplendence

lonraigh lonri: *vt* & *i* shine; illumine

lónroinn 'lo:n,ron' *f*2, *npl* **-ranna** *gpl* **-rann** commissariat

lorg lorəg *m*1 mark, print; trace; course, *ar* ~ in the track of; in pursuit of; following after *vt* & *i* track, trace; seek, search for

lorga lorəgə *f*4 staff, cudgel; shin; shaft, stem

lorgaire lorəgər'ə *m*4 tracker; detective

lorgaireacht lorəgər'əxt *f*3 tracking; detection

losaid losəd' *f*2 kneading-trough

losainn losən' *f*2 lozenge

loscadh loskə *m*, *gs* **loiscthe** burning, scorching, stinging

loscann loskən *m*1 frog; tadpole

lot lot *m*1 hurt, wound; injury, damage

lotnaid lotnəd' *f*2 pest

lú lu: : **beag**

lua luə *m*4 mention, reference

luach luəx *m*3, *pl* ~ **anna** value; price; reward

luacháil luəxa:l' *f*3 valuation; evaluation *vt* value; evaluate

luachair luəxər' *f*3, *gs* **-chra** rushes; rushy place

luachálaí luəxa:li: *m*4 valuer

luachmhar luəxvər *al* valuable, costly; precious

luadar luədər *m*1 movement, activity; vigour

luaidhe luəy'ə *f*4 lead

luaidhiúil luəy'u:l' *a*2 lead-like, leaden

luaidreán luəd'r'a:n *m*1 report, rumour

luaigh luəγ' *vt & i* mention, *lua le* to name in connection with; to assign to, *tá siad luaite (i gcleamhnas) le chéile* their engagement has been announced

luail luəl' *f2* moving; motion, activity

luain luən' *f2* movement; vigorous exertion

luaineach luən'əx *a1* nimble; restless; vacillating

luaineacht luən'əxt *f3* mobility; restlessness; vacillation; fluctuation

luainigh luən'i: *vi* move nimbly; move unsteadily; vary, change

luaíocht luəi:(ə)xt *f3* merit

luaiteachas luət'əxəs *m1* mention, report

luaith luə *f3* ashes

luaithe luəhə *f4* quickness; earliness

luaithreach luəhr'əx *m1* ashes; dust

luaithreadán luəhr'əda:n *m1* ash-tray

luaithriúil luəhr'u:l' *a2* ashy; ashen

luamh luəv *m1* yacht

luamhaire luəvər'ə *m4* yachtsman

luamhán luəva:n *m1* lever

Luan luən *m1*, *pl* ~**ta** Monday, *lá an Luain* the day of judgment

luas luəs *m1*, *pl* ~**anna** speed, velocity; earliness

luasaire luəsər'ə *m4* accelerator

luasc luəsk *vt & i* swing, sway, oscillate

luascach luəskəx *a1* swinging, oscillating

luascadán luəskəda:n *m1* pendulum

luascadh luəskə *m*, *gs* **-ctha** *pl* **-chaí** oscillation, swing, *ar* ~ swaying, rocking

luascán luəska:n *m1* (child's) swing

luasghéaraigh 'luəs,γ'e:ri: *vt & i* accelerate

luasghéarú 'luəs,γ'e:ru: *m4* acceleration

luasmhéadar 'luəs,v'e:dər *m1* speedometer

luath luə *a1* quick, speedy; early, *intinn* ~ fickle mind, *go* ~ soon

luathaigh luəhi: *vt & i* quicken, hasten, accelerate

luathintinn 'luəh,in't'ən' *f2* fickle mind, fickleness

luathintinneach 'luəh,in't'ən'əx *a1* fickle, hasty

luathscríbhneoireacht 'luə,s'k'r'i:v'n'o:r'əxt *f3* speed-writing

lúb lu:b *f2* loop, link; coil; twist, bend; recess, nook; (mesh in) net; stitch, *i* ~ *chruinnithe* in a gathering, ~ *ar lár*

dropped stitch, *tá* ~ *ina chroí* he is deceitful at heart *vt & i* loop; net; bend

lúbach lu:bəx *a1* looped; twisting; pliable; crafty

lúbaire lu:bər'ə *m4* crafty person, twister

lúbaireacht lu:bər'əxt *f3* practising deceit; craftiness

lúbán lu:ba:n *m1* loop; coil, ball; hasp

lúbánach lu:ba:nəx *a1* looped, coiled

lúbarnaíl lu:bərni:l' *f3* writhing, wriggling

lubhóg luvo:g *f2* flake

lubhógach luvo:gəx *a1* flaky

lúbóg lu:bo:g *f2* (small) loop; buttonhole

lúbra lu:brə *m4* maze

luch lux ~ **lox** *f2* mouse, ~ *chodlamáin* dormouse

lúcháir lu:xa:r' *f2* joy, exultation

lúcháireach lu:xa:r'əx *a1* joyous, jubilant

lucharachán luxərəxa:n *m1* leprechaun, pigmy, elf

luchóg luxo:g ~ **loxo:g** *f2* mouse

lucht loxt *m3*, *pl* ~**anna** content; capacity; cargo; (class of) people, ~ *léinn* learned persons, *an* ~ *éisteachta* the audience

luchtaigh loxti: *vt* charge, full; load

luchtmhar loxtvər *a1* (well-) laden; capacious; emotional

luchtóir loxto:r' *m3* loader

lúdrach lu:drəx *f2* hinge, pivot

lúfaireacht lu:fər'əxt *f3* agility, suppleness

lúfar lu:fər *a1* agile, athletic

lugach lugəx *m1* lug-worm

luí li: *m4* lying (down); state of rest; inclination, tendency; pressure, *bhí* ~ *bliana air* he was laid up for a year, ~ *gréine* sunset, ~ *na tíre* the lie of the land, *rud a chur ina* ~ *ar dhuine* to impress sth on a person

luibh liv' *f2*, *pl* ~**eanna** herb, plant

luibheach liv'əx *a1* herbaceous

luibheolaí 'liv',o:li: *m4* herbalist, botanist

luibheolaíocht 'liv',o:li:(ə)xt *f3* botany

luibhiteach 'liv',it'əx *a1* herbivorous

luibhre liv'r'ə *m4* herbage

lúibín lu:b'i:n' *m4* small loop; buttonhole; ringlet; bracket; ditty, ~ *coille* arbour, ~ *cufa* cuff-link

luid lid' *f2*, *pl* ~**eanna** scrap, shred; rag

lúide lu:dˊə *comp of* **beag** *with* **-de²** less, minus, *ní ~ sin mo chion air* I love him none the less for that

lúidín lu:dˊinˊ *m4* little finger; little toe

luifearnach lifˊərnəx *f2* weeds; refuse *a1* weedy

luigh liyˊ *vi* lie; settle; lean, incline, *dul a luí* to go to bed, *luí roimh dhuine* to lie in wait, in ambush, for a person, *~ an ghrian* the sun set, *luí amach, isteach, ar rud* to set about sth in earnest, *~ an oíche orainn* night fell on us, *níor ~ m'intinn air* I did not dwell on it, *tá sé ag luí le réasún* it stands to reason

luíochán li:(ə)xa:n *m1* lying down, lying abed; ambush

lúipín lu:pˊinˊ *m4* lupin

lúireach lu:rˊəx *f2* breastplate; prayer for protection

luiseag lisˊəg *f2* tang, fang, *~ dúain* shank of fishing-hook

luisne lisˊnˊə *f4* blush, glow

luisnigh lisˊnˊiˊ *vi* blush, glow

luisniúil lisˊnˊuːlˊ *a2* blushing, glowing; ruddy

luiteach litˊəx *a1* well-fitting, *~ le* attached, addicted, to

lúitéis lu:tˊe:sˊ *f2* fawning, obsequiousness

lúitéiseach lu:tˊe:sˊəx *a1* fawning, obsequious

lúitheach lu:həx *f2* ligament, tendon *pl* sinews *a1* sinewy, muscular

lúithnire lu:hnˊərˊə *m4* athlete

lúithnireacht lu:hnˊərˊəxt *f3* athleticism

lumbágó ˌlumˊbaːgo: *m4* lumbago

Lúnasa lu:nəsə *m4* August

lus lus *m3, pl ~anna* plant, herb, *~ an chromchinn* daffodil

lusach lusəx *a1* herbaceous

lusca luskə *m4* crypt, vault

lusra lusrə *m4* herbs; herbage

lústaire lu:stərˊə *m4* fawner, flatterer

lústar lu:stər *m1* fawning, flattery; agitated movement

lútáil lu:taːlˊ *f3* obsequiousness, toadyism *vi* fawn

lútálaí lu:ta:li: *m4* obsequious person, toady

lúth lu: *m1* (power of) movement, agility; vigour; sinew, tendon

lúthaíocht lu:hi:(ə)xt *f3* exercising, exercise

lúthchleas ˊlu:ˌxˊlˊas *m1, npl ~a* athletic exercise *pl* athletics

lúthchleasaí ˊlu:ˌxˊlˊasi: *m4* athlete

lúthchleasaíocht ˊlu:ˌxˊlˊasi:(ə)xt *f3* athletics, sport

M

má¹ ma: *f4, pl ~nna* plain

má² ma: *conj, combines with* **is** *to form* **más** if, *más olc maith leat é* whether you like it or not, *más ea* if so, even so, *más é sin é* even so, *is beag má tá cuidiú ar bith aige* he has little or no help, *tá, agus ~ tá* yes, and even so

mabóg mabo:g *f2* tassel

mac mak *m1, gs & npl* **mic** son; descendant; boy, *~ léinn* student, *~ tíre* wolf, *ní raibh ~ an aoin ann* there wasn't a soul there, *M~ Mathúna* (Mr) McMahon, *M~ Uí Mhathúna* Mr O'Mahony

macadam məˊkadəm *m1* macadam

macalla ˌmakˊalə *m4* echo

macánta maka:ntə *a3* gentle; honest

macántacht maka:ntəxt *f3* gentleness; honesty

macaomh maki:v *m1* young person; boy

macarón makəro:n *m1* macaroni

macasamhail ˊmakəˌsaul' *f3, gs & pl* **-mhla** like, equal, counterpart; reproduction, copy

macha maxə *m4* cattle-field, -yard

máchail ma:xəlˊ *f2* blemish, defect

máchaileach ma:xəlˊəx *a1* blemished, defective

machaire maxərˊə *m4* plain, *~ gailf* golf-course

machnaigh maxniˊ *vt & i* think, reflect, contemplate

machnamh maxnəv *m1* reflection, contemplation

machnamhach maxnəvəx a1 thoughtful, reflective, contemplative

macnas maknəs m1 dalliance; wantonness; frolicking

macnasach maknəsəx a1 wanton; sportive; self-indulgent

macra makrə m4 boys; band of youths

macúil maku:l' a2 filial

madhmadh maimə m, gs -mtha pl -mthaí eruption; rout; detonation

madra madrə m4 dog, ~ rua fox, ~ uisce otter, ~ éisc dog-fish

madrúil madru:l' a2 doglike; coarse, unmannerly

magadh magə m1 mocking; mockery; joking, ag ~ faoi, ar, dhuine mocking, making fun of, a person

magairle magarl'ə m4 testicle

magairlín magarl'i:n' m4 orchid

máguaird ˌma:'guərd' adv around, about, an tír ~ the surrounding country

magúil magu:l' a2 mocking, jeering, jesting

mahagaine məˈhagən'ə m4 mahogany

Mahamadach mahəmədəx m1 & a1 Mohammedan

Mahamadachas mahəmədəxəs m1 Mohammedanism

maicín mak'i:n' m4 pet; spoilt child

maicis mak'əs' f2, (spice) mace

maicne mak'n'ə f4 sons, progeny; stock, people

maicréal mak'r'e:l m1 mackerel

maide madʲə m4 stick, bar, beam; log, ~ corrach see-saw, ~ croise crutch, ~ luascáin trapeze, ~ rámha oar, ~ stiúrach tiller, ~ gréine shaft of sunlight, do mhaidí a ligean le sruth to let things drift

maidhm maim' f2, pl ~eanna burst, eruption; rout; explosion, ~ thalún landslide, ~ thoinne breaker, ~ shléibhe avalanche, ~ sheicne hernia vt & i burst, erupt; rout; detonate

maidhmitheoir maim'iho:r' m3 detonator

maidin madʲən' f2, pl ~eacha morning

maidir madʲər' ~ le as for, as regards; like, as well as

maidneachan ma(dʲ)n'əxən m1 dawn(-ing)

maidrín madʲr'i:n' m4, ~ lathaí guttersnipe; bedraggled person; menial

maig mag' f2, pl ~eanna cock, slant, tilt

maigh mi:y' vt & i, vn -íomh state, claim; boast; begrudge, envy

maighdean maidʲən f2 maiden, virgin, ~ mhara mermaid, an Mhaighdean Virgo

maighdeanas maidʲənəs m1 virginity

maighdeog maidʲo:g f2 pivot

maighnéad main'e:d m1 magnet

maighnéadach main'e:dəx a1 magnetic

maighnéadaigh main'e:di: vt magnetize

maighnéadas main'e:dəs m1 magnetism

maighréan mair'a:n m1 grilse

maignéis mag'n'e:s' f2 magnesia

maignéisiam mag'n'e:s'iəm m4 magnesium

máilín ma:l'i:n' m4 small bag, ~ domlais gall-bladder, ~ maise vanity bag

mailís mal'i:s' f2 malice; malignancy

mailíseach mal'i:s'əx a1 malicious; malignant

maille mal'ə prep (with le) with, along with

máille ma:l'ə f4, (armour) mail

máilléad ma:l'e:d m1 mallet; pounder

mailp mal'p' f2, pl ~eanna maple

maindilín man'd'əl'i:n' m4 mandolin

mainéar man'e:r m1 manor; manorhouse

maingléis man'l'e:s' f2 frivolity; ostentation

mainicín man'ək'i:n' m4 mannequin, model

mainicíneacht man'ək'i:n'əxt f3 modelling (clothes)

mainistir man'əs't'ər' f, gs -treach pl -treacha monastery, abbey

máinlia ˈma:n'l'iə m4, pl ~nna surgeon

máinliacht 'ma:n'l'iəxt f3 surgery

mainneachtain man'əxtən' f3 negligence; default

máinneáil ma:n'a:l' f3 swaying motion, rolling gait; dawdling, ag ~ thart loitering about

mainséar man's'e:r m1 manger, crib

maintín man't'i:n' f2 dressmaker

maintíneacht man't'i:n'əxt f3 dressmaking

maíomh mi:v m1 statement, assertion; boast; envy, cúis mhaithe something to be proud of

mair mar´ *vt & i* live, last; survive, *go ~e tú* long life to you; congratulations, *go ~e tú an lá* many happy returns of the day

mairbhiteach mar´əv'ət´əx *a*1 languid, torpid, numb

mairbhití mar´əv'ət´i: *f*4 languour, torpor, numbness

mairbhleach mar´əv´l´əx *a*1 numb

maireachtáil mar´əxta:l´ *m*3 living, livelihood, subsistence

máireoigín ma:r´o:g´i:n´ *m*4 marionette

mairfeacht mar´əf´əxt *f*3 miscarriage, abortion

mairg mar´əg´ *f*2 woe, sorrow, *mo mhairg* alas, *is ~* it is a pity, alas (that)

mairgneach mar´əg´n´əx *f*2 lamenting, lamentation, wailing

mairnéalach ma:rn´e:ləx *m*1 seaman, sailor

mairnéalacht ma:rn´e:ləxt *f*3 seamanship

máirseáil ma:rs´a:l´ *f*3 *& vt & i* march; parade

máirseálaí ma:rs´a:li: *m*4 marcher

Máirt ma:rt´ *f*4 Tuesday

hairteoil 'mart´o:l´ *f*3 beef

mairtíneach mart´i:n´əx *m*1 cripple

mairtíreach mart´i:r´əx *m*1 martyr

mairtíreacht mart´i:r´əxt *f*3 martyrdom

maise mas´ə *f*4 adornment, beauty, comeliness, *faoi mhaise* adorned; flourishing, *ba mhaith an mhaise dó é* he was equal to the occasion

maisigh mas´i: *vt* adorn, beautify, *bia a mhaisiú* to garnish food

maisiúchán mas´u:xa:n *m*1 adornment, decoration; toilet

maisiúil mas´u:l´ *a*2 decorative, beautiful; elegant

maisiúlacht mas´u:ləxt *f*3 decorativeness, beauty; comeliness

máisiún ma:s´u:n *m*1 freemason

maistín mas´t´i:n´ *m*4 mastiff; cur

máistir ma:s´t´ər´ *m*4, *pl* -**trí** master; teacher; skilled person

maistíteas mas´t´i:t´əs *m*1 mastitis

máistreacht ma:s´t´r´əxt *f*3 mastery

maistreadh mas´t´r´ə *m*1, *pl* -**trí** churning

maistreán mas´t´r´a:n *m*1, (*feed*) mash

máistreás ma:s´t´r´a:s *f*3 mistress; wife

maistrigh mas´t´r´i: *vt & i* churn

máistriúil ma:s´t´r´u:l´ *a*2 masterful, imperious; masterly

máite ma:t´ə : **mámh**

maiteach mat´əx *a*1 forgiving; forgiven

maíteach mi:t´əx *a*1 boastful; begrudging

maiteachas mat´əxəs *m*1 forgiveness

maith¹ mah *f*2, *gs & pl ~e* good, *tá sé ó mhaith* it is no longer any use, *go raibh ~ agat* thank you, *~ na tíre* the gentry of the country *a*1, *comp* **fearr** good, *tá go ~* that is satisfactory, so be it, *bheith go ~* to be well, *fliuch go ~* rather wet, *amach go ~ san oíche* well into the night, *is ~ liom go bhfuil sé déanta* I am glad it is done, *ba mhaith leis labhairt leat* he would like to speak to you, *is fearr liom* I prefer, *~ go leor* good enough; all right; tipsy, *is fearrde thú é* you are better for it

maith² mah *vt*, *vn ~eamh* forgive, pardon

maithe mahə *f*4 goodness, good, *ar mhaithe le* for the good of, for the sake of

maitheamh mahəv *m*1 forgiveness; abatement, remission

maitheas mahəs *f*3 goodness, good, *lá ~a* a working day; day's work, day's good

maithiúnas mahu:nəs *m*1 forgiveness, pardon

máithreacha ma:hr´əxə : **máthair**

máithreachas ma:hr´əxəs *m*1 maternity; motherhood

máithreánach ma:hr´a:nəx *m*1 *& a*1 matriculation

máithriúil ma:hr´u:l´ *a*2 motherly; kind

mál ma:l *m*1 excise

mala malə *f*4 brow; eyebrow; slope, incline

mála ma:lə *m*4 bag, *~ láimhe* handbag, *~ droma* rucksack, *~ lóin* haversack

maláire ,ma´la:r´ə *f*4 malaria

malairt malərt´ *f*2 change, alternative; exchange, barter, *is é a mhalairt a dúirt sé* he said quite the opposite, *níl fios a mhalairte acu* they don't know any better

malartach malərtəx *a*1 changing; changeable; exchangeable

malartaigh malərti: *vt* change; exchange, barter

malartán malərta:n *m*1 changeling; (stock, labour, etc) exchange

mall mal *a*1, *gsm ~ gsf & comp* **moille** slow; late

mallacht maləxt *f*3 curse

mallachtach maləxtəx *f*2 cursing *a*1 maledictory; accursed

mallaibh maləv' *spl, ar na* ~ of late, lately

mallaigh mali: *vt & i* curse

mallaithe malihə *a*3 accursed; vicious

mallard malərd *m*1 mallard

mallintinneach 'mal,in't'ən'əx *a*1 slow-witted, mentally retarded

mallmhuir 'mal,vir' *f*3, *gs & pl* -mhara neap-tide

malltriallach 'mal',t'r'iələx *m*1 slow-coach *a*1 slow, sluggish

malluaireach 'mal,uər'əx *m*1 late-comer

malrach malrəx *m*1 young lad, youngster

mam mam *f*2, *pl* ~anna mammy

mám¹ ma:m *m*3, *pl* ~anna mountain pass

mám² ma:m *f*3, *pl* ~anna handful

mamach maməx *m*1 mammal *a*1 mammary

mamaí mami: *f*4 mammy

mámh ma:v *m*1, *pl* máite trump

mamó ,ma'mo: *f*4, *pl* ~nna granny

mana mana *m*4 portent, sign; attitude; motto

manach manəx *m*1 monk

manachas manəxəs *m*1 monasticism

manachúil manəxu:l' *a*2 monastic

mandáil manda:l' *f*3 maundy, *Déardaoin Mandála* Maundy Thursday

mandairín mandər'i:n' *m*4 mandarin

mangach mangəx *m*1 pollock

mangaire mangər'ə *m*4 hawker, pedlar; huckster

manglam maŋlom *m*1 jumble, hotch-potch; cocktail

mánla ma:nlə *a*3 gentle, gracious, pleasant

mánlacht ma:nləxt *f*3 gentleness, mildness

mant mant *m*3, *pl* ~anna gap in teeth; bite, indentation; toothless gums

mantach mantəx *a*1 gap-toothed; toothless; gapped, indented

maoil mi:l' *f*2, *pl* ~eanna rounded summit, hillock; bare top; crown, *ag cur thar* ~ brimming over, full to overflowing, *de mhaoil do mhainge* on an impulse, on the spur of the moment

maoildearg 'mi:l',d'arəg *f*2 mulberry

maoile mi:l'ə *f*4 bareness, baldness; bluntness; obtuseness

maoileann mi:l'ən *m*1, *npl* ~a rounded summit, hillock; ridge, crest

maoin mi:n' *f*2, *gs & pl* ~e property, wealth

maoineach mi:n'əx *m*1 treasured possession *a*1 propertied, wealthy; precious, beloved

maoineas mi:n'əs *m*1 endowment

maoinigh mi:n'i: *vt* finance, endow

maoinlathas 'mi:n',lahəs *m*1 plutocracy

maoirseacht mi:rs'əxt *f*3 stewardship; supervising; superintendence

maoirseoir mi:rs'o:r' *m*3 supervisor, superintendent

maoithneach mi:hn'əx *a*1 emotional, sentimental; melancholy

maoithneachas mi:hn'əxəs *m*1 sentiment, sentimentality; melancholy

maol mi:l *m*1 bare, blunt, object *a*1 bare, bald; hornless; flattened, obtuse, *imill mhaola* cropped edges, *teach* ~ roofless house, *scian mhaol* blunt knife

maolaigh mi:li: *vt & i* make, become, bare or bald; blunt; lower; decrease; abate, allay

maolaire mi:lər'ə *m*4 absorber; damper; moderator

maolaitheach mi:lihəx *m*1 palliative *a*1 alleviating, palliative

maolchluasach 'mi:l,xluəsəx *a*1 crop-eared; crestfallen, subdued

maolchúiseach 'mi:l,xu:s'əx *a*1 inept

maolscríobach 'mi:l',s'k'r'i:bəx *a*1 slovenly, slipshod; skimped

maonáis me:na:s' *f*2 mayonnaise

maor mi:r *m*1 steward; warden, keeper; supervisor, overseer; (school) prefect; (army) major

maorga mi:rgə *a*3 stately, dignified; sedate

maorgacht mi:rgəxt *f*3 stateliness, dignity

maorlathach 'mi:r,lahəx *a*1 bureaucratic

maorlathas 'mi:r,lahəs *m*1 bureaucracy

maos mi:s *m*1, *ar* ~ steeping, steeped; saturated

maoth mi: *a*1 soft, tender; weak; moist; sentimental

maothaigh mi:hi: *vt & i* soften; moisten; steep, saturate

maothal mi:həl *f*2 beestings

maothán mi:ha:n *m*1 ear-lobe; flank; tender shoot

maothlach mi:hlɔx *m*1 mush, slops; scouring liquid

mapa¹ mapə *m*4 map

mapa² mapə *m*4 mop

mar mar *prep & conj & adv* like, as; for; as if; because, ~ *an gcéanna* likewise, *tar* ~ *seo* come this way, *míle nó* ~ *sin* a mile or so, ~ *sin, is cosúil gur fíor é* in that case, it appears to be true, ~ *sin féin* even so, *agus* ~ *sin de* and so forth, *más* ~ *sin dó* if that be so, *faoi* ~ *according as*, ~ *atá*, ~ *a bhí* namely, ~ *le* as for, as regards, ~ *bhfuil sé* where he is, ~ *dhea* forsooth, ~ *dhia go* pretending that

mara marə : **muir**

márach ma:rəx *s* morrow, (*lá*) *arna mhárach* on the following day

maraí mari: *m*4 mariner, seaman

maraigh mari: *vt & i* kill

marana marənə *f*4 contemplation, *tá sé ar a mharana* he is rapt in thought

maranach marənəx *a*1 thoughtful

maránta mara:ntə *a*3 bland, gentle, benign

marascal marəskəl *m*1 marshal

maratón marətɔ:n *m*1 marathon

marbh marəv *m*1 dead person *a*1 dead; killed; numb; apathetic; exhausted; motionless, slack, *uisce* ~ stagnant water, *fág* ~ *é* say no more about it

marbhán marəva:n *m*1 corpse; spiritless person; oppressive heat

marbhánta marəva:ntə *a*3 lifeless, lethargic; dull, stagnant, *aimsir mharbhánta* sultry, oppressive, weather

marbhfháisc 'marəv,a:s′k′ *f*2 swathings on corpse, ~ *ort* bad cess to you

marbhlann marəvlən *f*2 morgue

marbhna marəvnə *m*4 elegy

marbhsháinn 'marəv,ha:n′ *f*2 checkmate

marc mark *m*1, *pl* ~**anna** mark; target, goal; bearing

marcach markəx *m*1 horseman; jockey; cavalryman

marcaigh marki: *vt & i* ride

marcáil marka:l′ *vt* mark; mark out, plot

marcaíocht marki:(ə)xt *f*3 riding, horsemanship; ride; drive, lift

marcas markəs *m*1 marquis

marc-chlaíomh 'mark,xli:v *m*1, *pl* -**aimhte** sabre

marcmheáchan 'mark,v′a:xən *m*1 welterweight

marcra markrə *m*4 horsemen, cavalry

marcshlua 'mark,hluə *m*4, *pl* -**ite** body of horsemen; cavalry; cavalcade

marfach marəfəx *a*1 deadly, mortal, fatal; killing; intense

marfóir marofo:r′ *m*3 killer

marg marəg *m*1 (*coin*) mark

margadh marəgə *m*1, *pl* -**aí** market; bargain; agreement

margaigh marəgi: *vt* market

margáil marəga:l′ *f*3 bargaining, haggling

margairín marəgər′i:n′ *m*4 margarine

marglann marəglən *f*2 mart

marla ma:rlə *m*4 marl; modelling clay; plasticine

marmaláid marəmola:d′ *f*2 marmalade

marmar marəmər *m*1 marble

maróg maro:g *f*2 pudding; paunch

marós maro:s *m*1 rosemary

Mars ma:rs *m*3 Mars

marsúipiach marsu:p′iəx *m*1 & *a*1, *gsm* ~ marsupial

mart mart *m*1 carcass of beef *pl* beef cattle

Márta ma:rtə *m*4 March

marthain marhən′ *f*3 existence; subsistence; sustenance

marthanach marhənəx *a*1 lasting, enduring; everlasting

martraigh martri: *vt* martyr; cripple, disable

marú maru: *m*4 killing, slaying; slaughter

marún mə'ru:n *m*1 & *a*1 maroon

Marxach marksəx *m*1 & *a*1 Marxist

Marxachas marksəxəs *m*1 Marxism

más ma:s *m*1, *npl* ~**a** buttock; ham, thigh

másach ma:səx *a*1 having big buttocks, big-thighed

másailéam ma:səl′e:m *m*1 mausoleum

masc mask *m*1, *pl* ~**anna** mask *vt* mask

mascalach maskələx *m*1 manly person, *a*1 manly, vigorous

masla maslə *m*4 insult; overstrain

maslach masləx *a*1 insulting, abusive; overstrenuous

maslaigh masli: *vt* insult, abuse; strain

masmas masməs *m*1 nausea

masmasach masmasəx *a*1 nauseated; nauseating

mastóideach masto:d´əx *m*1 & *a*1 mastoid

mata matə *m*4 mat

máta ma:tə *m*4 mate

matal matəl *m*1 mantelpiece

matalang matələŋ *m*1 disaster, calamity

matamaitic 'matə,mat´ək´ *f*2 mathematics

matamaiticeoir 'matə,mat´ək´o:r´ *m*3 mathematician

matamaiticiúil 'matə,mat´ək´u:l´ *a*2 mathematical

matán mata:n *m*1 muscle

matánach mata:nəx *a*1 muscular

máthair ma:hər´ *f*, gs -**ar** pl **máithreacha** mother; source, ~ **mhór**, ~ **chríonna** grandmother

máthairab 'ma:hər´,ab *f*3 abbess

máthartha ma:hərhə *a*3 maternal

mathshlua 'ma,hluə *m*4, pl ~ **ite** large crowd, congregation

matrarc 'mat,rark *m*4 matriarch

matrarcach 'mat,rarkəx *a*1 matriarchal

mátrún ma:tru:n *m*1 matron

mé m´e: 1 sg pron I, me

meá[1] ma: *f*4, pl ~ **nna** balance, scales; weight, measure, *an Mheá* Libra

meá[2] ma: *f*4, pl ~ **nna** fishing-ground

meabhair m´aur´ *f*, gs -**bhrach** mind, memory; intellect; consciousness; sensation; meaning

meabhal m´aul *m*1 deceit, treachery

meabhlach m´auləx *a*1 deceitful, treacherous; illusory, beguiling

meabhlaigh m´auli: *vt* deceive; seduce

meabhrach m´aurəx *a*1 mindful; thoughtful; intelligent; aware, conscious

meabhraigh m´auri: *vt* & *i* memorize, remember; remind; meditate; sense, feel

meabhraíocht m´auri:(ə)xt *f*3 consciousness, awareness; intelligence

meabhrán m´aura:n *m*1 memorandum

meacan[1] m´akən *m*1 tap-root, ~ **bán** parsnip, ~ **dearg** carrot

meacan[2] m´akən *m*1 whine, whimper

meáchan m´a:xən *m*1 weight

méad m´e:d *m*, *ar a mhéad* at the most, *cá*, *cé*, *mhéad*? how much? *dá mhéad é* however great it might be

méadaigh m´e:di: *vt* & *i* increase, multiply; enlarge; grow bigger

méadail m´e:dəl´ *f*3, gs -**dla** pl -**dlacha** paunch, stomach

médáille m´ada:l´ə *m*4 medallion

méadaíocht m´e:di:(ə)xt *f*3 grown state; increase, growth; self-importance

méadaitheach m´e:dihəx *a*1 increasing, enlarging, amplifying

méadaitheoir m´e:diho:r´ *m*3 enlarger

meadar m´adər *f*2, gs **meidre** pl -**dracha** mether; wooden vessel; churn

méadar m´adər *m*1 metre; meter, gauge

méadaracht m´adərəxt *f*3 metre; metrics

meadhg m´aig *m*1 whey; serum

meadhrán m´aira:n *m*1 dizziness, vertigo; exhilaration; bewilderment

méadrach m´e:drəx *a*1 metric

méadú m´e:du: *m*4 increase, multiplication; enlargement; growth

meafar m´afər *m*1 metaphor

meafarach m´afərəx *a*1 metaphorical

meaig m´ag´ *f*2, pl ~ **eanna** magpie

meáigh m´a:γ´ *vt* & *i* balance, weigh; estimate, measure; judge

meaingeal m´aŋ´g´əl *m*1 mangel

meaisín m´as´i:n´ *m*4 machine

meaisíneoir m´as´i:n´o:r´ *m*3 machinist

meáite m´a:t´ə *a*3, *bheith* ~ *ar* rud *a dhéanamh* to be resolved on doing sth

meala m´alə : **mil**

méala m´e:lə *m*4 grief, sorrow; cause of mourning

mealaigh m´e:li: *vt* humiliate, bring to grief

mealbhóg m´aləvo:g *f*2 small bag, pouch

méaldráma 'm´e:l,dra:mə *m*4 melodrama

méaldrámata 'm´e:l,dra:mətə *a*3 melodramatic

meall[1] m´al *m*1, pl ~ **ta** ball, globe; swelling, lump, mass; mound

meall[2] m´al *vt* & *i* charm; entice; deceive; disappoint

meallacach m´aləkəx *a*1 alluring, charming

mealladh m´alə *m*, gs -**llta** pl -**lltaí** allurement, enticement; deception; disappointment

mealltach m´altəx *a*1 enticing, coaxing; deceptive, deceitful; disappointing

mealltóir m´alto:r´ *m*3 coaxer; deceiver

meamhlach m´auləx *f*2 mewing, miaowing

meamraiméis m´amrəm´e:s´ *f*2 officialese

meamram m'amrəm *m*1 parchment; memorandum

meán¹ m'a:n *m*1 middle; mean; medium; average, ~ *lae* midday, M ~ *Fómhair* September

meán-² m'a:n *pref* middle, medium, mean, average

meana m'anə *m*4 awl; bodkin

meánach m'a:nəx *a*1 middle, intermediate; medium, moderate

meánaicmeach 'm'a:n̠,ak'm'əx *a*l middle-class, bourgeois

meánaíocht m'a:ni:(ə)xt *f*3 moderation

meánaois 'm'a:n̠,i:s' *f*2 middle age(s)

meánaoiseach 'm'a:n̠,i:s'əx *a*l medieval

méanar m'e:nər *a* (used with *is*), *is* ~ *don té* (*a*) happy is he (who)

meánchiorcal 'm'a:n̠,x'irkəl *m*l equator

meánchiorclach 'm'a:n̠,x'irkləx *a*l equatorial

meancóg m'aŋko:g *f*2 mistake, blunder

meandar m'andər *m*l instant, second

méanfach m'e:nfəx *f*2 yawn(ing)

meang m'aŋ *f*2 wile; deceit

meangadh m'aŋgə *m*, *gs* **-gtha** ~ (*gáire*) smile

meanma m'anəmə *f*, *gs* ~**n** mind, thought; spirit, morale; inclination; presentiment

meánmheáchan 'm'a:n̠,v'a:xən *m*l middle-weight

meánmhúinteoir 'm'a:n̠,vu:n't'o:r' *m*3 secondary teacher

meanmnach m'anəmnəx *a*l spirited; lively, cheerful

meannán m'ana:n *m*l, ~ (*gabhair*) kid (leather)

meannleathar 'm'an̠,l'ahər *m*l kid (leather)

meánoideachas 'm'a:n̠,od'əxəs *m*l secondary education

meánscoil 'm'a:n̠,skol' *f*2, *pl* ~**eanna** secondary school

meantán m'anta:n *m*l tit, titmouse

méanteistiméireacht 'm'a:n̠,t'es't'ə-m'e:r'əxt *f*3 intermediate certificate

meánúil m'a:nu:l' *a*2 moderate, temperate

mear m'ar *a*l, *gsm* ~ quick, nimble; hasty, rash

méar m'e:r *f*2 digit, finger, ~ *coise* toe

méara m'e:rə *m*4 mayor

méaracán m'e:rəka:n *m*l thimble, ~ *dearg* foxglove

mearadh m'arə *m*l madness, insanity; craving

mearaí m'ari: *f*4 craziness, bewilderment

mearaigh m'ari: *vt & i* derange, distract; bewilder; excite, infuriate; trouble

méaraigh m'e:ri: *vt* finger

mearaíocht m'e:ri:(ə)xt *f*3 fingering; fiddling, toying (*ar*, *le* with)

mearaithne 'm'ar̠,ahn'ə *f*4 slight acquaintance

mearbhall m'arəvəl *m*l bewilderment, confusion; dizziness; error

mearbhlach m'arəvləx *a*l bewildered, confused; bewildering, confusing; dizzy, erratic; mistaken

mearcair m'arkər' *m*4 mercury; M ~ (*planet*) Mercury

méarchlár 'm'e:r̠,xla:r *m*l keyboard

meargánta m'arəga:ntə *a*3 foolhardy, reckless

mearghrá 'm'ar̠,γra: *m*4 infatuation

méarnáil m'e:rna:l' *f*3 phosphorescence

mearóg m'aro:g *f*2 vegetable marrow

mearóg¹ m'e:ro:g *f*2 pebble; jackstone

mearóg² m'e:ro:g *f*2, ~ *éisc* fish-finger

mearsháile 'm'ar̠,ha:l'ə *m*4 brackish water

mearú m'aru: *m*4 derangement; confusion, ~ *súl* hallucination, mirage

meas¹ m'as *m*3 estimation, judgment; estimate, opinion; esteem, respect, *le* ~ respectfully *vt & i* estimate, value, judge; consider

meas² m'as *m*3, (*nuts*) mast

measa m'asə : **olc**

measán m'asa:n *m*l lapdog

measartha m'asərhə *a*3 moderate, temperate; fair, middling, ~ *maith* fairly good

measarthacht m'asərhəxt *f*3 moderation, temperance; fair amount

measc¹ m'ask *s*, *i* ~ in the midst of, among

measc² m'ask *vt & i* mix (up); stir

meascán m'aska:n *m*l mass, lump; mixture; muddle, ~ *mearaí* confusion; hallucination

meascra m'askrə *m*4 medley, miscellany

meastachán m'astəxa:n *m*l estimate

meastóir m'asto:r' *m*3 valuer, assessor

measúil m'asu:l' *a*2 estimable, respectable, esteemed; respectful

measúlacht m'asu:ləxt *f*3 respectability, esteem

measúnacht m'asu:nəxt *f*3 assessment

measúnaigh m'asu:ni: *vt* assess, assay

measúnóir m'asu:no:r' *m*3 assessor, assayer

meata m'atə *a*3 pale, sickly; cowardly, abject

meatach m'atəx *a*l failing; decaying; pale, sickly; cowardly, *earraí ~ a* perishable goods

meatachán m'atəxa:n *m*l weakling; coward

meatacht m'atəxt *f*3 decline, decay; cowardice

meatán m'ata:n *m*l methane

meath[1] m'ah *m*3 decline, decay, decadence; failure *vt & i* decline, decay, fail, waste

meath-[2] m'ah~m'a'*i* *pref* failing, weak; moderately, fairly

meathán m'aha:n *m*l sucker, sapling; splinter

meathbhruith 'm'a,vrih *s, ar ~* simmering

meathlaigh m'ahli: *vi* decline, decay, fail; sicken

meathlaitheach m'ahlihəx *a*l retrogressive

méathras m'e:hrəs *m*l fat, fat meat

meicneoir m'ek'n'o:r' *m*3 mechanic

meicnic m'ek'n'ək' *f*2 mechanics

meicnigh m'ek'n'i: *vt* mechanize

meicníocht m'ek'n'i:(ə)xt *f*3 mechanism

meicniúil m'ek'n'u:l' *a*2 mechanical

méid m'e:d' *m*4 amount, quantity, extent, number, *sa mhéid sin* to that extent, *sa mhéid go* inasmuch, in so far, as *f*2 size, magnitude, *dul i ~* to grow bigger, *teacht i ~* to grow up

meidhir m'air' *f*2, *gs* **-dhre** mirth, gaiety; sportiveness

meidhreach m'air'əx *a*l gay; sportive

meidhréis m'air'e:s' *f*2 mirth, jollity; friskiness

meidre m'ed'r'ə : **meadar**

meigeall m'eg'əl *m*l beard; goatee

meigeallach m'eg'ələx *f*2 bleating (of goat)

meil m'el' *vt & i* grind, crush; waste, squander

méile m'e:l'ə *m*4, *pl* **-lte** sandhill, dune

méileach m'e:l'əx *f*2 bleating (of sheep)

meilt m'el't' *f*2 grinding, crushing; spending, wasting

meilteoir m'el't'o:r' *m*3 grinder, crusher

méin m'e:n' *f*2 mind, disposition; bearing

méine m'e:n'ə : **mian**

meiningíteas 'm'en'əŋ''g'i:t'əs *m*l meningitis

méiniúil m'e:n'u:l' *a*2 well-disposed, friendly; (*of land*) fertile

meirbh m'er'əv' *a*l languid, weak; sultry, close

meirbhe m'er'əv'ə *f*4 languor, weakness, sultriness, closeness

meirbhligh m'er'əv'l'i: *vt* enervate, weaken

meirdreach m'e:rd'r'əx *f*2 harlot, prostitute

meirdreachas m'e:rd'r'əxəs *m*l harlotry, prostitution

meirdrigh m'e:rd'r'i: *vt* prostitute

meireang ,m'er'raŋ *m*4 meringue

meirfean m'er'əf'ən *m*l weakness, faintness; sultriness, oppressive heat

meirg m'er'əg' *f*2 rust; irritability

meirge m'er'əg'ə *m*4 banner, flag

meirgeach m'er'əg'əx *a*l rusty; irritable

meirgire m'er'əg'ər'ə *m*4 standard-bearer, ensign

méirínteacht m'e:r'i:n't'əxt *f*3 fingering, fiddling, meddling (*ar, le* with)

meirleach m'e:rl'əx *m*l thief; outlaw; malefactor

meirleachas m'e:rl'əxəs *m*l banditry, outlawry; villainy

meirliún m'e:rl'u:n *m*l merlin

méirscre m'e:rs'k'r'ə *m*4 scar; crack, chap; crevice

meirtne m'ert'n'ə *f*4 weakness; weariness, dejection

meirtneach m'ert'n'əx *a*l weak; weary, dispirited

meisce m'es'k'ə *f*4 drunkenness, intoxication, *ar ~* drunk

meisceoir m'es'k'o:r' *m*3 drunkard

meisciúil m'es'k'u:l' *a*2 intoxicating; drunken

méise m'e:s'ə : **mias**

Meisias m'es'iəs *m*4 Messiah

meiteamorfóis 'm'et'ə,morfo:s' *f*2 metamorphosis

meitéar m'et'e:r *m*l meteor

meitéareolaíocht 'm'et'e:r,o:li:(ə)xt *f*3 meteorology

méith m'e: *f*2 fat, fat meat; richness, fertility *a*l fat; rich, fertile

méithe m'e:hə *f*4 fatness; richness

meitheal m'ehəl *f*2, *gs* **-thle** *pl* **-thleacha** working party; contingent

Meitheamh m'ehəv *m*1 June

meitibileacht 'm'et'ə,b'il'əxt *f*3 metabolism

Meitidisteach 'm'et'ə,d'is't'əx *m*1 & *al* Methodist

meitifisic 'm'et'ə,f'is'ək' *f*2 metaphysics

meitileach m'et'al'əx *al* methyl(ated)

meon m'o:n *m*1, *pl* ~**ta** mind, disposition; character, temperament

meonúil m'o:nu:l' *a*2 whimsical, fanciful, capricious

mí[1] m'i: *f*, *gs* ~**osa** *pl* ~**onna** month, ~ *na meala* honeymoon

mí-[2] m'i: *pref* bad, ill, evil, dis-, mis-, un-

mí-ádh 'm'i:,a: *m*1 ill luck, misfortune

mí-ámharach 'm'i:,a:vərəx *al* unlucky, unfortunate

mian m'iən *f*2, *gs* **méine** *pl* ~**ta** desire; thing desired, *tá an saol ar a mhian aige* he can live as he pleases; he has every comfort in life

mianach m'iənəx *m*1 ore; mine; material, quality, ~ *talún* landmine

mianadóir m'iənədo:r' *m*3 miner

mianadóireacht m'iənədo:r'əxt *f*3 mining; excavating

miangas m'iəngəs *m*1 desire, craving; concupiscence

miangasach m'iəngəsəx *al* desirous; concupiscent

mianra m'iənrə *m*4 mineral

mianrach m'iənrəx *al* mineral

mianreolaíocht 'm'iən,ro:li:(ə)xt *f*3 mineralogy

mianúil m'iənu:l' *a*2 desirous (*ar, chun* of)

mias m'iəs *f*2, *gs* **méise** dish

míbhuntáiste 'm'i:,vunta:s't'ə *m*4 disadvantage

mic m'ik' : **mac**

míchaidreamhacht 'm'i:,xad'r'əvəxt *f*3 misanthropy

míchéadfach 'm'i:,x'e:dfəx *al* ill-humoured, peevish; insensate

mícheart 'm'i:,x'art *al* incorrect, wrong

míchéillí 'm'i:,x'e:l'i: *a*3 senseless, foolish

míchiall 'm'i:,x'iəl *f*2, *gs* **-chéille** senselessness, folly; misinterpretation

míchlú 'm'i:,xlu: *m*4 ill repute

míchomhairle 'm'i:,xo:rl'ə *f*4 ill advice, evil counsel

míchompord 'm'i:,xompo:rd *m*1 discomfort

míchothrom 'm'i:,xohrəm *m*1 unevenness, unbalance; unfairness, inequality *al* uneven, unbalanced; unfair, unequal

míchruinn 'm'i:,xrin *al* inexact, inaccurate

míchruinneas 'm'i:,xrin'əs *m*1 inexactness, inaccuracy

míchuí 'm'i:,xi: *a*3 improper, undue

míchuibheasach 'm'i:,xiv'əsəx ~ 'm'i:,xi:səx *al* immoderate

míchumas 'm'i:,xuməs *m*1 disability

míchumasach 'm'i:,xuməsəx *al* disabled

míchumtha 'm'i:,xumhə *a*3 deformed; ill-made

micrea-, micri- m'ik'r'ə *pref* micro-

micreafón m'ik'r'ə,fo:n *m*1 microphone

micreascóp 'm'ik'r'ə,sko:p *m*1 microscope

midhileá 'm'i:'γ'i:,l'a: *m*4 dyspepsia, indigestion

midhílsigh 'm'i:,γ'i:l's'i: *vt* misappropriate

mídhleathach 'm'i:,γ'l'ahəx *al* illegal

mídhlisteanach 'm'i:,γ'l'is't'ənəx *al* illegitimate; disloyal

mífhoighne 'm'i:,ain'ə *f*4 impatience

mífhoighneach 'm'i:,ain'əx *al* impatient

mífholláin 'm'i:,ola:n' *al* unhealthy, unwholesome

mífhonn 'm'i:,on *m*1 disinclination, reluctance

mífhortún 'm'i:,ortu:n *m*1 misfortune

mífhortúnach 'm'i:,ortu:nəx *al* unfortunate, confounded

mígheanas 'm'i:,γ'anəs *m*1 immodesty, indecency

míghléas 'm'i:,γ'l'e:s *m*1, *ar* ~ out of order

míghnaoi 'm'i:,γni: *f*4 ugliness, disfigurement; dislike

míghreann 'm'i:,γ'r'an *m*1 mischievous talk, gossip

migréin m'i:,g'r'e:n' *f*2 migraine

mí-iompar 'm'i:,impər *m*1 misconduct

mí-ionracas 'm'i:,inrəkəs *m*1 dishonesty

mí-ionraic 'm'i:,inrək' a1 dishonest

mil m'il' f3, gs **meala** honey

míle m'i:l'ə m4, pl **-lte** thousand; mile, go raibh ~ maith agat thanks ever so much, dá mhíle buíochas in very spite of him

míleáiste m'i:l'a:s't'ə m4 mileage

míleata m'i:l'ətə a3 military; martial

míleatach m'i:l'ətəx a1 militant

mílemhéadar 'm'i:l'ə,v'e:dər m1 milometer

míleoidean m'ə'l'o:d'ən m1 melodeon

míli 'm'i:,l'i: f4 bad colour; sickly pallor

milis m'il'əs a1, gsf, npl & comp **-lse** sweet

míliste m'i:l'is't'ə m4 militia

mílítheach 'm'i:,l'i:həx a1 pale, sickly-looking

míliú m'i:l'u: m4 & a thousandth

mill m'il' vt & i spoil; mar, ruin

milléad m'il'e:d m1 mullet

milleadh m'il'ə m, gs **-lte** ruination, destruction, spoliation, mutilation, a mhilleadh sin the contrary to that

milleagram 'm'il'ə,gram m1 milligram

milleán m'il'a:n m1 blame

milliméadar 'm'il'ə,m'e:dər m1 millimetre

millín m'il'i:n' m4 pellet, croquette; bud, ~í leamhan mothballs

milliún m'il'u:n' m1 million

milliúnaí m'il'u:ni: m4 millionaire

milliúnú m'il'u:nu: m4 & a millionth

millteach m'il't'əx a1 destructive; pernicious; enormous; extreme

millteanach m'il't'ənəx a1 terrible, horrible; enormous; extreme

millteanas m'il't'ənəs m1 destruction, havoc; mischievousness

milseacht m'il's'əxt f3 sweetness; blandness

milseán m'il's'a:n m1 sweet; sweetmeat

milseog m'il's'o:g f2 sweet, sweet dish, dessert

milseogra m'il's'o:grə m4 confectionery

milsigh m'il's'i: vt & i sweeten

mím m'i:m' f2, pl ~**eanna** mime vt & i mime

mímhacánta 'm'i:,vaka:ntə a3 dishonest

mímhacántacht 'm'i:,vaka:ntəxt f3 dishonesty

mímhorálta 'm'i:,vora:ltə a3 immoral

mímhoráltacht 'm'i:,vora:ltəxt f3 immorality

mímhúinte 'm'i:,vu:n't'ə a3 unmannerly, rude

min m'in' f2 meal, ~ sáibh sawdust

mín m'i:n' f2, pl ~ **te** smooth, fine, thing or part a1 smooth; fine; gentle; still

mínádúrtha 'm'i:,na:du:rhə a3 unnatural; unfeeling

máináireach 'm'i:,na:r'əx a1 shameless; vicious

minc m'in'k' f2, pl ~**eanna** mink

míndána 'm'i:n',da:nə spl, gpl **míndán** na ~ the fine arts

míne m'i:n'ə f4 smoothness; fineness; gentleness; quietness

míneadas m'i:n'ədəs m1 gentleness, refinement

míneas m'i:n'əs m1 minus (sign)

minic m'in'ək' adv & a often, frequent(ly)

minicíocht m'in'ək'i:(ə)xt f3 frequency

mínigh m'i:n'i: vt smooth; level; explain, interpret, na móinte a mhíniú to reclaim the bogs

mínineacht m'i:n'i:n'əxt f3 delicacy, refinement; niggling

ministir m'in'əs't'ər' m4, pl **-trí** minister

mínitheach m'i:n'ihəx a1 explanatory

míniú m'i:n'u: m4 explanation, interpretation

míniúchán m'i:n'u:xa:n m1 explanation

mínleach m'i:n'l'əx m1 level sward; fairway

mínormálta 'm'i:,norəma:ltə a3 abnormal

mínós 'm'i:,no:s m1, pl ~**anna** bad habit; rudeness, insolence

minseach m'in's'əx f2 she-goat

míntír 'm'i:n',t'i:r' f2 level country; arable land; mainland

míntíreachas 'm'i:n',t'i:r'əxəs m1 cultivation; reclamation of land

míobhán m'i:va:n m1 dizziness

míoca m'i:kə m4 mica

míochaine m'i:xən'ə f4 materia medica

míochair m'i:xər' a1 tender, kind; courteous

miocht m'ixt m3 amice

miocrób m'ikro:b m1 microbe

miocsómatóis 'm'ikso:mə,to:s' f2 myxomatosis

miodamas m'idəməs m1 garbage, offal

miodóg m'ido:g f2 dagger

míofar m'i:fər a1 ugly, ill-favoured

míog m'i:g f2 & vi cheep

míogarnach m'i:gərnəx *f2* dozing; drowsiness

mí-oiriúnach 'm'i:,or'u:nəx *a1* unsuitable, unsuited (*do* to)

míol m'i:l *m1, pl* ~ **ta** animal; insect; louse, ~ *mór* whale, ~ *buí* hare

míolach m'i:ləx *a1* lousy, verminous

míoleolaíocht 'm'i:l,o:li:(ə)xt *f3* zoology

míolra m'i:lrə *m4* vermin

míoltóg m'i:lto:g *f2* midge

mion¹ m'in *a1* small, tiny; fine; detailed

mion-² m'in *pref* small, minute; minor; micro-

mionaigh m'ini *vt & i* pulverize; mince; powder; diminish; crumble

mionairgead 'm'in,ar'əg'əd *m1* petty cash; small change

mionchaint 'm'in,xan't' *f2* small talk, tittle-tattle

mionchostas 'm'in,xostəs *m1, pl* petty expenses

mionchruinn 'm'in,xrin' *a1* minute, detailed

mionchúiseach 'm'in,xu:s'əx *a1* meticulous, over-particular; trivial

mionda m'ində *a3* small, delicate; petite

miondealaigh 'm'in,d'ali *vt* parse, analyse

miondíol 'm'in,d'i:l *m3 & vt* retail

miondíoltóir 'm'in,d'i:lto:r' *m3* retailer

mionéadach m'in,e:dəx *m1, pl* **-aí** haberdashery

mionearraí m'in,ari *spl* haberdashery

mionfheoil 'm'in,o:l' *f3* minced meat

miongaireacht m'ingər'əxt *f3* nibbling, gnawing

miongán m'ingə:n *m1* periwinkle

miongháire 'm'in,γa:r'ə *m4* smile; soft chuckle

mionghearr m'in,γ'a:r *vt* shred, mince

mionla m'i:nlə *a3* gentle, mild

mionlach m'inləx *m1* minority

mionn m'in *m3* crown, diadem; oath, ~ *mór* swear-word

mionnaigh m'ini *vt & i* swear

mionnscríbhinn 'm'in,s'k'r'i:v'ən' *f2* affidavit

mionphláinéad 'm'in,fla:n'e:d *m1* asteroid

mionra m'inrə *m4* mince

mionrabh ,m'in'rav *f2* small fragments; shreds, filings

mionsamhail 'm'in,saul' *f3, gs* **-mhla,** *pl* **-mhlacha** miniature model

miontas m'intəs *m1* mint

miontóir m'into:r' *m3* mincer

miontuairisc 'm'in,tuər'əs'k' *f2* detailed account *pl* minutes (of meeting)

miontúr m'in,tu:r *m1* minaret

mionúr m'inu:r *m1* minor

miorr m'ir *m4* myrrh

miorúilt m'i:ru:l't' *f2* miracle

miorúilteach m'i:ru:l't'əx *a1* miraculous

míosa m'i:sə : **mí**

míosachán m'i:səxa:n *m1* monthly (magazine)

mioscais m'iskəs' *f2* hatred, spite; malice

mioscaiseach m'iskəs'əx *a1* spiteful, malicious

míosta m'i:stə *a3* menstrual, *fuil mhíosta* menstruation

míostraigh m'i:stri *vi* menstruate

míosúil m'i:su:l' *a2* monthly

miosúr m'isu:r *m1* measure; measurement, *as* ~ beyond measure; exceeding

miotaigh m'iti *vt* bite, nibble; whittle away

miotal m'itəl *m1* metal; mettle, spirited

miotalach m'itələx *a1* metallic; mettlesome, spirited

miotalóireacht m'itəlo:r'əxt *f3* metalwork, metallurgy

miotas m'itəs *m1* myth

miotasach m'itəsəx *a1* mythical

miotaseolaíocht 'm'itəs,o:li:(ə)xt *f3* mythology

miotóg¹ m'ito:g *f2* mitten; glove

miotóg² m'ito:g *f2* pinch, little bite

mir m'i:r' *f2, pl* ~ **eanna** bit, portion; section; item, ~ *eanna mearaí* jigsaw puzzle

mire m'ir'ə *f4* quickness, rapidity; ardour; frenzy

míréasúnta 'm'i:,re:su:ntə *a3* unreasonable, absurd

mírialta 'm'i:,riəltə *a3* unruly, disorderly; irregular

míriar 'm'i:,riər *m4* mismanagement, maladministration

mírlín m'irl'i:n' *m4* (playing) marble

mírún m'i:,ru:n *m1* evil intent; malice

misc m'i:s'k' *f2* mischief

mise m'is'ə *1 sg emphatic pron* I, me

misean m'is'ən *m1* mission

míshásamh 'm'i:,ha:səv *m*1 displeasure, dissatisfaction

míshásta 'm'i:,ha:stə *a*3 displeased, dissatisfied

míshásúil 'm'i:,ha:su:l' *a*2 unsatisfactory

misheans 'm'i:,hans *m*4 mischance

mishláintiúil 'm'i:,hla:n't'u:l' *a*2 unhealthy, unwholesome

mishuaimhneach 'm'i:,huə(v')n'əx *a*1 uneasy, restless, perturbed

mishuaimhneas 'm'i:,huə(v')n'əs *m*1 uneasiness, restlessness, perturbation

misinéir m'is'z'n'e:r' *m*3 missioner; missionary

mismín m'is'm'i:n' *m*4 mint

misneach m'is'n'əx *m*1 courage; hopefulness; feeling of well-being

misnigh m'is'n'i: *vt* encourage; cheer up

misniúil m'is'n'u:l' *a*2 courageous; hopeful, cheerful

místá 'm'i:,sta: *m*4 frown

miste m'is't'ə *a* (used with *is*) is ~ (*do*) it matters (to), *ní* ~ *a rá* (*go*) it is no harm to say (that), *rud nár mhiste dó* as well he might, *is* ~ *liom faoi* I mind, care, about it, *mura* ~ *leat* if you don't mind

misteach m'is't'əx *m*1 & *a*1 mystic

mistéir m'is't'e:r' *f*2 mystery

mistéireach m'is't'e:r'əx *a*1 mysterious

místuama 'm'i:,stuəmə *a*3 imprudent; clumsy

mitéar m'i:t'e:r *m*1 mitre

míthapa 'm'i:,hapə *m*4 mishap, mischance; hasty act; inactivity *a*3 unready, inactive

mithid m'ihəd' *a* (used with *is*) *is* ~ *dom imeacht* it is (high) time for me to go, *más maith is* ~ *good*, but not before time *s* due, convenient, time, *ag brath ar a mhithidí* awaiting his convenience

mithráthúil 'm'i:,hra:hu:l' *a*2 untimely, inopportune

míthreoir 'm'i:,hr'o:r' *f*, *gs* **-orach** misguidance; confusion; feebleness

míthuiscint 'm'i:,his'k'ən't' *f*3, *gs* **-eana** misunderstanding; mistake

mitín m'it'i:n' *m*4 mitten, glove

miúil m'u:l' *f*2, *pl* ~**eanna** mule

mí-úsáid 'm'i:,u:sa:d' *f*2 misuse, abuse

mná mna: : **bean**

mo mə *poss a* my, *mo léan* alas, *mo thrua iad* I pity them, *mo ghrá thú* I love you,

m'anam upon my soul, *mo dhearmad* I forgot, *mo dhuine* your man

mó¹ mo: *a*3, *an* ~? how many?

mó² mo: : **mór¹**

moch mox *s* & *a*1, *gsm* ~ early, *le* ~ *na maidine* early in the morning

mochóirí moxo:r'i: *m*4 early rising; early riser

modartha modərhə *a*3 murky; muddy, cloudy; morose

modh mo: *m*3, *pl* ~**anna** mode, manner, method; honour, respect; (*grammar*) mood

Modhach mo:əx *m*1 & *a*1 Methodist

modhfheirm 'mo:,er'əm' *f*2, *pl* ~**eacha** model farm

modhnaigh mo:ni: *vt* modulate, modify

modhúil mo:u:l' *a*2 mannerly; gentle, modest

modhúlacht mo:u:ləxt *f*3 mannerliness; gentleness, modesty

modúl modu:l *m*1 module

mogall mogəl *m*1 mesh; husk, shell; cluster, ~ *súile* eyeball

mogalra mogəlrə *m*4 network

mogh mau *m*3, *gs* & *npl* ~**a** bondsman, slave

moghsaine mausən'ə *f*4 bondage, slavery

mogóir mogo:r' *m*3 (rose) hip

móid mo:d' *f*2, *pl* ~**eanna** vow

móide mo:d'ə *comp of* **mór** with **de²** more, plus, *ní* ~ *go* probably not, hardly, *ní* ~ *ar bith é* it is hardly likely, *ní* ~ *rud de* it is as likely as not

móideach mo:d'əx *m*1 votary *a*1 votive

móidigh mo:d'i: *vt* & *i* vow

moiglí mog'l'i: *a*3 mild, placid, easy

moiglíocht mog'l'i:(ə)xt *f*3 mildness, placidity

móihéar mo:he:r *m*1 mohair

moileasc mol'əsk *m*1 mollusc

móilín mo:l'i:n' *m*4 molecule

moill mol' *f*2, *pl* ~**eanna** delay; stop, hindrance, *aga* ~*e* time lag, *gan mhoill* shortly, soon

moille mol'ə *f*4 slowness, lateness

moilleadóireacht mol'ədo:r'əxt *f*3 procrastination

moilligh mol'i: *vt* & *i* delay

móimint mo:m'ən't' *f*2 moment

móiminteam ,mo:'m'in't'əm *m*1 momentum

móin mo:n′ *f*3, *pl* ~**te** turf, peat; bogland, moor

móincheart 'mo:n′‚x′art *m*1, *npl* ~**a** (right of) turbary

móinéar mo:n′e:r *m*1 meadow

moing moŋ′ *f*2, *pl* ~**eanna** mane; long hair; thick growth; overgrown swamp

moinsineoir ‚mon′′s′i:n′o:r′ *m*3 monsignor

móinteach mo:n′t′əx *m*1 moorland, moor; reclaimed bogland

móinteán mo:n′t′a:n *m*1 bog, moor

móiréis mo:r′e:s′ *f*2 haughtiness, pretension

móiréiseach mo:r′e:s′əx *a*1 haughty, pretentious

moirfeolaíocht 'mor′f′‚o:li:(ə)xt *f*3 morphology

moirfín mor′f′i:n′ *m*4 morphine, morphia

moirt mort′ *f*2 lees, dregs; heavy clay; mire

moirtéal mort′e:l *m*1 mortar

moirtéar mort′e:r *m*1, (*vessel, artillery*) mortar

moirtís mort′i:s′ *f*2 mortise

móitíf mo:t′i:f′ *f*2, *pl* ~**eanna** motif

mol[1] mol *m*1 hub; pivot, shaft, spindle; boss; crown, *an M*~ *Thuaidh* the North Pole

mol[2] mol *vt & i* praise; recommend; propose, ~ *le* agree with; encourage

moladh molə *m*, *gs* -**lta** *pl* -**ltaí** praise; recommendation; proposal; eulogy

molás mo:la:s *m*1 molasses

moll mol *m*1, *pl* ~**ta** heap; large amount, number

molt molt *m*1 wether

moltach moltəx *a*1 complimentary, approving

moltóir molto:r′ *m*3 proposer, nominator; adjudicator, umpire

moltóireacht molto:r′əxt *f*3 judging, umpiring; adjudication

mómhaireacht mo:vər′əxt *f*3 mannerliness; gracefulness, dignity

mómhar mo:vər *a*1 mannerly; graceful, dignified

mona monə *m*4 money; coins, coinage; kind

monabhar monəvər *m*1 murmuring, murmur

monagamas 'monə‚gaməs *m*1 monogamy

monailit 'monə‚l′it′ *f*2 monolith

monalóg 'monə‚lo:g *f*2 monologue

monaplacht 'monə‚plaxt *f*3 monopoly

monaplaigh 'monə‚pli: *vt* monopolize

monaraigh monəri: *vt* manufacture

monarc monərk *m*4, *pl* ~**aí** monarch

monarcha monərxə *f*, *gs* ~**n** *pl* ~**na** factory

moncaí monki: *m*4 monkey

moneolaíocht 'mon‚o:li:(ə)xt *f*3 numismatics

mongach moŋgəx *a*1 maned: longhaired; covered with vegetation; marshy

mónóg mo:no:g *f*2 bogberry, cranberry; bead, drop

monsún monsu:n *m*1 monsoon

monuar mə'nuər *int* woe is me, alas

mór[1] mo:r *m*1 great lot; much, many; pride *a*1, *comp* **mó** big, great, large; main; senior, *bóthar* ~ highway, *duine* ~ *le rá* notable person, *tá sé* ~ *as féin* he has a high opinion of himself, *baile* ~ town, *an fharraige mhór* the open sea, the ocean, *bheith* ~ *le duine* to be on friendly terms with a person, *ní* ~ *liom duit é* I don't begrudge it to you, *go* ~ *fada* by a long stretch, *go* ~ ~ especially, *an* ~ *é*? how much is it? *ní* ~ (*do*) it is necessary (for), *nach* ~ almost, *ní mó ná* (*go*) hardly, *ná déan sin níos mó* don't do that any more *vt & i* magnify; exalt, extol; increase; (with *as*) boast about, (with *ar*) begrudge to

mór-[2] mo:r *pref* great-, grand-, main-, giant, major; general

mora morə *s*, ~ *duit* (*ar maidin*), ~ *na maidine duit* good morning

móradh mo:rə *m*, *gs* -**rtha** magnification, extolment

mórai mo:ri: *f*4 granny

móráil mo:ra:l′ *f*3 pride; boastfulness

móráireamh mo:r′‚a:r′əv *m*1 census

mórálach mo:ra:ləx *a*1 proud; boastful

morálta mora:ltə *a*3 moral

moráltacht mo:ra:ltəxt *f*3 morality; morals

móramh mo:rəv *m*1 majority

mórán mo:ra:n *m*1 much, many

mórbhonn 'mo:r‚von *m*1 medallion

mórchóir 'mo:r,xo:r' s, ar an ~ on a large
scale, in bulk

mórchroí 'mo:r,xri: m4 generosity

mórchuid 'mo:r,xid' f3, gs -choda pl
-chodanna large amount, number;
greater part, number

mórchúis 'mo:r,xu:s' f2 self-importance,
pomposity

mórchúiseach 'mo:r,xu:s'əx al self-im-
portant, pompous

mórdhíol 'mo:r,γ'i:l m3 wholesale

mórfhoclach 'mo:r,okləx al oratorical;
bombastic

morg morəg vt & i corrupt, decompose,
putrefy; mortify

mórga mo:rgə a³ great, exalted; majestic;
high-minded

mórgacht mo:rgəxt f3 greatness;
majesty; high-mindedness, A
Mhórgacht His Highness, His
Majesty; Your Majesty

morgadh morəgə m, gs -gtha corruption,
putrefaction; gangrene

morgáiste morəgə:s't'ə m4 mortgage

morgáistigh morəgə:s't'i: vt mortgage

morgthach morəkəx al putrefactive,
gangrenous

mórluachach 'mo:r,luəxəx al valuable;
important; self-important

Mormannach morəmənəx m1 & al Mor-
mon

mór-roinn 'mo:(r),ron' f2, pl -ranna con-
tinent

mórsheisear 'mo:r,hes'ər m1 seven per-
sons

mórshiúl 'mo:r,x'u:l m1, pl ~ ta proces-
sion

mórtas mo:rtəs m1 pride; boastfulness;
high spirits, bhí ~ farraige ann a heavy
sea was running

mórtasach mo:rtəsəx al proud; boastful;
joyous

mórthaibhseach 'nɪo:r,hav's'əx al spec-
tacular

mórthimpeall ,mo:r'him'p'əl m1 circuit;
surroundings prep & adv surrounding,
all round

mórthír 'mo:r,hi:r' f2 mainland

mortlaíocht mortli:(ə)xt f3 mortality,
death-rate; deadliness

mos¹ mos m1 scent

mos² mos m1 surliness

mós mo:s adv rather

mosach mosəx al shaggy, bristly; surly

mósáic ,mo:'sa:k' f2 mosaic

Moslamach mosləmax m1 & al Moslem

móta mo:tə m4 moat; earthen embank-
ment; mound

mótar mo:tər m1 motor; motor car

mótaraigh mo:tari: vt motorize

mothaigh mohi: vt & i feel; sense, per-
ceive; hear; bewitch, mothaim uaim iad
I miss them

mothaitheach mohihəx al sentient, per-
ceptive

mothálach moha:ləx al sensitive, respon-
sive

mothall mohəl m1 mop (of hair, etc)

mothallach mohələx al bushy; shaggy

mothaolach mohi:ləx al unsophisticated;
gullible

mothar mohər m1 thicket; jungle; large
mass

mothrach mohrəx al overgrown, tan-
gled; massive; clouded

mothú mohu: m4 feeling, perception;
sensation, consciousness

mothúchán mohu:xa:n m1 feeling, emo-
tion

muc muk f2 pig, ~ mhara porpoise, ~
ghainimh sandhill, sandbank, tháinig
~ ar gach mala aige he frowned
darkly, ~ shneachta snow-drift

mucais mukəs' f2 pigsty

múcas mu:kəs m1 mucus

múch mu:x f2 fumes; suffocating vapour
vt & i smother, suffocate; quench, ex-
tinguish; dull, deaden

múchadh mu:xə m, gs -chta smothering,
suffocation; quenching; asthma

múchán mu:xa:n m1 flue; hovel

múchtach mu:xtəx al smothering, suffo-
cating; asthmatic

múchtóir mu:xto:r' m3 extinguisher

muclach mukləx m1 piggery; drove of
pigs

mufa mofə m4 muff

muga mogə m4 mug

muiceoil 'mik',o:l' f3 pork

muid mid' 1pl pron we, us

muidne mid'n'ə 1pl emphatic pron we, us

muifín mif'i:n' m4 muffin

muifléad mif'l'e:d m1 muffler

muiléad mil'e:d m1 millet

muileann mil'ən m1, pl -lte mill, ~
gaoithe windmill

muileata mil'ətə *m4* (*cards*) diamond

muilleoir mil'o:r' *m3* miller; mill-owner

muilleoireacht mil'o:r'əxt *f3* milling

muin min' *f2* (upper) back; top, *ar mhuin capaill* on horseback, *ar mhuin mhairc a chéile* thrown together, higgledy-piggledy

múin mu:n' *vt & i* teach, instruct

muince miŋ'k'ə *f4* necklace, (metal) collar

muinchille min'x'əl'ə *f4* sleeve

muine min'ə *f4*, *pl* ~**acha** thicket; scrub

múineadh mu:n'ə *m*, *gs* -**nte** teaching, instruction; good behaviour, manners, ~ *scéil* the moral of a story

muineál min'a:l *m1*, *gs & npl* -**níl** neck

muinín min'i:n' *f2* trust, confidence; dependence, *dul i* ~ *ruda* to have recourse to sth

muiníneach min'i:n'əx *a1* (*with as*) trusting in; reliant on; trustworthy, reliable

muinisean ˌmin'is'ən *m1* ammunition

múinte mu:n't'ə *a3* well-behaved, polite

muintearas min't'ərəs *m1* friendliness, friendship; relationship

muinteartha min't'ərhə *a3* friendly; related, *duine* ~ relation

múinteoir mu:n't'o:r' *m3* teacher

múinteoireacht mu:n't'o:r'əxt *f3* teaching

muintir min't'ər' *f2*, *pl* ~**eacha** kinsfolk, family; people, folk, *teach* ~*e* dwelling-house, *fear na* ~*e* close relative, *M* ~ *Laoire* the O'Learys

muir mir' *f3*, *gs & pl* **mara** sea, ~ *théachta* frozen sea; vast amount

muirbheach mir'əv'əx *m1*, (*of seashore*) links

muirdhreach 'mir',γ'r'ax *m3*, *gs & npl* ~**a** seascape

Muire mir'ə *f4* (the Virgin) Mary

muirear mir'ər *m1* charge; family; burden

muireolaíocht 'mir',o:li:(ə)xt *f3* oceanography

muirgha 'mir',γa *m4*, *pl* ~**thanna** harpoon

muirí mir'i: *a3* marine, maritime

muirín[1] mir'i:n' *f2*, *pl* ~**eacha** family; burden

muirín[2] mir'i:n' *m4* scallop

múirling mu:rl'əŋ' *f2* heavy sudden shower

muirmhíle 'mir',v'i:l'ə *m4*, *pl* -**lte** knot, nautical mile

muirneach mu:rn'əx *a1* affectionate; beloved; caressing

muirnéis mu:rn'e:s' *f2* caressing; endearment

muirnigh mu:rn'i: *vt* fondle, cherish

muirnín mu:rn'i:n' *m4* darling, sweetheart

muirthéacht 'mir',he:xt *f3* (political) revolution

múisc mu:s'k' *f2* vomit; nausea; loathing

muiscít mis'k'i:t' *f2* mosquito

múisciúil mu:s'k'u:l' *a2* nauseating; dank, oppressive

muise mis'ə *int*, ~ *mhuise* indeed

múisiam mu:s'iəm *m4*, *pl* ~**aí** upset, mental disturbance; pique; nausea; heaviness, drowsiness

muisiriún mis'ər'u:n *m1* mushroom

muislin mis'l'i:n' *m4* muslin

mútseáil mu:t's'a:l' *f3* mitching, loitering

mullach muləx *m1*, *pl* -**aí** top, summit; crown (of head); elevated ground, *i* ~ *a chéile* on top of one another, *tá an geimhreadh sa mhullach orainn* winter is upon us

mullachán muləxa:n *m1* round, heap, ~ *gasúir* sturdy boy

mullán mula:n *m1* hillock

mullard molərd *m1* bollard

mumaí momi: *m4* (*of body*) mummy

mún mu:n *m1* urine *vt & i* urinate

mungail muŋgəl' *vt & i*, *pres* -**glaionn** munch; slur, mumble

mungailt muŋgəl't' *f2* munching; mumble

múnla mu:nlə *m4* mould; cast, moulding; form

múnlaigh mu:nli: *vt* mould; mint; form, model

múnlú mu:nlu: *m4* moulding, casting, shaping

múr mu:r *m1*, *pl* ~**tha** wall, rampart; bank, mound; shower *pl* profusion, abundance *vt* wall in, immure

mura murə *conj* if not, unless, ~ *mbeadh ann ach sin* if that were all, ~ *miste dom a rá* if I may say so, ~ *b ionann is tusa* unlike you, ~*r cailleadh iad* if they were not lost

murach murəx *conj* if not, only, ~ *sin* but for that

múráil mu:ri:l′ *f3* showery conditions, shower(s)

múráil mu:ra:l′ *f3* mooring *vt* moor

murascaill ′mur,askəl′ *f2* gulf

murdar mordər *m1* murder

murdaróir mordəro:r′ *m3* murderer

murlach mu:rləx *m1* lagoon

murlán mu:rla:n *m1* knob; small rounded object; knuckle-bone

murlas mu(:)rləs *m1* mackerel

murnán mu:rna:n *m1* ankle

mursanta mursəntə *a3* domineering, tyrannical

murúch muru:x *f2* mermaid

músaem mu:se:m *m1* museum

muscaed moske:d *m1* musket; rifle

muscaedóir moske:do:r′ *m3* musketeer; rifleman

múscail mu:skəl′ *vt & i, pres* **-claíonn** wake, awake, ~ *do mhisneach* rouse your courage

múscailt mu:skəl′t′ *f2* awakening, state of being awake

múscailteach mu:skəl′t′əx *a1* wakeful

múscán mu:ska:n *m1* spongy substance, sponge

múscánta mu:ska:ntə *a3* spongy; oozy, dank

músclóir mu:sklo:r′ *m3* activator

mustairt mustərt′ *f2* worsted

mustar mostər *m1* muster, assembly; ostentation, arrogance

mustard mostərd *m1* mustard

mustrach mostrəx *a1* ostentatious; swaggering, arrogant

mútóg mu:to:g *f2* finger-stall; flipper; stump

N

na¹ nə† : **an¹**

-na² na *1 pl emphatic suff, ár gceantarna* our district, *thugamarna a ndúshlán* we defied them

ná¹ na: *neg vb particle used with imperative* (do) not, ~ *habair é* don't say it, ~ *biodh eagla ort* don't be afraid

ná² na: *neg vb particle used with pres subj of bi dealbh* ~ *raibh sé* may he never be destitute

ná³ na: *conj* nor, or, *nil mac* ~ *inion aige* he has neither son nor daughter, *ni raibh eagla* ~ *eagla uirthi* she was not in the least afraid

ná⁴ na: *conj* than, *tá sé nios airde* ~ *an fear eile* he is taller than the other man, *ni mó* ~ *gur fiú duit é* it is hardly worth your while

ná⁵ na: *conj* but, *cad a bheadh romham* ~ *asal* what should I find there but a donkey, ~ *go*, ~ *gur* but that

ná⁶ na: *conj used with is is é ainm a bhí air* ~ *Séadna* the name that he had was Séadna

nach¹ nax *neg interr vb particle*, ~ *bhfeiceann tú féin go bhfuil an ceart agam?* do you not see for yourself that I am right?

nach² nax† *neg rel vb particle* who(m), which ... not, *an té* ~ *bhfuil ciall aige* he who has not got sense, *fear* ~ *n-aithním* a man whom I don't recognize

nach³ nax† *conj* that ... not, *is fíor* ~ *gcreidim é* it is true that I don't believe it, *mar* ~ *raibh an t-ádh orainn* because we were not in luck

nach⁴ nax ~ *mór*, ~ *beag* almost

nach⁵ nax† : **is**

nádúr na:du:r *m1* nature; innate character, kindliness, *dlíthe an nádúir* the laws of nature

nádúraí na:du:ri: *m4* naturalist

nádúrtha na:du:rhə *a3* natural, normal; good-natured, kindly

nádúrthacht na:du:rhəxt *f3* naturalness, artlessness; kindliness; moderateness, ~ *oibre a dhéanamh* to do a fair amount of work

nai ni: *m4, pl* ~**onna** infant

náibhí na:v′i: *m4* navvy

naichóiste ′ni:,xo:s′t′ə *m4* baby carriage, pram

náid na:d′ *f2, pl* ~**eanna** nought; nothing

naigín nag′i:n′ *m4* noggin

naímharú 'ni:ˌvaru: *m4* infanticide

naímhdeach navˈdˈəx *a1* hostile, malevolent

naímhdeas navˈdˈəs *m1* hostility, malevolence, spite

naíolann ni:lən *f2* (children's) nursery

naíonacht ni:nəxt *f3* infancy

naíonán ni:na:n *m1* infant

naíonda ni:ndə *a3* childlike; fresh, innocent, beautiful

naipcín naipˈkˈi:nˈ *m4* napkin, ~ *boird* serviette, ~ *póca* pocket handkerchief

náir na:rˈ *a* (used with *is*) *is ~ liom é a rá leat* (*ach*) I am ashamed to say it to you (but), *ní ~ dó* one would expect nothing better of him

nairciseas ˌnarˈˈkˈisˈəs *m1* narcissus

náire na:rˈə *f4* shame; decency; modesty

náireach na:rˈəx *a1* shameful; modest, diffident

náirigh na:rˈiˈ *vt* shame, disgrace

naisc nasˈkˈ *vt & i, vn* **nascadh** tie, bind; link, tether

naíscoil 'ni:ˌskolˈ *f2, pl ~eanna* kindergarten

náisiún na:sˈuːn *m1* nation, *na Náisiúin Aontaithe* the United Nations

náisiúnach na:sˈuːnəx *m1* national

náisiúnachas na:sˈuːnəxəs *m1* nationalism

náisiúnaí na:sˈuːni: *m4* nationalist

náisiúnta na:sˈunˈtə *a3* national

náisiúntacht na:sˈuːntəxt *f3* nationality

Naitseachas na:tsˈəxəs *m1* Nazism

Naitsí na:tsˈi: *m4* Nazi

Naitsíoch na:tsˈiˈ(ə)x *a1, gsm ~* Nazi

namhaid naud ~ na(:)vəd *m, gs -ad pl* **naimhde** enemy

naofa ni:fə *a3* holy, sanctified; sacred, *Pádraig N~* Saint Patrick

naofacht ni:fəxt *f3* holiness, sanctity

naoi ni: *m4, pl* **naonna** *& a* nine, *a ~ déag* nineteen

naomh ni:v *m1* saint *a1* holy, blessed

naomhaigh ni:vi: *vt* hallow, sanctify

naomhainmnigh 'ni:vˌanˈəmˈnˈiˈ *vt* canonize

naomhaithis 'ni:vˌahəsˈ *f2* profanity, blasphemy

naomhóg ni:vo:g *f2* currach, coracle

naomhsheanchas 'ni:vˌhanəxəs *m1* hagiography; hagiology

naonúr ni:nu:r *m1* nine persons

naoscach ni:skəx *f2* snipe

naoscaire ni:skərˈə *m4* snipe-shooter; sniper

naoú ni:u: *m4 & a* ninth

naprún napru:n *m1* apron

nár¹ na:r *neg vb particle used with pres subj*, ~ *fheicimid arís é* may we never see him again, ~ *lige Dia* God forbid

nár² na:r *neg interr vb particle*, ~ *cheannaigh tú é*? did you not buy it? ~ *imigh sé féin romhainn*? didn't he himself leave before us?

nár³ na:r *neg rel vb particle* who(m), which ... not, *an fear ~ labhair* the man who didn't speak, *fear ~ thuig mé a chuid cainte* a man whose speech I didn't understand

nár⁴ na:r *conj* that ... not, *sílim ~ éirigh leis* I think he didn't succeed, *biodh is ~ cuireadh moill orainn* even though we were not delayed

nár⁵ na:r, **nára** na:rə, **nárab** na:rəb, **nárbh** na:rvˈ : **is**

nasc nask *m1* tie, tether; clasp, bond

nath nah *m3, pl ~anna* adage; epigram, *tá sé ina ~ againn* it is a common saying with us, *ná cuir aon ~ ann* pay no attention to it

nathach nahəx *a1* aphoristic; sententious

nathaíocht nahi:(ə)xt *f3* witticism, wisecracking

nathair nahərˈ *f, gs -thrach pl -thracha* snake, serpent

náthán naha:n *m1* adage, aphorism, tag

-ne nˈə 1 *pl emphatic suff, ár muintirne* our people, *bheimisne sásta leis sin* we would be satisfied with that, *sinne, muidne* we, us, *dúinne, linne, orainne* to, with, on, us

neach nˈax *m4, gs & gpl ~, npl ~* **a** being; person; spirit

neacht nˈaxt *f3, pl ~anna* niece

neachtairín nˈaxtərˈi:nˈ *m4* nectarine

neachtar¹ nˈaxtər *m1* nectar

neachtar² nˈaxtər *pron, nó ~ acu* or else

neachtlann nˈaxtlən *f2* laundry

nead nˈad *f2, pl ~acha* nest; bed, lair, ~ *seangán* ant-hill

neadaigh nˈadiˈ *vt & i* nest; nestle; set; lodge

neafaiseach nˈafəsˈəx *a1* trivial, trite

néal n'e:l *m*1, *pl* ~**ta** cloud; depression; gloomy expression; fit, paroxysm; swoon, nap, snooze; daze, ~ **gréine** burst of sunshine, *níor fhan* ~ *aige* he was beside himself, *thit* ~ *orm* I dozed off

néalfartach[1] n'e:lfərtəx *f*2 dozing, drowsing

néalfartach[2] n'e:lfərtəx *f*2 tormentil

néalmhar n'e:lvər *a*1 nebulous; gloomy; sleepy

néaltach n'e:ltəx *a*1 cloudy

néaltraithe n'e:ltrihə *a*3 crazy, demented

neamaiteach 'n'a,mat'əx *a*1 unforgiving

neamaltheach 'n'a,mahəx *a*1 disobliging; useless

neamart n'amərt *m*1 neglect, ~ *a dhéanamh i rud* to neglect sth

neamartach n'amərtəx *a*1 neglectful, remiss

neamh[1] n'av *f*2, *gs* **neimhe** heaven; sky

neamh-[2] n'av *pref* in-, un-, -less; non-

neamhacra 'n'av,akrə *s, ar an* ~ independent, in easy circumstances

neamhaí n'avi: *a*3 heavenly, celestial; (*of talk*) monotonous

neamhaird n'e:ltrihə *f*2, ~ *a thabhairt ar rud* to disregard sth

neamh-aistear 'n'av,as't'ər *m*1 idleness; thoughtlessness; mischief

néamhanda n'e:vəndə *a*3 pearly

néamhann n'e:vən *m*1 gem; mother of pearl

neamhaontach 'n'av,i:ntəx *m*1 & *a*1 nonconformist

neamhbhailbhe 'n'a(v),val'əv'ə *f*4 forthrightness

neamhbhailí 'n'a(v),val'i: *a*3 invalid

neamhbhailigh 'n'a(v),val'i: *vt* invalidate

neamhbhalbh 'n'a(v),valəv *a*1 outspoken, forthright

neamhbhásmhaireacht 'n'a(v),va:svər'əxt *f*3 immortality

neamhbhásmhar 'n'a(v),va:svər *a*1 immortal

neamhbheo 'n'a(v),v'o: *a*3 inanimate; still, dead

neamhbhríoch 'n'a(v),v'r'i:(ə)x *a*1, *gsm* ~ insignificant; ineffective; nullity

neamhbhuan 'n'a(v),vuən *a*1 impermanent, transient

neamhchead 'n'av,x'ad *s, ar* ~ *do* without the permission of, in spite of

neamhchiontach 'n'av,x'intəx *m*1 innocent person *a*1 innocent, not guilty

neamhchodladh 'n'av,xolə *m, gs* -**ata** insomnia

neamhchoimisiúnta 'n'av,xo'm'is'u:ntə *a*3 noncommissioned

neamhchoitianta 'n'av,xot'iəntə *a*3 uncommon, unusual

neamhchosúil 'n'av,xosu:l' *a*2 unlike; unlikely

neamhchúiseach 'n'av,xu:s'əx *a*1 unconcerned; imperturbable

neamhdhuine 'n'av,γin'ə *m*4, *pl* -**dhaoine** nobody, nonentity

neamheaglach 'n'av,agləx *a*1 fearless, intrepid

neamhfheidhm 'n'av,aim' *f*2 nonfunction; irrelevance

neamhghnách 'n'av,γna:x *a*1, *gsm* ~ unusual, extraordinary

neamhiontas 'n'av,i:ntəs *m*1, ~ *a dhéanamh de rud* to disregard, ignore, sth

neamh-mheabhair 'n'a(v),v'aur' *f, gs* -**bhrach** forgetfulness; unconsciousness; distraction, madness

neamh-mheisce 'n'a(v),v'es'k'ə *f*4 sobriety

neamh-mheisciúil 'n'a(v),v'es'k'u:l' *a*2 non-intoxicating; sober

neamh-mheontach 'n'a(v),v'o:ntəx *a*1 forward, presumptuous

neamh-mheontaíocht 'n'a(v),v'o:nti:(ə)xt *f*3 forwardness

neamhní n'avn'i: *m*4, *pl* -**nithe** nothing, nought

neamhnigh n'avn'i: *vt* nullify, annul, annihilate

neamhoifigiúil 'n'av,of'əg'u:l' *a*2 unofficial

neamhphearsanta 'n'av,f'arsəntə *a*3 impersonal

neamhréir 'n'av,re:r' *f*2 inconsistency

neamhréireach 'n'av,re:r'əx *a*1 inconsistent

neamhrialta 'n'av,riəltə *a*3 irregular

neamhscagach 'n'av,skagəx *a*1 impermeable

neamh-shainchreidmheach 'n'av'han',x'r'ed'v'əx *a*1 non-denominational

neamhshaolta 'n'av,hi:ltə *a*3 unworldly; ethereal

neamhshiméadrach 'n'av,him'e:drəx *a*l asymmetric

neamhshotalach 'n'av,hotələx *a*l unsubmissive; impudent

neamhshrianta 'n'av,hriəntə *a*3 unbridled, capricious

neamhshuim 'n'av,him' *f*2 disregard, indifference

neamhshuimiúil 'n'av,him'u:l' *a*2 unimportant; insignificant, ~ *i* uninterested (in), disdainful (of)

neamhspleách 'n'av,sp'l'a:x *a*l, *gsm* ~ independent (*ar, le* of)

neamhspleáchas 'n'av,sp'l'a:xəs *m*l independence

neamhthuairimeach 'n'av,huər'əm'əx *a*l unthinking; casual; unexpected

neamhthuilleamaí 'n'av,hil'əmi: *m*4, *ar an* ~ independent

neamhurchóideach 'n'av,urəxo:d'əx *a*l harmless, inoffensive

neantóg n'anto:g *f*2 nettle

neantúil n'antu:l' *a*2 irritating; irritable

néar(a)- n'e:r(ə) *pref* neur(o)-, nerve, nervous

néaraílge 'n'e:,al'əg'ə *f*4 neuralgia

néareolaíocht 'n'e:r,o:li:(ə)xt *f*3 neurology

néaróg n'e:ro:g *f*2 nerve

néaróis n'e:ro:s' *f*2 neurosis

néaróiseach n'e:ro:s'əx *m*l & *a*l neurotic

neart n'art *m*l strength, power; plenty; control, *tá sé ina* ~ he is in his prime, *le* ~ *sainte* through sheer avarice, *tá* ~ *ama agat* you have plenty of time, *níl* ~ *air* it can't be helped, *níl* ~ *agam dul leat* I am unable to go with you

neartaigh n'arti: *vt & i* strengthen; (with *le*) reinforce, *tá sé ag neartú sa saol* he is getting on in the world, *neartú le duine* to support a person

neartmhar n'artvər *a*l strong, vigorous, powerful

neartú n'artu: *m*4 strengthening, reinforcement, support

neas- n'as *pref* approximate, near

neasa n'asə *comp a* nearer, nearest (*do* to)

neascóid n'asko:d' *f*2 boil

neasghaol 'n'as,γi:l *m*l, *pl* ~**ta** next of kin

néata n'e:tə *a*3 neat

néatacht n'e:təxt *f*3 neatness

neimhe n'ev'ə : **neamh**

néimhe n'e:v'ə : **niamh**

Neiptiún n'ep't'u:n *m*l Neptune

neirbhís n'er'əv'i:s' *f*2 nervousness

neirbhíseach n'er'əv'i:s'əx *a*l nervous

néiríteas ,n'e:'r'i:t'əs *m*l neuritis

neodar n'o:dər *m*l neuter; nothing

neodrach n'o:drəx *a*l neutral; neuter

neodracht n'o:drəxt *f*3 neutrality

neodraigh n'o:dri: *vt* neutralize; neuter

neodrón n'o:dro:n *m*l neutron

Neoiliteach 'n'o:,l'it'əx *a*l Neolithic

neon n'o:n *m*l neon

ní[1] n'i: *m*4, *pl* **nithe** thing, something; (with *neg*) nothing, *níor tharla aon* ~ nothing happened, *is mór an* ~ *é* it means a lot, ~ *nach ionadh* no wonder, (with *ba*) ~ *ba dhíle ná an sneachta* whiter than snow, *níor imigh sé* ~ *ba mhó* he didn't go away any more

ní[2] n'i: *f*4 (*in surnames*), Nuala **Ní** Bhriain (Miss) Nuala O'Brien, Máire **Ní** Ógáin (Miss) Mary Hogan

ní[3] n'i: *f*4 washing

ní[4] n'i:† *neg vb particle*, ~ *fheiceann sé iad* he doesn't see them, ~ *raibh focal as* he didn't say a word, ~ *bhfaigheadh sé é* he would not get it, ~ *déarfaidh sí é* she will not say it

ní[5] n'i: ~ *mé* I wonder

ní[6] n'i:† : **is**

nia n'iə *m*4, *pl* ~**nna** nephew

niachas n'iəxəs *m*l prowess; chivalry

nialas n'iələs *m*l zero

niamh n'iəv *f*2, *gs* **néimhe** brilliance, sheen

niamhghlan 'n'iəv,γlan *vt* burnish

niamhrach n'iəvrəx *a*l lustrous, resplendent

nic n'ik' (*in surnames*), Máire **N**~ Shuibhne (Miss) Mary (Mc)Sweeney, Bríd **N**~ *an Ghoill* (Miss) Brigid McGill

nicil n'ik'əl' *f*2 nickel

nicitín n'ik'ət'i:n' *m*4 nicotine

nideog n'id'o:g *f*2 niche

nigh n'iγ' *vt & i* wash

nihileachas n'ihəl'əxəs *m*l nihilism

níl n'i:l' *pres neg of* **bí**

nimfeach n'im'f'əx *f*2 nymph

nimh n'iv' *f*2, *pl* ~**eanna** poison; virulence, animosity, *dúil* ~*e* extreme desire, ~*e neanta* venomous, stinging, scalding

nimheanta n'iv'ǝntǝ *a3* venomous, spiteful

nimhigh n'iv'i: *vt* poison, envenom

nimhíoc n'iv'i:k *f2* antidote

nimhiú n'iv'u: *m4* poisoning, ~ **bia** food poisoning

nimhiúil n'iv'u:l' *a2* poisonous, virulent

nimhneach n'iv'n'ǝx *a1* painful; hurtful; spiteful; touchy, *namhaid* ~ vindictive enemy

níochán n'i:(ǝ)xa:n *m1* washing; wash, laundry

níolón n'i:lo:n *m1* nylon

níor[1] n'i:r[t] *neg vb particle,* ~ **chreid sé mé** he didn't believe me, ~ **cuireadh suim ann** no notice was taken of it

níor[2] n'i:r[t] : **is**

níorbh n'i:rv[t] : **is**

níos n'i:s *comp adv,* **tá tú** ~ **óige ná mé** you are younger than I am, *dá mbeadh* ~ **mó airgid agam** if I had more money

níotráit n'i:tra:t' *f2* nitrate

nithe n'ihǝ : **ní**[1]

nithiúil n'ihu:l' *a2* real, concrete, corporeal

nithiúlacht n'ihu:lǝxt *f3* reality, concreteness

nítrea-, nítri- n'i:t'r'ǝ *pref* nitr(o)-

nítrigin 'n'i:t'r'ǝ,g'in' *f2* nitrogen

niúmóine ,n'u:'mo:n'ǝ *m4* pneumonia

nó no: *conj* or, *dubh* ~ **bán** black or white, *ní féidir* ~ **fuair sé é** he must have got it, ~ **go** until; so that

nócha no:xǝ *m*, *gs* ~ **d** *pl* ~ **idí** *& a* ninety

nóchadú no:xǝdu: *m4* *& a* ninetieth

nocht noxt *m1* naked person *a1*, *gsm* ~, naked; exposed *vt & i* bare, uncover; expose, *dealbh a* ~ **adh** to unveil a statue, ~ **an long ag bun na spéire** the ship appeared on the horizon

nochtachas noxtǝxǝs *m1* nudism

nochtacht noxtǝxt *f3* nudity

nochtadh noxtǝ *m*, *gs* **nochta** baring, exposure; disclosure

nod nod *m1*, *npl* ~ **a** abbreviation; hint

nód no:d *m1* node

nódaigh no:di: *vt* graft, transplant

nodaireacht nodǝr'ǝxt *f3* notation

nódú no:du: *m4* graft, transplant(ation)

nóibhéine ,no:'v'e:n'ǝ *f4* novena

nóibhíseach no:v'i:s'ǝx *m1* novice

nóiméad no:m'e:d *m1* minute; moment

nóin no:n' *f3*, *pl* **nónta** nones; afternoon; noon

nóinín no:n'i:n' *m4* daisy

nóinléiriú 'no:n',l'e:r'u: *m4* matinée

nóisean no:s'ǝn *m1* notion; (fanciful) idea

noitmig not'm'ǝg' *f2* nutmeg

Nollaig nolǝg' *f*, *gs* ~ **pl** ~ **í** Christmas, *Oíche Nollag* Christmas Eve, *Mí na Nollag* December

normálta norǝma:ltǝ *a3* normal

Normannach norǝmǝnǝx *m1 & a1* Norman

nós no:s *m1*, *pl* ~ **anna** custom, manner, style, ~ **imeachta** procedure, *ar* ~ in the manner (of), like

nósmhaireacht no:svǝr'ǝxt *f3* customariness, formality; politeness

nósmhar no:svǝr *a1* customary; formal; polite

nósúil no:su:l' *a2* customary; formal; polite

nósúlacht no:su:lǝxt *f3* fastidiousness; mannerism

nóta no:tǝ *m4* note

nótáil no:ta:l' *vt* note

nótáilte no:ta:l't'ǝ *a3* noted

nótaire no:tǝr'ǝ *m4* notary

nua nuǝ *m4* newness; new thing, *as an* ~ anew, afresh *a3*, *gsf & comp* ~ **í** new; fresh, recent

nua-aimseartha 'nuǝ,am'sǝr'hǝ *a3* modern

nua-aoiseach 'nuǝ,i:s'ǝx *a1* modern

nua-aoiseachas 'nuǝ,i:s'ǝxǝs *m1* modernism

nuabheirthe 'nuǝ,v'erhǝ *a3* new-born; (*of eggs*) new-laid

nuachar nuǝxǝr *m1* spouse

nuacht nuǝxt *f3* news; novelty, innovation

nuachtán nuǝxta:n *m1* newspaper, journal

nuachtánachas nuǝxta:nǝxǝs *m1* journalese

nuachtánaí nuǝxta:ni: *m4* newsagent

nuachtghníomhaireacht 'nuǝxt,ɣ'n'i:vǝr'ǝxt *f3* newsagency

nuachtóir nuǝxto:r' *m3* reporter, journalist

nuachtóireacht nuǝxto:r'ǝxt *f3* journalism

Nua-Ghaeilge 'nuǝ,ɣe:l'g'ǝ *f4* Modern Irish

nuair nuər' *conj* when; considering that; although

nuálaí nu:a:li: *m4* innovator

nuaphósta 'nuə,fo:stə *a3* newly-wed

nuasachán nuəsəxa:n *m1* postulant

núicléach nu:k'l'e:x *a1, gsm* ~ nuclear

núicléas nu:k'l'e:s *m1* nucleus

nuige nig'ə *adv, go* ~ as far as, until, even to, *go* ~ *seo* hitherto

nuinteas nin't'əs *m1* nuncio

núiosach 'nu:,i:səx *m1* newcomer; beginner, novice *a1* new, unaccustomed (*ag* to); unseasoned, unlearned; strange

núiosacht 'nu:,i:səxt *f3* newness; inexperience

núis nu:s' *f2, pl* ~**eanna** nuisance

nús nu:s *m1* beestings

nuta notə *m4* stump, stub

O

ó¹ o: *m4, pl* **ói** *gs* **uí** *used in surnames, npl* **uí** *used in historical sept-names, gpl* ~ & *dpl* **uibh** *used in certain place-names* grandson, grandchild; descendant, *Flann Ó Briain* Flann O'Brien, *an Dochtúir Ó hUiginn* Dr O'Higgins, *Nuala (Bean) Uí Néill* (Mrs.) Nuala O'Neill, *Uí Néill* the descendants of Niall, *Uíbh Ráthach* Iveragh

ó² o:' *prep, pron forms* **uaim** uəm', **uait** uət', **uaidh** uəy' *m*, **uaithi** uəhi: *f*, **uainn** uən', **uaibh** uəv', **uathu** uəhu, from, *chonaic mé uaim iad* I saw them at a distance, *ó mhaidin* since morning, *níor thit siad uathu féin* they didn't fall of their own accord, *ó mo thaobhsa de* for my part, *ba mhaith uaidh é* it was good of him, *airím uaim iad* I miss them, *cad tá uait?* what do you want? *ná lig ó mhaith é* don't let it become useless, *fág uait é* leave it aside *conj, combines with* **is** *to form* **ós** since, after, *ó bhí tú anseo cheana* since you were here before, *ós agat atá an ceart* as you are in the right

ó³ o: *ó dheas, ó thuaidh* southwards, northwards

ó⁴ o: *int* o, oh, ó, *a Dhia* o God

ob ob *vt* & *i* refuse; shirk; fail, *seic a* ~ *adh* to dishonour a cheque

obach obəx *a1* refusing; shunning

obadh obə *m, gs* **obtha** *pl* **obthaí** refusal, rejection

obair obər' *f2, gs* **oibre** *pl* **oibreacha** work; labour, task; strenuous effort, difficulty, ~ *bhaile* homework, *oibreacha uisce* waterworks, *tá an troid ar* ~ the fight has started, *ba mhór an* ~ *nár maraíodh é* it's a wonder he wasn't killed, *a leithéid d'* ~ such carry-on, *ag* ~ at work, working

Oblátach obla:təx *m1* Oblate

óbó o:bo: *m4, pl* ~**nna** oboe

obrádlann obra:dlən *f2* operating theatre

obráid obra:d' *f2* (surgical) operation

ócáid o:ka:d' *f2* occasion; incident, *níl* ~ *agam leis* I have no need for it

ócáideach o:ka:d'əx *a1* occasional; opportune

ócar o:kər *m1* ochre

ocastóir okəsto:r' *m3* huckster

ocastóireacht okəsto:r'əxt *f3* huckstering, haggling

och ox *int* & *s* och, o, alas

ochlán oxla:n *m1* sigh, groan; cause of sorrow

ochón o'xo:n *int* & *s* alas; wail, lament

ocht oxt *m4, pl* ~**anna** & *a* eight, *a h*~ eight, *a h*~ *déag* eighteen

ócht o:xt *f3* virginity

ochtach oxtəx *m1* octave

ochtagán oxtəga:n *m1* octagon

ochtapas oxtəpəs *m1* octopus

ochtar oxtər *m1* eight persons

ochtó oxto: *m, gs* ~**d** *pl* ~**idí** & *a* eighty

ochtódú oxto:du: *m4* & *a* eightieth

ochtú oxtu: *m4* & *a* eighth

ocrach okrəx *m1* hungry person *a1* hungry; mean, *na blianta* ~*a* the lean years

ocras okrəs *m1* hunger; poverty; meanness

ocsaíd oksi:d' *f2* oxide

ocsaigin 'oksə,g'in' *f2* oxygen

odhar aur *a1, npl* **odhra** dun; dull, dark

ofráil ofra:l′ *f3* offering; offertory; charity *vt* offer

óg o:g *m1, npl* **~a** young person, youth *a1* young; junior; fresh

óganach o:ga:nəx *m1* youth, young man; boyo

ógbhean o:g′,v′an *f, gs & npl* **ógmhná** *gpl* **ógbhen** young woman

ógchiontóir ′o:g′,x′into:r′ *m3* juvenile delinquent

ógfhear ′o:g′,ar *m1* young man

ógh o: *f2* virgin, *Muire O~* the Virgin Mary

ogham o:m *m1* ogham (script, inscription)

óglach o:gləx *m1* volunteer, *Óglaigh na hÉireann* the Irish Volunteers

ógra o:grə *m4* young people, youths

oibiachtúil ob′iəxtu:l′ *a2* objective

oibleagáid ob′l′əga:d′ *f2* obligation, *~ a dhéanamh do dhuine* to oblige a person

oibleagáideach ob′l′əga:d′əx *a1* obligatory; obliging

oibre ob′r′ə, **~acha** ob′r′əxə : **obair**

oibreachas ob′r′əxəs *m1, an Chúirt Oibreachais* the Labour Court

oibreoir ob′r′o:r′ *m3* operator

oibrí ob′r′i: *m4* worker

oibrigh ob′r′i: *vt & i* work, stir up, agitate; ferment, *do neart a oibriú ar rud* to use one's strength on sth, *bhí an miol mór á oibriú féin* the whale was thrashing about

oibríoch ob′r′i:(ə)x *a1, gsm ~* operative

oibriú ob′r′u: *m4* working; action, operation, agency; agitation; fermentation, *~ (an choirp)* movement (of bowels)

oíche i:x′ə *f4, pl ~anta* night; nightfall, *bhí mé ann ~* I was there one night, *~ Dhomhnaigh* Sunday night, *~ chínn féile* eve of festival, *O~ Nollag* Christmas Eve

oíchí i:x′i: *a3* nocturnal

óid o:d′ *f2, pl ~eanna* ode

oide od′ə *m4* tutor, teacher

oideachas od′əxəs *m1* education

oideachasóir od′əxəso:r′ *m3* educationalist

oideachasúil od′əxəsu:l′ *a2* educational

oideam od′əm *m1* maxim

oideas od′əs *m1* instruction; recipe; (medical) prescription

oideolaíocht ′od′,o:li:(ə)xt *f3* pedagogy

oidhe i:γ′ə *f4* slaying; violent death; tragedy; ill usage, *is maith an ~ ort é* you well deserve it

oidhre air′ə *m4* heir, *níl aon ~ ar a athair ach é* he is the very image of his father

oidhreacht air′əxt *f3* inheritance, heredity; heritage; legacy

oidhreachtúil air′əxtu:l′ *a2* hereditary

oidhrigh air′i: *vt* bequeath (*ar* to)

oifig of′əg′ *f2* office

oifigeach of′əg′əx *m1* officer

oifigiúil of′əg′u:l′ *a2* official

óige o:g′ə *f4* youth; young people

óigeanta o:g′əntə *a3* youthful, younglooking

oigheann ain *m1* oven

oighear air *m1* ice

oighearshruth ′air,hruh *m3, pl ~anna* glacier

oigheartha airhə *a3* galled, chafed, irritated

oighreach air′əx *a1* glacial

oighreata air′ətə *a3* icy

oighrigh air′i: *vt & i* ice, freeze, congeal

oigiséad og′əs′e:d *m1* hogshead

oil ol′ *vt* nurture, rear; educate, *bheith ~ te ar rud* to be skilled, proficient, in sth

oilbheart ′ol′,v′art *m1, npl ~a* evil, shameful, deed

oilbhéas ′ol′,v′e:s *m3, gs & npl ~a* evil habit; mischievousness; viciousness

oilbhéasach ′ol′,v′e:səx *a1* mischievous, unruly; (*of animal*) vicious

oilbhéim ′ol′,v′e:m′ *f2* offence, scandal

oileán ol′a:n *m1* island

oileánach ol′a:nəx *m1* islander *a1* abounding in islands; insular

oileánrach ol′a:nrəx *m1* archipelago

Oilimpeach ′o′l′im′p′əx *m1* Olympian *a1* Olympic

oilithreach ol′əhr′əx *m1* pilgrim

oilithreacht ol′əhr′əxt *f3* pilgrimage

oiliúint ol′u:n′t′ *f3, gs -úna* nourishment; nurture, upbringing; training

oiliúnach ol′u:nəx *a1* nourishing; nurturing; instructive

oilte ol′t′ə *a3* skilled, proficient

oilteacht ol′t′əxt *f3* training, proficiency, skill

oilteanas ol′t′ənəs *m1* breeding, manners

oiltiúil ol′t′u:l′ *a2* over-rich, cloying

óinchiste ′o:n′,x′is′t′ə *m4* imprest

oineach on'∂x *m*l honour, reputation; hospitality; favour, *rúnai oinigh* honorary secretary

oineachúil on'∂xu:l' *a*2 generous, good-natured

óinmhid o:n'v'∂d' *f*2 simpleton; jester, buffoon

oinniún on'u:n *m*l onion

óinseach o:n'∫∂x *f*2 foolish woman; fool

óinsiúil o:n'∫u:l' *a*2 foolish, silly

oir or' *vi*, *vn* ~**iúint** suit, fit, *is é a d'* ~*feadh duit* it is just what you need

óir o:r' *conj* for, because

oirbheart or'∂v'∂rt *m*l, *npl* ~**a** wielding, casting; shift, expedient; exploit; prowess; maturity

oirbheartach or'∂v'∂rt∂x *a*l dexterous, skilful; valiant; mature

oirbheartaíocht or'∂v'∂rti:(∂)xt *f*3 (military) tactics

oirchill or'∂x'∂l' *f*2 preparation, readiness; expectation; treachery; ambush, *in* ~ *an bháis* in anticipation of death, *ag* ~ *an chomhraic* preparing for the encounter, *bheith in* ~ *ar dhuine* to lie in wait for a person

oirchilleach or'∂x'∂l'∂x *a*l ready, prepared (*ar* for); anticipatory

oirdheisceart 'or''γ'es'k'∂rt *m*l southeast

oireachas or'∂x∂s *m*l precedence, sovereignty; rank, status

oireachtas or'∂xt∂s *m*l deliberative assembly, festival, *an tO* ~ the legislature

oiread or'∂d *s, gs* ~ amount, quantity, number, *déanfaidh mé a* ~ *duit* I'll do as much for you, *ach* ~ no more than, either, *a* ~ *is pingin* (not) so much as a penny, *a dhá* ~ twice as much, *a* ~ *eile* as much again, *an* ~ *seo* so much, *bhí an* ~ *sin feirge orm* I was so angry, ~ *na fride* the tiniest bit

oireas or'∂s *m*l record of events; history; certain knowledge

oirfide or'f'∂d'∂ *m*4 minstrelsy, music; entertainment

oirfideach or'f'∂d'∂x *m*l minstrel, musician; entertainer *a*l musical; entertaining

oirirc or'∂r'k' *a*l eminent, illustrious

oirirceas or'∂r'k'∂s *m*l eminence, distinc-tion, *a O* ~ his Eminence, *a Oirircis* your Eminence

oiriseamh or'∂s'∂v *m*l stay, stop; delay

oiriúint or'u:n't' *f*3, *gs* -**úna** suitability, fittingness *pl* accessories

oiriúnach or'u:n∂x *a*l suitable, fitting; ready; well-behaved

oiriúnaigh or'u:ni: *vt* fit, adapt; suit

oiriúnú or'u:nu: *m*4 adaptation, adaption

oirmhinneach or'∂v'∂n'∂x *m*l, *a Oir-mhinnigh* your Reverence, *an tO* ~ *Seoirse de Búrca* the Reverend George Burke *a*l reverend

oirmhinnigh or'∂v'∂n'i: *vt* revere, reverence, honour

oirní o:rn'i: *a*3 ordained; inaugurated; eminent; ordered

oirnigh o:rn'i: *vt* ordain; inaugurate; arrange; adorn, *oirniodh ina shagart é* he was ordained priest

oirniú o:rn'u: *m*4 ordination; inaugura-tion; arrangement

oirthear orh∂r *m*l east, eastern part

oirthearach orh∂r∂x *m*l oriental *a*l east-ern, oriental

oirthuaisceart 'or''huas'k'∂rt *m*l north-east

oiseoil 'os'o:l' *f*3 venison

oisín os'i:n' *m*4 fawn

oisre os'r∂ *m*4 oyster

oisteansóir os't'∂nso:r' *m*3 monstrance

oisteapat os't'e:pat *m*l osteopath

oitir ot'∂r' *f*, *gs* -**treach** *pl* -**treacha** sub-merged sandbank, shoal; bank

ól o:l *m*l drink, *bheith ar an* ~ to be drinking, on the booze, *teach (an) óil* public house *vt & i* drink, *bheith* ~ *ta* to be drunk, *tobac a ól* to smoke tobacco

ola ol∂ *f*4 oil, *an* ~ *dhéanach* extreme unction, ~ *mhór* paraffin

olach ol∂x *a*l oily

ólachán o:l∂xa:n *m*l drink(ing)

olacheantar 'ol∂,x'ant∂r *m*l oilfield

olagarcacht 'ol∂,gark∂xt *f*3 oligarchy

olagón ol∂go:n *m*l wailing; lament

olagónach ol∂go:n∂x *a*l wailing, lament-ing

olaigh oli: *vt* oil; anoint

olaíocht oli:(∂)xt *f*3 oiliness

olanda ol∂nd∂ *a*3 woolly

olann ol∂n *f*, *gs* **olla** *npl* ~**a** *gpl* ~ wool

olannacht ol∂n∂xt *f*3 woolliness

olar olər *m*1 fat, grease; unctuousness

olartha olərhə *a*3 fat, greasy; unctuous

olc olk *m*1 evil, harm; grudge, spite, ~ a chur ar dhuine to incense a person, madra oilc mad dog *al*, comp measa bad, evil, harmful; poor, wretched, bheith go h~ to be seriously ill, más ~ leat é if you do not like it, is ~ a chreidim é I hardly believe it, ~ ná maith not at all, is measa liom mo chás féin I am more concerned with my own case, cé is measa leat? whom do you prefer? is measaide sibh, daoibh, é you are the worse for it

olcas olkəs *m*1 badness, dul in ~ to get worse

oll- ol *pref* great, gross, total

olla olə : olann

ollach olax *a*1 woolly, fleecy

ollamh oləv *m*1, *pl* ollúna professor

ollás 'ol,a:s *m*1 pomp; rejoicing

ollchruinniú 'ol,xrin'u: *m*4 mass meeting

ollghairdeas 'ol,γa:rd'əs *m*1 jubilation

ollmhaitheas 'ol,vahəs *m*3 wealth, luxury; *pl* delicacies

ollmhaithiúnas 'ol,vahu:nəs *m*1 amnesty

ollmhargadh 'ol,varəgə *m*1, *pl* -aí supermarket

ollmhór 'ol,vo:r *a*1 huge, immense

ollphéist 'ol,f'e:s't' *f*2, *pl* ~eanna serpent, monster

ollphuball 'ol,fubəl *m*1 marquee

ollscartaire 'ol,skartər'ə *m*4 bulldozer

ollscoil 'ol,skol' *f*2, *pl* ~eanna university

ollscolaíocht 'ol,skoli:(ə)xt *f*3 university education

ollsmachtach 'ol,smaxtəx *a*1 totalitarian

olltáirg 'ol,ta:r'g' *vt* mass-produce

olltáirgeacht 'ol,ta:r'g'əxt *f*3 gross product, output

olltáirgeadh 'ol,ta:r'g'ə *m*, *gs* -gthe mass production

olltoghchán 'ol,tauxa:n *m*1 general election

ollúnacht olu:nəxt *f*3 professorship

ológ olo:g *f*2 olive

óltach o:ltəx *a*1 addicted to drink; intoxicated; absorbent

óltóir o:lto:r' *m*3 drinker

olúil olu:l' *a*2 oily, oleaginous

ómós o:mo:s *m*1 homage; reverence, respect, in ~ in honour of, in return for

ómósach o:mo:səx *a*1 reverential, respectful

ómra o:mrə *m*4 amber

ómrach o:mrəx *a*1 amber (-coloured)

onamataipé 'onə,matə'p'e: *f*4 onomatopoeia

onfais onfas' *f*2 diving, dive; tumbling, floundering

onfaiseoir onfəs'o:r' *m*3 diver

onnmhaire 'on,var'ə *f*4 exported article, export

onnmhaireoir 'on,var'o:r' *m*4 exporter

onnmhairigh 'on,var'i: *vt* export

onnmhairiú 'on,var'u: *m*4 exportation

onóir ono:r' *f*3, *pl* -óracha honour, príosúnach a ~ prisoner on parole, cúrsa onóracha honours course, ag seasamh na honóra keeping up appearances

onórach ono:rəx *a*1 honourable, upright; esteemed; honorary

onóraigh ono:ri: *vt* honour

ópal o:pəl *m*1 opal

optach optəx *a*1 optic

optaic optək' *f*2 optics

ór o:r *m*1 gold, ~ Muire marigold

oracal orəkəl *m*1 oracle

oraibh orəv' : ar[1]

óráid o:ra:d' *f*2 oration, speech

óráideach o:ra:d'əx *a*1 oratorical, declamatory

óráidí o:ra:d'i: *m*4 orator

óráidíocht o:ra:d'i:(ə)xt *f*3 oratory

óraigh o:ri: *vt* gild

orainn orən' : ar[1]

oráiste ora:s't'ə *m*4 orange

Oráisteach oras,t'əx *m*1 Orangeman *al*, an tOrd O~ the Orange Order

órang-útan 'o:raŋ'u:tən *m*1 orang-utan

oratóir orəto:r' *m*3 oratorio

ord[1] o:rd *m*1 sledge-hammer

ord[2] o:rd *m*1 order; sequence, arrangement

ordaigh o:rdi: *vt* order; command, prescribe, mar a d' ~ Dia as God ordained

ordaitheach o:rdihəx *m*1 & *a*1, (*grammar*) imperative

ordanás o:rdəna:s *m*1 ordnance

órdhonn 'o:r,γon *a*1 auburn

ordóg o:rdo:g *f*2 thumb, ~ (coise) big toe, ~ gliomaigh claw of lobster

ordú o:rdu: *m*4 order; command; injunction

ordúil o:rdu:l′ *a2* orderly, neat; ordered
orduimhir 'o:rd,iv′ər′ *f, gs* **-mhreach** *pl* **-mhreacha** ordinal (number)
ordúlacht o:rdu:ləxt *f3* orderliness, tidiness
órga o:rgə *a3* golden
organ orəgə:n *m1* organ
organach orəgə:nəx *m1* organism *a1* organic
organaí orəgə:ni: *m4* organist
orla o:rlə *m4* vomit(ing)
orlach o:rləx *m1, pl* **-aí** inch, *níl tusa ~ níos fearr ná é* you are not one bit better than he is
orm orəm : **ar**[1]
ornáid o:rna:d′ *f2* ornament
ornáideach o:rna:d′əx *a1* ornamental; ornate
ornáidigh o:rna:d′i: *vt* ornament
órnite 'o:r,n′it′ə *a3* gilded, gilt
oró oro: *int* oh, oho
órshúlach 'o:r,hu:ləx *m1* golden syrup
ort ort : **ar**[1]
órscoth 'o:r,skoh *f3, pl* **~anna** chrysanthemum
ortaipéideach 'ortə,p′e:d′əx *a1* orthopaedic
ortha orhə *f4* incantation, spell, charm
orthu orhu : **ar**[1]
os[1] os *prep* over, above, *~ cionn* over, above; more than; in charge of; hanging over, *~ comhair, ~ coinne* in front of, opposite
os-[2] os *pref* over, above; super-, supra-
ósais o:səs′ *f2* oasis
osán osa:n *m1, ~ (briste),* leg of trousers *pl* hose
osánacht osa:nəxt *f3* hosiery
oscail oskəl′ *vt & i, pres* **-claíonn** open
oscailt oskəl′t′ *f2* opening, *ar ~* open

oscailte oskəl′t′ə *a3* open
oscailteach oskəl′t′əx *a1* open, frank; open-handed
oscartha oskərhə *a3* strong; lithe, agile
osclóir osklo:r′ *m3* opener
osna osnə *f4* sigh
osnádúrtha os'na:du:rhə *a3* supernatural
osnaíl osni:l′ *f3* sighing, *~ ghoil* sobbing
óspairt o:spərt′ *f2* mishap, injury
ospidéal osp′əd′e:l *m1* hospital
osréalachas 'os′re:ləxəs *m1* surrealism
ósta o:stə *m4* lodging, *~, teach ~* inn; public house
óstach o:stəx *m1* host, hostess
óstaíocht o:sti:(ə)xt *f3* lodging, entertainment, for travellers
óstlann o:stlən *f2* hotel
óstlannaí o:stlani: *m4* hotelier
óstóir o:sto:r′ *m3* innkeeper; publican
ostrais ostrəs′ *f2* ostrich
otair otər′ *a1, gsf, npl & comp* **otra** filthy; vulgar; obese
oth oh *s* (used with *is*) *is ~ liom (go)* I regret (that), *is ~ liom do chás* I am sorry for your trouble
othar ohər *m1* invalid, patient; sickness, wound, *ag déanamh othair* festering
otharcharr 'ohər,xa:r *m1, pl* **~anna** ambulance
otharlann ohərlən *f2* infirmary
othras ohrəs *m1* sickness; ulcer
othrasach ohrəsəx *a1* sick, wounded; ulcerous
otrach otrəx *m1* dung, ordure; dunghill
otracht otrəxt *f3* grossness, filthiness; obesity
otrann otrən *f2* dungyard, farmyard
ózón o:zo:n *m1* ozone

P

pá pa: *m4* pay, wages
pábháil pa:va:l′ *f3* paving, pavement *vt* pave
paca pakə *m4* pack
pacáil paka:l′ *f3* packing *vt & i* pack
pacáiste paka:s′t′ə *m4* package
pacálaí paka:li: *m4* packer

pachaille paxəl′ə *f4* bunion
padhsán paisa:n *m1* delicate, complaining, person
pádhuille 'pa:,γil′ə *m4* pay-sheet
págánach pa:ga:nəx *m1* pagan, heathen
págánta pa:ga:ntə *a3* pagan, heathen
págántacht pa:ga:ntəxt *f3* paganism

paicéad pak'e:d m1 packet

paidhc paik' f2, pl ~eanna (turn)pike

paidir pad'ər' f2, gs -dre pl -dreacha paternoster; prayer, ná déan ~ chapaill de don't make a long-drawn-out story of it

paidreoireacht pad'r'o:r'əxt f3 praying; incessant prayer

paidrín pad'r'i:n' m4 rosary; rosary beads, an p~ páirteach the family rosary

páil pa:l' f2, pl ~eacha paling, stakes, an Pháil the Pale

pailé(a)-, pailé(í)- pal'e: pref palae(o)-

pailéad pal'e:d m1 palette

pailin pal'ən' f2 pollen

pailis pal'əs' f2 palisade; fortress; palace

pailliún pal'u:n m1 pavilion

pailm pal'əm' f2, pl ~eacha palm

pailnigh pal'n'i: vt pollinate

paimfléad pam'f'l'e:d m1 pamphlet

paincréas paŋ'k're:s m1 pancreas

painéal pan'e:l m1 & vt panel

painnéar pan'e:r m1 pannier

páinteach pa:n't'əx m1 plump creature a plump

paintéar pan't'e:r m1 trap, snare

páipéar pa:p'e:r m1 paper, ~ nuachta newspaper

páipéarachas pa:p'e:rəxəs m1 stationery

páipéaraí pa:p'e:ri: m4 stationer

páipéaróir pa:p'e:ro:r' m3 paper-hanger

páirc pa:r'k' f2, pl ~eanna field, park

páirceáil pa:r'k'a:l' vt park

páircíneach pa:r'k'i:n'əx u1, (of cloth) checked

pairifín par'əf'i:n' m4 paraffin

pairilis par'əl'əs' f2 paralysis

páirín pa:r'i:n' m4 sandpaper

páirt¹ pa:rt' f2, pl ~eanna part, portion; partnership; fellowship, tá sé i b~ le gach duine he is well-liked by everybody, i b~ an airgid with regard to the money, i b~ mhaitheasa well-meant

páirt-² pa:rt' pref part-, partial

páirtaimseartha 'pa:rt',am's'ərhə a3 part-time

páirteach pa:rt'əx a1 participating, sharing; sympathetic; partial

páirteachas pa:rt'əxəs m1 participation

páirteagal pa:rt'əgəl m1, (grammar) particle

páirtí pa:rt'i: m4 party; associates; partner; well-wisher

páirtíneach pa:rt'i:n'əx m1 partisan

páirtíocht pa:rt'i:(ə)xt f3 partnership; fellowship, association, i b~ liomsa de as far as I am concerned

páirtiscán pa:rt'əs'a:n m1 partisan

páis pa:s' f2 passion, suffering, Domhnach na Páise Passion Sunday

Páiseadóir pa:s'ədo:r' m3 Passionist

paisean pas'ən m1 passion, strong emotion, anger

paiseanta pas'əntə a3 passionate; angry, hot-tempered

paisinéir pas'ən'e:r' m3 passenger

paisinéireacht pas'ən'e:r'əxt f3 passage (on boat); passage money

paiste pas't'ə m4 patch; portion; place, ~ oibre spell of work

páiste pa:s't'ə m4 child

paisteáil pas't'a:l' f3 patching vt & i patch

paistéar pas't'e:r vt pasteurize

paistéarachán pas't'e:rəxa:n m1 pasteurization

paistill pas't'əl' f2 pastille

páistiúil pa:s't'u:l' a2 childlike, childish

páistiúlacht pa:s't'u:ləxt f3 childishness

paiteana pat'ənə m4 paten

paiteanta pat'əntə a3 patent, clear; neat, exact

paiteog pat'o:g f2 pat; plumb creature

paiteolaíocht 'pat',o:li:(ə)xt f3 pathology

paitinn pat'ən' f2 patent

paitinnigh pat'ən'i: vt patent

pálás pa:la:s m1 palace

paltóg palto:g f2 blow, wallop

pámháistir 'pa:,va:s't'ər' m4, pl -strí paymaster

pampútn ,pam'pu:tə m4 pampootie

pán pa:n m1 pawnshop

pána pa:nə m4 pane

pánaí pa:ni: m4 plump creature

pánáil pa:na:l' vt pawn

pancóg paŋko:g f2 pancake

panda pandə m4 panda

panna panə m4 pan

pantaimím 'pantə,m'i:m' f2 pantomime

pantalún pantəlu:n m1 pantaloon

pantar pantər m1 panther

pantrach pantrəx f2 pantry

paor pi:r m4 laughing-stock; grudge

pápa pa:pə m4 pope

pápach pa:pəx *a*1 papal

pápacht pa:pəxt *f*3 papacy

pápaire pa:pər'ə *m*4 papist

pár pa: *m*1 parchment

para(i)- parə *pref* para-

parabal parəbəl *m*1 parable

paradacsa 'parə,daksə *m*4 paradox

paragraf 'parə,graf *m*1 paragraph

paráid para:d' *f*2 parade

páráil pa:ra:l' *vt* pare

parailéal 'parə,l'e:l *m*1 parallel

parailéalach 'parə,l'e:ləx *a*1 parallel

paraisit 'parə,s'i:t' *f*2 parasite

paraisiút 'parə,s'u:t *m*1 parachute

paranóia 'parə,no:iə *f*4 paranoia

parasól 'parə,so:l *m*1 parasol; umbrella

paratrúipéir 'parə,tru:p'e:r' *m*3 para-
trooper

pardóg pa:rdo:g *f*2 (harness) pad; pan-
nier

pardún pa:rdu:n *m*1 pardon, *gabhaim ~
agat* I beg your pardon

parlaimint pa:rləm'ən't' *f*2 parliament

parlaiminteach pa:rləm'ən't'əx *a*1 parlia-
mentary

parlús pa:rlu:s *m*1 parlour, sitting-room

paróiste paro:s't'ə *m*4 parish

paróisteach paro:s't'əx *m*1 parishioner *a*1
parochial

párpháipéar 'pa:r,fa:p'e:r *m*1 vellum

parsáil parsa:l' *vt* parse

parthas parhəs *m*1 paradise, *Gairdín
Pharthais* the Garden of Eden

parúl paru:l *m*1 parole; injunction

pas pas *m*4, *pl* ~ **anna** pass; passage; writ-
ten permission; passport, ~ *beag fuar*
a little bit cold

pasáil[1] pasa:l' *vt* press down, trample

pasáil[2] pasa:l' *vt & i (of examination, etc)*
pass

pasáiste pasa:s't'ə *m*4 passage, sea-cross-
ing; passage-money; corridor

pastae paste: *m*4, *pl* ~ **tha** pasty, pie;
pastry

pastal pastəl *m*1 pastel

patachán patəxa:n *m*1 leveret; plump
creature

patraisc patrəs'k' *f*2 partridge

patrarc 'pat,rark *m*4 patriarch

patról patro:l *m*1 patrol

patrún patru:n *m*1 pattern

pátrún pa:tru:n *m*1 patron; (religious)
pattern

pátrúnacht pa:tru:nəxt *f*3 patronage

patuaire 'pat,uər'ə *f*4 tepidity; apathy

patuar 'pat,uər *a*1 lukewarm; apathetic

pé p'e: *pron & a & conj* whoever; what-
ever, whichever; whether, ~ *scéal é*
anyhow, ~ *hé féin* whoever he is, ~,
~ *ar bith, duine* whatever person, ~
áit a bhfuil sí wherever she is, ~ *acu
againn* whichever of us, ~ *olc maith
leat é* whether you like it or not

péac p'e:k *f*2 peak, point; sprout; thrust,
prod, *thugamar ~ faoin obair* we had
a go at the work, *tá sé i ndeireadh na
péice* he is at his last gasp *vt & i* sprout,
germinate; prod, thrust at

peaca p'akə *m*4 sin, ~ *an tsinsir* original
sin, *is mór an ~ é* it's a great pity

peacach p'akəx *m*1 sinner

péacach p'e:kəx *a*1 peaked; pointed;
showy, gaily-dressed

péacadh p'e:kə *m*, *gs* **-tha** germination

peacaigh p'aki: *vi* sin

péacán p'e:ka:n *m*1 sprout, shoot

péacóg p'e:ko:g *f*2 peacock, peafowl

péacógach p'e:ko:gəx *a*1 showily dressed;
vain

peacúil p'aku:l' *a*2 sinful

peadairín p'adər'i:n' *m*4, ~ *na stoirme*
storm petrel

peaindí p'an'd'i: *m*4 tin mug; mashed
potatoes (with milk and butter)

peann p'an *m*1 pen, ~ *luaidhe* pencil

peannaid p'anəd' *f*2 penance; expiation;
torment; punishment

peannaideach p'anəd'əx *a*1 penal; painful

peannaireacht p'anər'əxt *f*3 penmanship

péarla p'e:rlə *m*4 pearl

pearóid p'aro:d' *f*2 parrot

pearsa p'arsə *f*, *gs & gpl* ~ **n** *npl* ~ **na**
person, ~ *eaglaise* churchman, *na
~na sa dráma* the characters in the
play

pearsanaigh p'arsəni: *vt & i* personate,
impersonate

pearsanra p'arsənrə *m*4 personnel

pearsanta p'arsəntə *a*3 personal; person-
able

pearsantacht p'arsəntəxt *f*3 personality

pearsantaigh p'arsənti: *vt* personify

pearsantú p'arsəntu: *m*4 personification

péarsla p'e:rslə *m*4 warble (in animals)

péas p'e:s *m*4, *pl* ~ peace-officer, police-
man; *pl* police

peasghadaí p'as.ɣadiː m4 pickpocket

peata p'atə m4 pet

peataireacht p'atər'əxt f3 petting; childish behaviour

péatar p'e:tər m1 pewter

peic p'ek' f2, pl ~eanna peck; considerable amount; shallow tub

peictin p'ek't'ən' f2 pectin

peidléir p'ed'l'e:r' m3 pedlar

peig p'eg' f2, pl ~eanna peg

peil p'el' f2 football

peilbheas p'el'əv'əs m1 pelvis

peileacán p'el'əka:n m1 pelican

peileadóir p'el'ədo:r' m3 footballer

péindlí 'p'e:n',d'l'i: m4, pl ~ the penal law

péine¹ p'e:n'ə m4 pine, crann ~ pine-tree

péine² p'e:n'ə : pian

péineas p'e:n'əs m1 penis

peinicillin 'p'en'ə,k'il'ən' f2 penicillin

péint p'e:n't' f2, pl ~eanna paint

peinteagán p'en't'əga:n m1 pentagon

péinteáil p'e:n't'a:l' f3 painting, paintwork vt & i paint

péintéir p'e:n't'e:r' m3 painter

péintéireacht p'e:n't'e:r'əxt f3 painting

peipteach p'ep't'əx al peptic

péire p'e:r'ə m4 pair

péireáil p'e:r'a:l' vt pair

peireascóp p'er'ə,sko:p m1 periscope

peireatóiniteas p'er'ə,to:'n'i:t'əs m1 peritonitis

peirigí p'er'əg'i: m4 perigee

peiriméadar p'er'ə,m'e:dər m1 perimeter

peiriúic p'er'u:k' f2 peruke, periwig

péirse¹ p'e:rs'ə f4, (fish) perch

péirse² p'e:rs'ə m4, (measure) perch, pole

peirsil p'ers'əl' f2 parsley

peirspictíocht ,p'er'sp'ik't'i:(ə)xt f3 perspective

péist p'e:s't' f2, pl ~eanna reptile, monster; worm, ~ chabáiste caterpillar (of large white butterfly)

peiteal p'et'əl m1 petal

peitreal p'et'r'əl m1 petrol

peitriliam ,p'e't'r'il'iəm m4 petroleum

péitse p'e:t's'ə m4 page; errand-boy

péitseog p'e:t's'o:g f2 peach

piachán p'iəxa:n m1 hoarseness

piachánach p'iəxa:nəx al hoarse, throaty

pian p'iən f2, gs péine pl ~ta pain vt pain; punish

pianadh p'iənə m, gs -nta torture; punishment

pianmhar p'iənvər al painful

pianmhúchán 'p'iən,vu:xa:n m1 painkiller

pianó ,p'i'ano: m4, pl ~nna piano, pianoforte

pianódóir ,p'i'ano:do:r' m3 pianist

pianpháis 'p'iən,fa:s' f2 anguish; agony

pianseirbhís 'p'iən',s'er'əv'i:s' f2 penal servitude

pianúil p'iənu:l' a2 punitive, penal

piara¹ p'iərə m4 peer

piara² p'iərə m4 pier

piardáil p'iərda:l' vt & i ransack, rummage

piardóg p'iərdo:g f2 crawfish

piasún p'iəsu:n m1 pheasant

píb p'i:b' f2, npl píoba, gpl píob pipe; ~ (mhála) bagpipe; windpipe; neck, ~ uilleann uilleann pipe(s)

pic p'ik' f2 pitch, chomh dubh le ~ pitch-black

píce p'i:k'ə m4 pike; fork; peak

picéad p'ik'e:d m1 picket

picéadaigh p'ik'e:di: vt picket

piceáil¹ p'ik'a:l' vt & i pike; fork, seol a phiceáil to peak a sail

piceáil² p'ik'a:l' vi peek

picil p'ik'əl' f2 & vt pickle

picnic p'ik'n'ək' f2 picnic

pictiúr p'ik't'u:r m1 picture, dul chuig ~ to go to a film

pictiúrlann p'ik't'u:rlən f2 picture-house, cinema

pictiúrtha p'ik't'u:rhə a3 pictorial; picturesque

pigín p'ig'i:n' m4 piggin, pail

pigmí p'ig'm'i: m4 pigmy

píle p'i:l'ə m4 pile

piléar¹ p'il'e:r m1 bullet

piléar² p'il'e:r m1 pillar

pílear p'i:l'ər m1 'peeler', policeman

piléarlann p'il'e:rlən f2 magazine (of gun)

Pilib p'il'əb' m4, ~ an gheataire daddy-longlegs

pilibín p'il'əb'i:n' m4 plover, ~ míog lapwing

piliúr p'il'u:r m1 pillow

pillín p'il'i:n' m4 pillion; pad

pinc p'in'k' m4 & al pink

pincín p'in'k'i:n' m4 'pinkeen', minnow

pingin p'iŋ'ən´~p'i:n' *f*2, *pl* ~**e** *with numerals* penny, ~ **mhaith** (*airgid*) a nice sum of money

pinniún p'in'u:n *m*1 pinion

pinniúr p'in'u:r *m*1 gable(-end); ball-alley

pinse p'in's'ə *m*4 pinch (of snuff, etc)

pinsean p'in's'ən *m*1 pension, *dul* (*amach*) *ar* ~ to retire on pension

pinsinéir p'in's'ən'e:r' *m*3 pensioner

píob p'i:b *vt* hoarsen, *tá mé* ~ *tha ag an slaghdán* I am choked with a cold

píobaire p'i:bər'ə *m*4 piper

píobaireacht p'i:bər'əxt *f*3 piping, playing on bagpipes; bagpipe music

píobán p'i:ba:n *m*1 pipe, tube; windpipe; neck *pl* bronchial tubes, ~ *gairdín* garden-hose

piobar p'ibər *m*1 pepper

píobarán p'i:bəra:n *m*1 pepper castor

píobarnach p'i:bərnəx *f*2 wheezing; buzz (in ears)

píoblach p'i:bləx *m*1 pip (in fowl); squeak in voice

pioc¹ p'ik *m*4 bit, jot, *níl* ~ *aige* he has nothing

pioc² p'ik *vt* & *i* pick; select, *ag* ~*adh ar an mbia* nibbling at the food

piocadh p'ikə *m*, *gs* -**ctha** pick(ing), ~ *na circe* moss-stitch

piocarsach p'ikərsəx *m*1 scanty pasture; gleanings, pickings

píochán p'i:xa:n *m*1 pore (of skin)

piocóid p'iko:d' *f*2 pickaxe

píoctha p'ikə *a*3 neat, spruce

píóg p'i:o:g *f*2 pie

píollaire p'ilər'ə *m*4 pill; pellet; bung, stopper

píolóid p'ilo:d' *f*2 pillory; torment

píolón p'ilo:n *m*1 pylon

píolóta p'i:lo:tə *m*4 pilot

píolótaigh p'i:lo:ti: *vt* pilot

pioncás p'iŋka:s *m*1, *pl* ~**anna** pincushion

piongain p'iŋgən' *f*2 penguin

pionna p'inə *m*4 pin, peg

pionós p'ino:s *m*1 penalty, punishment

pionósach p'ino:səx *a*1 punitive

pionsa p'insə *m*4 fence, fencing; fencing sword

pionsail p'insəl' *m*4 pencil

pionsóir p'inso:r' *m*3 fencer, swordsman

pionsóireacht p'inso:r'əxt *f*3 fencing

pionsúirín p'insu:r'i:n' *m*4 tweezers

pionsúr p'insu:r *m*1 pincers

pionta p'intə *m*4 pint

píopa p'i:pə *m*4 pipe

píopáil p'i:pa:l' *f*3 wheezing; choking

píoráid p'i:ra:d' *m*4 pirate

piorra p'irə *m*4 pear

piorróg p'iro:g *f*2 pear-tree

píosa p'i:sə *m*4 piece, bit; patch, ~ *deich bpingine* tenpenny piece, *amach as an b*~ brand-new, *tríd an b*~ on the whole

píosáil p'i:sa:l' *vt* piece together; patch

pioscas p'iskəs *m*1 pyx

piostal p'istəl *m*1 pistol

píotón p'i:to:n *m*1 python

pirea-, piri- p'ir'ə *pref* pyr(o)-

píréis p'ir'e:s' *f*2 pyrex

pirimid p'ir'əm'əd' *f*2 pyramid

pis p'is' *f*2, *pl* ~**eanna** pea(-plant); peas; roe (of fish), ~ *talún* peanut

piscín p'is'k'i:n' *m*4 kitten

píseánach p'is'a:nəx *m*1 peas, lentils *al* leguminous

píseog p'is'o:g *f*2 charm, spell; superstition

píseogach p'is'o:gəx *al* superstitious

pistil p'is't'əl' *f*2 pistil

pit p'it' *f*2, *pl* ~**eanna** vulva

piteog p'it'o:g *f*2 effeminate man, sissy

piteogach p'it'o:gəx *al* effeminate

pitseáil p'it's'a:l' *vt* pitch

pitseámaí p'it's'a:mi: *m*4 pyjamas

pitséar p'it's'e:r *m*1 pitcher

piúratánach p'u:rəta:nəx *m*1 puritan *al* puritanical

plá pla: *f*4, *pl* ~**nna** plague, pestilence

plab plab *m*4 & *vt* & *i* plop, splash; slam

plac plak *vt* & *i* eat greedily, gobble

placaint plakən't' *f*2 placenta

plaic¹ plak' *f*2, *pl* ~**eanna** plaque

plaic² plak' *f*2, *pl* ~**eanna** large bite, mouthful

pláigh pla:γ' *vt* plague; pester

pláinéad pla:n'e:d *m*1 planet, ~ *a bheith anuas ort* to be ill-starred

plaisteach plas't'əx *m*1 & *al* plastic

pláistéir pla:s't'e:r' *m*3 plasterer

pláistéireacht pla:s't'e:r'əxt *f*3 plasterwork

plait plat' *f*2, *pl* ~**eanna** bare patch; bald head; scalp

plaiteach plat'əx *al* patchy, bald

pláitín pla:t'i:n' *m*4 small plate; knee-cap

plámás pla:ma:s *m*1 flattery; cajolery, *ag* ~ *le dúine* trying to soft-sawder a person

plámásach pla:ma:səx *a*1 flattering; cajoling

plámásaí pla:ma:si: *m*4 flatterer, cajoler

plán pla:n *m*1, *pl* ~**ta** plain

plána pla:nə *m*4, *(tool)* plane; flat surface, plane

plánáil pla:na:l' *vt* plane

planc plaŋk *vt* beat , pommel, *rud a phlancadh (síos)* to plank down sth

plancadh plaŋkə *m*, *gs* **-ctha** beating, trouncing

plancstaí plaŋksti: *m*4 planxty

planctón plaŋkto:n *m*1 plankton

planda plandə *m*4 plant; scion

plandaigh plandi: *vt* plant

plandáil plandaː'l' *f*3 plantation, *P~ Uladh* the Plantation of Ulster *vt* plant, settle as colony

plandóir plando:r' *m*3 planter

plandúil plandu:l' *a*2 vegetable

plapa plapə *m*4 flap

plás[1] pla:s *m*1 level place; smooth patch; floating patch; place

plás[2] pla:s *m*1 palace

plásánta pla:sa:ntə *a*3 bland, plausible

plásántacht pla:sa:ntəxt *f*3 blandness, smoothness

plasma plasmə *m*4 plasma

plásóg pla:so:g *f*2 level spot, lawn, green

plastaicín plastək'i:n' *m*4 plasticine

plástar pla:stər *m*1 plaster

plástráil pla:stra:l' *vt & i* plaster

pláta pla:tə *m*4 plate

plátáil pla:ta:l' *f*3 plating, sheeting, armour *vt* plate, sheet, armour

platanam platənəm *m*1 platinum

platónach plato:nəx *a*1 platonic

plé p'l'e: *m*4 discussion; dealings, *ná bíodh aon phlé agat leo* have nothing to do with them

pléadáil p'l'e:da:l' *f*3 plea; disputation *vt & i* plead; dispute

plean p'l'an *m*4, *pl* ~**anna** plan

pleanáil p'l'ana:l' *vt & i* plan, scheme

pleanálaí p'l'ana:li: *m*4 planner

pléaráca ,p'l'e:'ra:kə *m*4 revelry, high jinks; reveller

pléasc p'l'e:sk *f*2, *pl* ~**anna** explosion; bang, report *vt & i* explode; burst, shatter; bang

pléascach p'l'e:skəx *m*1 explosive *a*1 explosive; flashy; *(of eyes)* protruding

pléascán p'l'e:ska:n *m*1 explosive, explosive shell

pléascánta p'l'e:ska:ntə *a*3 breezy, exuberant

pléascóg p'l'e:sko:g *f*2 cracker

pléata p'l'e:tə *m*4 pleat, fold (in cloth), ~ *talún* strip of land

pléatach p'l'e:təx *a*1 pleated

pléatáil p'l'e:ta:l' *vt* pleat

pleidhce p'l'aik'ə *m*4 simpleton, fool

pleidhciocht p'l'aik'i:(ə)xt *f*3 fooling; tomfoolery

pleidhciúil p'l'aik'u:l' *a*2 silly, stupid

pléineáilte p'l'e:n'a:l't'ə *a*3 plain

pléireacht p'l'e:r'əxt *f*3 gallivanting, revelry

pléiseam ,p'l'e:'s'am *m*4 foolery; fool

pléisiúr p'l'e:s'u:r *m*1 pleasure, enjoyment

pléisiúrtha p'l'e:s'u:rhə *a*3 pleasurable, enjoyable; pleasant, agreeable

pleist p'l'es't' *f*2, *pl* ~**eanna** flop, flopping sound; limp object

pléite p'l'e:t'ə *a*3 played out, exhausted

pleota p'l'o:tə *m*4 stupid person, fool

plimp p'l'im'p' *f*2, *pl* ~**eanna** sudden fall; crash, ~ *thoirní* thunder-clap

pliúraisí p'l'u:rəs'i: *m*4 pleurisy

plobaire plobər'ə *m*4 babbler; flabby person

plobaireacht plobər'əxt *f*3 blubbering; babbling, incoherent speech

plobarnach plobarnəx *f*2 bubbling, gurgling, splashing

plocóid ploko:d' *f*2 plug, bung

plód plo:d *m*1 crowd, throng

plódaigh plo:di: *vt & i* crowd, throng

plota plotə *m*4 plot; conspiracy, ~ *scéil* plot of story

pluais pluəs' *f*2, *pl* ~**eanna** cave, den

pluc pluk *f*2 (round) cheek; mouthful; bulge; pucker *vt & i* puff out, bulge; cram

plucach plukəx *a*1 chubby; large-cheeked; puckered

plucáil ploka:l' *vt* pluck; swindle, despoil

plucamas plukəməs *m*1 mumps

plúch plu:x *vt & i* smother, stifle; throng, *ag ~ adh sneachta* snowing heavily

plúchadh plu:xə *m, gs* **-chta** suffocation; heavy downfall; asthma

plúchtach plu:xtəx *a1* suffocating, stuffy

pluda pludə *m4* mud, slush

pludach pludəx *a1* muddy, slushy

pludchlár 'plud,xla:r *m1* dash-board

pludgharda 'plud,ɣa:rdə *m4* mudguard

pluga plogə *m4* plug

pluid plid' *f2, pl* **~eanna** blanket

pluiméir plim'e:r' *m3* plumber

pluiméireacht plim'e:r'əxt *f3* plumbing

plúirín plu:r'i:n' *m4* little flower, *~ sneachta,* snowdrop

pluis plis' *f2* plush

pluma[1] plomə *m4* plum

pluma[2] plomə *m4* plumb, plummet

plúr plu:r *m1* flour; flower

plúrach plu:rəx *a1* floury; flower-like, pretty

plus plos *adv & m4, pl* **~anna** plus

plútacratachas 'plu:tə,kratəxəs *m1* plutocracy

plútóiniam ˌplu:'to:n'iəm *m4* plutonium

Plútón plu:to:n *m1* Pluto

pobal pobəl *m1* people; community; parish; congregation, *~ na tíre* the population of the country

pobalbhreith 'pobəl,v'r'eh *f2, pl* **~eanna** plebiscite

pobalscoil 'pobəl,skol' *f2, pl* **~eanna** community school

poblacht pobləxt *f3* republic

poblachtach pobləxtəx *m1 & a1* republican

poblachtachas pobləxtəxəs *m1* republicanism

poc pok *m1,* (*of deer, goat*) buck; butt; 'puck' (in games), *tinnis* bout of illness, *~ mearaidh* touch of insanity

póca po:kə *m4* pocket

pocadán pokəda:n *m1* beagle

pocáil poka:l' *vt & i* butt; 'puck', strike (with hurley)

pocán poka:n *m1* he-goat

pócar po:kər *m1,* (*cards*) poker

pocléimneach 'pok,l'e:m'n'əx *f2* buck-jumping; frolicking

póg po:g *f2 & vt & i* kiss

poibleog pob'l'o:g *f2* poplar

poiblí pob'l'i: *a3* public

poibligh pob'l'i: *vt* make public, publish

poiblíocht pob'l'i:(ə)xt *f3* publicity

poiblitheoir pob'l'iho:r' *m3* publicist

póicéad po:k'e:d *m1* pocket, dark recess; poky place

poigheachán paixa:n *m1* shell (of snail)

póilín po:l'i:n' *m4* policeman

póilínigh po:l'i:n'i: *vt* police

poimp pom'p' *f2* pomp

poimpéis pom'p'e:s' *f2* pomposity

poimpéiseach pom'p'e:s'əx *a1* pompous

pointe pon't'ə *m4* point, dot, *ar an b~ boise* instantly, *ag na pointí deiridh* in the last extremities, *as gach uile phointe* from all parts

pointeáil pon't'a:l' *vt* point; aim; appoint; clean, spruce up, titivate

pointeáilte pon't'a:l't'ə *a3* well-kept, tidy, smart; exact, punctual

pointeáilteacht pon't'a:l't'əxt *f3* neatness; punctiliousness; punctuality

pointiúil pon't'u:l' *a2* punctual

poipín pop'i:n' *m4* poppy

poiplín pop'l'i:n' *m4* poplin

póir po:r' *f2, pl* **~eanna** pore

poirceallán por'k'əla:n *m1* porcelain

póirín po:r'i:n' *m4* small potato; pebble

póiriúil po:r'u:l' *a2* porous

póirse po:rs'ə *m4* porch; lobby; passage; closet

póirseáil po:rs'a:l' *f3* rummaging, searching, groping

póirtéir po:rt'e:r' *m3,* (*person*) porter

poit pot' *f2, pl* **~eanna** poke, nudge *vt .* poke

póit po:t' *f2, pl* **~eanna** drinking-bout; hangover

poitigéir pot'əg'e:r' *m3* chemist

poitín pot'i:n' *m4* poteen

póitseáil po:ts'a:l' *f3* poaching *vt & i* poach (game)

póitseálaí po:ts'a:li: *m4* poacher

pol pol *m1* pole

pola(i)- polə *pref* poly-

polagamas 'polə,gaməs *m1* polygamy

polagán poləga:n *m1* polygon

polaimiailíteas 'polə,m'iə'l'i:t'əs *m1* poliomyelitis

polaitéin polət'e:n' *f2* polythene

polaiteoir polət'o:r' *m3* politician

polaitíocht polət'i:(ə)xt *f3* politics

polaitiúil polət'u:l' *a2* political

polaraigh poləri: *vt & i* polarize

polaróideach poləro:d'əx *m*1 & *a*1 polaroid

polasaí polasi: *m*4 policy

polca polkə *m*4, *(dance)* polka

poll pol *m*1 hole; pit; burrow; shaft; aperture; orifice; perforation, ~ aeir airvent, ~ uisce pool of water, ~ sróine nostril, *dul go tóin poill* to go to the bottom of the sea, *chuireamar ~ san obair* we did a good bit of work *vt & i* hole; pierce, perforate, *bonn a pholladh* to puncture a tyre

polla polə *m*4 pole, pillar

polladh polə *m*, *gs* -llta boring, perforation, penetration

polláire pola:r'ə *m*4 nostril; button-hole

pollóg polo:g *f*2 pollock

polltach poltəx *a*1 piercing, penetrating

póló po:lo: *m*4 polo

pomagránait 'poma,gra:nət' *f*2 pomegranate

póna po:nə *m*4 (cattle-)pound

pónaí po:ni: *m*4 pony

pónaire po:nər'ə *f*4 bean

ponc poŋk *m*1, *pl* ~anna point; dot; full stop; detail, *duine a chur i b*~ to put a person in a fix

poncaigh poŋki: *vt* point, punctuate; dot

poncaíocht poŋki:(ə)xt *f*3 punctuation

Poncán poŋka:n *m*1 Yankee

poncloisc 'poŋk,los'k' *vt*, *vn* **oscadh** cauterize

poncúil poŋku:l' *a*2 punctual

poncúlacht poŋku:ləxt *f*3 punctuality

pontaif pontəf' *m*4 pontiff

pontaifiúil pontəf'u:l' *a*2 pontifical

pontún pontu:n *m*1 pontoon

popcheol 'pop,x'o:l *m*1 pop-music

pór po:r *m*1, *pl* ~tha seed; breed, offspring; newly-sprung seed

póraigh po:ri: *vt & i* propagate, breed

porainséar porən's'e:r *m*1 porringer

pornagrafaíocht 'po:rnə,grafi:(ə)xt *f*3 pornography

port¹ port *m*1 tune; jig, *tá a phort seinnte* it is all up with him

port² port *m*1 landing-place; harbour; river-bank; mound; haven; stronghold; seat, centre, ~ *na bpeacach* refuge of sinners, ~ *cabhlaigh* naval station, ~ *(coisithe)* street, traffic, island

pórt po:rt *m*1 port (wine)

portach portəx *m*1 bog; turf-bank

portaigh porti: *vt* steep

portaireacht portər'əxt *f*3 lilting

portán porta:n *m*1 crab, *an Portán* Cancer

pórtar po:rtər *m*1, *(beer)* porter

portfheadaíl 'port,adi:l' *f*3 whistling a tune

pórtheastas 'po:r,hastəs *m*1 pedigree

portráid portra:d' *f*2 portrait

portráidí portra:d'i: *m*4 portrait painter

portús portu:s *m*1 breviary

pórú po:ru: *m*4 breeding, propagation

pós po:s *vt & i* marry

pósadh po:sə *m*, *gs* -sta *pl* -staí wedding, marriage, matrimony

pósae po:se: *m*4, *pl* ~tha posy, flower

post¹ post *m*1 (letter) post

post² post *m*1 post; job

pósta po:stə *a*3 married

póstaer po:ste:r *m*1 poster

postaigh posti: *vt* post, appoint

postáil posta:l' *vt* post, mail

postas postəs *m*1 postage

postluí 'post,li: *m*4 poste restante

postúil postu:l' *a*2 self-important, conceited

postúlacht postu:ləxt *f*3 self-importance, conceit

pota potə *m*4 pot

potaire potər'ə *m*4 potter

pótaire po:tər'ə *m*4 drunkard

potaireacht potər'əxt *f*3 pottery

potais potəs' *f*2 potash

potaisiam ,po'tas'iəm *m*4 potassium

pothrais pohrəs' *f*2 fricassée

potrálaí potra:li: *m*4 potterer; quack doctor

prabhait praut' *f*2 pulp, mess

prácás pra:ka:s *m*1 hotchpotch; medley; mess

prae pre: *f*4 prey; acquisition, *ní mór an phrae dom é* it is not much use to me

praghas prais *m*1, *pl* -ghsanna price

praghsáil praisa:l' *f*3 pricing, bidding

pragmatach pragmətəx *m*1 pragmatist *a*1 pragmatic(al)

práibeach pra:b'əx *a*1 soft, mushy

práinn pra:n' *f*2, *pl* ~eacha hurry, rush; urgency

práinneach pra:n'əx *a*1 urgent; pressing, pressed

práiscín pra:s'k'i:n' *m*4 apron of coarse fabric

praiseach pras'əx *f*2 pottage: (thin) porridge; (wild) cabbage, kale, ~ *a dhéanamh de rud* to make a mess of sth

praiticiúil prat'ək'u:l' *a*2 practical, practicable

praitinn prat'ən' *f*2 parchment

praitinniúil prat'ən'u:l' *a*2 astute; wise, sensible

pram pram *m*4, *pl* ~**anna** pram

pramsa pramsə *m*4 prance

pramsach pramsəx *f*2 prancing *a* prancing; frolicsome

pramsáil pramsa:l' *vi* prance, caper, frolic

prap prap *a*l prompt, sudden

prapaireacht prapər'əxt *f*3 uppishness, insolence

prapanta prapəntə *a*3 pert, insolent

pras pras *a*l quick, prompt

prás pra:s *m*l brass

prásach pra:səx *a*l brassy, brazen

prásaí pra:si: *m*4, (*person*) brazier

prásáil pra:sa:l' *vt & i* braze

praslacha 'pras,laxə *f*, *gs & gpl* ~**n** *npl* ~ **in** teal

prásóg pra:so:g *f*2 marzipan

práta pra:tə *m*4 potato

preab p'r'ab *f*2 start; bounce; throb; liveliness; sod turned by spade, spadeful (of earth), *de phreab* suddenly, *tá sé i ndeireadh na preibe* he is at his last gasp, *ag cur preab san ól* drinking with gusto *vi* start; bounce; throb; twitch

preabach p'r'abəx *a*l jumping; bouncing; jerky; flickering; throbbing

preabadh p'r'abə *m*, *gs* -**btha** jump, start; throb

preabaire p'r'abər'ə *m*4, ~ *linbh* bouncing baby, ~ *na mbánta* magpie

preabaireacht p'r'abər'əxt *f*3 jumping, bouncing; liveliness

preabán p'r'aba:n *m*l patch

preabanta p'r'abəntə *a*3 quick, lively

preabarnach p'r'abərnəx *f*2 jumping, throbbing

preabúil p'r'abu:l' *a*2 lively; prompt; generous

préach p'r'e:x *vt* perish (with cold), *bhíomar ~ ta* we were perished

préachán p'r'e:xa:n *m*l crow, rook

preafáid p'r'afa:d' *f*2 preface (of Mass)

prealáid p'r'ala:d' *f*2 prelate

preas p'r'as *m*3, *pl* ~**anna** (printing-) press

preasagallamh 'p'r'as,agələv *m*l press conference

preasáil[1] p'r'asa:l' *vt* press, iron

preasáil[2] p'r'asa:l' *f*3 *& vt* press, *buíon phreasála* press gang

preiceall p'r'ek'əl *f*2 dewlap; double chin

preicleach p'r'ek'l'əx *a*l double-chinned

Preispitéireach p'r'es'p'ət'e:r'əx *m*l *& a*l Presbyterian

priacal p'r'iəkəl *m*l peril, risk

priaclach p'r'iəkləx *a*l perilous, risky; troubled, anxious

pribhéad p'r'iv'e:d *m*l privet

pribhléid p'r'iv'l'e:d' *f*2 privilege

pribhléideach p'r'iv'l'e:d'əx *a*l privileged; articulate; forward

prímeáil p'r'i:m'a:l' *vt* prime

priméar p'r'im'e:r *m*l primer

princeam p'r'iŋk'əm *m*l gambolling, frolicking

printéir p'r'in't'e:r' *m*3 printer

printéireacht p'r'in't'e:r'əxt *f*3 printing

printiseach p'r'in't'is'əx *m*l apprentice

printiseacht p'r'in't'is'əxt *f*3 apprenticeship

príobháid p'r'i:va:d' *f*2 privacy; private place

príobháideach p'r'i:va:d'əx *a*l private

prioc p'r'ik *vt & i* prick, prod, goad

priocadh p'r'ikə *m*, *gs* -**ctha** prick, prod, sting

priocaire p'r'ikər'ə *m*4, (*tool*) poker; small pointed knife

prióir p'r'i:o:r' *m*3 prior

prióireacht p'r'i:o:r'əxt *f*3 priory

príomh- p'r'i:v† *pref* prime, principal, major, cardinal

príomha p'r'i:və *a*3 prime, primary

príomhach p'r'i:vəx *m*l, (*animal*) primate

príomháidh 'p'r'i:va:γ *m*4, *pl* -**ithe** primate (of church)

príomh-aire 'p'r'i:v'ar'ə *m*4 prime minister

príomhalt 'p'r'i:v'alt *m*l leading article, editorial

príomhchathair 'p'r'i:v'xahər' *f*, *gs* -**thrach** *pl* -**thracha** capital city

príomhoide 'p'r'i:v'od'ə *m*4 principal (teacher)

príomhúil p'r'i:vu:l' *a*2 primary

priompallán p'r'impəla:n *m*l dung beetle

prionsa p´r´insə *m4* prince

prionsabal p´r´insəbəl *m1* principle

prionsabálta p´r´insəba:ltə *a3* high-principled; punctilious; dogmatic

prionsabáltacht p´r´insəba:ltəxt *f3* moral principles; punctiliousness

prionsacht p´r´insəxt *f3* principality

prionta p´r´intə *m4* print

priontáil p´r´inta:l´ *vt & i* print

prios p´r´is *m3*, *pl* ~ **anna** press, cupboard

priosla p´r´islə *m4* dribble, slobber

priosma p´r´ismə *m4* prism

priosmach p´r´isməx *a1* prismatic

príosún p´r´i:su:n *m1* prison, ~ **bliana** a year's imprisonment

príosúnach p´r´i:su:nəx *m1* prisoner

príosúnacht p´r´i:su:nəxt *f3* imprisonment

prislin p´r´is´l´in´ *m4* dribble (at mouth)

probháid provə:d´ *f2* probate

próca pro:kə *m4* crock; urn, jar

prócáil pro:ka:l´ *f3* poking, probing

prócar pro:kər *m1* crop; craw

prochóg proxo:g *f2* den; hovel

profa profə *m4* (printer's) proof

prognóis progno:s´ *f2* prognosis

proibhinse prov´ən´s´ə *f4* province

proibhinseal ˌprov´in´s´əl *m1* provincial (of religious order)

proifid prof´əd´ *f2* profit

próifíl pro:f´i:l´ *f2* profile

proifisiún ˌprof´is´u:n *m1* profession

proifisiúnta ˌprof´is´u:ntə *a3* professional

proinn pron´ *f2*, *pl* ~ **te** meal

proinnseomra ˈpron´ˌs´o:mrə *m4* dining-room

proinnteach pron´t´ax *m*, *gs* -**tí** *pl* -**tithe** refectory; restaurant

Proinsiasach pron´s´iəsəx *m1 & a1* Franciscan

próis pro:s´ *f2*, *pl* ~ **eanna** process

próiseáil pro:s´a:l´ *vt* process

próiseálaí pro:s´a:li: *m4* processor

próiseas pro:s´əs *m1* process

próiste pro:s´t´ə *m4* spindle

próitéin pro:t´e:n´ *f2* protein

prólátaireach ˈpro:lə̪taˈr´əx *m1 & a1* proletarian

prólátaireacht ˈpro:lə̪taˈr´əxt *f3* proletariat(e)

promanád promənа:d *m1* promenade

promh prov *vt* prove, test

promhadán provəda:n *m1* test-tube

promhadh provə *m1* proof, test, *bheith ar* ~ to be on probation

promhaire provər´ə *m4* tester

prompa prompə *m4* rump

própán propa:n *m1* propane

propast propəst *m1* provost

prós pro:s *m1* prose

prósach pro:səx *a1* prosaic, prosy

prosóid proso:d´ *f2* prosody

próstatach pro:stətəx *a1* prostate

Protastúnach protəstu:nəx *m1 & a1* Protestant

Protastúnachas protəstu:nəxəs *m1* Protestantism

prúna pru:nə *m4* prune

puball pubəl *m1* tent

púbasach pu:bəsəx *a1* pubic

púca pu:kə *m4* hobgoblin; pooka, ~ *peill* toadstool, ~ *na n-adharc* bugbear, pet hate

púcán pu:ka:n *m1* (kind of) open boat, fishing smack

puchán puxa:n *m1* fluke; *pl* swollen glands, swellings under eyes

puchóid puxo:d´ *f2* pustule

púdal pu:dəl *m1* poodle

púdar pu:dər *m1* powder; dust

púdrach pu:dri: *a1* powdery; powdered

púdraigh pu:dri *vt* pulverize

púdráil pu:dra:l´ *vt* powder

púic pu:k´ *f2*, *pl* ~ **eanna** blindfold, mask; covering; moroseness; frown, ~ *tae* tea cosy

púiceach pu:k´əx *a1* morose; frowning

púicín pu:k´i:n´ *m4* blindfold, mask; blinkers; frown; cote, ~ *a chur ar dhuine* to hoodwink a person

púiciúil pu:k´u:l´ *a2* gloomy; sullen

puifín pif´i:n´ *m4* puffin

puilín pil´i:n´ *m4* pulley

puilpid pil´p´əd´ *f2* pulpit

puimcín pim´k´i:n´ *m4* pumpkin

puinn pin´ *s*, *nil* ~ *céille aige* he hasn't much sense, *an bhfuil* ~ *airgid agat?* have you much money?

puins pin´s´ *m4*, *pl* ~ **eanna** punch

puinseáil pin´s´a:l´ *vt* punch (with tool)

puipéad pip´e:d *m1* puppet

púir¹ pu:r´ *f2* loss, tragedy

púir² pu:r´ *f2*, *pl* ~ **eanna** flue, ~ *dheataigh* stream of smoke, ~ *beach* swarm of bees

púirín pu:r'i:n' *m*4 cote; hut, hovel; kiln flue

puisín[1] pis'i:n' *m*4 pussy-cat; kitten

puisín[2] pis'i:n' *m*4 lip; calf's muzzle

puiteach pit'əx *m*1 boggy ground, mire

puití pit'i: *m*4 putty

púitse pu:t'ʃə *m*4 pouch

pulc pulk *vt & i* stuff, gorge; crowd

pulcadh pulkə *m*, *gs* **-ctha** crush, throng; large mass

púma pu:mə *m*4 puma

pumpa pompə *m*4 pump

pumpáil pompa:l' *vt & i* pump

punann punən *f*2 sheaf

punt punt *m*1 pound, ~ *íme* pound of butter, *nóta puint* pound note

punta pontə *m*4 punt

pupa pupə *m*4 pupa

púrach pu:rəx *a*1 tragic, calamitous; grief-stricken

púráil pu:ra:l' *f*3 beating, trouncing

purgadóir purəgədo:r' *f*3 purgatory

purgadóireacht purəgədo:r'əxt *f*3 purgatorial pains

purgaigh purəgi: *vt* purge

purgóid purəgo:d' *f*2 purgative; drench, ~ *aisig* emetic

purgóideach purəgo:d'əx *a*1 purgative

purláin pu:rla:n' *mpl* precincts

púróg pu:ro:g *f*2 round stone, pebble; bead

pus pus *m*1, *npl* ~ **a** mouth; sulky expression; snout

pusach pusəx *a*1 pouting, sulky, in a huff; whimpering

púscán pu:ska:n *m*1 ooze

puslach pusləx *m*1 muzzle

puth puh *f*2 puff, whiff, *níl ann ach an phuth* he is barely alive

puthail puhi:l' *f*3 puffing

putóg puto:g *f*2 gut, intestine; pudding

Q

quinín kwin'i:n' *m*4 quinine

R

rá ra: *m*4, *pl* ~**ite** saying, utterance, ~ *béil* verbal statement, *fuair sé* ~ *a bhéil orthu* he got what he asked for them

rábach ra:bəx *a*1 bold, dashing; reckless, *fás* ~ rank growth, *go* ~ easily

rábaire ra:bər'ə *m*4 active person; dashing fellow

rabairne rabərn'ə *m*4 prodigality, extravagance

rabairneach rabərn'əx *a*1 prodigal, extravagant

rábálaí ra:ba:li: *m*4 fast unmethodical worker; sprinter

rabhadh rauə *m*1 warning, forewarning

rabhán[1] rauə:n *m*1 spasm, fit (of coughing), ~ *cainte* burst of talk

rabhán[2] rauə:n *m*1 thrift (plant)

rabharta raurtə *m*4 spring tide; flood, torrent; superabundance, ~ *feirge* surge of anger

rabhcán rauka:n *m*1 simple song, ditty, ~ *maraí* shanty

rabhchán rauxa:n *m*1 warning signal, beacon

rabhlaer raule:r *m*1 overall

rabhlóg raulo:g *f*2 tongue-twister

rabhnáilte rauna:l't'ə *a*3 round

raca[1] rakə *m*4 rack; bench, settle

raca[2] rakə *m*4 (rack-)comb

ráca ra:kə *m*4 rake

rácáil ra:ka:l' *vt & i* rake

racán raka:n *m*1 racket, brawl; uproar

racánach raka:nəx *a*1 rowdy; riotous

racánaíocht raka:ni:(ə)xt *f*3 rowdyism

rachadh raxəx *cond of* **téigh**[2]

rachaidh raxi: *fut of* **téigh**[2]

ráchairt ra:xərt' *f*2 run, ~ *ar rud* demand for sth

rachmas raxməs *m*1 wealth, abundance; capital

rachmasach raxməsəx *a1* wealthy

rachmasaí raxməsi: *m4* wealthy person; capitalist

racht raxt *m3, pl* ~**anna** pent-up, violent, emotion; fit; outburst, *do ~ a ligean* to give vent to ones feelings

rachta raxtə *m4* rafter; beam

rachtán raxta:n *m1* chevron

rachtúil raxtu:l′ *a2* emotional, vehement; hearty

racún ˌraˈku:n *m1* racoon

rad rad *vt & i* throw; (*of horse, etc*) fling, kick; caper

rada(i)- radə *pref* radio-

radacach radəkəx *m1 & a1* radical

radacachas radəkəxəs *m1* radicalism

radachur ˌradəˌxur *m1* (radio-active) fall-out

radadh rad̪ə, *gs* **radta** pelting; (*of horse, etc*) fling, kick

radaighníomhaíocht ˌradəˌγ′n′i:vi:(ə)xt *f3* radioactivity

radagrafaíocht ˌradəˌgrafi:(ə)xt *f3* radiography

radaíocht radi:(ə)xt *f3* radiation

radaireacht radər′əxt *f3* ranting; revelling; flirting

radaitheoir radiho:r′ *m3* radiator

radar radər *m1* radar

radharc rairk *m1* sight; range of vision; look; view; (theatrical) scene, *fad mo radhairc uaim* as far as I could see

radharcach rairkəx *a1* seeing, viewing; visual, optical

radharceolaí ˌrairkˌo:li: *m4* optician

radharcra rairkrə *m4* (theatrical) scenery

radúil radu:l′ *a2* radial

rafar rafər *a1* prosperous; thriving; prolific

ráfla ra:flə *m4* rumour

rafta raftə *m4* raft

ragairne ragərn′ə *m4* revelling; roistering; dissipation

ragairneach ragərn′əx *a1* revelling, roistering, rakish

ragairneálaí ragərn′a:li: *m4* reveller; wastrel

ragobair ˌragˌobər′ *f2, gs* **-oibre** overtime (work)

ragús ragu:s *m1* urge, desire; fit

ráib ra:b′ *f2, gs* ~**eanna** dash, sprint

raibh rev′ *p dep & pres subj of* **bí**

raibí rab′i: *m4* rabbi

Raibiléiseach rabˈəl′e:s′əx *a1* Rabelaisian

raic¹ rak′ *f2* wreck, wreckage, ~ (*mhara*) flotsam and jetsam

raic² rak′ *f2, pl* ~**eanna** ruction, uproar

raicéad rakˈe:d *m1* (sports) racket

raiceáil rakˈa:l′ *f3 & vt* wreck

raiciteas ˌraˈk′i:t′əs *m1* rickets

raid- rad′ *pref* radio-

raideog rad′o:g *f2* bog-myrtle

raideolaíocht ˌrad′ˌo:li:(ə)xt *f3* radiology

raidhfil raif′əl′ *m4* rifle

raidhse rais′ə *f4* abundance

raidhsiúil rais′u:l′ *a2* abundant

raidiam rad′iəm *m4* radium

raidió rad′i:o: *m4* radio

raidis rad′əs′ *f2* radish

raifil raf′əl′ *m4* raffle

raifleáil rafˈl′a:l′ *vt* raffle

ráig ra:g′ *f2, pl* ~**eanna** sudden rush; sudden outbreak; fit, attack

ráille ra:l′ə *m4* rail; railing

raiméis ramˈe:s′ *f2* nonsense, rigmarole

raimhre rav′r′ə *f4* thickness, fatness

raimsce ramˈs′k′ə *m4* scapegrace, scamp

ráineach raˈn′əx *m1* hinny

raingléis raŋˈl′e:s′ *f2*, ~ *tí* ramshackle house

ráinigh ra:n′i: *defective v* reach, arrive, ~ *leis é a dhéanamh* he managed to do it, ~ *sé ann* he happened to be there

rainse ranˈs′ə *m4* ranch

rainseoir ranˈs′o:r′ *m3* rancher

ráipéar ra:p′e:r *m1* rapier

raispín rasˈp′i:n′ *m4* brat, rascal; wretch

ráite¹ ra:t′ə *conj* considering, in view of

ráite² ra:t′ə *pp of* **abair**

ráiteachas ra:t′əxəs *m1* utterance; saying, report

ráiteas ra:t′əs *m1* statement

ráithe ra:hə *f4* three-month period, quarter, season

ráitheachán ra:həxa:n *m1* quarterly (publication)

ráithiúil ra:hu:l′ *a2* quarterly

raithneach rahn′əx *f2* fern, bracken

ramallach raməl*əx *a1* slimy

ramallae ramale: *m4* slime

rámh ra:v *m3* oar

rámhaí ra:vi: *m4* oarsman

rámhaigh ra:vi: *vt & i* row

rámhaille ra:vəl′ə *f4* raving, delirium; fancies, ~ *óil, phóite* delirium tremens

rámhailleach ra:vəl'əx *a*l raving, delirious; fanciful

rámhainn ra:vən' *f*2 spade

rámhaíocht ra:vi:(ə)xt *f*3 rowing; oarsmanship

ramhar raur *a*l, *gsf & comp* **raimhre** *npl* **-mhra** fat, thick, ~ *le* thickly covered with, full of, *súil* ~ full eye

rámhlong 'ra:v,loŋ *f*2 galley

ramhraigh rauri: *vt & i* fatten; thicken, *éadach a ramhrú* to full cloth

rampar rampər *m*l rampart

rancás raŋka:s *m*l frolicking; high jinks

rancásach raŋka:səx *a*l frolicsome, frisky

rang raŋ *m*3, *pl* ~ **anna** rank, line, row; order; (school-)class

rangabháil raŋgəva:l' *f*3 participle

rangaigh raŋgi: *vt* classify; grade

rangalam raŋgələm *m*l rigmarole

rangú raŋgu: *m*4 classification; grading

rann¹ ran *m*l quatrain; verse, *rainn pháistí* nursery rhymes

rann² ran, ~ **a** ran ə : **roinn**

rannach ranəx *a*l departmental

rannaireacht ranər'əxt *f*3 composing verses; versification

rannán rana:n *m*l (army) division

ranníocach 'ran,i:kəx *a*l contributory

rannóg rano:g *f*2 section

rannpháirt 'ran,fa:rt' *f*2 participation, part, share

rannpháirteach 'ran,fa:rt'əx *a*l participating, partaking

rannta rantə : **roinnt**

ransaigh ransi: *vt & i* ransack, rummage, search

raon ri:n *m*l, *pl* ~ **ta** way, route; range, ~ *rásaí* race-track, ~ *cluas* earshot, ~ *maidhme* rout, headlong flight

rapáil rapa:l' *vt & i* rap

rapsóid rapso:d' *f*2 rhapsody

rás ra:s *m*3 race

rásaíocht ra:si:(ə)xt *f*3 racing

rascail raskəl' *m*4 rascal

raspa raspə *m*4 rasp, coarse file

raspáil raspa:l' *vt & i* rasp

rásúr ra:su:r *m*l razor

ráta ra:tə *m*4 rate, *faoi* ~ at a discount; not in demand

rátáil ra:ta:l' *vt* rate

rátaithe ra:tihə *a*3 rated

rath rah *m*3 prosperity; abundance; use-

fulness, good, *faoi* ~ succeeding, prospering, ~ *Dé ort* God prosper you, *chuaigh siad ó* ~ *orm* they went to loss on me

ráth¹ ra: *m*3, *pl* ~ **anna** earthen rampart; ring-fort, rath; layer, ~ *sneachta* snow-drift

ráth² ra: *f*3, *pl* ~ **anna** shoal (of fish)

rathaigh rahi: *vt & i* prosper, succeed; make successful

ráthaigh¹ ra:hi: *vt* guarantee

ráthaigh² ra:hi: *vi, vn* **-aíocht** *(of fish)* shoal

ráthaíocht ra:hi:(ə)xt *f*3 guarantee

ráthóir ra:ho:r' *m*3 guarantor

rathúil rahu:l' *a*2 prosperous, successful; fortunate

rathúnas rahu:nəs *m*l prosperity; plenty

ré¹ re: *f*4, *pl* ~ **anna** moon; period, age, era, *lán na* ~ the full moon, *le mo* ~ during my lifetime, *roimh* ~ in advance, beforehand

ré² re: *f*4, *pl* ~ **ite** stretch of ground; level ground

ré-³ re: *pref* level, smooth; easy; moderately

réab re:b *vt & i* tear, rip up; shatter; violate

réablach re:bləx *f*2 rush, surge, ~ *a gaoithe* tearing gusts of wind

réabhlóid re:vlo:d' *f*2 revolution

réabhlóideach re:vlo:d'əx *a*l revolutionary

réabhlóidí re:vlo:d'i: *m*4 revolutionary

réabóir re:bo:r' *m*3 violator

reacaire rakər'ə *m*4 seller; crier of wares; reciter of poems; ranter; newsmonger

reacaireacht rakər'əxt *f*3 selling, offering for sale; reciting; ranting; gossiping

reacht raxt *m*3, *pl* ~ **anna** law; statute; accepted rule

reachta raxtə : **riocht**

reachtach raxtəx *a*l legislative

reachtaigh raxti: *vt & i* legislate; enact, decree

reáchtáil ra:xta:l' *f*3 running, *damhsa a* ~ to run a dance

reachtaíocht raxti:(ə)xt *f*3 legislation

reachtaire raxtər'ə *m*4 administrator, steward; rector; auditor (of society); master of ceremonies

reachtas raxtəs *m*l administration, stewardship, *talamh reachtais* conacre

reachtmhar raxtvər *a*1 lawful, legitimate

reachtóir raxto:r' *m*3 lawgiver, legislator

reachtúil raxtu:l' *a*2 statutory, statute

réadach re:dəx *a*1 real; objective

réadaigh re:di· *vt* make real, realize, *sócmhainní a réadú* to realize assets

réadán re:da:n *m*1 woodworm

réadlann re:dlən *f*2 observatory

réadúil re:du:l' *a*2 real, realistic

réal[1] re:l *m*1, *pl* ~**acha** (old) sixpence; sixpenny bit

réal[2] re:l *vt* make clear, manifest; (*of photograph*) develop

réalachas re:ləxəs *m*1 realism

réalaí re:li: *m*4 realist

réalt- re:lt *pref* star-, astro-

réalta re:ltə *f*4 star; asterisk, ~ *eireabaill* comet, ~ *eolais* guiding star, ~ **reatha** shooting star

réaltach re:ltəx *a*1 starry; astral; beautiful

réaltbhuíon 're:lt,vi:n *f*2, *pl* ~**ta** constellation

réalteolaíocht 're:lt,o:li:(ə)xt *f*3 astronomy

réaltóg re:lto:g *f*2 (small) star

réaltógach re:lto:gəx *a*1 starry, starred

réaltra re:ltrə *m*4 galaxy

réam re:m *m*3, *pl* ~**anna** ream

réamra re:mrə *m*4 rheum; phlegm, catarrh

réamach re:məx *a*1 rheumy; phlegm, catarrhal; (*of fish*) slimy

réamh- re:v *pref* ante-, pre-, fore-, introductory, preliminary

réamhaisnéis 're:v,aş'n'e:s' *f*2 forecast

réamhaisnéiseoir 're:v,aş'n'e:so:r' *m*3 forecaster

réamhaithris 're:v,ahr'əs' *f*2 prediction *vt & i* predict, foretell

réamhcheol 're:v,x'o:l *m*1, *pl* ~**ta** overture

réamhchlaonadh 're:v,xli:nə *m*, *gs* -**nta** prejudice

réamhchlaonta 're:v,xli:ntə *a*3 prejudiced

réamhchúram 're:v,xu:rəm *m*1, *pl* -**aimí** precaution

réamheolaire 're:v,o:lər'ə *m*4 prospectus

réamhfhocal 're:v,okəl *m*1 preposition

réamhghabháil 're:v,γava:l' *f*3 anticipation

réamhimeachtaí 're:v,im'əxti: *spl* preliminaries

réamhléiriú 're:v,l'e:r'u: *m*4 rehearsal (of play)

réamhrá 're:v,ra: *m*4, *pl* ~**ite** introduction; preface

réamhráite 're:v,ra:t'ə *a*3 aforesaid, aforementioned

réamhshampla 're:v,hamplə *m*4 precedent

réamhstairiúil 're:v,star'u:l' *a*2 prehistoric

réamhtheachtach 're:v,haxtəx *a*1 precursory; antecedent

réamhtheachtaí 're:v,haxti· *m*4 precursor, predecessor, antecedent

réamhtheachtaire 're:v,haxtər'ə *m*4 forerunner, harbinger

reangach[1] rangəx *a*1 welted, scarred; creased

reangach[2] rangəx *a*1 stringy, wiry; lanky, scrawny

reann ran, ~**a** ranə : **rinn**[1,2]

réasún re:su:n *m*1 reason, sense; justification, motive, *luíonn sé le* ~ it stands to reason

réasúnach re:su:nəx *a*1 reasoning, rational

réasúnachas re:su:nəxəs *m*1 rationalism

réasúnaigh re:su:ni· *vt & i* reason, rationalize

réasúnta re:su:ntə *a*3 reasonable; sane, sensible; fair, moderate

reatha rahə : **rith**

reathach rahəx *a*1 running, cursive

reathaí rahi: *m*4 runner

réchaite 're:,xat'ə *a*3 half-worn; partly worn away

réchas 're:,xas *vt & i* twist, turn, slowly; (*of engine*) tick over, idle

réchnocach 're:,xnokəx *a*1, (*of country*) low-hilled, rolling

réchúiseach 're:,xu:s'əx *a*1 easy-going; unconcerned

rédhorcha 're:,γorəxə *a*3 moonless

réibhe re:v'ə : **riabh**

reic rek' *m*3, *pl* ~**eanna** sale; public recital; gossip; lavish spending *vt & i* sell; trade, peddle; recite; proclaim; betray; squander

réice re:k'ə *m*4 rake, rover

réiciúil re:k'u:l' *a*2 rakish

réidh re:γ´ a1 smooth, level; easy; free; ready, prepared; finished, *fána* ~ gentle declivity, *bheith* ~ *i rud* to be indifferent to sth

réidhe re:γ´ə f4 smoothness, levelness; easiness, readiness; indifference

reifreann ref´r´ən m1 referendum

régiún re:g´u:n m1 region

régiúnach re:g´u:nəx a1 regional

réileán re:l´a:n m1 level space; sports green; expanse

reilig rel´əg´ f2 graveyard

reiligire rel´əg´ər´ə m4 sexton; grave-digger

reiligiún rel´əg´u:n m1 religion

reiligiúnach rel´əg´u:nəx a1 religious

réiltín re:l´t´i:n´ m4 (small) star; asterisk

réim re:m´ f2, pl ~**eanna** course, career; succession; range; regimen, *bheith i* ~ to be in power, *nós atá faoi* ~ a custom that prevails

réimeas re:m´əs m1 reign, sway; era; span of life

réimir ´re:,m´i:r´ f2, pl ~**eanna** prefix

réimnigh re:m´n´i: vt & i advance; range; grade; conjugate

réimse re:m´s´ə m4 stretch, tract; range, ~ *radhairc* field of vision

réinfhia ´re:n´,iə m4, pl ~**nna** reindeer

réir re:r´ f2 will, wish; command, *bheith faoi* ~ *duine* to be at a person's service, *de* ~ in accordance with, according to, *de* ~ *a chéile* by degrees, gradually, *faoi* ~ free, available; ready

réisc re:s´k´ : **riasc**

réise re:s´ə f4 span

reisimint res´əm´ən´t´ f2 regiment

réiteach re:t´əx m1 clearance; clearing; level space; preparation; disentanglement; settlement; agreement, *bord réitigh* conciliation board

réiteoir re:t´o:r´ m3 arbitrator; conciliator; referee

reithe rehə m4 ram, *an Reithe* Aries, ~ *cogaidh* battering-ram

réitigh re:t´i: vt level, smooth; clear; unravel, free; arrange; solve, *réiteach le duine* to settle with a person, to make peace with a person, *ní réitíonn sé liom* it doesn't agree with me

reitine ret´ən´ə f4 retina

reitric ret´r´ək´ f2 rhetoric

reitriciúil ret´r´ək´u:l´ a2 rhetorical

reo ro: m4 frost

reoán ro:a:n m1 icing (on cake)

reoch ro:x a1, *gsm* ~ frosty

reodóg ro:do:g f2 icicle

reoigh ro:γ´ vt & i freeze; congeal, solidify

reoiteach ro:t´əx a1 frosty; chilling

reoiteog ro:t´o:g f2 ice-cream

reomhar ro:vər a1 frigid

réon re:o:n m1 rayon

rériomhaire ´re:,ri:vər´ə m4 ready reckoner

réscaip ´re:,skap´ vt & i, (of light) diffuse

ri¹ ri: m4, pl ~**the** king, (an) ~ *rua* chaffinch

ri² ri: f4, pl ~**theacha** forearm

ri-³ ri: pref royal, kingly; exceedingly, very, ultra-

riabh riəv f2, gs **réibhe** stripe, streak

riabhach riəvəx a1 streaked, striped, brindled; drab; gloomy, dismal

riabhóg riəvo:g f2 pipit

riach riəx m1 , *téigh sa* ~ go to the dickens, *is cuma sa* ~ it doesn't matter a damn

riachtanach riəxtənəx a1 necessary

riachtanas riəxtənəs m1 necessity, need

riail riəl´ f, gs -**alach** pl -**alacha** rule, regulation; authority; ruler

riailbhéas ´riəl´,v´e:s m3, gs & npl ~**a** regular habit, discipline

rialachán riələxa:n m1 regulation

rialaigh riəli: vt & i rule; control; regulate; line (paper)

rialaitheoir riəliho:r´ m3, (device) control

rialóir riəlo:r´ m3, (implement) ruler

rialta riəltə a3 regular; habitual, *ord* ~ religious order

rialtacht riəltəxt f3 regularity; religious life

rialtán riəlta:n m1 regulator

rialtas riəltəs m1 government

rialtóir riəlto:r´ m3, (person) ruler

rialú riəlu: m4, rule, regulation; government

riamh riəv adv ever; never, *bhí sé* ~ *cointinneach* he was always quarrelsome, *go raibh tú* ~ *amhlaidh* may you be ever thus, *anois nó* ~ now or never, *gach aon duine* ~ *agaibh* every single one of you

rian riən *m*1, *pl* **~ta** course, path; mark, trace; vigour, *fear cinn riain* pace-maker, leader, *tá a ~ air* he looks it; 'signs on it'

rianaigh riəni: *vt* mark out, trace; gauge

rianaire riənɪr'ə *m*4 marking-tool, gauge, tracer

rianta riəntə *a*3 marked out; prepared; accomplished

rianúil riənu:l' *a*2 orderly, methodical

riar riər *m*4 administration, management; provision; distribution; share, supply, sufficiency, *cuireadh ~ maith orainn* we were well looked after, *tá ~ a gcáis acu* they have enough for their needs *vt* administer, manage; distribute, supply; serve, *~ ar mhuirín* to provide for a family

riarachán riərəxa:n *m*1 administration

riaráiste riərɑ:s't'ə *m*4 arrears, backlog

riarthach riərhəx *a*1 administrative; distributive; dispensing

riarthóir riərho:r' *m*3 administrator; dispenser

riasc riəsk *m*1, *gs* **réisc** *npl* **~a** marsh; moor

riascach riəskəx *a*1 marshy; moorish

riast riəst *m*3 welt; streak, stripe

riastach riəstəx *a*1 welted; streaked, striped

riastáil riəstɑ:l' *vt & i* welt; score, furrow

riastradh riəstrə *m*, *gs* **-tartha** contortion

rib rib' *vt* snare, *iasc a ~eadh* to snatch a fish

ribe rib'ə *m*4 hair, bristle, *~ féir* blade of grass, *ná cuir ~ air* don't raise his hackles, *tá ~ (fuar) ar an lá* the day is bitingly cold, *~ róibéis* shrimp; prawn

ribeach rib'əx *a*1 hairy, bristly; bladed; tattered; (*of weather*) bitingly cold

ribeadach rib'ədəx *a*1, (*of tube*) capillary

ribeadán rib'ədɑ:n *m*1 capillary

ribín rib'i:n *m*4 ribbon; band, tape, string

ríchathaoir 'ri:ˌxahi:r' *f*, *gs* **~each** *pl* **~eacha** throne

ricne rik'n'ə *s*, *ola* ~ castor oil

ridhamhna 'ri:ˌɣ aunə *m*4 royal heir

ridire rid'ər'ə *m*4 knight

ridireacht rid'ər'əxt *f*3 knighthood; chivalry

rige rig'ə *m*4, **~ola** oil rig

rigeáil rig'a:l' *vt* rig (ship)

righ riγ' *vt*, *vn* **ríochan** stretch, tauten

righin ri:n' *a*1, *gsf, npl & comp* **-ghne** tough; tenacious, stubborn; slow, lingering; viscous

righneáil ri:n'a:l' *f*2 lingering, loitering

righneas ri:n'əs *m*1 toughness, tenacity, stubbornness; tardiness; viscosity

righnigh ri:n'i: *vt & i* toughen; persevere; delay, linger; become viscous

rigín rig'i:n' *m*4 rigging (of ship); (*knitting*) ribbing

ríl ri:l' *f*2, *pl* **~eanna**, (*dance*) reel

rill ril' *vt* riddle, sieve, *ag ~eadh báistí* pouring rain

rilleadh ril'ə *m*, *gs* **-llte** flood, torrent, downpour

rilleán ril'a:n *m*1 riddle, coarse sieve

rím ri:m' *f*2, *pl* **~eanna** rhyme

ríméad ri:me:d *m*1 gladness; joyous pride

ríméadach ri:me:dəx *a*1 jubilant, proud

rinc[1] riŋk' *f*2, *pl* **~eanna** rink

rinc[2] riŋk' *vt & i* dance

rince riŋk'ə *m*4 dance

rinceoir riŋk'o:r' *m*3 dancer

ringear riŋg'ər *m*1 crow-bar

rinn[1] riñ' *f*2, *npl* **reanna** *gpl* **reann** point, tip; top, apex, *~ (tíre)* cape, promontory

rinn[2] riñ' *m*3, *gs & npl* **reanna** *gpl* **reann** star, planet

rinne riñ'ə *p of* **déan**[2]

rinneach riñ'əx *a*1 pointed; sharp; biting

rinnfheitheamh 'riñˌehəv *m*1 contemplation

rinse riñs'ə *m*4 wrench

rinseáil riñs'a:l' *f*3 & *vt* rinse

ríochan ri:(ə)xən *f*3 stretching; tautness; restraint, control

ríochas ri:(ə)xəs *m*1 royalty

ríocht rixt *m*3, *gs* **reachta** form, shape, guise; state, plight; *an fhírinne a chur as a ~* to distort the truth, *dul thar do ~ le rud* to exceed one's capacity for sth, *i ~ pléascadh* ready to explode, *i ~ (agus) go* in such a way that, so that

ríocht ri:(ə)xt *f*3 kingdom

ríochtán rixta:n *m*1 (dressmaker's) dummy

ríog ri:g *f*2 fit, spasm; impulse

ríoga ri:gə *a*3 regal, royal

riogach ri:gəx *a*1 spasmodic, impulsive

ríogaí ri:gi: *m*4 royalist

ríomh ri:v *m*3 enumeration; calculation; narration *vt* count; reckon, compute, calculate; narrate

ríomhaire ri:vər'ə *m*4 counter; calculator; computer

ríomhaireacht ri:vər'əxt *f*3 counting; calculation; computation

ríomhchláraitheoir 'ri:v‚xla:riho:r' *m*3 computer programmer

ríomhchlárú 'ri:v‚xla:ru: *m*4 computer programming

ríon ri:n *f*3, *pl* **~acha** queen; noble lady

ríora ri:rə *m*4 royalty, dynasty

ríoraíoch ri:ri:(ə)x *a*1, *gsm* **~** dynastic

riosól riso:l *m*1 rissole

riospráid rispra:d' *f*2 respiration

rírá 'ri:'ra: *m*4 hubbub, uproar

ris ris' *adv* bare, uncovered, exposed

rís ri:s' *f*2 rice

ríshlat 'ri:‚hlat *f*2 sceptre

ríshliocht 'ri:‚hl'ixt *m*, *gs & pl* **-shleachta** royal line, dynasty

rísín 'ri:s'i:n' *m*4 raisin

ríste ri:s't'ə *m*4 idler, lounger

rístíocht ri:s't'i:(ə)xt *f*3 idling, lounging

rite[1] rit'ə *a*3 taut, tense; sharp, steep, **~ le gaoth** exposed to the wind, **~ chun oibre** eager for work, *chuaigh sé* **~** *leis é a dhéanamh* he barely managed to do it

rite[2] rit'ə *a*3 exhausted, extinct, **~ anuas**, *síos* run down (in health)

riteoga rit'o:gə *fpl*, *gpl* **riteog** tights

rith rih *m*3, *gs* **reatha** *pl* **rití** run; course, career; rapid flow; enactment, **~ croí** palpitation, **~ focail** slip of the tongue, **~ tinnis**, spell of sickness, *i* **~** in the course of, throughout, *i* **~ an ama** all the time, *cuairt reatha* fleeting visit, *cuntas reatha* current account *vt & i* run; control, manage; pass, enact, **~ sé úan** (go) it occurred to me that, **~ an t-ádh liom** I was very lucky, *rún a* **~** to pass a resolution, *má* **~eann** *leat* if you get away with it, succeed

ritheaghlach 'ri:‚hailəx *m*1 royal household

rithim rihəm' *f*2 rhythm

rithimeach rihəm'əx *a*1 rhythmic(al)

ríúil ri:u:l' *a*2 kingly, splendid

ró[1] ro: *m*4 prosperity; mildness, **~ samh** heat haze

ró-[2] ro:[1] *pref* too, most, very; over-; excessive

róba ro:bə *m*4 robe

robáil roba:l' *f*3 robbery *vt & i* rob

robálaí roba:li: *m*4 robber

roc[1] rok *m*1, (*fish*) ray

roc[2] rok *m*1 wrinkle, crease, pucker *vt & i* wrinkle, crease; corrugate

rocach rokəx *a*1 wrinkled, creased, *iarann* **~** corrugated iron

róchuma 'ro:‚xumə *s, is* **~** *liom* I couldn't care less, *níl aon* **~** *air* it doesn't look too good

ród[1] ro:d *m*1 road; roadstead

ród[2] ro:d *m*1 rood

ródadh ro:də *m, gs* **ródta** leeway

ródaidéandrón 'ro:də‚d'e:ndro:n *m*1 rhododendron

ródaíocht ro:di:(ə)xt *f*3 wayfaring, travelling; riding at anchor

rodta rotə *a*3 (dry-)rotted; (*of drink*) flat, stale

rógaire ro:gər'ə *m*4 rogue

rógaireacht ro:gər'əxt *f*3 roguery

róganta ro:ga:ntə *a*3 roguish

rogha rau *f*4 choice, selection; alternative; the best, *de* **~** *air* in preference to, *is* **~** *liom imeacht anois* I prefer to go now, *do* **~** *rud* anything you like

roghnach raunəx *a*1 optional

roghnachas raunəxəs *m*1 choice; preference

roghnaigh rauni: *vt* choose, select

roghnóir rauno:r' *m*3 selector

roghnú raunu: *m*4 choice, selection

roicéad rok'e:d *m*1 rocket

roilleach rol'əx *m*1 oyster-catcher

roillic rol'ək' *f*2 rowlock

roimh riv' *prep, pron forms* **romham** ro:m, **romhat** ro:t, **roimhe** riv'ə *m*, **roimpi** rim'p'i *f*, **romhainn** ro:n', **romhaibh** ro:v', **rompu** rompu, before, in front of, *bhí sé ag siúl roimhe* he was walking along, *ní ag teacht romhat é* pardon my interrupting you, *fáiltiú* **~** *dhuine* to welcome a person, *eagla a bheith ort* **~** *rud* to be afraid to sth

roimhe[1] riv'ə *adv* before, **~ seo** formerly

roimhe[2] riv'ə : **roimh**

roimpi rim'p'i : **roimh**

roinn ron´ f, gs & npl **ranna** gpl **rann** share, portion; dealing, trading; department, níl cuid ranna ann it is not worth dividing, an ~ seo tíre this part of the country, ranna stáit government departments, ranna cainte parts of speech vt & i divide, share; deal, distribute, tá trioblóid ag ~t leis it involves trouble

roinnt ron´t´ f2, pl **rannta** division; dealing, distribution, ~ airgid some money, tá sé ~ fuar it is somewhat cold

roinnteach ron´t´əx a1 distributive

roinnteoir ron´t´o:r´ m3 divider; dispenser

rois¹ ros´ f2, pl ~**eanna** volley; blast, ~ toirní thunder-clap, ~ chainte burst of talk

rois² ros´ vt & i unravel; rip, tear, ag ~eadh bréag spouting lies

roiseadh ros´ə m, gs -**ste** pl -**stí** rip, tear; rush, spate

roisín ros´i:n´ m4 resin

róiste ro:s´t´ə m4 roach

roithleagadh ´ro‚l´agə m, gs -**gtha** rolling, revolving, twirling

roithleán rohl´a:n m1 wheel; roller, pulley; (fishing) reel; whirling motion

roithleánach rohl´a:nəx a1 revolving, whirling

ról ro:l m1 role

roll rol m4 & vt & i roll

rolla rolə m4 roll; official record, register

rollach roləx a1 rolling

rollaigh roli: vt enrol

rollán rola:n m1 roll; small cylinder, roller

rollóg rolo:g f2 (small) roll, ~a deataigh spirals of smoke

rollóir rolo:r´ m3 (mechanical) roller; child's hoop

rómánsach ro:ma:nsəx a1 romantic, teangacha Rómánsacha Romance Languages

rómánsaíocht ro:ma:nsi:(ə)xt f3 romanticism; romancing

romhaibh ro:v´ : **roimh**

romhainn ro:n´ : **roimh**

rómhair ro:vər´ vt & i, pres -**mhraíonn** dig

romham ro:m : **roimh**

Rómhánach ro:va:nəx m1 & a1 Roman

rómhar ro:vər m1 digging

romhat ro:t : **roimh**

rompu rompu : **roimh**

rón ro:n m1, pl ~**ta** seal

rondáil ronda:l´ f3 rundale, runrig

ronna ronə m4 dribble; mucus

ronnach¹ ronəx m1 mackerel

ronnach² ronəx a1 dribbling; mucous

rop rop m3 & vt & i thrust, stab; dart, dash

rópa ro:pə m4 rope

ropadh ropə m, gs -**ptha** thrust, stab; rush, dash; fracas

ropaire ropər´ə m4 stabber; robber; scoundrel; rapparee

ropaireacht ropər´əxt f3 stabbing, violence; thieving; villainy

ros¹ ros m1 linseed, flax-seed

ros² ros m3 wood; headland, promontory

rós ro:s m1, pl ~**anna** rose

rosach rosəx a1 rough, horny

rósach ro:səx a1 rosy; roseate

rosaid rosəd´ f2 whitlow

rosc¹ rosk m1 eye

rosc² rosk m1 rhetorical composition, ~ catha war-cry, ~ (ceoil) rhapsody

rosca roskə m4 rusk

roscach roskəx a1 rhetorical, declamatory

rósóg ro:so:g f2 rose-tree

róst ro:st vt & i roast

rosta rostə m4 wrist

rósta ro:stə m4 roast

róstadh ro:stə m, gs **rósta** roast(ing)

rosualt ‚ro´suəlt m1 walrus

rótachartaire ´ro:tə‚xartər´ə m4 rotovator

roth roh m3 wheel

rothaí rohi: m4 cyclist

rothaigh rohi: vi cycle

rothaíocht rohi:(ə)xt f3 cycling

rothalchleas ´rohal‚x´l´as m1, npl ~**a** cartwheel (turn)

rothán roha:n m1 small wheel, castor; loop, hank

rothánach roha:nəx a1 circulating

rothar rohər m1 bicycle

rótharraingt ´ro:‚harən´t´ f, gs -**gthe** overdraft

rothlach rohləx a1 rotating, rotary

rothlaigh rohli: vt & i rotate, gyrate; whirl, spin

rothlú rohlu: *m*4 rotation, gyration; whirl, spin

rua ruə *a*3 red(-haired); reddish-brown, russet; wild, fierce

ruacan ruəkən *m*1 cockle

ruachan ruəxən *m*3 reddening

ruacht ruəxt *f*3 redness (of hair)

ruachtach ruəxtəx *f*2 erysipelas

ruadhóigh 'ruə,γο:γ' *vt* & *i* scorch

ruaig ruəg' *f*2, *pl* ~**eanna** chase, rout; foray; hurried visit, ~ *thinnis* attack of sickness *vt* chase, put to flight

ruaigh ruəγ' *vt* & *i* redden

ruaille ruəl'ə *s*, ~ *buaille* commotion, tumult

ruaim¹ ruəm' *f*2 red dye; dye-wood; reddish scum, ~ *feirge* flush of anger

ruaim² ruəm' *f*2, *pl* ~**eanna** fishing-line

ruaimneach ruəm'n'əx *a*1 red, russet; (of *a*l water) discoloured

ruaimneacht ruəm'n'əxt *f*3 discolouration

ruaimnigh ruəm'n'i: *vt* & *i* dye red; flush; discolour

ruainne ruən'ə *m*4 (single) hair; fibre, thread; shred, ~ *tobac* little bit of tobacco

ruainneach ruən'əx *f*2 horse-hair

rualoisc 'ruə,los'k' *vt*, *vn* -**oscadh** scorch

ruán ru:a:n *m*1 rudd, ~ *aille* sparrow-hawk

ruaphoc 'ruə,fok *m*1 roebuck

ruathar ruəhər *m*1 rush, onset, attack

ruatharach ruəhərəx *m*1 rushing, milling about *a*l rushing, charging; impulsive

rúbal ru:bəl *m*1 rouble

rubar robər *m*1 rubber

rúbarb ru:barb *m*4 rhubarb

rud rud *m*3 thing; matter; circumstance, *na* ~*aí beaga* the little ones, *ós* ~ *é go* since it happens that, ~ *eile de* furthermore, ~ *beag fuar* a little bit cold, ~ *a dhéanamh ar dhuine* to obey a person, *ná bíodh* ~ *ort faoi* don't grieve over it

rufa rufə *m*4 ruff; frill

rufach rufəx *a*1 ruffed, frilled

rug rug *p* of *beir*

ruga rogə *m*4 rug

rugbaí rogbi: *m*4 rugby

ruibh¹ riv' *f*2 sulphur

ruibh² riv' *f*2 venom, sting; eagerness

ruibhchloch 'riv',xlox *f*2 brimstone

ruibheach riv'əx *a*1 suphuric

ruibheanta riv'əntə *a*3 venomous, sharp-tongued

ruibhiúil riv'u:l' *a*2 sulphurous

rúibín ru:b'i:n' *m*4 ruby

rúibric ru:b'r'ək' *f*2 rubric

rúid ru:d' *f*2, *pl* ~**eanna** spurt, sprint

rúidbhealach 'ru:d',v'aləx *m*1, *pl* -**ai** runway

ruifíneach rif'i:n'əx *m*1 ruffian

rúiléid ru:l'e:d' *f*2 roulette

rúipí ru:p'i: *m*4 rupee

ruipleog rip'l'o:g *f*2 tripe

rúisc ru:s'k' *f*2, *pl* ~**eanna** discharge, volley; loud report *vt* & *i*, *vn* **rúscadh** strip, shell; stir, poke, shake; trounce

ruithne rihn'ə *f*4 radiance, glitter, ray of light

ruithneach rihn'əx *a*1 radiant, gleaming

rúitín ru:t'i:n' *m*4 ankle; fetlock

rum rom *m*4 rum

rún ru:n *m*1 mystery; secret; intention, purpose; (formal) resolution, *faoi* ~ in confidence, ~ *díoltais* design of vengeance, ~ *buíochais* vote of thanks, *a* ~ my dear

rúnaí ru:ni: *m*4 secretary

rúnaíocht ru:ni:(ə)xt *f*3 secretarial work; secretariat

rúnchara 'ru:n,xarə *m*, *gs* ~**d** *pl* -**chairde** confidant(e)

rúnda ru:ndə *a*3 mysterious; secret, confidential

rúndacht ru:ndəxt *f*3 secrecy

rúndaingean 'ru:n,daŋ'g'ən *a*1, *gsf*, *npl* & *comp* -**gne** strongminded, resolute

rúndiamhair 'ru:n',d'iəvər' *f*2, *pl* -**mhra** (religious) mystery *a*1, *npl* -**mhra** mystical, mysterious

runga ruŋgə *m*4 rung

rúnmhar ru:nvər *a*1 close, secretive

rúnpháirteach 'ru:n,fa:rt'əx *a*1 initiate, initiatory

rúnpháirtí 'ru:n,fa:rt'i: *m*4 initiate

rúnscríbhinn 'ru:n',s'k'r'i:v'ən' *f*2 secret writing, cipher

ruóg ru:o:g *f*2 cord, twine

Rúraíocht ru:ri:(ə)xt *f*3 Ulster epic cycle

rúsc ru:sk *m*1 bark (of tree)

rúscadh ru:skə *m*, *gs* **rúiscthe** decortication; stirring, shaking; trouncing

rúta ru:tə *m*4 root; stump, stock

ruthag ruhəg *m*1 run, sprint, dash, *cuar ruthaig* trajectory curve (of bullet, etc), *thar mo* ~ beyond my means

S

sa¹ sə : **i**

-sa² sə *emphatic suff, seo mo pheannsa* this is my pen, *m'inion ógsa* my young daughter, *fansa anseo* you stay here, *an liomsa nó leatsa é?* is it mine or yours?

sá sa: *m4, pl* **~ite** *gs as vn* **~ite** thrust, stab; push; dart, lunge, *~ite ciseáin* stakes of basket

sabaitéir sabət'e:r' *m3* saboteur

sabaitéireacht sabət'e:r'əxt *f3* sabotage

sábh sa:v *m1, npl* **~a** (*of tool*) saw *vt & i* saw

sábháil sa:va:l' *f3* saving; rescue; security, *tá sé ar lámh shábhála* it is in safe keeping *vt & i* save; rescue; preserve; harvest

sábháilte sa:va:l't'ə *a3* safe

sábháilteacht sa:va:l't'əxt *f3* safety

sabhaircín saur'k'i:n' *m4* primrose

sábhálach sa:va:ləx *a1* saving, thrifty

sabhall saul *m1* barn

sabhdán saudá:n *m1* sultan

sabhdánach sauda:nəx *m1,* (*raisin*) sultana

sabhran savrən *m1,* (*money*) sovereign

saboid sabo:d' *f2* sabbath

sabóideach sabo:d'əx *a1* sabbatic(al)

sac sak *m1* sack *vt* put in sack, pack; cram; thrust

sacáil saka:l' *vt* sack (from job)

sacán saka:n *m1* fieldfare

sacar sakər *m1* soccer

sacéadach 'sak,e:dəx *m1* sackcloth

sách sa:x *m1* well-fed person *a1* full, sated, *~ láidir* strong enough, *~ fuar* rather cold

sácráil sa:kra:l' *f3* consecration

sacrailéid sakrəl'e:d' *f2* sacrilege

sacrailéideach sakrəl'e:d'əx *a1* sacrilegious

sácráilteacht sa:kra:l't'əxt *f3* ease, self-indulgence

sacraimint sakrəm'ən't' *f2* sacrament

sacraimintiúil sakrəm'ən't'u:l' *a2* sacramental

sacraisteoir sakrəs't'o:r' *m3* sacristan

sacraistí sakrəs't'i: *m4* sacristy

sacsafón 'saksə,fo:n *m1* saxophone

sádach sa:dəx *m1* sadist *a1* sadistic

sádar sa:dər *m1* solder

sadhlann sailən *f2* silo

sadhlas sailəs *m1* silage

sádráil sa:dra:l' *vt & i* solder

sáfach sa:fəx *f2* handle (of implement); shaft; battle-axe

ság sa:g *m1* sago

sága sa:gə *m4* saga

sagart sagərt *m1* priest, *hata an tsagairt* sea-anemone

sagartacht sagərtəxt *f3* priesthood

sagartúil sagərtu:l' *a2* priestly

saghas sais *m1, pl* **-ghsanna** kind, sort, *~ fuar* somewhat cold

saibhir sev'ər' *m4, pl* **-bhre** rich person *a1, gsf, npl & comp* **-bhre** rich

saibhreas sev'r'əs *m1* riches, wealth; richness

saibhrigh sev'r'i: *vt* enrich

sáible sa:b'l'ə *m4* sable

saicín sak'i:n' *m4* vesicle; sachet

saidhbhéar saiv'e:r *m1* kittiwake

saidléir sad'l'e:r' *m3* saddler

saifir saf'ir' *f2* sapphire

sáigh sa:y' *vt & i* thrust; stab; push; lunge, *sáite i leabhar* engrossed in a book

saighdeadh said'ə *m, gs* **-ghde** incitement

saighdeoir said'o:r' *m3* archer; inciter, *An Saighdeoir* Sagittarius

saighdeoireacht said'o:r'əxt *f3* archery

saighdiúir said'u:r' *m3* soldier

saighdiúireacht said'u:r'əxt *f3* soldiering; military service; courage, endurance

saighdiúrtha said'u:rhə *a3* soldierly

saighead said *f2, gs* **-ghde** arrow; bolt; pang, *~ reatha* stitch in side from running

saighean sain *f2, gs* **-ghne** *pl* **-ghní** seine (-net)

saighid said' *vt & i, pres* **-ghdeann** incite; provoke; pierce

saighneáil sain'a:l' *vt & i* sign

saighneán sain'a:n *m1* lightning; flash of light; blast, *na Saighneáin* the Northern Lights

saighneoireacht sain'o:r'əxt *f3* seine-fishing

sail¹ sal' *f, gs & gpl* **~each** *npl* **~eacha** willow(-tree)

sail² sal' *f2, pl* **~eanna** beam; cudgel; prop

453

sail³ sal´ *f*2 dirt, dross; stain, ~ *chluaise* ear-wax, ~ *chnis* dandruff

sáil¹ sa:l´ *f*2, *npl* **sála** *gpl* **sál** heel; heeltap, ~*sléibhe* spur of mountain, ~ *cairte* tail of cart, *ar shála a chéile* in rapid succession, *thug sé na sála leis* he managed to escape

sáil² sa:l´ *a*1 easy, restful; self-indulgent

sailchearnach 'sal´x´a:rnəx *f*2 pussy-willow

sailchuach 'sal´´xuəx *f*2 violet

sáile¹ sa:l´ə *m*4 sea-water; brine

sáile² sa:l´ə *f*4 ease, comfort; self-indulgence; luxuriant growth

saileach sal´əx *f*2 willow, *slat sailí* osier

sailéad sal´e:d *m*1 salad

Sailéiseach sal´e:s´əx *m*1 & *a*1 Salesian

sáilín sa:l´i:n´ *m*4 little heel; spur; small projection; small remnant, ~ *cairte* heel of cart-shaft

saill sal´ *f*2 salted meat; fat (meat) *vt* & *i* salt, cure

sailleach sal´əx *a*1 fatty, adipose

sàilleadh sal´ə *m*, *gs* **-llte** salting, curing, *ar* ~ in pickle

sailpítear 'sal´p´i:t´ər *m*1 saltpetre

sáiltéar sa:l´t´e:r *m*1 salt-cellar

sáimhe sa:v´ə *f*4 peacefulness, tranquillity

sáimhín sa:v´i:n´ *m*4, *bheith ar do sháimhín só* to feel happy

sáimhrigh sa:v´r´i: *vt* quieten, soothe; make drowsy

sain- san´ *pref* special, particular, specific, characteristic

sainchreideamh 'san´x´r´ed´əv *m*1 (religious) denomination

saineolaí 'san´o:li: *m*4 specialist, expert

saineolaíocht 'san´o:li:(ə)xt *f*3 specialization

sainigh san´i: *rt* state expressly; define

sainiúil san´u:l´ *a*2 specific; distinctive; special

sainmharc 'san´vark *m*1, *pl* ~**anna** hallmark

sainmhíniú 'san´v´i:n´u: *m*4 definition

sáinn sa:n´ *f*2, *pl* ~**eacha** nook; trap, predicament

sáinnigh sa:n´i: *rt* corner, put in a fix; (*chess*) check

sainordú 'san´o:rdu: *m*4 mandate

saint san´t´ *f*2 greed, covetousness; great desire

saíocht si:(ə)xt *f*3 learning, erudition

sairdín sa:rd´i:n´ *m*4 sardine

sáirsint sa:rs´ən´t´ *m*4 sergeant

sais sas´ *f*2, *pl* ~**eanna** sash

sáiste sa:s´t´ə *f*4, (*herb*) sage

sáiteach sa:t´əx *a*1 thrusting, stabbing; intrusive; nagging

sáiteán sa:t´a:n *m*1 stake; (*of plant*) set; jibe

sáith sa: *f*2 feed, fill; enough

saithe sahə *f*4 swarm (of bees, etc)

sáithigh sa:hi: *vt* sate, satiate

salach saləx *a*1 dirty; sordid; obscene, *gort* ~ weedy field, *farraige shalach* choppy sea, *teacht* ~ *ar dhuine* to fall foul of a person

salachar saləxər *m*1 dirt; ordure; sordidness; obscenity; weeds, ~ *craicinn* skin eruption

salaigh sali: *vt* & *i* dirty, defile, *shalaigh an aimsir* the weather became foul

salán sala:n *m*1 sprat

salanda saləndə *a*3 saline

salann salən *m*1 salt

sall sal *adv* to the far side, over, across

salm saləm *m*1 psalm

salmaireacht saləmər´əxt *f*3 psalm-singing; prating

salón salo:n *m*1 salon

saltair saltər´ *f*, *gs* **-trach**, *pl* **-tracha** psalter

salún sə´lu:n *m*1 saloon

sámh sa:v *f*2 tranquillity; rest *a*1 tranquil; restful; pleasant

samhadh sauə *m*1 sorrel

samhail saul´ *f*3, *gs* **-mhla** *pl* **-mhlacha** likeness; image, model; spectre, ~ *a thabhairt do rud* to imagine what sth is like, to liken sth to sth else *slán an t* ~ God save the mark

samhailchomhartha 'saul´xo:rhə *m*4 symbol

samhailteach saul´t´əx *a*1 imaginary

Samhain saun´ *f*3, *gs* **-mhna** *pl* **-mhnacha** November, *Oíche Shamhna* Hallowe'en

samhalta saultə *a*3 visionary, fanciful, unreal

samhaltach saultəx *a*1 symbolic

samhaltán saulta:n *m*1 emblem, symbol

sámhán sa:va:n *m*1 nap, doze

samhas sa:vəs *m*1 voluptuousness

samhlachúil sauləxu:l´ *a*2 typical

samhlaigh sauli: *vt & i* imagine, *samhlaítear dom (go)* it appears to me (that), *rud a shamhlú le rud eile* to liken sth to sth else, *ní shamhlóinn rud mar sin leis* I'd never expect anything like that of him

samhlaíoch sauli:(ə)x *a1, gsm* ~ imaginative

samhlaíocht sauli:(ə)xt *f3* imagination

samhlaoid sauli:d' *f2* figurative illustration *pl* imagery

samhnas saunəs *m1* nausea; disgust

sámhnas sa:vnəs *m1* ease, respite; lull

samhnasach saunəsəx *a1* nauseating, disgusting; queasy, squeamish

samhradh saurə *m1, pl* -aí summer; summer garland

samhrata saurətə *a3* summery

sampla samplə *m4* example; sample; portent; wretch

samplach sampləx *a1* exemplifying, typical

San¹ san *s,* ~ *Nioclás* St. Nicholas, Santa Claus, ~ *Doiminic* St. Dominic

-san² san *emphatic suff, a theachsan* his house, *a dteachsan* their house, *a mhac mórsan* his grown-up son, *rinneadarsan an obair* it was they who did the work, *dósan a thug mé é* it was to him I gave it

san³ san⁺ : **i**

sanas sanəs *m1* whisper; hint, suggestion; glossary

sanasaíocht sanəsi:(ə)xt *f3* etymology

sanasán sanəsa:n *m1* glossary

sanatóir sanəto:r' *m3* sanatorium

sanctóir saŋkto:r' *m3* sanctuary (of church)

sann san *vt* assign

santach santəx *a1* greedy, covetous, avaricious; intensely eager

santaigh santi: *vt* covet, desire

saobh si:v *a1* slanted, twisted; askew; capricious; perverse *vt* slant, twist; lead astray; pervert

saobhadh si:və *m, gs* -ofa distraction, distortion, perversion

saobhnós 'si:v,no:s *m1* distraction, infatuation, folly

saochan si:xən *m,* ~ *céille* mental aberration

saofacht si:fəxt *f3* waywardness, aberration; perversity

saoi si: *m4* wise, learned, man; master, expert; eminent person

saoire si:r'ə *f4* feast, church festival; vacation, holidays

saoirse si:rs'ə *f4* freedom, liberty; exemption; cheapness

saoirseacht si:rs'əxt *f3* craftsmanship, *ag* ~ working as mason; working in building materials

saoirsigh si:rs'i: *vt & i* cheapen; become cheaper

saoiste si:s't'ə *m4* roll; roller, wave; boss, ganger

saoisteog si:s't'o:g *f2* low soft seat, pouf

saoithín si:hi:n' *m4* pedant, prig

saoithiúil si:hu:l' *a2* learned, wise; accomplished; entertaining; peculiar

saoithiúlacht si:hu:ləxt *f3* learning, wisdom

saol si:l *m1, pl* ~ **ta** life, time, world, *le* ~ *na* ~ world without end, *an* ~ *mór* everybody, *os comhair an tsaoil* publicly, *tar éis an tsaoil* after all

saolach si:ləx *a1* long-lived

saolaigh si:li: *vt* be born; deliver, *go saolai Dia thú* God grant you long life

saolré 'si:l,re: *f4* life cycle

saolta si:ltə *a3* worldly, mundane; lay, secular; respectable, *gráin shaolta* utter loathing

saoltacht si:ltəxt *f3* worldly matters; worldliness

saolú si:lu: *m4* birth, nativity

saonta si:ntə *a3* naive, gullible

saontacht si:ntəxt *f3* naivety, gullibility

saor¹ si:r *m1* craftsman; mason, ~ *báid* shipwright

saor² si:r *m1* free person, freeman *a1* free, independent; cheap, *briathar* ~ autonomous verb *vt* free, liberate; save; exonerate; exempt

saoráid si:ra:d' *f2* ease, facility; freedom from constraint

saoráideach si:ra:d'əx *a1* easy, facile

saorálaí si:ra:li: *m4* volunteer

saoránach si:ra:nəx *m1* citizen

saoránacht si:ra:nəxt *f3* citizenship

saorealaíona 'si:r,ali:nə *spl, gpl* **saorealaíon** liberal arts

saorga si:rgə *a3* artificial, manmade

saorshealbhóir 'si:r,haləvo:r' *m3* freeholder

saorsheilbh 'si:r,hel'əv' *f2* freehold

saorstát 'si:r,sta:t *m*1 (*politics*) free state

saorthuras 'si:r,hurəs *m*1 excursion

saothar si:hər *m*1 work, labour; exertion; achievement; literary or artistic composition, ~ *anála* laboured breathing, *bhí ~ air* he was panting

saotharlann si:hərlən *f*2 laboratory

saothrach si:hrəx *a*1 laborious; laboured; industrious

saothraí si:hri: *m*4 labourer; bread-winner

saothraigh si:hri: *vt & i* labour, toil; cultivate; earn, *ag saothrú an bháis* in the throes of death

saothrú si:hru: *m*4 cultivation; earnings

sár¹ sa:r *m*1 czar

sár-² sa:r *pref* exceeding, surpassing; excellent; ultra-, most

sáraigh sa:ri: *vt & i* violate; infringe; frustrate; harass; exhaust, beat, surpass, *duine a shárú* to get the better of a person, *tá an leathchéad sáraithe aige* he has passed the fifty(-year) mark, *sháraigh an obair orm* the work was too much for me, *deacrachtaí a shárú* to surmount difficulties

sáraíocht sa:ri:(ə)xt *f*3 contending; disputation, argument

saraiste sarəs't'ə *f*4 serge

saranáid sarəna:d' *f*2 serenade

sárchéim 'sa:r,x'e:m' *f*2, (*grammar*) superlative

sármhaith 'sa:r'vah *a*1 excellent

sárocsaid 'sa:r'oksi:d' *f*2 peroxide

sárú sa:ru: *m*4 violation; infringement; frustration; exhaustion, ~ *argóna* overcoming, refutation, of argument, *níl a ~ le fáil* there is nothing to beat them

sás sa:s *m*1, *pl* ~ **anna** snare, trap; device, apparatus, *is é ~ a dhéanta é* he is the very man to do it

sásaigh sa:si: *vt* satisfy, please

sásamh sa:səv *m*1 satisfaction; reparation, ~ *a bhaint as duine* to get even with a person

sásar sa:sər *m*1 saucer

sáslach sa:sləx *m*1 mechanism, machinery

sáspan sa:spən *m*1 saucepan; tin mug

sásta sa:stə *a*3 satisfied; willing; handy, easy to handle, *go ~* easily

sástacht sa:stəxt *f*3 satisfaction, ease; willingness; handiness

sásúil sa:su:l' *a*2 satisfying, satisfactory

satail satəl' *vt & i*, *pres* **-tlaíonn** tread, tramp (*ar on*); trample

satailít satəl'i:t' *f*2 satellite

satailt satəl't' *f*2 tread, tramp

satair satər' *m*4 satyr

Satarn satərn *m*1 Saturn

sathaoide sahi:d'ə *f*4 (fire-)damper

Satharn sahərn *m*1 Saturday

scaball skabəl *m*1 scapular; breastplate

scabhaitéir skaut'e:r' *m*3 blackguard

scabhat skaut *m*1 gap, defile; alley

scabhtáil skauta:l' *f*3 scouting

scadán skada:n *m*1 herring

scafa skafə *a*3 eager, avid (*chun ruda* for sth)

scafaire skafər'ə *m*4 strapping fellow

scafall skafəl *m*1 scaffolding, staging

scafánta skafa:ntə *a*3 tall and vigorous, strapping

scáfar ska:fər *a*1 frightful; timid

scag skag *vt & i* strain, filter; refine; sift, screen

scagach skagəx *a*1 permeable, porous; flimsy

scagadh skagə *m*, *gs* **-gtha** filtration; refinement; critical examination

scagaire skagər'ə *m*4 filter, screen; filterman; refiner

scaglann skaglən *f*2 refinery

scaibéis skab'e:s' *f*2 scabies

scaif skaf' *f*2, *pl* ~ **eanna** scarf

scáil ska:l' *f*2, *pl* ~ **eanna** shadow; shade, darkness; reflection; gleam; ghost

scáileán ska:l'a:n *m*1 (*of cinema*, *etc*) screen

scáiléathan skal'e:hən *m*1 exaggeration; excitement

scailliún skal'u:n *m*1 scallion

scailp skal'p' *f*2, *pl* ~ **eanna** cleft, fissure; den; layer of earth, sod, ~ *cheo* bank of fog, ~ *chodlata* spell of sleep

scailtín skal't'i:n' *m*4 whiskey punch

scaimh skav' *f*2 shavings, filings; snarl

scáin ska:n' *vt & i* split; thin out; scatter; wear thin

scaineagán skan'əga:n *m*1 shingle

scáinne ska:n'ə *f*4 skein

scáinte ska:n't'ə *a*3 thin, sparse; threadbare

scaip skap′ *vt & i* scatter; spread; dissipate; disperse

scaipeach skap′əx *a1* scattered; squandering; confused

scaipeadh skap′ə *m, gs* -**pthe** dissemination, dissipation, dispersion

scaipthe skap′ə *a3* scattered; scatter-brained; (*of ideas, etc*) confused

scair skar′ *f2, pl* ~**eanna** share; layer, stratum, *tá* ~ *ag na leacáin ar a chéile* the tiles overlap

scairbh skar′əv′ *f2, pl* ~**eacha** shallow; reef

scaird ska:rd′ *f2, pl* ~**canna** squirt, jet, gush *vt & i* squirt, gush; pour rapidly

scairdeán ska:rd′a:n *m1* jet, spout, cascade

scairdeitleán ′ska:rd′,et′əl′a:n *m1* jet plane

scairp skar′p′ *f2, pl* ~**eanna** scorpion, *an Scairp* Scorpio

scairt[1] skart′ *f2, pl* ~**eacha** caul; diaphragm; thicket, covert *pl* lungs

scairt[2] skart′ *f2, pl* ~**eanna** shout; call, summons *vt & i* shout, call; burst out, ~ *an coileach* the cock crew

scairteach skart′əx *f2* shouting, calling *a1* shouting, clamorous

scaitheamh skahəv *m1, pl* -**tí** while, spell, *téim ann scaití* I go there at times

scal skal *f2* burst, flash, blast *vi* burst out, flash

scála[1] ska:lə *m4* basin, bowl *pl* scales

scála[2] ska:lə *m4,* (*of grading, etc*) scale

scalán skala:n *m1* burst, flash; panic

scall skal *vt* scald; scold, *ubh a* ~*adh* to poach an egg

scalladh skalə *m, gs* -**lta** scald; scolding, abuse

scallamán skaləma:n *m1* fledgling, nestling

scalltach skaltəx *a1* scalding, boiling hot

scalltán skalta:n *m1* fledgling, nestling

scamall skaməl *m1* cloud; web (joining bird's toes)

scamallach skamələx *a1* cloudy, clouded; webbed

scamh skav *vt & i* peel, scale, lay bare; pare, plane down; fray, ravel, *na fiacla a* ~*adh* to bare the teeth

scamhadh skauə *m, gs* **scafa** shavings, filings, ~ *iongan* agnail

scamhard skauərd *m1* nutriment, nourishment

scamhardach skauərdəx *a1* nutritious, nourishing

scamhóg skavo:g *f2* lung

scan skan *vt* scan

scanadh skanə *m, gs* -**nta** scansion

scannal skanəl *m1* scandal

scannalach skanələx *a1* scandalous

scannalaigh skanəli: *vt* scandalize

scannán skana:n *m1* membrane; film, ~ *lánfhada* feature film

scannánaíocht skana:ni:(ə)xt *f3* filming

scanóir skano:r′ *m3* scanner

scanradh skanrə *m1* fright; terror

scanraigh skanri: *vt & i* frighten; take fright

scanrúil skanru:l′ *a2* frightening, frightful; easily frightened

scaob ski:b *f2* scoop: shovelful *vt* scoop

scaoil ski:l′ *vt & i* loose(n), release; unfasten, slacken; spread, unfurl; disperse; dissolve, *fadhb a* ~*eadh* to solve a problem, *urchar a* ~*eadh* to fire a shot, *ualach a* ~*eadh anuas* to set down a load, ~*eadh faoi rud* to set about sth, *rud a* ~*eadh tharat* to let sth pass; to ignore sth

scaoileadh ski:l′ə *m, gs* -**lte** loosening; release; spreading; dispersal; solution, ~ *urchar* the firing of shots

scaoilte ski:l′t′ə *a3* loose; free; loose-limbed

scaoilteach ski:l′t′əx *a1* loose; dispersed; loose-tongued; dissolute; laxative

scaoilteacht ski:l′t′əxt *f3* looseness; laxity; diarrhoea

scaoll ski:l *m1* panic; fright

scaollmhar ski:lvər *a1* panicky

scaoth ski: *f2* swarm

scaothaire ski:hər′ə *m4* bombastic talker, windbag

scaothaireacht ski:hər′əxt *f3* bombast

scar skar *vt & i* part, separate; spread

scaradh skarə *m, gs* -**rtha** separation; spreading, *ar* ~ *gabhail* astride

scaraoid skari:d′ *f2* table-cloth, ~ *leapa* bedspread

scarbháil skarəva:l′ *f3* hardening, drying, crustation *vi* crust, harden, dry

scarlóid ska:rlo:d′ *f2* scarlet

scarlóideach ska:rlo:d′əx *a1* scarlet

scata skatə *m4* crowd, group; drove, pack, ~ *leabhar* a large number of books

scáta ska:tə *m4* skate, ~*í rothacha* roller-skates

scátáil ska:ta:l' *vi* skate

scátálaí ska:ta:li: *m4* skater

scáth ska: *m3, pl* ~**anna** shade, shadow; cover, screen; fear; bashfulness, ~ *fearthainne* umbrella, *ar* ~ *ar miste liom* for all I care

scáthaigh ska:hi: *vt & i* shade, obscure; screen, protect

scáthán ska:ha:n *m1* mirror

scáthbhrat 'ska:,vrat *m1* awning

scáthchruth 'ska:,xruh *m3, pl* ~**anna** silhouette

scáthlán ska:hla:n *m1* shelter; screen; open-ended shed, ~ *lampa* lampshade

sceabha s'k'au *m4* skew, slant, *ar* ~ slantwise

sceach s'k'ax *f2* thornbush; bramble, ~ *(gheal)* whitethorn, hawthorn

sceachóir s'k'axo:r' *m3* haw

scead s'k'ad *f2* blaze (on animal, tree); (light, bald) patch

sceadach s'k'adəx *a1* blazed; patchy, scant, balding

sceadamán s'k'adəma:n *m1* throat

scéal s'k'e:l *m1, pl* ~**ta** story, tale; account, report, ~ *scéil* hearsay, *seo mar atá an* ~ this is how the matter stands

scéala s'k'e:lə *m4* news, tidings; message, ~ *a dhéanamh ar dhuine* to tell on, inform against, a person

scéalach s'k'e:ləx *a1* news-bearing, gossiping

scéalaí s'k'e:li: *m4* story-teller; bearer of news

scéalaíocht s'k'e:li:(ə)xt *f3* story-telling; tale-bearing

sceallán s'k'ala:n *m1* potato set; small potato

sceallóg s'k'alo:g *f2* chip; thin slice

scealp s'k'alp *f2* splinter *vt & i* splinter; chip, flake

sceamh s'k'av *f2 & vi* yelp, squeal

sceamhaíl s'k'avi:l' *f3* yelping, squealing

scean s'k'an *vt* knife, stab; cut up

sceanairt s'k'anərt' *f2* cuttings, peelings, parings; (surgical) operation

sceanra s'k'anrə *m4* knives, cutlery

sceanúil s'k'anu:l' *a2* sharp, biting; (*of sea*) angry, choppy

sceart s'k'art *f2* pot-belly

sceartán s'k'arta:n *m1* tick

sceathrach s'k'ahrəx *f2* vomit(ing); spawn(ing)

sceideal s'k'ed'əl *m1* schedule

sceidealta s'k'ed'əltə *a3* scheduled

sceidin s'k'ed'i:n' *m4* skim milk

sceilg s'k'el'əg *f2, npl* -**ealga** *gpl* -**ealg** steep rock, crag

sceilp s'k'el'p' *f2, pl* ~**eanna** skelp, slap

scéim s'k'e:m' *f2, pl* ~**eanna** scheme, plan; design

scéiméir s'k'e:m'e:r' *m3* schemer, intriguer

scéimh¹ s'k'e:v' *f2* beauty; appearance

scéimh² s'k'e:v' *f2, pl* ~**eanna** overhang; edge

sceimheal s'k'ev'əl *f2, gs* -**mhle** *pl* -**mhleacha** eaves; flange; wall, rampart

sceimhle s'k'ev'l'ə *m4, pl* ~**acha** terror

sceimhligh s'k'ev'l'i: *vt & i* terrify; terrorize; take fright

sceimhlitheoir s'k'ev'l'iho:r' *m3* terrorist

scéin s'k'e:n' *f2* fright; wild look; wildness

scéiniúil s'k'e:n'u:l' *a2* frightened-looking; (*of eyes*) glaring; garish

sceipteach s'k'ep't'əx *m1* sceptic

sceiptiúil s'k'ep't'u:l' *a2* sceptical

sceir s'k'er' *f2, pl* ~**eacha** low rocky island or reef

sceird s'k'e:rd' *f2, pl* ~**eanna** bleak, windswept, place

sceirdiúil s'k'e:rd'u:l' *a2* bleak, windswept

sceireog s'k'er'o:g *f2* fib

sceiteach s'k'et'əx *a1* crumbling, brittle

sceith s'k'eh *f2* vomit; spawn(ing); overflow; discharge, ~ *aille* crumbling of cliff, *tá sé ina* ~ *bhéil* he has become a byword, *vt & i* vomit; spawn; overflow; discharge; burst open; peel off; fray; crumble, *rún a* ~*eadh* to divulge a secret

scéithe s'k'e:hə : **sciath**

sceithire s'k'ehər'ə *m4* telltale, tattler

sceithphíopa 's'k'e,f'i:pə *m4* exhaust-pipe

sceitimíní s'k'et'əm'i:n'i: *spl* excitement, raptures, ecstasies

sceitse s'k'et's'ə *m4* sketch

sceitseáil s'k'et's'a:l' *vt & i* sketch

scí s'k'i: *m4, pl* ~**onna** ski

sciáil s'k'i:a:l' *vi* ski

sciaitíce s'k'i:'at'i:k'ə *f4* sciatica

sciamhach s'k'iəvəx *a1* beautiful

scian s'k'iən *f2, gs* **-ine** *pl* **sceana** knife, *dul faoi* ~ (*dochtúra*) to undergo an operation

sciar s'k'iər *m4, pl* ~ **tha** share

sciata s'k'iətə *m4* (*fish*) skate

sciath s'k'iə *f2, gs* **scéithe** shield

sciathán s'k'iəha:n *m1* wing; side, extension; part; arm, ~ *leathair* bat

scibhéar s'k'iv'e:r *m1* skewer

scidil s'k'id'əl' *f2* skittle

scigaithris 's'k'ig',ahr'əs *f2* parody(ing), burlesque

scigdhráma 's'k'ig',γra:mə *m4* farce

scige s'k'ig'ə *f4* giggling; jeering; derision

scigiúil s'k'ig'u:l' *a2* giggling; derisive

scigmhagadh 's'k'ig',vagə *m1* jeering; derision

scigphictiúr 's'k'ig',f'ik'tu:r*m1* caricature

scil[1] s'k'il' *f2, pl* **-eanna** skill

scil[2] s'k'il' *vt & i* shell, hull; flake; prate; divulge

scilléad s'k'il'e:d *m1* skillet

scillig s'k'il'əg' *vt & i* shell, husk; slice, shred; prattle

scilling s'k'il'əŋ' *f2, pl* ~ **e** *with numerals* shilling

scim s'k'im' *f2* film, thin coating; concern, *rud a bheith ag déanamh* ~ *e duit* to be anxious about sth

scimeáil s'k'im'a:l' *vt & i* skim

scine s'k'in'ə : **scian**

scinn s'k'in' *vi* start, spring; dart; gush forth; glance off, ~ *an focal uaim* the word escaped my lips

scinnideach s'k'in'əd'əx *a1* nervous, timid; flighty

sciob s'k'ib *vt & i* snatch

sciobalta s'k'ibəltə *a3* smart, spruce; prompt

sciobas s'k'ibəs *m1* sup, sip; squeeze

scioból s'k'ibo:l *m1* barn

sciobtha s'k'ibə *a3* fast, prompt

sciodar s'k'idər *m1* slurry; scour

sciodarnach s'k'idərnəx *f2* scour (in cattle)

scioll s'k'il *vt & i* scold, rate

sciolladh s'k'ilə *m, gs* **-llta,** ~ (*teanga*) scolding, abuse

sciomair s'k'imər' *vt & i, pres* **-mraíonn** scour, scrub; polish

sciomradh s'k'imrə *m, gs* **-martha** *pl* **-marthaí** scrubbing, burnishing; scrub, polish

sciontachán s'k'i:ntəxa:n *m1* straggler

sciorr s'k'ir *vi* slip, slide, skid

sciorrach s'k'irəx *a1* slippery

sciorradh s'k'irə *m, gs* **-rrtha** *pl* **-rrthaí** slip, slide, skid

sciorta s'k'irtə *m4* skirt; border; piece, patch, *bhí* ~ *den ádh ort* you had a slice of luck

sciot s'k'it *m3, pl* ~ **anna** scut, snippet *vt* lop off; prune; clip, crop

sciotach s'k'itəx *a1* lopped, clipped; skimpy

sciotaíl s'k'iti:l' *f3* tittering, giggling

sciotán s'k'ita:n *m1,* ~ (*eireaball*) stump (of tail), *de* ~ suddenly

scipéad s'k'ip'e:d *m1* skippet; drawer, cash register

scipeáil s'k'ip'a:l' *vi* skip

scipéir s'k'ip'e:r' *m3* skipper

scíth s'k'i: *f2* tiredness, fatigue; rest

scítheach s'k'i:həx *a1* tired, weary

scitsifréine 's'k'it's'ə,f'r'e:n'ə *f4* schizophrenia

sciúch s'k'u:x *f2* windpipe, throat; voice *vt* throttle

sciuird s'k'u:rd' *f2, pl* ~ **eanna** rush, dash; flying visit

sciúirse s'k'u:rs'ə *m4* scourge

sciúr s'k'u:r *vt & i* scour, scrub; polish; trounce

sciúradh s'k'u:rə *m, gs* **-rtha** scour, scrub; trouncing

sciurd s'k'u:rd *vi* rush, dash, hurry

sciúrsáil s'k'u:rsa:l' *f3* scourging; affliction *vt* scourge, flog

sciútam s'k'u:təm *m1* scramble

sclábhaí skla:vi: *m4* slave; drudge; labourer

sclábhaíocht skla:vi:(ə)xt *f3* slavery; drudgery; labour

sclábhánta skla:va:ntə *a3* slavish, servile, subservient

sclábhúil skla:vu:l' *a2* laborious

sclamh sklav *f2, pl* ~ **anna** bite, nip, snap *vt & i* snap at, abuse

sclár skla:r *vt* cut up, tear, lacerate

scláradh skla:rə *m, gs* **-rtha** laceration

scláta skla:tə *m4* slate; thin slab, tile

scléaróis s´k´l´e:ro:s´ f2 sclerosis

scléip s´k´l´e:p´ f2, pl ~**eanna** ostentation; gaiety, sport; row, scrap

scléipeach s´k´l´e:p´əx a1 ostentatious; festive, sportive

scleondar s´k´l´o:ndər m1 elation, high spirits

scleondrach s´k´l´o:ndrəx a1 elated

sclimpíní s´k´l´im´p´i:n´i: spl dazzlement

scliúchas s´k´l´u:xəs m1 brawl, rumpus

sclog sklog vt & i gulp, gasp, choke, ag ~**adh gáire** chuckling

sclóin sklo:n´ f2, pl ~**te** to swivel

sclotrach sklotrəx a1 emaciated

scód sko:d m1 (sailing) sheet; free scope

scodal skodəl m1 scamper

scóid sko:d´ f2 showiness, gaudiness

scóig sko:g´ f2, pl ~**eanna** neck; throttle (of engine)

scoil skol´ f2, pl ~**eanna** school, ~ **éisc** shoal of fish

scoilt skol´t´ f2, pl ~**eanna** split, crack, fissure; parting; crease; breach of relations vt & i split, crack; part; divide

scoilteach skol´t´əx f2 acute pain pl rheumatics

scoilteadh skol´t´ə m, gs **scoilte** fission, scission

scoiltire skol´t´ər´ə m4 cleaver, chopper

scóip sko:p´ f2 scope; ambition; eagerness; elation

scóipiúil sko:p´u:l´ a2 wide, spacious; loose-limbed; eager; joyous

scoir skor´ vt & i, vn -**or** unyoke; disconnect; take apart; dismiss; terminate, stop

scoirneach sko:rn´əx m1 (fish) smooth hound

scoite skot´ə a3 severed; disconnected; separated, isolated

scoiteach skot´əx f2 dispersal, flight, scattering

scoith skoh vt & i cut off, lop; break apart; pull up; wean; isolate, ~ **an capall** crú the horse shed a shoe, **duine a** ~**eadh i rás** to outrun a person in a race

scol skol m3, gs & npl ~**a** high-pitched note, call, shout

scól sko:l vt & i scald; torment; warp

scóladh sko:lə m, gs -**lta** scalding; torment; abuse, scolding

scolaí skoli: m4 schoolman, scholastic

scolaíoch skoli:(ə)x a1, gsm ~ scholastic

scolaíocht skoli:(ə)xt f3 schooling, school education

scoláire skola:r´ə m4 scholar, learned person; school-child

scoláireacht skola:r´əxt f3 scholarship, learning; student grant

scolardach 'skol'a:rdəx m1 pundit

scolártha skola:rhə a3 scholarly

scolb skoləb m1 indentation, scallop; "scollop," splinter; nick, chip

scolbánta skoləbɑ:ntə a3 wiry, lithe, strapping

scolfairt skolfərt´ f2 shouting, guffawing; (loud) bird-song

scolgarnach skoləgərnəx f2 cackling

scolgháire 'skol,γa:r´ə m4 loud laugh, guffaw

scológ skolo:g f2 farmer; hard-working young man

sconna skonə m4 sprout; (water-)tap; rapid flow

sconnóg skono:g f2 squirt, splash

sconsa skonsə m4 fence; drain, ditch

scor¹ skor m1 unyoking; disconnection; dismissal; termination, cessation of work, retirement, **an buille scoir** the finishing stroke

scor² skor s, **ar** ~ **ar bith** in any case, at any rate

scor³ skor vt & i cut, slash; score, notch

scór¹ sko:r m1 notch; tally; (in games) score

scór sko:r m1, pl ~**tha** twenty, score

scorach skorəx m1 stripling, youth

scóráil sko:ra:l´ vt & i score (a goal, etc)

scoraíocht skori:(ə)xt f3 social evening

scorán skora:n m1 pin, toggle, key

scorn sko:rn m1 scorn, disdain, **níor** ~ **leis é** he made no scruple about it

scornach sko:rnəx f2 throat

scornúil sko:rnu:l´ a2 guttural

scot skot m1 scot, reckoning

scoth¹ skoh f3, pl ~**anna** flower; pick, choice; tuft, bunch; arrangement, style, ~ **na bhfear** the best of men, **den chéad** ~ of the first quality

scoth² skoh f3, pl ~**anna** point, tip; reef; splinter (of rock)

scoth-³ skoh ~ sko† pref semi-, medium-; fairly, middling

scoth-⁴ skoh ~ sko† pref tufted

scothán skoha:n *m*1 bushy top, bush; (*pl*) clippings; bushy tail

scothmheáchan 'sko,vˈa:xən *m*1 light heavyweight

scothóg skoho:g *f*2 tassel

scothúil skohu:lˈ *a*2 beautiful, choice

scrábach skra:bəx *a*1 scratchy, scrawly; untidy, *aimsir* ~ broken weather

scrábáil skra:ba:lˈ *f*3 scribble, scrawl

scrabh skrav *vt & i* scratch, scrape, score

scrabha skrau *m*4, *pl* ~**nna** scratch, scrape, score

scragall skragəl *m*1 foil, ~ *stáin* tinfoil

scráib skra:bˈ *f*2, *pl* ~**eacha** scrape, scratch; scrap

scraiste skras'tˈə *m*4 loafer, layabout

scraith skrahˈ *f*2, *pl* ~**eanna** scraw, sod; layer, coating, ~ *ghlugair* quagmire

scraithín skrahi:nˈ *m*4 clod, divot

scréach sˈkˈrˈe:x *f*2 & *vi*, *vn* ~**ach** screech, shriek

scréachóg sˈkˈrˈe:xo:g *f*2, ~ *choille* jay, ~ *reilige* barn owl

scread sˈkˈrˈad *f*3, *pl* ~**anna** scream *vi* scream, screech

screadach sˈkˈrˈadəx *f*2 scream(ing)

screamh sˈkˈrˈav *f*2 coating, crust, scum

screamhóg sˈkˈrˈavo:g *f*2 crust, flake

screathan sˈkˈrˈahən *m*1 scree

scríbhinn sˈkˈrˈi:vˈənˈ *f*2 writing; written document; inscription

scríbhneoir sˈkˈrˈi:vˈnˈo:rˈ *m*3 writer; author

scríbhneoireacht sˈkˈrˈi:vˈnˈo:rˈəxt *f*3 writing; literary work

scrimisc sˈkˈrˈimˈəsˈkˈ *f*2 scrimmage

scrín sˈkˈrˈi:nˈ *f*2, *pl* ~**te** shrine

scríob sˈkˈrˈi:b *f*2 scrape, scratch; score; effort, spell; dash, swoop, *ceann scríbe* finishing-point, destination *vt & i* scrape, scratch, grate

scríobach sˈkˈrˈi:bəx *m*1 abrasive *a*1 scraping, scratching, scratchy

scríobadh sˈkˈrˈi:bə *m*, *gs* -**btha** scrape; scrapings

scríobán sˈkˈrˈi:ba:n *m*1 grater

scríobh sˈkˈrˈi:v *m*, *gs* -**ofa** (hand)writing *vt & i* write

scríobhaí sˈkˈrˈi:vi *m*4 scribe

scríobláil sˈkˈrˈi:bla:lˈ *f*3 scribble, scribbling

scríobline 'sˈkˈrˈi:bˌlˈi:nˈə *f*4, *pl* -**nte** *ar an* ~ at scratch

scrioptúr sˈkˈrˈiptu:r *m*1 scripture

scrios sˈkˈrˈis *m*, *gs* ~**ta** destruction, ruin; scrapings, parings *vt & i* scrape, tear, off; delete; destroy, ruin

scriosach sˈkˈrˈisəx *a*1 destructive, ruinous

scriosán sˈkˈrˈisa:n *m*1 eraser

scriostóir sˈkˈrˈisto:rˈ *m*3 destroyer; devastator

script sˈkˈrˈipˈtˈ *f*2, *pl* ~**eanna** script

scriú sˈkˈrˈu: *m*4, *pl* ~**nna** screw

scriúáil sˈkˈrˈu:a:lˈ *vt & i* screw

scriúire sˈkˈrˈu:ərˈə *m*4 screwdriver

scrobanta skrobəntə *a*3 scrubby, undersized

scrobarnach skrobərnəx *f*2 brushwood, undergrowth

scrobh skrov *vt* scramble (eggs)

scroblach skrobləx *m*1 remnants (of food); refuse; rabble

scroblachóir skrobləxo:rˈ *m*3 scavenger

scrofa skrofə *a*3, *ubh* ~ scrambled egg

scrogall skrogəl *m*1 long thin neck

scroidchuntar 'skrodˈˌxuntər *m*1 snackbar

scroigeach skrogˈəx *a*1 scraggy

scrolla skrolə *m*4 scroll

scrúd skru:d *vt* try severely, test, ~ *ta ag an ocras* scrambled with hunger

scrúdaigh skru:di: *vt* examine

scrúdaitheoir skru:diho:rˈ *m*3 examiner

scrúdú skru:du: *m*4 examination

scrupall skrupəl *m*1 scruple; compunction; piety

scrupallach skrupələx *a*1 scrupulous

scuab skuəb *f*2 broom, brush; sheaf; bundle *vt & i* sweep

scuabach skuəbəx *a*1 sweeping, flowing

scuabáil skuəba:lˈ *f*3 shuffling

scuabgheall 'skuəbˌɣˈal *m*1, *pl* ~**ta** sweepstake

scuad skuəd *m*1 squad; swarm

scuadrún skuədru:n *m*1 squadron

scuaid skuədˈ *f*2, *pl* ~**eanna** spatter, splash; diarrhoea

scuaine skuənˈə *f*4 drove, flock; train; queue

scuais skuəsˈ *f*2 squash(-rackets)

scubaid skubədˈ *f*2 hussy

sculcaireacht skolkərˈəxt *f*3 skulking

scun skun *s*, ~ *scan* outright, completely

scúnar sku:nər *m*1 schooner

scúnc sku:ŋk *m*1 skunk

scúp sku:p *m*1 scoop

scútar sku:tər *m*1 scooter

-se *'*s*ə emphatic suff, mo chuidse is do chuidse* my share and your share, *ach táimse go maith* but I am well, *sibhse a dúirt é* it was you who said it, *uaimse nó uaitse* from me or you

sé[1] s'e: 3 *sg m pron* he; it

sé[2] s'e: *m*4, *pl* ~**anna &** *a, a* ~ six, *a* ~ *déag* sixteen

sea[1] s'a *m*4 turn; time, course, *gach re* ~ turn about

sea[2] s'a *m*4 strength, vigour; heed; regard

sea[3] s'a = **is ea**

seabhac s'auk *m*1 hawk, falcon

seabhrán s'aura:n *m*1 dizziness; buzz; whirr, whizz

séabra s'e:brə *m*4 zebra

seac s'ak *m*1 (*implement*) jack

seaca s'akə : **sioc**

Seacaibíteach s'akəb'i:t'əx *m*1 & *a*1 Jacobite

seacain s'akən' *f*2 sequin

seacál s'aka:l *m*1 jackal

seach[1] s'ax *s*, *faoi* ~ in turn; occasionally; respectively

seach[2] s'ax *prep, lit, pron forms*, **seacham** s'axəm, **seachad** s'axəd, **seacha** s'axə, **seachainn** s'axən', **seachaibh** s'axəv', **seacha** s'axə, by, past, beyond, other than, *peann seach an ceann seo* a pen other than this one, *eisean seach duine ar bith*, he of all people

seacha s'axə : **seach**[2]

seachad s'axəd : **seach**[2]

seachadadh s'axədə *m*, *gs* -**chadta**, *pl* -**chadtaí** delivery; hand-out, tip

seachaibh s'axəv' : **seach**[2]

seachaid s'axəd' *vt*, *pres* -**adann** deliver; hand over, present, *an liathróid a sheachadadh* to pass the ball

seachain s'axən' *vt & i*, *pres* -**chnaíonn** avoid; shun; take care, guard (*ar* against)

seachainn s'axən' : **seach**[2]

seachaint s'axən't' *f*3 avoidance; evasion, guardedness

seacham s'axəm : **seach**[2]

seachantach s'axəntəx *a*1 evasive, elusive; distant, diffident

seachas s'axəs *prep* besides, other than, rather than; compared to

seachfhocal s'ax,okəl *m*1 aside

seachghalar 's'ax,ɣalər *m*1 complication

seachghlórtha 's'ax,ɣlo:rhə *spl* sound effects

seachmall s'axməl *m*1 aberration, abstraction; illusion

seachrán s'axra:n *m*1 straying; error; delusion; derangement

seachránaí s'axra:ni: *m*4 wanderer, strayer

seachród 's'ax,ro:d *m*1 by-road, by-pass

seacht s'axt *m*4, *pl* ~**anna &** *a* seven, *a* ~ seven, *a* ~ *déag* seventeen, *mo sheacht ndícheall* my very best

seachtain s'axtən' *f*2, *pl* ~**e** *with numerals* week

seachtainiúil s'axtən'u:l' *a*2 weekly

seachtanán s'axtəna:n *m*1 weekly (magazine)

seachtar s'axtər *m*1 seven persons

seachthairge 's'ax,ha:r'g'ə *m*4 by-product

seachtó s'axto: *m*, *gs* ~**d** *pl* ~**idí &** *a* seventy

seachtódú s'axto:du: *m*4 & *a* seventieth

seachtrach s'axtrəx *a*1 external, exterior

seachtú s'axtu: *m*4 & *a* seventh

séacla s'e:klə *m*4 emaciated person; shrimp

seacláid s'akla:d' *f*2 chocolate

sead[1] s'ad *f*2 nest

sead[2] s'ad *f*2 shad

sead[3] s'ad *vt & i* blow; eject

seadaigh s'adi: *vt & i* settle; remain, linger

séadaire s'e:dər'ə *m*4 pace-maker

séadán s'ada:n *m*1 parasite

séadchomhartha 's'e:d,xo:rhə *m*4 monument

seadóg s'ado:g *f*2 grapefruit

seafaid s'afəd' *f*2 heifer

seafóid s'afo:d' *f*2 nonsense

seafóideach s'afo:d'əx *a*1 nonsensical, silly

seafta s'aftə *m*4 shaft (of vehicle)

seaga s'agə *m*4 shag

seagal s'agəl *m*1 rye

seagalach s'agələx *f*2 ryegrass

seaghais s'ais' *f*2 pleasure, delight

seaghsach s'aisəx *a*1 pleasant, joyful

seaicéad s'ak'e:d *m*1 jacket

seaimpéin s'am'p'e:n' *m*4 champagne

seal s'al *m*3, *pl* ~**anna** turn; while, spell; period

seál s'a:l *m*1, *pl* ~**ta** shawl

séala s′e:lə m4 seal, ar shéala about to; purporting to

sealad s′aləd m1 turn, while, space of time

sealadach s′alədəx a1 temporary, provisional

séalaigh s′e:li: vt seal

sealaíocht s′ali:(ə)xt f3 alternating, taking turns; alternation

sealán s′ala:n m1 noose; loop, ring

sealbhach s′aləvəx m1 & a1 (grammar) possessive

sealbhaigh s′aləvi: vt & i possess; gain (possession of)

sealbhaíocht s′aləvi:(ə)xt f3 possession, tenure

sealbhán s′aləva:n m1 flock, herd

sealbhóir s′aləvo:r′ m3 occupier; possessor, holder

sealgaire s′aləgər′ə m4 hunter, huntsman; forager

sealgaireacht s′aləgər′əxt f3 hunting; foraging

sealla s′alə m4 chalet

seallóid s′alo:d′ f2 shallot

sealúchas s′alu:xəs m1 possession; possessions, property

seam s′am m3, pl ~anna rivet

seamaí s′ami: m4 chamois(-leather), shammy

seamaide s′aməd′ə m4 blade, sprig, frond

seamaigh s′ami: vt rivet

seamair s′amər′ f2, gs seimre npl -mra gpl -ar clover

seamhan s′aun m1 semen

seamhrach s′aurəx a1 vigorous, hale, hearty

seamlas s′amləs m1 shambles, slaughterhouse

seampú ˌs′am′pu: m4, pl ~anna shampoo

seamróg s′amro:g f2 shamrock

seamsán s′amsə:n m1 drone, hum, monotonous sound, ~ a dhéanamh de rud to make a song about sth

sean¹ s′an m4, gs & gpl ~ npl ~ a senior, ancestor; oldness; old thing a1, comp sine old; mature

sean-² s′ən pref old; senior; mature; old-fashioned; great, exceeding; over- -sean s′ən emphatic suff, a chuidsean agus a gcuidsean his share and their share, ceannaidís-sean é let them buy it,

dóibhsean is measa é it will be the worse for them

séan¹ s′e:n m1, npl ~a sign, omen; good luck, prosperity

séan² s′e:n vt & i deny, repudiate; (with ar) refuse

seanad s′anəd m1 senate

seanadóir s′anədo:r′ m3 senator

seanaimseartha ′s′an,am′s′ərhə a3 old-fashioned; old

seanaois ′s′an,i:s′ f2 old age

séanas s′e:nəs m1 gap between front teeth; harelip

seanascal s′anəskəl m1 seneschal

seanathair ′s′an,ahər′ m, gs -ar pl -naithreacha grandfather

seanbhlas ′s′an,vlas m1 stale taste; disregard, contempt

seanchaí s′anəxi: m4 traditional storyteller

seanchairteacha ′s′an,xart′əxə fpl, ~ a tharraingt ort to rake up the past

seanchaite s′an,xat′ə a3 worn-out; obsolete; trite

seanchas s′anəxəs m1 lore, tradition; story-telling; chatting

seanchríonna ′s′an,x′r′i:nə a3 precocious; wise; old and experienced

seanda s′andə a3 aged; ancient; stale

seandacht s′andəxt f3 antiquity pl antiques

seandálaí s′an,da:li: m4 archaeologist

seandálaíocht s′an,da:li:(ə)xt f3 archaeology

seanduine s′an,din′ə m4, pl -daoine old person; ancient, sage

seanfhaiseanta ′s′an,as′əntə a3 old-fashioned

seanfhocal ′s′an,okəl m1 old saying, proverb

seanfhondúir ′s′an,ondu:r′ m3 old inhabitant; old-timer

seang s′aŋ a1, gsm ~ slender, slim; lean, meagre

seangán s′aŋga:n m1 ant

seanléim ′s′an′,l′e:m′ f2, bheith ar do sheanléim to be back to one's old self, recovered

séanmhar s′e:nvər a1 lucky, prosperous

seanmháthair ′s′an,va:hər′ f, gs -ar pl -áithreacha grandmother

seanmóir s′anəmo:r′ f3 sermon; homily

seanmóireacht s'anəmo:r'əxt f3 preaching; sermonizing

seanmóirí s'anəmo:r'i: m4 preacher; sermonizer

sean-nós 's'a(n)no:s m1, pl ~**anna** old custom, *amhránaíocht ar an* ~ traditional singing

seanóir s'ano:r' m3 old person; senior, elder

seanphinsean 's'an f'in's'ən m1 old-age pension

seans s'ans m4, pl ~**anna** chance; luck

séans s'e:(ə)ns m4, pl ~**anna** seance

seansáil s'ansa:l' vt chance, risk

seansailéir s'ansal'e:r' m3 chancellor

seansúil s'ansu:l' a2 chancy, risky; lucky

séantach s'e:ntəx a1 denying, disclaiming

seantán s'anta:n m1 shanty, shack

Sean-Tiomna 's'an,t'imnə m4, an ~ the Old Testament

séantóir s'e:nto:r' m3 denier; apostate, renegade

seáp s'a:p m4, pl ~**anna** dash, rush

séarach s'e:rəx m1 sewer

séarachas s'e:rəxəs m1 sewerage

searbh s'arəv m1 acid a1, gsm ~ bitter, sour, acid

searbhán s'arəva:n m1 bitter person

searbhánta s'arəva:ntə a3 acrid

searbhas s'arəvəs m1 bitterness, sourness, le ~ a dúirt sé é he was being sarcastic about it

searbhasach s'arəvəsəx a1 bitter, acrimonious

searbhónta s'arəvo:ntə m4 servant

searc s'ark f2 love; beloved one

searg s'arəg vt & i waste, wither; shrivel; decline

seargán s'arəga:n m1 mummy

searmanas s'arəmənəs m1 ceremony

searr s'a:r vt stretch, extend

searrach s'arəx m1 foal

searradh s'arə m, gs -**rrtha** stretching of limbs, ~ a bhaint asat féin to stretch oneself

seas[1] s'as m3, pl ~**anna** thwart (of boat)

seas[2] s'as vt & i stand; stop, stay; withstand, endure, má sheasann an aimsir if the weather holds up, ~ ar depend, rely, on, ~aim air (go) I maintain (that)

seasamh s'asəv m1 stand(ing), upright position; stationary position; wait; defence, tá ~ maith ann, it is really durable, tá ~ na tíre orthu the country is depending on them

seasc s'ask a1, gsm ~ barren; sapless bó sheasc dry cow

seasca s'askə m, gs ~**d** pl ~**idí** & a sixty

seascacht s'askəxt f3 barrenness; dryness (of cattle)

seascadú s'askədu: m4 & a sixtieth

seascair s'askər' a1 snug; comfortably off

seascaireacht s'askər'əxt f3 snugness, bheith ar do sheascaireacht to be comfortably off, cuir ~ ort féin put on warm clothes

seascann s'askən m1 sedgy bog; marsh

seasmain s'asmən' f2 jasmine

seasmhach s'asvəx a1 steadfast, firm, constant

seasmhacht s'asvəxt f3 steadfastness; firmness, constancy

seasta s'astə a3 standing, supporting; permanent, regular

seastán s'asta:n m1 stand

séasúr s'e:su:r m1 season; seasoning, breac breá séasúir fine juicy trout

séasúrach s'e:su:rəx a1 seasonable, seasonal; seasoned

seatnaí s'atni: m4 chutney

seic[1] s'ek' m4, pl ~**eanna** cheque

seic[2] s'ek' m4, pl ~**eanna** check (cloth)

seiceadóir s'ek'ədo:r' m3 executor; warden, watchman; wretch

seiceáil s'ek'a:l' vt & i check, test

seiceamar s'ek'əmər m1 sycamore

seicear s'ek'ər m4 chequer a1 chequered

seicheamh s'ex'əv m1 sequence

seicin s'ek'ən' f2, gs -**cne** integument, membrane

seict s'ek't' f2, pl ~**eanna** sect

seicteach s'ek't'əx a1 sectarian

seicteachas s'ek't'əxəs m1 sectarianism

séid s'e:d' vt & i blow; inflate; puff, pant; (swell and) inflame, ag ~eadh fola gushing blood, ~eadh faoi dhuine to incite a person; to needle a person

séideadh s'e:d'ə m, gs -**idte** blowing, draught; inflation; inflammation

séideán s'e:d'a:n m1 gust; blown matter; puff, pant

séideog s'e:d'o:g f2 puff; sniff, snort

seift s'ef't' f2, pl ~**eanna** shift, device, expedient, resource

seifteoir s'ef't'o:r' *m3* provider; resourceful person

seiftigh s'ef't'i: *vt & i* devise; procure, provide

seiftiú s'ef't'u: *m4* provision; improvisation

seiftiúil s'ef't'u:l' *a2* resourceful

seilbh s'el'əv' *f2*, *npl* **sealbha** *gpl* **sealbh** occupancy, possession; property, estate

seile s'el'ə *f4* spit; saliva

seileadán s'el'əda:n *m1* spittoon

séiléir s'e:l'e:r' *m3* gaoler

seilf s'el'f' *f2*, *pl* ~**eanna** shelf

seilg s'el'əg' *f2* hunt, chase; game, quarry; foraging *vt & i* hunt, chase; forage

seilide s'el'əd'ə *m4* snail; slug

seiligh s'el'i: *vi* spit

séimeantaic ˌs'e:'m'antək' *f2* semantics

séimh s'e:v' *a1* mild, gentle, placid

séimhigh s'e:v'i: *vt & i* make, become, mild; mellow; lenite

séimhiú s'e:v'u: *m4* mellowing; lenition

seimre s'em'r'ə : seamair

seimide s'em'əd'ə *m4* ram, rammer

seimilín s'em'əl'i:n' *m4* semolina

seimineár s'em'ən'a:r *m1* seminar

séine s'e:n'ə : **sian**

seinge s'eŋ'g'ə *f4* slimness, slenderness

seinm s'en'əm' *f3* playing of musical instrument; warbling, chattering

seinn s'en' *vt & i* play (music, musical instrument); sing, warble, chatter

séinne s'e:n'ə *m4* senna

seinnteoir s'en't'o:r' *m3* player, performer (of music), ~ **ceirníní** record-player

séipéal s'e:p'e:l *m1* chapel; church

séiplíneach s'e:p'l'i:n'əx *m1* chaplain; curate

seipteach s'ep't'əx *a1* septic

seir s'er' *f2*, *pl* ~**eacha** hough

seirbhe s'er'əv'ə *f4* bitterness, sourness, acidity

seirbheáil s'er'əv'a:l' *f3* service; provision *vt* serve

seirbhís s'er'əv'i:s' *f2* service

seirbhíseach s'er'əv'i:s'əx *m1* servant

seircín s'er'k'i:n' *m4* jerkin

seirdín s'e:rd'i:n' *m4* pilchard

séire s'e:r'ə *m4* meal, repast

séiream s'e:r'əm *m1* serum

seirfeach s'er'f'əx *m1* serf

seirfean s'er'əf'ən *m1* bitterness, indignation

seirgli 's'er'əg',l'i: *m4* bedridden state, decline

seiris s'er'əs' *f2* sherry

séirse s'e:rs'ə *m4* charge; rush, dash, *ar* ~, *faoi shéirse* charging, rushing

séis s'e:s' *f2*, *pl* ~**eanna** melody; chat

seiseamhán s'es'əva:n *m1* sextant

seisean s'es'ən 3 *sg m* emphatic *pron* he, *a chuid* ~ *den obair* his share of the work

seisear s'es'ər *m1* six persons, *col seisir* second cousin

seisiún s'es'u:n *m1* session; (social) gathering

seismeach s'es'm'əx *a1* seismic

seisreach s'es'r'əx *f2* plough-team; plough; ploughland; *an tSeisreach*, the Plough

seit s'et' *m4*, *pl* ~**eanna** *(dance)* set

séitéireacht s'e:t'e:r'əxt *f3* cheating

seitgháire 's'et'ˌɣa:r'ə *m4* derisive laugh, snigger

seithe s'ehə *f4* skin, hide

seitheadóir s'ehədo:r' *m3* taxidermist

seitreach s'et'r'əx *f2* neigh(ing), whinny; snort

seitril s'et'r'i:l' *f3* sniggering

seo s'o *dem pron & a & adv* this; these, *ól* ~ drink this, ~ *an áit* this is the place, *idir* ~ *agus Nollaig* between now and Christmas, *ó* ~ *go Doire* from here to Derry, *go dtí* ~ up to now, *an cailín* ~ this girl, *tá sé* ~ *ag imeacht* this person is leaving, *faoi* ~ by now, *as* ~ *amach* from now on, ~ *is siúd* this and that, *a bhean* ~ my dear woman, *an teach* ~ *agamsa* my house, *an bhliain* ~ *chugainn* next year, *an mhí* ~ *caite* last month, ~ *dhuit (é)* here, take it, ~ *leat* come on, ~ *chuige* let us set to it

seó s'o: *m4*, *pl* ~**nna** show, spectacle; fun, *bhí* ~ *daoine ann* there was a huge crowd of people there

seobhaineachas s'o:vən'əxəs *m1* chauvinism

seodóir s'o:do:r' *m3* jeweller

seodóireacht s'o:do:r'əxt *f3* jewelling; jewellery (business)

seodra s'o:drə *m4* jewelry

seoid s'o:d' *f*2, *npl* **-oda** *gpl* **-od** jewel; precious object, ~ *chuimhne* souvenir

seoigh s'o:γ' *a1* wonderful

seoinín s'o:n'i:n' *m*4 shoneen; flunkey, toady

Seoirseach s'o:rs'əx *a1* Georgian

seoithín s'o:hi:n' *m*4 sough, whispering sound, ~, ~ *seó*, ~ *seothó* lullaby

seol¹ s'o:l *m*1, *pl* ~**ta** sail; trend; course *vt & i* sail; send; direct, conduct, *litir a sheoladh chuig duine* to address a letter to a person

seol² s'o:l *m*1, *pl* ~**ta** loom

seol³ s'o:l *m*1, *luí seoil* lying-in, *bean seoil* woman in childbirth

seoladán s'o:lədə:n *m*1 conduit

seoladh s'o:lə *m*, *gs* **-lta** *pl* **-ltaí** sail(ing); course, direction; address

seolaí s'o:li: *m*4 addressee

seolta s'o:ltə *a3* well-directed; smooth-running; graceful, ~ *ar rud* adept at sth

seoltóir¹ s'o:lto:r' *m*3 sailor; sender, remitter; drover

seoltóir² s'o:lto:r' *m*3 basking-shark

seoltóireacht s'o:lto:r'əxt *f*3 sailing

seomra s'o:mrə *m*4 chamber, room

seomradóir s'o:mrədo:r' *m*3 chamberlain

seordán s'o:rdə:n *m*1 rustling sound; wheeze

séú s'e:u: *m*4 *& a* sixth

sfagnam sfagnəm *m*1 sphagnum

sféar sf'e:r *m*1 sphere

sféarúil sf'e:ru:l' *a2* spherical

sfioncs sf'iŋks *m*4, *pl* ~**anna** sphinx

sí¹ s'i: *m*4, *pl* ~**the** fairy mound *a* fairy; enchanting; delusive

sí² s'i:, ~ *gaoithe* whirlwind

sí³ s'i: 3 *sg f pron* she; it

sia s'iə *comp a* longer, farther, *an chuimhne is* ~ *siar i mo cheann* my earliest recollection

siabhrán s'iəvra:n *m*1 slight derangement, delusion; mental confusion

siad¹ s'iəd *m*3 growth, swelling

siad² s'iəd 3 *pl pron* they

siamsa s'iəmsə *m*4 (musical) entertainment; amusement

sian s'iən *f*2, *gs* **séine** *pl* ~**ta** whistling, plaintive, sound; squeal, whine; hum of voices

sianail s'iəni:l' *f*3 whining, squealing

siansa s'iənsə *m*4 strain, melody

siansach s'iənsəx *m*1 ringing sound *a1* melodious, harmonious, symphonic

siar s'iər *adv & prep & a* to the west, westwards; back, ~ *ó thuaidh* to the northwest, *ná bí* ~ *is aniar leis* don't shilly-shally about it, *ól* ~ *é* drink it down, ~ *go maith san oíche* well on in the night, *baineadh* ~ *asam* I was taken aback

sibh s'iv' 2 *pl pron* you

sibhialta s'iv'iəltə *a3* civil; polite

sibhialtach s'iv'iəltəx *m*1 *& a1* civilian

sibhialtacht s'iv'iəltəxt *f*3 civilization; civility

síbín s'i:b'i:n' *m*4 illicit whiskey; shebeen, speak-easy

sic s'i:k' *m*4, *pl* ~**eanna** sheik

síceach s'i:k'əx *a1* psychic(al)

síceapatach s'i:k'ə,patəx *m*1 psychopath *a1* psychopathic

síceolaí s'i:k',o:li: *m*4 psychologist

síceolaíocht s'i:k',o:li:(ə)xt *f*3 psychology

síciatracht s'i:k',iətrəxt *f*3 psychiatry

síciatraí s'i:k',iətri: *m*4 psychiatrist

sicín s'ik'i:n' *m*4 chicken

sifilis s'if'əl'əs' *f*2 syphilis

sifín s'if'i:n' *m*4 stem, stalk, straw

sil s'il' *vt & i* drip, trickle; shed; drain; hang down, (with *ar*) fall, descend, on, *aimsir shilte* depressing weather, *an dream bocht* ~ *te* the poor spiritless lot

síl s'i:l' *vt & i* think, consider; intend

sileadh s'il'ə *m*1 drip, discharge; pus; hang, droop

síleáil s'il'a:l' *f*3 ceiling; wainscoting; partition (in house, etc)

siléar s'il'e:r *m*1 cellar

siléig s'il'e:g' *f*2 dilatoriness, procrastination, neglect

silín¹ s'il'i:n' *m*4 cherry

silín² s'il'i:n' *m*4 little drop, trickle; pendent object

silíneach s'il'i:n'əx *a1* cerise

silleadh s'il'ə *m*, *gs* **-llte** look, glance

sil-leagan s'i(l'),l'agən *m*1, *pl* ~**acha** (geological, etc) deposit

silteach s'il't'əx *a1* dripping, trickling; fluid; hanging, flowing, *duine* ~ spendthrift

silteán s'il't'a:n *m*1 small drain, channel; rivulet

siméadrach s'im'e:drəx *a1* symmetrical

siméadracht s'im'e:drəxt *f3* symmetry

simléar s'im'l'e:r *m1* chimney

simpeansaí s'im',p'ansi: *m4* chimpanzee

simpleoir s'im'p'l'o:r' *m3* simpleton

simplí s'im'p'l'i: *a3* simple; simple-minded

simpligh s'im'p'l'i: *vt* simplify

simpliocht s'im'p'l'i:(ə)xt *f3* simplicity; simple-mindedness

sin s'in' *dem pron & a & adv* that, those, *ná habair* ~ don't say that, ~ ~ that's that, *mar* ~ *de* in that case, therefore, *agus mar* ~ *de* and so on, *a mhac* ~ that man's son, *faoi* ~ by then, *fada ó shin* long ago, *bliain ó shin* a year ago, *an fear* ~ that man, *ní raibh a fhios agam go raibh siad chomh daor* ~ I didn't know they were so dear

sín s'i:n' *vt & i* stretch; hold out; lengthen; extend; (with *le*) lay, lie, along, *nach é an gasúr sin atá ag* ~ *eadh*! isn't that boy growing fast!

sinc s'iŋ'k' *f2* zinc

sincigh s'iŋ'k'i: *vt* galvanize

sindeacáit s'in'd'əka:t' *f2* syndicate

sindeacáitigh s'in'd'əka:t'i: *vt* syndicate

síne[1] s'i:n'ə *f4* nipple, teat, ~ *siain* uvula

síne[2] s'i:n'ə : **sean**

síneach s'i:n'əx *f2* mammal

síneadh s'i:n'əx *m1, pl* **-nti** stretch(ing); extension, ~ *láimhe* stretching out of hand; gratuity, tip, ~ *fada* length accent

singil s'iŋ'g'əl' *a1* single; slender; tenuous; meagre, *saighdiúir* ~ private

singléad s'iŋ'l'e:d *m1* singlet

sínigh s'i:n'i: *vt & i* sign

sínitheoir s'i:n'iho:r' *m3* signatory

síniú s'i:n'u: *m4* signature

sinn s'in' 1 *pl pron* we, us

sinne s'in'ə 1 *pl emphatic pron* we, us, *ár gcuid* ~ our portion

sin-seanathair s'in''s'an,ahər' *m, gs -ar pl* **-naithreacha** great-grandfather

sin-seanmháthair s'in''s'an,va:hər' *f, gs -ar pl* **-áithreacha** great-grandmother

sinsear s'in's'ər *m1* senior, elder; ancestor

sinséar s'in's'e:r *m1* ginger

sinsearach s'in's'ərəx *m1* senior person; ancestor *a1* senior; ancestral

sinsearacht s'in's'ərəxt *f3* seniority; ancestry

sinseartha s'in's'ərhə *a3* ancestral

sínteach s'i:n't'əx *a1* stretching, extending; drawn-out; liberal

sínteán s'i:n't'a:n *m1* stretcher

sintéis s'in't'e:s' *f2* synthesis

sintéiseach s'in't'e:s'əx *a1* synthetic

sínteoireacht s'i:n't'o:r'əxt *f3* stretching; lolling, lazing, ~ *aimsire* procrastination

síntiús s'i:n't'u:s *m1* donation, subscription

síntiúsóir s'i:n't'u:so:r' *m3* subscriber

síob s'i:b *f2* drift; gust; ride, lift *vt & i* blow (away), drive (along); blow up; drift

síobadh s'i:bə *m, gs* **-btha** blow, drift, ~ *sneachta* blizzard

síobaire s'i:bər'ə *m4* hitch-hiker

síobhas s'i:vəs *m1* chive

síoc s'i:b *m3, gs* **seaca** frost *vt & i* freeze; congeal, set; stiffen

síocair s'i:kər' *f, gs* **-crach** *pl* **-cracha** (immediate) cause, occasion; pretext, (*as, ar*) ~ *go* because

síocaire s'i:kər'ə *m4* chicory

síocán s'i:ka:n *m1* frost; chilly substance; frozen person

síocanailís 's'i:k,anəl'i:s' *f2* psychoanalysis

síocánta s'i:ka:ntə *a3* frosted, chilled; congealed, stiff

síocdhó s'i:k,γo: *m4* frostbite

síocháin s'i:xa:n' *f3* peace

síochánachas s'i:xa:nəxəs *m1* pacifism

síochánta s'i:xa:ntə *a3* peaceful; pacific

síocúil s'i:ku:l' *a2* frosty

síod s'id *dem pron* this, ~ *é an leabhar* this is the book

síoda s'i:də *m4* silk

síodúil s'i:du:l' *a2* silky; urbane; courteous

síofón s'i:fo:n *m1 & vt & i* siphon

síofra s'i:frə *m4* sprite; changeling; precocious child

síóg s'i:o:g *f2* fairy

síóg s'i:g *f2* streak; seam, lode *vt* streak; stroke out, cancel

síógaí s'i:gi: *m4* elf, fairy; weakling; know-all, gossip

síogairlín s'i:gərl'i:n' *m4* hanging ornament, pendant *pl* pendulous flowers

síogairlíneach s'i:gərl'i:n'əx *a1* pendent, tasselled

síol sʹiːl *m*1, *pl* ~**ta** seed; offspring, progeny

síoladóir sʹiːlədoːrʹ *m*3 sower

síolchur 'sʹiːl,xur *m*1 propagation; propaganda

siolla sʹilə *m*4 syllable, ~ *ceoil* note of music

siollabas sʹiləbəs *m*1 syllabus

siollach sʹiləx *a*1 syllabic

siollann sʹilən *f*2 ovary

síolmhar sʹiːlvər *a*1 fertile, fruitful

siolp sʹilp *vt* & *i* suck; milk dry; drain

siolpaire sʹilpərʹə *m*4 suckling

síolphlanda 'sʹiːl,flandə *m*4 seedling

síolrach sʹiːlrəx *m*1 breed, progeny

síolraigh sʹiːlrʹi *vt* & *i* breed, propagate, *síolrú ó dhuine* to be a descendant of a person

síolrú sʹiːlruː *m*4, propagation, reproduction; descent (*ó* from)

síolta sʹiːltə *m*4 silt

siombail sʹiməbʹ *f*2 symbol

siombalach sʹiməbələx *a*1 symbolic

síomóntacht sʹiːmoːntəxt *f*3 simony

siompóisiam sʹimpoːsʹiəm *m*4 symposium

sion sʹiːn *f*2, *pl* ~**ta** weather (usually bad, stormy), *lá idir dhá shíon* pet day

sionad sʹinəd *m*1 synod

sionagóg sʹinəgoːg *f*2 synagogue

sionchaite 'sʹiːn,xatʹə *a*3 weather-worn, weathered

sioncrónaigh sʹiŋ,kroːni *vt* synchronize

siondróm sʹindroːm *m*1 syndrome

sionnach sʹinəx *m*1 fox

sionnachúil sʹinəxuːlʹ *a*2 foxy, cunning

sions sʹins *m*4, *pl* ~**anna** chintz

siopa sʹipə *m*4 shop

siopadóir sʹipədoːrʹ *m*3 shopkeeper

siopadóireacht sʹipədoːrʹəxt *f*3 shopping

síor[1] sʹiːr *a*1 eternal, perpetual, continual, *de shíor* for ever, constantly

síor-[2] sʹiːr† *pref* perpetual, continual, ever-

sioráf sʹiːraːf *m*1 giraffe

síoraí sʹiːriː *a*3 eternal; perpetual; continual; constant, *go* ~ for ever

síoraíocht sʹiːriː(ə)xt *f*3 eternity; permanence; constancy

siorc sʹirk *m*3, *pl* ~**anna** shark

síorghnách 'sʹiːr,ɣnaːx *a*1, *gsm* ~ commonplace, humdrum

sioróip sʹiːroːpʹ *f*2 syrup

siorradh sʹirə *m*1, *pl* **-aí** blast, draught

siortaigh sʹirtʹi *vt* & *i* rummage; search, forage (for)

síos sʹiːs *adv* & *prep* & *a* down; hanging down; trailing, ~ *leat* down you go, ~ *go Cúige Uladh* north to Ulster, *ag seo* ~ *an óráid a rinne sé* the following is the oration he gave, *na bailte síos* the lower townlands

siosach sʹisəx *a*1 sibilant *a*1 hissing, sibilant

siosarnach sʹisərnəx *f*2 hissing; whispering, rustling

sioscadh sʹiskə *m*, *gs* **-ctha** fizz, sizzle; whisper, rustle, ~ *cainte* buzz of talk

siosma sʹismə *m*4 schism; dissension; wrangle

siosmach sʹisməx *m*1 schismatic *a*1 schismatic; dissenting; quarrelling; noisy

siosúr sʹisuːr *m*1 scissors

siota sʹitə *m*4 gust; rush, dart

síota sʹiːtə *m*4 cheetah

siothaigh sʹihi *vt* pacify

síothlaigh sʹihliː *vt* & *i* filter; drain away; subside; expire

síothlán sʹihlaːn *m*1 strainer, filter, colander

síothlú sʹihluː *m*4 filtration; subsidence; expiry

síothmhaor 'sʹiːhver *m*1 peace officer

síothóilte sʹihoːlʹtʹə *a*3 settled, peaceful

síothú sʹihuː *m*4, pacification

sip sʹipʹ *f*2, *pl* ~**eanna** zip

sipéir sʹipʹeːrʹ *m*3 shepherd; sheep-dog, collie

sipris sʹipʹrʹəs *f*2 crape

siprisín sʹipʹrʹəsʹiːnʹ *m*4 crepe-de-chine

siringe səˈrʹinʹɡʹə *f*4 syringa

sirriam sʹirʹiəm *m*4 sheriff

sirtheach sʹirʹhəx *a*1 seeking; beseeching; begging, importunate

sirtheoir sʹirʹhoːrʹ *m*3 seeker; petitioner; beggar; prowler; prospector

sirtheoireacht sʹirʹhoːrʹəxt *f*3 seeking; begging; prowling; prospecting

sise sʹisʹə *3 sg f emphatic pron* she, *a cuid* ~ her share

siseal sʹisʹəl *m*1 sisal

siséal sʹisʹeːl *m*1 & *vt* & *i* chisel

sistéal sʹisʹtʹeːl *m*1 cistern

síth sʹiː *f*2 peace

sítheach sʹiːhəx *a*1 peaceful, harmonious

sitheadh s'ihə *m1*, *pl* **-thí** rush; onrush, swoop

siúcra s'u:krə *m4* sugar

siúcraigh s'u:kri: *vt* sugar

siúcrúil s'u:kru:l' *a2* sugary

siúd s'u:d *dem pron & adv* that; yon; those, *ná creid* ~ don't believe that, ~ *é an t-oileán* yonder is the island, *go dtí* ~ up to then, *a leithéidí* ~ the likes of them, *a theach* ~ that man's house, ~ *chun siúil iad* off they went, ~ *ort* here's to you, ~ *is go* even though

siúicrín s'u:k'r'i:n' *m4* saccharine

siúil s'u:l' *vt & i*, *pres* **-úlann** walk; travel, *tá an mí-ádh ag siúl leis* he is dogged by ill luck, ~ *uait* step out

siúil s'i:u:l' *a2* fairy-like, elfin; weird

siúinéir s'u:n'e:r' *m3* joiner; carpenter

siúinéireacht s'u:n'e:r'əxt *f3* joinery; carpentry

siúl s'u:l *m1*, *pl* **-ta** walk; movement, speed; travel, journey, *lucht siúil* itinerants, travellers, *ar* ~ going on, in progress, *ar shiúl* gone; away

siúlach s'u:ləx *a1* inclined to travel; moving, fleet

siúlóid s'u:lo:d' *f2* walk(ing), stroll

siúlóir s'u:lo:r' *m3* walker; itinerant, wanderer

siúnt s'u:nt *vt & i* shunt

siúnta s'u:ntə *m4* joint, seam; cleft, crevice

siúntaigh s'u:nti: *vt* joint

siúr s'u:r *f*, *gs* ~**ach** *pl* ~**acha** sister, kinswoman, *an tS*~ *Máire* Sister Mary

siúráilte s'u:ra:l't'ə *a3* sure, certain, (*go*) ~ certainly

slaba slabə *m4* slob; mud, ooze

slabhra slaurə *m4* chain

slabhrúil slauru:l' *a2* chain(-like)

slac slak *vt & i* bat

slacaí slaki: *m4* batsman

slacán slaka:n *m1* bat

slacht slaxt *m3* finish, good appearance, tidiness

slachtmhar slaxtvər *a1* well-finished, tidy

slad slad *m3* plunder, loot; devastation *vt & i* plunder, loot; devastate

sladmhargadh 'slad,varəgə *m1*, *pl* **-aí** cheap bargain

slaghdán slaida:n *m1* cold, ~ *teaspaigh* hay fever

slaig slag' *f2* slag

slaimice slam'ək'ə *m4* soft lump; hunk, chunk; tatter

slaimiceáil slam'ək'a:l' *f3* messing; gobbling

sláine sla:n'ə *f4* wholeness; healthiness

sláinte sla:n't'ə *f4* health, (*drink*) toast

sláinteach sla:n't'əx *a1* hygienic

sláinteachas sla:n't'əxəs *m1* hygiene

sláintíocht sla.n't'i:(ə)xt *f3* sanitation

sláintiúil sla:n't'u:l' *a2* healthy; wholesome

slám[1] sla:m *m4*, *pl* ~**anna** lock, tuft; handful; quantity, ~ *ceo* wisp of fog

slám[2] sla:m *vt & i* tease (wool)

slán sla:n *m1*, *npl* ~**a** healthy person; health; farewell; challenge, ~ *agat*, ~ *leat* good-bye *a1* healthy; safe; complete, intact; exempt

slánaigh sla:ni: *vt & i* make whole, save; heal, *aois áirithe a shlánú* to attain a certain age, *conradh a shlánú* to complete a contract, *duine a shlánú ar rud* to indemnify a person against sth, *úd a shlánú* to convert a try

slánaíocht sla:ni:(ə)xt *f3* indemnity, guarantee

slánaitheoir sla:niho:r' *m3* redeemer, saviour

Slánaitheorach sla:niho:rəx *m1 & a1* Redemptorist

slándáil sla:nda:l' *f3* security

slánlus 'sla:n,lus *m3* (ribwort) plantain

slánú sla:nu: *m4* salvation; healing; completion; indemnity; after-birth

slánuimhir 'sla:n,iv'ər', *f*, *gs* **-mhreach** *pl* **-mhreacha** whole number

slaod sli:d *m3*, *pl* ~**anna** swath, layer; raft, ~*anna gruaige* flowing masses of hair, ~ *tinnis* prostrating bout of illness *vt & i* mow down, lay low; (*of hair*) flow; drag; trudge

slapach slapəx *a1* sloppy, slovenly

slapar slapər *m1* loose garment; ~ *bó* dewlap of cow, *tá sé ina shlapar i do dhiaidh* it is trailing behind you

slaparnach slapərnəx *f2* splashing; lapping

slat slat *f2* rod; cane; rail; *(measure)* yard; penis, ~ **draíochta** magic wand, ~ **tomhais** criterion, ~ **bhéil**, ~ **bhoird** gunwale, ~ **droma** backbone, ~ **an Rí** belt of Orion

slatbhalla 'slat₁valə *m4* parapet

sláthach sla:həx *m1* oozy mud, slime

sleá s'l'a: *f4*, *pl* ~**nna** spear, javelin; large splinter

sleabhac s'l'auk *m1* droop, slouch; slant *vi pres* **-bhcann** droop, wilt; *(of corn)* lodge

sléacht¹ s'l'e:xt *m3*, *pl* ~**anna** slaughter; destruction

sléacht² s'l'e:xt *vi* kneel, genuflect; bow down

sleádóir s'l'a:do:r' *m3* spearman; turf-cutter

sleamchúis 's'l'am₁xu:s' *f2* remissness, negligence

sleamchúiseach 's'l'am₁xu:s'əx *a1* remiss

sleamhain s'l'aun' *a1*, *npl* **-mhna** smooth, slippery; sleek; sly

sleamhnaigh s'l'auni: *vt & i* slide, slip; smooth

sleamhnán¹ s'l'auna:n *m1* slide; slip (-way); chute

sleamhnán² s'l'auna:n *m1* sty (on eye)

sleán s'l'a:n *m1*, *pl* ~**ta** turf-spade, slane

sleasach s'l'asəx *a1* many-sided; faceted; lateral

sléibhín s'l'e:v'i:n' *m4* black-headed gull

sléibhteánach s'l'e:v't'a:nəx *m1* mountain-dweller

sléibhteoir s'l'e:v't'o:r' *m3* mountaineer

sléibhteoireacht s'l'e:v't'o:r'əxt *f3* mountaineering

sléibhtiúil s'l'e:v't'u:l' *a2* mountainous; hilly

slí s'l'i: *f4*, *pl* **slite** way; road; direction; space, *tá sé* **mile** ~ *as seo* it is a mile from here, *rud a dhéanamh as an t*~ to do sth wrong, ~ *(bheatha)* means of living, livelihood, *tá* ~ *mhaith aige* he is well off, *ar shlí* in a way, *ar aon* ~ in any event, *ar shlí go*, *i* ~ *is go* in such a way that, *tá siad ar shlí na fírinne* they are gone to their eternal reward

sliabh s'l'iəv *m*, *gs* **sléibhe** *pl* **sléibhte** mountain; moor

sliasaid s'l'iəsəd' *f2*, *pl* **-sta** thigh; side; ledge

slíbhín s'l'i:v'i:n' *m4* sly person

slige s'l'ig'ə *m4* shell; shard; cresset

sligreach s'l'ig'r'əx *f2* shells, shards, fragments; *(of snake)* rattles *a1* shelled, encrusted with shells

slim s'l'im' *a1* smooth, sleek; slim; sly; weak

slinn s'l'in' *f2*, *pl* ~**te** shingle; flat stone; slate

slinneán s'l'in'a:n *m1* shoulder-blade

slinneánach s'l'in'a:nəx *a1* broad-shouldered

slíob s'l'i:b *vt & i* rub, smooth, polish

slíoc s'l'i:k *vt & i* sleek, stroke; blandish, *shlíoc sé leis* he slunk away

sliocht s'l'ixt *m3*, *gs & pl* **sleachta** mark, trace; offspring; posterity; passage, extract, *tá a shliocht air* "signs on it," it is borne out by the result

slíoctha s'l'i:kə *a3* sleek, plausible

slíodóir s'l'i:(ə)do:r' *m3* sly person, sneak

slíodóireacht s'l'i:(ə)do:r'əxt *f3* sneaking, slyness

sliogán s'l'iga:n *m1* shell; shellfish

sliogánach s'l'iga:nəx *a1* shelled; dappled, mottled

sliogart s'l'i:gərt *m1* pumice(-stone)

slíom s'l'i:m *vt & i* smooth, polish

slíomadóir s'l'i:mədo:r' *m3* smooth, hypocritically friendly, person

slíomadóireacht s'l'i:mədo:r'əxt *f3* smoothness, flattery, dissimulation

sliopach s'l'ipəx *a1* slippery; butter-fingered, awkward

slios s'l'is *m3*, *gs & pl* **sleasa** side; slope; *(marginal)* strip

sliospholl 's'l'is₁fol *m1* porthole

sliotán s'l'ita:n *m1* slot

sliotar s'l'itər *m1* hurley ball

slipéar s'l'ip'e:r *m1* slipper

slis s'l'is' *f2*, *pl* ~**eanna** chip, shaving; sliver, slice; lath; beetle *vt & i* beetle; beat; *(of ball)* cut; *(of oar)* feather

slisín s'l'is'i:n' *m4* rasher

slisne s'l'is'n'ə *m4* cut, section

slisneach s'l'is'n'əx *m1* chips, shavings; slivers; laths

slisneoir s'l'is'n'o:r' *m3* slicer

slítheánta s'l'i:ha:ntə *a3* sly, ingratiating; sneaking

sloc slok *m1* pit, shaft; groove; cavity

slocach slokəx *a1* pitted; rutted

slocán sloka:n *m1* socket

slócht slo:xt *m3* hoarseness *vt & i* hoarsen

slóchtach slo:xtəx *a*1 hoarse

slog slog *m*1, *pl* ~**anna** gulp, swallow; swig *vt & i* swallow; engulf; recede, *bhí siad ag* ~*adh* (*isteach*) *a chuid cainte* they were drinking in his words

slóg slo:g *vt & i* mobilize

slogadh slogə *m*1, *gs* **-gtha** swallow

slógadh slo:gə *m*1, *pl* **-aí** mobilization, hosting, gathering

slogaide slogəd'ə *f*4 swallow-hole; gullet

slogóg slogo:g *f*2 gulp, swig, draught

sloinn slon' *vt* tell, express; state name; (sur)name

sloinne slon'ə *m*4, *pl* **-nnte** family name, surname

sloinnteoir slon't'o:r' *m*3 genealogist

slua sluə *m*4, *pl* ~**ite** host, army; crowd, ~ *muiri* naval force

sluaíocht sluəi:(ə)xt *f*3 (military) expedition

sluaisteáil sluəs't'a:l' *vt & i* shovel; scoop

sluaistrigh sluəs't'r'i: *vt & i* earth, mould

sluasaid sluəsəd' *f*2, *gs* **-uaiste** *pl* **-uaistí** shovel; shovelful

sluga slogə *m*4 slug (for gun)

sluma slomə *m*4 slum

slúpa slu:pə *m*4 sloop

slusaí slusi: *m*4 dissembler; toady

smacht smaxt *m*3, *npl* ~**a** rule; control, discipline, *tír a chur faoi* ~ to subjugate a country

smachtaí smaxti: *m*4 disciplinarian

smachtaigh smaxti: *vt* control, discipline; subdue

smachtbhanna 'smaxt,vanə *m*4 sanction

smachtín smaxt'i:n' *m*4 cudgel

smachtúil smaxtu:l' *a*2 controlling, disciplinary; repressive

smailc smal'k' *f*2, *pl* ~**eacha** mouthful; puff *vt & i* gobble; puff

smailleac smal'ək *f*2 smack

smál sma:l *m*1 stain; smudge; cloud; gloom, misfortune, ~ *grís* coating of ash; blotch on skin

smaoineamh smi:n'əv *m*1, *pl* **-nte** thought; idea

smaoinigh smi:n'i: *vt & i* think; consider; recollect

smaointeach smi:n't'əx *a*1 thoughtful, pensive

smaointeoir smi:n't'o:r' *m*3 thinker

smaoisil smi:s'i:l' *f*3 snivelling

smaragaid smarəgəd' *f*2 emerald

smeach sm'ax *m*3, *pl* ~**anna** flick; snap (of fingers); click (of tongue); smack (of lips); gasp *vt & i* flick; click; smack; gasp

smeachail sm'axi:l' *f*3 clicking (of tongue); smacking (of lips)

smeachán sm'axa:n *m*1 nip, small amount

smeachóid sm'axo:d' *f*2 live coal, ember

smeachstoda 'sm'ax,stodə *m*4 press-stud

smeadar sm'adər *m*1 smear; paste; smattering

smeámh sm'a:v *m*1 breath, puff

smear sm'ar *vt* smear; smudge; grease; thrash

sméar sm'e:r *f*2 (black)berry, ~ *mhullaigh an chnuasaigh* the pick of the bunch

smearadh sm'arə *m*1, *pl* **-rthaí** smear; grease; polish; smattering; thrashing

sméaróid sm'e:ro:d' *f*2 live coal, ember, ~ *chéille* spark of sense

sméid sm'e:d' *vt & i* wink, nod; signal, ~ *anall air* beckon him to come over

sméideadh sm'e:d'ə *m*, *gs & pl* **-dte** wink, nod, beckoning sign

smid sm'id' *f*2, *pl* ~**eanna** breath, puff; word

smideadh sm'id'ə *m*1 make-up

smidiríní sm'id'ər'i:n'i: *spl* smithereens

smig sm'ig' *f*2, *pl* ~**eanna** chin

smionagar sm'inəgər *m*1 shattered pieces, fragments

smior sm'ir *m*3, *gs* **smeara** marrow; pith, quintessence

smiot sm'it *vt* hit, strike; chop; whittle

smiota sm'itə *s*, ~ *gáire* snigger

smíst sm'i:s't' *vt* pound, trounce

smíste sm'i:s't'ə *m*4 pestle; cudgel; heavy blow, ~ *a dhéanamh de dhuine* to flatten a person

smitín sm'it'i:n' *m*4 rap, tap

smocáil smoka:l' *vt & i* smock

smoirt smort' *f*2 rust (on grain crops)

smol smol *m*3 blight, decay *vt & i* blight; wither

smól smo:l *m*1 live coal, ember; charred object

smólach smo:ləx *m*1 thrush

smolchaite 'smol,xat'ə *a*3 threadbare, shabby; (*of fire*) smouldering

smúdáil smu:da:l' *vt & i* iron (clothes)

smúdar smu:dər *m*1 dust, mould, ~ *guail* slack, ~ *móna* turf mould

smuga smugə *m*4 mucus; snot

smugairle smugərl'ə *m*4 thick spittle, ~ *róin* jelly-fish

smuigléail smig'l'a:l' *vt & i* smuggle

smuigléir smig'l'e:r' *m*3 smuggler

smuigléireacht smig'l'e:r'əxt *f*3 smuggling

smuile smil'k' *f*2, *pl* ~**eanna** snout; surly expression

smuilceach smil'k'əx *a*1 surly; sulky

smúit smu:t' *f*2 smoke; mist; gloom; dust

smúiteán smu:t'a:n *m*1 cloud of smoke or dust; smudge, smut

smúitiúil smu:t'u:l' *a*2 smoky; misty; murky; gloomy; oppressive

smúr[1] smu:r *m*1 ash, dust; rust; soot, grime

smúr[2] smu:r *vt & i* sniff

smúrach smu:rəx *a*1 dusty, sooty, grimy

smúránta smu:ra:ntə *a*3, (*of weather*) dull, hazy

smúrthacht smu:rhəxt *f*3 nosing, sniffing; prowling, *ag* ~ *romhat* feeling one's way

smúsach smu:səx *m*1 (red) marrow; pith, pulp

smut smut *m*1 stump, stub; snout; sulky expression *vt* truncate, shorten

smutach smutəx *a*1 stumpy, short; sulky

smután smuta:n *m*1 stump; chunk of wood

sna snə **: i**

snab snab *m*3, *pl* ~**anna** stub, *an* ~ *a bhaint de choinneal* to snuff a candle

snag[1] snag *m*3, *pl* ~**anna** gasp, catch (in breath); sob; hiccup; lull

snag[2] snag *m*3, *pl* ~**anna** ~ *darach* woodpecker, ~ *breac* magpie

snagach snagəx *a*1 gasping, sobbing; hiccuping, (*of style*) staccato

snagaireacht snagər'əxt *f*3 gasping, sobbing; stammering; hiccuping; tippling

snagcheol 'snag,x'o:l *m*1 syncopated music; jazz

snaidhm snaim' ~ sni:m' *f*2, *pl* ~**eanna** knot; bond; (physical) constriction; tie, brace; difficulty, problem *vt & i* knot; bind, entwine; unite, (*of bone*) knit; brace

snáith sna: *vt*, *vn* **-áthadh** sip, take as relish (*le* with)

snáithe sna:hə *m*4 (single) thread; stitch; grain, fibre, ~ *an droma* the spinal cord, *ba é lán a shnáithe é* it was as much as he could do

snáitheach sna:həx *a*1 grained, fibrous

snáithín sna:hi:n' *m*4 filament, fibre

snáithíneach sna:hi:n'əx *a*1 fibrous, stringy

snámh sna:v *m*3 swim(ming); swimming-stroke; (*of ship*) draught; crawl, ~ *abhann* swimming-place, fish-pool, in river, *amuigh ar an* ~ out in deep water *vt & i* swim; float; crawl; dawdle

snámhach sna:vəx *a*1 floating, buoyant; (*of water*) flowing; crawling; dawdling; sneaky

snámhacht sna:vəxt *f*3 buoyancy

snámhaí sna:vi: *m*4 crawler; dawdler; sneak

snámhaíocht sna:vi:(ə)xt *f*3 crawling, creeping, dawdling

snámhán sna:va:n *m*1 float

snámhóir sna:vo:r' *m*3 swimmer

snámhraic sna:vrak' *f*2 flotsam

snaoisín sni:s'i:n' *m*4 snuff

snap snap *m*4, *pl* ~**anna** snap; catch; short spell; wrench *vt & i* snap; catch

snas snas *m*3 polish, good appearance; accent; lisp, ~ *liath* blue mould

snasaigh snasi: *vt* polish

snasán snasa:n *m*1 polish

snaschraiceann 'snas,xrak'ən *m*1 veneer

snasleathar 'snas',l'ahər *m*1 patent leather

snasta snastə *a*3 finished, polished, glossy

snáth sna: *m*3, *pl* ~**anna** thread, yarn; web, ~ *mara* (line of seaweed, etc, indicating) high-water mark

snáthadán sna:hə da:n *m*1 netting-needle, ~ (*cogaidh*) crane-fly, daddy-longlegs

snáthaid sna:həd' *f*2 needle; indicator

sneachta s'n'axtə *m*4 snow

sneachtúil s'n'axtu:l' *a*2 snowy

sní s'n'i: *f*4 flow; pouring; permeation

snigh s'n'iy' *vi* pour (down), flow; filter through; crawl

sniodh s'n'i f, *gs & pl* **sneá** nit

sniog s'n'ig *f*2 drop *vt* milk dry, drain completely

sníomh sn'i:v *m3* spinning; twisting, twining; strain; anxiety *vt & i* spin; turn; twist, twine; strain; (with *le*) struggle with

sníomhaí sn'i:vi: *m4* spinner

snítheach sn'i:həx *a1* flowing, coursing, gliding smoothly

snoí sni: *m4* cutting, carving; refining; wearing away

snoigh snoy' *vt & i* cut, carve; shape; refine; wear down, waste away

snoídóir sni:(ə)do:r' *m3* cutter, carver, sculptor

snoídóireacht sni:(ə)do:r'əxt *f3* cutting, carving, sculpturing

snoite snot'ə *a3* thin, emaciated; refined

snoiteacht snot'əxt *f3*, (*of shape, figure*) cleanness, refinement; emaciation

snua snuə *m4*, *pl* ~**nna** complexion; colour, appearance

snuaphúdar 'snuə,fu:dər *m1* face-powder

snúcar snu:kər *m1* snooker

snúda snu:də *m4* snood

snúúil snu:u:l' *a2* of good complexion, healthy-looking

so- so*¹* *pref* easy to; good

só so: *m4* comfort, ease; enjoyment; luxury; prosperity

so-adhainte ,so'ain't'ə *a3* inflammable

sobal sobəl *m1* foam, froth; lather

sobhriste ,so'v'r'is't'ə *a3* fragile, brittle

sóbráilte so:bra:l't'ə *a3* sober

soc sok *m1* nose; nozzle; (*of animal*) muzzle, ~ **céachta** ploughshare

socadán sokəda:n *m1* busybody

socair sokər' *a1*, *gsf*, *npl & comp* -**cra** quiet, still; calm, steady; settled

sócamas so:kəməs *m1* confection *pl* delicacies, confectionery

soch so:x *a1*, *gsm* ~ comfortable; luxurious

sochaí soxi: *f4* multitude; social community, society

sochaideartha ,so'xad'ərhə *a3* approachable, sociable

sochar soxər *m1* benefit, profit; advantage; produce

sóchas so:xəs *m1* comfort, pleasure

socheolaíocht 'sox,o:li:(ə)xt *f3* sociology

sochma soxmə *a3* soft, easy-going, placid

sochomhairleach ,so'xo:rl'əx *a1* docile; tractable

sochorraithe ,so'xorihə *a3* easily moved, excitable

sochrach soxrəx *a1* profitable, advantageous, beneficial

sochraid soxrəd' *f2* funeral; cortege

sochraideach soxrəd'əx *m1* funeral-goer; mourner

sochreidte ,so'x'r'et'ə *a3* credible

sócmhainn so:kvən' *f2* asset

sócmhainneach so:kvən'əx *a1* solvent

sócmhainneacht so:kvən'əxt *f3* solvency

socracht sokrəxt *f3* quietness, calmness; ease, rest

socraigh sokri: *vt & i* settle; calm; arrange, **socrú ar rud a dhéanamh** to decide to do sth

socrú sokru: *m4* settlement; arrangement

sócúl so:ku:l *m1* ease, comfort

sócúlach so:ku:ləx *a1* easy, comfortable

sodamacht sodəməxt *f3* sodomy

sodar sodər *m1* trot(ting)

sodóg sodo:g *f2* soda-cake; buxom girl

sofaisticiúil sofəs't'ək'u:l' *a2* sophisticated

sofheicthe ,so'ek'ə *a3* visible; manifest, obvious

sofhriotal ,so'r'itəl *m1* euphemism

sofhulaingthe ,so'uləŋ'hə *a3* bearable, endurable

soghluaiste ,so'yluəs't'ə *a3* mobile; inconstant; accessible; responsive; tractable

soghluaisteacht ,so'yluəs't'əxt *f3* mobility; transience; accessibility; responsiveness, tractableness

soghonta ,so'yontə *a3* vulnerable

soibealta sob'altə *a3* impudent, saucy

soicéad sok'e:d *m1* socket

soicind sok'ən'd' *m4* second

sóid so:d' *f2* soda

sóidiam so:d'iəm *m4* sodium

soighe soy'ə *m4* soya

soilbhir sol'əv'ər' *a1*, *gsf*, *npl & comp* -**bhre** pleasant, cheerful; merry; well-spoken

soilbhreas sol'əv'r'əs *m1* pleasantness, cheerfulness; merriment

soiléir sol'e:r' *a1* clear, distinct; obvious

soiléireacht sol'e:r'əxt *f3* clarity, distinctness; obviousness

soiléirigh sol'e:r'i: *vt* clarify, manifest

soiléirse sol'e:rs'ə *f4* axiom

soilíos soľi:s *m*1 contentment, pleasure; ease; benefit, favour

soiliosach soľi:səx *a*1 obliging

soilíre soľarʹə *m*4 celery

soilse soľsʹə *f*4 brightness, light; flash of lightning, *a Shoilse* his Excellency; your Excellency

soilseach soľsʹax *a*1 bright

soilseán soľsʹaːn *m*1 light, torch

soilsigh soľsʹi: *vt & i* shine; illuminate; enlighten; reveal

soilsiú soľsʹu: *m*4 lighting, illumination; enlightenment

soinéad soǃneːd *m*1 sonnet

soineann sonʹən *f*2 calmness, fair weather; serenity (of expression); guilelessness

soineanta sonʹəntə *a*3 (*of weather*) calm, fair; (*of expression*) pleasant; guileless

soinneán sonʹaːn *m*1, ~ (*gaoithe*) blast (of wind)

soinseáil soːnʹsʹaːlʹ *f*3 & *vt & i* change

soiprigh soprʹi: *vt* nestle, snuggle, down

soir sorʹ *adv & prep & a* to the east, eastward, ~ *lámh ó thuaidh* (to) east by north

soirbhigh sorʹəvʹi: *vt & i* make easy, pleasant (*do* for); prosper, *go soirbhí Dia duit* I wish you godspeed

soirbhíoch sorʹəvʹi:(ə)x *m*1 optimist

soirbhíochas sorʹəvʹi:(ə)xəs *m*1 optimism

soiscéal sosʹkʹeːl *m*1 gospel

soiscéalach sosʹkʹeːləx *a*1 evangelic(al)

soiscéalaí sosʹkʹeːli: *m*4 evangelist; preacher

sóisear sosʹər *m*1 junior

sóisearach so:sʹərəx *a*1 junior

sóisialach so:sʹiələx *a*1 socialist

sóisialachas so:sʹiələxəs *m*1 socialism

sóisialaí so:sʹiəli: *m*4 socialist

sóisialta so:sʹiəltə *a*3 social

soith soh *f*2, *pl* ~**eanna** bitch

soitheach sohəx *m*1, *pl* ~**thí** vessel; container, dish; ship

sóivéadach so:vʹeːdəx *a*1 soviet

sól so:l *m*1, (*fish*) sole

solabhartha ˌsoˈlaurhə *a*3 affable; eloquent

solad soləd *m*1 solid

soláimhsithe so:ˈla:vʹsʹihə *a*3 easily handled, manageable

sólaisteoir so:ləsʹtʹoːrʹ *m*3 confectioner

sólaistí so:ləsʹtʹi: *spl* dainties, delicacies

solamar soləmər *m*1 rich food; good things; profit

solámhach ˌsoˈla:vəx *a*1 deft, dexterous

solaoid soliːdʹ *f*2 illustration, example

solas soləs *m*1, *pl* **soilse** light, brightness; lamp; flame; enlightenment, *le mo sholas* as long as I live

sólás so:la:s *m*1 consolation; comfort

sólásach so:la:səx *a*1 consoling; comfortable

sólásaí so:la:si: *m*4 consoler, comforter

solasmhar soləsvər *a*1 bright; clear

solathach soləhəx *a*1 venial

soláthair solaːhərʹ *vt & i*, *pres* **-thraíonn** gather, procure; provide

soláthar solaːhər *m*1, *pl* **-airtí** collection; supply, provision

soláthraí solaːhri: *m*4 gatherer, provider; industrious person

soléite ˌsoˈlʹeːtʹə *a*3 readable; legible

sollúnaigh solu:ni: *vt* solemnize, celebrate

sollúnta solu:ntə *a*3 solemn

sollúntacht solu:ntəxt *f*3 solemnity

solúbtha ˌsoˈlu:pə *a*3 flexible, pliable, adaptable

sómas so:məs *m*1 ease, comfort

sómasach so:məsəx *a*1 easy, comfortable; easy-going

sómhar so:vər *a*1 comfortable, luxurious

somheanmnach ˌsoˈvʹanəmnəx *a*1 in good spirits, cheerful

somhúinte ˌsoˈvu:nʹtʹə *a*3 easily taught, docile

son son *s*, *ar* ~ for the sake of, on behalf of, *ar* ~ *grinn a bhí mé* I was only joking, *ar a shon go* notwithstanding, even though, *sin a bhfuil ar a shon agam* that is all I have to show for it

sona sonə *a*3 happy; fortunate

sonach sonəx *a*1 sonic

sonáid sona:dʹ *f*2 sonata

sonas sonəs *m*1 happiness; good fortune, ~ *ort* thank you

sonasach sonəsəx *a*1 happy; fortunate

sonc soŋk *m*4, *pl* ~**anna** poke, nudge

sonda sondə *a*3 sonorous

sondas sondəs *m*1 sonorousness, sonority

sonite ˌsoˈnʹitʹə *a*3 washable

sonnach sonəx *m*1 paling, palisade, stockade

sonóg sono:g *f*2 mascot

sonra sonrə *m4* characteristic; detail; apparition, shape, *próiseáil ~í* data processing

sonrach sonrəx *a1* particular, specific

sonraigh sonri: *vt & i* particularize; specify, define; perceive, distinguish

sonraíoch sonri:(ə)x *a1, gsm ~* noticeable; peculiar; abnormal

sonraíocht sonri:(ə)xt *f3* specification; remarkableness; peculiarity, abnormality

sonrasc sonrəsk *m1* invoice

sonrú sonru: *m4* specification; notice, perception

sonuachar ,so'nuəxər *m1* spouse

sop sop *m1* wisp, small bundle (of straw, etc); straw bedding

soprán sopra:n *m1* soprano

sor sor *m1* animal louse, tick

során sora:n *m1* wireworm

so-ranna ,so'rana *a3* easy to get on with; sociable, companionable

sorcas sorkəs *m1* circus

sorcha sorəxə *f4* brightness *a3* bright; cheerful

sorchaigh sorəxi: *vt* enlighten, illuminate

sorcóir sorko:r' *m3* cylinder

sorn so:rn *m1* furnace

sornóg so:rno:g *f2* stove, range

sórt so:rt *m1, pl ~anna* sort; kind, variety, *~ amaideach* somewhat foolish

sórtáil so:rta:l' *vt & i* sort (letters, etc)

sos sos *m3, pl ~anna* pause, interval; respite; (*of shift, supply, etc*) relief, *~ cogaidh* truce, *~ lámhaigh* cease-fire

sotal sotal *m1* arrogance; impudence, *gan bheith faoi shotal do dhuine*, not to be subservient to a person

sotalach sotaləx *a1* arrogant; impudent

sotar sotər *m1* (*dog*) setter

sothuigthe ,so'hik'ə *a3* easily understood; comprehensible, simple

sóúil so:u:l' *a2* comfortable, luxurious; (*of food, etc*) delicious

spá spa: *m4, pl ~nna* spa

spád spa:d *f2* spade

spadach spadəx *a1* heavy and wet

spadalach spadələx *m1* sodden, soggy, substance

spadánta spada:ntə *a3* sluggish, lethargic

spadhar spair *m1* (temperamental) fit, *bhuail ~ é* he got into a passion

spadhrúil spairu:l' *a2* temperamental

spág spa:g *f2* big, clumsy, foot

spaga spagə *m4* pouch, purse

spágach spa:gəx *a1* flat-footed, clumsy

spágáil spa:ga:l' *vt* shamble, trudge

spaic spak' *f2, pl ~eanna* crooked stick, makeshift hurley

spaigiti ,spa'g'it'i: *m4* spaghetti

spailp spal'p' *f2, pl ~eanna* spell; bout, turn

spailpín spal'p'i:n' *m4* migratory farm labourer; scamp

spáinnéar spa:n'e:r *m1* spaniel

spairn spa:rn' *f2* fight, struggle, contention *vt & i* fight, contend (*le* with)

spairt spart' *f2, pl ~eanna* wet clod; soggy matter; inert body; clot

spaisteoireacht spas't'o:r'əxt *f3* strolling, sauntering

spail spal *vt & i* scorch, parch, shrivel

spalla spalə *m4* gallet, spall; chip, pebble; slice

spalladh spalə *m, gs -llta* scorching, parching; drought, *~ náire* acute embarrassment

spallaíocht spali:(ə)xt *f3* flirting, philandering; bickering, *~ léinn* smattering of learning

spalp spalp *vt & i* burst forth; pour out, *ag ~adh bréag* lying profusely

spalpadh spalpə *m, gs -ptha* burst, eruption, outpouring

spalptha spalpə *a3* parched

spanla spanlə *m4* shank; shin

spáráil spa:ra:l' *f3* sparing, economy *vt & i* spare

sparán spara:n *m1* purse

sparánach spara:nəx *f3* bursary

sparánaí spara:ni: *m4* bursar, treasurer

sparra sparə *m4* spar; bar; spike; barred gate

spártha spa:rhə *a3* spare, left over

spás spa:s *m1, pl ~anna* space; room; interval of time, period of grace

spásáil spa:sa:l' *f3* spacing *vt* space

spásaire spa:sər'ə *m4* spacer; astronaut

spasmach spasməx *m1 & a* spastic

spásmhar spa:svər *a1* spacious

spáslong 'spa:s,loŋ *f2* spaceship

spaspas spaspəs *m1* spasm, convulsion

speabhraid sp'auri:d' *f2* hallucination *pl* illusions, ravings

speach sp'ax *f2 (of animal)* kick; *(of gun)* recoil *vi* recoil

speácla sp'e:klə *m4* eye-glass *pl* spectacles

speácláireacht sp'e:kla:r'əxt *f3* speculation

speal sp'al *f2* scythe *vt & i* mow; shell, scatter, squander; grow thin, decline

spealadóir sp'alədo:r' *m3* scytheman, mower

speár sp'a:r *m4, pl* ~ **anna** spar, bout of sparring

speic sp'ek' *f2, pl* ~**eanna** peak (of cap); inclination, slant; sidelong glance

speiceas sp'ek'əs *m1* species

speictreach sp'ek't'r'əx *a1 (of colours)* spectral

speictream sp'ek't'r'əm *m1* spectrum

speir sp'er' *f2, pl* ~**eacha** hough; shank, shin; spur (of mountain) *vt & i* hough, hamstring

spéir sp'e:r' *f2, pl* -**éartha** sky; air; airiness; brightness

spéirbhean 'sp'e:r',v'an *f, gs & npl* -**mhná** *gpl* -**bhan** beautiful woman

spéireata sp'e:r'ətə *m4 (cards)* spade

spéirghealach 'sp'e:r',γ'alax *f2, oíche spéirghealaí* starlit night

spéiriúil sp'e:r'u:l' *a2* airy; bright; cheerful; beautiful

spéirléas 'sp'e:r',l'e:s *m1, pl* ~**acha** skylight

spéirling sp'e:rl'əŋ' *f2* (thunder-)storm; violence, strife

spéirlint sp'e:rl'ən't' *f2* sand-eel, ~ *(mhara, fharraige)* garfish

spéis sp'e:s' *f2* interest; affection

speisialach sp'es'iələx *m1* special (constable)

speisialaigh sp'es'iəli: *vt & i* specialize

speisialta sp'es'iəltə *a3* special

speisialtacht sp'es'iəltəxt *f3* speciality

speisialtóir sp'es'iəlto:r' *m3* specialist

speisiúil sp'es'u:l' *a2* interesting; neat and clean; attractive

spiacánach sp'iəka:nəx *a1* jagged, spiky

spiagaí sp'iəgi: *a3* flashy, gaudy

spiaire sp'iər'ə *m4* spy; informer

spiaireacht sp'iər'əxt *f3* spying, espionage; informing (*ar* against)

spice sp'i:k'ə *m4* spike, ~ *solais* thin ray of light

spiceach sp'i:k'əx *a1* spiky, spicate

spíd sp'i:d' *f2* aspersion, detraction, slander

spideog sp'id'o:g *f2* robin

spídigh sp'i:d'i: *vt* revile, slander

spídiúchán sp'i:d'u:xa:n *m1* slandering; disparagement, abuse

spídiúil sp'i:d'u:l' *a2* disparaging, vituperative, abusive

spiléireacht sp'il'e:r'əxt *f3* fishing with trawl-line

spinéar sp'in'e:r *m1, (fishing)* spinner

spinéireacht sp'in'e:r'əxt *f3* spinning (for fish)

spiogóid sp'igo:d' *f2* spigot

spíon[1] sp'i:n *f2, pl* ~**ta** spine, thorn; thorns

spíon[2] sp'i:n *vt & i* tease, comb; search; exhaust

spíonach sp'i:nəx *a1* spiny, thorny

spíonáiste sp'ina:s't'ə *m4* spinach

spíonán sp'i:na:n *m1* gooseberry

spíonlach sp'i:nləx *m1* spines, thorns, ~ *giúise* pine-needles

spíonnadh sp'i:nə *m1* vigour; animation

spíor sp'i:r *s,* ~ *spear a dhéanamh de rud* to make light of, to pooh-pooh sth

spiora sp'irə *m4* sharp projection; slender branch

spiorad sp'irəd *m1* spirit; courage, *an S* ~ *Naomh* the Holy Spirit

spioradachas sp'irədəxəs *m1* spiritism; spiritualism

spioradálta sp'irədɑ:ltə *a3* spiritual

spioradáltacht sp'irədɑ:ltəxt *f3* spirituality

spioradúil sp'irədu:l' *a2* spirited, courageous

spióróg sp'iro:g *f2* sparrow-hawk

spíosra sp'i:srə *m4* spice(s); flavouring; sweetmeats

spíosrach sp'i:srəx *a1* spicy, aromatic

spladhas splais *m1, pl* -**dhsanna** splice

spladhsáil splaisa:l' *vt* splice

splanc splaŋk *f2, pl* ~**acha** flash, spark, *níl* ~ *chéille aige* he hasn't an ounce of sense *vi* flash, spark; blaze

spleách spl'a:x *a1, gsm* ~ dependent, subservient (*ar* to); obsequious (*le* towards); sly

spléachadh spl'e:xə *m1* glance, glimpse

spleáchas spl'a:xəs *m1* dependence, subservience; flattery

spleodar sp'l'o:dər *m*1 cheerfulness, vivacity; exuberance

spleodrach sp'l'o:drəx *a*1 cheerful, vivacious; exuberant

splinc sp'l'iŋk' *f*2, *pl* ~**eacha** pinnacle

splinceáil sp'l'iŋ'k'a:l' *f*3 squinting

splíontaíocht sp'l'i:nti:(ə)xt *f*3 maltreatment; hardship

spóca spo:kə *m*4 spoke of wheel

spoch spox *vt* & *i* castrate; expurgate, *ag* ~*adh as* teasing him

spochán spoxa:n *m*1 crop; craw

spól spo:l *m*1 spool, reel

spóla spo:lə *m*4 joint (of meat)

sponc spoŋk *m*1 coltsfoot; tinder; spirit, courage

sponcán spoŋka:n *m*1 tinder

sponcúil spoŋku:l' *a*2 spunky, courageous

spor spor *m*1 & *vt* & *i* spur

spór spo:r *m*1 spore

spórt spo:rt *m*1 sport; diversion, fun

sportha sporhə *a*3 exhausted; broke

spórtúil spo:rtu:l' *a*2 sportive, amusing

spota spotə *m*4 spot; stain, blemish; particular place

sprae spre: *m*4 spray

spraeáil spre:a:l' *vt* & *i* spray

spraeire spre:ər'ə *m*4 sprayer

spraic sprak' *f*2, *pl* ~**eanna** address, reprimand

sprais spras' *f*2, *pl* ~**teacha** spattering, splash; shower

spraíúil spri:u:l' *a*2 playful, sportive, amusing

sprang spraŋ *f*2 fo.ir-pronged fork

spraoi spri: *m*4, *pl* ~**aíonna** fun, sport; spree

spré[1] spr'e: *f*4 cattle; property, wealth; dowry

spré[2] spr'e: *f*4, *pl* ~**acha** spark

spré[3] spr'e: *m*, *gs* ~**ite** spread, splay

spreab spr'ab *f*2 spadeful

spreacadh spr'akə *m*, *gs* -**ctha** vigour, forcefulness

spréach spr'e:x *f*2 spark; fire, spirit *vt* & *i* spark; sputter; spray, spread, spatter; lash out, *duine a* ~*adh* to infuriate a person

spréacharnach spr'e:xərnəx *f*2 sparkling, sparkle

spreacúil spr'aku:l' *a*2 vigorous, forceful

spreag spr'ag *vt* incite; arouse, inspire, *ag* ~*adh Béarla* rattling away in English

spreagadh spr'agə *m*, *gs* -**gtha** *pl* -**gthaí** incitement; encouragement; stimulus

spreagthóir spr'akto:r' *m*3 inciter, prompter; stimulant

spreagúil spr'agu:l' *a*2 rousing, encouraging; spirited

spreang spr'aŋ *m*3 jump, bound; impulse; fit

spreangach spr'aŋgəx *a*1 impulsive; quick-tempered

spreangadh spr'aŋgə *m*1 wrench, sprain

spreasán spr'asa:n *m*1 twig; worthless person

spreasánta spr'asa:ntə *a*3 good-for-nothing, worthless

spréigh spr'e:y' *vt* & *i* spread; spatter

sprélre spr'e:ər'ə *m*4 sprinkler

spréite spr'e:t'ə *a*3 full-blown, *sciorta* ~ flared skirt

spréiteoir spr'e:t'o:r' *m*3 spreader

spreota spr'o:tə *m*4 length of timber; chop; slice

spreotáil spr'o:ta:l' *f*3 hacking; chipping; messing, *ná bí ag* ~ *mar sin* don't beat about the bush like that

sprid spr'id' *f*2, *pl* ~**eanna** spirit, ghost; courage, morale

spridiúil spr'id'u:l' *a*2 courageous; high-spirited

sprinlín spr'in'l'i:n' *m*4 scintilla, spark

sprioc[1] spr'ik *f*2, *pl* ~**anna** mark, target; landmark; point of time, *súil sprice* bull's-eye, *nuair a tháinig sé go dtí an* ~ when it came to the point, *ceann sprice a bhaint amach* to reach one's goal, one's destination *vt* & *i* mark out, stake; fix, arrange

sprioc-[2] spr'ik *pref* fixed, appointed

spriocúlacht spr'iku:ləxt *f*3 promptness, punctuality

spriolladh spr'ilə *m*1 spirit, spunk

sprionga spr'iŋgə *m*4 (mechanical) spring

sprionlaithe spr'inlihə *a*3 mean, miserly

sprionlaitheacht spr'inlihəxt *f*3 meanness, miserliness

sprionlóir spr'inlo:r' *m*3 miser, skinflint

spriúch spr'u:x *vi*, (*of animal*) lash out, kick; fly into a rage; sputter

sprochaille sproxəl′ə *f*4 wattle; dewlap; double chin, *sprochailli faoi na súile* bags under the eyes

spruadar spruədər *m*1 crumbled matter, bits, ~ *móna* turf mould

spruílle spru:l′ə *m*4 crumb, fragment

sprús spru:s *m*1 spruce

spruschaint 'sprus,xan′t′ *f*2 small-talk, chatter

spuaic spuək′ *f*2, *pl* ~**eanna** blister; pinnacle; huff; spell, ~ *eaglaise* church steeple

spuaiceach spuək′əx *a*1 blistered; pinnacled; huffed

spúinse spu:n′s′ə *m*4 sponge

spúinseáil spu:n′s′a:l′ *vt* sponge

spúinsiúil spu:n′su:l′ *a*2 spongy

spuirse spirs′ə *f*4 spurge

spúnóg spu:no:g *f*2 spoon(ful)

srac[1] srak *vt* & *i* pull, tear; drag; struggle

srac[2] srak *pref* cursory, sketchy, slight

sracadh srakə *m*1, *pl* **-aí** pull, jerk; drag; spell, portion; extortion, ~ *talún* strip of land, *fear a bhfuil* ~ *ann* a man of mettle

sracúil sraku:l′ *a*2 strong and spirited

sráid sra:d′ *f*2, *pl* ~**eanna** street; level ground around house; village

sráidbhaile 'sra:d′,val′ə *m*4, *pl* **-lte** village

sráideog sra:d′o:g *f*2 shake-down, pallet

sraith srah *f*2, *pl* ~**eanna** swath; course, layer; series; row; rate, tax, *comórtas* ~*e* league competition

sraithadhmad 'srah,aiməd *m*1 plywood

sraithchomórtas 'sra,xomo:rtəs *m*1 (*sport*) league

sram sram *m*3, *pl* ~**aí** (*of eyes*) gum; rheum, slaver, slime *vt* & *i* (*of eyes*) become blear; discharge mucus; besmear

sramach sraməx *a*1 (*of eyes*) bleary; rheumy; slimy; (*of weather*) clammy, damp; mean, shoddy

srann sran *f*2 snore; snort; humming sound *vi* snore; snort; wheeze

sraoill[1] sri:l′ *f*2, *pl* ~**eanna** slattern, ~ *deataigh* trail of smoke

sraoill[2] sri:l′ *vt* & *i* tear apart; drag, trail; trudge

sraoilleach sri:l′əx *a*1 tattered; trailing; slatternly

sraoilleán sri:l′a:n *m*1 trailing thing; streamer

sraoillín sri:l′i:n′ *m*4 file, train, ragged line

sraon sri:n *vt* & *i* pull, drag; struggle along; deflect

sraoth sri: *m*3, *pl* ~**anna** sneeze; snort

sraothartach sri:hərtəx *f*2 sneezing; snorting

srathach srahəx *a*1 layered; tiered; serial

srathaigh srahi: *vt* & *i* stratify; serialize; levy

srathair srahər′ *f*, *gs* **-thrach** *pl* **-thracha** straddle

srathnaigh srahni: *vt* & *i* spread, stretch out

sreabh srav *f*2 stream; flow; trickle, ~ *chodlata* spell of sleep *vi* flow

sreabhach sraux *a*1 streaming, flowing; fluid

sreabhann sraun *m*1 membrane; chiffon

sreabhnach sraunəx *a*1 membranous; fine, filmy

sreang sraŋ *f*2 string; wire, cord

sreangach sraŋgəx *a*1 stringed; stringy; (*of eye*) bloodshot

sreangadh sraŋgə *m*, *gs* **-gtha** pull, wrench

sreangaigh sraŋgi: *vt* wire

sreangán sraŋga:n *m*1 string; cord, twine

sreangánach sraŋga:nəx *a*1 stringy, fibrous

sreangscéal 'sraŋ,s′k′e:l *m*1, *pl* ~**ta** telegram

sreangshúil 'sraŋ,hu:l′ *f*2, *gpl* **-úl** bloodshot eye

srian srian *m*1, *pl* ~**ta** bridle; restraint; rein *vt* bridle, restrain

srianta sriəntə *a*3 restrained, controlled, restricted

sroich srox′ *vt* & *i* reach, attain, achieve

sról sro:l *m*1 satin

srón sro:n *f*2 nose; prow; projection

srónach sro:nəx *a*1 nasal; nosy, inquisitive

srónail sro:ni:l′ *f*3 nasality; nasalization; inquisitiveness; snuggling

srónbheannach 'sro:n,v′anəx *m*1 rhinoceros

srubh sruv *f*2 snout, ~ *lao* snapdragon

srúill sru:l′ *f*2 river, stream; current; tidal flow

sruithléann 'sru,l'e:n *m*1, *an* ~ the humanities

sruth sruh *m*3, *pl* ~**anna** stream; current, flow

sruthaigh sruhi: *vi* stream, flow

sruthán sruha:n *m*1 stream, rivulet; flow

sruthlaigh sruhli: *vt* rinse; wash out, flush

sruthlam sruhləm *m*1 turbulence (in sea, etc)

sruthlíneach 'sru,l'i:n'əx *a*1 streamlined

sruthlíon 'sru,l'i:n *m*1, *pl* ~**ta** drift-net

sruthshoilseach 'sru,hol's'əx *a*1 fluorescent

sruthshoilsiú 'sru,hol's'u: *m*4 fluorescent lighting

stá sta: *m*4 good appearance, bloom

stábla sta:blə *m*4 stable *pl* mews

stáca sta:kə *m*4 stake, post; stack, rick

stacán staka:n *m*1 pale, stake; stump

stad stad *m*4, *pl* ~**anna** stop, halt; impediment (of speech), *baineadh* ~ *asam* I was taken aback *vt* & *i* stop, halt, cease; stay

stadach stadəx *a*1 faltering, stammering; staccato

stádar sta:dər *m*1, *ar* ~ on beat

stádas sta:dəs *m*1 status

staic stak' *f*2, *pl* ~**eanna** stake, post; stump, *fágadh ina* ~ *é* he was left rooted to the spot, ~ *mhagaidh* laughing-stock

staid[1] stad' *f*2, *pl* ~**eanna** stadium; furlong

staid[2] stad' *f*2, *pl* ~**eanna** state, condition

stáidbhean 'sta:d',v'an *f*, *gs* & *npl* -**dmhná** *gpl* -**dbhan** stately woman

staidéar sta:d'e:r *m*1 study; steadiness, level-headedness; station; habitat

staidéarach stad'e:rəx *a*1 studious; steady, level-headed

stáidiúil sta:d'u:l' *a*2 stately; pompous

staidiúir stad'u:r' *f*2 pose, posture

staidreamh stad'r'əv *m*1 statistics

staighre stair'ə *m*4 stair(s); storey, ~ *beo* escalator

stail stal' *f*2, *pl* ~**eanna** stallion

stailc[1] stal'k' *f*2, *pl* ~**eanna** sulk, sulkiness; strike

stailc[2] stal'k' *f*2 starch

stailceoir stal'k'o:r' *m*3 striker

staimín stam'i:n' *m*4 stamen

stainc staŋ'k' *f*2 huffiness, pique, spite

stainceach staŋ'k'əx *a*1 huffy, petulant

stainnín stan'i:n' *m*4 stand, stall, booth

stair star' *f*2, *pl* -**artha** history; account, story

stáir sta:r' *f*2, *pl* -**ártha** spell, stretch; dash; fit, *ar na stártha* blind fervour

stairiúil star'u:l' *a*2 historic(al); storied

stáirse sta:rs'ə *m*4 starch

stáirseáil sta:rs'a:l' *vt* starch

stáisiún sta:s'u:n *m*1 station

staitistic ,sta't'is't'ək' *f*2 statistic(s)

staitistiúil ,sta't'is't'u:l' *a*2 statistical

stáitse sta:t's'ə *m*4 stage, platform; vantage-point

stáitsigh sta:t's'i: *vt* stage

stáitsiúil sta:t's'u:l' *a*2 histrionic

stálaigh sta:li: *vt* & *i* stale; season, toughen

stálaithe sta:lihə *a*3 stale; stiff, obstinate; tough

stalc stalk *vt* & *i* set, harden, stiffen; stuff

stalcach stalkəx *a*1 stubborn, sulky; stiff, stodgy

stalcacht stalkəxt *f*3 stubbornness, sulkiness; stiffness, stodginess

stalla stalə *m*4 stall

stamhlaí stauli: *a*3 blustery

stampa stampə *m*4 stamp

stampáil stampa:l' *vt* & *i* stamp

stán[1] sta:n *m*1 tin; tin vessel

stán[2] sta:n *vi* stare

stánadh sta:nə *m*1 stare

stánaigh sta:ni: *vt* coat with tin; pack in tins

stang[1] staŋ *f*2 pin, peg; dowel; rood *vt* dowel; peg out, stake out; charge, load; stuff

stang[2] staŋ *vt* & *i* sag; warp, lag

stangadh staŋə *m*, *gs* -**gtha** sag; warp; wrench, *baineadh* ~ *asam* I was taken aback, disconcerted

stangaireacht staŋgər'əxt *f*3 haggling; quibbling; shirking, idling

stánúil sta:nu:l' *a*2 tinny; stannous

staon sti:n *vi* stop, desist; abstain; flinch

staonadh sti:nə *m*, *gs* -**nta** abstention; cessation; restraint

staonaire sti:nər'ə *m*4 total abstainer, teetotaller

staontach sti:ntəx *a*1 abstinent, teetotal

stápla sta:plə *m*4 staple

stápláil sta:pla:l' *vt* staple

staraí stari: *m4* historian; story-teller; gossip

staróg staro:g *f2* anecdote, yarn

starr[1] sta:r *f3*, *pl* ~ **tha** prominence, projection

starr-[2] sta:r *pref* projecting, prominent

starrach starəx *a1* projecting, prominent; rugged; uncouth

starragán starəga:n *m1* projection; obstacle, *bhain* ~ *dó* he stumbled

starraic starək' *f2* peak, prominence; pinnacle (of rock)

starraiceach starək'əx *a1* peaked, prominent; tufted, crested

starrfhiacail 'sta:r,iəkəl' *f2*, *pl* **-cla** prominent tooth; fang, tusk

stát sta:t *m1* (political) state; dignity

statach statəx *a1* static

státaire sta:tər'ə *m4* statesman

státaireacht sta:tər'əxt *f3* statesmanship

státchiste 'sta:t,x'is't'ə *m4* exchequer

státseirbhís 'sta:t',s'erəv'i:s' *f2* civil service

státúil sta:tu:l' *a2* stately, dignified

státurraithe 'sta:t,urihə *a3* state-sponsored

steall s't'al *f2*, *pl* ~ **ta** splash; dash; gush; spell *vt & i* splash; spout, pour; dash, bash

stealladh s't'alə *m1*, *pl* **-aí** outpouring, downpour; bashing; squabble, *ar steallaí meisce* raging drunk

steallaire s't'alər'ə *m4* syringe

steanc s't'aŋk *m4 & vt & i* squirt; splash

stéig s't'e:g' *f2*, *pl* ~ **eacha** slice; strip; steak; intestine

stéigeach s't'e:g'əx *a1* intestinal

steillbheatha 's't'el',v'ahə *s, ina* ~ as large as life

steip s't'ep' *f2*, *pl* ~ **eanna** steppe

steiréafón 's't'er'e:,fo:n *m1* stereo(-phone)

steiriligh s't'er'əl'i: *vt* sterilize

steiteascóp s't'et'ə,sko:p *m1* stethoscope

stiall s't'iəl *f2, gs* **stéille** *pl* ~ **acha** strip, slice; piece; stroke, lash *vt* cut in strips; tear; lash, wound; criticize

stiallach s't'iələx *a1* torn, tattered

stialladh s't'iələ *m, gs* **-llta** laceration

stiallbhratacha s't'iəl,vratəxə *spl, gpl* **stiallbhratach** bunting

stíbheadóir s't'i:v'ə do:r' *m3* stevedore

stibhín s't'iv'i:n' *m4* dibble

stil s't'il' *f2, pl* ~ **eanna** still

stíl s't'i:l' *f2, pl* ~ **eanna** (artistic) style

stíleach s't'i:l'əx *a1* stylistic

stiléir s't'il'e:r' *m3* distiller

stiléireacht s't'il'e:r'əxt *f3* distilling; poteen-making

stílí s't'i:l'i: *m4* stylist

stíobhard s't'i:vərd *m1* steward

stiogma s't'igmə *m4* stigma

stionsal s't'insəl *m1* stencil

stioróip s't'i:ro:p' *f2* stirrup

stiúg s't'u:g *vi* expire, perish

stiúideo s't'u:d'o: *m4, pl* ~ **nna** studio

stiúir s't'u:r' *f, gs* **-úrach** *pl* **-úracha** rudder; control; set, posture, *fear stiúrach* helmsman, *tá* ~ *nimhe air* he has a venomous expression *vt & i, pres* **-úrann** steer; guide, control

stiúradh s't'u:rə *m, gs* **-rtha** steering; guidance, control

stiúrthóir s't'u:rho:r' *m3* steersman; conductor; director, controller

stiúsaí s't'u:si: *m4* hussy

stobh stov *vt* stew

stobhach stovəx *m1* stew

stoc[1] stok *m1* stock, ~ *crainn* trunk of tree, ~ *daoine* race of people

stoc[2] stok *m1* bugle, trumpet, ~ *fógartha* megaphone

stoca stokə *m4* stocking, ~ *gearr* sock

stócach sto:kəx *m1* young (unmarried) man; youth, *tá* ~ *aici* she has a boyfriend

stócáil sto:ka:l' *f3* preparation(s) *vt & i* stoke; make preparations

stocaire stokər'ə *m4* trumpeter; odd man out; gate-crasher; scrounger

stocaireacht stokər'əxt *f3* trumpeting; blowing one's own trumpet; gate-crashing; scrounging

stócáireamh 'stok,a:r'əv *m1* stocktaking

stócálaí sto:ka:li: *m4* stoker

stóch sto:x *m1* stoic

stóchas sto:xəs *m1* stoicism

stoda stodə *m4* stud; stump; stake

stoidiaca stod'iəkə *m4* zodiac

stoil stol' *f2, pl* ~ **eacha** stole

stóinsithe sto:n's'ihə *a3* solidly built; stubborn, tough

stóinsitheacht sto:n's'ihəxt *f3* stubbornness, toughness

stoirm stor′əm′ *f2*, *pl* ~**eacha** storm; bluster, rage

stoirmeach stor′əm′əx *a1* stormy, tempestuous

stoith stoh *vt* pull, pluck, uproot

stoitheadh stohə *m*, *gs* -**ite** pull, extraction

stoithneach stohn′əx *a1* shock-haired, tousled

stól sto:l *m1*, *pl* ~**ta** stool

stoll stol *vt & i* tear, rend

stolla stolə *m4*, ~ (*cloiche*) pinnacle (of rock); standing-stone

stolladh stolə *m*, *gs* -**llta** tear, laceration, ~ *gaoithe* blustery wind

stollaire stolər′ə *m4* strapping person; stolid, obstinate person or beast; standing-stone

stolp stolp *m1* stodge; caked substance *vi* become stodgy; harden, stiffen

stolpach stolpəx *a1* stodgy, stiff; constipating

stop stop *m4* stop *vt & i* stop; stay, lodge

stopadh stopə *m*, *gs* -**ptha** stop, stoppage, cessation

stopainn stopən′ *f2* stoppage, obstruction

stopallán stopəla:n *m1* stopper, plug

stór¹ sto:r *m1*, *pl* ~**tha** store; stock, provision; abundance; wealth, *a* ~ darling

stór² sto:r *m1*, *pl* ~**tha** storey

stóráil sto:ra:l′ *f3* storage *vt* store

stóras sto:rəs *m1* storehouse, storeroom; stores; riches

storrúil storu:l′ *a2* strong, vigorous; determined; stirring

storthóir sto:rho:r′ *m3* warehouseman

stoth stoh *m1*, *pl* ~**anna** mop, shock, tuft

stothach stohəx *a1* (*of hair*) bushy, unkempt

strabhas straus *m1* grimace

strácáil stra:ka:l′ *f3* striving, struggling

stradúsach stradu:səx *a1* cocky, cocksure

strae stre: *m4* straying, *ar* ~ astray

straeire stre:ər′ə *m4* strayer, wanderer

straibhéis strav′e:s′ *f2* ostentation, show

straibhéiseach strav′e:s′əx *a1* ostentatious, showy

stráice stra:k′ə *m4* strip; strake; flamboyance, conceit

straidhn strain′ *f2* strain; frenzy, fury

straigléir strag′l′e:r′ *m3* straggler

stráinín stra:n′i:n′ *m4* strainer, colander

strainséartha stran′s′e:rhə *a3* strange

strainséarthacht stran′s′e:rhəxt *f3* strangeness; reserve, shyness

strainséir stran′s′e:r′ *m3* stranger

stráisiúnta stra:s′u:ntə *a3* bumptious, cheeky

straitéis strat′e:s′ *f2* strategy

straitéiseach strat′e:s′əx *a1* strategic

strambánaí stramba:ni: *m4* long-winded speaker; slow person; late-comer

straois stri:s′ *f2*, *pl* ~**eanna** grin, grimace

strapa¹ strapə *m4* strap, strop

strapa² strapə *m4* cliff-path, climb; stile

strapaire strapər′ə *m4* strapping person

strataisféar ′stratə sf′e:r *m1* stratosphere

streachail s′t′r′axəl′ *vt & i*, *pres* -**chlaíonn** pull, drag; strive, struggle

streachailt s′t′r′axəl′t′ *f2* struggle against difficulties

streachlánach s′t′r′axla:nəx *a1* straggling, trailing

streancán s′t′r′aŋka:n *m1* strain of music, strum; air, tune

streancánacht s′t′r′aŋka:nəxt *f3* strumming, scraping

streill s′t′r′el′ *f2* foolish grin; simper, smirk

striapach s′t′r′iəpəx *f2* harlot

striapachas s′t′r′iəpəxəs *m1* harlotry, fornication

stricnín s′t′r′ik′n′i:n′ *m4* strychnine

stríoc s′t′r′i:k *f2* streak, stripe; stroke; parting (in hair) *vt & i* lower, strike; reach; yield, surrender

stríocach s′t′r′i:kəx *a1* streaky, striped; lined; submissive

stríocadh s′t′r′i:kə *m*, *gs* -**ctha** submission

stró stro: *m4* stress, exertion; delay; wealth; ostentation; elation

stróc stro:k *m4* (paralytic) stroke

stróic stro:k′ *f2*, *pl* ~**eacha** stroke; tear, tatter; strip *vt & i* tear; wrench, *tá sé ag* ~*eadh leis* he is working away as fast as he can

stroighin strain′ *f2*, *gs* -**ghne** cement

stroighnigh strain′i: *vt* cement

stróinéiseach stro:n′e:s′əx *a1* pushful; overbearing

stromp stromp *vt* stiffen, harden, ~ *tha le fuacht* stiff with cold

stróúil stro:u:l′ *a2* ostentatious; conceited; elated

struchtúr struxtu:r *m*1 structure

struipeáil strip′a:l′ *vt & i* strip

strus strus *m*1 stress, strain; wealth, means

stua stuə *m*4, *pl* ~**nna** arch; arc, ~ *ceatha* rainbow

stuacach stuəkəx *a*1 pointed, peaked; sulky, stubborn

stuacacht stuəkəxt *f*3 sulkiness, stubbornness

stuach stuəx *a*1, *gsm* ~ arched

stuaic stuək′ *f*2, *pl* ~**eanna** peak, tip; spire; inclination of head; sullen appearance, sulk

stuáil stu:a:l′ *f*3 stowage; stuffing, padding; storage *vt & i* stow; stuff, pad; store

stuaim stuəm′ *f*2 self-control, good sense, prudence; ingenuity, *as a ~ féin a rinne sé é* he did it on his own initiative

stuaire stuər′ə *f*4 handsome woman

stuama stuəmə *a*3 sensible, prudent; skilful, steady

stuamaigh stuəmi: *vt* calm down, steady

stuara stuərə *m*4 arcade

stuca stukə *m*4 stook (of corn)

stuif stif′ *m*4, *pl* ~**eanna** stuff, material

stuifín stif′i:n′ *m*4 sprat, fry

stuimine stim′ən′ə *m*4 stem (of boat)

stumpa stumpə *m*4 stump

sú¹ su: *m*4 juice; sap; energy; nourishment; soup

sú² su: *f*4, *pl* ~**tha**, ~ *craobh* raspberry, ~ *talún* strawberry

sú³ su: *m*4 absorption, suction

suáilce su:a:l′k′ə *f*4 virtue; efficacy; joy, pleasure

suáilceach su:a:l′k′əx *a*1 virtuous; joyful, pleasant

suáilceas su:a:l′k′əs *m*1 virtuousness; pleasantness, happiness

suaill suəl′ *f*2 (sea-)swell

suaimhneach suə(v′)n′əx *a*1 peaceful, tranquil; easy

suaimhneas suə(v′)n′əs *m*1 peace, tranquillity; rest

suaimhneasach suə(v′)n′əsəx *a*1 soothing, tranquillizing, sedative

suaimhneasán suə(v′)n′əsa:n *m*1 sedative, tranquillizer

suaimhnigh suə(v′)n′i: *vt & i* quiet, pacify; calm

suairc suər′k′ *a*1 pleasant, agreeable; cheerful

suairceas suər′k′əs *m*1 pleasantness, agreeableness; cheerfulness

suaite suət′ə *a*3 mixed; exhausted; agitated

suaiteacht suət′əxt *f*3 confusion, agitation; exhaustion

suaiteoir suət′o:r′ *m*3 mixer; agitator, disturber

suaith suə *vt & i* mix, knead; exercise; tire; agitate, confuse; discuss

suaitheadh suəhə *m*, *gs* **-ite** mix; confusion, agitation; weariness; discussion

suaitheantas suəhəntəs *m*1 badge, emblem; crest, flag; display, show

suaithinseach suəhən′s′əx *a*1 remarkable, distinctive; special

suaithne suəhn′ə *m*4 cord, string

suaithní suəhn′i: *a*3 remarkable; queer

suan suən *m*1 sleep

suanach suənəx *a*1 lethargic, apathetic; dormant

suanbhruith 'suən,vrih *vt & i*, *vn* ~ simmer

suanchógas 'suən,xo:gəs *m*1 soporific

suanlaíoch suənli:(ə)x *a*1, *gsm* ~ soporific

suanlios 'suən′,l′is *m*3, *gs* **-leasa** *pl* ~**anna** dormitory

suanmhaireacht suənvər′əxt *f*3 sleepiness, drowsiness, somnolence

suanmhar suənvər *a*1 sleepy, drowsy, somnolent

suantraí 'suən,tri: *f*4 lullaby

suarach suərəx *a*1 petty; mean; frivolous

suarachán suərəxa:n *m*1 petty, mean, person

suarachas suərəxəs *m*1 pettiness; meanness

suas suəs *adv & prep & a* up, ~ *go Corcaigh* south to Cork, *an t-aos óg atá ~ anois* the young people who are going now

suathaireacht suəhər′əxt *f*3 massage

subh suv *f*2 jam

subhach su:əx *a*1 glad, joyful; cheerful

subhachas su:əxəs *m*1 gladness, joyfulness; cheerfulness

substaint substən′t′ *f*2 substance; solid worth; property, wealth

substainteach substən′t′əx *a*1 substantial, solid, well-to-do

substaintiúil substən´t´u:l´ *a2* substantial

súchaite 'su:ˌxat´ə *a3* sapless; trite

súdaire su:dər´ə *m4* tanner

súdaireacht[1] su:dər´əxt *f3* tanning

súdaireacht[2] su:dər´əxt *f3* cajoling; toadyism

sufraigéid sofrəg´e:d´ *f2* suffragette

súgach su:gəx *a1* merry, tipsy

súgán su:ga:n *m1* straw-rope; straw-mat

súgrach su:grəx *a1* playful, sportive

súgradh su:grə *m, gs* **-gartha** playing, sporting; fun

suí si: *m4, pl* ~**onna** sitting (position); location; situation, position, *bí i do shuí* be seated, *tá siad ina* ~ *go luath* they are up early *tá an urchóid ina* ~ there is mischief afoot, *tá siad ina* ~ *go te* they are well off

suibiachtúil sib´iəxtu:l´ *a2* subjective

súiche su:x´ə *m4* soot

súicheach su:x´əx *a1* sooty; dirty

suigh siɣ´ *vt & i* sit; let, rent; seat; locate; arrange, *sui ar thalamh duine eile* to squat on someone else's land

súigh su:ɣ´ *vt* absorb, suck

súil su:l´ *f2, gs & npl* ~ *e gpl* **súl** eye; expectation, hope; opening, mouth, *rud a chur ar a shúile do dhuine* to make a person aware of sth, *rinne sé mo shúile dom* it opened my eyes for me, *ag* ~ *le rud* expecting sth, ~ *droichid* archway of bridge, ~ *ribe* snare, *seoladh i* ~ *na gaoithe* to sail close to the wind

súilaithne 'su:l´ˌahn´ə *f4, tá* ~ *agam uirthi* I know her to see

súilfhéachaint 'su:l´ˌe:xən´t´ *f3, gs* **-ana** glance

suilfid sil´f´i:d´ *f2* sulphide

súilín su:l´i:n´ *m4* eyelet; bead, bubble, globule

súil-lia 'su:l´(l´)ˌl´iə *m4, pl* ~**nna** oculist

suim sim´ *f2, pl* ~**eanna** sum, amount; account; extent, number; summary; interest, regard

suimigh sim´i: *vt & i* add

súimín su:m´i:n´ *m4* sip, sup

suimint sim´ən´t´ *f2* cement

suimiú sim´u: *m4* addition

suimiúchán sim´u:xa:n *m1* summation

suimiúil sim´u:l´ *a2* interesting; considerable; conceited

suíochán si:(ə)xa:n *m1* seat; sitting, ses-

sion, *rud a chur ar* ~, *i* ~ to set sth in position; to let sth settle; to establish sth

suíomh si:v *m1* site, location; arrangement

suipéar sip´e:r *m1* supper

suirbhé sir´əv´e: *m4* survey

suirbhéir sir´əv´e:r´ *m3* surveyor

suirbhéireacht sir´əv´e:r´əxt *f3* survey (-ing)

suirí sir´i: *f4* wooing, courting

suiríoch sir´i:(ə)x *m1* wooer, suitor

suirplís sir´p´l´i:s´ *f2* surplice

súisín su:s´i:n´ *m4* coverlet

súiste su:s´t´ə *m4* flail

súistéáil su:s´t´a:l´ *f3* flailing, threshing; beating *vt & i* flail, thresh; trounce

suite sit´ə *a3* situated; fixed; certain

súiteach su:t´əx *a1* absorbent

súiteán[1] su:t´a:n *m1* suction, absorption, undertow; blotting-pad

súiteán[2] su:t´a:n *m1* juiciness, succulence

sula sulə *conj & prep* before, lest, ~ *mbíonn an ghrian ina suí* before the sun has risen, ~*r casadh orm é* before I met him

súlach su:ləx *m1* sap, juice; gravy

sulfáit solfa:t´ *f2* sulphate

sulfar solfər *m1* sulphur

sult sult *m1* satisfaction; pleasure; fun

sultmhar sultvər *a1* satisfying; pleasant, enjoyable

súmadóir su:mədo:r´ *m3* tadpole

súmaire su:mər´ə *m4* blood-sucker, leech; vampire; scrounger; swallow-hole; whirlpool

súmhar su:vər *a1* sappy, juicy, succulent

súmóg su:mo:g *f2* sip, draught

suncáil suŋka:l´ *vt & i* sink; invest (money)

sunda sundə *m4* sound, strait

suntas suntəs *m1* notice, attention

suntasach suntəsəx *a1* noticeable, remarkable; distinctive

súp su:p *m1* soup

súrac su:rək *m1* suction, *poll súraic* swallow-hole; whirlpool, *gaineamh súraic* quicksand

súraic su:rək´ *vt & i* suck

súram su:rəm *m1* liquid extract, ~ *mairteola* beef-tea

sursaing sursəŋ´ *f2* surcingle, girdle

súsa su:sə *m4* covering, rug, blanket

súsán su:sa:n *m*1 sphagnum, peat-moss
sútán ‚su:'ta:n *m*1 soutane
suth suh *m*3, *pl* ~**anna** produce; progeny; foetus, embryo
suthach suhəx *a*1 fruitful, productive; embryonic
suthain suhən' *a*1 perpetual, eternal

suthaire suhər'ə *m*4 glutton
súthaireacht suhər'əxt *f*3 guzzling, gluttony
svae swe: *m*4 sway, victory
svaeid¹ swe:d' *m*4, *pl* ~**eanna** swede (turnip)
svaeid² swe:d' *f*2 suede

T

tá ta: *pres of* **bí**
tábhacht ta:vəxt *f*3 importance; substance
tábhachtach ta:və·t1əx *a*1 important; substantial
tabhaigh taui *vt* earn, deserve
tabhair tu:r' ~ taur' ~ to:r' *vt & i* give, grant; assign; give way, fail; take, remove; bring; cause, *mionn a thabhairt* to take an oath, *thug an fiabhras a bhás* the fever caused his death, *ná bí ag* ~*t amach mar sin* don't be giving out like that, *cath a thabhairt* to engage in battle, *thug sé rúid orm* he made a rush at me, *thug sé amadán orm* he called me a fool, ~ *orthu sui sios* make them sit down, *thug sé an sliabh air féin* he took to the mountain, *thug an misneach air* his courage failed him, ~*t faoi rud a dhéanamh* to set about doing sth, *thug sé fúm* he attacked me, *failli a thabhairt i rud* to neglect sth, *thug sé a bheo leis* he escaped with his life, *thug an balla uaidh* the wall collapsed
tábhairne ta:vərn'ə *m*4 tavern, *teach* ~ public-house
tábhairneoir ta:vərn'o:r' *m*3 tavern-keeper, publican
tabhairt tu:rt' ~ taurt' ~ to:rt' *f*3, *gs* -**artha** grant, delivery, yield, ~ *amach* issue; display, demonstration, ~ *faoi* subsidence, ~ *suas* surrender; upbringing
tabhall¹ taul *m*1 sling (for casting)
tabhall² taul *m*1, *pl* **taibhle** (writing-) tablet
tabharfaidh tu:rhi ~ taurhi ~ to:rhi *fut of* **tabhair**
tabhartas tu:rtəs ~ taurtəs ~ to:rtəs *m*1 gift, donation

tabhartasach tu:rtəsəx ~ taurtəsəx ~ to:rtəsəx *a*1 generous
tabharthach taurhəx ~ to:rhəx *m*1 & *a*1 dative
tabharthóir taurho:r' ~ to:rho:r' *m*3 giver, donor
tábla ta:blə *m*4 table
tablaigh ta:bli: *vt* tabulate
tabló tablo: *m*4, *pl* ~**nna** tableau
taca takə *m*4 prop, support; point of time, ~, *fear* ~ supporter, second, *an* ~ *seo den bhliain* at this time of year, *do chosa a chur i d*~ to plant one's feet firmly; to refuse to budge, *i d*~ *le* as regards *i d*~ *le holc* all things considered
tacaí taki: *m*4 supporter; second
tacaigh taki: *vt* support, back
tacaíocht taki:(ə)xt *f*3 support, backing
tacar takər *m*1, *ábhar tacair* ersatz material, *marmar tacair* imitation marble
tacas takəs *m*1 easel
tachrán taxra:n *m*1 small child
tacht taxt *vt & i* choke; suffocate, strangle
tachtach taxtəx *a*1 choking
tachtaire taxtər'ə *m*4 strangler; choke (of engine)
tácla ta:klə *m*4 tackle *pl* trappings, harness; rigging (of ship)
tacóid tako:d' *f*2 tack, ~ *ordóige* drawing-pin, ~ (*ghaoithe*) (aromatic) clove
tacsaí taksi: *m*4 taxi
tacúil taku:l' *a*2 supporting; solid, reliable; sturdy; timely
tadhaill tail' *vt & i*, *pres* -**dhlaíonn** touch, contact
tadhall tail *m*1 touch, contact
tadhlach tailəx *a*1 touching, adjoining; tactile
tae te: *m*4 tea

tafann tafən *m*1 bark(ing)

tafata tafətə *m*4 taffeta

tagair tagər′ *vt & i, pres* **-graíonn** refer, allude (*do* to); mention

tagairt tagərt′ *f*3, *gs* **-artha** *pl* ~**í** reference, allusion

tagann tagən *pres of* **tar**[1]

taghd taid *m*1, *pl* ~**anna** fit, impulse

taghdach taidəx *a*1 impulsive, quick-tempered; capricious

tagrach tagrəx *a*1 allusive; impertinent

tagtha takə *pp of* **tar**[1]

taibearnacal tab′ərnəkəl *m*1 tabernacle

taibhdhearc 'taiv′,ɣ′ark *f*2, *T*~ *na Gaillimhe* the Galway theatre

táibhle ta:v′l′ə *spl* battlements

taibhreamh tav′r′əv *m*1 dream; vision

taibhrigh tav′r′i: *vt & i* dream; manifest

taibhriúil tav′r′u:l′ *a*2 imaginary

taibhse tav′s′ə *f*4 ghost, apparition; appearance; ostentation

taibhseach tav′s′əx *a*1 showy; ostentatious; pretentious

taibhsigh tav′s′i: *vi* loom; seem, *taibhsítear dom* (*go*) I have a presentiment (that)

taibhsiúil tav′s′u:l′ *a*2 ghostly, spectral

táibléad ta:b′l′e:d *m*1 tablet

taidhiúir taiu:r′ *a*1 tearful; plaintive; sad; melodious

taidhleoir tail′o:r′ *m*3 diplomat, diplomatist

taidhleoireacht tail′o:r′əxt *f*3 diplomacy

taifead taf′əd *m*1 & *vt* record

taifeadadh taf′ədə *m*, *gs* **-eadta** *pl* **-eadtaí** recording

taifeadán taf′əda:n *m*1, (*apparatus*) recorder

taifí taf′i: *m*4 toffee

taighd taid′ *vt & i* poke, probe; research

taighde taid′ə *m*4 research

taighdeoir taid′o:r′ *m*3 researcher

táille ta:l′ə *f*4 tally, charge; fee; rate; fare

táilliúir ta:l′u:r′ *m*3 tailor

táilliúrtha ta:l′u:rhə *a*3 tailored

tailm tal′əm′ *f*2, *pl* ~**eacha** thump, bang

táimhe ta:v′ə *f*4 torpidity; lethargy

táin ta:n′ *f*3, *pl* ~**te** herd, flock; great number, *chosain sé na* ~*te* it cost a great deal of money

tainnin tan′ən′ *f*2 tannin

táinrith 'ta:n′,rih *m*3, *gs* **-reatha** *pl* **-ití** stampede

táinséirin ta:n′s′e:r′i:n′ *m*4 tangerine

taipéis tap′e:s′ *f*2 tapestry

taipióca tap′i:o:kə *m*4 tapioca

táiplis ta:p′l′əs′ *f*2 backgammon-board, ~ (*bheag*) draughts, ~ *mhór* backgammon

táir ta:r′ *a*1 mean, vile, wretched *vt* demean, degrade

tairbhe tar′əv′ə *f*2 benefit, profit, *de thairbhe* by virtue of, as a result of

tairbheach tar′əv′əx *a*1 beneficial, profitable

tairbhí tar′əv′i: *m*4 beneficiary

tairbhigh tar′əv′i: *vt & i* benefit, profit

táire ta:r′ə *f*4 meanness, sordidness

táireach ta:r′əx *a*1 degrading

tairg tar′əg′ *vt & i* offer; attempt

táirg ta:r′g′ *vt* produce, manufacture

táirge ta:r′g′ə *m*4 product

táirgeadh ta:r′g′ə *m*, *gs* **-gthe** production, output

tairgeoir tar′əg′o:r′ *m*3 offerer, bidder

táirgeoir ta:r′g′o:r′ *m*3 producer

táirgiúil ta:r′g′u:l′ *a*2 productive

táirgiúlacht ta:r′g′u:ləxt *f*3 productivity

tairiscint tar′əs′k′ən′t′ *f*3, *gs* **-ceana** *pl* ~**í** offer, bid

tairise tar′əs′ə *f*4 loyalty; reliability

tairiseach tar′əs′əx *a*1 loyal; reliable

táiriúil ta:r′u:l′ *a*2 base, vile

tairne ta:rn′ə *m*4 nail

tairneáil ta:rn′a:l′ *vt & i* nail

tairngeartach tarəŋ′g′ərtəx *a*1 prophetic

tairngir tarəŋ′g′ər′ *vt & i, pres* **-gríonn** foretell, prophesy

tairngire tarəŋ′g′ər′ə *m*4 prophet; sage

tairngreacht tarəŋ′g′ər′əxt *f*3 prophecy

tairseach tars′əx *f*2 threshold, ~ *fuinneoige* window-sill, ~ *bus* platform of bus

tais tas′ *a*1 damp, moist; humid; soft; gentle, compassionate, *ní* ~*e domsa é* it is the same with me

taisc tas′k′ *vt & i* store; hoard, *airgead a thaisceadh in Oifig an Phoist* to deposit money in the Post-Office

taisce tas′k′ə *f*4 store, treasure, hoard; treasury, ~ *bainc* bank deposit, *a thaisce* my dear

taisceadán tas′k′ədə:n *m*1 depository; locker, safe

taiscéal tas´k´e:l *vt & i* explore, examine; reconnoitre, *ag ~adh óir* prospecting for gold

taiscéalaí tas´k´e:li: *m4* explorer; prospector

taiscéalaíocht tas´k´e:li:(ə)xt *f3* reconnoitring; exploration, reconnaissance

taisceoir tas´k´o:r´ *m3* saver, hoarder; depositor

taischéitheoir ´tas´k´,he:ho:r´ *m3* storage heater

taiscumar ´tas´k´,umər *m1* reservoir

taise[1] tas´ə *f4* dampness, humidity; tenderness, mildness; compassion

taise[2] tas´ə *f4* wraith; apparition *pl* relics

taiséadach ´tas´,e:dəx *m1, pl -aí* shroud, winding-sheet

taiseagán tas´əga:n *m1* reliquary

taisleach tas´l´əx *m1* damp, moisture

taisléine ´tas´,l´e:n´ə *f4, pl -nte* shroud

taisme tas´m´ə *f4* accident, mishap, *de thaisme* by chance

taismeach tas´m´əx *m1* casualty *a1* accidental; tragic

taispeáin tas´p´a:n´ *vt, pres -ánann vn ~t* show, exhibit, reveal; indicate, *airm a thaispeáint* to port arms

taispeáint tas´p´a:n´t´ *f3, gs -ána* show, exhibition

taispeánadh tas´p´a:nə *m, gs -nta pl -ntaí* revelation, apparition; demonstration

taispeántach tas´p´a:ntəx *a1* demonstrative; showy

taispeántas tas´p´a:ntəs *m1* show, exhibition; indication

taisrigh tas´r´i: *vt & i* damp, moisten; (*of walls*) sweat

taisteal tas´t´əl *m1* travel

taistealaí tas´t´əli: *m4* traveller

taistil tas´t´əl´ *vt & i, pres -tealaíonn* travel

taithí tahi: *f4* frequentation; practice, habit; experience

taithigh tahi: *vt & i* frequent, resort to; experience, practise, *taithí le duine* to consort with a person

táithín ta:hi:n´ *m4* wisp, tuft

taithíoch tahi:(ə)x *a1, gsm ~* accustomed, familiar (*ar* to, with)

taithíocht tahi:(ə)xt *f3* familiarity, intimacy

taitin tat´ən´ *vt & i, pres -tníonn* shine; (with *le*) please, *taitníonn sí liom* I like her

taitneamh tat´n´əv *m1* shine, brightness; liking, enjoyment

taitneamhach tat´n´əvəx *a1* bright, shining; likeable, enjoyable

tál ta:l *m1* lactation, yield (of milk); secretion *vt & i* yield (milk); shed; secrete

tálach ta:ləx *m1* cramp in wrist

talamh taləv *m, gs -aimh f, gs talún pl tailte* earth, ground, land, *ar ~* on earth, *ní fheadar ó thalamh an domhain* I haven't a notion, *ar thalamh slán* on safe ground, *~ slán a dhéanamh de rud* to take sth for granted

talamhiata ´taləv,iətə *a3* landlocked

talcam talkəm *m1* talcum

tallann talən *f2* talent, gift; impulse, fit, *~óir* gold talent

tallannach talənəx *a1* talented; fitful, impulsive

talmhaí[1] taləvi: *m4* agriculturist; husbandman

talmhaí[2] taləvi: *a3* earthly; worldly; thick-set

talmhaigh taləvi: *vt & i* dig (oneself) in; earth (cable, etc); (*rugby*) touch down

talmhaíocht taləvi:(ə)xt *f3* agriculture

támáilte ta:ma:l´t´ə *a3* sluggish; (*of soil, etc*) heavy; shy

tamall taməl *m1* while, spell, *thug sé ~ den leabhar dom* he let me have the book for a while, *~ den bhóthar* a bit of the road

tambóirín tambo:r´i:n´ *m4* tambourine

támh ta:v *f2* trance; stupor, lethargy, *~ (chodlata)* doze, nap *a1* inert, passive

támhach ta:vəx *a1* lethargic, torpid, inert

tamhan taun *m1* trunk; stock, stem

támhnéal ´ta:v,n´e:l *m1, pl ~ta* swoon, trance

tanaí[1] tani: *f4, pl ~ocha* shallow water

tanaí[2] tani: *a3* thin, *uisce ~* shallow water

tanaigh tani: *vt & i* thin, slim; dilute, *tá an pobal ag tanú* the population is dwindling

tanaíocht tani:(ə)xt *f3* thinness, sparseness; shallowness

tánaiste ta:nəs´t´ə *m4* tanist, heir presumptive; deputy prime minister, *i d~ do* next to, almost, *rith sé i d~ a anama* he ran for dear life

tánaisteach ta:nəs't'əx *a1* secondary

tanalacht tanələxt *f3* shallow, shallowness

tanc taŋk *m4, pl ~anna* (military) tank

tancaer taŋke:r *m1* tanker

tancard taŋkərd *m1* tankard

tangant taŋgənt *m1* tangent

tanú tanu: *m4* attenuation, dilution, rarefaction

tanúchán tanu:xa:n *m1* thinning; attenuation

taobh ti:v *m1, pl ~anna* side, flank, ~ *tíre* countryside, *ó mo thaobh féin de* for my part, *bheith i d~ le rud* to be relying on sth, *i d ~ ruda* concerning sth, *cad ina thaobh?* why? *le ~* compared with; besides, *fá d~ de* about, concerning, ~ *amuigh de sin* apart from that, ~ *thiar den chnoc* on the west side of the hill; behind the hill, *i d~ (is) go* because, *d'aon ~* united

taobhach ti:vəx *a1* lateral; partial, biased

taobhaí ti:vi: *m4* companion; adherent, supporter

taobhaigh ti:vi: *vt* draw near, approach; side with; have recourse to; rely on

taobhaitheoir ti:viho:r' *m3* supporter, sympathizer

taobhán ti:va:n *m1* purlin; stave

taobhlach ti:vləx *m1* (railway) siding

taobhthrom 'ti:v,hrom *a1* heavy-sided, lop-sided; heavy with child

taoibhín ti:v'i:n' *m4* side-patch

taoide ti:d'ə *f4* tide

taoidmhear ti:d'v'ər *a1* tidal

taoisc ti:s'k' *f2, pl ~eanna* gush; downpour

taoiseach ti:s'əx *m1* chief, ruler; prime minister

taom¹ ti:m *m3, pl ~anna* fit, paroxysm

taom² ti:m *vt & i* empty of water, bail

taomach ti:məx *a1* fitful, spasmodic; moody

taos ti:s *m1* dough; paste

taosc ti:sk *vt & i* bail; drain, *ag ~adh fola* pouring with blood, *ag ~adh créafóige* shovelling clay

taoscach ti:skəx *a1* gushing, overflowing

taoscadh ti:ska *m, gs -ctha* bailing, pumping; drainage

taoscán ti:ska:n *m1* dash, drop, of liquid

taosmhar ti:svər *a1* heavy; substantial

taosrán ti:sra:n *m1* pastry

tapa tapə *m4* quickness, readiness, vigour, *de thapa na huaire* by chance *a3* quick, ready, active

tapaigean tapəg'ən *m1* start, spring; mishap

tapaigh tapi: *vt* quicken; grasp, ~ *do dheis* seize your opportunity

tapóg tapo:g *f2* nerviness; sudden impulse

tapúil tapu:l' *a2* speedy, active

tapúlacht tapu:ləxt *f3* speediness

tar¹ tar *vt & i, vn teacht* come, approach; move towards; reach, *tháinig trua agam dóibh* I took pity on them, ~ *ar* come on, find; fall to, devolve on, *má thagann ort* if you must, if you find yourself in difficulty, *ná ~ salach air* don't fall foul of him, ~ *as* escape, recover, from, *tháinig as an éadach* the material stretched, *tá sé ag teacht chuige féin* he is recovering, *thiocfadh dó* that may be, *teacht gan rud* to do without sth, *ó tháinig ann (dó)* since he grew to manhood, *teacht isteach ar rud* to get the hang of sth, *teacht le duine ar rud* to agree with a person about sth, *tiocfaidh mé leis* I'll do with it, *ní thiocfadh liom é a dhéanamh* I couldn't do it, *tiocfaidh tú uaidh* you'll get over it, *ná bí ag teacht romham ar gach focal* don't anticipate every word I say, *ag teacht suas leis an obair* catching up on the work, *teacht thar scéal* to refer to a matter

tar-² tar *pref* over-, trans-

tarae tare: *m4, pl ~nna* mill-race

tarathar tarəhər *m1* auger

tarbh tarəv *m1* bull, *an Tarbh* Taurus

tarbhadóir tarəvədo:r' *m3* toreador

tarbhánta tarəva:ntə *a3* bull-like; powerful

tarbhealach 'tar,v'aləx *m1, pl -aí* viaduct

tarcaisne tarkəs'n'ə *f4* contempt; insult

tarcaisneach tarkəs'n'əx *a1* contemptuous; insulting, *obair tharcaisneach* degrading work

tarcaisnigh tarkəs'n'i: *vt* scorn; insult

tarchuir 'tar,xir' *vt* remit, refer, transmit

tarchur 'tar,xur *m1* remittal; transmission, ~ *chun eadrána* reference to arbitration

targaid tarəgəd' *f2* target

tarlaigh¹ ta:rli: *vi, p tharla* happen, occur

tarlaigh² ta:rli: *vt* & *i* haul, *an fómhar a tharlú* to gather in the harvest

tarlú ta:rlu: *m4* incident, occurrence

tarnocht 'ta:r,noxt *a1*, *gsm* ~ (stark) naked

tarpól tarpo:l *m1* tarpaulin

tarr ta:r *m1* belly, *aorta tairr* ventral aorta

tarra tarə *m4* tar

tarracóir tarəko:r' *m3* tractor

tarraiceán tarək'a:n *m1*, (*furniture*) drawer

tarráil tara:l' *vt* tar

tarraing tarəŋ' *vt* & *i*, *pres* ~**ionn** pull, draw, drag; attract, *achrann a tharraingt* to cause strife, *anáil a tharraingt* to breathe, *scéal a tharraingt anuas* to broach a subject, *ag ~t ar an aonach* making for the fair, *tá siad ag ~t go maith le chéile* they are getting on well, *ag ~t ar a trí a chlog* getting on for three o'clock, *focal a tharraingt siar* to withdraw a statement

tarraingeoireacht tarəŋ'o:r'əxt *f3* drawing, illustration

tarraingt tarəŋ't *f*, *gs* **-gthe** *pl* ~**i** pull, tug, drag; extraction; suction; suck; attraction, ~ *na téide* tug-of-war, ~ *fola* blood-letting, *bain do tharraingt as* to take what you want of it, *tioc-faidh* ~ *as* it will stretch, *tá* ~ *na dúiche ar an siopa sin* everybody in the locality goes to that shop, *tá* ~ *ar shiúcra inniu* there is a demand for sugar today, ~ *tríd* confusion

tarraingteach tarəŋ't'əx *a1* attractive

tarraingteacht tarəŋ't'əxt *f3* attractiveness, appeal

tarramhacadam ,tarəvə'kadəm *m1* tarmacadam

tarrghad 'ta:r,γad *m1* belly-band

tarrtháil ta:rha:l' *f3* rescue; help; deliverance; salvage *vt* rescue; save, deliver; salvage

tarrthálaí ta:rha:li: *m4* rescuer

tarsann tarsən *m1* seasoning, condiment

tart tart *m3* thirst

tartmhar tartvər *a1* thirsty; thirst-provoking

tasc task *m1*, *pl* ~**anna** task; piecework

tásc ta:sk *m1*, *npl* ~**a** report of death; death; tidings; fame

táscach ta:skəx *m1* & *a1*, (*grammar*) indicative

táscaire ta:skər'ə *m4* indicator

táscmhar ta:skvər *a1* famous, renowned

tascobair 'task,obər' *f2*, *gs* **-oibre** piecework

tascóireacht tasko:r'əxt *f3* piecework

tástáil ta:sta:l' *f3* taste, sample; test, trial *vt* taste; test, try

tátal ta:təl *m1* inference, deduction

táth ta: *m3*, *pl* ~**anna** tuft, bunch, ~ *gruaige* lock of hair

tathag tahəg *m1* solidity, substance; fullness, body

tathagach tahəgəx *a1* solid, substantial

táthaigh ta:hi: *vt* & *i* weld, solder, bind, *tá an chnámh ag táthú* the bone is knitting

tathant tahənt *m3* incitement, exhortation

tathantaigh tahənti: *vt* & *i* urge, incite

táthar ta:hər *pres aut of* **bí**

táthchuid 'ta:,xid' *f3*, *gs* **-choda** *pl* **-chodanna** ingredient

táthfhéithleann 'ta:h,e:hl'ən *m1* woodbine, honeysuckle

te t'e *a3*, *npl* & *comp* **teo** hot, warm

té t'e: indefinite *pers pron* the person (who), *an* ~ *a dúirt é* the person who said it

téac t'e:k *f2* teak

teach t'ax *m*, *gs* **ti** *pl* **tithe** *ds in certain phrases* **tigh** house, habitation, *dul i dtigh diabhail* to go to blazes, ~ *solais* lighthouse, ~ *na ngealt* asylum, ~ *pobail* chapel, church, ~ *spéire* skyscraper

teachín t'axi:n' *m4* small house, cottage

teacht t'axt *m3* approach, arrival; growth; access; reach, ~ *an earraigh* the coming of spring, ~ *amach* issue, appearance, ~ *aniar* stamina, durability, *teacht ar aghaidh*, *chun cinn* progress, ~ *isteach* income, ~ *le chéile* concord, harmony

téacht t'e:xt *vt* & *i* freeze; congeal; set, solidify

teachta t'axtə *m4* messenger; envoy, ~ *Dála* Dáil deputy

téachtadh t'e:xtə *m*, *gs* **téachta** congealment; solidification

teachtaire t'axtər'ə *m4* messenger

teachtaireacht t'axtər'əxt *f* 3 message, errand, ~ *an Aingil* the Annunciation

téachtán t'e:xta:n *m*1 clot (of blood)

teachtmhar t'axtvər *a*1 suitable, convenient

téacs t'e:ks *m*4, *pl* ~**anna** text; citation, verse

téacsach t'e:ksəx *a*1 textual

téad t'e:d *f*2 rope; (music) string, chord, ~ *a damháin alla* cobwebs

téadach t'e:dəx *a*1 stringed

téadán t'e:da:n *m*1 short rope; string, line

téadléimneach 't'e:d',l'e:m'n'əx *f*2 skipping

téagar t'e:gər *m*1 substance, bulk; shelter, comfort

téagartha t'e:gərhə *a*3 substantial, bulky; sheltered, comfortable

teagasc t'agəsk *m*1, *npl* ~**a** teaching, instruction; doctrine *vt & i* teach, instruct

teagascach t'agəskəx *a*1 didactic

teagascóir t'agəsko:r' *m*3 tutor, instructor

teaghlach t'ailəx *m*1 household, family

teaghlachas t'ailəxəs *m*1 domestic economy, housekeeping

teaghrán t'aira:n *m*1 tether, rope

teaglaim t'agləm' *f*3 collection, gathering

teagmhaigh t'agvi: *vi* chance, happen; (with *ar, do, le*) meet with, encounter; make contact with

teagmháil t'agva:l' *f*3 meeting, encounter; communication; contact

teagmhálai t'agva:li: *m*4 person encountered; go-between; meddler; opponent

teagmhas t'agvəs *m*1 occurrence, incident, contingency

teagmhasach t'agvəsəx *a*1 accidental, incidental, contingent

teallach t'aləx *m*1 fire-place, hearth

téaltaigh t'e:lti: *vi* go furtively, slink

téama t'e:mə *m*4 theme

téamh t'e:v *m*1 heating, warming

teamhair t'aur' *f, gs* -**mhrach** *pl* -**mhracha** hill, eminence

teampall t'ampəl *m*1 temple; (medieval) church; Protestant church; churchyard

teamparálta t'ampəra:ltə *a*3 temporal

teamplóir t'amplo:r' *m*3 templar

téana t'e:nə *defective v* come, go, ~ *ort* come along, ~ *m abhaile* let's go home

teanchair t'anəxər' *f*2 tongs; pincers; pliers, forceps

teanga t'aŋgə *f*4, *pl* ~**cha** tongue; language, ~ *liom leat* double-talk; double-dealer, ~ *labhartha* spokesman; interpreter, ~ *cloig* clapper of bell

teangaire t'aŋgar'ə *m*4 interpreter

teangeolaíocht 't'aŋ,go:li:(ə)xt *f*3 linguistics

teann t'an *m*3, *gs & npl* ~**a** *gpl* ~ strength, force; stress; support; assurance, *teacht i d*~ to come to power, *tá sé ar theann a dhichill* he is doing his very best, *le* ~ *nirt* by sheer strength *a*1, *gsm* ~ tight, taut; distended; firm, solid, *ag obair go* ~ working strenuously *vt & i* tighten, tauten; distend, inflate; press; make fast, *tá an geimhreadh ag* ~*adh linn* winter is close at hand, ~ *aigi leis an obair* get on with the work

teannadh t'anə *m*1 tightening; pressure; stress

teannaire t'anər'ə *m*4 inflator, pump

teannán t'ana:n *m*1 tendon

teannas t'anəs *m*1 tautness; tension

teannóg t'ano:g *f*2 tendril

teannta t'antə *m*4 difficulty, predicament, prop, support, *i d*~ along with, in addition to

teanntaigh t'anti: *vt & i* hem in, corner; put in a fix; prop, support

teanntaíocht t'anti:(ə)xt *f*3 grant-in-aid, subvention

teanntán t'anta:n *m*1 brace, clamp

teanntás t'antə;s *m*1 assurance, forwardness, audacity; familiarity

teanntásach t'anta:səx *a*1 assured; forward, audacious; familiar

teanór t'ano:r *m*1 tenor

tearc t'ark *a*1, *gsm* ~ few, scarce, scanty; sparse

tearcamas t'arkəməs *m*1 scarcity

téarma t'e:rmə *m*4 term; period

téarmach t'e:rməx *a*1 terminal

téarmaíocht t'e:rmi:(ə)xt *f*3 terminology

tearmann t'arəmən *m*1 sanctuary, place of refuge; refuge; protection

téarnaigh t'e:rni: *vi* escape; recover; return; come to an end; die

téarnamh t'e:rnəv *m*1 escape; recovery; departure; death, *teach téarnaimh* convalescent home

téarnamhach t'e:rnəvəx *a*1 convalescent

teas t'as *m*3 heat, warmth; feverishness; passion

teasaí t'asi: *a*3 hot, ardent, fiery; feverish; hot-tempered

teasaíocht t'asi:(ə)xt *f*3 heat, warmth; passion; hot temper; feverishness

teasairg t'asər'(ə)g' *vt*, *pres* **-argann** save, rescue

teasargan t'asər(ə)gən *m*1 deliverance, rescue; intervention, peacemaking

teasc¹ t'ask *f*2 disc; discus

teasc² t'ask *vt* cut off; lop; amputate, sever, hack, hew

teascán t'aska:n *m*1 section, segment

teascóg t'aska:g *f*2 sector

teasdíon t'as'd'i:n *vt* insulate (against heat)

teaspach t'aspəx *m*1 sultriness; hot weather; comfort; exuberance

teaspúil t'aspu:l' *a*2 well off; exuberant; wanton

teastaigh t'asti: *vi*, *vn* **-táil** be wanted, needed (*ó* by), *an dteastaíonn uait labhairt leis?* do you want to speak to him?

téastar t'e:stər *m*1 tester, bed-canopy; pelmet

teastas t'astəs *m*1 testimonial, certificate; reputation

téatar t'e:tər *m*1 theatre

teibí t'eb'i: *a*3 abstract

teibíocht t'eb'i:(ə)xt *f*3 abstract quality, abstraction

teicneoir t'ek'n'o:r' *m*3 technician

teicneolaíocht t'ek'n'o:li:(ə)xt *f*3 technology

teicníc t'ek'n'i:k' *f*2 technique

teicníocht t'ek'n'i:(ə)xt *f*3 technique

teicniúil t'ek'n'u:l' *a*2 technical

teicniúlacht t'ek'n'u:ləxt *f*3 technicality

teideal t'ed'əl *m*1 title, entitlement, *bheith i d~ ruda* to be entitled to sth

teidealach t'ed'ələx *a*1 titular; titled; haughty

teidhe t'ai(ə) *m*4, *pl* ~**anna** notion, whim

teidheach t'ai(ə)x *a*1 whimsical; crotchety

teifeach t'ef'əx *m*1 & *a*1 fugitive, refugee

téigh¹ t'e:γ' *vt* & *i*, *vn* **téamh** heat, warm; inflame

téigh² t'e:γ' *vt* & *i*, *vn* **dul** go, move; reach, ~ *ag* succeed, prevail, *chuaigh agam é a dhéanamh* I managed to do it, *ní rachadh an saol amach air* nobody could fathom him, *is daor a chuaigh sé orm* it cost me dear, *chuaigh an lá orainn* the day went against us, *tá sí ag dul as go mór* she is getting very frail, *ní dheachaigh an bia do mo ghoile* the food did not agree with my stomach, *chuaigh díom é a dhéanamh* I failed to do it, *tá an ghrian ag dul faoi* the sun is setting, *rachaidh mé faoi duit (go)* I'll warrant you (that), *dul i gcomhairle le duine* to consult a person, *chuaigh san éadach* the cloth shrank, *dul i neart* to grow strong, *chuaigh sí lena máthair* she took after her mother, *dul le polaitíocht* to engage in politics, *ní rachaidh leat an iarraidh seo* you won't succeed this time, *dul trí thine* to go on fire, *ní rachadh sé thar a fhocal* he wouldn't break his word

téigle t'e:g'l'ə *f*4 calmness, stillness

téiglí t'e:g'l'i: *a*3 calm; languid

teile t'el'ə *f*4 lime, linden

teiléacs t'el'e:ks *m*4 telex

teileafón t'el'ə,fo:n *m*1 telephone

teileafónaí t'el'ə,fo:ni: *m*4 telephonist

teileagraf t'el'ə,graf *m*1 telegraph

teileagram t'el'ə,gram *m*1 telegram

teileapaite t'el'ə,pat'ə *f*4 telepathy

teileascóp t'el'ə,sko:p *m*1 telescope

teilg t'el'əg' *vt* & *i* cast, throw, *éadach ag* ~ *ean* cloth fading, *miotal a theilgean* to cast metal, *aol a theilgean* to slake lime

teilgcheárta t'el'əg',x'a:rtə *f*4 foundry

teilgean t'el'əg'ən *m*1 cast, throw, ~ *pictiúr ar scáileán* projection of picture on screen, ~ *cainte* idiom, ~ *a bhaint as rud* to make sth last

teilgeoir t'el'əg'o:r' *m*3 thrower; pitcher; ~ *scannán* cine-projector

teilifís t'el'if'i:s' *f*2 television

teilifíseán t'el'ə,f'i:s'a:n *m*1 television set

teilifísigh t'el'ə,f'i:s'i: *vt* televise

teimheal t'ev'əl *m*1 darkness; stain; trace, sign

teimhleach t'ev'l'əx *a*1 dark; stained

teimhligh t'ev'l'i: *vt & i* darken; tarnish, stain

teimhneach t'ev'n'əx *a1* dark, opaque

teinne t'en'ə *f4* tightness, rigidity; solidity; hardness

teip t'ep' *f2* failure *vi* fail

téip t'e:p' *f2, pl* ~**eanna** tape

téipthaifeadán 't'e:p',haf'əda:n *m1* tape-recorder

teirce t'er'k'ə *f4* scarcity; sparseness; lack

teiríléin t'er'əl'e:n' *f2* terylene

téirim t'e:r'əm' *f2* urgency, haste

teiripe t'er'əp'ə *f4* therapy

teiripeach t'er'əp'əx *m1* therapeutist *a1* therapeutic

teirmeach t'er'əm'əx *a1* thermal

teirmeastat 't'er'əm'ə,stat *m1* thermostat

teirmiméadar 't'er'əm'ə,m'e:dər *m1* thermometer

teirminéal t'er'əm'ən'e:l *m1*, *(electricity)* terminal

téis t'e:s' *f2, pl* ~**eanna** thesis

teiscinn t'es'k'ən' *f2* open sea

téisclim t'e:s'k'l'əm' *f2* preparing; preparations

téisclimí t'e:s'k'l'əm'i: *m4* pioneer

téisiúil t'e:s'u:l' *a2* forward, shameless

teist¹ t'es't' *f2, pl* ~**eanna** testimony; report; reputation

teist² t'es't' *f2, pl* ~**eanna** test

teisteán t'es't'a:n *m1* decanter

teistiméireacht t'es't'əm'e:r'əxt *f3* testimony; testimonial; reference; certificate

teiteanas t'et'ənəs *m1* tetanus

teith t'eh *vi* run away, flee, *ag* ~**eadh romhainn** avoiding us

teitheadh t'ehə *m, gs* -**ite** flight; evasion

téitheoir t'e:ho:r' *m3* heater

teo- t'o: *pref* hot, warm

teochreasach t'o:,x'r'asəx *a1* tropical

teochrios t'o:,x'r'is *m3, gs* -**reasa** *pl* ~**anna** tropical zone, tropics

teocht t'o:xt *f3* warmth, heat; temperature

teoiric t'o:r'ək' *f2* theory

teoiriciúil t'o:r'ək'u:l' *a2* theoretical

teoirim t'o:r'əm' *f2* theorem

teolaí t'o:li: *a3* warm, comfortable; fond of comfort, delicate

teorainn t'o:rən' *f, gs* -**ann** *pl* ~**eacha** boundary, limit, border

teorannaigh t'o:rəni: *vt* limit, restrict

teoranta t'o:rəntə *a3* limited, restricted

teorantach t'o:rəntəx *a1* restrictive; bordering

thagadh hagəx *p hab of* **tar¹**

tháinig ha:n'əg' *p of* **tar¹**

thairis har'əs' : **thar**

thairsti hars't'i : **thar**

thall hal *adv & a* over, beyond, *breith ~ ar dhuine* to catch a person unawares, *an taobh ~ den ghleann* the far side of the glen

thángthas ha:nəkəs *p aut of* **tar¹**

thar har *prep, pron forms* ~**am** harəm, ~**at** harət, **thairis** har'əs' *m*, **thairsti** hars't'i *f*, ~**ainn** harən', ~**aibh** harəv', ~**stu** harstu, over, across; by, past; beyond, ~ *sáile*, ~ *lear*, overseas, *nil dul thairis agat*, you can't evade it, ~ *barr* tip-top, *scéal thairis anois é* it is over and done with now, *tá mé ~ m'eolas anseo* I don't know where I am here, *tá sé ~ a bheith maith* it is exceedingly good, *thairis sin* moreover, ~ *a bhfaca tú riamh* for all the world

tharaibh harəv' : **thar**

tharainn harən' : **thar**

tharam harəm : **thar**

tharat harət : **thar**

tharla ha:rlə *p of* **tarlaigh**

tharstu harstu : **thar**

thart hart *adv & prep* round, about; by, past

théadh he:x *p hab of* **téigh²**

theas has *adv & a* (in the) south

thiar hiər *adv & a* (in the) west; back, at the rear, *tráthnóna ~* late in the evening, *tá ~ orm le mo chuid oibre* I am behind with my work

thiocfadh hikəx *cond of* **tar¹**

thíos hi:s *adv & a* down, *an ceann ~ den bhord* the lower end of the table, *mar atá ráite ~* as stated below, *mise a bhí ~ leis* I had to bear the consequences

thoir hor' *adv & a* (in the) east

thú hu: : **tú**

thuaidh huəy' *adv & a* (in the) north, *ó ~* to the north, northwards

thuas huəs *adv & a* up, *beidh tú ~ leis* you will gain by it, ~ *i gCúige Mumhan* south in Munster

thug hug *p of* **tabhair**

thusa husə : **tusa**

tí¹ t'i: f4, ar ~ in pursuit of; on the point of, about to

tí² t'i: m4, pl ~onna tee

tí³ t'i: : **teach**

tiachóg t'iəxo:g f2 wallet, satchel

tiara t'iərə m4 tiara

tiarach t'iərəx f2 crupper

tiaráil t'iərɑ:l' f3 toiling, slogging; laborious work

tiarcais t'iərkəs' s, a thiarcais my goodness

tiargáil t'iərgɑ:l' f3 preparing; preparatory work

tiarna t'iərnə m4 lord; peer, ~ talún landlord

tiarnas t'iərnəs m1 lordship, rule; dominion

tiarnúil t'iərnu:l' a2 lordly; overbearing, domineering

tiarpa t'iərpə m4 posterior, buttocks

ticéad t'ik'e:d m1 ticket

ticeáil t'ik'ɑ:l' vt & i tick; tick off

tifeas t'if'əs m1 typhus

tig t'ig' pres of **tar¹**

til t'i:l' f2, pl ~eanna tile

tim- t'im' pref about, around

tím t'i:m' f2 thyme

timbléar t'im'b'l'e:r m1 tumbler

time t'im'ə f4 tenderness; weakness

timire t'im'ər'ə m4 attendant, messenger, ~ Gaeilge Irish language organizer

timireacht t'im'ər'əxt f3 doing odd jobs; chores

timpeall t'im'p'əl m1 round, circuit, roundabout; circumference, sheas siad ina thimpeall they stood around him, ag dul ~ going round, ~ na Nollag around Christmas, ~ (is) fiche bliain ó shin about twenty years ago

timpeallacht t'im'p'ələxt f3 surroundings, environment

timpeallaigh t'im'p'əli: vt go round; encircle; circumvent

timpeallán t'im'p'əlɑ:n m1 roundabout

timpeallghearr t'im'p'əl,ɣa:r vt circumcise

timpireach t'im'p'ər'əx a1 anal

timpireacht t'im'p'ər'əxt f3 anus

timpiste t'im'p'əs't'ə f4 accident, mishap

timpisteach t'im'p'əs't'əx a1 accidental

tincéir t'in'k'e:r' m3 tinker

tincéireacht t'in'k'e:r'əxt f3 tinkering

tine t'in'ə f4, pl -nte fire; glow; firing of guns, tine chnámh bonfire

tinil t'in'i:l' f, gs ~each pl ~eacha limekiln

tinn t'in' a1 sore; distressing; sick

tinneall t'in'əl s, ar ~ set, ready, tá a chorp ar ~ his body is tense

tinneas t'in'əs m1 soreness, sickness; pain, distress, bean i d~ clainne woman in labour, ní hé atá ag déanamh tinnis dom that is not what troubles me

tinreamh t'in'r'əv m1 service, attendance

tinsil t'in's'əl' m4 tinsel

tinteán t'in't'a:n m1 fire-place, hearth

tintiúr t'in't'u:r m1 tincture

tintreach t'in't'r'əx f2 lightning pl flashes, sparks

tintrí t'in't'r'i: a3 fiery, hot-tempered; flashing

tintríocht t'in't'r'i:(ə)xt f3 fieriness, hot temper

tiocfaidh t'iki: fut of **tar¹**

tiofóideach t'i:fo:d'əx m1 & a1 typhoid

tiofún t'i:fu:n m1 typhoon

tíogar t'i:gər m1 tiger

tíolacadh t'i:ləkə m, gs -ctha pl -cthaí grant, bestowal, ~ ó Dhia gift from God

tíolaic t'i:lək' vt & i, pres -acann bestow; dedicate; convey

tiomáin t'ima:n' vt & i drive, urge along, ~ leat carry on

tiomáint t'ima:n't' f3, gs -ána driving, drive; rush, bustle

tiomairg t'imər'(ə)g' vt & i, pres -argann gather, collect

tiománaí t'ima:ni: m4 driver

tiomanta t'iməntə a3 sworn; set, determined

tiomna t'imnə m4 will, testament

tiomnaigh t'imni: vt & i bequeath; enjoin; commend; dedicate; delegate

tiomnóir t'imno:r' m3 testator

tiomnú t'imnu: m4 bequeathal; enjoyment; dedication (of church, etc.); delegation

tiompán t'impa:n m1 tympan, drum; eardrum; tambourine; kettledrum

tiomsaigh t'imsi: vt & i collect; compile; assemble; ransack

tiomsaitheach t'imsihəx a1 collective, accumulative

tiomsú t'imsu: *m4* collection; compilation; assembly

tionchar t'inəxar *m1* influence

tionlacaí t'inləki: *m4* accompanist

tionlacan t'inləkən *m1* accompaniment; escort; convoy

tionlaic t'inlək' *vt, pres* **-acann** *vn* **-acan** accompany; escort; convoy

tionóil t'ino:l' *vt & i, pres* **-ólann** collect, gather; assemble, convene

tionóisc t'ino:s'k' *f2* accident, mishap

tionól t'ino:l *m1* gathering, assembly

tionónta t'ino:ntə *m4* tenant

tionóntacht t'ino:ntəxt *f3* tenancy

tionóntán t'ino:nta:n *m1* tenement

tionscadal t'inskədəl *m1* contrivance, project

tionscain t'inskən' *vt & i, pres* **-cnaíonn** begin; initiate; establish; contrive, attempt

tionscal t'inskəl *m1* industry

tionscantach t'inskəntəx *a1* initial, original; possessing initiative, enterprising

tionsclaí t'insklə:x *a1* industrious

tionsclaí t'inskli: *m4* industrialist

tionsclaigh t'inskli: *vt* industrialize

tionsclaíoch t'inskli:(ə)x *a1, gsm* ~ industrial

tionsclaíocht t'inskli:(ə)xt *f3* industrialism

tionscnamh t'insknəv *m1* origin; initiation; institution

tionscnóir t'inskno:r' *m3* beginner; originator; promoter

tiontaigh t'inti *vt & i* turn, return; revolve; translate

tiontú t'intu: *m4* turn(ing), ~ *focal* translation of words

tionúr t'inu:r *m1* tenon

tíor t'i:r *vt* dry up, parch; scorch, singe

tíoránach t'i:ra:nəx *m1* tyrant; bully

tíoránta t'i:ra:ntə *a3* tyrannical, oppressive

tíorántacht t'i:ra:ntəxt *f3* tyranny, oppression

tíoróideach t'i:ro:d'əx *m1 & a1* thyroid

tíos t'i:s *m1* housekeeping; domestic economy; thrift, *dul i d~* to set up house, to marry and settle down

tíosach t'i:səx *m1* householder; housekeeper; host *a1* economical, thrifty; hospitable

tipiciúil t'ip'ək'u:l' *a2* typical

tír t'i:r' *f2, pl* **tíortha** country, land; state, nation; region; rural district(s), *dul i d~* to go ashore, *teacht i d~ ar rud* to make a living out of sth, ~ *mór* mainland, *ceol tíre* folk music

tírdhreach t'i:r',γ'r'ax *m3, gs & npl* ~**a** landscape

tíreachas t'i:r'əxəs *m1* domesticity

tíreolaíocht t'i:r',o:li:(ə)xt *f3* geography

tírghrá t'i:r',γra: *m4* patriotism

tírghrách t'i:r',γra:x *a1, gsm* ~ patriotic

tírghráthóir t'i:r',γra:ho:r' *m3* patriot

tirim t'ir'əm' *a1* dry; parched, *uirgead* ~ hard, ready, cash

tiriúil t'i:r'u:l' *a2* homely, sociable

tiriúlacht t'i:r'u:ləxt *f3* homeliness, sociability

tír-raon t'i:(r'),ri:n *m1, pl* ~**ta** terrain

tit t'it' *vi* fall, decline; collapse; deteriorate, *thit siad amach le chéile* they quarrelled, *cad é a thit amach?* what happened? *ag* ~ *im chun feola* getting fat, *thit néal orm* I dozed off, *b'fhéidir gur leat a thitfeadh an áit* you might be the one to inherit the place, *thit sé le m'intinn (go)* it occurred to me (that)

tithe t'ihə : **teach**

tithíocht t'ihi:(ə)xt *f3* housing, house-building

titim t'it'əm' *f2* fall, ~ *aille* slope of cliff, ~ *cainte* expression, idiom, ~ *amach* quarrel

titimeas t'it'əm'əs *m1* epilepsy

tiúb t'u:b *f2, pl* ~**anna** tube

tiúbar t'u:bər *m1* tuber

tiubh t'uv *m4* thick part; throng *a, gsm & gsf & comp* **tibhe** thick, dense; fast, *ag cur* ~ ~ raining heavily

tiubhaigh t'uvi: ~ t'iu:i: *vt & i, vn* **tiúchan** thicken

tiúilip t'u:l'əp' *f2* tulip

tiúin t'u:n' *f2, pl* ~**eanna** tune; mood *vt & i, pres* **-únann** tune

tiús t'u:s *m1* thickness, closeness, density

tláith tla: *a1* weak, wan; tender, gentle

tláithíneach tla:hi:n'əx *a1* soft-spoken; wheedling

tláithínteacht tla:hi:n't'əxt *f3* soft-spokenness; wheedling

tlás tla:s *m1* feebleness; gentleness

tlú tlu: *m4, pl* ~**nna** tongs

tnáite tna:t'ə *a3* jaded, exhausted

tnáith tna: *vt* wear down, exhaust

tnúth tnu: *m3* envy; expectation, longing *vt & i* envy; long for, desire

tnúthach tnu:həx *a1* envious

tnúthán tnu:ha:n *m1* expectancy, yearning, *ag ~ le rud* hankering after sth

tnúthánach tnu:ha:nəx *a1* yearning

tobac tə'bak *m4* tobacco

tobacadóir tə'bakədo:r' *m3* tobacconist

tobainne tobən'ə *f4* suddenness, unexpectedness; hastiness

tobairín tobər'i:n' *m4* dimple

tobán toba:n *m1* tub

tobann tobən *a1* sudden, unexpected; hasty, impulsive; quick-tempered

tobar tobər *m1*, *pl* **toibreacha** well; fountain, source

tobhach taux *m1* levy, exaction

tóch to:x *vt & i*, *vn* ~ dig, root

tochail toxal' *vt & i*, *pres* **-chlaíonn** dig, excavate; root, burrow

tochailt toxal't' *f2* digging, excavation; uprooting

tochais toxəs' *vt & i*, *pres* **-asann** scratch

tochaltach toxəltəx *a1* digging, excavating; rooting; burrowing

tochaltán toxəlta:n *m1* dig, excavation

tochaltóir toxəlto:r' *m3* digger, excavator; burrower

tóchar to:xər *m1* causeway; culvert

tochard toxərd *m1* capstan

tochas toxəs *m1* itch

tochrais toxrəs' *vt & i* wind

tochras toxrəs *m1* winding

tocht¹ toxt *m3*, *pl* ~ **anna** mattress

tocht² toxt *m3* deep emotion; (intestinal) obstruction

tochta toxtə *m4* thwart (of boat)

tochtán toxta:n *m1* hoarseness; croup

tochtmhar toxtvər *a1* deeply emotional

tocsaineach toksən'əx *a1* toxic

todhchaí tauxi: *f4* future, *sa ~* in the future

todóg todo:g *f2* cigar

tofa tofə *a3* choice; elect

tóg to:g *vt & i*, *vn* ~ **áil** lift, raise; take up, take; build; rear, *cuaille a thógáil* to erect a pole, *an áit ar ~ adh mé* where I was brought up, *bhí a chuid fola ~ tha* his blood was up, *cnoc a thógáil* to ascend a hill, *cíos a thógáil* to collect rent, *ná ~ orm é* don't blame me for it, *rud a thógáil chugat féin* to take sth personally

tógáil to:ga:l' *f3* lifting, raising, taking, ~ *tithe* construction of houses, ~ *teaghlaigh* rearing of family

tógaíocht to:gi:(ə)xt *f3* excitement; notions

togair togər' *vt & i*, *pres* **-graíonn** *vn* **-gradh** wish, choose; attempt

tógálach to:ga:ləx *a1* infectious, catching; (*of person*) touchy

tógálaí to:ga:li: *m4* raiser; builder, ~ *stoc* stockbreeder

togh tau *vt & i* choose, select; elect

togha tau *m4* pick, choice, ~ *fir* bravo

toghadh tauə *m*, *gs* **tofa** choice, selection; election

toghair 'to,γar' *vt* summon; invoke

toghairm 'to,γar'əm' *f2*, *pl* ~ **eacha** summons

toghán taua:n *m1* polecat

toghchán tauxa:n *m1* election

toghchánaíocht tauxa:ni:(ə)xt *f3* electioneering

toghlach tauləx *m1* constituency

toghroinn 'tau,ron' *f2*, *npl* **-ranna** *gpl* **-rann** electoral division

toghthóir tauho:r' *m3* elector

toghthóireacht tauho:r'əxt *f3* electorate

togra togrə *m*, *gs* **-gartha** will, inclination

togradh togrə *m*, *gs* **-gartha** will, inclination

toibhigh tov'i: *vt*, *vn* **tobhach** levy, exact

toice¹ tok'ə *f4* wealth, prosperity

toice² tok'ə *f4* hussy, wench

toicí tok'i: *m4* wealthy person

toiciúil tok'u:l' *a2* wealthy, prosperous

toighis tais' *f2*, *gs* **-ghse** taste, fancy

toil tol' *f3* will; inclination, desire, *le do thoil*, *más é do thoil é* (if you) please, *dá mbeadh an teanga ar mo thoil agam* if I were fluent in the language, *thug mé ~ don cheol* I liked the music

toiligh tol'i: *vt & i* will, consent, agree

toilíocht tol'i:(ə)xt *f3* willingness, consent

toiliú tol'u: *m4* volition; consent

toiliúil tol'u:l' *a2* wilful, intentional

toill tol' *vi* fit, find room (*i*, *ar* in, on)

toilleadh tol'ə *m*, *gs* **-llte** capacity

toilteanach tol't'ənəx *a1* willing, voluntary

toilteanas tol't'ənəs *m1* willingness

toimhde tov'd'ə *f*, *gs* ~ **an** supposition, presumption

toimhdigh tov′d′i: *vi* think, presume

tóin to:n′ *f3, pl* ~**eanna** bottom; backside, posterior

tóineáil to:n′a:l′ *f3* rearing (on hind legs)

toinníteas ˌto′n′i:t′əs *m1* conjunctivitis

tointe ton′t′ə *m4* thread; strand, stitch

tointeáil ton′t′a:l′ *f3* shuttling; *seirbhis tointeála* shuttle service

tóir to:r′ *f3, pl* ~**eacha** pursuit, chase; search

toirbheartach tor′əv′ərtəx *a1* openhanded, generous

toirbheartas tor′əv′ərtəs *m1* presentation, gift; generosity

toirbhir tor′əv′ər′ *vt & i, pres* -**bhrionn** deliver; give, present; dedicate

toirbhirt tor′əv′ərt′ *f3, gs* -**bhearta** delivery, presentation; offering; dedication

toirceoil ′tor′k′ˌo:l′ *f3* boar′s flesh, brawn

toircheas tor′əx′əs *m1* pregnancy; offspring

toircheasach tor′əx′əsəx *a1* pregnant

toirchigh tor′əx′i: *vt* fertilize, impregnate

toirchim tor′əx′əm′ *f2* heavy sleep; torpidity

toirchiú tor′əx′u: *m4* fertilization, impregnation

tóireadóir to:r′ədo:r′ *m3* probe

toireasc tor′əsk *m1* saw

toirm tor′əm′ *f2* tumult, tramp

toirmeasc tor′əm′əsk *m1* prohibition; prevention; mischief; mishap

toirmeascach tor′əm′əskəx *a1* prohibitive; preventive; mischievous; accidental

toirmisc tor′əm′əs′k′ *vt & i* prohibit; prevent, hinder

toirneach toirn′əx *f2* thunder

toirnéis to:rn′e:s′ *f2* noise, commotion

toirniúil to:rn′u:l′ *a2* thundery; noisy

toirpéad tor′p′e:d *m1* torpedo

toirpín tor′p′i:n′ *m4* porpoise

tóirse to:rs′ə *m4* torch

tóirsholas ′to:r′ˌholas *m1, pl* -**oilse** searchlight

toirsiún tors′u:n *m1* torsion

toirt tort′ *f2, pl* ~**eanna** mass, volume; size; shape, *ar an* ~ on the spot, immediately

toirtéis tort′e:s′ *f2* haughtiness, self-importance; pride

toirtéiseach tort′e:s′əx *a1* haughty, self-important; proud

toirtín tort′i:n′ *m4* tart, cake

toirtís tort′i:s′ *f2* tortoise

toirtiúil tort′u:l′ *a2* bulky

toirtiúlacht tort′u:ləxt *f3* bulkiness

toisc tosˈk′ *f2, pl* **tosca** errand, purpose; circumstance, ~, *de thoisc* because, on account of, *d′aon* ~ on purpose

toise tos′ə *m4* dimension, measurement

toistiún tos′t′u:n *m1* fourpenny piece; fourpence (old money)

toit tot′ *f2* smoke; vapour

toitcheo ′tot′ˌx′o: *m4* smog

toiteach tot′əx *a1* smoky

toitín tot′i:n′ *m4* cigarette

toitrigh tot′r′i: *vt* smoke, fumigate

tólamh to:ləv *s, i d*~ always, all the time

tolg¹ toləg *m1* couch, sofa

tolg² toləg *m1* attack; force; gap, rent *vt & i* attack; buffet; contract, catch (illness), *tá sé ag* ~*adh stoirme* there is a storm brewing, *tá an chneá ag* ~*adh* the wound is gathering to a head

tolgach toləgəx *a1* violent, buffeting

tolgadh toləgə *m, gs* -**gtha** gathering (of storm); contraction (of disease)

tolglann toləglən *f2* lounge (of bar, etc)

toll¹ tol *m1* hole, hollow; buttocks, *rudaí a chur i d*~ *a chéile* to put things together

toll² tol *a1* perforated; hollow, empty, (*of sound, voice*) deep *vt & i* bore, pierce, perforate

tolladh tolə *m, gs* -**llta** boring, perforation

tollán tola:n *m1* tunnel

tolltach toltəx *a1* piercing, penetrating

tom tom *m1* bush, shrub; clump, tuft

tomhail to:l′ *vt & i* eat, consume

tomhailt to:l′t′ *f2* consumption (of food, drink)

tomhais to:s′ *vt & i* measure; weigh, gauge, estimate; guess

tomhaisín to:s′i:n′ *m4* small measure; (paper) poke

tomhaisiúil to:s′u:l′ *a2, (of garment)* well-fitting

tomhaiste to:s′t′ə *a3* measured

tomhaltóir to:lto:r′ *m3* consumer; big eater

tomhas to:s *m1* measure, gauge; guess, riddle

ton ton *m1, (of music, colour)* tone

tona tonə *m4* tonne

tónacán to:nəka:n *m1* moving on one's bottom

tonach tonəx *a1* tonic

tónáiste to:na:s't'ə *m4*, *(tax)* tonnage; imposition; hardship

tónáisteach to:na:s't'əx *a1* burdensome

tondath 'ton,dah *m3* timbre

tonn¹ ton *f2*, *pl* ~ **ta** *ds* toinn *& gpl* ~ in certain phrases wave, *thar toinn* overseas, ~ *teasa, teaspaigh* heat-wave, *tá* ~ *mhaith aoise aige* he is getting on in years, ~ *ar bogadh,* ~ *chrithir* quaking sod

tonn² ton *vt & i* surge; pour; undulate

tonna tonə *m4* ton

tonnadh tonə *m, gs* -**nnta** *pl* -**nntaí** wave, surge; wave (in hair)

tonnadóir tonədo:r' *m3* tundish, funnel

tonnail toni:l' *f3* waving, rippling; undulation

tonnáiste tona:s't'ə *m4* tonnage

tonnán tona:n *m1* wavelet, ripple

tonnaois 'ton,i:s' *f2* fairly advanced age

tonnaosta 'ton,i:stə *a3* getting on in years

tonnchosc 'ton,xosk *m1, pl* ~ **anna** breakwater

tonnchreathach 'ton,x'r'ahəx *a1* vibrating, vibrant

tonnchrith 'ton,x'r'ih *m3, gs* -**reatha** *pl* -**reathanna** vibration *vi* vibrate, quiver

tonnmhar tonvər *a1* billowy

tonntaoscadh 'ton,ti:skə *m, gs* -**ctha** sudden vomiting

tonnúil tonu:l' *a2* wavy, undulating

tonnús tonu:s *m1* tannery

tonóg tono:g *a2* duck

tonúil tonu:l' *a2* tonal

topagrafaíocht 'topə,grafi:(ə)xt *f3* topography

tópás to:pas *m1* topaz

tor tor *m1* bush, shrub; clump, tuft, ~ *cabáiste* head of cabbage

tóracs to:rəks *m4, pl* ~ **anna** thorax

toradh torə *m1, pl* -**rthaí** fruit; product; result, heed, attention

tórai to:ri: *m4* pursuer; seeker; robber; outlaw, *T*~ Conservative

tóraigh to:ri: *vt & i* pursue; seek, search for

tóraíocht to:ri:(ə)xt *f3* pursuit; hunt, search

torann torən *m1* noise

torannach torənəx *a1* noisy

torathar torəhər *m1* ogre, monster

torbán torəba:n *m1* tadpole

torc¹ tork *m1* boar

torc² tork *m1* torque

torcán torka:n *m1*, ~ *craobhach* porcupine

tórmach to:rməx *m1* gathering, swelling; increase, *bó thórmaigh* springing heifer

tormáil torəma:l' *f3* rumble

tormán torəma:n *m1* noise

tormánach torəma:nəx *a1* noisy, resounding

tormas torəməs *m1* carping, grumbling; sulking

tornádó ,to:r'na:do: *m4, pl* ~ **nna** tornado

tornapa tornəpə *m4* turnip

tornóg to:rno:g *f2* kiln

torpa torpə *m4* clump, clod

torpánta torpa:ntə *a3* pot-bellied; sluggish

torrach torəx *a1* pregnant

tórraigh to:ri: *vt* hold obsequies of, wake

tórramh to:rəv *m1* wake; funeral

tortaobh 'tor,ti:v *s, i d*~ *le* depending solely on

torthaigh torhi: *vi* fruit, fructify

torthóir torhor' *m3* fruiterer

torthúil torhu:l' *a2* fruitful, fertile, rich

torthúlacht torhu:ləxt *f3* fruitfulness, fertility, richness

tortóg torto:g *f2* hummock, tussock

tosach tosəx *m1* beginning; front; leading position; sole (of boot, etc), *i d*~ *at* first, *chun tosaigh ar* ahead of, ~ *a thabhairt do dhuine* to give precedence to a person; to give a start to a person (in competition), *roth tosaigh* front wheel

tosaí tosi: *m4* forward

tosaigh tosi: *vt & i,* begin, start

tosaíocht tosi:(ə)xt *f3* precedence, priority

tosaitheoir tosiho:r' *m3* beginner

toscaire toskər'ə *m4* delegate, deputy

toscaireacht toskər'əxt *f3* delegation, deputation

tost tost *m3* silence, *bí i do thost* be silent, shut up *vi* become silent

tósta to:stə *m4*, *(of bread)* toast

tostach tostəx *a1* taciturn

tóstaer to:ste:r *m*1 toaster

tostaíl tosti:l′ *f*3 silence, taciturnity

tóstáil to:sta:l′ *vt* toast

tóstal to:stəl *m*1 assembly, muster; pageant

tóstalach to:stələx *a*1 arrogant, conceited

tostóir tosto:r′ *m*3 silencer

tosú tosu: *m*4 beginning, commencement, start

tothlaigh tohli: *vt* desire, crave

trá¹ tra: *f*4, *pl* ~**nna** strand, beach, *tá sé ina thrá (mhara)* the tide is out

trá² tra: *m*4 ebb; subsidence, decline

trácht¹ tra:xt *m*3, *pl* ~**anna** sole (of foot); instep; tread (of tyre); base; dimension

trácht² tra:xt *m*3 travelling; journey; traffic *vt & i* journey, travel

trácht³ tra:xt *m*3 discourse, comment, ~ *ar* mention of, *vt & i* discuss, comment on; relate, ~ *ar rud* to mention sth

tráchtáil tra:xta:l′ *f*3 trade, commerce

tráchtaire tra:xtər′ə *m*4 commentator

tráchtaireacht tra:xtər′əxt *f*3 commenting; commentary

tráchtálaí tra:xta:li: *m*4 trader

tráchtas tra:xtəs *m*1 treatise, dissertation; thesis

tráchtearra ′tra:xt,arə *m*4 commodity

trádáil tra:da:l′ *f*3 trade

trádálach tra:da:ləx *a*1 commercial

trádálaí tra:da:li: *m*4 trader

trae tre: *m*4, *pl* ~**nna** tray

traein tren′ *f*, *gs* **-aenach** *pl* **-aenacha** train

traenáil tre:na:l′ *f*3 training *vt & i* train

traenálaí tre:na:li: *m*4 trainer

tragóid trago:d′ *f*2 tragedy

tragóideach trago:d′əx *a*1 tragic

traidhfil traif′əl′ *f*4 trifle

traidín traid′i:n′ *m*4 bundle, load, carried on back

tráidire tra:d′ər′ə *m*4 tray

traidisiún ,tra′d′is′u:n *m*1 tradition

traidisiúnta ,tra′d′is′u:ntə *a*3 traditional

traigéide traig′e:d′ə *f*4, *(theatre)* tragedy

tráigh tra:γ′ *vt & i* ebb; abate, recede, decline

tráill tra:l′ *f*2, *pl* ~**eanna** thrall, slave; wretch

traimil tram′əl′ *f*2, *gs* **-mle** *pl* **-mlí** trammel(-net)

traipisí trap′əs′i: *spl* personal belongings, *caite i d*~ scrapped, discarded

tráiteoir tra:t′o:r′ *m*3 beachcomber

tráithnín tra:hn′i:n′ *m*4 dry grass-stalk, *ní fiú* ~ *é* it's not worth a straw

trál tra:l *m*1 trawl(-net)

trálaeireacht tra:le:r′əxt *f*3 trawling

trálaer tra:le:r *m*1 trawler

tralaí trali: *m*4 trolley

tram tram *m*4, *pl* ~**anna** tram(-car)

tranglam tranɡləm *m*1 confusion, disorder, clutter

traoch tri:x *vt* overcome; wear out, exhaust

traochadh tri:xə *m*, *gs* **-chta** exhaustion

traochta tri:xtə *a*3 exhausted, worn out

traoith tri: *vt & i* abate, subside; reduce; waste, consume

traonach tri:nəx *m*1 corncrake

Trapach trapəx *m*1 & *a*1 Trappist

tras- tras *pref* cross-, trans-

trasna trasnə *prep*, *adv*, *a & s* across; cross, transverse; width, *dul* ~ *na habhann* to go across the river, *trí troithe* ~ three feet across, *teacht* ~ *ar dhuine* to cross, contradict a person, *barra* ~ cross-bar, *ar a thrasna* along its breadth, crosswise

trasnaigh trasni: *vt & i* cross; traverse, intersect; contradict; heckle

trasnáil trasna:l′ *f*3 crossing, traversing; contradicting, interrupting

trasnaíocht trasni:(ə)xt *f*3 contradiction, interference

trasnálaí trasna:li: *m*4 heckler

trasnán trasna:n *m*1 cross-piece; crossbar

trasnánach trasna:nəx *a*1 crosswise; diagonal

trasraitheoir trasriho:r′ *m*3 transistor

trasrian ′tras,riən *m*1, *pl* ~**ta** ~ *coisithe* pedestrian crossing

trastomhas ′tras,to:s *m*1 diameter

trasuigh ′tra,siγ′ *vt* transpose

tráta tra:tə *m*4 tomato

tráth tra: *m*3, *pl* ~**anna** *npl* ~**a & gpl** ~ in certain phrases hour; time; day, period, *na cairde a bhí againn* ~ the friends we once had, ~ *is go bhfuil sé anseo* since he is here, *i d* ~ *a na Nollag* around Christmas

tráthchlár ′tra:,xla:r *m*1 timetable

tráthnóna ,tra:′no:nə *m*4, *pl* **-nta** afternoon, evening

tráthrialta ˌtra:'riəltə *adv*, go ~ regularly; punctually

tráthúil tra:hu:l′ *a2* timely, opportune; apt; witty

tráthúlacht tra:hu:ləxt *f3* timeliness, opportuneness; aptness, wittiness

tré– t′r′e: *pref* through-

treabh t′r′av *vt & i* plough, *níl siad ag ~adh le chéile* they don't get along

treabhadh t′r′auə *m*, *gs* **-eafa** ploughing

treabhchas t′r′auxəs *m1* tribe, people

treabhdóir t′r′audo:r′ *m1* ploughman

treabhsar t′r′ausər *m1* (pair of) trousers

treacha t′r′axə : **triuch**

tréad t′r′e:d *m3*, *gs & npl* ~a flock, herd; congregation; community

tréadach t′r′e:dəx *a1* pastoral

tréadaí t′r′e:di: *m4* shepherd; pastor

tréadaíocht t′r′e:di:(ə)xt *f3* herding

tréadlitir 't′r′e:d′ˌl′it′ər′ *f*, *gs* **-treach** *pl* **-treacha** pastoral (letter)

tréadúil t′r′e:du:l′ *a2* gregarious

treaghdán t′r′aida:n *m1* nit

treáigh t′r′a:γ *vt* pierce, penetrate

treáire t′r′a:ər′ə *m4* piercer, borer

treáiteach t′r′a:t′əx *a1* piercing, penetrating

trealamh t′r′aləv *m1* equipment, gear

treall t′r′al *m3*, *pl* ~**anna** short period, spell; fit, caprice; streak, patch

treallach t′r′aləx *a1* fitful; capricious; streaky, patchy

treallús t′r′alu:s *m1* industriousness, enterprise; assertiveness, forwardness

treallúsach t′r′alu:səx *a1* industrious, enterprising; assertive, forward

trealmhaigh t′r′aləvi: *vt* fit out, equip

trean t′r′e:n *m1* strong man, warrior; strength, intensity; abundance, *le ~ a nirt* by dint of his strength, *tá ~ airgid acu* they have plenty of money *a1*, *comp* **treise & tréine** strong, powerful; intense, violent

tréanas t′r′e:nəs *m1* abstinence from flesh meat

treas[1] t′r′as *m3*, *gs & npl* ~**a** line, file

treas[2] t′r′as *m3*, *gs & npl* ~**a** combat, battle

treas[3] t′r′as *num a* third

tréas t′r′e:s *m3* treason; disloyalty

tréasach t′r′e:səx *a1* treasonable

treascair t′r′askər′ *vt & i*, *pres* **-craíonn** knock down, overthrow

treascairt t′r′askərt′ *f3*, *gs* **-artha** knock-down, overthrow, defeat

treascrach t′r′askrəx *a1* overpowering; prostrating

tréaslaigh t′r′e:sli: *vt*, *rud a thréaslú do dhuine* to congratulate a person on sth

tréaslú t′r′e:slu: *m4* congratulation

treaspás t′r′aspa:s *m1* trespass

tréasúil t′r′e:su:l′ *a2* rebellious; outrageous

tréatúir t′r′e:tu:r′ *m3* traitor

tréatúrtha t′r′e:tu:rhə *a3* traitorous, treacherous

trébhealach 't′r′e:ˌv′aləx *m1*, *pl* **-aí** throughway

trébhliantúil 't′r′e:ˌv′l′iəntu:l′ *a2* perennial

trédhearcach 't′r′e:ˌγ′arkəx *a1* transparent; diaphanous

treibh t′r′ev′ *f2*, *pl* ~**eanna** house, household, family; tribe, people

treibheach t′r′ev′əx *a1* tribal

Tréidín t′r′e:d′i:n′ *m4*, *an* ~ the Pleiades

tréidlia 't′r′e:d′ˌl′iə *m4*, *pl* ~**nna** veterinary surgeon

tréig t′r′e:g′ *vt & i* abandon, desert, forsake; fade; fail

tréigean t′r′e:g′ən *m1* desertion, abandonment; fading

treighid t′r′aid′ *f2*, *gs* **-ghde** *pl* **-ghdeanna** pang; gripes

tréigtheach t′r′e:k′əx *a1* deserting, forsaking; inclined to fade

tréigtheoir t′r′e:k′o:r′ *m3* deserter

tréimhse t′r′e:v′s′ə *f4* period, term

tréimhseachán t′r′e:v′s′əxa:n *m1* periodical

tréimhsiúil t′r′e:v′s′u:l′ *a2* periodical

tréine t′r′e:n′ə *f4* strength; power; intensity

treis t′r′es′ *s*, *i d~* in power; in conflict; at issue; involved, *teacht i d~* to attain power; to grow strong; to flourish, *i d~ leis an namhaid* in conflict with the enemy, *an rud atá i d~ eadrainn* what is at issue between us

treise t′r′es′ə *f4* strength, dominance; force, emphasis, ~ *leat!* more power to you!

treisigh t′r′es′i: *vt & i* strengthen, reinforce; gather strength

treisiúil t′r′es′u:l′ *a2* strong, vigorous

tréith¹ t′r′e: f2, gs & pl ~**e** trait, quality; accomplishment; achievement; trick, prank

tréith² t′r′e: a1 weak, feeble

tréitheach t′r′e:həx a1 accomplished, talented; promising; playful; characteristic

tréithlag 't′r′e:,lag a1 enervated, exhausted

tréithrigh t′r′e:hr′i: vt characterize

tréithriú t′r′e:hr′u: m4 characterization

treo t′r′o: m4, pl ~**nna** direction, way; trend, drift, i d~ (is) go in such a way that, so that, i d~ (do) close to, along with, i d~ an mheán oíche towards midnight, táimid i d~ a chéile ó mhaidin we have been together all day

treodóireacht t′r′o:do:r′əxt f3 orienteering

treoir t′r′o:r′ f, gs -**orach** pl -**oracha** guidance, direction; indicator, index; progress; effort, strength, duine a bhaint dá threoir to confuse a person, to lead a person astray, i d~ in order, ready, ó threoir out of action, in disrepair

treorach t′r′o:rəx a1 guiding, directive; strong, vigorous

treoraí t′r′o:ri: m4 guide, leader

treoraigh t′r′o:ri: vt & i guide, lead, direct

treorán t′r′o:ra:n m1 index

treoshuíomh 't′r′o:,hi:v m1 orientation

tréscaoilteach 't′r′e:,ski:lt′əx a1 permeable

tréshoilseach 't′r′e:,hol′s′əx a1 translucent

trí¹ t′r′i: m4, pl ~**onna** & a three, ~ **déag** thirteen

trí² t′r′i: prep, pron forms ~**om** t′r′i:m, ~**ot** t′r′i:t, ~**d** t′r′i:d′ m, ~**thi** t′r′i:hi f, ~**nn** t′r′i:n′, ~**bh** t′r′i:v′, ~**othu** t′r′i:hu, through; among, throughout, cuir ola ~d mix it with oil, chuir tú ~ na chuntas é you put him out in his count, tá sé i bhfad ~d he is far gone, ~d síos right through, on the whole, ~d is ~d through and through, in the main, ~ chéile, ~na chéile mixed-up, confused

triacla t′r′iaklə m4 treacle

triail t′r′iəl′ f, gs -**alach** pl -**alacha** trial, test vt & i try, test

triaileadán t′r′iəl′əda:n m1 test-tube

trialach t′r′iələx a1 trial, experimental, tentative

triall t′r′iəl m3, pl ~**ta** journey, expedition, cá bhfuil do thriall? where are you going? vt & i journey, travel

trian t′r′iən m1, pl ~**ta** third

triantán t′r′iənta:n m1 triangle

triantánach t′r′iənta:nəx a1 triangular

triantánacht t′r′iənta:nəxt f3 trigonometry

triarach t′r′iərəx a1 triple, triplicate

tríbh t′r′i:v′ : **trí²**

tric t′r′ik′ a1 quick, sudden, frequent

trid t′r′i:d′ : **trí²**

trilis t′r′il′əs′ f2, gs & pl -**lse** tress

trillín t′r′il′i:n′ m4 burden, encumbrance

trilseach t′r′il′s′əx a1 braided, plaited; bright

trilseán t′r′il′s′a:n m1 tress, plait; torch, ~ oinniún string of onions

trilsigh t′r′il′s′i: vt & i braid, plait; sparkle

trilsín t′r′il′s′i:n′ m4 string (of pearls, etc)

trínn t′r′i:n′ : **trí²**

trinse t′r′in′s′ə m4 trench

trioblóid t′r′iblo:d′ f2 trouble, affliction

trioblóideach t′r′iblo:d′əx a1 troublesome

trioc t′r′ik m4 furniture

tríocha t′r′i:xə m, gs ~**d** pl ~**idí** & a thirty

tríochadú t′r′i:xədu: m4 & a thirtieth

triológ t′r′ilo:g f2 trilogy

tríom t′r′i:m : **trí²**

triomach t′r′iməx m1 dry weather, drought

triomacht t′r′iməxt f3 dryness, aridity

triomadóir t′r′imədo:r′ m3 dryer

triomaigh t′r′imi: vt & i dry

Tríonóid t′r′i:no:d′ f2 Trinity

triopall t′r′ipəl m1 cluster, bunch; festoon, ~ treapall disorder, confusion

triopallach t′r′ipələx a1 clustered; neatly gathered; tidy

triopas t′r′i:pəs m1 tripe

tríot t′r′i:t : **trí²**

tríothu t′r′i:hu : **trí²**

trípéad t′r′i:p′e:d m1 tripod, trivet

triptic t′r′ip′t′ək′ f2 triptych; triptique

tríréad t′r′i:r′e:d m1, (music) trio

trírín t′r′i:r′i:n′ m4 triplet

trírothach 't′r′i:,rohəx m1 tricycle

tritheamh t′r′ihəv m1, pl -**thí** fit, paroxysm

tríthi t'r'i:hi : trí²

tríthoiseach 't'r'i:,hos'əx a1 three-dimensional

tríú t'r'i:u: m4 & a third

triuch t'r'ux m3, gs treacha whooping-cough

triuf t'r'uf m4, pl ~anna (cards) club

triúr t'r'u:r m1 three persons

triús t'r'u:s m1 trousers

trócaire tro:kər'ə f4 mercy; leniency, compassion

trócaireach tro:kər'əx a1 merciful; lenient, compassionate

troch trox m3, gs & npl ~a wretch

trochailte troxəl't'ə a3 run down, enfeebled, in wretched state

trochlú troxlu: m4 deterioration, decay; defilement

trodach trodəx a1 combative, pugnacious, quarrelsome

trodaí trodi: m4 fighter, combatant; brawler

tródam tro:dəm m1 cordon

trodán troda:n m1 file (for papers)

troid trod' f3 & vt & i fight, quarrel

troigh troy' f2, pl -ithe foot; step

troime trom'ə f4 heaviness, weightiness

troimpéad trom'p'e:d m1 trumpet

troisc trosk' vi, vn -oscadh fast

troitheach trohəx m1 foot-soldier; pedestrian

troitheán trohə:n m4 pedal; treadle

troithín trohi:n' m4 tread (of spade)

trom¹ trom m1 elder(-tree)

trom² trom m4 weight; burden; oppression; bulk; importance; blame

trom³ trom a1, gsm ~ heavy; laborious; severe, harsh; profound; important

tromaí tromi: a3 weighty; grave; heavy-hearted

tromaigh tromi: vt & i become heavier; add weight to; intensify; deepen; oppress

tromaíocht tromi:(ə)xt f3 condemnation, censure, ~ a dhéanamh ar dhuine faoi rud to blame a person wrongly, unduly, for sth

tromán troma:n m1 weight, ~ (dorú) sinker

trombóis trombo:s' f2 thrombosis

trombón trombo:n m1 trombone

tromchúis 'trom,xu:s' f2, pl ~eanna grave matter; gravity, importance

tromchúiseach 'trom,xu:s'əx a1 grave, important; (of person) self-important

tromlach tromləx m1 greater part, majority

tromluí 'trom,li: m4 nightmare

trom-mheáchan 'trom,v'a:xən m1 heavy-weight

trópaic tro:pək' f2 tropic

trópaiceach tro:pək'əx a1 tropical

trosc trosk m1 cod

troscadh troskəx a1 fasting

troscadh troskə m1 fast, bheith i do throscadh to be fasting

troscán troska:n m1 furniture

trostal trostəl m1 tramp (of feet), thud (of hooves)

trua trua f4 pity, sympathy, compassion; wretch; lean meat, mo thrua alas a3 pitiable, miserable; lean; emaciated, is ~ (go) it is a pity (that)

truacánta truəka:ntə a3 piteous, plaintive

truaill truəl' f2 sheath; covering, case

truaillí truəl'i: a3 corrupt, contaminated; vile; miserly

truailligh truəl'i: vt corrupt, contaminate; desecrate

truaillitheach truəl'ihəx a1 corrupting, contaminating, polluting

truailliú truəl'u: m4 corruption, contamination, pollution

truaillmheasc 'truəl',v'ask vt adulterate

truainteacht truəin:n't'əxt f3 talking piteously, making a poor mouth

truamhéala 'trua,v'e:lə f4 plaintiveness; pity, compassion

truamhéalach 'trua,v'e:ləx a1 piteous, plaintive; pathetic

truán tru:a:n m1 miserable person, wretch

truas truəs m1, (of meat) leanness

trucaid trukəd' f2 kit-bag

trucail trukəl' f2 truck, trolley; cart pl belongings

truflais trufləs' f2 rubbish, trash

truicear trik'ər m1 trigger

trúig tru:g' f2 cause, occasion

truip trip' f2, pl ~eanna trip; journey

trúipéir tru:p'e:r' m3 trooper

trumpa trompə m4 trumpet; Jew's harp

trumpadóir trompədo:r' m3 trumpeter

trunc tronk m3 trunk

trup trup m4, pl ~anna tramp; noise, din

trúpa tru:pə *m*4 troop

truslóg truslo:g *f*2 hop; long stride, lope

tú tu: 2 *sg pron* you

tua tuə *f*4, *pl* ~nna axe; hatchet

tuadóir tuədo:r' *m*3 axe-man, hewer

tuáille tu:a:l'ə *m*4 towel

tuailm tuəl'm' *f*2 (mechanical) spring

tuaiplis tuəp'l'əs' *f*2 blunder

tuaiplisiúil tuəp'l'əs'u:l' *a*2 blundering

tuairgneach tuər'g'n'əx *a*1 beating, pounding, pummelling

tuairgnín tuər'g'n'i:n' *m*4 beetle; pestle

tuairim tuər'əm' *f*2 opinion, ~ *an ama sin* about that time, ~ *ar chéad, is céad* about a hundred, *faoi thuairim* to, towards, for, for the purpose of,

tuairimeach tuər'əm'əx *a*1 speculative; discerning

tuairimigh tuər'əm'i: *vt & i* opine, conjecture

tuairimíocht tuər'əm'i:(ə)xt *f*3 guessing; guess-work, speculation

tuairín tuər'i:n' *m*4 grassy plot; bleaching-green

tuairisc tuər'əs'k' *f*2 information, tidings; account (of whereabouts); report, ~ *duine a chur* to inquire for, about, a person

tuairisceoir tuər'əs'k'o:r' *m*3 reporter, correspondent

tuairiscigh tuər'əs'k'i: *vt* report

tuairisciúil tuər'əs'k'u:l' *a*2 descriptive

tuairt tuərt' *f*2, *pl* ~eanna thud, crash

tuairteáil tuərt'a:l' *vt* pound, thump, buffet

tuairteálach tuərt'a:ləx *a*1 pounding, buffeting; bumpy

tuairteoir tuərt'o:r' *m*3 bumper (of car)

tuaisceart tuəs'k'ərt *m*1 north, northern part

tuaisceartach tuəs'k'ərtəx *m*1 northerner *a*1 northern; surly

tuama tuəmə *m*4 tomb; tombstone

tuar[1] tuər *m*1, *pl* ~tha sign, omen, ~*ceatha, báistí* rainbow *vt* augur, forbode; deserve

tuar[2] tuər *vt & i* bleach; whiten; season; inure, *tá mé ~ tha den bhia seo* I have had enough of this kind of food

tuarascáil tuərəska:l' *f*3, *pl* -álacha account, report, description

tuarascálaí tuərəska:li: *m*4 reporter

tuarastal tuərəstəl *m*1 salary, wages

tuargain tuərgən' *vt, pres* **tuairgníonn** pound; batter; thump

tuargaint tuərgən't' *f*3, *gs* -ana pounding, battering

tuarúil tuəru:l' *a*2 presaging; portentous

tuaslagadh tuəsləgə *m, gs* -gtha solution, resolution (of problem, etc); solution, dissolution (in liquid)

tuaslagán tuəsləga:n *m*1 (chemical) solution

tuaslagóir tuəsləgo:r' *m*3 solvent

tuaslaig tuəsləg' *vt, pres* -agann solve, dissolve

tuata tuətə *m*4 layman; non-professional person *a*3 lay, secular

tuath tuə *f*2 country, territory; laity; rural districts

tuathaigh tuəhi: *vt* laicize

tuathal tuəhəl *m*1 *& adv* direction against the sun, wrong direction; blunder, *an taobh tuathail* the left-hand side; the wrong side

tuathalach tuəhələx *a*1 towards the left, anti-clockwise; awkward

tuathánach tuəha:nəx *m*1 countryman, rustic

tuatheolaíocht 'tuəh,o:li:(ə)xt *f*3 rural science

tuathghríosóir 'tuə,γ'r'i:so:r' *m*3 demagogue

tuathúil tuəhu:l' *a*2 rustic

tubaiste tubəs't'ə *f*4 calamity, disaster

tubaisteach tubəs't'əx *a*1 calamitous, disastrous

Túdarach tu:dərəx *m*1 *& a*1 Tudor

tufar tufər *a*1 malodorous

tuga tugə *m*4 tug, trace (of harness); tug-boat

tugann tugən *pres of* **tabhair**

tugtha tukə *a*3 spent, exhausted, ~ *do* given to, prone to

tuig tig' *vt & i, vn* **tuiscint** understand; realize, ~*eadh dom go mbeadh do chuidiú agam* I got the idea that we would have your help

tuil til' *vt & i* flood, flow; fill to overflowing

tuile til'ə *f*4, *pl* -lte flood, flow

tuill til' *vt* earn, deserve

tuilleadh til'ə *m*l addition, increase; more, *a thuilleadh eolais* additional information, *ní raibh eagla uirthi a thuilleadh* she was no longer afraid, ~ *ar, le, agus* more than

tuilleamaí til'əmi: *m*4 dependence, *bheith i d~ duine* to be dependent on a person

tuilleamaíoch til'əmi:(ə)x *a*l, *gsm* ~ dependent

tuilleamh til'əv *m*l earning; merit; wages

tuillmheach til'əv'əx *a*l productive, profitable

tuillteanach til't'ənəx *a*l deserving

tuillteanas til't'ənəs *m*l merit, desert

tuilsoilsigh 'til'sol's'i: *vt* flood-light

tuilsolas 'til'soləs *m*l, *pl* **-oilse** flood-light

tuilteach til't'əx *a*l flooding, overflowing

tuin tin' *f*2, *pl* ~**eacha** tone, accent

tuineach tin'əx *f*2 tunic

tuineanta tin'əntə *a*3 pressing, persistent

tuíodóir ti:(ə)do:r' *m*3 thatcher

tuirbín tir'əb'i:n' *m*4 turbine

tuire tir'ə *f*4 dryness, aridity; dullness

tuireamh tir'əv *m*l dirge, lament

túirín[1] tu:r'i:n' *m*4 turret

túirín[2] tu:r'i:n' *m*4 tureen

tuirling tu:rl'əŋ' *vi, pres* ~**íonn** descend, alight

tuirlingt tu:rl'əŋ't' *f*2, *gs* **-gthe** descent, landing

tuirne tu:rn'ə *m*4 spinning-wheel

tuirpintín tir'p'ən't'i:n' *m*4 turpentine

tuirse tirs'ə *f*4 tiredness, fatigue; sorrow

tuirseach tirs'əx *a*l tired, weary; sorrowful

tuirsigh tirs'i: *vt & i* tire, weary

tuirsiúil tirs'u:l' *a*2 tiring, fatiguing

túis tu:s' *f*2 incense

túisce tu:s'k'ə *comp a & adv* sooner, rather; first, *an té is* ~ *a labhair* the person who spoke first, *ní* ~ *thoir ná thiar iad* they are no sooner here than there, *ba thúisce liom suí ná seasamh* I'd rather sit than stand, *an* ~ *is féidir* as soon as possible

tuisceanach tis'k'ənəx *a*l understanding; wise; considerate

tuiscint tis'k'ən't' *f*3, *gs* **-ceana** understanding; wisdom; sympathy

tuiseal tis'əl *m*l, (*grammar*) case

túiseán tu:s'a:n *m*l censer, thurible

tuisle[1] tis'l'ə *m*4 fall, stumble; trip; blunder, mishap

tuisle[2] tis'l'ə *m*4 hinge

tuisleach tis'l'əx *a*l stumbling; faltering

tuisligh tis'l'i: *vi* stumble; falter, stagger

tuismeá 'tis',m'a: *f*4 horoscope

tuismigh tis'm'i: *vt & i* beget, procreate; produce; bring about; originate

tuismitheoir tis'm'iho:r' *m*3 parent

tulach tuləx *f*2 low hill; mound

tulán tula:n *m*l protuberance; mound, hillock

túlán tu:la:n *m*l kettle

tulca tulkə *m*4 flood, deluge; wave; gust

tulcach tulkəx *a*l flooding, gushing

tulchach tuləxəx *a*l hilly

tulgharda 'tul,ɣa:rdə *m*4 advance-guard

tulmhaisiú 'tul,vas'u: *m*4 frontispiece

tum tum *vt & i* dip, immerse; plunge, dive

tumadh tumə *m, gs* **-mtha** *pl* **-mthaí** dip, immersion; plunge, dive

tumadóir tumədo:r' *m*3 diver

tumaire tumər'ə *m*4 dipper, diver; plunger

tur tur *a*l dry, arid; cold, unsympathetic; dull, uninteresting, *bia* ~ food without condiment, ~ *te* at once, immediately

túr tu:r *m*l tower

turadh turə *m*l cessation of rain

turas turəs *m*l journey; pilgrimage; time, occasion, ~ *na Croise* the Stations of the Cross, *d'aon* ~ on purpose; in jest

turasóir turəso:r' *m*3 tourist

turasóireacht turəso:r'əxt *f*3 journeying; touring; tourism

turban torəbən *m*l turban

turbard torəbərd *m*l turbot

turcaí torki: *m*4 turkey

turcaid turkəd' *f*2 turquoise

turgnamh turəgnəv *m*l experiment

turnaimint tu:rnəm'ən't' *f*2 tournament

turnamh tu:rnəv *m*l descent, fall, decline

turraing turəŋ' *f*2 rush, dash; attack; thrust; lurch; fall; grief; (electric) shock

turraingeach turəŋ'əx *a*l thrusting, violent

turtar tortər *m*l turtle

tús tu:s *m*l beginning, start, origin; precedence; van, *ar d*~ at first, ~ *áite* pride of place

tusa tusə 2 *sg, emphatic pron* you

tútach tu:təx *a*1 crude, awkward; stupid; churlish

tútachas tu:təxəs *m*1 clumsiness, awkwardness; churlishness

tuth tuh *f*2 odour, stench

tuthóg tuho:g *f*2 puff, fart

tuthógach tuho:gəx *a*1 puffing, farting; malodorous

U

uabhar uəvər *m*1 pride, arrogance, *tháinig ~ uirthi* she was offended

uachais uəxəs' *f*2 burrow; den

uacht uəxt *f*3, *pl ~anna* will, testament, *fágaim le h~ (go)* I solemnly declare (that), *bheith in ~ an bháis* to be preparing for death, in the last extremity

uachtaigh uəxti: *vt* will, bequeath; declare

uachtar uəxtər *m*1 top, upper part, ~ *(bainne)* cream, ~ *reoite* ice-cream, *ar ~ an uisce* on the surface of the water, *an lámh in ~, an lámh uachtair, a fháil ar dhuine*, to get the upper hand of a person

uachtarach uəxtərəx *a*1 upper, top, *talamh ~* upland, *oifigeach ~* superior officer

uachtarán uəxtəra:n *m*1 president; head, superior

uachtaránacht uəxtəra:nəxt *f*3 presidency; authority, power

uachtarlann uəxtərlən *f*2 creamery

uachtarúil uəxtəru:l' *a*2 creamy

uachtóir uəxto:r' *m*3 testator

uafar uəfər *a*1 dreadful, horrible

uafás uəfa:s *m*1 horror, terror, *is mór an t~ é* it is most astounding, *tá an t~ airgid aige* he has a vast amount of money

uafásach uəfa:səx *a*1 horrible, terrible, astonishing, *ta neart ~ ann* he has terrific strength

uaibh uəv' : **ó²**

uaibhreach uəv'r'əx *a*1 proud, arrogant; spirited; very emotional, *bia ~* rich food

uaidh uəy' : **ó²**

uaifeálta uəf'e:ltə *a*3 awful

uaigh uəy' *f*2, *pl ~eanna* grave

uaigneach uəg'n'əx *a*1 lonely; lonesome, eerie, *dithreabhach ~* solitary hermit, *tá méin ~ aige* he is of a retiring disposition, *peaca ~* secret sin

uaigneas uəg'n'əs *m*1 loneliness, solitude; eeriness; privacy

uail uəl' *f*2 group, flock

uaill uəl' *f*2, *pl ~eacha* wail; howl

uaillbhreas 'uəl',v'r'as *m*3, *gs & npl ~a* exclamation

uaillmhian 'uəl',v'iən *f*2, *gs -mhéine pl ~ta* ambition

uaillmhianach 'uəl',v'iənəx *a*1 ambitious

uaim¹ uəm' *f*3, *pl uamanna* seam (in cloth); joint (in book-binding); alliteration *vt, pres uamann vn uamadh* join together, unite

uaim² uəm' : **ó²**

uaimh uəv' *f*2, *pl ~eanna* cave; underground chamber

uaimheadóireacht uəv'ədo:r'əxt *f*3 exploration of caves; potholing

uaimheolaíocht 'uəv',o:li:(ə)xt *f*3 speleology

uain uən' *f*2, *pl ~eacha* opportune time; occasion; opportunity, *ba ghearr a h~ ar an saol* her span of life was short, *is é m'~ é* it is my turn, *bhí an ~ go hálainn* the weather was beautiful

uainchlár 'uən',xla:r *m*1 roster, rota

uaine uən'ə *f*4 (vivid) green; verdure *a*3 (vivid) green; verdant

uaineadh uən'ə *m*1 interval between showers

uaineoil 'uən',o:l' *f*3, *(meat)* lamb

ualníocht uən'i:(ə)xt *f*3 alternation; rotation, *bhí siad ag ~ ar a chéile* they were taking turns

uainn uən' : **ó²**

uair uər' *f*2, *pl ~eanta*, *~e with numerals* hour; time, season, *ar feadh ~e* for an hour, *ar ~ an mheán lae* at the hour of midday, *baois na huaire* the folly of the times, *den chéad ~* for the first time, *cá h~?* *cén ~?* when? *~ sa bhliain* once a year, *~ nó dhó* once or twice, *seacht n-uaire níos fearr* seven times better, *~eanta* sometimes, *ar ~ibh* occasionally

uaireadóir uər'ədo:r' m3 watch

uaisle uəs'l'ə : **uasal**

uaisleacht uəs'l'əxt f3 nobility, gentility

uaisligh uəs'l'i: vt ennoble; elevate, exalt

uait uət' : ó²

uaithi uəhi : ó²

ualach uələx m1, pl -**aí** load, burden

ualaigh uəli: vt load; burden

uallach uələx a1 giddy; excitable; vain

uallachas uələxəs m1 giddiness; excitement; vanity, vainglory

uallfairt uəlfərt' f2 howl, yell; grunt

uallfartach uəlfərtəx f2 howling, yelling

uamach uəməx a1 alliterative

uamhan uəvən m1, npl -**mhna** fear; dread; object of terror, ~ **clóis** claustrophobia

uamhnach uəvnəx a1 dreadful, terrifying; timorous

uan uən m1 lamb

uanach uənəx a1 frothy, foaming

uanán uənə:n m1 froth

uas- uəs pref top, maximum

uasaicme 'uəs,ak'm'ə f4 upper class, aristocracy

uasal uəsəl m1, pl **uaisle** nobleman, gentleman, *uaisle na tíre* the nobility of the country, *an tU~* Mr a1, gsf, npl & comp **uaisle** noble; gentle; precious, fine, *fear ~* gentleman, *a dhuine uasail* (dear) sir, *a dhaoine uaisle* ladies and gentlemen, *Brian U~ Bairéid* Mr Brian Barrett

uasalathair 'uəsəl,ahər' m, gs -**thar** pl -**laithreacha** patriarch

uasalathartha 'uəsəl,ahərhə a3 patriarchal

uascán uəska:n m1 hogget

uascánta uəska:ntə a3 sheepish; simpleminded

uaschamóg 'uəs,xamo:g f2 apostrophe

uaschúirt 'uəs,xu:rt' f2 superior court

uaslathach 'uəs,lahəx a1 aristocratic

uaslathaí 'uəs,lahi: m4 aristocrat

uaslathas 'uəs,lahəs m1 aristocracy

uasta uəstə a3 highest, maximum

uath- uəh ~ uə¹ pref auto-; spontaneous

uatha uəhə m4 & a3, (grammar) singular

uathdhó 'uə,γo: m4 spontaneous combustion

uathfheidhmeach 'uəh,aim'əx a1 automatic

uathlathach 'uə,lahəx a1 autocratic

uathlathas 'uə,lahəs m1 autocracy

uathoibreán 'uəh,ob'r'a:n m1 automaton

uathoibríoch 'uəh,ob'r'i:(ə)x a1, gsm ~ automatic

uathoibríú 'uəh,ob'r'u: m4 automation

uathu uəhu : ó²

uathúil uəhu:l' a2 unique

ubh uv f2, pl **uibheacha, uibhe** with numerals egg

ubhach uvəx a1 oval

ubhagán uvəga:n m1 ovary

úbhal u:vəl m1 uvula

ubhán uva:n m1 ovum

ubhchruthach uv,xruhəx a1 oval

ubhchupán 'uv,xopa:n m1 egg-cup

ubhsceitheadh 'uv,s'k'ehə m, gs -**ite** ovulation

úc u:k vt full, tuck

úcaire u:kər'ə m4 fuller; three-spined stickleback

ucht uxt m3, pl ~ **anna** chest; breast; lap, ~ **an aird** the slope of the hillock, *as ~* for the sake of, on behalf of, in return for, *as ~ go* because

uchtach¹ uxtəx m1 breastplate

uchtach² uxtəx m1 courage; hope, ~ **cainte** vigour of speech

uchtaigh uxti: vt adopt

uchtbhalla 'uxt,valə m4 parapet

uchtleanbh 'uxt,l'anəv m1, pl -**naí** adopted child

uchtóg uxto:g f2 armful; small heap; bump

uchtú uxtu: m4 adoption

uchtúil uxtu:l' a2 full-chested; courageous

úd¹ u:d a yon, yonder, *an cnoc ~ thall* that hill over there, *ná bac leis an diúlach ~* don't mind that fellow

úd² u:d m1 (rugby) try

údar u:dər m1 author; origin; writer; expert, *ní mé is ~* I am not the person who started it, *na húdair mhóra* the great authors, *tá ~ maith agam leis* I have it on good authority, *bhí ~ gearáin aici* she had cause for complaint

údarach u:dərəx a1 authentic

údaracht u:dərəxt f3 authenticity

údaraigh u:dəri: vt authorize; originate, cause

údarás u:dəra:s *m*l authority, ~ *áitiúil* local authority, *na húdaráis* the authorities, *scéal gan* ~ unauthenticated story

údarásach u:dərə:səx *a*l authoritative; dictatorial

ugach ugəx *m*l encouragement; confidence, courage

Úgónach u:go:nəx *m*l & *a*l Huguenot

uí i: : ó¹

uibheacha iv´əxə : ubh

uibheagán iv´əga:n *m*l omelette

uige ig´ə *f*4 woven fabric, web, ~ *chadáis* cotton tissue, ~ *mhiotail* metal gauze

uigeach ig´əx *a*l web-like; gauzy

Uigingeach ig´əŋ´əx *m*l & *a*l Viking

uile il´ə *a* & *s* & *adv* all, every, *gach* ~ *dhuine* everybody, *an scéal* ~ the whole story, *an* ~ all, all things, *bhí mo chuid éadaigh fliuch* ~ my clothes were all wet, *a theaghlach go h*~ his entire family

uilechumhachtach 'il´ə'xu:əxtəx *a*l omnipotent, almighty

uilefheasach 'il´ə'asəx *a*l omniscient

uileghabhálach 'il´ə'γava:ləx *a*l comprehensive, exhaustive

uiléláithreach 'il´ə'la:hr´əx *a*l omnipresent, ubiquitous

uileloscadh 'il´ə'loskə *m*, *gs* -*oiscthe pl* -*oiscthí* holocaust

uilíoch il´i:(ə)x *a*l, *gsm* ~ universal

uilíocht il´i:(ə)xt *f*3 universality

uiliteach 'il´'it´əx *a*l omnivorous

uiliteoir 'il´'it´o:r´ *m*3 omnivore

uilleach il´əx *a*l angular

uillinn il´ən´ *f*2, *pl* ~*eacha gs & gpl* -**leann** *in certain phrases* elbow; corner, angle, ~ *ar* ~ arm in arm, *cathaoir uilleann* armchair

uillinntomhas 'il´ən´,to:s *m*l protractor

úim u:m´ *f*3, *pl* **úmacha** harness; gear, tackle *pl* panniers *vt, vn* **úmadh** harness

uime im´ə : um

uimhearthacht iv´ərhəxt *f*3 numeracy

uimhir iv´ər´ *f*, *gs* -**mhreach** *pl* -**mhreacha** number; numeral, figure, ~ *de pháipéar nuachta* edition of a newspaper

uimhrigh iv´r´i: *vt & i* number

uimhríocht iv´r´i:(ə)xt *f*3 arithmetic

uimhríochtúil iv´r´i:(ə)xtu:l´ *a*2 arithmetical

uimhriú iv´r´u: *m*4 numbering, numeration; (*of music*) figuring

uimhriúil iv´r´u:l´ *a*2 numerical

uinéir u:n´e:r´ *m*3 owner, proprietor

úinéireacht u:n´e:r´əxt *f*3 ownership, proprietorship

uinge iŋ´g´ə *f*4, ~ *óir, airgid* ounce of gold, of silver

Uinseannach in´s´ənəx *m*l & *a*l Vincentian

úir u:r´ *f*2 earth, soil, *dul san* ~ to be laid in earth, buried

uirbeach ir´əb´əx *a*l urban

úire u:r´ə *f*4 freshness, newness, *déan as* ~ *é* do it all over again, *tá* ~ *oinigh ann* he is lavish of his hospitality

uireasa ir´əsə *f*4 lack, deficiency, absence, *d'* ~ *cúnaimh* for want of help, *d'* ~ *a bheith ag caint leatsa* besides talking to you

uireasach ir´əsəx *a*l lacking; deficient

uiríseal 'ir´,i:s´əl *a*l, *gsf, npl & comp* -**sle** lowly, humble; base, servile

uirísle 'ir´,i:s´l´ə *f*4 lowliness, humility; baseness, servility

uiríslígh 'ir´,i:s´l´i: *vt* humble; abase, humiliate

uirísliú 'ir´,i:s´l´u: *m*4 abasement, humiliation

uirlis u:rl´əs´ *f*2 tool, implement

uirthi erhi : ar¹

uisce is´k´ə *m*4 water; body of water, ~ *beatha* whiskey, *idir dhá* ~ partly submerged, waterlogged, ~ *faoi thalamh* underground water; intrigue

uisceadán is´k´ədə:n *m*l aquarium

Uisceadóir is´k´ədo:r´ *m*3, *an t*~ Aquarius

uiscealach is´k´ələx *m*l weak drink

uiscedhíonach 'is´k´ə,γi:nəx *a*l waterproof

uiscerian 'is´k´ə,riən *m*l, *pl* ~**ta** aqueduct

uiscigh is´k´i: *vt* water, irrigate

uisciú is´k´u: *m*4 irrigation

uisciúil is´k´u:l´ *a*2 watery

uisciúlacht is´k´u:ləxt *f*3 wateriness

uiséir is´e:r´ *m*3 usher

uisinn is´ən´ *f*2, (*of head*) temple

úisiúil u:s´u:l´ *a*2 fulsome

úithin u:hi:n´ *m*4 cyst

ula u:lə *f* 4, *pl* ~**cha** sepulchre; charnel-house; penitential station, ~ *mhagaidh* object of ridicule

ulán ula:n *m*1 block of stone, boulder

ulcha uləxə *f* 4 beard

ulchabhán uləxəva:n *m*1 owl

ulchach uləxəx *a*1 bearded

úll u:l *m*1, *npl* ~**a** apple; ball-joint; globular object, ball, ~ *caithne* arbutus-berry, ~ *gráinneach* pomegranate, ~ *na haithne* the forbidden fruit, ~ *na brád, na scornaí* Adam's apple

úllagán u:ləga:n *m*1 dumpling

ullamh uləv *a*1 ready, willing, prompt, *bi* ~ be prepared, ~ *chun trioblóide* ready to cause trouble, *an bhfuil tú* ~ *leis sin fós*? have you finished with that yet?

ullmhaigh uləvi: *vt & i* make ready, prepare

ullmhóid uləvo:d′ *f* 2 preparation

ullmhúchán uləvu:xa:n *m*1 preparation, *coláiste ullmhúcháin* preparatory college

úllóg u:lo:g *f* 2 apple charlotte

úllord ′u:l,o:rd *m*1 orchard

ulóg ulo:g *f* 2 pulley

ulpóg ulpo:g *f* 2 (bout of) infectious disease

ultach ultəx *m*1 armful; load, burden

ultra- ultrə *pref* ultra-

um um *prep, pron forms* **umam** uməm, **umat** umət, **uime** im′ə *m*, **uimpi** im′p′i *f*, **umainn** umən′, **umaibh** uməv′, **umpu** umpu, about, at; round, on, *um thráthnóna* in the evening, *um Cháisc* at Easter, *tá sé ag cur uime* he is dressing himself

úmacha u:məxə : **úim**

umaibh uməv′ : **um**

umainn umən′ : **um**

umam uməm : **um**

úmadóir u:mədo:r′ *m*3 harness-maker

umar umər *m*1 trough; vat; sink, ~ *baiste* baptismal font, ~ *peitril* petrol-tank, ~ *ola* oil-sump

umat umət : **um**

umha u:ə *m*4 copper; copper alloy, bronze

umhal u:əl *a*1, *npl* **uimhlə** humble, submissive, obedient, *an méid atá* ~ *dó* all who are subject to him, *capall* ~ will-

ing horse, *tá sé* ~ *sna cosa* he has supple legs

umhlaigh u:li: *vt & i* humble; bow, genuflect, *umhlú do thoil duine* to bow to a person's will

umhlaíocht u:li:(ə)xt *f* 3 humility; obedience, ~ *do na sinsir* respect for one's elders

umhlóid u:lo:d′ *f* 2 submission; lowly service; ministration; suppleness, ~ *slaite* pliancy of rod, *ag* ~, *ag déanamh* ~ *e* exercising the body

umhlú u:lu: *m*4 genuflection, obeisance; curtsey; submission

umpu umpu : **um**

uncail uŋkəl′ *m*4 uncle

únfairt u:nfərt′ *f* 2 wallowing; rolling about, *ag* ~ *le rudaí* messing about with things

ung uŋ *vt* anoint

ungadh uŋgə *m*, *gs* **-gtha** *pl* **-gthaí** ointment; unguent, salve, ~ (*éadain*) (face) cream

ungthach[1] uŋhəx *m*1 anointed person

ungthach[2] uŋhəx *a*1 unctuous

unlas unləs *m*1 windlass, winch

unsa unsə *m*4 ounce

upa upə *f* 4 love-charm, philtre

úr u:r *m*1 anything fresh or new, ~ *olla* wool-grease *a*1 fresh, new

úrach[1] u:rəx *m*1 green timber

úrach[2] u:rəx *a*1 uric

uraiceacht urək′əxt *m*3 first instruction; elements, ~ *léinn* rudiments of learning

uraigh uri: *vt* eclipse

úraigh u:ri: *vt & i* freshen; scour, *tá an talamh ag úrú* the ground is getting damp

úráiniam ,u:′ra:n′iəm *m*4 uranium

Úránas ,u:′ra:nəs *m*1 Uranus

urbhroig ′ur,vroig *f* 2 pot-belly

urchall urəxəl *m*1 spancel

urchar urəxər *m*1 cast, shot, ~ *a scaoileadh* to fire a shot, *d'imigh sé d'urchar* he went off like a shot

urchóid urəxo:d′ *f* 2 harm, iniquity, *le teann* ~ *e* out of sheer mischief, *tá* ~ *sa chneá sin* that wound is malignant

urchóideach urəxo:d′əx *a*1 harmful, malignant

urchomhaireach ′ur,xo:r′əx *a*1 opposite

urchuil 'ur,xil' *f2*, *pl* ~**eanna** (house-) cricket

urdhún 'ur,γu:n *m1*, *pl* ~**ta** bastion

urghabháil 'ur,γava:l' *f3* seizure (of property)

urghaire urγər'ə *f4* injunction; interdict

urgharda 'ur,γa:rdə *m4* vanguard

urghnách 'ur,γna:x *a1*, (*of meetings, etc*) extraordinary

urghránna 'ur,γra:nə *a3* hideous, ghastly

urla u:rlə *m4* lock of hair, forelock; butt; handle, ~ *tí* eaves of house

urlabhra 'ur,laurə *f4* faculty of speech; utterance; diction

urlabhraí 'ur,lauri: *m4* spokesman

urlabhraíocht 'ur,lauri:(ə)xt *f3* articulation

urlacan u:rləkən *m1* vomit

urlaic u:rlək' *vt & i, pres* -**acann** vomit

urlámhas 'ur,la:vəs *m1* control: jurisdiction, authority

urlár u:rla:r *m1* floor; level surface, *teach aon urláir* one-storey house

úrleathar 'u:r,l'ahər *m1* untanned leather

urlios 'ur,l'is *m3*, *gs* -**leasa** forecourt, front enclosure

urnaí u:rni: *f4* prayer, *ag* ~ praying

urnaitheach u:rnihəx *a1* prayerful; devout

úrnua 'u:r,nuə *a3* brand-new; fresh, *go h*~ afresh, all over again

úrnuacht 'u:r,nuəxt *f3* freshness, novelty

urphost 'ur,fost *m1* outpost

urra urə *m4* gauarantor, surety; guarantee, *faoi* ~ warranted, *ceann* ~ head, chief, *tá* ~ *maith agam leis* I have it on good authority, ~ *coirp* strength of body

urraigh uri: *vt* go surety for, secure

urraim urəm' *f2* respect, esteem

urraíocht uri:(ə)xt *f3* suretyship

urramach urəməx *m1*, *an tÚ* ~ *Mac Dónaill* the Reverend Mr MacDonald *a1* respectful, reverential; respected, reverend

urramacht urəməxt *f3* respectfulness, reverence

urramaigh urəmi: *vt* respect, revere, *cúnant a urramú* to observe a covenant

urrann urən *f2* compartment

urróg uro:g *f2* heave, jerk

urrúnta uru:ntə *a3* strong, robust

urrúntacht uru:ntəxt *f3* strength, robustness

urrús uru:s *m1* security, guarantee; strength; confidence; forwardness

urrúsach uru:səx *a1* strong; confident; forward

ursain ursən' *f2*, *pl* ~**eacha** door-post, jamb

ursal ursəl *m1* fire-tongs

Ursalach ursələx *m1 & a1* Ursuline

urscaoil 'ur,ski:l' *vt* discharge

úrscéal 'u:r,s'k'e:l *m1*, *pl* ~**ta** novel

úrscéalaí 'u:r,s'k'e:li: *m4* novelist

úrscéalaíocht 'u:r,s'k'e:li:(ə)xt *f3* novel-writing; novel genre

urthrá 'ur,hra: *f4* foreshore

urtlach urtləx *m1* apron-bag

urú uru: *m4* eclipse; eclipsis

úrú u:ru: *m4* refreshment, refection, (*of cloth*) scour

ús u:s *m1* interest (on money)

úsáid u:sa:d' *f2* use, usage *vt* use

úsáideach u:sa:d'əx *a1* useful

úsáideoir u:sa:d'o:r' *m3* user, consumer

úsaire u:sər'ə *m4* usurer

úsaireacht u:sər'əxt *f3* usury

úsc u:sk *m1* oily, greasy, substance; fat; exudation, ~ *éisc* fish-oil, ~ *olla* wool-fat, lanolin, ~ *na heorna* the juice of the barley *vt & i* ooze, exude; extract

úscach u:skəx *a1* oily, fatty; sappy

úscadh u:skə *m*, *gs* -**ctha** *pl* -**chaí** exudation

úscra u:skrə *m4* extract, essence

úspháirtí 'u:s fa:rt'i: *m4* sleeping partner

útamáil u.təma:l' *f3* fumbling, groping; pottering, *ag* ~ *thart* groping around; pottering about, ~ *chainte* bumbling talk

útamálaí u.təma:li: *m4* fumbler, bungler; potterer

útaras u.tərəs *m1* uterus

úth u: *m3*, *pl* ~**anna** udder

úthach u:həx *m1*, ~ (*tarta*) devouring thirst

Útóipeach ,u:'to:p'əx *a1* Utopian

V

vác va:k *m*4, *pl* ~**anna** quack
vácarnach va:kərnəx *f*2 quacking
vacsaín vaksi:n′ *f*2 vaccine
vacsaínigh vaksi:n′i: *rt* vaccinate
vacsaíniú vaksi:n′u: *m*4 vaccination
vaidhtéir vait′e:r′ *m*3 groomsman; coast-guard
vaigín vag′i:n′ *m*4 waggon
vailintín val′ən′t′i:n′ *m*4 valentine
vaimpír vam′p′i:r′ *f*2 vampire
valbaí valəbi: *m*4 wallaby
válcaeireacht va:lke:r′əxt *f*3 walking, strolling
vallait valət′ *f*2 wallet
válsa va:lsə *m*4 waltz
válsáil va:lsa:l′ *rt* waltz
vardrús va:rdru:s *m*1 wardrobe
vása va:sə *m*4 vase
vasálleach vasa:l′əx *m*1 vassal
vásta va:stə *m*4 waste
vástáil va:sta:l′ *rt* waste
vástchóta va:st̪,xo:tə *m*4 waistcoat
vata vatə *m*4 watt
vatacht vatəxt *f*3 wattage
veain v′an′ *f*4, *pl* ~**eanna** van
vearanda v′a′randə *m*4 verandah
vearnais v′a:rnəs′ *f*2 varnish
véarsa v′e:rsə *m*4 verse; stanza
véarsaíocht v′e:rsi:(ə)xt *f*3 versification; verse
veasailín v′asəl′i:n′ *m*4 vaseline

veidhleadóir v′ail′ədo:r′ *m*3 violinist
veidhleadóireacht v′ail′ədo:r′əxt *f*3 playing the violin
veidhlín v′ail′i:n′ *m*4 violin
veigeatóir v′eg′əto:r′ *m*3 vegetarian
veilbhit v′el′əv′ət′ *f*2 velvet
veilbhitín v′el′əv′ət′i:n′ *m*4 velveteen
veiliúr v′el′u:r *m*1 velour
Véineas v′e:n′əs *f*4 Venus
veirteabrach v′ert′əbrəx *m*1 & *a*1 vertebrate
veist v′es′t′ *f*2, *pl* ~**eanna** vest, waistcoat
Victeoiriach v′ik′t′o:r′iəx *m*1 & *a*1 Victorian
vinil v′in′əl′ *f*2 vinyl
vióla ,v′i:′o:lə *f*4 viola
víosa v′i:sə *f*4 visa
víreas v′i:r′əs *m*1 virus
vitimín v′it′əm′i:n′ *m*4 vitamin
vitrial v′it′r′iəl *m*1 vitriol
voil vol′ *f*2 voile
vól vo:l *m*1 vole
volta voltə *m*4 volt
voltas voltəs *m*1 voltage
vóta vo:tə *m*4 vote
vótáil vo:ta:l′ *f*3 voting, poll *rt* & *i* vote
vótálaí vo:ta:li: *m*4 voter
vuinsciú vin′s′k′u: *m*4 coping; wainscot

W

wigwam 'wig′,wam *m*4, *pl* ~**anna** wigwam

X

x-gha 'ek′s,γa *m*4, *pl* ~**thanna** x-ray
x-ghathaigh 'ek′s,γahi: *rt* x-ray
x-ghathú 'ek′s,γahu: *m*4 x-ray (photograph)
xileafón 'z′il′ə,fo:n *m*1 xylophone

Y

yóyó 'γ′o:,γ′o: *m*4, *pl* ~**nna** yo-yo

Z

zó(i)- zo: *pref* zoo-, zo-
zó-eolaíocht 'zo:,o:li:(ə)xt *f*3 zoology

zú zu: *m*4, *pl* ~**nna** zoo

Afghanistan	An Afganastáin *f*2
Africa	An Afraic *f*2
Albania	An Albáin *f*2
Algeria	An Ailgéir *f*2
Alps	Na hAlpa *mpl*, *gpl* na nAlp
Amazon	An Amasóin *f*2
America	Meiriceá
Amsterdam	Amstardam
Andes	Na hAindéis *mpl*, *gpl* na nAindéas
Antarctic	An tAntartach *m*1, ~ *Ocean* an tAigéan *m*1 Antartach
Appenines	Na hAipiníní *mpl*
Aran Islands	Oileáin Árann
Arctic Ocean	An tAigéan *m*1 Artach
Argentina	An Airgintín *f*2
Asia	An Áise *f*4
Athens	An Aithin *f*, *gs* na hAithne
Atlantic Ocean	An tAigéan *m*1 Atlantach; An tAtlantach *m*1
Australia	An Astráil *f*2
Austria	An Ostair *f*2
Balkans	Na Balcáin *mpl*
Baltic Sea	Muir Bhailt
Bangladesh	An Bhanglaidéis *f*2
Beijing	Péicing; Beijing
Belfast	Béal Feirste
Belfast Lough	Loch Lao
Belgium	An Bheilg *f*2
Belgrade	Béalgrád
Bengal	Beangál
Berlin	Beirlín
Bethlehem	An Bheithil *f*2
Biscay, Bay of	Bá na Bioscáine
Black Sea	An Mhuir *f*3 Dhubh
Bolivia	An Bholaiv *f*2
Boston	Bostún
Brazil	An Bhrasail *f*2

Bristol	Briostó
Britain	An Bhreatain $f2$ (Mhór)
Brittany	An Bhriotáin $f2$
Brussels	An Bhruiséil $f2$
Bulgaria	An Bhulgáir $f2$
Bucharest	Búcairist
Burma	Burma
Budapest	Búdaipeist
Byzantium	An Bhiosáint $f2$
Cairo	Caireo
Calcutta	Calcúta
Cameroon	Camarún $m1$
Canada	Ceanada
Canary Islands	Na hOileáin mpl Chanáracha
Cardiff	Caerdydd
Carribean Sea	Muir Chairib
Caspian Sea	Muir Chaisp
Catalonia	An Chatalóin $f2$
Celtic Sea	An Mhuir $f3$ Cheilteach
Channel Islands	Oileáin Mhuir nIocht
Chile	An tSile $f4$
China	An tSín $f2$
Columbia	An Cholóim $f2$
Congo	An Congó $m4$
Copenhagen	Cóbanhávan
Cork	Corcaigh f, gs Chorcaí
Cornwall	Corn na Breataine
Corsica	An Chorsaic $f2$
Costa Rica	Cósta Ríce
Crete	An Chréit $f2$
Cuba	Cúba
Cyprus	An Chipir $f2$
Czechoslovakia	An tSeicslóvaic $f2$
Danube	An Danóib $f2$
Dead Sea	An Mhuir $f3$ Mharbh
Delhi	Deilí
Denmark	An Danmhairg $f2$
Derry	Doire
Dublin	Baile Átha Cliath
East Indies	Na hIndiacha fpl Thoir

Ecuador	Eacuadór
Edinburgh	Dún Éideann
Egypt	An Éigipt *f*2
El Salvador	An tSalvadóir *f*2
England	Sasana
English Channel	Muir nIocht
Ethiopia	An Aetóip *f*2
Europe	An Eoraip, *gs* na hEorpa
Finland	An Fhionlainn *f*2
Florence	Flórans; Firenze
France	An Fhrainc *f*2
Galway	Gaillimh *f*2
Ganges	An Ghainséis *f*2
Gaul	An Ghaill *f*2
Geneva	An Ghinéiv *f*2
Genoa	Genova
Germany	An Ghearmáin *f*2
Ghana	Gána
Glasgow	Glaschú
Greece	An Ghréig *f*2
Greenland	An Ghraonlainn *f*2
Guatemala	Guatamala
Guinea	An Ghuine *f*4
Gulf of Mexico	Murascaill Mheicsiceo
Guyana	An Ghuáin *f*2
Hague, the	An Háig *f*2
Haiti	Háítí
Hebrides	Inse Ghall
Helsinki	Heilsincí
Himalayas	Na Himiléithe
Holland	An Ollainn *f*2
Holy Land	An Tír *f*2 Bheannaithe; an Talamh *m*1 Naofa
Hungary	An Ungáir *f*2
Iberia	An Ibéir *f*2
Iceland	An Íoslainn *f*2
India	An India *f*4
Indian Ocean	An tAigéan *m*1 Indiach
Indonesia	An Indinéis *f*2
Iran	An Iaráin *f*2

Iraq	An Iaráic *f*2
Ireland	Éire *f*, *gs* na hÉireann
Irish Sea	Muir Éireann; Muir Meann
Israel	Iosrael
Istanbul	Iostanbúl
Italy	An Iodáil *f*2
Jamaicia	Iamáice
Japan	An tSeapáin *f*2
Jerusalem	Iarúsailéim *f*2
Jordan	An Iordáin *f*2
Kenya	An Chéinia *f*4
Korea	An Chóiré *f*4
Kuwait	Cuáit
Lagan	Abhainn an Lagáin
Latin America	Meiriceá *m*4 Laidineach
Lebanon	An Liobáin *f*2
Lee	An Laoi *f*4
Libya	An Libia *f*4
Liffey	An Life *f*4
Limerick	Luimneach *m*1
Lisbon	Liospóin *f*2
Liverpool	Learpholl *m*1
London	Londain *f*, *gs* Londan
Lough Derg	(1) Loch Dearg (2) Loch Deirgeirt
Lough Erne	Loch Éirne
Lough Neagh	Loch nEathach
Louvain	Lováin
Luxembourg	Lucsamburg
Madagascar	Madagascar
Madeira	Maidéara
Madrid	Maidrid
Majorca	Mallarca
Malaysia	An Mhalaeisia *f*4
Malta	Málta
Man, Isle of	Manainn *f*, *gs* Mhanann; Oileán *m*1 Mhanann
Manchester	Manchain
Mediterranean Sea	An Mheánmhuir *f*3
Mexico	Meicsiceo

Monaco	Monacó
Mongolia	An Mhongóil *f*2
Morocco	Maracó
Moscow	Moscó
Mozambique	Mósaimbíc *f*2
Nazareth	Nasaireit
Nepal	Neipeál
Netherlands	An Ísiltír *f*2
Newfoundland	Talamh an Éisc
New Guinea	An Nua-Ghuine *f*4
New York	Nua-Eabhrac
New Zealand	An Nua-Shéalainn *f*2
Nicaragua	Niceuragua
Niger	(1) An Nígir *f*2 (2) Abhainn na Nígire
Nigeria	An Nigéir *f*2
Nile	An Níl *f*2
North Channel	Sruth na Maoile
North Sea	An Mhuir *f*3 Thuaidh
Norway	An Iorua *f*4
Nova Scotia	Albain Nua, *gs* na hAlban Nua
Orkneys	Inse Orc
Oslo	Osló
Pacific Ocean	An tAigéan *m*1 Ciúin
Pakistan	An Phacastáin *f*2
Palestine	An Phalaistín *f*2
Paraguay	Paragua
Paris	Páras
Peking	Péicing; Beijing
Persian Gulf	Murascaill na Peirse
Peru	Peiriú
Philippines	Na hOileáin *mpl* Fhilipíneacha
Poland	An Pholainn *f*2
Portugal	An Phortaingéil *f*2
Prague	Prág
Pyrenees	Na Piréiní *mpl*
Red Sea	An Mhuir *f*3 Rua
Rhine	An Réin *f*2
Rome	An Róimh *f*2
Rumania	An Rómáin *f*2

Russia	An Rúis *f*2
Sahara	An Sahára *m*4
St George's Channel	Muir Bhreatan
Sardinia	An tSairdín *f*2
Saudi Arabia	An Araib *f*2 Shádach
Scandinavia	Críoch Lochlann
Scotland	Albain *f*, *gs* na hAlban
Shannon	An tSionainn *f*2
Shetlands	Sealtainn
Siberia	An tSibéir *f*2
Sicily	An tSicil *f*2
Singapore	Singeapór
Sophia	Sóifia
South Africa	An Afraic *f*2 Theas
Soviet Union	Aontas na Sóivéadach
Spain	An Spáinn *f*2
Sri Lanka	Srí Lanca
Stockholm	Stócólm
Strangford Lough	Loch Cuan
Sudan	An tSúdáin *f*2
Sweden	An tSualainn *f*2
Switzerland	An Eilvéis *f*2
Syria	An tSiria *f*4
Tanzania	An Tansáin *f*2
Tasmania	An Tasmáin *f*2
Thailand	An Téalainn *f*2
Tibet	An Tibéid *f*2
Tiber	An Tibir *f*2
Tokyo	Tóiceo
Tunisia	An Túinéis *f*2
Turkey	An Tuirc *f*2
Uganda	Uganda
United Arab Emirates	Aontas na nÉimíríochtaí Arabacha
United Kingdom	An Ríocht *f*3 Aontaithe
United States of America	Stáit Aontaithe Mheiriceá
Uruguay	Uragua
Vatican City	Cathair na Vatacáine
Venezuela	Veiniséala
Venice	An Veinéis *f*2

Vienna	Vín
Vietnam	Vítneam
Wales	An Bhreatain *f*2 Bheag
Warsaw	Vársá
Waterford	Port Láirge
West Indies	Na hIndiacha *fpl* Thiar
Yemen	Éimin
York	Eabhrac
Yugoslavia	An Iúgslaiv *f*2
Zaire	An tSáir *f*2
Zambia	An tSaimbia *f*4
Zimbabwe	An tSiombáib *f*2

LANGUAGES

Afrikaans	Afracáinis
Albanian	Albáinis
Arabic	Araibis
Aramaic	Aramais
Basque	Bascais
Breton	Briotáinis
Bulgarian	Bulgáiris
Catalan	Catalóinis
Chinese	Sínis
Czech	Seicis
Danish	Danmhairgis
Dutch	Ollainnis
Egyptian	Éigiptis
English	Béarla *m*4
Flemish	Pléimeannais
French	Fraincis
Frisian	Freaslainnis
German	Gearmáinis
Greek	Gréigis
Hebrew	Eabhrais
Hindi	Hiondúis
Hungarian	Ungáiris
Icelandic	Íoslainnis
Irish	Gaeilge *f* 4
Italian	Iodáilis
Japanese	Seapáinis
Latin	Laidin
Manx	Manainnis
Norwegian	Ioruais
Persian	Peirsis
Polish	Polainnis
Portuguese	Portaingéilis
Rumanian	Rómáinis
Russian	Rúisis
Scots Gaelic	Gaeilge na hAlban
Spanish	Spáinnis
Swedish	Sualainnis
Turkish	Tuircis
Welsh	Breatnais

TABLE OF REGULAR VERBS

Verbs may be identified by 1 sg of pres or by 2 sg imperative (in brackets)

Molaim (Mol)   Brisim (Bris)

Pres

sg	pl	sg	pl
1. molaim	molaimid	brisim	brisimid
2. molann tú	molann sibh	briseann tú	briseann sibh
3. molann sé	molann siad	briseann sé	briseann siad

aut   moltar   bristear

Past

1. mhol mé	mholamar	bhris mé	bhriseamar
2. mhol tú	mhol sibh	bhris tú	bhris sibh
3. mhol sé	mhol siad	bhris sé	bhris siad

aut   moladh   briseadh

Past hab

1. mholainn	mholaimis	bhrisinn	bhrisimis
2. mholtá	mholadh sibh	bhristeá	bhriseadh sibh
3. mholadh sé	mholaidís	bhriseadh sé	bhrisidís

aut   mholtaí   bhristí

Fut

1. molfaidh mé	molfaimid	brisfidh mé	brisfimid
2. molfaidh tú	molfaidh sibh	brisfidh tú	brisfidh sibh
3. molfaidh sé	molfaidh siad	brisfidh sé	brisfidh siad

aut   molfar   brisfear

Cond

1. mholfainn	mholfaimis	bhrisfinn	bhrisfimis
2. mholfá	mholfadh sibh	bhrisfeá	bhrisfeadh sibh
3. mholfadh sé	mholfaidís	bhrisfeadh sé	bhrisfidís

aut   mholfaí   bhrisfí

Pres subj

1. mola mé	molaimid	brise mé	brisimid
2. mola tú	mola sibh	brise tú	brise sibh
3. mola sé	mola siad	brise sé	brise siad

aut   moltar   bristear

Imperative

1. molaim	molaimis	brisim	brisimis
2. mol	molaigí	bris	brisigí
3. moladh sé	molaidís	briseadh sé	brisidís

aut   moltar   bristear

vn

moladh   briseadh

vb a

molta   briste

517

Sábhálaim (Sábháil) Tíolacaim (Tíolaic)

Pres

sg	pl	sg	pl
1. sábhálaim	sábhálaimid	tíolacaim	tíolacaimid
2. sábhálann tú	sábhálann sibh	tíolacann tú	tíolacann sibh
3. sábhálann sé	sábhálann siad	tíolacann sé	tíolacann siad

aut sábháiltear tíolactar

Past

1. shábháil mé	shábhálamar	thíolaic mé	thíolacamar
2. shábháil tú	shábháil sibh	thíolaic tú	thíolaic sibh
3. shábháil sé	shábháil siad	thíolaic sé	thíolaic siad

aut sábháladh tíolacadh

Past hab

1. shábhálainn	shábhálaimis	thíolacainn	thíolacaimis
2. shábháilteá	shábháladh sibh	thíolactá	thíolacadh sibh
3. shábháladh sé	shábhálaidís	thíolacadh sé	thíolacaidís

aut shábháiltí thíolactaí

Fut

1. sábhálfaidh mé	sábhálfaimid	tíolacfaidh mé	tíolacfaimid
2. sábhálfaidh tú	sábhálfaidh sibh	tíolacfaidh tú	tíolacfaidh sibh
3. sábhálfaidh sé	sábhálfaidh siad	tíolacfaidh sé	tíolacfaidh siad

aut sábhálfar tíolacfar

Cond

1. shábhálfainn	shábhálfaimis	thíolacfainn	thíolacfaimis
2. shábhálfá	shábhálfadh sibh	thíolacfá	thíolacfadh sibh
3. shábhálfadh sé	shábhálfaidís	thíolacfadh sé	thíolacfaidís

aut shábhálfaí thíolacfaí

Pres subj

1. sábhála mé	sábhálaimid	tíolaca mé	tíolacaimid
2. sábhála tú	sábhála sibh	tíolaca tú	tíolaca sibh
3. sábhála sé	sábhála siad	tíolaca sé	tíolaca siad

aut sábháiltear tíolactar

Imperative

1. sábhálaim	sábhálaimis	tíolacaim	tíolacaimis
2. sábháil	sábhálaigí	tíolaic	tíolacaigí
3. sábháladh sé	sábhálaidís	tíolacadh sé	tíolacaidís

aut sábháiltear tíolactar

vn

sábháil tíolacadh

vb a

sábháilte tíolactha

518

Cráim(Cráigh)		Dóim(Dóigh)	

Pres

sg	pl	sg	pl
1. cráim	cráimid	dóim	dóimid
2. cránn tú	cránn sibh	dónn tú	dónn sibh
3. cránn sé	cránn siad	dónn sé	dónn siad
aut	cráitear		dóitear

Past

1. chráigh mé	chrámar	dhóigh mé	dhómar
2. chráigh tú	chráigh sibh	dhóigh tú	dhóigh sibh
3. chráigh sé	chráigh siad	dhóigh sé	dhóigh siad
aut	crádh		dódh

Past hab

1. chráinn	chráimis	dhóinn	dhóimis
2. chráiteá	chrádh sibh	dhóiteá	dhódh sibh
3. chrádh sé	chráidís	dhódh sé	dhóidís
aut	chráití		dhóití

Fut

1. cráfaidh mé	cráfaimid	dófaidh mé	dófaimid
2. cráfaidh tú	cráfaidh sibh	dófaidh tú	dófaidh sibh
3. cráfaidh sé	cráfaidh siad	dófaidh sé	dófaidh siad
aut	cráfar		dófar

Cond

1. chráfainn	chráfaimis	dhófainn	dhófaimis
2. chráfá	chráfadh sibh	dhófá	dhófadh sibh
3. chráfadh sé	chráfaidís	dhófadh sé	dhófaidís
aut	chráfaí		dhófaí

Pres subj

1. crá mé	cráimid	dó mé	dóimid
2. crá tú	crá sibh	dó tú	dó sibh
3. crá sé	crá siad	dó sé	dó siad
aut	cráitear		dóitear

Imperative

1. cráim	cráimis	dóim	dóimis
2. cráigh	cráigí	dóigh	dóigí
3. crádh sé	cráidís	dódh sé	dóidís
aut	cráitear		dóitear

vn

crá	dó

vb a

cráite	dóite

	Léim (Léigh)		**Fím (Fígh)**	

Pres

	sg	pl	sg	pl
1.	léim	léimid	fím	fímid
2.	léann tú	léann sibh	fíonn tú	fíonn sibh
3.	léann sé	léann siad	fíonn sé	fíonn siad
aut		léitear		fítear

Past

1.	léigh mé	léamar	d'fhigh mé	d'fhíomar
2.	léigh tú	léigh sibh	d'fhigh tú	d'fhigh sibh
3.	léigh sé	léigh siad	d'fhigh sé	d'fhigh siad
aut		léadh		fíodh

Past hab

1.	léinn	léimis	d'fhinn	d'fhimis
2.	léiteá	léadh sibh	d'fhiteá	d'fhíodh sibh
3.	léadh sé	léidis	d'fhíodh sé	d'fhidis
aut		léiti		d'fhiti

Fut

1.	léifidh mé	léifimid	fífidh mé	fífimid
2.	léifidh tú	léifidh sibh	fífidh tú	fífidh sibh
3.	léifidh sé	léifidh siad	fífidh sé	fífidh siad
aut		léifear		fífear

Cond

1.	léifinn	léifimis	d'fhifinn	d'fhifimis
2.	léifeá	léifeadh sibh	d'fhifeá	d'fhifeadh sibh
3.	léifeadh sé	léifidis	d'fhifeadh sé	d'fhifidis
aut		léifi		d'fhifi

Pres subj

1.	lé mé	léimid	fí mé	fímid
2.	lé tú	lé sibh	fí tú	fí sibh
3.	lé sé	lé siad	fí sé	fí siad
aut		léitear		fítear

Imperative

1.	léim	léimis	fím	fímis
2.	léigh	léigi	fígh	fígi
3.	léadh sé	léidis	fíodh sé	fidis
aut		léitear		fítear

vn

	léamh		fí

vb a

	léite		fíte

520

Beannaim (Beannaigh)   **Cruinním (Cruinnigh)**

Pres

sg	pl	sg	pl
1. beannaím	beannaímid	cruinním	cruinnímid
2. beannaíonn tú	beannaíonn sibh	cruinníonn tú	cruinníonn sibh
3. beannaíonn sé	beannaíonn siad	cruinníonn sé	cruinníonn siad

aut   beannaítear   cruinnítear

Past

1. bheannaigh mé	bheannaíomar	chruinnigh mé	chruinníomar
2. bheannaigh tú	bheannaigh sibh	chruinnigh tú	chruinnigh sibh
3. bheannaigh sé	bheannaigh siad	chruinnigh sé	chruinnigh siad

aut   beannaíodh   cruinníodh

Past hab

1. bheannainn	bheannaímis	chruinninn	chruinnímis
2. bheannaíteá	bheannaíodh sibh	chruinníteá	chruinníodh sibh
3. bheannaíodh sé	bheannaídís	chruinníodh sé	chruinnídís

aut   bheannaítí   chruinnítí

Fut

1. beannóidh mé	beannóimid	cruinneoidh mé	cruinneoimid
2. beannóidh tú	beannóidh sibh	cruinneoidh tú	cruinneoidh sibh
3. beannóidh sé	beannóidh siad	cruinneoidh sé	cruinneoidh siad

aut   beannófar   cruinneofar

Cond

1. bheannóinn	bheannóimis	chruinneoinn	chruinneoimis
2. bheannófá	bheannódh sibh	chruinneofá	chruinneodh sibh
3. bheannódh sé	bheannóidís	chruinneodh sé	chruinneoidís

aut   bheannófaí   chruinneofaí

Pres subj

1. beannaí mé	beannaímid	cruinní mé	cruinnímid
2. beannaí tú	beannaí sibh	cruinní tú	cruinní sibh
3. beannaí sé	beannaí siad	cruinní sé	cruinní siad

aut   beannaítear   cruinnítear

Imperative

1. beannaím	beannaímis	cruinním	cruinnímis
2. beannaigh	beannaígí	cruinnigh	cruinnígí
3. beannaíodh sé	beannaídís	cruinníodh sé	cruinnídís

aut   beannaítear   cruinnítear

vn

beannú   cruinniú

vb a

beannaithe   cruinnithe

Ceanglaím (Ceangail)		Díbrim (díbir)	

Pres

sg	pl	sg	pl
1. ceanglaim	ceanglaímid	díbrim	díbrimid
2. ceanglaíonn tú	ceanglaíonn sibh	díbríonn tú	díbríonn sibh
3. ceanglaíonn sé	ceanglaíonn siad	díbríonn sé	díbríonn siad
aut	ceanglaítear		díbrítear

Past

1. cheangail mé	cheanglaíomar	dhíbir mé	dhíbríomar
2. cheangail tú	cheangail sibh	dhíbir tú	dhíbir sibh
3. cheangail sé	cheangail siad	dhíbir sé	dhíbir siad
aut	ceanglaíodh		díbríodh

Past hab

1. cheanglainn	cheanglaímis	dhíbrinn	dhíbrimis
2. cheanglaíteá	cheanglaíodh sibh	dhíbríteá	dhíbríodh sibh
3. cheanglaíodh sé	cheanglaídís	dhíbríodh sé	dhíbrídís
aut	cheanglaítí		dhíbrítí

Fut

1. ceanglóidh mé	ceanglóimid	díbreoidh mé	díbreoimid
2. ceanglóidh tú	ceanglóidh sibh	díbreoidh tú	díbreoidh sibh
3. ceanglóidh sé	ceanglóidh siad	díbreoidh sé	díbreoidh siad
aut	ceanglófar		díbreofar

Cond

1. cheanglóinn	cheanglóimis	dhíbreoinn	dhíbreoimis
2. cheanglófá	cheanglódh sibh	dhíbreofá	dhíbreodh sibh
3. cheanglódh sé	cheanglóidís	dhíbreodh sé	dhíbreoidís
aut	cheanglófaí		dhíbreofaí

Pres subj

1. ceanglaí mé	ceanglaímid	díbrí mé	díbrimid
2. ceanglaí tú	ceanglaí sibh	díbrí tú	díbrí sibh
3. ceanglaí sé	ceanglaí siad	díbrí sé	díbrí siad
aut	ceanglaítear		díbrítear

Imperative

1. ceanglaim	ceanglaímis	díbrím	díbrimis
2. ceangail	ceanglaígí	díbir	díbrígí
3. ceanglaíodh sé	ceanglaídís	díbríodh sé	díbrídís
aut	ceanglaítear		díbrítear

vn

ceangal	dibirt

vb a

ceangailte	díbeartha

522

THE IRREGULAR VERBS

Verbs are identified by either 1 sg pres indic or by 2 sg imperative (in brackets). Only irregular parts of the verbs are indicated below.

Beirim (Beir)

Past rug mé, etc	*Fut* béarfaidh mé, etc	*Cond* bhéarfainn, etc
	vn breith *vb* a beirthe	

Cluinim (Cluin)/Cloisim (Clois)

Past Chuala mé, etc *aut* chualathas
vn cluinstin/cloisteáil

Déanaim (Déan)

Past	
(*independent*) rinne mé, etc/dhein mé, etc	(*dependent*) ní dhearna mé, etc
vn déanamh	

Deirim (Abair)

Pres deirim, etc	*Pres hab* deirinn, etc	*Fut* dearfaidh mé, etc	*Cond* déarfainn, etc
Past dúirt mé, etc 1*pl* dúramar *aut* dúradh	*Pres subj* go ndeire mé, etc	*Imperative* abraim, etc 2*sg* abair	
	vn rá *vb* a ráite		

Faighim (Faigh)

Past fuair mé, etc *aut* fuarthas	*Fut* (*independent*) gheobhaidh mé, etc *aut* gheofar	(*dependent*) ní bhfaighidh mé, etc *aut* ní bhfaighfear
(*independent*) gheobhainn, etc 2*sg* gheofá *aut* gheofaí	*Cond*	(*dependent*) ní bhfaighinn, etc 2*sg* ní bhfaighfeá *aut* ní bhfaighfí

vn fáil
vb a faighte

Feicim (Feic)

(*independent*) chonaic mé, etc *aut* chonacthas	*Past*	(*dependent*) ní fhaca mé, etc *aut* ní fhacthas

vn feiceáil
vb a feicthe

Tagaim (Tar)

Past tháinig mé, etc 1*pl* thángamar *aut* thángthas	Fut tiocfaidh mé, etc	Cond thiocfainn, etc
Pres tagaim, etc	Past hab thagainn, etc	Pres subj go dtaga mé, etc
Imperative tagaim, etc 2*sg* tar		

vn teacht
vb a tagtha

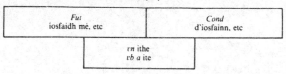

Ithim (Ith)

Fut íosfaidh mé, etc	*Cond* d'íosfainn, etc
vn ithe *vb a* ite	

Téim (Téigh)

Past	
(independent) chuaigh mé, etc *aut* chuathas	*(dependent)* ní dheachaigh mé, etc 1*pl* ní dheachamar *aut* ní dheachthas
Fut rachaidh mé, etc *aut* rachfar	*Cond* rachainn, etc 2*sg* rachfá *aut* rachfai
vn dul *vb a* dulta	

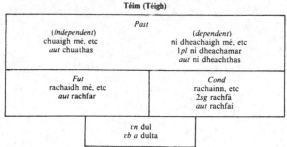

Tugaim (Tabhair)

Past thug mé, etc	*Fut* tabharfaidh mé, etc	*Cond* thabharfainn, etc
Pres tugaim, etc	*Past hab* thugainn, etc	*Pres subj* go dtuga mé, etc
Imperative tugaim, etc 2*sg* tabhair		
	vn tabhairt *vb a* tugtha	

TÁIM (BÍ)

The verb 'to be'

Pres

	(independent)			(dependent)	
1.	táim (tá mé)	táimid	nílim (níl mé)	nílimid
2.	tá tú	tá sibh	níl tú	níl sibh
3.	tá sé	tá siad	níl sé	níl siad
			(go, etc., bhfuilim (bhfuil mé, etc.)	
	aut	táthar	níltear, go, etc., bhfuiltear	

Pres hab   Past hab

1.	bím	bímid	bhínn	bhímis
2.	bíonn tú	bíonn sibh	bhíteá	bhíodh sibh
3.	bíonn sé	bíonn siad	bhíodh sé	bhídís
	aut	bítear	bhítí	

Past

	(independent)			(dependent)	
1.	bhí mé	bhíomar	raibh mé	rabhamar
2.	bhí tú	bhí sibh	raibh tú	raibh sibh
3.	bhí sé	bhí siad	raibh sé	raibh siad
	aut	bhíothas	rabhthas	

Fut   Cond and Past subj

1.	beidh mé	beimid	bheinn	bheimis
2.	beidh tú	beidh sibh	bheifeá	bheadh sibh
3.	beidh sé	beidh siad	bheadh sé	bheidís
	aut	beifear	bheifí	

Pres subj   Imperative

1.	raibh mé	rabhaimid	bím	bímis
2.	raibh tú	raibh sibh	bí	bígí
3.	raibh sé	raibh siad	bíodh sé	bídís
	aut	rabhthar	bítear	

vn
bheith

526

The Copula

Pres (and Fut)

	Positive	Neg.	Interrogative Positive	Interrogative Neg.
INDEPENDENT ...	is	ní	an	nach
DEPENDENT ...	gur (gurb)	nach	—	—
RELATIVE ...				
DIRECT ...	is	nach	—	—
INDIRECT ...	ar (arb)	nach	—	—

OTHER FORMS

with:—cá   do   má   mura   ó
cárb   dar (darb)   más   mura   (murab)   ós

Past and Cond

	Positive	Neg.	Interrogative Positive	Interrogative Neg.
INDEPENDENT ...	ba	níor (niorbh)	ar (arbh)	nár (nárbh)
DEPENDENT ...	gur (gurbh)	nár (nárbh)	—	—
RELATIVE ...				
DIRECT ...	ba (ab)	nár (nárbh)	—	—
INDIRECT ...	ar (arbh)	nár (nárbh)	—	—

with:—cá   cé   dá   do   má   mura
cárbh   cér (cérbh)   dá mba   dar (darbh)   má ba   murar (murarbh)

THE PHONETIC SYSTEM: SUPPLEMENTARY NOTES

THE DEFINITE ARTICLE *an, na*

1. The singular form *an, an t-*
   The pronunciation of the singular form *an, an t-* varies, according to the type of consonant or vowel that precedes or follows it.
   (a) With broad *n* or *nt*
       (i) /ən/, as in *an bád, an oíche*
       (ii) /ənt/, as in *an t-uisce, an tsúil*
   (b) With slender *n* or *nt*
       (i) /ən'/, as in *an imirt*
       (ii) /ən't'/, as in *an t-iasc, an tseachtain*
   (c) With the *n* deleted
       (i) /ə/, as in *Oifig an Phoist*
       (ii) /ət/ as in *teach an tsagairt*
       (iii) /ət'/ as in *aimsir an tsneachta*

2. The genitive singular feminine and plural form *na*
   The *na* form of the article is always pronounced as /nə/, as in *na lámha, Bord na Móna, barr na sráide, Cathair na Mart.*

3. Compound forms of prepositions with the article
   The prepositions *i, de, do, ó* and *faoi* when compounded with the article become *san, den, don, ón* and *faoin* respectively. The final *n* in these words follows the same pronunciation rules as the singular form of the article

   With broad *n*   *san oifig*
   With slender *n*   *san imirt*

THE PREPOSITION *ag* WITH THE VERBAL NOUN

The pronunciation of *ag* is determined by the initial sound of the word following it.
   (a) With broad *g* /əg/, as in *Tá siad ag ól tae*
   (b) With slender *g* /əg'/, as in *Tá siad ag ithe*
   (c) With *g* deleted /ə/, as in *Tá siad ag caint*

THE COPULA

1. Present tense forms

The copula has a variety of forms in the present tense, which are classified below under three headings.

(a) Declarative forms:

  (i) *Is* is normally pronounced as /is/, as in *is cuma liom, is maith liom tae.*

  At the beginning of a word, however, the *i* of *is* may be deleted. Thus, *is cuma liom* becomes *scuma liom* in pronunciation. Similarly, in pronunciation, *is maith liom tae* becomes *smaith liom tae.*

  (ii) *Is* is pronounced as /s'/ before *é, i, iad, ea* and *éard.* Thus *is é* becomes *sé* and *is ea* becomes *sea* in pronunciation.

  (iii) The negative form *ní* is always pronounced as /n'i:/, as in *Ní mé a rinne é.*

  (iv) The negative *chan* (a distinctive Ulster negative form) has two pronunciations, depending on the word following it.

  With broad *n*, as in *Chan mé a rinne é.*

  With slender *n*, before *é, i, iad, ea* and *éard.* Thus *Chan ea* is pronounced as though it were *Cha nea.*

(b) Interrogative forms:

  (i) *An* is usually pronounced with broad *n* /ən/, except before *é, i, iad* and *ea.*

  With broad *n*, as in *An maith leat caife? An uisce maith é?*

  With slender *n*, as in *An é a bhí ann?*

  (ii) The negative interrogative *nach* is pronounced as /nax/, as in *Nach breá an aimsir í?*

(c) Reported or indirect speech forms:

  The indirect speech forms are *gur, gurb* and *nach.*

  (i) *gur* is always pronounced as /gər/, as in *Dúirt sé gur maith leis caife.*

  (ii) The *b* of *gurb* is broad, except before words beginning with *e, i, fhe* and *fhi,* where it becomes slender. Note that the *b* is pronounced as though it were attached to the initial vowel of the following word.

With broad *b Dúirt sé gurb olc an scéal é*, pronounced as though *gurb olc* were written *gur bolc*.

With slender *b Shil sí gurb ea*, pronounced as though *gurb ea* were written *gur bea*.

(iii) The indirect form *nach* is also pronounced /nax/, as in *Dúirt sé nach maith leis é*.

2. Past tense and conditional forms

(a) Declarative and interrogative forms:

(i) In the past tense and conditional mood, the forms of the copula are determined by the initial sound of the following word. Before consonants, *ba* and the forms ending in *r* are used. They are pronounced more or less as written, as in

Ba mhaith leis imeacht.

Níor mhaith leis fanacht.

Ar mhian leis teacht?

Nár cheart dó labhairt?

The abbreviated form of *ba*, which is *b'* is used before words beginning with a vowel or *fh* followed by a vowel. With broad *b*

B'olc an scéal e.

B'fhusa fanacht.

B'iontach an lá é.

With slender *b*

B'fhearr dó imeacht.

B'in é. B'fhiú é.

Ba is written before *é, í, iad* and *éard*. This *b* is broad when the *a* of *ba* is retained in pronunciation. However, the *b* becomes slender when the *a* is deleted in pronunciation.

Ba é a bhí ann.

Ba iad a rinne é.

(ii) *Forms ending in 'bh':*

The forms ending in '*bh*' are the negative '*níorbh*' and the question forms '*arbh*?' and '*nárbh*?'. They are used before words beginning with a vowel or '*fh*' followed by a vowel. The '*bh*' is pronounced as a broad /v/ except before words beginning with '*e*', '*i*', '*fhe*' and '*fhi*' where it becomes slender /v'/.

530

> *Níorbh fhada gur tháinig siad.*
> *Arbh éigean di fanacht?*
> *Nárbh í a bhí ann?*

(b) Reported and Indirect Speech Forms:

The indirect speech forms are '*gur*', '*nár*', '*gurbh*' and '*nárbh*'. The forms '*gur*' and '*nár*' are used before words beginning with a consonant as in:-

> *Dúirt sí gur mhaith léi imeacht.*
> *Shílfeá nár chuala siad an scéal.*

'*gurbh*' and '*nárbh*' are used before words beginning with a vowel or '*fh*' followed by a vowel. Again the '*bh*' is a broad /v/ except before words beginning with '*e*', '*i*', '*fhe*' and '*fhi*' where it becomes slender /v'/.

> *Dúirt sé gurbh é a rinne é.*
> *Shíl sé nárbh fhéidir a dhéanamh.*
> *Dúradh nárbh fhada go dtiocfadh sí.*

VERBAL PARTICLES

Verbal particles, when used, always precede the main verb in a sentence and are normally unstressed. They are divided into two groups.

GROUP 1. *an, cha, chan, go, nach* and *ní*

Cha, go, nach and *ní* are pronounced /xa/,/gə/, /nax/ and /n'i:/, more or less as written but *an* and *chan* vary in their pronunciation, as explained below.

The particle *an*

(i) /ə/ before consonants   *An bhfuil Seán anseo?*
(ii) /ən/ before the vowels *a, o* and *u*   *An ólann tú bainne?*
(iii) /ən'/ before the vowels *i* and *e*   *An itheann tú feoil?*

The particle *chan*

Chan, a distinctive Ulster negative form, is used before vowels or *fh* followed by a vowel.

(i) With broad *n* before *a, o, u* and *fh* followed by *a, o, u.*
>   *Chan ólann sé.*
>   *Chan fhuair sé duais.*
(ii) With slender *n* before *i* or *e* and before *fhi* or *fhe*
>   *Chan itheann sé feoil.*
>   *Chan fheiceann sé thú.*

GROUP 2. Verbal particles ending in *r*
(ar, char, gur, nár and *níor)*

The *r* is broad, except before verbs beginning with *i, e, fhi* or *fhe*, where it may be broad or slender.

(i) With broad *r*
>   *Ar chuala tú an scéal?*
>   *Níor fhan siad ach seachtain.*
(ii) With broad or slender *r*
>   *Níor éist sé liom.*
>   *Ar imigh sé abhaile?*

OTHER PARTICLES

(i) The vocative particle (a^1) = /ə/, except before vowels, where it is not pronounced.
>   *A chairde*

but *A Éamainn* becomes simply *Éamainn*, when pronounced.

(ii) The numeral particle (a^2) = /ə/, except after vowels, where it is not pronounced.
>   *a haon*
>   *a dó*

but *fiche a trí* becomes *fiche trí* /f'ix'ə t'r'i:/, when pronounced.

(iii) The *a* with the verbal noun (a^3) = /ə/, except before or after a vowel, where it is not pronounced.
>   *litir a scríobh*

but *deoch uisce a ól* becomes *deoch uisce ól* when pronounced.

(iv) The relative particle (a^5) = /ə/, except before or after a vowel, where it is not pronounced.
>   *an fear a tháinig.*

but *an lá a thit sé* becomes *an lá thit sé* in pronunciation.

(v) The relative particle *ar* (ar³). The *r* is broad, except before written *i*, *e*, *fhi* and *fhe* where it may be broad or slender

With broad *r*

an lá ar tháinig sé.

With broad or slender *r*

an lá ar imigh sí.

THE CONJUNCTION *agus*

Agus may always be pronounced as /agəs/, more or less as written, but it is often reduced to /əs/ or simply /s/.

For example, /agəs/ or /əs/ *Seán agus Pádraig*

/agəs/ or /s/ *lá agus bliain*

STRESS IN COMPOUND WORDS

The following is a general guide. Certain individual compound words may constitute exceptions as illustrated in the main section of the dictionary. Generally speaking, in relation to stress, prefixes may be divided into four groups.

1. The major group take primary stress, with secondary stress on the following element in the word.

2. The following prefixes take secondary stress, with primary stress on the element following:

do- as in *dothuigthe*

so- as in *sodhéanta*

in- (possible) as in *inchaite*

Note, however, that *in-* "in, into" is in the group 1 (Primary/Secondary) category.

3. The following prefixes take primary stress, with another primary stress on the element following:

an-	(intensive)	as in *an-mhaith*
bith-	(perpetual)	as in *bithbhuan*
colg-		as in *colgsheasamh*
comh-		as in *comhbhrón*
dian-		as in *dianchúram*

    glan-   as in *glanmheabhair*
    gnáth- as in *gnátháit*
    lán-   as in *lánseol*
    príomh- as in *príomhoide*

Note that *an-*, "in-", un-", etc, and *bith-* "bio-" are in the group 1 (Primary/Secondary) Category.

4. A fourth group may have different combinations of the above stress patterns. Generally speaking, the following prefixes fall into this category:

    ard-: *dearg-*: *droch-*: *fíor-*: *iar-*: *ró-*: *síor-*

The following variations may occur:

(i) Variation from Primary/Primary to Primary/Secondary stress. Whereas in words such as *Fíor-Dhia*, the second element has primary stress, in *fíoruisce*, the stress on the second element is a secondary one.

(ii) Variation from Primary/Secondary to Primary/Zero stress.

Many words originally perceived as compounds are no longer regarded as such, and the original stress pattern may have changed. An example of such words would be *goltraí* and *suantraí*.

(iii) In some cases, the same prefix will take one stress pattern when the second element in the compound is a noun and a different stress pattern when the second element is an adjective.

    droch-, with following primary stress, as in *droch-dhuine*; with following secondary stress, as in *drochbhéasach*

    Ard-Easpag and *ardnósach* follow the same pattern.

ASSIMILATION OF PREFIXES

In compound words, the end consonant of a prefix is pronounced as written, except in the following cases:

(i) A broad *single d, n, t, l* or *s* becomes slender before slender *d, n, t, l* or *s*.
    as in   *bánliath*
    but note *foltliath* (where the double consonant "*lt*" remains broad)

(ii) The prefix *in-* meaning 'possible, capable of', has broad
n except before *i, e, fhi* and *fhe* (and slender *d, n, t, l,*
or *s*)

With broad *n*   *inráite*   With slender *n*   *inite*
              inólta   *infheicthe*
              indóite   *indéanta*

(Note however that the prefix *in-* meaning 'in, into'
follows the normal pattern)

(iii) The *l* of *il-* is slender except before broad *d, n, t, l, s*.

With broad *l*   *ildathach*
With slender *l*   *ilchodach*

(iv) When identical consonants come together, the first
need not be pronounced, e.g.

droch-chaint
neamhbhuan

(v) Final *th* in prefixes is pronounced, except preceding a
consonant.

Pronounced   *atheagrán*
                    leathuair
                    gnátháit

Not pronounced   *athdhéanamh*
                    leathchos

PRONUNCIATION OF 'CHUIG'

The preposition 'chuig' and its pronominal forms may be
pronounced with initial *x* or *h*;
i.e.

chuig	*xig′*	or	*hig′*
chugam	*xugəm*	or	*hugəm*
chugat	*xugət*	or	*hugət*
chuige	*xig′ə*	or	*hig′ə*
chuici	*xik′i*	or	*hik′i*
chugainn	*xugən′*	or	*hugən′*
chugaibh	*xugəv′*	or	*hugəv′*
chucu	*xuku*	or	*huku*